Don Winslow, né en 1953, a grandi dans une petite ville du Rhode Island et fait des études de journalisme à l'université du Nebraska. Établi à New York pour écrire, il gagnera sa vie comme gérant de cinéma, détective privé et guide de safari avant de devenir l'auteur de dix-sept romans, best-sellers traduits en une vingtaine de langues. Il vit à San Diego, paradis du surf.

Dix ans après *La Griffe du chien*, Don Winslow revient avec un livre encore plus fort sur la montée en puissance des narco-empires.

Don Winslow

CARTEL

la suite de
LA GRIFFE DU CHIEN

ROMAN

Traduit de l'anglais (États-Unis)
par Jean Esch

Éditions du Seuil

TEXTE INTÉGRAL

TITRE ORIGINAL
Cartel
ÉDITEUR ORIGINAL
Alfred A. Knopf

ISBN 978-2-7578-6947-5
(ISBN 978-2-02-121315-7, 1re publication)

Ce livre est dédié à :

Alberto Torres Villegas, Roberto Javier Mora García,
Evaristo Ortega Zárate, Francisco Javier Ortiz Franto,
Francisco Arratia Saldierna, Leodegario Aguilera Lucas,
Gregorio Rodríguez Hernández, Alfredo Jiménez Mota,
Raúl Gibb Guerrero, Dolores Guadalupe García Escamilla,
José Reyes Brambila, Hugo Barragán Ortiz, Julio César Pérez Martínez,
José Valdés, Jaime Arturo Olvera Bravo, Ramiro Téllez Contreras,
Rosendo Pardo Ozuna, Rafael Ortiz Martínez, Enrique Perea Quintanilla,
Bradley Will, Misael Tamayo Hernández, José Manuel Nava Sánchez,
José Antonio García Apac, Roberto Marcos García,
Alfonso Sánchez Guzmán, Raúl Marcial Pérez, Gerardo Guevara
Domínguez, Rodolfo Rincón Taracena, Amado Ramírez Dillanes,
Saúl Noé Martínez Ortega, Gabriel González Rivera,
Óscar Rivera Inzunza, Mateo Cortés Martínez, Agustín López Nolasco,
Flor Vásquez López, Gastón Alonso Acosta Toscano,
Gerardo Israel García Pimentel, Juan Pablo Solís,
Claudia Rodríguez Llera, Francisco Ortiz Monroy,
Bonifacio Cruz Santiago, Alfonso Cruz Cruz,
Mauricio Estrada Zamora, José Luis Villanueva Berrones,
Teresa Bautista Merino, Felicitas Martínez Sánchez,
Candelario Pérez Pérez, Alejandro Zenón Fonseca Estrada,
Francisco Javier Salas, David García Monroy,
Miguel Angel Villagómez Valle, Armando Rodríguez Carreón,
Raúl Martinez López, Jean Paul Ibarra Ramírez,
Luis Daniel Méndez Hernández, Juan Carlos Hernández Mundo,
Carlos Ortega Samper, Eliseo Barrón Hernández, Martín Javier Miranda
Avilés, Ernesto Montañez Valdivia, Juan Daniel Martínez Gil,
Jaime Omar Gándara San Martín, Norberto Miranda Madrid,
Gerardo Esparza Mata, Fabián Ramírez López, José Bladimir Antuna Garciá,
María Esther Aguilar Cansimbe, José Emilio Galindo Robles,
José Alberto Velázquez López, José Luis Romero, Valentin Valdés Espinosa,
Jorge Ochoa Martínez, Miguel Ángel Domínguez Zamora,
Pedro Argüello, David Silva, Jorge Rábago Valdez, Evaristo Pacheco Solís,
Ramón Ángeles Zalpa, Enrique Villicaña Palomares, María Isabella Cordero,
Gamaliel López Cananosa, Gerardo Paredes Pérez,
Miguel Ángel Bueno Méndez, Juan Francisco Rodríguez Ríos,
María Elvira Hernández Galeana, Hugo Alfredo Olivera Cartas,
Marco Aurelio MartínezTijerina, Guillermo Alcaraz Trejo,
Marcelo de Jesús Tenorio Ocampo, Luis Carlos Santiago Orozco,
Selene Hernández León, Carlos Alberto Guajardo Romero,

Rodolfo Ochoa Moreno, Luis Emmanuel Ruiz Carrillo,
José Luis Cerda Meléndez, Juan Roberto Gómez Meléndez,
Noel López Olguín, Marco Antonio López Ortiz, Pablo Ruelas Barraza,
Miguel Ángel López Velasco, Misael López Solana, Ángel Castillo Corona,
Yolanda Ordaz de la Cruz, Ana María Marcela Yarce Viveros,
Rocío González Trápaga, Manuel Gabriel Fonseca Hernández,
María Elizabeta Marcías Castro, Humberto Millán Salazar,
Hugo César Muruato Flores, Raúl Régulo Quirino Garza,
Héctor Javier Salinas Aguirre, Javier Moya Muñoz,
Regina Martínez Pérez, Gabriel Huge Córdova, Guillermo Luna Varela,
Esteban Rodríguez, Ana Irasema Berreca Jiménez, René Orta Salgado,
Marco Antonio Ávila García, Zane Plemmons,
Victor Manuel Báez Chino, Federico Manuel García Contreras,
Miguel Morales Estrada, Mario Alberto Segura, Ernesto Araujo Cano,
José Antonio Aguilar Mota, Arturo Barajas Lopez,
Ramón Abel López Aguilar, Adela Jazmin Alcaraz López,
Adrián Silva Moreno, David Araujo Arévalo…

Journalistes assassinés ou « disparus » au Mexique pendant
la période que couvre ce roman. Il y en a eu d'autres.

Là-dessus, tout le monde de se prosterner devant le Dragon parce qu'il avait conféré son prestige à la Bête, et de se prosterner devant la Bête en disant : « Qui pourrait se mesurer à la Bête et batailler avec elle ? »

Apocalypse 13,4

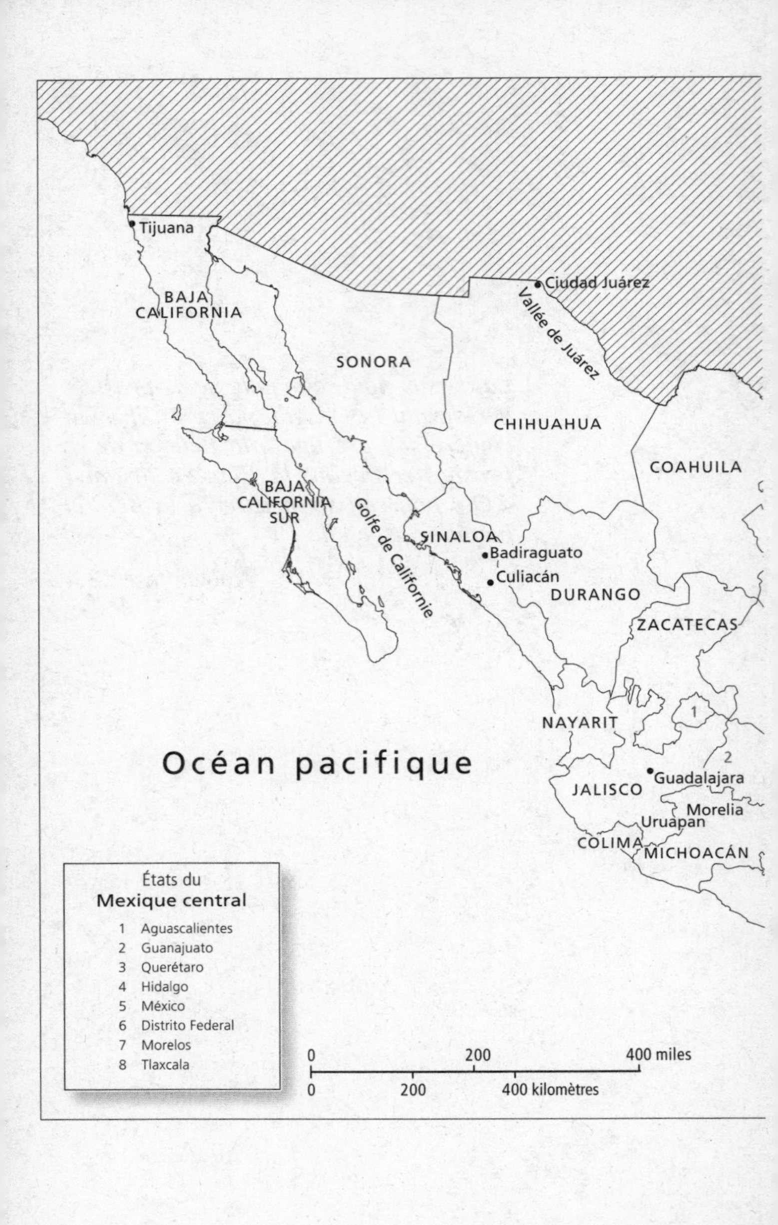
Tijuana
BAJA CALIFORNIA
SONORA
Ciudad Juárez
Vallée de Juárez
CHIHUAHUA
COAHUILA
BAJA CALIFORNIA SUR
Golfe de Californie
SINALOA
Badiraguato
Culiacán
DURANGO
ZACATECAS
NAYARIT
1
2
Océan pacifique
Guadalajara
JALISCO
Morelia
Uruapan
COLIMA
MICHOACÁN
États du
Mexique central
1 Aguascalientes
2 Guanajuato
3 Querétaro
4 Hidalgo
5 México
6 Distrito Federal
7 Morelos
8 Tlaxcala
0
200
400 miles
0
200
400 kilomètres

ÉTATS-UNIS
Nuevo Laredo
Monterrey
NUEVO LEÓN
Matamoros
Golfe du Mexique
TAMAULIPAS
SAN LUIS POTOSÍ
3
4
México
5
6
8
7
Veracruz
VERACRUZ
PUEBLA
Baie de Campeche
YUCATÁN
QUINTANA ROO
CAMPECHE
TABASCO
BELIZE
GUERRERO
OAXACA
CHIAPAS
GUATEMALA
HONDURAS
Golfe de Tehuantepec
EL SALVADOR

Prologue

DÉPARTEMENT DU PETÉN, GUATEMALA
1er NOVEMBRE 2012

Keller croit entendre un bébé pleurer.

Le son est à peine audible à cause du vrombissement étouffé des rotors de l'hélicoptère qui vole en rase-mottes vers le village dans la jungle.

Les pleurs, si c'est bien cela qu'il entend, sont aigus, perçants, ils expriment la faim, la peur ou la douleur.

La solitude peut-être : c'est le moment le plus solitaire de la nuit, l'obscurité qui précède l'aube, quand surgissent les pires cauchemars ; le lever de soleil semble encore loin et les créatures qui peuplent à la fois le monde réel et les marges sombres de l'inconscient rôdent avec l'impunité des prédateurs qui savent que leur proie est impuissante, seule.

Les pleurs ne durent pas. La mère est sans doute venue pour prendre son enfant dans ses bras et le bercer. Ou c'était son imagination. Mais cela lui rappelle qu'il y a des civils là-bas, surtout des femmes et des enfants, quelques personnes âgées aussi, qui vont bientôt se retrouver en danger.

Les hommes à bord de l'hélicoptère vérifient que le chargeur de leur Colt M-4 est bien enclenché et un autre scotché solidement à la crosse. Sous les casques de combat, les lunettes de visée nocturne et les écouteurs, les visages sont noircis. En dessous des gilets pare-balles à plaques de céramique, ils portent des pantalons de camouflage dotés de grandes poches qui contiennent des tubes de gel énergétique, des photos satellite plastifiées du village, des compresses hémostatiques si jamais ça se passe mal et qu'il faut arrêter l'hémorragie.

Une mission de liquidation en territoire étranger : ça pourrait mal tourner, en effet.

Les hommes sont dans un autre monde, cet espace restreint qui précède la mission et dans lequel se plongent les combattants d'instinct, comme s'ils entraient en transe. Le commando de vingt hommes – répartis dans deux Black Hawk MH-60 – est composé essentiellement d'anciens membres des Seals, de la Delta Force et des Bérets verts : l'élite. Ils ont déjà fait ça. En Irak, en Afghanistan, au Pakistan, en Somalie.

Techniquement parlant, ils ont tous été engagés à titre privé. Mais la société écran, une entreprise de sécurité basée en Virginie, est un simple voile que les médias déchireront sans peine si ça tourne au vinaigre.

Dans quelques instants, ces hommes vont descendre, en rappel, dans le village situé à proximité de leur cible. Malgré l'élément de surprise, une fusillade va certainement éclater. Les porte-flingues des narcos protègent leur boss et ils donneront leur vie pour lui. Les *sicarios* sont lourdement armés : AK-47, lance-roquettes et grenades. Et ils savent s'en servir. Ce ne sont pas de vulgaires voyous, mais d'anciens membres des forces spéciales eux aussi, formés à Fort Benning et ailleurs. D'ailleurs, il est possible que certains des hommes embarqués dans les deux hélicoptères aient entraîné certains des hommes présents au sol.

Des gens vont mourir.

Logique, se dit Keller.

C'est le jour des Morts.

Soudain, les hommes perçoivent un autre bruit : des détonations d'armes de petit calibre. En regardant vers le sol, ils voient des éclairs dans l'obscurité. Une fusillade a éclaté prématurément dans le village ; ils entendent des ordres aboyés et de faibles explosions.

Mauvais. Ce n'était pas prévu. La mission est compromise, l'élément de surprise a fichu le camp. Et avec lui, sans doute, la possibilité d'accomplir ce travail sans déplorer trop de victimes.

Un trait rouge jaillit de la nuit.

Un *bang* retentissant, un flash de lumière jaune, et l'hélico est secoué comme un jouet frappé par une chauve-souris.

Des éclats d'obus se dispersent, des fils électriques arrachés lancent des étincelles, l'appareil est en feu.

Des flammes rouges et une épaisse fumée noire envahissent la cabine.

La puanteur du métal brûlé et de la chair calcinée.

La carotide d'un des hommes crache au rythme de ses pulsations cardiaques affolées. Un autre tombe à genoux, un éclat d'obus dépasse de manière obscène de son entrejambe, juste sous son gilet pare-balles, et le médecin du commando rampe sur le plancher pour venir à son secours.

Des voix retentissent : des hurlements de douleur, de peur et de fureur, tandis que les rafales de balles traçantes frappent le fuselage comme une pluie d'orage subite.

L'hélicoptère tournoie furieusement en fonçant vers le sol.

PREMIÈRE PARTIE

Sortir du sommeil

L'heure est enfin venue de sortir de votre sommeil.

Épître aux Romains 13,11

1
Les apiculteurs

Qui croit pouvoir faire du miel sans partager le sort des abeilles ?

Muriel Barbery,
L'Élégance du hérisson

ABIQUIÚ, NOUVEAU-MEXIQUE
2004

La cloche sonne une heure avant l'aube.

L'apiculteur, libéré d'un cauchemar, se lève.

Sa cellule abrite un lit, une chaise et un bureau. Une seule fenêtre, étroite, percée dans l'épais mur d'adobe, donne sur le chemin de gravier qui luit d'un éclat argenté au clair de lune et monte vers la chapelle.

Le petit matin est froid dans le désert. L'apiculteur enfile une chemise en laine marron, un pantalon de toile, de grosses chaussettes et des chaussures de chantier. Il marche jusqu'à la salle de bains commune au bout du couloir, se brosse les dents, se rase à l'eau froide, puis se place dans la file des moines qui se rendent à la chapelle.

Nul ne parle.

À l'exception des psalmodies, des prières, des offices et des conversations indispensables au travail, le silence est la règle au monastère du Christ dans le désert.

Ils vivent selon le psaume 46,10 : « Arrêtez et sachez que je suis Dieu. »

Cela convient très bien à l'apiculteur. Il a entendu suffisamment de paroles.

La plupart étaient des mensonges.

Dans son monde d'autrefois, tout le monde, y compris lui-même, mentait tout naturellement. Déjà, vous deviez vous mentir à vous-même pour pouvoir continuer à mettre un pied devant l'autre. Et vous mentiez aux autres pour survivre.

Désormais, il recherche la vérité dans le silence.

Il y cherche Dieu, même s'il en est venu à croire que la vérité et Dieu ne font qu'un.

La vérité, le silence et Dieu.

Le jour de son arrivée, les moines ne lui demandèrent ni qui il était ni d'où il venait. Ils virent un homme au regard triste, aux cheveux encore noirs, mais striés de gris, aux épaules de boxeur un peu voûtées, mais encore solides. Il leur expliqua qu'il cherchait le calme et frère Gregory, l'abbé, lui répondit que le calme était l'unique chose qu'ils possédaient en abondance.

L'homme paya sa petite chambre en liquide et passa ses premières journées à errer dans cet environnement désertique, au milieu des *ocotillos* et des buissons d'armoise, descendant jusqu'à la Chama River ou gravissant la montagne. Finalement, il se retrouva devant la chapelle et y entra pour s'agenouiller au fond, pendant que les moines psalmodiaient.

Un autre jour, ses pas le conduisirent au rucher, non loin de la rivière car les abeilles ont besoin d'eau, et il regarda frère David s'occuper des abeilles. Voyant que l'homme, âgé de presque quatre-vingts ans, avait du mal à déplacer quelques plateaux, il lui donna un coup de main. Dès lors, il alla travailler au rucher quotidiennement ; il apportait son aide et apprenait le métier. Quelques mois plus tard, quand frère David annonça que le moment était venu pour lui de prendre sa retraite, il suggéra à Gregory de confier cette tâche au nouvel arrivé.

– Un laïc ? s'étonna Gregory.

– Il sait s'y prendre avec les abeilles, répondit David.

Le nouvel arrivé travaillait en silence et bien. Il obéissait aux règles, assistait aux prières et faisait des merveilles avec les abeilles. Sous sa responsabilité, elles produisaient un miel de première qualité, que le monastère utilisait dans la fabrication de sa propre bière et vendait aux touristes, sur place ou sur Internet.

L'apiculteur ne voulait pas entendre parler de l'aspect commercial. De même qu'il refusait de servir à table les pensionnaires payants qui venaient effectuer des retraites, de travailler aux cuisines ou à la boutique de souvenirs. Il voulait uniquement s'occuper des abeilles.

Les moines le laissent en paix et il est là depuis plus de quatre ans maintenant. Ils ne connaissent même pas son nom. Il est « l'apiculteur ». Les moines latinos l'appellent « El Colmenero ». La première fois où il s'adressa à eux, ils furent surpris de l'entendre s'exprimer dans un espagnol parfait.

Ils parlaient de lui, évidemment, durant les rares moments où les conversations étaient autorisées. L'apiculteur était un homme recherché, disaient-ils, un gangster, un braqueur de banques. Non, il avait fui un mariage raté, un scandale, une histoire tragique. Non, non, c'était un espion.

Cette dernière théorie gagna en crédibilité après l'incident du lapin.

Le monastère entretenait un vaste potager dont dépendaient les moines pour se nourrir. À l'instar de la plupart des jardins, il attirait les animaux nuisibles, et plus particulièrement un lapin qui causait des ravages. Après une réunion houleuse, frère Gregory donna son accord (avec une certaine insistance, à vrai dire) pour que le lapin soit abattu.

La tâche fut confiée à frère Carlos. Celui-ci, planté à l'entrée du potager, essayait de maîtriser à la fois le pistolet à air comprimé et sa conscience (sans grand succès dans les deux cas), sous le regard des autres moines. Sa main tremblait et ses yeux s'emplirent de larmes quand il leva le canon de l'arme pour tenter de presser la détente.

El Colmenero passait justement par là pour se rendre au rucher. Ralentissant à peine le pas, il prit le pistolet dans la main de frère Carlos et, sans viser ni même regarder, il tira. Touché en pleine tête, le lapin mourut sur le coup. L'apiculteur rendit l'arme au moine et poursuivit son chemin.

Après cette scène, une hypothèse s'imposa : cet homme était un ancien agent secret, un 007. Frère Gregory mit fin à ces commérages car, après tout, tenir ce genre de propos est un péché.

– C'est un homme qui cherche Dieu, dit l'abbé. Rien de plus.

Pour l'instant, l'apiculteur se rend à la chapelle pour la vigile, qui débute à 4 heures du matin tapantes.

La chapelle est une modeste construction en adobe reposant sur des fondations de pierre provenant des collines de roche rouge qui bordent l'extrémité sud du monastère. La croix en bois est brûlée par le soleil, un unique crucifix est accroché au-dessus de l'autel.

L'apiculteur entre et s'agenouille.

Le catholicisme était la religion de sa jeunesse. Il communiait quotidiennement jusqu'à ce qu'il prenne ses distances avec l'Église. Cela lui semblait inutile, il se sentait tellement éloigné de Dieu. Aujourd'hui, il chante le psaume 51 en même temps que les moines, en latin. « Ô Seigneur, ouvre mes lèvres et ma bouche publiera ta louange. »

Cette psalmodie le plonge dans une sorte de transe et il est surpris, comme toujours, quand l'heure s'achève et qu'il doit se rendre au réfectoire pour le petit déjeuner, composé invariablement de porridge, de pain de froment sec et de thé. Puis, retour à la prière, pour les laudes, tandis que le soleil commence à apparaître au-dessus des montagnes.

Il a appris à apprécier cet endroit, surtout à l'aube, quand la lumière délicate éclaire les constructions en adobe et que le soleil transforme la Chama River en or étincelant. Il se délecte de ces premiers rayons de chaleur, des cactus qui prennent forme dans le noir et des graviers qui crissent sous ses pas.

La simplicité règne en ce lieu, la paix ; la seule chose qu'il désire.

Dont il ait besoin.

Toutes les journées se ressemblent : vigiles de 4 heures à 5 h 15, suivies du petit déjeuner. Puis les laudes de 6 heures à 9 heures, le travail de 9 heures à 12 h 40, puis un déjeuner rapide et frugal. Les moines reprennent ensuite le travail jusqu'aux vêpres à 17 h 50, un repas léger à 18 h 10, puis ce sont les complies à 19 h 30. Et ils vont se coucher.

L'apiculteur aime cette discipline stricte, les longues heures de travail paisible et les heures, plus longues encore, de prière. Surtout les vigiles, car il adore réciter les psaumes.

Après les laudes, il descend au rucher dans le fond de la vallée.

Ses abeilles, des abeilles mellifères occidentales, *Apis mellifera,* sortent dans la douceur du petit matin. Ce sont des immigrantes : cette espèce originaire d'Afrique du Nord a été importée en Amérique par des colons espagnols dans les années 1600. Leur existence est brève. Une travailleuse peut vivre entre quelques semaines et quelques mois, une reine peut régner de trois à quatre ans, mais certaines ont vécu jusqu'à huit ans. L'apiculteur s'est habitué à l'attrition : une abeille sur cent meurt chaque jour, cela signifie qu'une colonie renouvelle entièrement sa population tous les quatre mois.

Peu importe.

La colonie est un super-organisme, un organisme constitué de nombreux organismes.

L'essentiel est la survie de la colonie et la production de miel.

Les vingt ruches Langstroth sont en cèdre rouge et dotées de plateaux rectangulaires amovibles, comme le dicte l'aspect pratique et l'exige la loi. L'apiculteur ôte le couvercle du cadre d'une des ruches, constate qu'il est tapissé de miel, puis le replace délicatement afin de ne pas déranger les abeilles.

Il inspecte l'abreuvoir pour s'assurer que l'eau est fraîche.

Puis il retire le plateau inférieur d'une des ruches, sort le pistolet Sig Sauer 9 mm et vérifie qu'il est chargé.

CENTRE DE DÉTENTION FÉDÉRAL
SAN DIEGO, CALIFORNIE
2004

La journée du détenu débute tôt.

Une sirène automatisée réveille Adán Barrera à 6 heures et s'il se trouvait avec la population des autres prisonniers au lieu d'être à l'isolement pour des raisons de sécurité, il irait pendre son petit déjeuner au réfectoire à 6 h 15. Au lieu de cela, les gardiens glissent un plateau contenant des céréales au lait froid et une tasse en plastique de jus d'orange dilué à travers une ouverture dans la porte de sa cellule, une cage de quatre mètres sur deux située dans l'unité spéciale au dernier étage de l'établissement pénitentiaire du centre de San Diego, où depuis plus d'un an Adán Barrera passe vingt-trois heures par jour.

La cellule est dépourvue de fenêtre, mais s'il y en avait une, il verrait les collines brunes de Tijuana, la ville sur laquelle il a régné en prince autrefois. Elle est tout près, juste de l'autre côté de la frontière, à quelques kilomètres seulement par voie terrestre, plus près encore en traversant le fleuve. Pourtant, c'est un autre univers.

Adán se moque de ne pas manger avec les autres prisonniers : leur conversation est stupide et la menace réelle. Beaucoup de personnes souhaitent sa mort, à Tijuana, dans tout le Mexique, et même aux États-Unis.

Certaines pour se venger, d'autres par peur.

Adán Barrera n'a rien d'effrayant cependant. Petit avec son mètre soixante-dix et mince, il a conservé un visage d'adolescent, qui s'accorde à ses yeux noisette si doux. Loin de ressembler à une menace, il évoque plutôt une victime qui se ferait violer au bout de dix secondes par les autres détenus. En le voyant, on a du mal à croire qu'il a ordonné des centaines d'assassinats, qu'il a été milliardaire, plus puissant que les présidents de nombreux pays.

Avant sa chute, Adán Barrera était « El Señor de los Cielos », le Seigneur des Cieux, le *patrón* de la drogue le plus puissant au monde, l'homme qui avait unifié les cartels mexicains, qui donnait des ordres à des milliers d'hommes et de femmes, qui influençait des gouvernements et des économies.

Il possédait des villas, des ranchs, des avions.

Aujourd'hui, il a deux cent quatre-vingt-dix dollars, le maximum autorisé, sur un compte spécial qui lui permet d'acheter de la mousse à raser, du Coca et des *ramen*. Il a une couverture, deux draps et une serviette. Ses costumes noirs sur mesure ont été remplacés par une combinaison orange, un T-shirt blanc et une paire de Crocs noirs ridicules. Il possède par ailleurs deux paires de chaussettes blanches et deux caleçons. Il reste seul dans sa cage, il mange la bouffe dégueulasse qu'on lui apporte sur un plateau et il attend le procès à grand spectacle qui l'enverra dans un autre enfer jusqu'à la fin de sa vie.

De *plusieurs* vies, pour être précis, car il risque de multiples condamnations à perpétuité conformément à son statut de « baron de la drogue ». Les procureurs américains ont tenté de le « retourner », de le transformer en informateur, mais il a refusé. Un informateur, un *dedo,* un *soplón,* est la forme la plus vile de l'humanité, une créature qui ne mérite pas de vivre. Adán obéit à son propre code ; il aimerait mieux mourir, ou supporter cet enfer, plutôt que de devenir un tel animal.

Il a cinquante ans. Dans le meilleur des cas, selon un scénario extrêmement incertain, il va écoper de trente ans. Même en tenant compte du « temps déjà effectué », il aura plus de soixante-dix ans en sortant.

Il est plus probable qu'il sortira dans une boîte.

Le chemin qui mène au procès n'en finit pas.

Après le petit déjeuner, l'inspection des cellules a lieu à 7 h 30. D'un tempérament presque maniaque, il range et nettoie soigneusement son espace, c'est un de ses rares réconforts.

À 8 heures, les gardiens commencent à compter les prisonniers, une opération qui prend environ une heure. Ensuite, il est libre jusqu'à 10 h 30, lorsqu'ils lui glissent son « déjeuner » par l'ouverture dans la porte : un sandwich à la mortadelle et du jus de pomme. Vient ensuite le moment des « activités de loisirs », ce qui dans son cas signifie rester assis, lire ou faire la sieste, jusqu'à 12 h 30, lorsque les gardiens refont l'appel. S'étendent alors devant lui trois heures et demie d'ennui jusqu'à l'appel suivant, à 16 heures.

Le dîner, composé d'une « viande mystère » avec des patates, du riz et des légumes trop cuits, est servi à 16 h 30. Puis il est « libre » jusqu'à 21 h 15, lorsque les gardiens reviennent pour compter les prisonniers une dernière fois.

Extinction des feux à 22 h 30.

Chaque jour pendant une heure (ils varient les horaires par crainte des snipers), des gardiens le conduisent, menotté, dans un enclos grillagé sur le toit pour qu'il s'aère et fasse « une promenade ». Tous les trois jours, on l'emmène prendre une douche de dix minutes, parfois tiède, le plus souvent froide. De temps à autre, il se rend dans une petite salle pour s'entretenir avec son avocat.

Assis dans sa cellule, il est occupé à remplir sa commande sur le formulaire de l'économat – un pack de six bouteilles d'eau, des *ramen,* des cookies aux flocons d'avoine – quand le gardien ouvre la porte.

– Parloir avocat.

– Ça m'étonnerait, répond Adán. Je n'ai rien de prévu.

Le gardien hausse les épaules : il obéit aux ordres.

Adán plaque les mains au mur pendant que le gardien lui met les fers aux pieds. Une humiliation inutile, songe-t-il, mais le but recherché, évidemment. Ils empruntent l'ascenseur et descendent jusqu'au troisième, où le gardien déverrouille une porte et le fait entrer dans une salle de réunion. Il libère les chevilles du prisonnier, mais l'enchaîne aussitôt à la chaise vissée dans le sol. Son avocat est debout de l'autre côté de la table. Un seul regard à Ben Tompkins et Adán comprend qu'il y a un problème.

– C'est Gloria, dit Tompkins.

Adán sait déjà ce que son avocat va dire.

Sa fille est morte.

Gloria est née avec un lymphangiome kystique, une malformation de la tête, du visage et de la gorge, une maladie incurable. Toute la fortune d'Adán, tout son pouvoir n'ont pas pu offrir une vie normale à sa fille.

Il y a un peu plus de quatre ans, la santé de Gloria s'est dégradée. Avec la bénédiction d'Adán, son épouse, Lucia, citoyenne américaine, a emmené leur fille de douze ans à San Diego, à la clinique Scripps où exercent les meilleurs spécialistes mondiaux. Un mois plus tard, Lucia a téléphoné à Adán dans sa planque au Mexique.

– Viens *immédiatement,* lui a-t-elle dit. Ils pensent qu'elle n'en a plus que pour quelques jours, peut-être même quelques heures…

Adán a traversé la frontière en douce, à l'instar de sa drogue, dans le coffre d'une voiture spécialement aménagée.

Art Keller l'attendait sur le parking de la clinique.

– Ma fille ? a demandé Adán.

– Elle va bien, a répondu Keller.

Puis l'agent de la DEA lui a planté une aiguille dans le cou et le monde est devenu noir.

Ils étaient amis autrefois, Art Keller et lui.

Difficile à croire, comme souvent avec la vérité.

Mais c'était dans une autre vie. Un autre monde même.

En ce temps-là, Adán avait vingt ans (se pouvait-il qu'il ait été aussi jeune ?), il étudiait la comptabilité et espérait devenir organisateur de combats de boxe (*Dios mío,* la folle ambition de la jeunesse !) ; il n'envisageait même pas de rejoindre son oncle sur la *pista secreta,* le trafic de drogue qui florissait dans les champs de pavot de leurs montagnes du Sinaloa.

Puis les Américains avaient débarqué, et avec eux Art Keller – idéaliste, énergique, ambitieux –, véritable croisé de la guerre contre la drogue. Un jour, il pénétra dans le gymnase que tenaient Adán et son frère Raúl, il fit quelques rounds et ils devinrent amis. Adán le présenta à leur oncle, Tío, qui était alors le flic numéro un du Sinaloa et son deuxième plus gros *gomero* : producteur d'opium.

Keller, si naïf à l'époque, connaissait la première activité de Tío et ignorait fièrement (une caractéristique notable des Américains, très dangereuse pour eux-mêmes et pour tous ceux qui se trouvent à portée de leurs bras qui s'agitent dans tous les sens) la seconde.

Tío s'était servi de lui. En toute impartialité, Adán doit reconnaître que Tío avait fait de Keller son *monigote,* sa marionnette ; il l'avait manipulé afin que Keller élimine les *gomeros* de premier plan et lui ouvre ainsi la voie vers le sommet.

Keller n'avait jamais pu pardonner cela : la trahison de ses idéaux. Enlevez la foi à un fidèle, la croyance à un croyant, qu'obtenez-vous ?

Le plus acharné des ennemis.

Depuis, *más o menos,* trente ans.

Trente ans de guerre, de trahisons, de meurtres.

Trente ans de morts…

Son oncle.

Son frère.

Maintenant sa fille.

Gloria est morte dans son sommeil, étouffée par le poids de sa tête difforme. Elle est morte sans moi, songe Adán.

Et il tient Keller pour responsable.

L'enterrement aura lieu à San Diego.

– J'y assisterai, déclare Adán à son avocat.

– Adán…

– Débrouillez-vous.

Tompkins, alias Minimum Ben, va trouver le procureur fédéral, Bob Gibson, un emmerdeur ambitieux, qui préfère qu'on le considère comme un pur et dur.

Le surnom Minimum Ben fait référence aux exploits de Tompkins en sa qualité d'« avocat des trafiquants ». Sa tâche ne consiste pas à faire acquitter ses clients, ce qui n'a en général aucune chance de se produire. Son objectif est d'obtenir la peine d'emprisonnement la plus courte possible, et pour cela il fait moins appel à ses talents d'avocat qu'à ses talents de négociateur.

« Je suis une sorte de M. Moins, a-t-il confié un jour à un journaliste. J'obtiens pour mes clients des peines inférieures à ce qu'ils méritent. »

Il relaie la requête d'Adán auprès de Gibson.

– Hors de question, répond Gibson.

Celui-ci n'est pas surnommé Maximum Bob, mais il le regrette et il est un peu jaloux de Tompkins. L'avocat de la défense a des manières de macho et il gagne beaucoup plus d'argent que lui. Ajoutez à cela le fait que Tompkins est un type cool qui possède une crinière grise tape-à-l'œil, un bronzage de surfeur, une maison sur la plage à Del Mar et un cabinet qui domine l'océan à Cardiff, et vous comprendrez aisément pourquoi les fonctionnaires du bureau du procureur détestent Minimum Ben.

– Cet homme veut juste enterrer sa fille, bon sang ! dit Tompkins.

– Cet homme, rétorque Gibson, est le plus gros caïd de la drogue au monde.

– Présomption d'innocence, réplique Tompkins. Il n'a pas été condamné.

– Si je me souviens bien, Barrera n'a jamais eu d'états d'âme quand il s'agissait de tuer les gamins des autres. Jadis, deux des jeunes enfants de son rival ont été jetés du haut d'un pont.

– Ce sont des racontars et des rumeurs sans fondement, affirme Tompkins, propagés par ses ennemis. Vous n'êtes pas sérieux.

– Aussi sérieux qu'un coup de téléphone à minuit.

Gibson rejette la requête.

Tompkins retourne annoncer la nouvelle à Adán.

– Je porterai l'affaire devant un juge et nous gagnerons, promet-il. Nous proposerons de payer le coût des marshals, de la sécurité…

– On n'a pas le temps, le coupe Adán. L'enterrement a lieu dimanche.

On est déjà vendredi après-midi.

– Je peux contacter un juge dès ce soir. Johnny Hoffman rédigera une demande…

– Je ne veux pas courir ce risque. Dites-leur que je vais parler.

– Hein ?

– S'ils me laissent assister à l'enterrement de Gloria, je leur donnerai tout ce qu'ils veulent.

Tompkins blêmit. Ce ne serait pas la première fois qu'un de ses clients se met à table en échange d'un allégement de peine, c'est même fréquent, mais les renseignements fournis étaient toujours soigneusement choisis avec les cartels pour limiter les dégâts.

Là, c'est une condamnation à mort, un suicide.

– Ne faites pas ça, Adán, supplie l'avocat. On va gagner.

– Négociez l'arrangement.

Cinquante mille roses rouges emplissent la cathédrale St. Joseph dans le centre de San Diego, à quelques rues seulement du pénitencier.

Adán les a commandées par l'intermédiaire de Tompkins, qui a prélevé l'argent sur des comptes bancaires légaux à La Jolla. Mille fleurs supplémentaires, sous forme de bouquets et de couronnes, envoyées par les principaux narcos du Mexique, bordent les marches à l'extérieur.

Tout comme les agents de la DEA.

Ils montent et descendent l'escalier pour noter qui a envoyé quoi. Ils s'intéressent également aux centaines de milliers de dollars versés, au nom de Gloria, à une fondation pour la recherche contre le lymphangiome kystique.

L'église est envahie de fleurs, mais pas de personnes en deuil.

Si on était au Mexique, se dit Adán, elle serait pleine à craquer, et des centaines d'hommes et de femmes attendraient dehors pour lui présenter leurs condoléances. Mais la plupart des membres de sa famille sont morts et les survivants ne peuvent pas franchir la frontière sans courir le risque d'être arrêtés. Sa sœur, Elena, lui a téléphoné pour lui exprimer tout son chagrin, son soutien et ses regrets de ne pouvoir assister à la cérémonie, à cause d'une mise en examen. D'autres – des amis, des associés et des politiciens, des deux côtés de la frontière – ne voulaient pas se faire photographier par la DEA.

Adán comprend.

Alors, il y a essentiellement des femmes dans l'assistance, des épouses de narcos, des citoyennes américaines déjà connues de la DEA, mais qui n'ont aucune raison de redouter une arrestation. Ces femmes envoient leurs enfants à l'école à San Diego, viennent ici pour effectuer leurs achats de Noël, s'offrir des journées au spa ou passer des vacances au bord de la mer à La Jolla et à Del Mar.

Aujourd'hui, elles gravissent fièrement les marches de la cathédrale et toisent les agents qui les photographient. Vêtues d'élégantes et coûteuses tenues noires, elles avancent d'un pas furieux ; certaines s'arrêtent, prennent la pose et s'assurent que les agents orthographient correctement leur nom.

Les autres personnes présentes sont des membres de la famille de Lucia : ses parents, ses frères et sœurs, quelques cousins et une poignée d'amis. Lucia a les traits tirés, elle est terrassée par le chagrin, et apeurée en voyant Adán.

Elle l'a trahi auprès de Keller pour éviter la prison, pour empêcher que Gloria lui soit retirée, car elle savait qu'Adán ne ferait jamais de mal à la mère de sa fille.

Mais maintenant que Gloria est morte, plus rien ne le retient. Elle pourrait très bien disparaître du jour au lendemain, songe-t-elle, pour toujours. Elle adresse un regard inquiet à Adán, qui détourne la tête.

Pour lui, Lucia n'existe plus.

Il s'assoit dans la troisième rangée, flanqué de cinq US marshals. Il porte un costume noir acheté par Tompkins chez Nordstrom, où ils conservent les mensurations d'Adán. Ses mains sont menottées devant lui, mais ils ont eu la décence de ne pas lui mettre les fers aux pieds. Alors il s'agenouille, se lève et s'assoit conformément aux indications de l'évêque, dont les paroles résonnent dans la cathédrale presque vide.

Une fois la messe terminée, Adán attend que le reste de l'assistance sorte en file indienne. Il n'a le droit de parler qu'aux marshals et à son avocat. Lucia lui jette encore un bref regard en passant, puis s'empresse de baisser la tête. Adán se promet de charger Tompkins de la contacter pour lui indiquer qu'elle ne court aucun danger.

Qu'elle vive sa vie, se dit-il. Sur le plan financier, qu'elle se débrouille. Elle peut garder la maison de La Jolla, si le fisc ne trouve pas un moyen de la lui confisquer, mais c'est tout. Pas question d'entretenir une femme qui l'a trahi, et qui est assez stupide pour couper elle-même la corde de sa bouée de sauvetage.

Quand tout le monde a quitté l'église, les marshals escortent Adán jusqu'à une limousine qui attend sur le parvis et l'installent à l'arrière. La limousine suit la voiture de Lucia derrière le corbillard en direction du El Camino Memorial Park à Sorrento Valley.

Alors qu'il regarde le cercueil de sa fille descendre dans la tombe, Adán lève ses mains menottées pour prier. Les marshals sont charitables : ils le laissent se baisser et ramasser une poignée de terre qu'il jette sur le cercueil de Gloria.

Tout est fini à présent.

Le seul avenir est le passé.

Pour l'homme qui a perdu son enfant unique, tout ce qui sera désormais est ce qui a déjà été.

En se redressant devant la tombe de sa fille, Adán glisse à Tompkins :

– Deux millions de dollars, cash.

À celui qui tue Art Keller.

Abiquiú, Nouveau-Mexique
2004

L'apiculteur regarde les deux hommes qui descendent le chemin de gravier vers le rucher.

L'un est un *güero* aux cheveux argentés et à la démarche un peu raide à cause de l'âge. Mais il sait se mouvoir, c'est un professionnel, expérimenté. L'autre est un Latino à la peau mate, plus jeune, gracieux, sûr de lui. Ils marchent à quelques pas l'un de l'autre, et même à cent mètres de distance l'apiculteur distingue les bosses sous leurs vestes. Il recule jusqu'aux ruches, sort le Sig Sauer de sa cachette, introduit une balle dans la chambre et, abrité par l'arroyo, il descend vers la rivière.

Il ne veut pas tuer s'il n'y est pas obligé, et s'il y est obligé, il veut le faire le plus loin possible du monastère.

Il les tuera au bord de l'eau.

La Chama River est gonflée ; il pourra y traîner les corps et laisser le courant les emporter. Il glisse le long de la rive boueuse, roule sur le ventre, risque un coup d'œil au-dessus du talus et observe les deux hommes qui avancent prudemment.

Il espère qu'ils vont s'arrêter là et ne pas endommager les ruches, par négligence ou dépit. Mais s'ils continuent, il les laissera approcher, à portée de tir. Par réflexe, sa main pivote de droite à gauche, il mime le premier tir, puis le second. Deux balles à chaque fois.

Il abattra le plus jeune d'abord.

Le plus âgé ne réagira pas assez vite.

Mais les deux hommes se déploient, ils élargissent l'angle en arrivant près des ruches, ce qui complique la chose. Ce sont donc des professionnels, comme il pouvait s'y attendre. Ils ont dégainé leurs armes et progressent en les pointant devant eux, tenant la crosse à deux mains comme on le leur a appris.

Le plus jeune montre le sol d'un mouvement du menton et le plus âgé hoche la tête. Ils ont repéré ses empreintes qui mènent à la rivière. Mais cinquante mètres de terrain plat, avec pour seule protection des broussailles à hauteur de cheville, conduisant à un talus abrité où un tireur peut les canarder à volonté ?

Sans façon.

Alors, l'homme aux cheveux argentés s'écrie :

– Keller ! Art Keller ! C'est Tim Taylor !

Taylor était le supérieur de Keller à l'époque du Sinaloa. De l'Opération Condor, en 1975, quand ils avaient incendié et empoisonné les champs de pavot. Après cela, il avait été nommé responsable pour tout le Mexique, pendant que Keller faisait un carton à Guadalajara et devenait une superstar. Il avait vu la trajectoire de Keller passer au-dessus de lui comme une fusée.

Keller croyait que Taylor avait quitté la DEA et pris sa retraite.

Le Sig toujours pointé sur la poitrine de Taylor, il lui ordonne de ranger son arme et de lever les mains.

Taylor obéit et le plus jeune l'imite.

Alors, Keller se relève et marche vers eux, sans baisser son arme.

Le plus jeune a des cheveux de jais, des yeux noirs féroces et l'air effronté d'un gamin des rues. Le genre d'agent qu'ils recrutent dans le *barrio* pour les missions d'infiltration. Comme ils m'ont recruté, se dit-il.

– Vous avez disparu des radars, dit Taylor. Pas facile de vous retrouver.

– Qu'est-ce que vous voulez ?

– Vous ne pourriez pas baisser cette arme ?

– Non.

Keller ne sait pas pourquoi Taylor est ici, ni qui l'a envoyé. Ça pourrait être la DEA, ça pourrait être la CIA, ça pourrait être n'importe qui.

Ça pourrait être Barrera.

– OK, on va rester là les bras en l'air comme deux abrutis, alors. (Taylor regarde autour de lui.) Vous êtes devenu une sorte de moine ?

– Non.

– C'est quoi, ça, des ruches ?

– Si votre gars fait un pas de plus sur le côté, je vous abats en premier.

Le jeune Latino se fige.

– C'est un honneur de vous rencontrer. Je suis l'agent Jiménez. Richard.

– Art Keller.

– Je sais, dit Jiménez. Tout le monde sait qui vous êtes. Vous êtes celui qui a fait tomber Adán Barrera.

– *Tous* les Barrera, rectifie Taylor. Pas vrai, Art ?

C'est juste. Il a tué Raúl Barrera au cours d'une fusillade sur une plage de Baja. Il a abattu Tío Barrera sur un pont de San Diego. Et il a envoyé Adán, ce salopard d'Adán, derrière les barreaux, mais parfois il regrette de ne pas l'avoir tué lui aussi, quand l'occasion s'est présentée.

– Qu'est-ce qui vous amène, Tim ? demande-t-il.

– J'allais vous poser la même question.

– Je n'ai plus de comptes à vous rendre.

– On bavarde, c'est tout.

– Vous ne l'avez peut-être pas remarqué, mais on n'est pas très doués pour le bavardage par ici.

– Le genre vœu de silence ?

– Ce n'est pas un vœu.

Keller se déçoit, il s'est laissé entraîner dans cette joute verbale avec Taylor. Il n'aime pas ça, il ne veut pas de ça, il n'en a pas besoin.

– Est-ce qu'on pourrait aller parler ailleurs ? suggère Taylor. À l'ombre ?

– Non.

Taylor se tourne vers Jiménez.

– Art a toujours été une tête de lard. Un véritable casse-couilles. Le Justicier solitaire. Il n'aime pas jouer en équipe.

Taylor avait toujours une dent contre lui, depuis le jour où, trente-deux ans plus tôt, Keller, fraîchement transféré de la CIA à la DEA toute récente, avait débarqué sur son territoire au Sinaloa. Pour lui, Keller était un cow-boy, il ne voulait pas travailler avec lui ni laisser d'autres agents travailler avec lui, obligeant ainsi Keller à devenir ce qu'il lui reprochait : un solitaire.

Taylor m'a poussé dans les bras ouverts de Tío Barrera, pense-t-il. Il n'y avait pas d'autre endroit où aller. Tío et lui avaient effectué un paquet d'arrestations ensemble. Ils avaient même « neutralisé » – un euphémisme pour signifier « tuer » – Don Pedro Áviles, le *gomero número uno*. Puis la DEA et l'armée mexicaine avaient aspergé les champs de pavot de napalm et d'agent orange, et détruit les anciennes structures du trafic d'opium au Sinaloa.

Uniquement pour voir Tío bâtir sur ces cendres une organisation plus vaste et plus puissante

El Federación.

La Fédération.

Vous commencez par essayer d'éradiquer un cancer, pense Keller, mais au lieu de cela, vous l'aidez à se métastaser, à se propager dans tout le pays.

Ce n'était que le début de la longue guerre de Keller contre les Barrera, un conflit de trente ans qui allait lui coûter tout ce qu'il possédait : sa famille, son travail, ses croyances, son honneur, son âme.

– J'ai dit aux différentes commissions ce que je savais. Je n'ai rien à ajouter.

Il y avait eu des auditions. Des auditions internes à la DEA, des auditions à la CIA, des auditions au Congrès. Art avait éliminé les Barrera au mépris des ordres de la CIA et cela avait fait l'effet d'une grenade qui roule dans l'allée centrale d'un avion. Tout le monde avait sauté et il n'avait pas été facile de limiter les dégâts, avec le *New York Times* et le *Washington Post* qui furetaient partout comme des chiens de chasse. Washington n'avait pu décider si Art Keller était un scélérat ou un héros. Certains voulaient lui épingler une médaille sur la poitrine, d'autres voulaient lui faire enfiler une combinaison orange.

D'autres encore voulaient qu'il disparaisse, tout simplement.

Et donc la plupart des gens avaient été soulagés quand, une fois les dépositions et les débriefings terminés, celui que l'on surnommait à une époque « Le Seigneur de la frontière » avait disparu de son propre chef. Et Taylor est peut-être ici, songe Keller, pour veiller à ce que je ne réapparaisse pas.

– Qu'est-ce que vous voulez ? J'ai du travail.

– Vous lisez les journaux, Art ? Vous regardez les infos ? demande Taylor.

– Ni l'un ni l'autre.

Le monde ne l'intéresse plus.

– Alors vous ne savez pas ce qui se passe au Mexique.

– Ce n'est pas mon problème.

– Ce n'est pas son problème, répète Taylor en se tournant vers Jiménez. Des tonnes de coke se déversent de l'autre côté de la frontière. De l'héroïne. De la meth. Des gens se font tuer, mais ce n'est pas le problème d'Art Keller. Il doit s'occuper de ses abeilles.

Keller ne répond pas.

La prétendue « guerre contre la drogue » est une porte à tambour : vous faites sortir un gars, quelqu'un d'autre s'assoit sur la chaise vide en bout de table. Cela ne changera jamais, tant qu'existera un appétit insatiable pour les drogues. Et cet appétit existe chez ce mastodonte qui vit de ce côté-ci de la frontière.

Les fonctionnaires en costard-cravate ne le comprendront jamais et ne l'admettront jamais.

Le prétendu problème mexicain de la drogue est en fait le problème *américain* de la drogue.

Pas de vendeur sans acheteur.

La solution ne se trouve pas au Mexique et elle ne s'y trouvera jamais.

Autrefois, c'était Adán, aujourd'hui, c'est quelqu'un d'autre. Et ensuite, ce sera encore quelqu'un d'autre.

Keller s'en fout.

Taylor dit :

– Le cartel du Golfe a arrêté deux de nos agents à Matamoros l'autre jour. Ils ont sorti leurs armes et menacé de les tuer. Ça vous rappelle quelque chose ?

– Oui.

Les Barrera avaient agi de la même manière avec lui à Guadalajara. Ils l'avaient menacé, et sa famille aussi, s'il ne laissait pas tomber. Keller avait riposté en renvoyant femme et progéniture à San Diego et en mettant les bouchées doubles.

Alors, les Barrera avaient tué son équipier, Ernie Hidalgo. Ils l'avaient torturé pendant des semaines pour obtenir des renseignements qu'il n'avait pas, avant de balancer son corps dans un fossé. Laissant une veuve et deux jeunes enfants.

Et provoquant la haine éternelle de Keller.

Leur querelle était devenue une vendetta.

Mais Adán Barrera avait fait bien pire.

Quand était-ce ? se demande Keller. Il y a vingt ans ?

Vingt ans ?

– Mais vous n'en avez rien à foutre, hein ? lance Taylor. Vous vivez dans ce monde éthéré à présent. Sans vivre vraiment dedans.

Quand j'étais dedans, j'étais trop dedans. J'ai fait tuer Ernie, puis j'ai fait tuer dix-neuf innocents.

Il avait inventé un informateur pour protéger sa véritable source et Adán Barrera avait massacré dix-neuf hommes, femmes et enfants, en même temps que le faux *soplón* en guise de leçon. Il les avait alignés contre un mur et les avait abattus.

Keller n'oubliera jamais le moment où il a découvert les enfants morts dans les bras de leurs mères. En sachant que c'était lui le fautif, le responsable. Il ne veut pas oublier et, de toute façon, sa conscience ne le lui permettra pas. Certains matins, la sonnerie du réveil l'arrache à ce souvenir.

Après le massacre d'El Sauzal, il ne s'agissait plus de lutter contre le trafic de drogue, il se battait désormais contre Adán Barrera. Il ne comprend toujours pas pourquoi il n'a pas pressé la détente au moment où son arme appuyait contre la tempe du narco. Peut-être trouvait-il cette mort trop charitable et que trente ou quarante ans dans l'enfer d'une prison de haute sécurité, avant de rejoindre le véritable enfer, étaient un « meilleur » sort.

– Je mène une vie différente aujourd'hui, dit-il.

Un guerrier froid, puis un guerrier de la drogue.

Maintenant, je suis en paix.

– Et donc, ici dans votre isolement splendide, poursuit Taylor, vous n'avez pas entendu parler de votre copain Adán ?

– À quel sujet ? demande Keller, malgré lui.

Il aurait voulu avoir la force de ne pas poser la question.

– Il s'est transformé en Céline Dion. On ne peut plus l'empêcher de chanter.

– Vous êtes venu jusqu'ici pour me dire ça ?

– Non. D'après une rumeur, il aurait proposé deux millions de dollars pour votre tête et la loi m'oblige à vous avertir de l'existence d'une menace directe sur votre vie. Je suis obligé également de vous offrir une protection.

– Je n'en veux pas.

Taylor se tourne vers Jiménez.

– Tu vois ce que je voulais dire ? Une tête de mule. Tu sais comment on le surnommait ? Killer Keller.

Jiménez sourit.

Taylor revient sur Keller.

– C'est tentant. Avec deux millions, je pourrais acheter une petite baraque à Sanibel et me lever le matin sans avoir rien à faire, à part aller à la pêche. Prenez soin de vous, hein ?

Keller regarde les deux hommes gravir la colline, puis disparaître derrière la crête. Barrera un *soplón* ? On pouvait l'accuser d'un tas de choses, toutes fondées, mais pas d'être un indic. Si Barrera s'est mis à table, il y a une raison.

Et Keller la devine.

J'aurais dû le tuer, pense-t-il plus par lassitude que par peur. Dorénavant, la vendetta va se poursuivre encore et encore, à l'image de la guerre contre la drogue.

Un monde sans fin, amen.

Il sait que ça ne s'arrêtera pas avant la mort de l'un des deux, ou des deux.

L'apiculteur ne vient pas dîner au réfectoire ce soir-là, et il ne participe pas aux complies ensuite. Comme il n'assiste pas non plus aux vigiles le lendemain matin, frère Gregory se rend dans sa cellule pour voir s'il est malade.

La pièce est vide.

L'apiculteur est parti.

Centre de détention fédéral, San Diego
2004

Si on peut admirer une chose chez les Américains, se dit Adán, c'est leur constance.

Ils ne retiennent *jamais* les leçons.

Adán a tenu parole.

Après l'enterrement, il est allé voir Gibson et lui a fait un cadeau en or. Assis en face des agents de la DEA et des procureurs, fédéraux et autres, il a répondu à toutes leurs questions et même à celles auxquelles ils ne pensaient pas. Les informations qu'il a fournies ont débouché sur seize saisies de drogue colossales et des arrestations d'individus haut placés, aux États-Unis et au Mexique.

Tout ça a flanqué une peur bleue à Tompkins.

– Je sais ce que je fais, lui a dit Adán.

Il a gardé le meilleur pour la fin.

– Vous voulez Hugo Garza ?

– On bande pour Garza, répond Gibson.

– Vous pouvez leur donner Garza ? demande l'avocat, ébranlé.

Son client propose de livrer le chef du cartel du Golfe, l'organisation de trafiquants de drogue la plus puissante du Mexique depuis que la Federación d'Adán a été démantelée.

Voilà pourquoi Tompkins n'aime pas que ses clients assistent au marchandage. C'est comme aller acheter une voiture avec votre femme : à un moment donné, elle va dire un truc qui va vous coûter du pognon. Certes, les clients ont le droit d'être présents, mais ce n'est pas parce qu'on peut quelque chose qu'on doit le faire.

La suite dépasse les bornes.

– Je veux être extradé, exige Adán. Je plaiderai coupable ici, mais je veux purger ma peine au Mexique.

Le Mexique et les États-Unis ont conclu des accords qui permettent à des détenus d'être emprisonnés dans leur pays d'origine pour des raisons humanitaires, pour être plus près de leur famille. Mais Tompkins est atterré, il entraîne son client hors de la pièce.

– Vous êtes devenu un indic, Adán. Vous ne survivrez pas cinq minutes dans une prison mexicaine. Les détenus feront la queue pour vous liquider.

– Ils feront la queue aussi dans les prisons américaines, souligne Adán.

De ce côté-ci de la frontière, les prisons sont pleines de narcos mexicains et de *cholos,* des petits truands qui sauteront sur cette occasion de grimper dans la hiérarchie en tuant le plus gros indic au monde.

Les mesures de sécurité visant Adán ont joué un rôle important dans la négociation menée par Tompkins, mais son client a déjà rechigné à l'idée d'être envoyé dans une unité pour les « détenus protégés » avec les violeurs d'enfants et d'autres informateurs.

– Adán, supplie Tompkins, en tant qu'avocat, en tant qu'ami, je vous demande de ne pas faire ça. J'avance.

Si la justice reconnaît que vous avez coopéré, je peux sans doute ramener votre peine à quinze ans et vous faire bénéficier du programme de protection des témoins. Compte tenu du temps déjà effectué, vous sortirez dans douze ans. Vous pourrez recommencer à vivre.

– Vous êtes mon avocat, en effet, répond Adán. Et en tant que client je vous demande de conclure cet accord : Garza en échange de mon extradition. Si vous refusez, je vous vire et j'engage quelqu'un qui le fera.

Car il faut absolument que cet accord soit conclu, mais Adán ne peut pas expliquer à Tompkins pour quelle raison. Il ne peut pas lui expliquer que des négociations délicates ont lieu au Mexique depuis plusieurs mois. Certes, il y a un risque, mais il doit le prendre.

S'ils le tuent, tant pis. En tout cas, il ne passera pas toute sa vie dans une cellule.

Alors il attend pendant que Tompkins retourne dans la salle. Adán sait que ça ne sera pas simple, Gibson devra en référer à ses supérieurs, qui en référeront à leurs supérieurs. Puis le ministère de la Justice s'entretiendra avec le Département d'État, qui s'entretiendra avec la CIA, qui s'entretiendra avec la Maison-Blanche, et l'accord sera conclu.

Car un ancien occupant de cette même Maison-Blanche a autorisé un accord semblable dans les années 1980, pour permettre à Tío de se livrer au trafic de cocaïne afin de subventionner les Contras anticommunistes. Et personne ne veut qu'Adán Barrera sorte *ce* squelette du placard durant son procès.

Il n'y aura pas de procès.

Ils vont mordre à l'hameçon Garza.

Car les Américains ne retiennent jamais les leçons.

Trois semaines plus tard, les *federales* mexicains, agissant grâce à des informations fournies par la DEA, capturent Hugo Garza, le chef du cartel du Golfe, dans un ranch isolé au Tamaulipas.

Deux jours plus tard, en pleine nuit, des US marshals conduisent Adán hors de San Diego et le font monter dans un avion à destination de Guadalajara, où des *federales* en uniformes et cagoules noirs le récupèrent promptement et l'emmènent purger sa peine dans la prison de Puente Grande – le Grand Pont – à la périphérie de cette ville que son oncle a dirigée jadis comme un duché.

Un convoi composé de deux véhicules blindés et d'un camion de transport de troupes roule bruyamment sur l'autoroute de Zapotlanejo, vers les miradors de la prison dont les projecteurs lancent des rayons argentés dans la nuit de soie noire.

Le véhicule de tête s'arrête au pied d'une des tours, devant un immense panneau qui indique CEFERESO II. Des rouleaux de fil barbelé coiffent les hautes clôtures et les murs de béton. Des hommes postés derrière des mitrailleuses, au sommet des miradors, pointent leurs armes sur le convoi.

Une porte en acier coulisse et les véhicules pénètrent dans une vaste zone de livraison. La porte se referme aussitôt. On dit qu'une fois que vous avez traversé le Grand Pont, vous ne revenez jamais.

Adán Barrera est condamné à vingt-deux ans d'enfermement.

Il fait froid. Adán se recroqueville à l'intérieur de la doudoune bleue qu'on lui a donnée, tandis que les gardiens le saisissent par les coudes pour l'aider à descendre du fourgon. Il a les mains menottées devant lui et des chaînes aux pieds.

Il se tient devant un mur de béton pendant que les gardiens le prennent en photo et relèvent ses empreintes. Ils lui enlèvent les menottes, les chaînes, puis la doudoune et il grelotte en enfilant l'uniforme marron de la prison qui porte le numéro 817 cousu sur la poitrine et dans le dos.

Le directeur fait un discours.

– Adán Barrera, vous êtes désormais un détenu de Cefereso II. Ne croyez pas que votre ancien statut vous offre le moindre privilège ici. Vous êtes un criminel comme les autres. Si vous suivez les règles, tout se passera bien. Si vous désobéissez, vous en subirez les conséquences. Je vous souhaite de réussir votre réhabilitation.

Adán répond par un hochement de tête et ils l'entraînent au COC, le Centre d'observation et de classification, afin de l'évaluer et de lui attribuer une cellule permanente.

Puente Grande est la prison la plus dure et la plus surveillée du Mexique et Cefereso II (Centre fédéral de réhabilitation sociale) constitue le quartier de haute sécurité, réservé aux criminels les plus dangereux, aux ravisseurs, aux barons de la drogue et aux détenus ayant commis des meurtres dans d'autres prisons.

Le COC est la pire section de Cefereso II.

C'est là que l'on conduit les *malditos,* les maudits. Les méthodes d'endoctrinement consistent à frapper les détenus avec un tuyau, à leur envoyer des décharges électriques ou à les asperger d'eau pour les laisser grelotter de froid, nus, sur le sol en béton. Mais le plus terrible, c'est peut-être l'isolement : pas de livres, pas de magazines, pas de quoi écrire. Si la torture physique ne les détruit pas, les sévices psychologiques leur font perdre la raison. Quand « l'évaluation » s'achève, ils sont généralement catalogués comme fous, à juste titre.

Un gardien ouvre la porte d'une cellule. Adán entre, la porte se ferme derrière lui.

L'homme assis sur le banc en métal est gigantesque, plus d'un mètre quatre-vingts de muscles avec une épaisse barbe noire. Il regarde Adán, sourit et dit :

– Je suis ton comité d'accueil.

Adán se prépare en vue de ce qui l'attend.

L'homme se lève et le serre dans ses bras, à lui broyer les os.

– Ah, je suis content de te voir, *primo* !

– Oui, moi aussi, cousin.

Diego Tapia et Adán ont grandi ensemble dans les montagnes du Sinaloa, au milieu des champs de pavot, avant que les Américains entrent en guerre contre la drogue, à une époque plus calme, plus raisonnable. Diego était un jeune soldat, un *sicario,* quand l'oncle d'Adán avait créé la première Federación.

Diego Tapia, tout l'opposé d'Adán physiquement, a des épaules larges, alors qu'Adán est frêle et un peu voûté, surtout après une année passée dans une cellule américaine. Adán ressemble à ce qu'il est – un homme d'affaires – et Diego aussi : un montagnard sauvage et barbu qui ne paraîtrait pas déplacé sur ces anciennes photos où figuraient les compagnons de Pancho Villa. Il pourrait très bien porter des cartouchières croisées sur la poitrine.

– Tu n'étais pas obligé de te déplacer, dit Adán.

– Je ne reste pas longtemps. Nacho te salue. Il aurait voulu venir, mais…

– Pas la peine de prendre ce risque.

Adán comprend, mais il trouve ça un peu agaçant étant donné que grâce à lui la fortune et le standing d'Ignacio « Nacho » Esparza se sont considérablement accrus.

Les renseignements fournis à la DEA ont créé des fissures dans le roc du trafic de drogue au Mexique, des fissures dans lesquelles Diego et Nacho se sont glissés comme de l'eau, remplissant tous les vides laissés par l'arrestation d'un rival.

(Les Américains ne retiennent jamais les leçons.)

Aujourd'hui, Diego et Nacho possèdent chacun leur propre organisation. Collectivement, sous l'appellation de cartel de Sinaloa, ils contrôlent une énorme partie du trafic en assurant le transport de cocaïne, d'héroïne, de marijuana et de méthamphétamine via Juárez et le golfe. Ils ont également géré les affaires d'Adán en son absence en s'occupant de sa production, en entretenant ses liens avec les policiers et les politiciens et en collectant ses créances.

C'est Nacho qui a négocié, du côté mexicain, le retour d'Adán au pays, en distribuant des sommes importantes et des assurances plus importantes encore. Une fois tout cela arrangé, Diego a veillé à ce que la majeure partie du personnel de la prison soit déjà arrosée par Adán au moment de son arrivée. La plupart ont accueilli cet argent avec empressement. Concernant les réticents, Diego s'est rendu à la prison pour leur montrer des photos de leurs femmes et de leurs enfants, avec leurs adresses.

Malgré cela, trois gardiens refusaient encore de se laisser soudoyer. Diego les a félicités pour leur intégrité. Le lendemain matin, chacun d'eux a été retrouvé assis à son poste, bien sagement, la gorge tranchée.

Les autres ont accepté les largesses d'Adán. Un cuisinier s'est vu offrir trois cents dollars par mois, un gardien gradé mille dollars, et le directeur cinquante mille dollars, bien plus que son salaire annuel.

Quant à ceux qui faisaient déjà la queue pour tuer Adán, ils étaient plusieurs en effet, ils ont tous été tabassés à mort par d'autres prisonniers munis de battes de base-ball. « Los Bateadores », les batteurs, employés par Diego, formeraient la garde privée d'Adán à l'intérieur de Puente Grande.

– Combien de temps je vais devoir rester ici ? demande Adán.

– À l'intérieur, on peut assurer ta sécurité. Dehors…

Diego n'a pas besoin d'achever sa phrase. Adán comprend. Dehors, il y a encore des gens qui veulent sa mort. Certaines personnes vont devoir disparaître, il va falloir acheter certains politiciens, verser des *cañonazos,* d'énormes pots-de-vin.

Adán sait qu'il va rester à Puente Grande un bon moment.

La nouvelle cellule d'Adán située dans le Bloc 2, niveau 1-A de Cefereso II, mesure soixante mètres carrés ; elle possède un lit double caché par une cloison, une cuisine équipée, un bar, un téléviseur LED écran plat, un ordinateur, une chaîne hi-fi, un bureau, une table et des chaises, des lampadaires et un dressing.

Il y a aussi un réfrigérateur-congélateur rempli de steaks et de poisson, de légumes, de bière, de vodka, de cocaïne et de marijuana. L'alcool et la drogue ne sont pas pour lui, mais pour les gardiens, les autres détenus et ses invités.

Adán ne consomme aucune drogue.

Il a vu son oncle devenir accro au crack et celui qui était autrefois le *patrón* tout-puissant, Miguel Ángel Barrera, « M-1 », le génie, le fondateur des cartels, se transformer en imbécile paranoïaque, désorienté, conspirateur de sa propre destruction.

Alors, un seul verre de vin au dîner, voilà l'unique plaisir que s'autorise Adán.

Une penderie renferme une rangée de chemises et de costumes italiens faits sur mesure. Il change de chemise tous les jours ; les sales partent à la blanchisserie de la prison et reviennent repassées, car il sait que dans son métier, comme dans n'importe quel autre, l'apparence prime.

Il a entrepris de rassembler les pièces éparpillées par Keller. En son absence, la Federación s'est scindée en plusieurs grands groupes et des dizaines d'autres plus petits.

Le plus grand est le cartel de Juárez, basé à Ciudad Juárez, juste en face d'El Paso, au Texas, de l'autre côté de la frontière. Vicente Fuentes semble avoir remporté la bataille pour en prendre le contrôle. Très bien. Il est natif du Sinaloa et très proche de Nacho Esparza, qu'il autorise à faire transiter sa meth via la *plaza* Juárez.

Le suivant, par ordre d'importance, est le cartel du Golfe, le Cartel del Golfo, basé à Matamoros, pas très loin des points d'entrée de Laredo. Deux hommes, Osiel

Contreras et Salvador Herrera, y règnent, maintenant que Hugo Garza est en prison. Eux aussi se montrent coopératifs en autorisant la production du Sinaloa à traverser leur territoire, par le biais de l'organisation de Diego.

Le troisième groupe est le cartel de Tijuana, que dirigeaient autrefois Adán et son frère Raúl, en l'utilisant comme réseau d'influence pour mettre la main sur toute la Federación. Leur sœur, Elena, unique survivante parmi les frères et sœurs, tente d'en conserver le contrôle, mais elle perd actuellement une part de son emprise, au profit d'un ancien associé, Teo Solorzano.

Et puis, il y a le cartel de Sinaloa, basé dans l'État du même nom, lieu de naissance du trafic de drogue au Mexique. C'est de là que Tío a bâti la Federación, de là qu'il a divisé le pays en *plazas* qu'il a ensuite distribuées comme des fiefs.

Aujourd'hui, trois organisations constituent le cartel de Sinaloa. Diego Tapia et ses deux frères dirigent l'une d'entre elles. Trafic de cocaïne, héroïne et marijuana. Nacho Esparza est à la tête d'une autre et il est devenu « Le roi de la meth ».

La troisième organisation, enfin, est celle d'Adán, composée d'anciens loyalistes de la Federación, et pour laquelle Diego et Nacho ont assuré un double intérim, en attendant son retour. Il affirme qu'il n'a aucune intention de devenir le chef du cartel, juste « le premier parmi ses pairs », ses compatriotes du Sinaloa.

Le Sinaloa est le cœur. C'est dans le terreau noir du Sinaloa qu'ont poussé les pavots et la marijuana qui ont donné naissance au trafic ; c'est le Sinaloa qui a fourni les hommes qui ont géré ce trafic.

Mais le problème du Sinaloa, ce n'est pas ce qu'il possède, c'est ce qui lui manque.

Une frontière.

La base des narcos du Sinaloa se trouve à des centaines de kilomètres de la frontière qui sépare, et unit, le Mexique et le marché américain lucratif. S'il est vrai que les deux pays partagent plus de trois mille kilomètres de frontière commune, et que chacun de ces kilomètres peut être, et a été, utilisé pour introduire clandestinement de la drogue, il est vrai aussi que certains de ces kilomètres possèdent infiniment plus de valeur que d'autres.

L'immense majorité de la frontière longe le désert. Les emplacements précieux sont les villes de Tijuana, Ciudad Juárez, Nuevo Laredo et Matamoros, les « goulets d'étranglement ». Et la raison ne se trouve pas au Mexique, mais aux États-Unis.

Elle est liée aux autoroutes.

Tijuana touche San Diego et l'Interstate 5 est l'axe nord-sud majeur qui conduit à Los Angeles. Une fois à Los Angeles, la marchandise peut être stockée, puis expédiée sur toute la côte Ouest ou n'importe où aux États-Unis.

Ciudad Juárez touche El Paso et l'Interstate 25, qui rejoint l'Interstate 40, l'axe est-ouest qui dessert tout le sud des États-Unis et constitue donc un fleuve de fric pour le cartel de Juárez.

Nuevo Laredo et Matamoros sont les deux joyaux du Golfe. Nuevo Laredo jouxte Laredo au Texas, mais surtout l'Interstate 35, l'axe routier nord-sud qui conduit à Dallas. De Dallas, la marchandise peut être expédiée aisément dans le Midwest. Quant à Matamoros, elle offre un accès rapide, via la Route 77, à l'Interstate 37, puis à l'Interstate 10, direction Houston, La Nouvelle-Orléans, la Floride. En outre, Matamoros est située sur la côte et permet de desservir les villes portuaires américaines.

Même si tout le trafic s'effectue essentiellement par camion.

Évidemment, vous pouvez transporter de la marchandise à travers le désert : à pied, à cheval, en voiture ou en pick-up. Vous pouvez passer par l'océan en larguant des colis étanches de marijuana et de cocaïne que des complices américains iront récupérer ensuite.

Toutes ces méthodes sont valables.

Mais le transport par camion les éclipse.

Depuis le traité NAFTA de 1994 entre les États-Unis et le Mexique, des dizaines de milliers de camions venant de Tijuana, Ciudad Juárez et Nuevo Laredo traversent la frontière *chaque jour*. La plupart transportent des cargaisons légales. Beaucoup transportent de la drogue.

C'est la plus grande frontière commerciale au monde. Presque quatre-vingt-cinq milliards de dollars de marchandises par an.

Compte tenu du volume de la circulation, les douanes américaines ne peuvent pas fouiller chaque camion. Et une tentative sérieuse pour y parvenir paralyserait le commerce entre les deux pays. Le NAFTA[1] était parfois surnommé le « North American Free Drug Trade Agreement ».

Une fois que le camion contenant de la drogue a franchi la frontière, il est quasiment sur l'autoroute.

« Les Cinq », comme on surnomme les Interstates 5, 25 et 35, sont les artères du trafic de drogue en provenance du Mexique.

Du temps où Adán régnait sur le trafic, il contrôlait les passages de frontière à destination d'El Paso, Laredo et San Diego. Maintenant qu'il n'a plus le pouvoir, les Sinaloans doivent payer un *piso,* une taxe, pour faire transiter leur marchandise.

Cette taxe de 5 % semble infime, mais Adán a une vision de comptable. Vous payez ce que vous devez payer à prix fixe : les salaires et les pots-de-vin, par exemple, font partie du coût des affaires. Mais les pourcentages doivent être évités comme la peste, ils sucent le sang d'une entreprise.

Non seulement les Sinaloans doivent verser 5 % de leur chiffre d'affaires, ce qui représente des millions de dollars,

1. North American Free Trade Agreement : Accord de libre-échange nord-américain (ALÉNA).

mais ils ne prélèvent plus 5 % sur le chiffre d'affaires des autres, le *piso* qui leur revenait quand c'était *lui* qui contrôlait toutes les *plazas*.

Par conséquent, ça commence à chiffrer.

La cocaïne à elle seule constitue un marché de trente milliards de dollars par an aux États-Unis. Sur toute la cocaïne qui entre aux États-Unis, 70 % transitent par Juárez et le Golfe.

Soit vingt et un milliards.

Et un *piso* de un milliard, rien que pour la cocaïne.

Par an.

Vous pouvez devenir multimillionnaire, et même milliardaire, en distribuant votre marchandise et en payant le *piso*. Beaucoup le font, ils mènent une vie agréable. Vous pouvez même devenir encore plus riche en contrôlant une *plaza* et en faisant payer d'autres trafiquants pour l'utiliser, sans jamais toucher à la drogue, de près ou de loin. Mais les gens ne comprennent pas que les principaux narcos peuvent rester une année, voire toute une vie, sans jamais toucher à la drogue.

Leur métier est de contrôler des territoires.

Adán contrôlait tout autrefois.

Il était le Seigneur des Cieux.

Les journées d'Adán à Puente Grande sont bien remplies.

Mille détails requièrent son attention.

Les itinéraires d'approvisionnement entre la Colombie et le Mexique doivent être modifiés constamment, et puis il y a le transport jusqu'à la frontière et le passage de la marchandise.

Il faut également gérer l'argent, des dizaines de millions de dollars qui arrivent des États-Unis, en liquide, qui doivent être blanchis, justifiés, puis investis dans des comptes bancaires ou des affaires à l'étranger. Il faut verser les salaires, les pots-de-vin et les commissions.

Acheter du matériel. L'entreprise d'Adán emploie une armée de comptables qui se surveillent mutuellement, des dizaines d'avocats. Des centaines d'hommes sur le terrain, des passeurs, des guetteurs, des policiers, des militaires, des politiciens.

Adán a engagé, parmi les détenus, un escroc pour numériser tous ses dossiers afin de pouvoir gérer ses comptes sur des ordinateurs portables qui sont changés tous les mois et aussitôt cryptés. Il utilise une pléthore de téléphones, qu'il change tous les deux jours environ, grâce aux gardiens ou à d'autres employés travaillant pour Diego.

Los Bateadores sont chargés de la surveillance du Bloc 2. Le reste de Puente Grande est un asile de fous livré aux gangs, aux vols, aux agressions et aux viols. Dans le Bloc 2, le calme et l'ordre règnent. Tout le monde sait que le cartel de Sinaloa contrôle cette partie de la prison pour le compte d'Adán Barrera, et c'est un véritable sanctuaire.

Adán se lève tôt et, après un petit déjeuner rapide, il s'installe à son bureau. Il travaille jusqu'à 13 heures. Il déjeune, puis se remet au travail jusqu'à 17 heures. Les soirées sont généralement calmes. Son chef cuisinier vient chaque jour lui préparer son dîner et choisir le vin approprié. Cet accord semble très important pour le chef, moins pour Adán.

Ce n'est pas un snobinard du vin.

Certains soirs, Los Bateadores transforment le réfectoire en cinéma, il y a même une machine à pop-corn, et Adán invite des amis à venir voir un film en grignotant du pop-corn ou en mangeant une glace. Les invités appellent ça « Les soirées familiales », car Adán préfère les films tout public, ceux de Disney en particulier ; il n'aime pas tout ce sexe, toute cette violence que l'on trouve dans les films hollywoodiens de nos jours.

D'autres soirées sont moins sages.

Un gardien de la prison fait le tour des bars de Guadalajara et en ramène des femmes. Le réfectoire se transforme alors en bordel, avec alcool, drogue et Viagra. Adán paie tous les « frais », mais ne participe pas, il se retire dans sa cellule.

Les femmes ne l'intéressent pas.

Jusqu'à ce qu'il voie Magda.

Les Sinaloans aiment se vanter en affirmant que leur État montagneux produit deux belles plantes en abondance : les pavots et les femmes.

Magda Beltrán est l'illustration parfaite de la seconde catégorie.

Vingt-neuf ans, grande, de longues jambes, des yeux bleus, Magda est un mélange entre les Mexicains de souche et les populations suisse, allemande et française qui ont émigré au Sinaloa au XIXe siècle.

Sept jeunes femmes du Sinaloa ont été couronnées Miss Mexique.

Magda n'en fait pas partie, mais elle a été Miss Culiacán.

Elle participe à des concours de beauté depuis l'âge de six ans et elle les a presque tous remportés. Elle a ainsi attiré l'attention des agents, des producteurs de cinéma et, évidemment, des narcos.

Magda n'était pas étrangère à ce monde.

Son oncle était trafiquant pour l'ancienne Federación, et deux de ses cousins ont été des *sicarios* pour Miguel Ángel Barrera. Ayant grandi à Culiacán, elle connaissait des trafiquants, comme la plupart des gens.

Elle avait dix-neuf ans quand elle a commencé à les fréquenter.

Les narcos tournent autour des reines de beauté comme des vautours. Certains subventionnent même leurs propres concours, les *narcoconcursos de misses,* pour dénicher des talents. Quand certains organisateurs officiels se sont offusqués du fait que des jeunes filles se trouvent associées à des trafiquants de drogue, la petite amie d'un narco local a demandé : « Pourquoi ne voulez-vous pas que ces filles représentent la plus grosse production de l'État ? »

C'est une association naturelle : les filles ont la beauté et les narcos ont les moyens de leur offrir des dîners fins, des vêtements, des bijoux, des vacances de luxe, des spas, des soins de beauté…

Magda a pris tout ça.

Pourquoi pas ?

Elle était jeune, belle, elle voulait se payer du bon temps, et si vous vouliez vous payer du bon temps à Culiacán, si vous vouliez fréquenter les *cachorros,* les enfants gâtés des barons de la drogue, il fallait aller là où se trouvait l'argent.

De plus, les narcos savaient s'amuser.

Ils aimaient la fête, la musique, la danse, les concerts, les clubs.

Si vous étiez au bras d'un narco, vous ne faisiez pas la queue derrière le cordon de sécurité, on vous faisait entrer et on vous conduisait tout de suite dans le coin VIP avec le Cristal et le Dom Pérignon, et les propriétaires (si le club n'appartenait pas au narco lui-même) venaient vous saluer en personne.

Certaines filles se trouvaient empêtrées avec des narcos âgés, mais Magda évitait ce piège. Quand un *chaca,* un boss, de cinquante ans tombait amoureux, il faisait de cette fille sa maîtresse et veillait à ce qu'aucun autre homme – surtout jeune et beau – n'approche d'elle. Parfois, il l'« épousait » au cours d'une fausse cérémonie, fausse parce qu'il était déjà marié (au moins une fois). La pauvre fille gâchait sa jeunesse enfermée dans une résidence de luxe, jusqu'à ce que le narco soit envoyé en prison, tué ou qu'il se lasse d'elle, tout simplement.

Elle avait de l'argent, certes, mais aussi des regrets.

Magda n'en avait aucun.

Elle avait dix-neuf ans quand Emilio, un trafiquant de cocaïne de vingt-trois ans, prometteur, avait assisté à un des concours où elle figurait. Il l'avait prise dans ses bras pour la soulever de terre et la mettre dans son lit. Il était beau, drôle, généreux et bon amant. Magda s'imaginait lui appartenant, elle se voyait l'épouser et lui donner des enfants quand elle en aurait terminé avec les concours de beauté.

Elle eut le cœur brisé quand il fut envoyé derrière les barreaux, mais à cette époque-là elle concourait pour le titre de Miss Culiacán et elle attira l'attention d'Héctor Salazar, un jeune associé de son oncle. Héctor lui fit porter dans sa loge une douzaine de roses avec un diamant à l'intérieur de chacune d'elles, il demeura poliment dans l'ombre pendant qu'on la couronnait, puis il l'emmena à Cabo.

Emilio était un garçon, mais Héctor était un homme. Emilio était joueur, Héctor était sérieux, dans ses affaires comme avec elle. Emilio avait été un amour d'adolescente, son premier et bel amour en ce sens, mais avec Héctor c'était différent : deux adultes qui bâtissent une vie commune dans un monde adulte.

Héctor était attaché aux traditions : après leur séjour à Cabo, il alla trouver le père de Magda pour lui demander la main de sa fille. Ils préparaient leur mariage quand un autre narco, qui prenait ses affaires très au sérieux lui aussi, tira quatre balles dans la poitrine d'Héctor.

Magda n'était pas réellement veuve, mais on attendait d'elle qu'elle joue ce rôle. Elle était très triste, sans aucun doute, mais elle était secrètement un peu soulagée de ne pas devoir endosser si jeune le costume d'épouse, et sans doute de mère.

Accessoirement, elle découvrit que le noir lui allait bien.

Jorge Estrada, un Colombien qui avait été un des fournisseurs d'Héctor, la remarqua lors de l'enterrement.

Homme respectueux, il laissa passer un laps de temps décent avant de l'aborder.

Jorge l'emmena à Carthagène, au Sofitel Santa Clara, et même si, à trente-sept ans, il était plus âgé qu'Emilio et Héctor, il était aussi beau, dans un genre plus viril. Et si Héctor avait de l'argent, Jorge avait de l'*argent* – ce qu'on appelle la fortune dynastique –, et il l'installa dans sa *finca* à la campagne, dans sa maison sur la plage au Costa Rica. Il l'emmena à Paris, à Rome, à Genève, il lui présenta des metteurs en scène, des artistes, des gens importants.

Magda n'était pas une « chercheuse d'or ».

La richesse de Jorge n'était qu'un bonus. Sa mère disait, comme des générations de mères avant elle : « Il est tout aussi facile de tomber amoureuse d'un homme riche que d'un homme pauvre. » Jorge lui offrait un tas de choses – des voyages, des vêtements, des bijoux (beaucoup de bijoux) –, mais il ne lui offrit jamais une alliance.

Magda n'exigeait pas, n'insistait pas, ne faisait même pas d'allusions, mais après trois ans passés avec cet homme, elle s'interrogeait. Que ne faisait-elle pas ? Que faisait-elle mal ? N'était-elle pas assez jolie ? Pas assez sophistiquée ? Pas assez douée au lit ?

Finalement, elle lui posa la question. Un soir, dans la suite d'un hôtel en bordure de plage, au Panama, elle lui demanda où les menait leur histoire. Elle voulait se marier, avoir des enfants, et si lui ne le voulait pas, elle serait obligée de poursuivre sa vie sans lui. Sans rancune, ça avait été merveilleux, mais elle devrait continuer son chemin.

Jorge sourit.

– Pour aller où, *cariña* ?

– Je retournerai à Culiacán, je me trouverai un gentil Mexicain.

– Ça existe ?

– Je peux avoir tous les hommes que je veux. Le problème, c'est que je te veux, toi.

Lui aussi, il la voulait, répondit-il. Il voulait lui offrir une alliance, un mariage, des bébés. Malheureusement… les affaires marchaient mal ces temps-ci… deux de ses cargaisons avaient été saisies… des dettes restaient impayées… mais dès que ces petites difficultés seraient aplanies… il ferait sa demande.

Il y avait juste un détail…

Il avait besoin d'un coup de main.

Il devait récupérer de l'argent à Mexico. Il aurait bien aimé y aller lui-même, mais la situation là-bas était un peu… compliquée, en ce moment. Si elle se rendait dans la capitale, pour voir des parents, ou des amis, elle pourrait peut-être récupérer l'argent et le rapporter…

Magda s'exécuta.

Elle savait ce qu'elle faisait. Elle avait conscience de franchir la limite entre « association » et « participation », entre fréquenter un trafiquant de drogue et blanchir de l'argent. Elle le fit quand même. Au fond d'elle-même, tout au fond, elle devinait qu'il se servait d'elle, mais en même temps elle avait envie de le croire, et il y avait une autre partie d'elle qui…

… voulait « en être ».

Et pourquoi pas ?

Magda avait grandi au contact de la *pista secreta,* elle avait appris le métier avec Emilio, puis elle en avait appris beaucoup plus, à un niveau beaucoup plus élevé, en étant simplement avec Jorge. Elle possédait l'expérience, la matière grise… Pourquoi devrait-elle demeurer la belle plante accrochée au bras de quelque narco ?

Pourquoi ne deviendrait-elle pas une narca ?

Une *chingona,* une femme puissante et indépendante ?

D'autres femmes – peu nombreuses, il est vrai – l'avaient fait.

Alors, pourquoi pas elle ?

Par conséquent, quand après avoir rempli deux valises avec cinq millions de dollars en liquide elle prit la direction de l'aéroport international de Mexico, elle n'aurait su dire, ni à cet instant ni plus tard, si elle avait l'intention de remettre cet argent à Jorge ou de le voler pour se lancer dans les affaires. Elle avait un billet d'avion pour Carthagène et un autre pour Culiacán, et elle ne savait pas encore lequel elle allait utiliser. Aller en Colombie pour voir si Jorge avait réellement l'intention de l'épouser, ou retourner au Sinaloa et disparaître dans le berceau protecteur des montagnes, là où Jorge n'oserait jamais venir réclamer son argent. (Franchement, que pourrait-il faire ? Elle lui expliquerait que la police avait saisi l'argent, et que pourrait-il faire, hein ?)

Elle n'eut pas le loisir de choisir.

Les *federales* l'arrêtèrent dès qu'elle pénétra dans le terminal.

Elle pouvait donc expliquer à Jorge, en toute franchise, que la police avait saisi l'argent. Devant les caméras de télévision, ils mirent en scène la saisie de un million et demi de dollars et l'arrestation d'« une importante blanchisseuse d'argent sale au service des cartels colombiens ».

Les médias se régalèrent.

Ils affichèrent les photos d'identité judiciaire de Magda en une de tous les journaux et sur les écrans de télé, à côté d'un autre cliché la montrant sur scène coiffée de sa tiare de miss. Les présentateurs secouaient la tête et faisaient claquer leur langue en signe d'avertissement : que cela serve de leçon aux jeunes femmes tentées par le monde « tape-à-l'œil et glamour » des narcotrafiquants.

L'affaire fut même reprise par certains quotidiens américains, avec des manchettes ironiques, du genre : LA MISS SOUS LES VERROUS.

Magda, elle, trouvait cela moins amusant, même si les interrogatoires de la police virèrent au grotesque.

L'essentielle préoccupation des *federales* n'était pas de savoir pourquoi elle voulait embarquer à l'aéroport Benito Juárez avec cinq millions de dollars en liquide, mais pourquoi elle voulait s'envoler avec cet argent sans leur avoir graissé la patte avant.

Elle avoua que c'était une faute naïve, qu'elle aurait dû y penser, et que si c'était à refaire – c'est-à-dire s'ils lui laissaient la possibilité de recommencer –, elle n'oublierait pas cette fois.

Ce qui conduisit directement à la question suivante : Avait-elle encore de l'argent ?

Non.

Magda possédait quelques milliers de dollars sur un compte en banque, quelques bijoux aux doigts et autour du cou, et quelques autres dans un coffre à Culiacán, c'était à peu près tout. Mais n'avaient-ils pas empoché suffisamment en détournant trois millions et demi ?

En fait… non.

Ils la laissèrent appeler Jorge pour voir s'il était possible de trouver un arrangement, mais il ne répondit pas au téléphone. Il semblait parti faire un long séjour en Asie du Sud-Est.

Ah, pas de chance, déplorèrent les *federales*.

Pas de chance pour eux, et encore moins pour elle. Finalement, elle se retrouva inculpée pour blanchiment d'argent, complicité avec un baron de la drogue et trafic de stupéfiants.

Le juge la condamna à quinze ans de détention dans un établissement de haute sécurité.

Pour servir d'exemple aux autres jeunes femmes.

L'accueil à Cefereso II fut brutal.

Sur les cinq cents détenus de ce centre, trois seulement étaient des femmes, Magda apparut donc comme une nouveauté, d'autant que c'était une ancienne reine de beauté. Elle fut déshabillée, soumise à « une fouille interne » à plusieurs reprises pour chercher des produits de contrebande, frottée avec du désinfectant, puis passée au jet. Elle fut bousculée, secouée, palpée, pelotée, frappée, on lui décrivit avec insistance les viols collectifs qui l'attendaient à l'intérieur, de la part des détenus comme des gardiens. Quand ils la conduisirent dans sa cellule, vêtue d'un jogging d'homme, elle était hébétée.

Les autres prisonniers lui lancèrent des « compliments » et des menaces, tandis que les gardiens l'emmenaient.

C'est à ce moment-là qu'Adán la voit.

– C'est qui ? demande-t-il à Francisco, le chef des Bateadores et son garde du corps personnel.

– Cette *dedo* a été Miss Culiacán. Il y a quelques années.

Elle n'a rien d'une reine de beauté à cet instant. Pas maquillée, les cheveux sales et emmêlés, le corps dissimulé par un survêtement trop grand, traînant les pieds à cause des chaînes.

Mais Adán remarque ses yeux.

Aussi bleus qu'un lac de montagne du Sinaloa.

Et l'ossature typique du visage.

– Comment elle s'appelle ?

– Magda quelque chose, répond Francisco. Je me souviens pas de son nom de famille.

– Renseigne-toi. Trouve-moi tout ce que tu peux sur elle et reviens me voir ce soir. En attendant, fais en sorte qu'ils lui donnent une couverture. Et qu'un médecin s'occupe d'elle. Pas un des bouchers de la prison, un vrai.

– *Sí, patrón.*

– Et que personne ne la touche, ajoute Adán.

La nouvelle – une énorme déception car les couteaux étaient déjà sortis pour savoir qui pourrait la violer en premier – se répand : Si vous la touchez, on vous coupe la main. Si vous la violez…

C'est la femme du *patrón.*

Tout le monde le sait, sauf Magda.

Quand un gardien, qui semble gêné d'être en sa présence, lui apporte une couverture, elle pense que c'est normal. Idem quand une femme médecin entre dans sa cellule et demande respectueusement à l'examiner. La femme lui administre un sédatif léger pour l'aider à dormir et promet de revenir la voir.

Tout d'abord, Magda a peur de fermer les yeux à cause des menaces de viol, mais le sédatif l'emporte. De toute façon, un gardien s'est posté devant la porte de sa cellule, le dos tourné pour ne pas la regarder.

Elle commence à deviner qu'elle bénéficie d'un traitement de faveur quand on lui apporte un petit déjeuner mangeable, mais elle met cela sur le compte de sa célébrité.

Deux jours plus tard, un gardien entre avec une panoplie de vêtements neufs et assez corrects : deux robes, des chemises et des jupes, des pantalons, un joli pull – provenant des boutiques chic de Guadalajara. Magda demande au gardien d'où vient tout ça et n'obtient qu'un haussement d'épaules en guise de réponse. Les vêtements sont à sa taille, et elle songe qu'ils lui ont peut-être été envoyés par sa famille, ou par Jorge.

Elle n'a plus de nouvelles de lui, ni de sa famille, mais le psy de la prison lui a expliqué qu'étant placée en isolement elle n'aurait aucun contact avec l'extérieur, alors peut-être que des coups de téléphone ou des messages l'attendent.

Ces vêtements l'aident à se sentir mieux ; malgré cela elle ne peut s'empêcher de déprimer en s'imaginant vivre dans cet endroit ne serait-ce que quelques mois, et encore moins pendant quinze ans. Elle fait part de ce sentiment au psychiatre de la prison lors de sa première évaluation. Celui-ci insiste pour que la porte reste ouverte et il demeure assis derrière son bureau comme s'il s'agissait d'une barrière.

Il lui explique que ce sentiment est parfaitement normal, qu'elle va s'habituer, surtout quand elle sortira d'isolement pour être intégrée aux autres prisonniers. Mais Magda ne voit pas comment cela pourrait être possible au milieu de milliers d'hommes. Elle se demande s'ils vont la placer dans une cellule avec les deux autres femmes de la prison, sans pouvoir dire si cela serait une bonne ou une mauvaise chose.

Les cosmétiques arrivent le lendemain. Des produits de maquillage coûteux, ceux qu'elle utilise habituellement, accompagnés d'un petit miroir à main. Au fond du colis, elle trouve un mot : « Cadeau d'un compatriote du Sinaloa. »

Ce n'est donc pas Jorge.

Mais qui, alors ?

Magda n'est pas bête.

Elle connaît le monde des narcos et ses acteurs. Il y a des dizaines de Sinaloans à Puente Grande, mais une poignée seulement a la possibilité de lui offrir ce genre de privilèges. Comme la plupart de ceux et celles qui évoluent dans ce milieu, elle sait qu'Adán Barrera, l'ancien Señor de los Cielos, est pensionnaire de cette prison.

Serait-ce possible ?

Sois réaliste, se dit-elle en se regardant dans le miroir pour se maquiller, un geste simple devenu un immense plaisir. Il s'agit d'Adán Barrera : il pourrait faire venir les plus belles femmes du monde s'il voulait.

Pourquoi s'intéresserait-il à moi ?

Magda se livre à un examen honnête : elle est encore belle, mais plus proche de trente ans que de vingt. Au Sinaloa, les femmes de son âge sont considérées comme des vieilles filles.

Mais trois jours plus tard, dans l'après-midi, elle reçoit une bouteille d'un bon merlot avec un verre, un tire-bouchon et un autre mot : « Quelques amis et moi organisons une "soirée cinéma" et je voulais savoir si vous aimeriez vous joindre à nous. Adán Barrera. »

Magda ne peut s'empêcher de rire.

À l'intérieur de la prison la plus violente du monde occidental, cet homme la drague comme s'ils étaient deux lycéens.

Il lui propose un rancard.

Pour une « soirée cinéma ».

Elle rit de plus belle quand elle s'aperçoit qu'elle est en train de penser : Oh, bon sang, comment vais-je m'habiller ?

Le gardien est toujours là, il attend visiblement une réponse.

Magda hésite. S'agit-il d'un traquenard pour lui faire subir un viol collectif ?

Si c'est le cas, tant pis, décide-t-elle. Elle est obligée de courir ce risque car elle sait qu'elle ne pourra pas survivre quinze ans dans cet endroit comme une prisonnière « normale ».

– Dites-lui que j'accepte avec plaisir.

La première chose qui la frappe chez Adán Barrera, c'est sa timidité.

Ce n'est pas fréquent chez un *buchone,* un narco.

Tout en lui est discret, du ton de sa voix à sa façon de s'habiller : ce soir, un costume Hugo Boss noir et une chemise blanche.

Il est un peu plus petit qu'elle et elle remarque quelques taches argentées dans ses cheveux noirs au niveau des tempes. Il esquisse un sourire, puis baisse les yeux quand il lui serre la main en disant :

– Je me réjouis que vous soyez venue. Je suis Adán Barrera.

– Tout le monde sait qui vous êtes. Je m'appelle Magda Beltrán.

– Tout le monde sait qui *vous* êtes.

Adán remarque la bouteille de vin et le verre dans sa main gauche.

– Vous n'avez pas aimé le vin ? Je suis navré.

– Non. Je ne voulais pas le boire seule, voilà tout. J'ai pensé que ce serait plus amusant si on le dégustait ensemble.

Elle a opté pour une des robes qu'il lui a offertes, une bleue. Tout d'abord, elle s'était dit qu'un pull et un pantalon seraient appropriés pour une soirée cinéma, puis elle a pensé qu'il ne lui avait pas offert ces robes par hasard, et elle ne voulait pas le décevoir.

Adán la conduit vers la première des cinq rangées de sièges qui ont été disposés devant un téléviseur grand écran. Leur rangée est vide, mais les autres sont occupées par des prisonniers qui s'efforcent de la regarder sans donner l'impression de la dévisager. D'autres se sont postés devant les portes du réfectoire, pour monter la garde.

Adán lui avance une chaise, elle s'y assoit et il prend place à côté d'elle.

– J'espère que vous aimez *Miss Détective*. Avec Sandra Bullock.

– J'aime bien cette actrice, dit Magda. C'est l'histoire d'une fille qui participe à des concours de beauté, hein ?

– J'ai pensé que…

– C'est très aimable à vous.

– Vous voulez quelque chose ? Du pop-corn ?

– Pop-corn et vin rouge ? Bah, pourquoi pas ?

Adán adresse un signe de tête à un détenu, qui se précipite vers une machine et revient avec deux bols pleins. Un autre détenu tend à Adán un tire-bouchon et un verre.

Il débouche la bouteille et sert le vin.

– Je n'y connais rien, avoue-t-il. Il est censé être bon.

Magda le fait tournoyer dans son verre et le sent.

– Il l'est.

– Tant mieux.

– C'est vous que je dois remercier pour les vêtements ? Et les produits de beauté ?

Adán répond par un léger hochement de tête.

– Et pour ma sécurité ?

Même réponse.

– Personne ici ne vous touchera, sans votre autorisation.

Vous compris ? se demande-t-elle.

– Je vous suis très reconnaissante pour cette protection. Mais puis-je savoir pourquoi vous êtes si généreux ?

– Nous autres, Sinaloans, on doit s'entraider.

Adán fait un signe à un détenu et le film commence.

Elle ne couche pas avec lui ce soir-là.

Ni le soir suivant ni le suivant.

Mais Magda sait que c'est inévitable. Elle a besoin de sa protection, elle a besoin de ce qu'il peut lui offrir. Ça se passe toujours de la même façon partout dans le monde, mais la grosse différence ici est qu'elle n'a pas le choix.

Magda a besoin d'affection, d'amitié et, elle se l'avoue, de sexe. Et il est sa seule opportunité. Il n'acceptera jamais que quelqu'un d'autre la possède. Pour lui, ce serait un rejet et une déception, mais surtout une humiliation.

Et Magda a suffisamment vécu pour savoir qu'un homme dans la position d'Adán Barrera ne peut se permettre d'être humilié. Ce serait un signe de faiblesse qui risquerait de lui être fatal. Si vous êtes faible, vous devenez une cible.

Alors, si elle veut un homme, ça ne peut être qu'Adán.

Et pourquoi pas ?

Certes, il est âgé et moins beau qu'Emilio, moins séduisant que Jorge, mais il n'est pas du tout répugnant comme certains boss âgés qu'elle a vus. En outre, il est gentil, poli, attentionné. Il s'habille bien, il est intelligent, intéressant et il sait s'exprimer.

Et il est riche.

Adán peut lui offrir une vie en prison nettement plus agréable. Avec lui, elle est protégée, privilégiée, elle a droit à toutes ces « petites choses » qui rendent tolérable l'existence dans ce trou à rats.

Sans lui, tout cela disparaîtra. Et, s'il lui retire sa protection, elle sait que les agressions sexuelles ne tarderont pas et elle deviendra un objet qu'on se repasse, entre gardiens d'abord, puis entre prisonniers.

Elle a vu le sort réservé aux deux autres femmes.

Elles couchent pour avoir de l'alcool, de la nourriture, de la drogue. Surtout de la drogue. Une des deux semble frappée de catatonie la plupart du temps, quant à l'autre – psychotique désormais –, elle reste assise nue dans sa cellule, exhibant ses parties génitales devant tous ceux qui passent.

Alors, Magda sait que c'est juste une question de temps avant qu'elle se donne à Adán, et si elle se répète que ce n'est pas un viol, elle est assez intelligente pour comprendre qu'il s'agit d'une relation de pouvoir dans laquelle elle n'a pas le dessus.

Adán possède le pouvoir, alors il peut la posséder.

Ils le savent l'un et l'autre, ils n'en parlent pas, et il ne la presse pas. Mais elle sait qu'elle ne peut pas continuer ainsi sans que cela devienne un sujet de plaisanterie, sans que les rires et les murmures circulent dans toute la prison pour se moquer du *patrón* transi d'amour.

Si une de ces plaisanteries parvenait aux oreilles d'Adán, Magda sait qu'elle pourrait se retrouver égorgée et jetée aux chiens, littéralement.

Il serait obligé de restaurer son honneur.

Elle a entendu les histoires sur cette femme qui a éconduit l'oncle d'Adán et qui a fini décapitée, et dont les enfants ont été jetés du haut d'un pont. Cet homme, cet Adán, si poli et timide, se rappelle-t-elle, a poussé deux jeunes enfants dans le vide.

Du moins, c'est ce qu'on raconte.

Alors, quand après quatre « rancards » il l'invite à dîner dans sa cellule, ils savent tous les deux que la soirée va se terminer dans son lit.

Adán regarde Magda de l'autre côté de la table.

– Le dîner te plaît ?

– Oui, c'est très bon.

J'espère bien, se dit Adán. L'espadon a été expédié spécialement par avion d'Acapulco, dans de la glace. Et le vin devrait être à son goût. Il sait tout sur Magda désormais, sur son passé, sa liaison de jeunesse avec ce trafiquant de cocaïne encore novice, mais surtout sur sa longue relation avec Jorge Estrada.

Le Colombien a commis une erreur stupide en ne payant pas Nacho pour pouvoir passer de la marchandise à l'aéroport. Il suffisait d'organiser une rencontre, de verser un modeste droit de péage, et Nacho lui aurait gracieusement permis d'utiliser son territoire.

Mais Estrada était trop arrogant, ou trop cupide pour cela, et ce manque de respect avait conduit cette femme en prison. Pire, il l'avait envoyée à sa place car il savait qu'il y avait un problème. Maintenant, c'était trop tard, le cas de Magda, comme le sien, était trop médiatisé pour être réglé de manière rapide et discrète.

Elle le regarde avec insistance.

– Désolé, dit-il. Je pensais à mes affaires.

– Je t'ennuie déjà ? demande-t-elle avec une adorable moue travaillée pour les concours de beauté.

– Absolument pas.

– S'il y a un sujet que tu veux aborder…

Elle tend le bras par-dessus la table pour lui caresser la main.

Un geste intime.

– Adán, je ne veux plus attendre.

Elle se lève et marche vers la cloison qui délimite la chambre. Lui tournant le dos, elle commence à descendre la fermeture Éclair de sa robe, puis s'arrête, regarde par-dessus son épaule, dans une position qui allonge élégamment son cou, et dit :

– Tu veux bien m'aider ?

Car elle sait qu'il veut la déballer comme un cadeau.

Adán vient se placer derrière elle et finit d'abaisser la fermeture à glissière, jusque dans le creux des reins. Il se penche pour l'embrasser dans le cou.

– Si tu fais ça, dit Magda, je ne pourrai plus t'arrêter.

Il continue à lui embrasser le cou, puis fait glisser la robe sur ses épaules et prend ses seins dans ses mains. La robe tombe sur les hanches et le long des cuisses. Elle entoure ses pieds comme une flaque d'eau.

Magda l'enjambe et se tourne vers lui.

– Œil pour œil, dent pour dent, dit-elle en ouvrant sa braguette. Qu'est-ce que tu aimes ?

– Tout.

– Tant mieux parce que je fais tout.

Son amour pour Emilio avait été une pure passion.

Simple et directe.

Avec Jorge, elle avait découvert la sophistication, il lui avait appris des choses au lit, des choses qu'il aimait, des choses que n'importe quel homme devait aimer.

Aujourd'hui, elle se sert de tout ce qu'elle connaît car ça ne peut pas, *ça ne peut pas* être une aventure d'un seul soir après laquelle il estimera avoir obtenu tout ce qu'il désirait et la rejettera dans le caniveau. Il doit savoir que tous les plaisirs du sexe se cachent dans ses doigts, dans sa bouche, dans sa *chocha,* et qu'elle peut lui offrir plus qu'aucune autre femme.

Mais il est évident qu'il possède lui aussi une certaine expérience. Adán connaît le corps des femmes et il n'est pas égoïste. Magda est surprise quand elle sent l'orgasme monter en elle, plus surprise encore quand elle se sent balayée par le plaisir, et encore plus en constatant qu'il est toujours dur en elle.

Quand elle le regarde d'un air interrogateur, il dit :

– On m'a toujours appris : les dames en premier.

Mais une étincelle de supériorité dans son regard éveille l'esprit de compétition de Magda, alors elle fait une chose qu'elle réservait pour plus tard et elle voit les yeux d'Adán s'écarquiller, elle sent son souffle qui s'accélère, puis elle l'entend gémir (Tu n'as plus l'esprit ailleurs, hein ?) et elle le maintient dans cet état pendant un instant, elle tend le cou pour approcher sa bouche de son oreille et elle ordonne :

– Dis mon nom.

– Magda.

Elle se met à bouger.

– Dis-le encore.

– Magda.

– Crie-le.

– Magda !

Elle le sent jouir en elle.

Cela lui procure un sentiment de sécurité.

Ils entament alors une curieuse vie de couple, compte tenu des circonstances.

Transférée officiellement dans l'unité où sont détenues les deux autres femmes, Magda emménage en réalité dans une cellule voisine de celle d'Adán et passe la plupart de ses nuits avec lui.

Il se lève tôt le matin pour travailler, puis la rejoint pour le petit déjeuner. Elle regagne ensuite sa cellule pour lire ou faire de l'exercice, et ils déjeunent ensemble. Quand il retourne travailler, elle lit encore ou regarde la télé jusqu'à ce qu'ils dînent ensemble.

Certains après-midi, il s'accorde une heure ou deux et ils sortent dans la cour pour participer à une partie de volley-ball avec d'autres détenus, jouer au basket ou simplement profiter du soleil. Le soir, c'est télé ou cinéma, mais de plus en plus souvent, Adán veut aller se coucher tôt et faire l'amour.

Il est envoûté.

Lucia était mignonne, menue. Magda a un corps sexy : des hanches larges, des seins lourds. Un verger par une douce matinée humide.

Et elle est intelligente.

Peu à peu, elle lui dévoile l'étendue de ses connaissances dans le domaine des affaires. Elle laisse échapper des bribes d'informations sur le trafic de cocaïne, les gens qu'elle a rencontrés, amis et relations. Elle cite, mine de rien, les endroits où elle est allée – Amérique du Sud, Europe, Asie, États-Unis –, pour montrer que, si elle est fière d'être née dans le Sinaloa, elle n'est pas pour autant une simple *chuntara,* une péquenaude.

Qu'elle pourrait être un atout pour lui, et pas seulement au lit.

Pour Adán, cela ne fait aucun doute.

Ce n'est pas une question de doute, c'est une question de confiance.

Magda voit la lame.

Un éclat sous le soleil.

– Adán ! hurle-t-elle.

Il se retourne au moment où le petit homme maigre, une trentaine d'années peut-être, fait un pas vers lui en tenant le couteau à l'horizontale, au niveau des hanches, comme un professionnel. L'homme tend le bras, Adán pivote et la lame lui entaille le bas du dos. L'agresseur veut frapper de nouveau, mais deux Bateadores sont déjà sur lui ; ils l'immobilisent et l'entraînent à l'écart du terrain de volley.

– Je le veux vivant ! braille Adán.

Il glisse la main dans son dos et sent le sang poisseux entre ses doigts. Francisco le retient, puis Magda, et il s'évanouit.

Son agresseur ignore qui l'a engagé.

Adán le croit ; le contraire l'aurait étonné. Juan Jesús Cabray sait manier le couteau, il purge une peine de deux fois soixante ans de prison pour avoir liquidé deux rivaux dans un bar de Nogales à l'arme blanche. Dans le temps, il a fait quelques petits boulots pour l'ancien cartel de Sonora. Maintenant, il est attaché à un pilier dans un débarras, au sous-sol, face à Diego qui lève paresseusement une batte de base-ball et se prépare à frapper.

– Qui t'a engagé, *cabrón* ?

La tête de Cabray pend sur sa poitrine comme une poupée brisée, mais il parvient à la remuer faiblement et à murmurer :

– Je ne sais pas.

Adán est assis sur un trépied inconfortable. Les sept points de suture le démangent plus qu'ils ne le font souffrir, mais ses côtes commencent à l'élancer. Celui qui a engagé Cabray a utilisé plusieurs couches d'intermédiaires pour le contacter. Et il a choisi un homme qui n'avait rien à perdre. Mais qu'avait-il à y gagner ? Sa famille miséreuse recevrait une grosse somme d'argent, de l'argent qu'il ne pouvait plus lui apporter. Alors, il garderait le silence, il utiliserait l'unique ressource que Dieu offrait aux *campesinos* mexicains : la résistance à la douleur. Diego pouvait le tabasser à mort, ça ne changerait rien.

– Stop.

Adán approche son tabouret et dit tout bas :

– Juan Cabray, tu sais que tu vas mourir. Et tu vas mourir heureux en pensant à l'argent qui va revenir à ta famille. C'est bien, tu es un homme courageux. Mais tu sais… Regarde-moi, Juan…

Cabray lève la tête.

– … tu sais que je peux m'occuper de ta famille, où qu'elle soit. Écoute-moi, Juan Jesús Cabray. J'achèterai une maison pour ta femme, je lui trouverai un travail pas trop pénible, j'enverrai ton fils à l'école. Ta mère vit encore ?

– Oui.

– Je veillerai à ce qu'elle n'ait pas froid en hiver. Et je t'offrirai un enterrement dont elle sera fière. La seule question est celle-ci : Dois-je prendre ta famille sous mon aile et la traiter comme ma propre famille, ou dois-je tous les tuer ? À toi de décider.

– Je ne sais pas qui m'a engagé, *patrón.*

– Tu as été contacté par quelqu'un.

– Oui.

– Qui ?

– Un des gardiens. Navarro.

Deux des Bateadores sortent aussitôt.

– Que t'a-t-il offert ? demande Adán.

– Trente mille dollars.

Adán se penche en avant et murmure à l'oreille de Cabray :

– Juan Jesús, as-tu confiance en moi ?

– *Sí, patrón.*

– Fais-nous gagner du temps. Dis-moi où je peux trouver ta famille.

D'une voix faible, Cabray explique qu'ils vivent dans un village nommé Los Elijos, dans l'État de Durango. Sa femme se prénomme María et sa mère, Guadalupe.

– Et ton père ?

– *Muerto.*

– Il t'attend au paradis, dit Adán.

Il grimace légèrement en se levant et s'adresse à Diego :

– Fais ça vite.

En sortant du débarras, il entend Cabray murmurer une prière. Alors qu'il s'éloigne dans le couloir, le *tiro de gracia,* le coup de grâce, retentit.

– Qui ? demande Adán à Diego.

Ils sont retournés dans sa cellule. Adán sirote un verre de scotch pour soulager sa douleur au côté.

Diego se tourne vers Magda, assise sur le lit.

– On peut parler devant elle, dit Adán. Après tout, c'est elle qui m'a sauvé la vie, pas tes hommes.

Diego rougit, mais il ne peut que reconnaître la réalité. Les hommes qui étaient responsables de la sécurité d'Adán ont été transférés au Bloc 4, le plus terrible de tous, là où sont rassemblés les violeurs d'enfants, les meurtriers et les fous. Fini les soirées cinéma, les femmes et les fêtes. À la place, bagarres et meurtres pour un peu de nourriture.

Leurs remplaçants vont arriver dans quelques jours.

Ce sont des volontaires, ils se sont fait condamner et envoyer en prison délibérément, en sachant que lorsqu'ils sortiront dans quelques années on leur offrira la possibilité de se livrer au trafic de drogue et de gagner des fortunes, des choses dont ils n'auraient jamais pu rêver autrement.

Le gardien nommé Navarro s'est enfui dès qu'a commencé à circuler la nouvelle de la tentative d'assassinat ratée. Ils le recherchent. Le directeur de la prison s'est confondu en excuses, promettant une enquête approfondie et le renforcement des mesures de sécurité. Adán s'est contenté de le regarder, sans rien dire. Il mènerait sa propre enquête et se chargerait de sa sécurité. À cet instant même, cinq Bateadores montent la garde devant sa cellule.

– On pense que ça vient de Fuentes, répond Diego en nommant le *chaca* du cartel de Juárez.

La *plaza* Juárez a toujours été rattachée au Sinaloa et Vicente Fuentes craignait peut-être qu'Adán veuille la récupérer. Mais il avait demandé à Esparza, lié à lui par le mariage, de l'assurer qu'Adán Barrera voulait uniquement gagner sa vie en exploitant son propre territoire.

La tentative de meurtre pourrait également venir de Tijuana, songe Adán. Teo Solorzano a mené une révolte contre ma sœur en mon absence et peut-être redoute-t-il les conséquences de mon retour. Il s'agirait alors d'une « frappe préventive ».

– Et Contreras ? demande Magda.

– Il n'a aucune raison de me tuer. Il se frotte les mains depuis que Garza est en prison. C'est lui le numéro deux du cartel du Golfe maintenant, il gagne plus de fric, et c'est grâce à moi.

En outre, se dit Adán, j'ai envoyé Diego discuter avec Contreras pour l'assurer que je n'avais pas de vues sur le Golfe, ni l'ambition de récupérer mon ancien trône.

Mais Contreras, lui, a de l'ambition.

Bref, ça pouvait venir de n'importe lequel des trois, mais on ne le saura pas avant d'avoir retrouvé Navarro, et ce n'est même pas certain. Si cette tentative émane d'un des hommes auxquels il pense, le gardien est sans doute mort à cette heure-ci. Un type en qui il avait confiance a proposé de l'aider à fuir et il l'a emmené quelque part pour le tuer.

Adán regarde Diego et sourit.

– On verra bien qui se pointera en premier.

Diego lui rend son sourire. Chacune de ces trois organisations va envoyer un émissaire pour nier toute responsabilité. Le premier qui se présentera sera certainement le plus nerveux, non sans raison. S'ils avaient réussi à tuer Adán, ils seraient déjà en train de négocier avec Diego Tapia et Esparza.

Comme ils ont échoué, ils vont leur faire la guerre.

– Le village de Cabray, dit Diego, je vais le faire raser à coups de bulldozer.

– Non, répond Adán sèchement. J'ai donné ma parole à cet homme.

Il demande à Diego de retrouver sa famille et de lui offrir exactement ce qu'il a promis.

– Et installe une école dans le village, ou une clinique, un puits… ce qui leur manque. Mais, surtout, fais en sorte qu'ils sachent bien que ça vient de moi.

Après le départ de Diego, Magda, occupée à feuilleter le *Vogue* mexicain, dit :

– Peut-être que tu cherches trop loin.

– Que veux-tu dire ?

– Je parle de ceux qui ont essayé de te tuer. Tu devrais regarder plus près de toi. Qui était chargé de te protéger ? Qui a échoué ?

Cette suggestion provoque la colère d'Adán.

– Diego et moi, on est du même sang. C'est plus un frère qu'un cousin.

– Pose-toi la question : Qui a le plus à gagner si tu meurs ? Diego et Nacho possèdent leur propre organisation maintenant, ils ont pris l'habitude de commander. Nacho est-il venu te voir, au moins ?

– C'est trop risqué.

– Diego est venu.

– C'est Diego. Il s'en fout.

– Pas sûr.

Non, pas Diego, se dit Adán. Les autres éventuellement, même si j'en doute. Nacho était un ami proche de mon oncle et son conseiller, et il m'a bien conseillé moi aussi. Il a épousé la sœur du beau-frère de ma sœur. Il fait partie de la famille.

Mais peut-être…

Diego ?

Jamais.

– Je confierais ma vie à Diego, dit-il sur la défensive.

Magda hausse les épaules.

– C'est ce que tu fais, dit-elle.

Il vient s'asseoir sur le lit à côté d'elle.

– S'ils ont essayé une fois, ajoute-t-elle, ils recommenceront.

– Je sais.

Et un jour, songe-t-il, ils réussiront, sans doute. Je suis une cible immobile dans cette prison. Et si quelqu'un souhaite vraiment ma mort, je suis mort. Mais inutile de ruminer.

– Tu m'as sauvé la vie aujourd'hui.

Elle tourne une page du magazine.

– Ce n'est pas grand-chose.

Adán rit.

– Que veux-tu en échange ?

Magda lève enfin les yeux du numéro de *Vogue.*

– Tu m'as sauvé la vie un tas de fois.

– Noël approche.

Elle soupire.

– Oui, un Noël en prison.

– On va bien en profiter, promet-il.

Si on vit assez longtemps.

Matamoros
Tamaulipas, Mexique
Novembre 2004

Assis sur un banc au troisième rang de l'église, Heriberto Ochoa regarde Salvador Herrera tenir le bébé au-dessus des fonts baptismaux, pendant que le prêtre prononce le texte du sacrement. Conformément à la tradition, l'enfant et le parrain sont vêtus de blanc et Ochoa songe qu'avec sa silhouette trapue Herrera ressemble à un vieux réfrigérateur.

L'église est pleine à craquer, comme il convient pour le *bauzito* de la fille d'un puissant narco. Osiel Contreras se tient sur le côté des fonts, rayonnant de fierté paternelle.

Ochoa se souvient de sa rencontre avec Osiel Contreras, il y a un peu plus d'un an. Soldat à l'époque, Ochoa était lieutenant dans les forces spéciales aéroportées, l'unité d'élite de l'armée mexicaine, et Contreras venait de se hisser au grade de chef du cartel du Golfe, après l'arrestation et l'extradition de Garza.

Ils avaient fait connaissance lors d'un barbecue, dans un ranch situé au sud de la ville, et Contreras avait laissé entendre qu'il avait besoin de protection.

– Quel genre d'hommes il vous faut ? demanda Ochoa.

Il but une gorgée de bière bien fraîche.

– Les meilleurs, répondit Contreras. Uniquement les meilleurs.

– Les meilleurs sont dans l'armée, et pas ailleurs.

Ce n'était pas de la vantardise, c'était la réalité. Si vous voulez des gangsters, des drogués, des voyous et des *malandros,* des fainéants, vous pouvez les trouver au coin de la rue. Mais si vous voulez des hommes d'élite, il faut les recruter dans une force d'élite. Ochoa faisait partie de ces hommes : il avait suivi une formation de contre-insurrection auprès des forces spéciales américaines et des Israéliens.

La crème de la crème.

– Combien tu gagnes par an ? demanda Contreras.

Quand Ochoa lui indiqua la somme, il secoua la tête et lâcha :

– Mes poulets sont mieux traités.

– Et ils vous protègent ?

Contreras éclata de rire.

Ochoa déserta et se mit à travailler pour le cartel du Golfe. Sa première tâche fut de recruter des hommes comme lui.

Les désertions étaient monnaie courante dans l'armée mexicaine. Doté de *cañonazos de dólares,* des boulets de canon de fric, Ochoa n'eut aucun mal à séduire trente de ses camarades et à leur faire abandonner les longues journées, les baraquements miteux et la solde minable. En l'espace de quelques semaines seulement, il acheta quatre autres lieutenants, cinq sergents, cinq caporaux et vingt soldats de première classe. Qui apportèrent dans leurs bagages une précieuse marchandise : des fusils

AR-15, des lance-grenades et du matériel de surveillance ultra-sophistiqué.

Les conditions proposées par Contreras étaient généreuses.

En plus du salaire, il offrit à chaque recrue une prime de trois mille dollars qu'elle pouvait déposer à la banque ou investir *el norte,* ou encore utiliser pour acheter de la drogue.

Ochoa acheta dix-huit kilos de cocaïne.

Il allait pouvoir devenir un homme riche.

Le travail en soi était relativement simple : protéger Contreras et récolter le *piso*. La plupart des débiteurs payaient sans faire d'histoires, les récalcitrants étaient conduits à l'hôtel Nieto, à Matamoros, où ils se laissaient convaincre, généralement avec le canon d'un pistolet enfoncé dans la gorge.

Quelques mois après son entrée en fonction, Ochoa fut chargé par Contreras d'éliminer un concurrent. Il rassembla vingt hommes avec lesquels il assiégea la propriété du trafiquant en question. Les occupants de la maison fortifiée, une douzaine peut-être, ripostèrent et tinrent en respect le commando jusqu'à ce qu'Ochoa se précipite à l'arrière de la maison, déniche la cuve de propane et la fasse exploser, immolant ainsi tous ceux qui se trouvaient à l'intérieur.

Mission accomplie.

La prime offerte par Contreras, reconnaissant, permit d'acheter plus de cocaïne, et cette histoire leur valut, à lui et à ses hommes, une précieuse notoriété.

Aujourd'hui, ils ne sont plus de simples gardes du corps. Les trente hommes d'origine sont plus de quatre cents maintenant, et Ochoa commence à craindre une baisse de la qualité. Pour y remédier, il a installé trois camps d'entraînement sur des propriétés appartenant au cartel, en pleine campagne, où les nouvelles recrues peuvent affûter leurs savoir-faire dans le domaine de la stratégie, du maniement des armes et de la collecte de renseignements. Et où on leur inculque la culture de groupe.

La culture d'une force d'élite.

Lors des missions, ils se noircissent le visage, portent des vêtements et des cagoules noirs. Le protocole militaire est observé à la lettre : grades, saluts et chaîne de commandement. Idem pour la loyauté et la camaraderie ; une éthique prime : « On n'abandonne jamais un homme. » Un camarade, mort ou vivant, ne doit pas être laissé sur le champ de bataille. S'il est blessé, il a droit aux meilleurs soins, dispensés par les meilleurs médecins ; s'il a été tué, sa famille est prise en charge et sa mort vengée.

Sans exception.

À mesure que leur nombre augmentait, leur rôle s'est étendu. Si leur mission première reste et restera toujours la protection d'Osiel Contreras et de son territoire, les forces d'Ochoa s'intéressent désormais à des marchés parallèles lucratifs. Avec l'approbation du boss – et pourquoi pas, puisqu'il perçoit d'épaisses enveloppes bourrées de billets ? –, ils se sont lancés dans l'enlèvement et le racket.

Des commerçants, des propriétaires de bars et de clubs, à Matamoros et dans d'autres villes, arrosent dorénavant les hommes d'Ochoa en échange de leur « protection », s'ils ne veulent pas voir leurs établissements pillés ou incendiés et leur clientèle tabassée. Les tripots, les bordels et les *tienditas,* ces boutiques qui vendent d'infimes quantités de drogue aux camés, tout le monde paie.

Ils ont trop peur pour refuser.

Les hommes d'Ochoa se sont taillé une réputation de brutalité, non usurpée. Les gens évoquent à voix basse *la paleta,* la technique préférée d'Ochoa, paraît-il : la victime est entièrement déshabillée, puis battue à mort avec une planche de bois.

Mais pour devenir véritablement célèbre, un groupe a besoin d'un nom.

Dans l'armée, le code radio d'Ochoa était « Zeta One », alors ils ont décidé de s'appeler les Zetas.

En sa qualité de premier Zeta, Ochoa est devenu « Z-1 ».

Les trente autres premières recrues ont adopté leur surnom en fonction de leur ordre d'arrivée : Z-2, Z-3, etc. La hiérarchie repose sur l'ancienneté.

Z-1 est grand, beau, il possède une épaisse chevelure noire, un visage de rapace et un corps musclé. Aujourd'hui, il porte un costume kaki et une chemise bleu foncé. Son pistolet FN Five-seveN, fourni par l'armée, est glissé dans un holster sous son bras gauche. Assis dans l'église bondée, il lutte contre le sommeil, tandis que le prêtre continue à blablater.

C'est ce que font les prêtres : ils blablatent.

La cérémonie s'achève enfin et les personnes présentes commencent à sortir en file indienne.

– Allons faire un tour, dit Contreras.

Obsédé par la collecte de renseignements, Ochoa connaît l'histoire de son patron. Né pauvre, sans père, dans un ranch merdique du Tamaulipas, en pleine cambrousse, Osiel Contreras fut élevé par un oncle mécontent d'avoir une bouche supplémentaire à nourrir. Le jeune Osiel travailla comme plongeur dans un restaurant avant de décamper en Arizona pour dealer de la marijuana et se retrouver dans une prison *yanqui*. Après l'adoption du NAFTA, Contreras et des dizaines d'autres détenus furent envoyés dans une prison mexicaine. Selon la légende, il aurait eu une liaison avec la femme du directeur. En l'apprenant, celui-ci aurait frappé son épouse, et Contreras aurait tué le directeur.

À sa sortie de prison, Herrera lui trouva officiellement un boulot dans un atelier de carrosserie, mais en réalité Contreras faisait du trafic pour le compte de Garza. Les deux hommes gravirent tous les échelons jusqu'au sommet. On disait souvent qu'ils étaient assis aux pieds de Dieu : Herrera à droite, Contreras à gauche.

– Herrera nous accompagne, annonce Contreras.

Depuis quelque temps, Contreras est de plus en plus fâché contre son vieil ami, et Ochoa ne peut pas lui en vouloir : Herrera a toujours été despotique, encore plus depuis qu'il est aux manettes, et il a une fâcheuse tendance à traiter Contreras en subordonné plus qu'en associé : il lui coupe la parole dans les réunions, il ignore ses opinions.

Mais les deux hommes sont amis, malgré tout.

Ils ont fait la plonge ensemble, ils en ont bavé sous les ordres de Garza, un homme dur.

Tous les trois montent à bord de la nouvelle *troca del año* de Contreras, un Dodge Durango.

– On ne peut pas lutter contre ses origines, commente Ochoa en glissant ses longues jambes dans l'espace exigu à l'arrière.

Contreras s'installe au volant. Il adore conduire un pick-up.

Dans les trous à rats où ils ont grandi, on s'estimait heureux d'avoir une paire de chaussures. Même une *baica,* un vélo, ressemblait à un rêve. Debout dans la poussière, ils regardaient les *grandes* passer à toute allure à bord de leurs pick-up flambant neufs, en pensant : un jour, ce sera mon tour.

Alors, Contreras possède une véritable flotte de fourgonnettes et autres, il a également des chauffeurs, et même un jet privé avec un pilote, mais dès qu'il a l'occasion de s'installer au volant d'un pick-up, il saute dessus.

Tandis qu'ils quittent la ville en direction du ranch de Contreras, Herrera est d'humeur bavarde.

– Vous êtes au courant ? dit-il. Quelqu'un a essayé de tuer Adán Barrera.

– C'est pas moi, dit Contreras. Ses gars paient le *piso.* S'il augmente son volume, c'est autant de fric en plus pour nous.

– Et s'il a envie de récupérer son trône ? demande Herrera.

– Non.

– Comment tu le sais ?

– Il a envoyé Diego Tapia en personne, répond Contreras.

– Moi, il n'est pas venu me voir, dit Herrera. Tu aurais dû m'en parler.

– Je t'en parle maintenant. Tu crois que je suis là juste pour le plaisir de te servir de chauffeur ?

Herrera boude pendant un moment, puis il change de sujet.

– Une belle cérémonie, j'ai trouvé. Même si je préfère les mariages… on peut sauter les demoiselles d'honneur.

– Essayer du moins, réplique Contreras.

– « N'essaie pas. Fais-le, ou ne le fais pas », ricane Herrera.

– Je déteste ces putains de films, dit Osiel.

Ochoa sort discrètement son pistolet de son holster et le pose à côté de lui.

– Ce qu'elles aiment, c'est ma grosse queue, dit Herrera. Si vous…

Ochoa appuie le canon du pistolet contre l'arrière du crâne de Herrera et presse la détente, deux fois.

La cervelle, le sang et les cheveux éclaboussent le pare-brise et la console.

Contreras s'arrête sur le bas-côté, au point mort. Ochoa descend du Dodge et traîne le corps de Herrera dans les buissons. Quand il revient, Contreras se plaint de l'état de sa voiture.

– Je vais être obligé de la renvoyer au lavage.

– Je la balancerai quelque part.

– C'est une bonne caisse, dit Contreras. Fais-la nettoyer à la vapeur et change le pare-brise.

Ochoa sourit intérieurement. Le *chaca* a travaillé trente-sept minutes environ chez un carrossier et il se prend pour un spécialiste.

En plus de ça, il est radin.

Mais Ochoa comprend : lui aussi a grandi dans la pauvreté.

Il est né le jour de Noël dans une famille de *campesinos* à Apan, où la vie offrait peu de possibilités à part fabriquer du *pulque*[1] ou se lancer dans le rodéo. Ochoa ne voyait aucun avenir dans l'un ni dans l'autre, ni dans le métayage, et le jour de ses dix-sept ans, il s'est enfui de chez lui pour s'engager dans l'armée. Là, au moins, il aurait des draps propres et trois repas par jour, même s'ils étaient mauvais.

Soldat dans l'âme, il aimait l'armée, la discipline, l'ordre, la propreté, si éloignée de la poussière et de la crasse permanentes de la misérable *casita* de son enfance. Il aimait les uniformes, les vêtements impeccables, la camaraderie. Et s'il recevait des ordres, au moins émanaient-ils d'hommes qu'il respectait, des hommes qui avaient gagné leurs galons, pas des *grandes* obèses qui avaient hérité de leurs domaines et croyaient que cela faisait d'eux de petits dieux.

Dans l'armée, un homme pouvait s'élever socialement, il pouvait dépasser son statut de naissance et devenir quelqu'un, pas comme à Apan où vous restiez coincé dans votre milieu, génération après génération. Il avait vu son père se tuer au travail, rentrer les yeux rougis et titubant à cause du *pulque,* ôter sa ceinture et s'en servir pour frapper sa femme et ses enfants.

Très peu pour moi, se disait Ochoa.

– Je ne connais qu'un seul homme né dans une étable à Noël qui soit devenu quelqu'un, aimait-il à répéter. Et regardez ce qu'ils lui ont fait.

L'armée était donc un refuge, une possibilité.

Et il était doué.

1. Boisson alcoolisée issue de la fermentation de la sève de divers agaves.

Son père l'avait rendu insensible à la douleur ; il était capable d'endurer tout ce que les sergents instructeurs pouvaient lui infliger. Il aimait les entraînements brutaux, le close-combat, les épreuves de survie dans le désert. Ses supérieurs l'avaient repéré et choisi pour les forces spéciales. Là, ils lui enseignèrent toutes les techniques : contre-insurrection, contre-terrorisme, armement, collecte de renseignements, interrogatoires.

Il se tailla une réputation en matant la rébellion armée au Chiapas. Une sale guerre dans la jungle. Comme dans toutes les guérillas, pas facile de différencier les combattants des civils, puis il avait découvert que ça n'avait pas vraiment d'importance : la réponse à la terreur, c'est la terreur.

Dans des clairières, des cours d'eau, des villages, Ochoa avait fait des choses dont on ne parle pas, que l'on ne claironne pas aux infos du soir. Mais quand ses supérieurs avaient besoin de renseignements, il les obtenait ; quand un leader de la guérilla devait mourir, il s'en chargeait ; quand un village devait être intimidé, il s'y faufilait durant la nuit et le lendemain matin, au réveil, les habitants découvraient leur chef pendu à un arbre.

Pour le récompenser, ils le nommèrent officier et une fois la rébellion écrasée, ils le transférèrent au Tamaulipas.

Dans une unité spéciale antidrogue.

C'est là qu'il a rencontré Contreras.

Une Jeep Cherokee blanche apparaît sur la route. Miguel Morales, alias « Z-40 », en descend, adresse un bref salut à Ochoa et s'installe au volant du Durango. Ochoa et Contreras montent à bord de la Cherokee.

– J'enverrai quelqu'un pour l'enterrer, dit Ochoa en désignant le corps de Herrera d'un mouvement du menton.

– Laisse les coyotes se régaler avec sa grosse queue, répond Contreras. Et les autres ?

– C'est réglé.

Deux autres meurtres seront commis – des fidèles de Herrera – avant que le soleil se couche. Et quand il se lèvera de nouveau, Osiel Contreras sera l'unique boss, incontesté, du cartel du Golfe.

Et il aura acquis un surnom : *El Mata Amigos.*

Le Tueur d'amis.

Ochoa y gagnera un nouvel *aporto* lui aussi.

El Verdugo.

L'Exécuteur.

2
Noël en prison

C'était un Noël en prison
Et la bouffe était très bonne

John Prine,
« Christmas in Prison »

WHEELING, VIRGINIE-OCCIDENTALE
DÉCEMBRE 2004

Keller se plaque contre le mur, près de la porte de sa chambre de motel et attend.

Il écoute les pas qui montent l'escalier jusqu'au premier et il sait maintenant qu'ils sont deux et qu'ils l'ont repéré dans le Sports Bar situé en face de l'autoroute où il a mangé un hamburger-frites. Il avait compris, aux regards en biais de l'un et à la fausse indifférence de l'autre, qu'ils avaient retrouvé sa trace.

À Wheeling, en Virginie-Occidentale.

Keller est en cavale depuis qu'il a quitté le monastère. Il ne voulait pas partir, mais en restant il aurait mis les frères en danger et fait entrer son monde de violence dans leur monde de sérénité. Il ne pouvait pas l'accepter.

Alors, il bouge sans cesse, comme un homme recherché, et il regarde derrière lui en permanence.

Pour celui dont la tête est mise à prix, personne n'est innocent. Le Mexicain qui a aperçu sa plaque d'immatriculation dans cette station-service de Memphis, l'employé de la réception dans cet hôtel de Nashville qui a examiné par deux fois sa (fausse) carte d'identité, cette femme qui lui a souri à Lexington.

Il a fait du stop d'Abiquiú à Santa Fe, il a été pris par deux Navajos qui descendaient de leur réserve, puis un car l'a conduit à Albuquerque où il a acheté une vieille voiture, une Toyota Camry de 1996, à un camé à la meth qui avait besoin de liquide.

De là, il a roulé vers l'est sur la 40. L'ironie de la situation ne lui avait pas échappé : il empruntait « La route de la cocaïne », un des principaux axes de transit de la drogue provenant du Mexique, à travers le sud-est des États-Unis.

Il s'est terré dans un motel de Santa Rosa pendant deux jours, passant la majeure partie de son temps à dormir, puis il a continué vers l'est : Tucumcari, Amarillo, Oklahoma City, Fort Smith, Little Rock, Memphis. À Nashville, il a quitté la 40 pour la 65 vers le nord, puis il a bifurqué vers l'est sur la 64, pour repartir de nouveau vers le nord sur la 79.

Il a voyagé au hasard, et c'est mieux ainsi : moins facile à deviner et à anticiper.

Mais ça se termine dans un cul-de-sac.

Barrera dispose des meilleurs tueurs au monde. Pas uniquement des *sicarios* mexicains ou des *cholos* ultraviolents mais aussi des hommes de main de la pègre, des anciens soldats des forces spéciales, ou encore de simples indépendants qui veulent créditer un compte bancaire numéroté d'une somme à sept chiffres.

Ça peut être n'importe qui.

Un dealer qui veut rendre service au Seigneur des Cieux, un junkie qui rêve d'un approvisionnement à vie, la femme d'un détenu qui veut obtenir une permission pour son mari.

Keller sait qu'il est un billet de tombola sur pattes.

À tous les coups, on gagne.

Dans un hôtel de Memphis, Keller avait bien cru qu'ils le tenaient. Le type de la chambre voisine l'avait suivi dans les douches communes. Peut-être cherchait-il de la compagnie, peut-être cherchait-il à gagner deux millions. Keller avait passé toute la nuit assis sur son lit, les jambes tendues devant lui, son Sig Sauer sur les genoux. Il avait fichu le camp avant le lever du soleil.

Maintenant, ils le tiennent pour de bon.

Il est prisonnier entre ces quatre murs.

Au bout d'un moment, les chambres de motel ressemblent à des cellules de prison : étouffantes, elles dégagent la même impression d'isolement, de désespoir et de solitude. Le téléviseur, le lit, la douche, le climatiseur ou le chauffage vieillots qui cognent toute la nuit, la cafetière avec les gobelets en plastique, les sachets de sucre, de lait en poudre et d'édulcorants, le radio-réveil lumineux à côté du lit. Le *diner* de l'autre côté du parking, le bar au bout de la rue, les putes et leurs clients trois portes plus loin.

Son errance n'était pas seulement une tactique, mais aussi un état d'esprit. Il devait rester en mouvement, fuir quelqu'un qu'il ne pouvait pas connaître, chercher quelque chose qu'il ne pouvait pas identifier ni nommer.

Sauf que c'était du baratin tout ça, il devait bien l'avouer.

Tu sais ce que tu fuis, et ce n'est pas Barrera. Tu sais vers quoi tu cours.

Depuis trente ans.

Simplement, tu n'es pas encore prêt à l'accepter.

Il est devenu son propre blues, un loser à la Tom Waits, un saint de Kerouac, un héros de Springsteen sous les lumières de l'autoroute américaine et l'éclat des néons du Strip. Un fugitif, un métayer, un *hobo,* un cow-boy qui sait qu'il n'y a plus de prairie, mais qui continue à chevaucher car il ne reste rien d'autre à faire.

Lexington, Huntington, Charleston.

Morgantown, Wheeling.

La solitude ne le gênait pas, il y était habitué. Il aimait le calme, les longues journées passées dans sa bulle, traversant l'espace à toute allure, accompagné uniquement par le bruit des roues et la radio. Manger en tête à tête avec un livre ne le dérangeait pas, des livres de poche achetés d'occasion.

Alors il mangeait seul et il lisait, en gardant un œil sur la porte et les fenêtres, prenant soin de laisser un pourboire ni trop élevé ni trop modeste pour ne pas attirer l'attention, payant toujours en liquide, avec de l'argent retiré dans un distributeur en milieu de journée, jamais à l'endroit où il passait la nuit.

À l'exception des années durant lesquelles il a été marié et a élevé ses enfants, Art Keller a toujours été un solitaire, un outsider. Fils d'un père WASP qui ne voulait pas d'un enfant à moitié mexicain, il avait un pied dans chacun de ces deux mondes, mais jamais les deux dans le même. Élevé dans le Barrio Logan de San Diego, il a dû se battre à cause de son côté mi-gringo. À UCLA, il a dû prouver qu'il n'était pas là grâce aux quotas de discrimination positive.

Alors, il a fait de la boxe dans le barrio, puis à la fac, et il s'est battu verbalement aussi, avec des jeunes Californiens de bonne famille pour qui Westwood représentait un droit de naissance et non un privilège, et quand la CIA a commencé à le courtiser en troisième année, il s'est laissé séduire. Envoyé au Vietnam pour l'Opération Phoenix, il s'est senti enfin américain. Et quand il a « changé les lettres de l'alphabet », comme disait sa femme, Althea, pour entrer à la DEA nouvellement créée, ils l'ont expédié au Mexique car il avait la gueule de l'emploi et parlait la langue.

Pour les Mexicains du Sinaloa, cela ne faisait aucun doute, c'était un *yanqui,* un *pocho,* mais il n'appartenait pas non plus véritablement à la communauté de la DEA, qui voyait en lui une taupe de la CIA et le maintenait sur la touche. Quand enfin il s'est fait un allié, ce fut le jeune Adán Barrera, puis son *tío* Miguel Ángel. Une fois de plus, Keller avait un pied dans les deux mondes, deux îles flottantes qui finirent inévitablement par s'éloigner l'une de l'autre, le laissant seul une fois de plus.

Pendant quelque temps, il eut Ernie Hidalgo, son équipier, son ami, son allié contre les Barrera. Mais les Barrera l'avaient torturé et tué et, après cela, Keller ne voulut plus jamais d'autre équipier.

Il avait encore Althea, son fils et sa fille, mais (et c'était compréhensible) elle l'avait finalement quitté en emmenant les enfants.

Et Keller devint Le Seigneur de la frontière, celui qui menait la guerre contre la drogue dans tout le Mexique, son pouvoir augmentant d'autant plus que son sens moral diminuait, et sa cruauté devenant incontrôlable.

Il fit alors une chose dont il avait honte aujourd'hui encore : il utilisa la maladie d'une gamine, la fille de Barrera, pour attirer celui-ci de l'autre côté de la frontière. Il fit croire à un homme que son enfant allait mourir pour lui tendre un piège. Et pour l'aider à faire cela, il enrôla la femme de Barrera.

Voilà jusqu'où allait leur haine en ce temps-là.

En ce temps-là ?

Tu as essayé d'enfouir tout ça dans le passé, la façon dont tu as capturé Barrera, tué son frère et Tío, ton ancien mentor. Tu as collé le canon de ton arme sur la tempe d'Adán sans presser la détente.

Barrera alla en prison et Keller partit en exil, jusqu'à ce qu'il trouve enfin la sérénité dans le simple fait de s'occuper de ruches, dans le confort et le calme de la routine, le baume de la prière.

Mais le passé est un poursuivant tenace, une meute de loups qui vous traque sans relâche. Alors, peut-être vaut-il mieux lui faire face.

Et voilà, tu y es, pense-t-il avec un humour acerbe, que tu le veuilles ou non. Le dos au mur.

Ils enfoncent la porte d'un coup de pied.

La chaînette se brise et traverse la pièce.

Keller abat la crosse de son Sig sur la tempe du premier type, qui s'écroule tel un taureau que l'on abat d'un coup de hache. Il attire le second à l'intérieur de la chambre, lui brise le poignet, puis lui fracture le nez avec le canon de son arme. Le type tombe à genoux, Keller lui décoche un coup de pied dans la tête, l'autre s'effondre, peut-être mort, peut-être pas.

Tous les deux avaient des revolvers bon marché, pas du matériel de pro, se dit Keller, mais c'est peut-être une couverture. Ou ce ne sont que des cambrioleurs, des camés à la meth. Ou pas. Il devrait leur coller une balle dans la tête, mais il ne le fait pas. S'ils me rattrapent, tant pis, pense-t-il, deux cadavres de plus sur mon ardoise karmique n'y changeront rien.

Killer Keller.

Il quitte la chambre, monte dans sa voiture et parcourt la faible distance qui le sépare de Pittsburgh, où il abandonne le véhicule. Il marche jusqu'à la gare routière, ce refuge des Américains perdus, et prend un Greyhound à destination d'Érié, là où on forgeait le fer et l'acier autrefois.

Il marche pour trouver un motel, la neige dure craque sous ses pieds, le vent qui souffle du lac lui cingle le visage. Les vitrines tristes des grands magasins agonisants annoncent des soldes, des bars promettent un peu de chaleur et la compagnie d'autres âmes en peine, et Keller se réjouit de trouver un motel qui accepte le paiement en liquide. L'adrénaline de la peur et de la violence retombe, il s'endort.

Il se lève et ressort pour assister à la messe de minuit dans une très ancienne église catholique en brique jaune, fatiguée : une vieille dame dont les enfants sont partis vivre en banlieue et lui rendent rarement visite.

C'est le réveillon de Noël.

PRISON DE PUENTE GRANDE
GUADALAJARA, MEXIQUE
NOËL 2004

Les murs du Bloc 2, niveau 1-A, ont été peints d'une couleur jaune éclatante, des lampions rouges pendent au plafond et on a accroché des guirlandes d'ampoules dans les couloirs. Adán Barrera a promis que Noël serait joyeux, et le *patrón* organise une fête.

Malgré les menaces qui pèsent sur sa vie, ou peut-être pour cette raison.

Comme il s'y attendait, Navarro, le gardien, a été retrouvé dans un fossé à quatre-vingts kilomètres de là, avec deux balles dans la tête, il n'avait donc rien à dire sur le commanditaire de cette exécution.

Contrairement à Osiel Contreras.

Le boss du cartel du Golfe a contacté Diego et obtenu le feu vert pour téléphoner directement à Adán. Fidèle à lui-même, il a commencé par une plaisanterie :

– On vit une triste époque quand un homme n'est plus à l'abri dans sa propre prison.

– Je ne devrais pas jouer au volley, je suis trop vieux, a répondu Adán.

– Tu es encore jeune. Ah, bon sang, Adán, je n'arrive pas à y croire, Dieu soit loué, ils ont échoué.

– Merci, Osiel.

– En tout cas, j'ai réglé le problème.

– Qu'est-ce que tu veux dire ?

Mais Adán le savait déjà : Contreras a tué son associé. Il est froid et impitoyable, et Adán se promet de ne jamais l'oublier, surtout si Contreras vient l'assurer de son amitié.

– Je ne voulais pas que tu l'apprennes par quelqu'un d'autre. Je voulais t'informer personnellement. J'ai honte et je suis gêné, Adán, mais c'est Herrera qui a ordonné cet assassinat.

– Herrera ? Pourquoi ?

– Il avait peur de toi, maintenant que tu es revenu.

– Je suis revenu depuis presque un an. Pourquoi aujourd'hui ?

– Ton business grandit. Ça marche bien pour toi.

– Pour toi aussi. Et pour Herrera. Le *piso* que je vous verse…

– J'ai essayé de lui expliquer. Il ne m'a pas écouté. Mais à présent, tu peux te détendre et profiter des fêtes. Herrera ne t'embêtera plus.

Adán a raccroché et il est retourné dans la « chambre » où Magda était occupée à se faire les ongles.

– C'était Contreras.

Magda a levé les yeux.

– C'est lui qui a tenté de me faire assassiner. Comme ça n'a pas marché, il a rejeté la responsabilité sur Herrera et du coup il se vante de l'avoir tué pour me protéger. Pour lui, c'est gagnant-gagnant. Il garde la tête haute et le cartel pour lui seul.

Si Magda était troublée, elle ne le montrait pas. Elle semblait accepter la trahison comme une réalité de l'existence.

– Pourquoi maintenant ? a-t-elle demandé.

Adán est venu s'asseoir à côté d'elle.

– Je lui ai posé la question. Et il a répondu du point de vue de Herrera. Apparemment, mes affaires marchent trop bien.

Magda a fini de vernir un ongle, elle se lève pour l'examiner, et paraît satisfaite.

– C'est un mensonge. Contreras est ambitieux. Il veut devenir El Patrón, et il sait que ça n'arrivera jamais tant que tu es vivant.

– Je l'ai pourtant assuré… J'ai assuré *tout le monde,* à maintes reprises, que je n'ai pas…

– C'est bien ça le problème, non ? Personne ne te croit.

– Et toi ?

– Évidemment que non, répond Magda en s'attaquant à l'ongle suivant. Comment pourrais-je te croire ? Toi-même tu n'y crois pas. Tu as toujours su, sans vouloir l'admettre peut-être, dès que tu as organisé ton retour au Mexique, que tu devrais reprendre le trône. Certains s'en réjouiront, d'autres – comme Contreras – vont s'opposer à toi. Les rois ne démissionnent pas, Adán. Ils restent rois ou ils meurent. Et pas dans leur lit.

Magda a raison, se dit-il.

Sur toute la ligne.

Contreras sera obligé de recommencer. « On vit une triste époque quand un homme n'est plus à l'abri dans sa propre prison. » Et il a le pouvoir d'y veiller, avec son armée privée, les Zetas.

Dans l'immédiat, Adán met ces préoccupations de côté. C'est Noël, le moment de faire la fête. Un groupe de mariachi s'installe dans le réfectoire. Des cadeaux enveloppés de papier aux couleurs vives s'entassent contre les murs. Des camions ont apporté des côtes de bœuf, du homard et des crevettes. D'autres, du vin, du champagne et du whisky.

Un autre va amener sa famille.

Ce qu'il en reste.

Il n'a pas vu sa sœur, Elena, depuis des années. Ni son neveu Salvador, le fils de Raúl, un adolescent maintenant.

Ça fait longtemps.

Trop longtemps.

Les frères Tapia et leurs épouses seront là également (Adán a strictement interdit les maîtresses et les putes, ce doit être une fête familiale), ainsi que quelques amis des narcos et des prisonniers privilégiés, amis d'Adán.

Le directeur de Puente Grande a été invité, de même que certains gardiens haut placés et leurs familles.

Au-dehors, la sécurité est maximale.

Des gardiens supplémentaires et les hommes de Diego patrouillent devant l'entrée principale. Ils ont disposé un fourgon blindé en travers de la route pour bloquer les véhicules indésirables, sa mitrailleuse est prête à réduire en bouillie tout agresseur potentiel.

Nacho Esparza n'assiste pas à la soirée. Il est allé porter un cadeau de Noël à Mexico.

Celui-ci se trouve à l'intérieur de la mallette qu'il tient à la main en descendant de voiture sur l'avenue Paseo de la Reforma, dans le quartier de Lomas de Chapultepec.

Il connaît bien Lomas, un quartier chic où se côtoient hommes d'affaires, politiciens et trafiquants de drogue, au nord-ouest de Mexico, au-dessus de l'anneau de pollution qui maintient la capitale dans un bol de soupe.

Nacho est aussi doux que Diego Tapa est brutal, et son crâne chauve aussi lisse que sa façon de parler. Toujours rasé de près, impeccable, il aime les costumes en lin et les mocassins italiens. Aujourd'hui, parce que c'est Noël, il a ajouté une cravate.

Il marche jusqu'à l'hôtel Marriott et pénètre dans le hall, calme en cette période de fêtes.

Le fonctionnaire est déjà là, assis dans un fauteuil à côté d'une table basse sur laquelle est posé un verre. Nacho s'assoit en face de lui et pose la mallette par terre.

– Vous n'ignorez pas que certaines personnes veulent que cela se produise. Ce soir.

– Ce que veulent certaines personnes excède l'étendue de mes pouvoirs, répond le fonctionnaire. Je peux juste vous promettre qu'il n'y aura pas d'ingérence.

– Et donc, s'il devait arriver malheur à notre ami de Puente Grande…

– Tant pis.

Nacho se lève.

En laissant la mallette.

Un semi-remorque roule jusqu'au portail de Cefereso II.

Deux des hommes de Diego, armés de AR-15, s'approchent du conducteur. Ils échangent quelques mots. Les hommes de Diego aboient des ordres et les gardiens de la prison reculent dans l'ombre du mur. Le fourgon blindé qui bloque le passage s'écarte ; la porte métallique coulisse et le semi pénètre dans l'enceinte.

Salvador Barrera saute du camion, en jean et blouson de cuir noir, et regarde autour de lui avec toute l'arrogance héritée de son père. Adán en a presque les larmes aux yeux. Salvador est bien le fils de son père : épais, musclé, agressif.

L'agressivité était l'affaire de Raúl au sein de l'organisation. Pour reprendre le cliché journalistique, Adán était le cerveau et son frère Raúl, les muscles. Une caricature, évidemment, mais assez juste.

Raúl était mort dans les bras d'Adán.

En vérité, ce n'est pas tout à fait exact, songe Adán en étreignant son neveu. Raúl, blessé au ventre, est mort d'un *tiro de gracia* dans la tête, avec lequel j'ai mis fin à ses souffrances.

Encore un souvenir qu'il doit à Art Keller.

– Tu as grandi, fait-il remarquer en tenant Salvador par les épaules.

– J'ai dix-huit ans, répond le garçon, avec juste une pointe de rancœur dans la voix.

Je comprends, se dit Adán. Ton père est mort et moi, je suis toujours en vie. Je suis en vie et l'empire pour lequel ton père est mort a volé en éclats. S'il était toujours de ce monde, l'empire serait intact.

Et tu as peut-être raison, mon neveu.

Tu as peut-être raison.

Je vais devoir trouver un moyen de m'occuper de toi.

Salvador s'éloigne pour aider sa mère à descendre du camion. Sondra Barrera a adopté tous les stéréotypes de la veuve mexicaine : elle porte une robe noire austère et serre un chapelet dans sa main gauche.

C'est triste, se dit Adán.

Sondra est encore une belle femme, elle pourrait trouver un autre mari. Mais pas en ressemblant à une nonne qui attend la mort. Une jolie robe... un peu de maquillage... un sourire de temps en temps... Le problème, c'est que son mari est devenu un saint dans son souvenir. Apparemment, elle a oublié ses nombreuses infidélités, ses violents éclats de colère, l'alcool, la drogue. Sondra affublait Raúl d'un tas de noms, mais « saint » n'en faisait pas partie, si Adán s'en souvient bien.

Il embrasse la veuve sur les deux joues.

– Sondra...

– On a toujours su que tu finirais ici, n'est-ce pas ?

Non, se dit Adán. Et si toi, tu l'as toujours su, tu as quand même bien profité des maisons, des vêtements, des bijoux, des vacances. Tu savais d'où venait l'argent... cela ne t'a jamais empêchée de le dépenser.

Sans compter.

Et à ma connaissance, tu n'as jamais refusé le gros paquet de cash qui arrive chez toi le premier de chaque mois. Ni la prise en charge des frais de scolarité pour Salvador, des frais de santé, des relevés de cartes de crédit...

Un des hommes de Diego lève les bras pour aider Elena Sánchez Barrera à descendre à son tour du camion. Vêtue d'une robe de fête rouge, avec des chaussures à talons, elle affiche un air amusé teinté d'ironie : une reine (déchue) qui arrive dans un bidonville.

– Un semi-remorque ? J'ai l'impression d'être une marchandise qu'on livre.

– Oui, mais à l'abri des regards indiscrets.

Adán s'avance pour accueillir sa sœur d'un baiser sur chaque joue.

Elle l'enlace.

– C'est une joie de te voir.

– Pour moi aussi.

– Bon. On va rester là à afficher notre affection mutuelle ou tu as l'intention de nous offrir quelque chose à boire ? demande Elena.

Adán la prend par le bras et l'entraîne dans le réfectoire où Magda attend nerveusement au bout de la table. Elle est ravissante dans sa robe en lamé argenté, sans doute un peu trop courte pour Noël, et un peu trop décolletée, mais qui la met en valeur. Ses cheveux brillants sont relevés en chignon et maintenus par des peignes chinois qui lui donnent une touche exotique.

– On peut te faire confiance pour trouver une rose dans un caniveau, glisse Elena à l'oreille de son frère. J'avais entendu des rumeurs, mais… elle est superbe.

Elle tend sa joue à Magda pour recevoir un baiser.

– Vous êtes très belle, dit Magda.

– Oh, je sens qu'elle va me plaire, dit Elena. Je disais justement à Adánito que je te trouvais ravissante.

Tout se passe à merveille, songe Adán. Cela aurait pu tout aussi bien être l'inverse : la bouche d'Elena est un pot de miel avec un couteau aiguisé à l'intérieur, et pourtant elle a prononcé une phrase entière sans faire allusion à la jeunesse de Magda, ou à son âge à lui. Peut-être s'est-elle adoucie ? L'Elena d'avant lui aurait déjà demandé s'il aidait Magda à faire ses devoirs.

Et cet « Adánito », petit Adán. Délicat.

– J'adore votre robe, dit Magda.

Les femmes seront toujours les femmes, songe Adán. À l'intérieur d'une des prisons les plus sinistres au monde, elles se comportent comme si elles se croisaient par hasard dans un centre commercial chic. Prochaine étape, elles vont aller acheter des chaussures ensemble.

– Je ne laisserai *rien* à mes enfants, déclare Elena en exhibant sa robe. Je vais *tout* dépenser.

– La fête peut commencer ! s'exclame Diego en faisant son entrée.

Tout le monde lui sourit, constate Adán.

Il est irrésistible.

Il arbore sa plus belle tenue de Noël. Une veste en cuir sur un gilet assorti, et une chemise violette fermée par un *bolo,* une simple cordelette en guise de cravate. Il porte un jean neuf, repassé, et des bottes de cow-boy au bout en argent.

Son épouse, Chele, est un peu plus discrète dans sa robe à paillettes argentées. Elle a coiffé ses cheveux noirs en chignon. Ses hanches ont un peu épaissi, constate Adán, mais ça reste *una berraca,* une bombe.

Et l'égale de son mari pour ce qui est du franc-parler. Chele dit toujours ce qu'elle pense, à propos des nombreuses *segunderas* de Diego, par exemple. Elle approuve totalement. « Au moins, il ne m'épuise pas. *Dios mío,* j'aurais une *chocha* plus large qu'un tunnel à force. »

Elle étreint et embrasse tout le monde, puis recule pour examiner Magda de la tête aux pieds.

– *Dios mío,* Adán, tu es devenu alpiniste ! Dis-moi, ma chérie, ça ne fait pas mal ces *pitones* ?

Venant de quelqu'un d'autre, l'insulte aurait été terriblement gênante, mais c'est Chele, alors tout le monde rit, même Magda.

Ils ont amené leurs enfants, trois garçons et trois filles, âgés de six à quatorze ans. Adán a renoncé à retenir leurs prénoms, mais il a veillé à ce que chacun reçoive un joli cadeau.

Il avait hésité à faire venir des enfants dans une prison, mais Chele s'est montrée inflexible. « C'est notre vie. Ils doivent tout connaître, pas uniquement les bons côtés. Je ne veux pas qu'ils aient honte de leur famille. »

Alors, les enfants sont là et, dans leurs beaux habits neufs, ils attendent leur tour pour embrasser leur *tío* Adán ou lui serrer la main.

Ce sont de gentils gamins, se dit Adán. Chele les a bien élevés.

Alberto, le plus jeune frère de Diego, est son double, en (beaucoup) plus petit ; le cas classique du frère cadet qui devient l'aîné, et veut le prouver. L'unique concession d'Alberto à Noël est un *bolo* rouge dans sa tenue de narco cow-boy intégrale : chemise en soie noire, pantalon noir, bottes en lézard et chapeau de cow-boy noir.

À cause de sa petite taille – il mesure cinq centimètres de moins qu'Adán –, cet accoutrement est comique, comme un enfant qui se serait déguisé. Mais personne ne s'avisera de le lui faire remarquer car il a tendance à s'emporter facilement.

D'ailleurs, Adán s'inquiète de ce comportement violent, mais Diego l'assure qu'il n'y a aucune raison de se faire du souci : il contrôle son petit frère.

J'espère, pense Adán.

Alberto semble d'humeur conviviale aujourd'hui, il est tout sourire, et Adán se demande s'il a sniffé de la coke avant de venir. Aucun doute concernant sa femme : les yeux noirs de Lupe sont des têtes d'épingle et sa robe, courte et moulante, est totalement déplacée. Encore un exemple de l'imprudence d'Alberto, songe Adán. On peut *coucher* avec des stripteaseuses si on aime ça, mais on ne les *épouse* pas.

« Ce n'est pas parce qu'il lui a acheté des nichons qu'il était obligé d'acheter le reste », a fait remarquer Chele un jour. Exception faite de sa remarquable poitrine, perchée en équilibre précaire sur son corps menu, Lupe ressemble presque à une enfant, fragile, et Adán se promet d'être gentil avec elle.

Ancienne stripteaseuse ou pas, c'est l'épouse d'Alberto, elle fait donc partie de la famille.

Martín Tapia est le cadet parfait, aussi différent de ses frères que le permet la tyrannie de la génétique, et selon une plaisanterie qui circulait dans la famille, un banquier se serait introduit en douce dans le lit de sa mère pour l'engrosser pendant qu'elle dormait.

Directeur financier et diplomate de l'organisation Tapia, Martín est un homme calme, à la voix douce et posée, vêtu de manière classique : costume noir sur mesure, chemise blanche à poignets mousquetaire.

Avec sa femme, Yvette, ils viennent d'emménager dans une grande maison située au cœur du quartier huppé de Cuernavaca, non loin de Mexico, pour être plus près des politiciens, des financiers et des dirigeants de sociétés avec qui ils doivent entretenir de bonnes relations pour les affaires.

Son métier consiste à jouer au tennis et au golf, à boire des verres au dix-neuvième trou, à assister à des fêtes au country club, à s'afficher dans des restaurants chers et à organiser des soirées chez lui. Le métier d'Yvette est d'être jolie et d'assumer le rôle d'hôtesse charmante.

Ils sont parfaits tous les deux.

Yvette Tapia illustre une autre forme de reine de beauté. Ce soir, elle est impeccablement vêtue d'une robe noire très chic et très chère qui enveloppe son corps svelte. L'incarnation de la classe. Elle porte un carré court, son maquillage joue la discrétion, un simple trait de rouge à lèvres la rend sexy.

Elle est irréprochable.

Selon Chele, « Yvette possède la beauté et la chaleur d'une sculpture de glace. La seule différence, c'est qu'une sculpture de glace finit par fondre ».

Du temps d'Adán, on les aurait qualifiés de « yuppies ». Il ne sait pas trop quel est le nouveau terme pour les décrire, mais ils acceptent poliment, avec une certaine gêne cependant, de participer à une fête dans une prison. Yvette sourit du bout des lèvres aux plaisanteries de Chele, Martín trouve des sujets de conversations auxquelles il puisse participer, autour du *fútbol* principalement.

Ils ne peuvent pas se plaindre du repas.

Certes, ce n'est pas la nouvelle cuisine qu'ils affectionnent (ils se disent gourmets l'un et l'autre), mais une nourriture plus chaleureuse, plus simple : filet mignon magnifiquement préparé, crevettes, homards, pommes de terre et haricots verts, servis avec des vins coûteux auxquels même Martín et Yvette ne peuvent trouver le moindre défaut.

Pour le dessert, le flan traditionnel s'accompagne de *galetas de Navidad*, puis de *champurrado* et d'*arroz dulce,* après quoi, on suspend des *piñatas* que les enfants font éclater avec des bâtons. Très vite, le sol du réfectoire est jonché de confiseries et de petits jouets.

Alors que la soirée s'enfonce dans une langueur d'après festin, Adán donne un coup de coude à Elena et lui glisse :

– Il faut qu'on parle.

Ils s'installent dans un parloir.

Adán dit :

– La situation à Tijuana…

– J'ai fait de mon mieux.

– Je sais.

Elena a repris les rênes car elle était la dernière Barrera qui ne soit pas au cimetière ou en prison. Certaines personnes de l'organisation se sont rebellées parce qu'elle était une femme. D'autres étaient des hommes de Teo, de toute façon. Quand il est parti, ils l'ont suivi. Tout comme un certain nombre de policiers et de juges, qui n'avaient plus à redouter Raúl ni Adán.

De fait, la longévité d'Elena tient du miracle. C'est une femme d'affaires avisée, mais pas un chef de guerre.

– Je veux me retirer, Anito. Je suis fatiguée. Sauf si tu me fournis davantage d'aide sur le terrain…

– Je suis en prison, Elena. (Ils s'affrontent du regard, comme quand ils étaient enfants.) Tu as confiance en moi ?

– Oui.

– Alors, crois-moi. Ça va s'arranger, je te le promets. Je vais m'en occuper. J'ai juste besoin d'un peu de temps.

Ils se lèvent et Elena l'embrasse sur la joue.

Diego arrête de jouer avec ses enfants pour passer un coup de téléphone.

Il écoute et hoche la tête.

Le cadeau de Noël arrive.

– Je peux te parler ? demande Sondra à Adán.

Celui-ci réprime un soupir. Il veut mettre un terme à la soirée, il n'a pas envie de supporter la tristesse de Sondra, mais son statut de chef de famille lui impose des responsabilités.

C'est Salvador, explique-t-elle lorsqu'ils se retrouvent dans un coin tranquille. Il est irrespectueux, coléreux. Il découche plusieurs soirs de suite, il manque les cours. Il fait la fête, il boit, elle a peur qu'il se drogue.

– Il ne m'écoute pas, se lamente Sondra. Et il n'y a pas d'homme à la maison pour le remettre dans le droit chemin. Tu veux bien lui parler, Adán ? S'il te plaît ?

Adán a l'impression d'entendre une vieille femme. Il effectue un rapide calcul : elle a quarante et un ans.

Salvador n'est pas très content quand son oncle vient le chercher, mais il le suit néanmoins jusque dans sa cellule. Il s'assoit et regarde Adán avec un mélange presque impressionnant de ressentiment et de mauvaise humeur.

– C'est ma mère qui t'a demandé de faire ça, hein ?

– Et alors ?

– Tu la connais.

Oui, je la connais, se dit Adán. C'est vrai. Mais il est le chef de famille et doit l'assumer :

– Qu'est-ce que tu fabriques, Salvador ?

– Comment ça ?

– Qu'est-ce que tu fais de ta vie ?

Le garçon hausse les épaules et regarde le sol.

– Tu as laissé tomber la fac ?

– J'ai arrêté d'aller en cours.

– Pourquoi ?

– Sérieux ? Je vais devenir architecte ?

Il ressemble tant à Raúl qu'Adán a presque envie de rire.

– Ton père avait un diplôme de médecine.

– Et ça lui a beaucoup servi.

Adán montre la cellule.

– Tu veux te retrouver ici ?

– C'est mieux que l'endroit où a fini mon père, non ?

Exact, songe Adán, et ils le savent tous les deux.

– Qu'est-ce que tu veux, Salvador ?

– Laisse-moi travailler avec *tío* Diego, dit le garçon en regardant son oncle dans les yeux pour la première fois depuis le début de cette conversation. Ou avec *tío* Nacho. Ou alors, envoie-moi à Tijuana. Je pourrai aider *tía* Elena.

Il est si enthousiaste, si sincère tout à coup, c'est un peu triste. Ce garçon a tellement envie de racheter son père qu'Adán a de la peine pour lui.

– Ce n'est pas ce que ton père voulait pour toi. Il me l'a fait promettre. Ce sont ses dernières paroles.

C'est un mensonge. Les dernières paroles de Raúl, c'était pour le supplier d'arrêter ses souffrances. Il n'a pas parlé de Salvador, ni de Sondra. Il a juste dit « Merci, mon frère » quand Adán a pointé son arme sur sa tempe.

– Cette vie était assez bien pour lui.

– Mais il pensait que ce n'était pas assez bien pour toi, réplique Adán. Tu es intelligent, Salvador. Tu as assisté aux enterrements, tu es allé dans les prisons… tu sais ce que c'est. Tu as de l'argent, des relations, tu peux faire des études. Tu peux avoir une vie.

– C'est *cette* vie que je veux.

Une tête de lard, comme son père.

– Impossible, dit Adán. N'essaye même pas. Et n'envisage pas de travailler en indépendant. Si je surprends quiconque à te vendre de la marchandise, je le liquide. Ne m'oblige pas à faire ça.

– Merci.

– Et tiens-toi à carreau. (Adán joue à l'oncle sévère, d'autant qu'il en a marre de cette conversation.) Retourne en cours et sois poli avec ta mère. Tu te drogues ? Ne te donne pas la peine de me mentir. Si c'est non, tant mieux. Si c'est oui, arrête.

– On a fini ? demande Salvador.

– Oui.

Le jeune homme se lève et fait quelques pas.

– Salvador ?

– Ouais ?

– Décroche ton diplôme. Montre-moi que tu es suffisamment discipliné pour terminer tes études, cesse de jouer les emmerdeurs et reviens me voir, on discutera.

Salvador entrera dans la *pista secreta* d'une manière ou d'une autre, se dit Adán. Autant que ça passe par moi, pour que je puisse au moins garder un œil sur lui.

Mais pas maintenant.

Il a réussi à retarder le problème de deux ou trois ans. D'ici là, Salvador aura peut-être trouvé une gentille fille, une passion, un travail, et il aspirera à autre chose.

Adán retourne dans le réfectoire et contemple ses invités, sa famille élargie, ou ce qu'il en reste.

Sa sœur, Elena.

Sa belle-sœur Sondra et son neveu Salvador.

Ses cousins, les frères Tapia – Diego, Martín et Alberto – et leurs épouses : Chele, Yvette et Lupe. Les enfants de Diego… Voilà sa famille, bon sang, tout ce qui lui reste.

Sans moi, pense-t-il, ils se retrouveront là où échoue la famille d'un roi déchu dans ce royaume impitoyable : à l'abattoir. Mes ennemis les tueront aussitôt après m'avoir tué. Et si je ne reprends pas ma place légitime, tous ces morts, tous ces meurtres, toutes ces actions horribles qui m'enverront en enfer, n'auront servi à rien.

Il a entendu dire que la vie était une rivière, que le passé descend le courant. C'est faux : s'il coule, il coule avec le sang dans tes veines. On ne peut pas plus se séparer du passé que l'on ne peut s'arracher le cœur.

J'ai été le roi, je dois le redevenir.

La vie offre toujours un prétexte pour prendre ce qu'on désire, se dit-il.

Adán se sent soulagé une fois qu'ils sont tous partis.

Après les *Oooh !* et les *Aaah !* de circonstance lors de l'échange des cadeaux, les aveux obligés : « J'ai trop mangé », les embrassades et les baisers, les fausses promesses : « Il faut qu'on refasse ça très vite », Diego parvient à les faire tous remonter dans le camion, et ils l'abandonnent au calme de la prison.

Il se laisse tomber à plat ventre sur le lit, à côté de Magda.

– La famille, c'est épuisant, dit-il. C'est plus facile de gérer cent trafiquants.

– Je les ai trouvés gentils.

– Tu n'es pas obligée de répondre à toutes leurs attentes, toi.

– Non, uniquement aux tiennes.

– C'est un fardeau ?

– Non, j'aime tes attentes, dit-elle en tendant la main vers lui. *Feliz Navidad.* Tu veux ton dernier cadeau ?

– Pas maintenant. Prends quelques affaires.

Elle le regarde sans comprendre.

– Pourquoi ?

– Juste quelques-unes. Pas toute ta garde-robe. On achètera d'autres vêtements plus tard. Allez, dépêche-toi, on n'a pas beaucoup de temps.

Diego entre dans la cellule.

– Prêt, *primo* ?

– Depuis des années.

Diego désigne son oreille. *Écoute.*

Adán entend un cri, puis un autre, puis un concert de hurlements. Et le bruit des battes en bois contre les barreaux d'acier, les pieds qui martèlent les passerelles métalliques, les sirènes d'alarme.

Des coups de feu.

Une *motín.*

Une mutinerie.

Los Bateadores saccagent le Bloc 2, niveau 1-A, ils attaquent les autres prisonniers, ils s'attaquent entre eux, ils créent le chaos. Les gardiens courent dans tous les sens pour tenter de rétablir l'ordre, ils réclament des renforts par radio, mais c'est déjà trop tard : des détenus jaillissent de leurs cellules, ils dévalent les couloirs, se répandent dans la cour.

– Il faut y aller ! dit Diego. Maintenant !

– Tu as entendu ? crie Adán à Magda.

– J'ai entendu !

Elle réapparaît avec un petit sac à bandoulière, tout en essayant d'enfiler des chaussures à talons plats.

– Tu aurais pu me prévenir !

Adán la prend par le bras et suit Diego dans les couloirs.

C'est comme s'ils étaient invisibles. Personne ne les regarde, tandis qu'ils se faufilent au milieu des bagarres et du vacarme. Diego les conduit à une porte en acier ouverte. Il les entraîne dans un escalier et ils grimpent jusqu'à une autre porte, qui donne sur le toit.

Les gardiens les ignorent, leurs armes et leurs lampes sont braquées vers la cour ; ils ne semblent même pas remarquer l'hélicoptère qui se pose sur le toit.

Les rotors décoiffent Magda ; Adán lui plaque une main dans le dos et l'oblige à se baisser pour monter à bord.

Diego grimpe derrière eux et adresse un signe au pilote : OK.

L'hélicoptère décolle.

Adán regarde Puente Grande en bas.

Cinq années de négociations, de diplomatie, de pots-de-vin, de relations à établir, cinq années à attendre que les autres boss acceptent sa présence, que certains meurent, que d'autres soient tués, que les Américains deviennent obsédés par un autre ennemi public numéro un.

Cinq années de patience et d'obstination, et aujourd'hui, il est libre.

Libre de récupérer la place qui lui revient.

Érié, Pennsylvanie

Le lendemain matin, devant un *diner* où Keller s'apprête à entrer pour prendre son petit déjeuner habituel – deux œufs, des toasts et du café –, il tombe dessus.

Le gros titre à la une, derrière la vitre fendue d'un distributeur de journaux.

Un baron de la drogue s'évade.

Presque sonné, Keller introduit deux *quarters* dans la machine, prend un journal et survole l'article à la recherche du nom.

Non, ce n'est pas possible.

Ce n'est *pas* possible.

Les lettres lui sautent au visage, tels les éclats de métal d'une grenade déclenchée par un fil invisible.

« Adán Barrera. »

Keller déplie le journal sur le distributeur et lit. Barrera extradé dans une prison mexicaine… Puente Grande… une fête de Noël…

Il n'arrive pas à y croire.

Mais si.

Bien sûr que si.

C'est Barrera et c'est le Mexique.

L'ironie de la situation est aussi parfaite que douloureuse.

Je suis prisonnier du plus grand quartier d'isolement au monde.

Et Barrera est libre.

Il jette le journal dans une poubelle. Il marche dans les rues pendant des heures, il passe devant des monticules de neige sale, des usines fermées, des putes défoncées au crack qui grelottent, les vestiges d'une ville de la *Rust Belt* dont tous les boulots ont fichu le camp vers le Sud.

En fin d'après-midi, quand le ciel prend une couleur grise dure et menaçante, Keller entre dans la gare routière pour se rendre là où ses pas le conduisent depuis le début.

Le siège de la DEA, la Drug Enforcement Administration, se trouve à Pentagon City. Ce qui est parfaitement logique, songe Keller. Si vous voulez mener une guerre contre la drogue, installez-vous au Pentagone.

En costume et en cravate, les seuls qu'il possède, rasé de près, les cheveux fraîchement coupés, il attend dans le hall jusqu'à ce qu'enfin on le laisse monter au quatrième étage pour voir Tim Taylor, qui parvient brillamment à masquer son enthousiasme en le voyant.

– Qu'est-ce que vous voulez, Art ?

– Vous savez ce que je veux.

– Laissez tomber. La dernière chose dont on ait besoin en ce moment, c'est d'une de vos vieilles vendettas.

– Personne ne connaît Barrera aussi bien que moi. Sa famille, ses relations, comment fonctionne son cerveau. Et personne n'est aussi motivé que moi.

– Pourquoi ? Parce qu'il vous traque ? Je croyais que vous aviez changé de vie.

– C'était avant que vous laissiez sortir Barrera.

– Retournez vous occuper de vos abeilles, Art.

– J'irai jusqu'au bout.

– Qu'est-ce que ça veut dire ?

– Si vous me laissez repartir d'ici, j'irai à Langley. Et je parie qu'ils m'engageront, eux.

La rivalité entre la DEA et la CIA est acharnée, la tension entre les deux agences terrible et la confiance quasiment inexistante. La CIA a aidé à couvrir le meurtre de Hidalgo, au minimum, et la DEA n'a jamais oublié ni pardonné.

– Vous et Barrera, dit Taylor, vous êtes pareils.

– C'est ce que je vous dis.

Taylor le dévisage longuement.

– Ça va être compliqué. Tout le monde ici ne va pas vous accueillir à bras ouverts. Mais je verrai ce que je peux faire. Laissez-moi un numéro où je peux vous joindre.

Keller déniche un hôtel correct à Bethesda, près du Naval Hospital, et il attend. Il sait ce qui est en train de se dérouler : Taylor va s'entretenir avec ses supérieurs à la DEA, qui devront ensuite en référer à leurs chefs au ministère de la Justice. La Justice devra en référer au Département d'État, et ensuite, il faudra informer la CIA. Il y aura des déjeuners discrets dans K Street[1] et des rencontres encore plus discrètes dans des bars de Georgetown.

Il connaît les arguments : Art Keller est incontrôlable, il ne joue pas collectif, il suit son propre objectif, il est

1. Siège des officines gouvernementales à Washington.

trop impliqué personnellement, les Mexicains le détestent. C'est trop dangereux.

Ce dernier argument est le plus solide.

Envoyer Keller au Mexique, alors qu'une récompense de deux millions de dollars pèse sur sa tête, est effectivement dangereux. Et la DEA ne peut se permettre d'essuyer une nouvelle tempête médiatique si un autre agent était tué au Mexique. Néanmoins, nul ne peut mettre en doute l'apport essentiel de Keller dans la traque d'Adán Barrera.

– Donnez-lui un bureau à l'EPIC, déclare un fonctionnaire de la Maison-Blanche, faisant référence au Centre de renseignements de la DEA à El Paso. Il pourra conseiller les Mexicains.

Taylor transmet par téléphone l'offre à Keller. Qui répond :

– Je suis certain que Barrera ne se trouve pas à El Paso.

– Connard.

Keller raccroche.

Le fonctionnaire de la Maison-Blanche qui écoutait la conversation explose.

– Depuis quand un agent décide de l'endroit où il veut aller et ne pas aller ?

– Ce n'est pas « un agent », répond Taylor. C'est cet enfoiré d'Art Keller, l'ancien Seigneur de la frontière. Il sait où sont enterrés les cadavres, et pas uniquement au Mexique.

– Et au niveau des risques encourus ?

Taylor hausse les épaules.

– Il faut faire avec. Si Keller retrouve Barrera, formidable. Si Barrera le trouve en premier… Ça tirera un trait sur certaines affaires, non ?

Keller sait ce qui s'est passé en 1985. Il y était. Il a intercepté les transports de cocaïne par avion, il a vu les camps d'entraînement, il sait que le NSC et la CIA ont utilisé les cartels mexicains pour financer les Contras au

Nicaragua, avec l'approbation de la Maison-Blanche. Il s'est parjuré devant le Congrès en échange du feu vert pour traquer les Barrera, et il les a détruits, il a envoyé Adán derrière les barreaux.

Et aujourd'hui, Barrera est dans la nature, et Keller est de retour.

Si Art se fait tuer au Mexique, il emportera ses secrets dans sa tombe.

Le Mexique est un cimetière de secrets.

Après d'autres coups de téléphone, d'autres notes confidentielles, d'autres déjeuners et d'autres verres dans des bars, le pouvoir en place décide que Keller peut se rendre à Mexico avec des accréditations de la DEA, non pas en tant qu'agent spécial, mais comme officier de renseignements. Et avec un simple ordre de mission : « apporter son aide et ses conseils pour la capture d'Adán Barrera ou, à défaut, s'assurer de sa mort ».

Keller accepte.

Mais il faut encore convaincre les Mexicains, sceptiques à l'idée que Keller soit envoyé dans leur pays pour « apporter son aide et ses conseils ». Cela déclenche une épreuve de force entre le ministère mexicain de la Justice, le ministère de la Sécurité publique et un tas d'autres agences, une véritable soupe aux pâtes alphabet, qui coopèrent et/ou rivalisent à divers degrés au sein de juridictions qui se chevauchent.

D'un côté, ils veulent profiter des connaissances de Keller ; de l'autre, il y a la susceptibilité, tristement célèbre mais compréhensible, des Mexicains qui se considèrent comme des « petits frères de couleur » dans cette relation, sans oublier le mécontentement provoqué par les insinuations permanentes, et unilatérales, de corruption.

Taylor sermonne Keller à ce sujet.

– Cela vous a peut-être échappé pendant que vous vous preniez pour frère Tuck, mais politiquement les choses ont changé là-bas. Exit le PRI, bienvenue au PAN. Les forces de police fédérales ont été réorganisées et nettoyées, et l'opinion la plus populaire, celle que vous allez devoir accepter, Art, c'est la résurrection de Los Pinos, avec une âme neuve et pure.

Oui, c'est ça, se dit Keller. Dans les années 1980, l'opinion la plus populaire, c'était qu'il n'y avait pas de cocaïne au Mexique, et on lui avait ordonné de passer sous silence toutes les preuves tangibles du contraire, les tonnes et les tonnes de coke que les Colombiens faisaient entrer aux États-Unis via la Federación de Barrera. Et Los Pinos, la Maison-Blanche mexicaine, était une filiale à cent pour cent de la Federación. Aujourd'hui, la version officielle est que le gouvernement mexicain est propre comme un sou neuf.

– Donc, l'évasion de Barrera était un tour de magie à la Houdini ? demande Keller. Personne au sein du gouvernement n'a été soudoyé ?

– Un gardien de prison ou deux peut-être.

– Ouais, d'accord.

– Je ne suis pas en train de vous baratiner, dit Taylor. Vous n'allez pas là-bas pour faire des histoires. Vous aidez, vous conseillez, et à part ça, vous la bouclez.

S'ensuit une bataille de mails, de réunions et de télégrammes confidentiels entre Washington et Mexico, qui débouche sur un compromis : Keller sera prêté et placé sous le contrôle d'un « comité de coordination » pour agir uniquement en qualité de conseiller.

– Si vous acceptez cette mission, dit Taylor, vous acceptez aussi ces conditions.

Keller accepte. De toute façon, c'est du pipeau. Il sait bien que l'un de ses rôles au Mexique sera celui d'appât. Si quelque chose peut faire sortir Adán Barrera du bois, c'est la possibilité d'atteindre Art Keller.

Keller le sait, et il s'en fout.

Si Adán veut venir jusqu'à lui, tant mieux.

Qu'il vienne.

Les paroles d'un psaume qu'il chantait aux vigiles lui reviennent.

Épître aux Romains 13,11

Vous connaissez le temps où nous sommes,
L'heure est enfin venue de sortir de votre sommeil.

3
La chasse à l'homme

Aucune chasse n'est comparable à la chasse à l'homme

Ernest Hemingway,
« Sur l'eau bleue »

LOS ELIJOS, DURANGO
MARS 2005

Le soleil, doux et diffus dans la brume, se lève au-dessus des montagnes en ce Jeudi saint.

Keller est assis à l'avant d'un SUV banalisé, caché dans un bosquet de pins au bord d'une crête ; il caresse la détente du Sig Sauer qu'il n'est pas censé avoir en sa possession et contemple le fond de l'étroite vallée où le village de Los Elijos, coincé entre les sommets des montagnes, commence à apparaître dans le brouillard.

L'air de la montagne est vif et Keller frissonne, à cause du froid mais aussi de la fatigue. Le convoi a roulé toute la nuit sur une route étroite et sinueuse, à peine plus qu'un sentier de chèvres, dans l'espoir d'arriver jusqu'ici sans se faire repérer.

À travers ses jumelles, Keller constate que le village dort encore ; cela signifie que personne n'a donné l'alerte.

Luis Aguilar frissonne derrière lui.

Les deux hommes ne s'aiment pas.

La première réunion du Comité de coordination Barrera, organisée le lendemain de l'arrivée de Keller à Mexico, n'augurait rien de bon.

– Que les choses soient bien claires entre nous, lui dit Aguilar à peine s'étaient-ils assis. Vous êtes ici pour nous faire partager vos connaissances sur l'organisation de Barrera. Vous n'êtes pas venu pour cultiver vos propres sources, entreprendre des actions indépendantes, effectuer des missions de surveillance ou collecter des renseignements. Je ne veux pas qu'un gringo de plus vienne essuyer ses bottes sur mon territoire. On se comprend ?

Tout chez Luis Aguilar était tranchant, de son nez aquilin aux plis de son pantalon, en passant par ses paroles.

– Nous disposons d'un certain nombre de ressources, répondit Keller.

Satellites de surveillance, interceptions de communications téléphoniques, piratage d'ordinateurs…

– Je partagerai toutes ces informations avec vous, jusqu'à ce que je découvre qu'il y a eu des fuites. Dès lors, on coupe tous les ponts et on ne se connaît plus.

Le regard d'Aguilar se fit encore plus tranchant.

– Qu'insinuez-vous ?

– Je veux juste que les choses soient bien claires entre nous.

Gerardo Vera était aussi décontracté qu'Aguilar était tranchant. Il intervint en riant :

– Allons, messieurs, combattons plutôt les narcos, au lieu de nous battre entre nous.

Luis Aguilar et Gerardo Vera dirigeaient les deux nouvelles agences chargées de trancher le nœud gordien de la corruption et de la bureaucratie afin de s'attaquer enfin sérieusement aux cartels.

Le SEIDO d'Aguilar (Subprocuraduria Especializada en Investigación de Delincuencia Organizada), le Bureau d'enquêtes du ministère de la Justice sur le crime organisé, avait été créé pour remplacer son prédécesseur, le

FEADS, démantelé par la nouvelle administration qui l'avait qualifié de « tas de fumier de corruption ».

De même, Vera avait démantelé l'ancienne PJF, les *federales,* pour la remplacer par l'AFI, la Federal Investigative Agency.

Les responsables des deux nouveaux organismes offraient un bel exemple de contraste : d'un côté, Aguilar, petit, mince, brun, compact et net ; et de l'autre, Vera, grand, lourd, blond, visage épais et exubérant. Aguilar était un avocat doté d'une réputation de procureur à la main lourde ; Vera était un flic de métier qui avait suivi de nombreuses formations, notamment au FBI.

Vera était un type normal avec qui vous pouviez échanger des anecdotes autour de quelques bières ; Aguilar était un érudit discret, fervent catholique, un bon père de famille qui ne racontait jamais d'histoires. Vera portait des costumes italiens sur mesure ; Aguilar s'en tenait aux modèles prêt-à-porter de chez Brooks Brothers.

Ce qu'ils avaient en commun, c'était la volonté de faire le ménage.

Ils avaient commencé par leurs propres hommes en effectuant des recherches approfondies sur eux et en les soumettant au détecteur de mensonges, pour s'assurer qu'ils n'avaient jamais été à la solde des narcos. Aguilar et Vera avaient été les premiers à passer le test et ils avaient communiqué les résultats (négatifs) à la presse.

Tout le monde n'avait pas franchi l'obstacle. Aguilar et Vera avaient viré des centaines d'enquêteurs.

– Certains de ces salopards, confia Vera à Keller, travaillaient pour les cartels *avant* de venir nous voir. Les narcos les avaient envoyés pour se faire engager, vous vous rendez compte ? Les fils de pute.

Cette vulgarité fit grimacer Aguilar.

– Depuis, on a droit au test une fois par mois, ajouta Vera. Ça coûte cher, mais si vous voulez que l'étable reste propre, il faut déblayer la merde en permanence.

La merde avait essayé de riposter.

Vera et Aguilar avaient reçu des dizaines de menaces de mort. Depuis, ils étaient escortés par une demi-douzaine de gardes du corps lourdement armés qui les accompagnaient partout. Des sentinelles patrouillaient autour de chez eux vingt-quatre heures sur vingt-quatre, sept jours sur sept.

La DEA était optimiste.

– On a enfin trouvé des gens avec qui on peut travailler, avait dit Taylor lors du dernier briefing de Keller. Ces types sont honnêtes, compétents et motivés.

Keller était obligé de le reconnaître.

Malgré cela, Aguilar et lui étaient en conflit.

– Votre organigramme, lui dit Keller à la suite d'un échange de trente-sept notes afin d'obtenir une simple autorisation de mise sur écoute, est aussi difficile à démêler qu'un plat de spaghettis de la veille.

– Je ne mange pas les restes, répondit Aguilar, mais vous pourriez peut-être m'éclairer sur les lignes de partage exactes entre la DEA, l'ICE (la police de l'immigration et des frontières), le FBI, la Sécurité intérieure et la pléthore de juridictions fédérales et locales de votre côté de la frontière car, franchement, j'ai du mal à comprendre.

Une dispute éclata au sujet de l'évasion de Puente Grande.

Le système pénitentiaire relevait désormais des compétences de Vera, mais les poursuites contre le personnel devaient s'effectuer sous l'autorité d'Aguilar. Vera avait donc choisi un homme à lui pour enquêter sur l'évasion, tandis qu'Aguilar avait ordonné l'arrestation de soixante-douze gardiens et membres du personnel de la prison, dont le directeur. Les interrogatoires étaient menés par un haut fonctionnaire de l'AFI nommé Edgar Delgado, mais Aguilar et Keller avaient le droit d'y assister. Aguilar avait honte de ce qu'il apprenait : Barrera dirigeait la prison, en gros.

Pour Keller, ce n'était pas une surprise.

– Parce que tous les Mexicains sont corrompus, ironisa Aguilar.

Keller haussa les épaules.

Ce soir-là, Aguilar rentra chez lui trop tard pour dîner, mais à temps pour aider ses filles à faire leurs devoirs. Quand elles furent couchées, Lucinda déposa sur la table une assiette d'agneau *birria,* un de ses plats favoris.

– Il est comment, l'Américain ? demanda-t-elle en s'asseyant à côté de son mari.

– Comme tous les Américains. Il croit tout savoir.

– Je ne savais pas que tu étais raciste, Luis.

– Je préfère me considérer comme un individu borné.

– Tu devrais l'inviter à dîner.

– Je passe suffisamment de temps avec lui, répondit Aguilar. Et puis je ne voudrais pas t'imposer sa présence.

Ses nouvelles fonctions pesaient sur sa femme. Directrice d'école, elle n'était pas habituée à ce que des gardes du corps l'accompagnent au travail et à son domicile, ni à ce que des hommes armés patrouillent autour de la maison. Pour leurs filles, c'était plus facile ; à leur âge, elles étaient moins ancrées dans leurs habitudes et, surtout, elles trouvaient ça « cool » d'une certaine façon. D'ailleurs, dans leur école privée, plusieurs de leurs camarades avaient des gardes du corps.

Certains étaient des enfants de fonctionnaires gouvernementaux. D'autres, Aguilar le savait et s'en lamentait, étaient certainement des *buchones,* des fils et filles de narcos. Mais qu'importe, se disait-il, on ne peut pas reprocher aux enfants les péchés du père.

– Comment trouves-tu l'agneau ? demanda Lucinda.

– Excellent, merci.

– Encore un peu de vin ?

– Pourquoi me caresses-tu dans le sens du poil ?

– Je suis sûre qu'il n'est pas si horrible que ça.

– Je n'ai jamais dit qu'il était horrible. J'ai juste dit qu'il était américain.

Aguilar termina son assiette et son verre de vin, joua deux coups d'une partie d'échecs contre lui-même, puis monta se coucher.

Lucinda l'attendait.

Le lendemain, ils prirent un nouveau départ.

– Supposons que les Tapia, agissant de concert avec Nacho Esparza, ont fait sortir Barrera de Puente Grande, dit Aguilar.

– Ça se tient, dit Keller.

– Quel est le corollaire opérationnel de cette hypothèse ?

– On s'en prend à eux, répondit Vera. On fait en sorte que ça leur coûte trop cher de le cacher.

Ils frappèrent fort.

Utilisant des renseignements collectés par le SEIDO et des informations provenant des dossiers de la DEA, fournies pas Keller, ils effectuèrent des descentes dans les propriétés des Tapia et d'Esparza dans le Sinaloa, le Durango et le Nayarit. Ils traquèrent et interrogèrent des dizaines d'associés des deux hommes. Ils arrêtèrent des cultivateurs, des dealers, des expéditeurs et des blanchisseurs d'argent.

Ils augmentèrent encore la pression en interceptant un chargement de cocaïne appartenant à Diego Tapia, puis un cargo transportant les produits chimiques dont Esparza avait besoin pour fabriquer de la meth.

Ils affichaient clairement leur objectif. Les soldats de l'AFI plaquaient à terre les hommes appréhendés en hurlant : « Où est Adán Barrera ? » Puis ils les remettaient aux agents du SEIDO, qui leur demandaient, encore et encore : « Où est Adán Barrera ? »

Personne ne leur dit quoi que ce soit.

Les descentes permirent de mettre la main sur de la drogue, des armes, des ordinateurs, des portables, mais aucune piste solide pouvant les mener à Barrera.

Aguilar jeta cet échec à la figure de Keller.

– C'est vous, le spécialiste de Barrera, dit-il sans chercher à masquer son ton sarcastique. Peut-être accepteriez-vous de nous faire partager votre savoir pour qu'on le retrouve ?

Keller releva le défi.

En arrivant à Mexico, il avait déposé ses bagages dans son logement de fonction, près de l'ambassade, puis il était ressorti et avait déniché un meublé au premier étage d'un immeuble Art déco de l'Avenida Vicente Suárez dans le quartier de Colonia Condesa, à deux pas de l'ambassade mais suffisamment éloigné du ghetto diplomatique américain. Ce quartier bohème regorgeait de cafés avec terrasses, de bars, de boîtes de nuit et de librairies.

L'espagnol étant sa langue maternelle, Keller se mêlait aisément à la population. Il déménagea ses quelques affaires dans le meublé de Condesa et retourna rarement dans son appartement de fonction. Il ne manquait de rien : il avait son Sig Sauer, un fusil à pompe Mossberg Tacstar 590 fixé sous son lit et un couteau de combat Ka-Bar de l'US Navy scotché derrière le réservoir des toilettes. Je suis peut-être un appât, se disait-il, mais ça ne veut pas dire que je dois me laisser canarder.

Après des semaines de vaines recherches donc, Keller se terra dans son meublé et se mit au travail. Barrera s'étant évadé de Puente Grande, il commença par la prison en épluchant les milliers de pages de transcriptions des interrogatoires des gardiens.

S'il n'avait pas connu la réalité, il aurait pu croire que ces récits appartenaient au domaine de la fiction : la cellule luxueusement aménagée de Barrera, les « soirées cinéma », l'introduction de prostituées, le gang des Bateadores. Keller lut tout ce qui concernait l'ancienne reine de beauté Magda Beltrán, le Noël en famille et l'émeute le soir de l'évasion. C'était fascinant, malheureusement cela n'indiquait nullement où pouvait se trouver Barrera.

Keller lut, relut et relut encore les descriptions de son séjour à Puente Grande.

Et soudain, quelque chose fit tilt. La brève évocation d'une rumeur au sujet d'une tentative d'assassinat de Barrera sur le terrain de volley. Le cadavre de l'agresseur avait été retrouvé plus tard avec une balle dans l'arrière du crâne.

Keller téléphona à Aguilar.

– Pouvez-vous sortir le dossier d'un ancien détenu, aujourd'hui décédé, Juan Cabray ?

– Oui, mais pourquoi ?

– J'en ai besoin pour mettre à profit tout mon « savoir ».

– Très certainement.

Keller se rendit dans les locaux du SEIDO pour récupérer le dossier.

Cabray était un criminel professionnel qui avait travaillé pour l'ancien cartel de Sonora et savait manier le couteau. Pas suffisamment bien, toutefois, songea Keller. Il mit de côté la question du commanditaire du meurtre pour s'intéresser à Cabray.

En supposant que cette histoire soit vraie, se dit-il. Cabray avait frappé Barrera avec un couteau, mais il avait manqué son coup. Et les hommes de Barrera l'avaient exécuté. En examinant la photo du cadavre, Keller distinguait nettement le point d'entrée de la balle, mais il était surtout impressionné par ce qu'il ne voyait pas.

Des traces de torture.

Ses meurtriers avaient pourtant dû s'acharner sur lui pour découvrir qui l'avait recruté. Or la photo ne montrait aucun hématome, aucune fracture, aucune brûlure.

Cabray avait coopéré.

En plongeant plus profondément dans le dossier, Keller apprit que Juan Cabray venait de Los Elijos, dans l'État de Durango. Il se connecta à Internet et obtint des images du village, coincé au fond d'une vallée entre de lointaines montagnes.

Durango faisait partie de ce qu'on appelait le Triangle d'or, le croisement montagneux entre le Sinaloa, le Durango et le Chihuahua, principaux fournisseurs d'opium et de marijuana au Mexique.

Le cœur de la forteresse du cartel de Sinaloa.

Keller convoqua une réunion du comité de coordination et sollicita la permission de demander qu'un satellite américain survole Los Elijos. C'était une requête délicate, les Mexicains voyant d'un mauvais œil la présence d'un satellite de surveillance étranger au-dessus de leur territoire.

– C'est absurde, dit Aguilar. Pourquoi Barrera irait-il se cacher dans le village d'un homme qui a essayé de le tuer, un homme dont il a ordonné l'exécution, qui plus est ?

– Faites-moi plaisir, dit Keller.

– C'est votre « savoir » qui parle ?

– On est dans une impasse de toute façon, dit Vera en haussant les épaules. Alors, pourquoi pas ?

– On pourrait envoyer un avion, suggéra Aguilar.

– Non, je ne veux surtout pas d'un vol en rase-mottes, dit Keller. Il ne faut pas l'effrayer. Laissez-moi réclamer un survol par satellite.

Aguilar renifla avec mépris, mais accorda la permission nécessaire. Keller contacta aussitôt Taylor par téléphone et le survol fut autorisé.

Deux jours plus tard, Keller était de retour au SEIDO et des photos étaient étalées sur la grande table de conférence. Il montra un petit cercle, un carré plus large et un rectangle encore plus grand.

– Ça pourrait être un puits, dit-il. Le carré… peut-être une école. Et cette troisième forme, là, une clinique. En tout cas, ce sont des constructions récentes.

– Où voulez-vous en venir ? demanda Aguilar.

– C'est un village pauvre. Et voilà qu'apparaissent soudain toutes sortes d'infrastructures qui leur manquaient ?

– Nous avons des programmes de développement dans tout le Mexique.

– Peut-on se renseigner, discrètement, pour savoir si Los Elijos en a bénéficié il n'y a pas longtemps ? intervint Keller. Sinon, je crois deviner qui a financé ces constructions.

– Attendez, laissez-moi deviner moi aussi… Adán Barrera ? Oh, allons !

– D'où êtes-vous originaire ? demanda Keller.

Aguilar parut surpris par cette question, mais il répondit quand même :

– Mexico.

Keller se tourna vers Vera.

– Et vous ?

– Pareil.

– J'ai passé des années dans le Triangle. Je connais ces gens. Je sais comment ils raisonnent, je connais leur culture. Je connais Adán Barrera depuis qu'il a vingt ans.

– Et alors ?

– Alors, les habitants de Los Elijos ont cru que Juan Cabray a agi honorablement parce que Adán Barrera a réagi noblement. Partons de l'idée qu'avant de mourir Cabray a reconnu Barrera comme son *patrón.* Celui-ci a donc joué le rôle de bienfaiteur pour le village : un puits, une école, une clinique. En échange, les habitants l'auront hébergé.

– Vous poussez le bouchon un peu trop loin, dit Aguilar.

– Avez-vous une meilleure idée ?

Aguilar passa quelques coups de téléphone discrets et apprit que ni les autorités locales ni les autorités gouvernementales n'avaient mené de projets de développement à Los Elijos. De même, il n'existait aucune trace de travaux financés par l'Église ou une ONG.

Vera prit une décision : l'AFI lancerait un raid surprise sur Los Elijos, à l'aube.

De nouvelles images satellite permirent de supposer que Barrera se trouvait dans la plus grande maison du village, à l'extrémité d'un chemin de terre : un bâtiment en calcaire, de plain-pied, avec un toit en tuiles, entouré d'un muret.

– J'espère que la reine de beauté est avec lui, dit Vera. J'aimerais bien reluquer ce spécimen.

Keller étudia les photos de la maison de Los Elijos et déclara :

– Je participerai au raid.

– On ne peut pas courir le risque qu'un agent américain soit tué sur le sol mexicain, dit Aguilar.

Keller devinait ce qu'il voulait dire en réalité : ils ne pouvaient pas courir le risque qu'un agent américain tue un citoyen mexicain sur le sol mexicain.

La capture de Barrera devait être une opération strictement mexicaine, affirmait Aguilar. Nulle mention ne serait faite des renseignements fournis pas la DEA.

Conseiller et assister, se dit Keller.

– S'il m'arrive quelque chose, enterrez-moi dans les montagnes.

– C'est très tentant, hélas, je crains que ce ne soit impossible.

– Ce sont mes renseignements qui ont rendu ce raid possible.

– Quel rapport ?

– Collégialité, dit Vera. On lui doit cette politesse, en tant que compagnons d'armes.

– Si vous êtes prêt à endosser cette responsabilité… grogna Aguilar.

L'après-midi même, ils étaient à bord d'un avion militaire qui les conduisait à El Salto, dans l'État de Durango. De là, les soldats de l'AFI montèrent dans des camions et des SUV et prirent la direction des montagnes. Après avoir roulé toute la nuit, ils atteignirent la crête qui dominait Los Elijos.

Maintenant, Keller grelotte à côté d'Aguilar.

Vera se trouve dans un autre véhicule, avec cinq de ses hommes. La tactique est simple. Dès les premières lueurs du jour, Vera donnera l'ordre par radio et les huit véhicules dévaleront la route qui mène au village et ils le traverseront sans s'arrêter pour encercler la grande maison située au bout du chemin. Puis ils entreront.

Avec un peu de chance, Barrera sera à l'intérieur. Sinon, s'il occupe une autre maison du village, ils l'auront isolé en pleine campagne et ils pourront le neutraliser.

Tel est le plan, du moins.

Aguilar n'est pas convaincu.

« Cette idée selon laquelle Barrera a trouvé refuge dans le village de Cabray est un concept purement romantique », a-t-il lâché au cours du trajet sur la route de montagne sinueuse qui a eu pour effet d'irriter son estomac autant que son esprit.

Alors, il mâche un antiacide pendant qu'il observe le village.

N'ayant rien d'autre à faire qu'attendre, ils bavardent, ne serait-ce que pour soulager la tension et rompre la monotonie. Keller apprend ainsi des choses sur l'avocat taciturne qu'il ne connaissait pas ; ou peut-être qu'il n'a jamais pris la peine de s'y intéresser.

Aguilar a une femme et deux filles adolescentes, il a fait une partie de ses études à l'université Harvard, qu'il a trouvée surévaluée. C'est un ancien fumeur, un fervent catholique et un supporter presque aussi fervent de l'équipe de *fútbol* d'Águilas de America.

– Et vous ? demande-t-il.

– Le foot ? Non.

– Je parlais de la famille.

– Divorcé, répond Keller. Deux enfants, un garçon et une fille. Ils sont adultes.

– Ce métier pèse sur la vie de famille, dit Aguilar. Les longues journées, les secrets…

Keller sait qu'Aguilar essaye de se montrer aimable et de trouver un terrain d'entente. Son ton est presque amical, alors il joue le jeu.

– On dit que la DEA vous fournit une arme et un insigne, pas une femme et des enfants.

– Je ne pourrais pas vivre sans ma famille, avoue Aguilar.

Et il s'empresse d'ajouter :

– Désolé, c'était méchant. Je ne voulais pas.

– Non, non, je comprends.

Ils demeurent muets un instant, puis Aguilar se risque à dire :

– J'ai entendu ce qu'on raconte sur vous et Barrera.

– On raconte un tas de choses.

– Je pense qu'il est important de faire la différence entre la vengeance et la justice.

Juste au moment où je commençais à t'apprécier, se dit Keller, il faut que tu me fasses la morale.

– Vous avez déjà participé à une fusillade ? interroge-t-il.

– Non. Et je n'ai pas l'intention de commencer maintenant.

– Je me demandais si vous n'étiez pas un peu nerveux. Ce serait compréhensible.

– Tous mes combats, je les ai menés dans les tribunaux. Mais je ne suis pas nerveux. Je suis simplement agacé par cette colossale perte de temps et de moyens, alors qu'on ne peut pas se le permettre.

– OK.

Aguilar pose les yeux sur le Sig Sauer.

– Vous ne devez pas faire usage de votre arme, sauf en cas extrême de légitime défense.

– Où avez-vous appris l'anglais ?

– À Harvard.

– Tout s'explique.

– Je ne comprends pas.

– Je sais.

Aguilar n'est peut-être pas nerveux, mais moi si, se dit Keller. Barrera *est* dans ce village. Je le sais pour une raison qu'Aguilar rejetterait avec mépris : je le sens. Je traque Adán Barrera d'une manière ou d'une autre depuis plus de trente ans, nous sommes des siamois psychiques, et je sens sa présence ici.

Dans vingt ou trente minutes, tout pourrait être terminé. Et ensuite ? Que feras-tu de ta vie ?

Tu t'emballes, là.

D'abord, arrêter Barrera.

Il tripote nerveusement la détente du Sig Sauer.

Soudain, la radio grésille et il entend l'ordre de Vera :

– Tenez-vous prêts.

– Vous êtes prêt ? demande Aguilar.

Et comment.

Vera donne le signal. La voiture bondit en avant et dévale la pente raide. L'agent de l'AFI qui tient le volant ne fait aucune concession aux virages en épingle à cheveux et aux ravins qui pourraient expédier le véhicule trente mètres plus bas.

Ils atteignent le village sains et saufs néanmoins et foncent dans la rue principale et unique. Quelques lève-tôt les regardent d'un air hébété et Keller en entend un ou deux donner l'alarme : *« Juras ! Juras ! »*

Police ! Police !

Trop tard, se dit-il, alors que leur voiture dépasse en trombe le nouveau puits, la nouvelle école et la nouvelle clinique, vers la maison située au bout du chemin. Si tu es là, Adán, et je sais que tu es là, on te tient.

La voiture s'arrête devant la maison, tandis que d'autres véhicules l'encerclent à la manière des Indiens dans un mauvais western. Les hommes de l'AFI, en uniforme bleu marine, coiffés de casquettes de base-ball, jaillissent, avec leurs gilets pare-balles et leurs gros rangers noirs, armés de AR-15 et de pistolets calibre 45, de fabrication américaine,

Vera conduit l'assaut.

Keller saute de la voiture et trottine vers la porte de derrière. Aguilar le suit ; il semble empoté avec un .38 dans la main. Keller entre, son Sig Sauer pointé devant lui.

C'est la cuisine. Un employé de maison terrifié lève les mains.

– Où est Adán Barrera ? braille Keller. Où est le *señor* ?

– *No sé.*

– Il était bien là, non ? insiste-t-il. Quand est-il parti ?

– *No sé.*

– Y avait-il une femme avec lui ? demande Aguilar.

– *No sé.*

Vera entre dans la pièce, dégaine son pistolet, arme le chien et colle le canon sur la joue du cuisinier.

– Comment elle s'appelait, « no sé » ? Ça te revient, maintenant ?

– Il est terrorisé, dit Aguilar. Laissez-le tranquille.

– Je vais t'envoyer en taule avec toute ta famille, grogne Vera en repoussant violemment le cuisinier.

– Il n'existe pas, à ma connaissance, de loi qui interdise de faire de la soupe aux haricots noirs, dit Aguilar.

Qu'est-ce que vous imaginez ? Que Barrera a dit à son cuisinier où il allait ?

Keller inspecte toute la maison.

Les chambres, les salles de bains, le salon… Il regarde sous les lits, à l'intérieur des placards. Dans une des chambres, il croit sentir les effluves d'un parfum coûteux. Les agents de l'AFI démontent les baignoires et arrachent les carrelages, à la recherche de tunnels.

En vain.

Ils passent la maison au peigne fin pour trouver des téléphones portables et des ordinateurs. Chou blanc. Alors qu'ils regagnent leurs véhicules, Aguilar glisse à Keller :

– Je vous l'avais bien dit.

Ils traversent le village en sens inverse et Keller remarque que les agents inspectent chacune des maisons ; ils expulsent les gens de chez eux, brisent les fenêtres et les meubles.

Il descend de voiture.

– Je vais incendier ce trou à rats ! fulmine Vera, rouge de fureur.

Toujours les mêmes erreurs, pense Keller. Le Vietnam dans les années 1960, le Sinaloa dans les années 1970, chaque fois nous commettons les mêmes erreurs débiles. Pas étonnant que ces gens hébergent les narcos. Barrera construit des écoles, nous on détruit les maisons.

Les agents ont aligné les habitants contre le mur du petit cimetière. Ils les interrogent en distribuant les gifles et les coups de pied, exigeant de savoir où se trouve El Señor.

Keller s'approche de Vera.

– Ne faites pas ça.

– Occupez-vous de vos affaires.

– C'est ce que je fais.

– Ils savent où il est !

– Ils savent où il *était,* rectifie Keller sans élever la voix. Vous allez faire plus de mal que de bien.

– Ils ont besoin d'une bonne leçon.

– Une mauvaise leçon, Gerardo.

Keller se dirige vers la rangée de villageois, qui semblent apeurés et pleins de ressentiment. Il demande :

– Où est la famille de Juan Cabray ?

Il voit une femme prendre ses enfants dans ses bras et tourner la tête. Certainement l'épouse de Cabray. Une vieille femme qui se trouve près d'eux baisse les yeux. Il marche vers elle, la prend par le coude et l'éloigne du groupe.

– Montrez-moi sa tombe, *señora*.

La femme le conduit jusqu'à une jolie pierre tombale en granit, toute neuve, qui excède largement les moyens d'un *campesino*.

Le nom de Juan Cabray est gravé dans la pierre.

– Cette tombe est très belle, dit Keller. Elle fait honneur à votre fils.

La vieille femme ne dit rien.

– Si El Señor était ici, secouez la tête.

La vieille femme l'observe un instant, puis secoue la tête, violemment, comme si elle refusait de répondre.

– La nuit dernière ? demande Keller.

Elle secoue la tête de nouveau.

– Vous savez où il est allé ?

– *No sé.*

– Je vais vous brutaliser un peu. Je m'en excuse, mais je sais que vous comprenez.

Il la saisit par le coude et l'entraîne à l'écart de la tombe pour la ramener vers sa famille, sans ménagement. Les villageois alignés contre le mur évitent son regard. Keller rejoint Vera et Aguilar, qui somme son collègue d'« arrêter cette barbarie inutile et illégale ».

– Il était bien ici la nuit dernière, dit Keller. Vous savez que si vous brûlez ce village, tous les *campesinos* du Triangle l'apprendront en moins de vingt-quatre heures et nous n'obtiendrons jamais leur coopération.

Vera le dévisage longuement, puis ordonne, d'un ton cassant, à ses hommes de se retirer.

Barrera leur a filé entre les pattes, se dit Keller. Mais la piste est encore chaude et Vera emploie toute son énergie à diriger la chasse à l'homme. Des patrouilles militaires se déploient, secondées par des forces de police locales et nationales, des hélicoptères et de petits avions décollent pour surveiller les routes.

Mais Keller sait qu'ils ne le retrouveront pas. Pas dans les montagnes du Durango avec ses buissons épais, ses chemins infranchissables et ses centaines de villages dont la loyauté va davantage vers les narcos locaux que vers un gouvernement lointain, tout là-bas à Mexico.

En outre, Barrera possède la police. Elle ne le traque pas, elle le *protège.*

Alors qu'ils s'éloignent du village, Aguilar lâche :

– Ne le dites pas.

– Quoi ?

– Ce que vous pensez… que Barrera a été informé.

– Ce n'est pas nécessaire, je crois.

– Ça peut tout aussi bien venir de la DEA.

– Possible.

Mais non, pense Keller.

Adán a fichu le camp juste à temps.

Il se trouvait dans la maison de Los Elijos quand Diego lui a fait savoir que l'AFI était en chemin. Il s'est réfugié dans une nouvelle planque de l'autre côté de la frontière de l'État, au Sinaloa.

– Quelqu'un les a renseignés. Tu crois que c'est Nacho ? demande-t-il à Diego.

Nacho a peut-être décidé de retourner la situation, et de conclure un arrangement seul dans son coin.

– Je ne crois pas, dit Diego. Je ne peux pas l'imaginer.

– Alors, qui ?

– Je ne suis pas sûr qu'on les ait renseignés. Le gouvernement a fait appel à quelqu'un.

– Qui ça ?

Quand Diego lui donne le nom, Adán n'en croit pas ses oreilles.

– Keller, répète-t-il.

– Oui.

– Au Mexique ?

Diego confirme d'un mouvement d'épaules.

– À quel titre ? demande Adán, incrédule.

– Ils ont créé un machin qu'ils appellent le Comité de coordination Barrera. Keller est le conseiller nord-américain.

Logique, songe Adán. Si vous voulez capturer un jaguar, vous choisissez l'homme qui a déjà attrapé un jaguar. N'empêche, ce type possède un culot incroyable. Venir ici au Mexique et fourrer sa tête dans la gueule… du jaguar justement.

C'est bien son genre.

Keller a risqué sa vie un jour pour sauver celle d'Adán. C'était avant que celui-ci se lance dans le trafic de drogue ; il s'était retrouvé pris au cœur d'une opération militaire menée dans les champs de pavot du Sinaloa. Ils l'avaient tabassé, ils lui avaient versé de l'essence dans les narines, au point qu'il avait cru se noyer, puis avaient menacé de le balancer d'un hélicoptère en vol.

Keller les en avait empêchés.

C'était il y a longtemps.

Beaucoup de sang a coulé sous les ponts depuis.

– Tue-le, ordonne Adán.

Diego hoche la tête.

– Tu ne peux pas, dit Magda.

Ce sont des paroles qu'Adán n'a pas l'habitude d'entendre. Il se retourne et demande :

– Pourquoi donc ?

– Tu n'as pas assez de pression sur le dos ?

Certes, depuis des semaines, la pression avait été aussi écrasante qu'inattendue. Après avoir décollé de la prison, l'hélicoptère avait parcouru quelques kilomètres seulement avant de le déposer dans un petit village. Après quelques heures de repos, ils étaient partis en convoi. Ils roulaient depuis une heure quand l'armée et la police avaient débarqué dans le village pour incendier toutes les maisons en guise de représailles et pour servir d'exemple.

Cela n'avait servi à rien.

Le gouvernement avait installé une « hotline Barrera » qui recevait un appel toutes les trente secondes, tous faux, émanant de personnes qui ne l'avaient pas vu. La moitié de ces appels étaient des canulars, inventés par les hommes de Diego pour créer des centaines de fausses pistes qui faisaient perdre du temps à la police.

Diego était allé jusqu'à engager trois sosies de Barrera, chargés de sillonner le pays pour engendrer d'autres fausses pistes.

Pendant des semaines, Barrera s'était déplacé uniquement de nuit, changeant de planque aussi souvent que de vêtements. Il s'était déguisé en prêtre au Jalisco et en agent de l'AFI au Nayarit. Pendant tout ce temps, la pression n'avait pas diminué. Des hélicoptères passaient au-dessus de leurs têtes, ils devaient contourner des postes de contrôle de l'armée et emprunter des routes secondaires, véritables champs d'ornières.

Finalement, Barrera avait eu l'idée géniale de se rendre à Los Elijos où les *campesinos,* loin de lui tenir rigueur d'avoir assassiné Juan Cabray, l'avaient accueilli comme un bienfaiteur qui avait fait honneur à Cabray et aidé leur village. Adán et Magda s'étaient alors installés dans la plus belle maison, petite mais confortable.

Personne à Los Elijos, ni dans la campagne environnante, n'a soufflé mot de la présence d'El Señor et de cette femme. Mais la traque s'est poursuivie et voilà que le gouvernement a fait appel à Art Keller qui, à deux ou trois heures près, a bien failli le capturer.

Et Magda s'oppose à l'idée de le faire tuer !

– Plus que n'importe qui, tu devrais savoir ce qui se passe quand un agent américain est tué au Mexique, dit-elle. Sois patient, ça finira par se tasser. Mais ce Keller et les Américains n'abandonneront jamais. Ils obligeront le gouvernement à te harceler. Je ne dis pas « non », je dis « pas maintenant ».

Adán doit reconnaître que c'est la voix de la sagesse. Ce fils de pute de Keller sait qu'il est plus en sécurité ici, au Mexique, qu'aux États-Unis. Il sait que si vous enfoncez votre tête suffisamment loin dans la gueule du jaguar, celui-ci ne peut plus la refermer.

– Je ne me retiendrai pas éternellement, dit Adán.

Magda est assez intelligente pour réprimer un sourire victorieux, mais il sait qu'elle a gagné, et, ce faisant, elle l'a protégé de ses pulsions brutales.

Et dire que Diego, lui, ne voulait même pas inclure Magda dans le plan d'évasion.

– Ce sera déjà assez difficile de cacher le narco le plus célèbre au monde, avait-il dit. Le narco le plus célèbre au monde *plus* une ancienne reine de beauté ? Impossible.

– Je ne la laisserai pas à Puente, avait répondu Adán.

– Dans ce cas, sépare-toi d'elle, au moins. Partez chacun de votre côté.

– Non.

– *Dios mío, primo.* Tu es amoureux ?

Je ne sais pas, se dit Adán à cet instant en regardant Magda. Possible. Je croyais avoir déniché une belle et charmante maîtresse, mais j'ai trouvé beaucoup plus : une confidente, une conseillère, quelqu'un qui dit la vérité. Alors, il lui demande :

– Que devrais-je faire au sujet de Nacho ?

– Contacte-le. Organise une réunion. Offre-lui une chose qu'il désire plus qu'il ne craint le gouvernement.

Nacho accepte une rencontre dans une *finca* isolée, au sommet d'une colline, dans les jungles du Nayarit.

Ils restent sur le terrain.

Plutôt que de retourner à Mexico et de tout recommencer, le comité de coordination décide que Barrera n'a pas pu aller bien loin, alors ils regagnent leur base à El Salto et tentent de récolter de nouveaux renseignements.

L'armée de l'air guette sur ses radars les vols non autorisés. Des barrages routiers sont installés. Le SEIDO surveille les communications par téléphones portables et ordinateurs, avec l'aide de l'EPIC.

C'est délicat.

Un oiseau fait du bruit quand on le chasse d'un buisson.

Keller sait que si vous obligez des narcos de premier plan à se déplacer, surtout dans la précipitation, vous les obligez également à communiquer. Ils doivent prendre des dispositions, instaurer des mesures de sécurité, prévoir des itinéraires, alerter les personnes concernées.

Ils doivent se dépêcher, ils doivent se parler. Ils font tout leur possible pour masquer leurs conversations : le même portable ne sert qu'une seule fois, ils utilisent des liaisons satellite, ils envoient des SMS, des mails, ils font transiter les appels via des plateformes Internet situées à l'étranger, mais plus le temps presse, plus tout cela devient difficile.

Même une organisation sophistiquée comme l'EPIC ne peut pas suivre chaque conversation, elle ne peut pas intercepter tous les mails ni écouter tous les téléphones, mais ces gens-là peuvent surveiller le volume du trafic.

Ils ont déjà identifié certains points chauds – des zones géographiques et des antennes relais associées à des sites web et à des serveurs utilisés par les narcos – et s'il se passe quelque chose, ces zones clignotent sous l'effet de l'augmentation du trafic.

À cet instant, un de ces points chauds ressemble à un sapin de Noël.

Les scans montrent une augmentation spectaculaire de la quantité de communications transitant par une antenne-relais située dans une des zones fréquemment utilisées par Nacho Esparza pour se cacher, au Jalisco. Plusieurs appels, passés avec des téléphones différents, aboutissent à un relais installé au Nayarit, dans des montagnes isolées, en pleine jungle, au sud du Sinaloa. Géographiquement, ça se tient. L'État du Nayarit est très proche, en voiture ou en avion, du Durango.

Le facteur Esparza paraît logique lui aussi. Des rumeurs circulent depuis des mois à propos d'éventuelles tensions entre Barrera et Esparza – l'absence de Nacho le soir de Noël a été remarquée – et de la crainte d'Esparza que Barrera soit toujours un indic des Américains. Le Nayarit se trouve entre leurs bases respectives au Sinaloa et au Jalisco. Auraient-ils décidé d'organiser une rencontre pour calmer le jeu ?

Keller examine la carte de la zone couverte par l'antenne-relais et la coordonne avec les images de Google Earth. Il n'existe qu'une seule habitation digne de ce nom dans ce secteur : une *finca* composée de plusieurs bâtiments érigés au cœur de la forêt tropicale au sommet d'une colline.

L'endroit idéal.

Aguilar fait travailler ses agents du SEIDO à Mexico vingt-quatre heures sur vingt-quatre et sept jours sur sept pour déterminer à qui appartient cette propriété. Ils remontent la piste d'un individu à l'autre pour finalement découvrir qu'il s'agit d'un « pavillon de chasse » appartenant à une société d'investissement de Guadalajara.

Cette société est un holding déjà soupçonné de blanchir de l'argent pour le compte de Nacho Esparza. Munis de cette information, ils placent sur écoute le téléphone de la *finca*.

CORRESPONDANT EXTÉRIEUR : *Vous avez des invités qui arrivent.*

DESTINATAIRE : *Quand ?*

CORRESPONDANT EXTÉRIEUR : *Deux ce soir. Un demain matin.*

(Silence.)

DESTINATAIRE : *Trois hommes.*

CORRESPONDANT EXTÉRIEUR : *Vous savez qui. Et leur entourage. Personne d'autre ne doit entrer ni sortir. C'est compris ?*

(Fin de la communication.)

Keller comprend.

– Trois hommes. Barrera, Tapia et Esparza ?

– Possible, dit Aguilar.

Vera est aux anges.

– On le tient cette fois. On le tient ! *Dios mío,* on pourra peut-être même avoir les trois.

Cette nuit-là, cinquante hommes lourdement armés, accompagnés d'Aguilar, de Vera et de Keller, montent à bord d'un avion du SEIDO à destination du Jalisco. Chacun d'eux s'est soumis au détecteur de mensonges dans l'après-midi et Aguilar confisque leurs portables au moment de l'embarquement.

Alors qu'ils volent depuis dix minutes, Aguilar ordonne un changement de cap et annonce aux pilotes que, finalement, ils se rendent au Nayarit. Il a localisé une piste d'atterrissage sur une exploitation forestière abandonnée, à seulement huit kilomètres de la *finca.*

L'atterrissage est brutal, mais réussi.

– Silence radio, ordonne Aguilar aux pilotes.

– On doit signaler…

– J'ai dit : silence radio. La moindre communication sera repérée.

Les hommes débarquent et attaquent l'ascension vers la *finca* dans la quasi-obscurité qui précède l'aube. Keller redécouvre l'incroyable diversité du Mexique – des déserts aux forêts tropicales – tandis qu'ils gravissent la pente accidentée et glissante au milieu d'une jungle luxuriante.

Aguilar peine devant lui. Ce n'est pas vraiment un agent de terrain, se dit Keller. Ses tennis sont plus adaptées à une promenade dans un parc qu'à un trek dans la boue. Mais Aguilar continue d'avancer, sans se plaindre.

Le soleil s'est levé quand ils atteignent un plateau qui a été déboisé pour servir de pâture. Quelques animaux les regardent se déployer en demi-cercle et s'approcher du groupe de maisons qui se dressent à une centaine de mètres de là, à travers un léger voile de brume argentée.

Aucune fenêtre n'est éclairée. Se peut-il, se demande Keller, qu'on le surprenne en plein sommeil ?

– Vous attendrez ici, lui dit Aguilar. Je veux Barrera vivant.

– J'en suis sûr.

Les hommes se préparent. Ils vérifient que leurs armes sont chargées, quelques-uns font le signe de croix et murmurent des prières.

Adán sort de la maison et descend vers le vaste espace dégagé juste devant.

Diego et lui sont arrivés la veille au soir en voiture, après avoir déposé Magda dans la planque du Sinaloa. Il aurait aimé l'emmener, mais il ignore ce que lui réserve cette entrevue. Et il est agacé d'avoir dû arriver le premier ; Nacho veut ainsi lui prouver son indépendance.

Celui-ci arrive en hélicoptère et Adán ne peut s'empêcher de se demander s'il s'agit d'une précaution ou d'une démonstration de pouvoir. Nacho descend de l'appareil flanqué de deux gardes du corps, tel un président, décontracté et jovial dans un costume de lin. Si Diego est le soldat du cartel de Sinaloa, Esparza est son diplomate. Il marche à grands pas vers Adán et ses premières paroles sont :

– Ne restons pas ici trop longtemps.

– Je sais que tu es occupé, dit Adán.

Apparemment, l'ironie de cette réponse échappe à Nacho, à moins qu'il ne décide de l'ignorer.

– Ça fait plaisir de te voir, Adán.

– Ah oui ?

Nacho sourit, comme s'il ne comprenait pas ce que voulait dire Adán.

– Bien sûr.

– Pourtant, ça fait un moment que je suis de retour. Tu aurais pu avoir le plaisir de me voir plus tôt.

Nullement troublé, Nacho répond :

– Ma tête est mise à prix deux millions de dollars. Si je mettais les pieds à Puente Grande, j'avais peur de ne plus jamais en sortir.

– C'est drôle, j'ai eu la même impression.

– J'ai offert un million et demi de raisons pour que tu n'aies aucun problème.

– Alors, pourquoi toute cette pression ?

Si Nacho a versé les sommes adéquates aux personnes adéquates, il ne devrait pas être harcelé.

– Je pourrais te retourner la question, Adánito. *Pourquoi* toute cette pression ?

Adán ignore l'emploi du diminutif de son prénom.

– Tu as peur que je sois un *soplón* ?

– Je me dis que tu l'as déjà fait.

– Et tu en as bénéficié. Je ne t'ai pas entendu te plaindre à ce moment-là. Tu étais le meilleur ami de mon oncle et son plus proche conseiller, avant d'être le mien, Nacho. Il ne devrait y avoir ni tension ni soupçons entre nous. Je n'ai rien balancé sur toi. Nous devons utiliser au mieux les autorités – personne n'est aussi doué que toi pour ça, d'ailleurs –, et mes relations sont aussi les tiennes.

– J'espère que tu sais que c'est réciproque, Adán.

– Je le sais. Et je comprends les autres inquiétudes que tu peux avoir, alors laisse-moi te répéter ce que j'ai déjà dit à Diego. Je n'ai nullement l'intention d'être le *patrón*. Je sais que tu possèdes ta propre organisation désormais. Tout au plus, je veux être le premier parmi mes pairs.

Nacho ouvre les bras et les deux hommes s'étreignent.

– Tu sais que je t'estime énormément, dit Adán. Ta sagesse, ton expérience… Je m'appuie sur toi. Dis-moi ce que tu veux.

– La *plaza* de Tijuana, murmure Nacho.

– Elle appartient à ma sœur.

– Elle ne peut pas la garder. Et je la veux pour mon fils.

C'est alors qu'Adán entend un énorme grondement dans le ciel.

Keller lève les yeux pour voir un avion de chasse de l'armée de l'air mexicaine survoler le ranch.

En rase-mottes.

– Nom de Dieu !

Des lumières s'allument à l'intérieur de la *finca*.

– Go ! hurle Vera.

Les hommes foncent.

Keller les suit. L'interdiction formulée par Aguilar est oubliée dans la précipitation pour tenter de s'emparer de Barrera avant qu'il réussisse à s'enfuir. C'est encore possible, se dit Keller en traversant le pré ventre à terre. Il n'y a qu'une seule route et on la contrôle.

Adán lève les yeux et voit surgir un avion de chasse, à basse altitude.

Nacho ouvre de grands yeux. Il écarte Adán et fonce vers son hélicoptère. Il trébuche sur une pierre, tombe et salit le genou de son pantalon de lin. Un garde du corps le relève et le conduit à bord de l'appareil.

Les rotors se mettent en marche.

Diego épaule son AK et cherche quelque chose à mitrailler.

Adán voit des hommes courir vers lui dans le pré. À son tour, il se précipite vers l'hélicoptère, qui flotte à environ un mètre au-dessus du sol. Nacho se tourne vers Adán, puis fait signe au pilote de décoller.

– Nacho, je t'en supplie !

– Laisse-le monter, dit Esparza.

Un des gardes du corps hisse Barrera à bord, et Diego saute juste derrière lui.

L'hélicoptère décolle.

Tandis qu'il effectue un demi-tour au-dessus de la *finca,* Adán voit accourir les soldats tout en bas. Il n'en mettrait pas sa main au feu, mais l'espace d'une seconde il croit reconnaître Art Keller. Il se penche en avant et, par-dessus le vacarme des rotors, il crie à Nacho :

– Tijuana est à toi, si tu peux l'arracher à Teo !

Keller voit un hélicoptère émerger du brouillard.

Il décrit un cercle au-dessus de la propriété et s'éloigne dans la direction opposée.

Barrera a encore filé entre les mailles du filet.

– C'était délibéré ! rugit Keller, alors qu'il regagne l'avion avec Aguilar.

– C'était une malencontreuse erreur, répond Aguilar. Il devait s'agir d'un vol de reconnaissance en altitude.

Une « malencontreuse erreur », mon cul, se dit Keller. C'était délibéré. Le seul moyen que quelqu'un avait trouvé pour avertir Barrera.

Mais qui ?

Quatre agents fédéraux les attendent quand l'hélicoptère se pose dans un ranch du Nayarit.

Adán se tourne vers Nacho.

– Je suppose que tu géreras tout seul Tijuana. Et tout le reste.

– Viens, dit Nacho.

Ils débarquent et suivent les agents à l'intérieur de la maison.

Quatre millions de dollars plus tard, l'hélicoptère redécolle avec Nacho Esparza, Diego Tapia et Adán Barrera à bord.

Keller boit un expresso dans un café de Condesa et se rend à la librairie El Pendulo. Après avoir choisi un roman d'Élmer Mendoza, il s'engage dans l'Avenida Amsterdam, qui était autrefois une partie de l'ancien circuit de courses automobiles, et s'arrête dans un Paradillas Bariloche pour s'offrir un repas relativement bon marché : *arrachera con papas*. Assis là, plongé dans son roman, il a conscience d'incarner l'image même de l'homme d'un certain âge, divorcé et seul.

Peut-être que je me suis trop habitué à la solitude, pense-t-il.

Peut-être que je l'aime trop.

Son repas terminé, il marche jusqu'au Parque Mexico.

Barrera est passé en mode silence radio : aucun appel, aucun mail, aucune apparition, pas même une rumeur.

La piste est froide, morte.

Le lendemain matin, la réunion du comité de coordination ressemble à une autopsie. Keller observe ses collègues en se demandant si l'un d'entre eux a sauvé Barrera.

On lui a ordonné de fermer sa grande gueule à ce sujet : les forces de police mexicaines présentent un visage neuf et reluisant, pas question de le souiller. Mais en fait, il n'a aucun élément concret, uniquement ses soupçons.

Et l'intuition que ces deux hommes, Aguilar et Vera, sont sur le point de jeter l'éponge.

Le premier lui fait remarquer à raison que la traque de Barrera n'est qu'un élément d'une opération à multiples facettes et que ni le SEIDO ni l'AFI ne peuvent consacrer tout leur temps et toutes leurs ressources à ce qui s'apparente de plus en plus à une chimère.

Keller entend le message caché – on va vous foutre dehors – et il est trop intelligent pour hâter son propre décès en faisant des vagues avec une histoire de corruption.

– Laissez-moi me battre contre un dernier moulin, dit-il.

Keller et Vera, installés derrière une vitre sans tain, assistent à l'interrogatoire de Sondra Barrera par Aguilar.

Elle a une tête de déterrée, se dit Keller.

La Veuve noire.

– Vous participiez à la soirée de Noël dans la prison de Puente, dit Aguilar.

– Je ne sais pas de quoi vous parlez, répond Sondra.

– Vous y étiez. On a des témoins.

Sondra ne dit rien.

– Vous étiez présente avec votre fils et d'autres membres de la famille.

– Je ne sais pas ce…

– Où est Adán Barrera ?

Rire de Sondra.

– J'ai dit quelque chose de drôle ?

– Vous croyez qu'Adán va me dire où il est ? Et vous croyez que je vous le dirais si je le savais ?

– Vous le savez ?

Sondra Barrera n'a aucune tendresse pour son beau-frère, Keller le sait, mais elle ne le livrera pas, même si elle le pouvait. Il est son salaire, sa retraite, sa sécurité sociale.

– Mon mari est mort.
– Je le sais, dit Aguilar. Où voulez-vous en venir ?
– Adán possède l'instinct de survie. D'autres meurent à sa place. Vous ne le trouverez jamais.
– Il est en contact avec votre fils, Salvador ?
– Laissez mon fils tranquille.
Keller lit l'inquiétude dans ses yeux. Aguilar a dû la voir lui aussi, car il insiste :
– Dites-moi où se trouve Adán et je ne serai pas obligé d'interroger votre fils.
– Il est doué, glisse Vera à Keller. Quoi que vous puissiez penser de ce connard pointilleux, vous devez admettre qu'il est doué.
– Je vous en supplie, laissez mon fils tranquille, dit Sondra, au bord des larmes.
– J'aimerais bien.
– Vous êtes tous des ordures.
– Vous n'êtes pas un modèle de vertu, *señora* Barrera, dit Aguilar. Savez-vous combien de personnes a tuées votre défunt mari ?
Sondra ne répond pas.
– Vous voulez le savoir ? Ça vous intéresse ? Non, je m'en doutais. (Il lui tend sa carte de visite.) Voici mon numéro. Si Adán vous contacte, j'espère que vous m'appellerez. Et dites à Salvador de prendre rendez-vous avec moi, je vous prie. Je ne voudrais pas le mettre dans l'embarras en allant le chercher sur le campus.
Après le départ de Sondra et de son avocat, Aguilar rejoint Vera et Keller dans la pièce voisine.
– Ça n'a pas été inutile, commente-t-il.
– En effet, dit Keller. Je connais Sondra, elle va paniquer.
– Ses téléphones sont sur écoute ? demande Vera.
– Bien sûr. Comme ceux de son fils.
– Luis entre en jeu, dit Vera en se levant pour s'en aller.

– J'y étais déjà, répond Aguilar.

Mais Vera ne l'entend pas.

Aguilar se tourne vers Keller et répète, sur la défensive :

– J'y étais déjà.

Sondra appelle un numéro à Culiacán.

« *... ils parlent d'inculpation pour entrave à la justice.*

– *Ils bluffent.* »

– Ce n'est pas la voix d'Adán, dit Keller.

– Non, confirme Aguilar.

« *Je n'irai pas en prison. Je ne veux pas que mon fils aille en prison.*

– *Du calme. On va arranger ça.* »

– Qu'est-ce que ça veut dire ? s'inquiète Keller.

– Je ne sais pas, répond sèchement Aguilar.

« *Appelle-le.*

– *Ce n'est pas nécessaire. On peut arranger ça.*

– *Pas question qu'il nous abandonne.*

– *Tu sais bien qu'il ne fera jamais une chose pareille.*

– *Non, je ne le sais pas.*

– *Sondra...* »

Elle raccroche.

– À qui parlait-elle ? demande Keller.

– Esparza ? propose Aguilar. Tapia ? Je ne sais pas.

Mais ils ont relevé le numéro de téléphone qu'elle a appelé, et ils pourront ainsi surveiller les appels.

La nuit est longue. Finalement, l'homme de Culiacán, nom de code « L'arrangeur », appelle un numéro commençant par 777, l'indicatif de Cuernavaca.

« *Sondra panique.*

– *Dis-lui de se calmer.*

– *Tu crois que je n'ai pas essayé ? Elle veut qu'on lui parle.*

– *Pour dire quoi ? Arrange ça.*

– *Évidemment. Si elle nous en laisse le temps.*

– *Que peut-elle leur raconter ?*
– *Comment savoir ce qu'elle sait ?*
– *La connasse. Et le gamin ?*
– *C'est le fils de son père.*
– *Il l'adore.*
– *Dans ce cas, il faut le prévenir.* »

Keller est traversé par une décharge électrique. Ces types au téléphone sont sur le point de contacter Adán.

Les minutes qui suivent sont une torture.

Aguilar lance un ordre à un sous-fifre :

– Allez chercher Vera.

Le chef de l'AFI arrive vingt minutes plus tard, échevelé, en jogging.

– J'espère que ça en vaut la peine. Je drague cette femme depuis des semaines.

Aguilar le met au courant.

Puis ils restent assis autour de l'appareil, en silence.

Ils espèrent, ils prient.

Soudain, une lumière s'allume.

« Cuernavaca » est au téléphone.

– Nom de Dieu, dit Vera. 555… c'est un numéro à Mexico. Barrera est *ici.*

Ici, pense Keller, à Mexico. Il est sacrément futé : pour échapper au renard, il se cache dans sa tanière. Il fallait le reconnaître : ce salopard était aussi intelligent qu'arrogant.

Du pur Adán Barrera.

Keller entend « Cuernavaca » dire :

« *C'est moi.*
– *Qu'y a-t-il ?* »

– C'est Barrera ? interroge Aguilar.

– Impossible d'être sûr, répond Keller.

« Cuernavaca » évoque le problème posé par Sondra Barrera. Son correspondant veut savoir :

« *Les* pendejos, *pourquoi est-ce qu'ils mêlent les familles à tout ça ?* »

Keller hoche la tête. C'est bien lui.

« Qu'est-ce que tu veux faire ? reprend "Cuernavaca".

– Dis-lui que tu m'as parlé et qu'on va arranger ça. Envoie-les en vacances ou je ne sais quoi. »

– Atizapán, annonce le technicien des écoutes en citant le nom d'une ville située à la périphérie de Mexico. 5871 Calle Revolución.

« Cuernavaca » demande :

« Tu crois que... on devrait...

– C'est la femme de mon frère. »

Fin de la communication. Vera affiche un large sourire.

– Est-ce qu'on vient d'entendre « Cuernavaca » suggérer de liquider la belle-sœur de Barrera ?

Keller est déjà au téléphone avec la DEA pour réclamer un survol par satellite.

Au petit matin, bingo.

– Regardez ça, dit Keller.

Il leur montre un cliché vidéo d'Adán Barrera perché sur le toit de la maison, en train de contempler les environs, une tasse à la main. Il n'est resté qu'une minute, avant de retourner à l'intérieur.

– C'est lui, confirme Keller.

– Vous êtes sûr ? demande Aguilar.

Keller a pu constater que le chef du SEIDO est un homme prudent, qui vérifie et revérifie sans cesse les faits pour s'assurer que ce sont bien des faits et non des rumeurs ou de fausses informations délibérées. L'image a du grain, mais Keller est quasi certain qu'il s'agit d'Adán : la petite taille, la masse de cheveux noirs sur le front...

– Donnez une estimation en pourcentage, insiste Aguilar.

– Quatre-vingt-cinq, dit Keller.

– Quatre-vingt-cinq, c'est pas mal, dit Vera.

Keller veut intervenir sur-le-champ. Il réclame et obtient un autre survol par satellite, doté d'un système audio ultrasensible et il écoute ce qu'il suppose être la voix d'Adán à l'intérieur de la maison.

En train de discuter avec une femme.

« Tu veux du rouge ou du blanc ?

– Du rouge, ce soir. »

– C'est elle ? demande-t-il. Magda Beltrán ?

La reine de beauté.

Aguilar hausse les épaules.

– Les narcos ont un tas de femmes.

– Pas Adán, dit Keller. Il est plutôt du genre monogame invétéré.

Ils comparent l'enregistrement satellitaire avec ceux effectués par la DEA et obtiennent une correspondance presque parfaite.

– Maintenant, on *sait* qu'il est dans la maison, dit Keller. Allons-y !

– Trop dangereux, répond Aguilar.

Vera, habituellement le plus agressif des deux, est d'accord.

– Il y a trop de risques que mes hommes s'entre-tuent au cours d'une fusillade.

– Ou qu'ils abattent un civil, ajoute Aguilar.

C'est frustrant. Les agents de l'AFI sont bons, un grand nombre d'entre eux ont suivi un entraînement à Quantico, mais Keller rêve de voir intervenir les forces spéciales américaines avec leur formation pointue et leur matériel ultra-performant. Il sait que cela ne se produira jamais : pas question pour Washington d'envoyer, et pour Los Pinos d'accepter, des troupes américaines sur le sol mexicain. Pourtant, Keller paierait cher pour avoir à sa disposition des agents spéciaux qui *préféraient* intervenir de nuit.

Finalement, la décision revient aux Mexicains, et ceux-ci choisissent d'attendre l'aube. Aguilar envoie sur place sa meilleure équipe de surveillance et Vera des agents de l'AFI en civil, au cas où Barrera tenterait de quitter la maison.

– Il est encerclé, dit Vera pour rassurer Keller. Il n'ira nulle part. Il sera encore là demain matin.

Keller l'espère.

Adán n'est pas resté en liberté aussi longtemps en faisant preuve de négligence, et sans doute a-t-il chargé des hommes de surveiller les abords de la maison et posté des *halcones,* des faucons, dans les rues pour faire le guet. Sans oublier le citoyen lambda, malavisé, qui voit en Barrera une sorte de Robin des Bois et pourrait devenir très riche, très vite, en informant le *patrón* qu'il a repéré des étrangers dans le quartier.

Les « étrangers » sont en place : quatre véhicules blindés remplis d'agents de l'AFI coiffés de cagoules noires et munis de gilets en Kevlar, stationnés à quelques rues de la maison. Ils sont armés de fusils automatiques, de grenades flashbang et de bombes de gaz lacrymogène. Deux hélicoptères sont prêts à décoller dès le début du raid. Ils déposeront d'autres agents de l'AFI sur le toit.

Keller exhorte le soleil à se lever plus vite, bordel.

La maison doit être pleine de *sicarios* qui, endormis ou pas, se battront pour protéger Barrera et il y aura forcément des échanges de tirs. Or quand une fusillade éclate, se dit Keller, la frontière entre justice et vengeance tend à devenir floue.

La voix de Vera retentit dans la radio :

« Deux minutes. »

Le plan est simple, peut-être trop, pense Keller. Au signal, les véhicules foncent vers le bâtiment, les hommes de l'AFI en jaillissent, ils enfoncent la porte et entrent pendant que d'autres surveillent l'arrière et bloquent les rues. Les agents du SEIDO suivront pour procéder aux arrestations, rassembler des informations et des preuves : téléphones portables, ordinateurs, argent liquide et armes.

Aguilar s'assure que son revolver de service est chargé et resserre les sangles de son gilet de protection. Puis il se tourne vers Keller et dit :

– Vous resterez dans le véhicule. On fait sortir Barrera et vous l'identifiez. C'est bien clair ?

– Vous me l'avez déjà répété quinze fois.

Un silence interminable s'installe pendant quatre-vingt-dix secondes, jusqu'à ce qu'ils entendent la voix de Vera :

– Go !

Aguilar descend du véhicule avec ses hommes.

Keller le regarde s'éloigner dans la rue, puis il dégaine son arme et les suit.

– *Juras ! Juras !*

Keller entend les *halcones* annoncer l'arrivée de la police, en braillant, mais les guetteurs, des gamins pour la plupart, décampent dès que les hommes de l'AFI débarquent.

Des coups de feu éclatent aux fenêtres et sur le toit.

Vera semble ne pas remarquer les balles qui sifflent autour de lui. Pistolet au poing, il encourage les agents qui transportent le bélier à enfoncer la porte. Craignant davantage leur chef que les projectiles, ils s'exécutent.

La porte est arrachée à ses gonds et provoque l'explosion de grenades fixées à mi-hauteur.

Keller voit la déflagration rouge et deux soldats projetés en arrière.

– *Muévanse !* crie Vera aux survivants médusés.

En avant !

Ils reculent au moment où des balles jaillissent par l'encadrement de la porte et ils regardent leurs deux camarades allongés dans la rue, désarticulés comme des marionnettes.

– *Rajados !* Lâches ! hurle Vera. J'y vais !

Il se précipite à l'intérieur.

Ses hommes le suivent.

Et Keller également. Il trottine vers la maison en repensant au Vietnam et à l'entraînement subi à Quantico – *ne fonce pas vers ta mort* – et il économise son souffle en vue du combat.

Comme au Vietnam, il entend l'arrivée des hélicoptères.

À l'intérieur de la maison, c'est le chaos.

Il n'y a plus d'électricité, les rares fenêtres laissent entrer une faible lumière ; des hurlements de douleur et des rafales d'armes automatiques déchirent l'obscurité. C'est un véritable carnage, bien qu'il soit difficile de différencier les narcos des hommes de l'AFI. Keller entend Vera brailler des ordres devant lui, vers l'arrière de la maison.

Il cherche l'escalier en enjambant les corps des morts et des blessés. Adán n'est ni au rez-de-chaussée ni tout en haut. Il doit donc se trouver au premier, à l'arrière, pour pouvoir sauter par une fenêtre.

S'il est bien ici, se dit Keller. Car il s'agissait d'une embuscade, un piège mortel. Ils nous attendaient.

Pourtant, l'enregistrement vocal indiquait que Barrera était ici. *Était,* oui, se dit Keller au moment où il déniche l'escalier. Il monte, son arme pointée devant lui.

Et il trébuche sur Aguilar.

L'avocat est assis sur le palier, adossé au mur, les jambes tendues devant lui. Sa main gauche agrippe son bras droit. Il a le regard vitreux des blessés.

Il voit Keller.

– Vous êtes censé rester dans le véhicule, dit-il d'une voix faible.

Keller s'accroupit près de lui. La blessure est irrégulière : c'est un éclat, pas une balle. Keller arrache la manche d'Aguilar pour en faire un garrot.

– Les secours arrivent. Vous n'allez pas vous vider de votre sang.

– Retournez dans la voiture.

Keller continue à monter.

Une grenade roule bruyamment dans l'escalier.

Avant qu'il puisse se mettre à l'abri, elle explose au niveau de ses chevilles. La fumée s'élève, l'étouffe et l'aveugle. Il monte en titubant et entend les coups de feu au-dessus de lui : les hommes de l'AFI se frayent un chemin pour descendre du toit. Un *sicario* émerge de la fumée, devant lui. Il semble tout d'abord désarçonné en voyant Keller, puis il épaule son AK.

Keller lui tire deux balles dans la poitrine et le type s'effondre.

Il le pousse et arrive en haut de l'escalier. Il ouvre la première porte qui se présente et il voit…

Adán.

… debout près du lit…

… un pistolet dans la main droite.

– Ne fais pas ça, dit Keller.

En espérant qu'il le fasse.

Barrera lève son arme.

Keller tire.

La première balle arrache le bas de la mâchoire de Barrera.

La seconde lui traverse l'œil gauche.

Le sang asperge le mur.

La femme hurle.

Keller baisse son arme.

Vera s'approche dans son dos.

Ensemble, ils contemplent le cadavre.

Les cheveux noirs, le nez légèrement retroussé, les yeux marron.

Ou plutôt, *un* œil marron.

– Félicitations, dit Vera.

– Ce n'est pas lui, dit Keller.

– Quoi ?!

– Ce n'est pas lui, bordel !

Adán a déjà utilisé des sosies, au moins trois durant la guerre qui l'a opposé à Palma, et en regardant le corps de près, loin du chaos, de l'adrénaline, de l'obscurité et de la fumée, Keller a la confirmation que tout ce raid était un coup monté.

Keller, Vera et les hommes de l'AFI retournent toute la maison et dans une des chambres…

La baignoire a été arrachée et à la place, il y a l'entrée d'un tunnel.

Keller saute dans le trou.

Tenant son pistolet devant lui, il avance dans le tunnel électrifié et éclairé. Il espère que Barrera est encore là, recroquevillé quelque part, mais si c'est le cas, il y a fort à parier qu'il est entouré d'une armée de *sicarios*.

Il continue néanmoins d'avancer.

Vera le suit de près, arme au poing lui aussi.

Ils passent sous la rue, puis atteignent l'extrémité du tunnel et une échelle métallique. Keller grimpe et soulève la trappe qui donne dans une autre maison.

Vide.

Barrera a fichu le camp.

Ils donnent une conférence de presse dans l'après-midi. Aguilar ne trouvait pas judicieux de faire état publiquement d'une fusillade acharnée à proximité de la capitale, mais Vera a insisté.

« Nous devons non seulement combattre les cartels, a-t-il dit, mais montrer que nous combattons les cartels. C'est le seul moyen pour que l'opinion publique reprenne confiance dans ses forces de police. »

Assis devant un téléviseur à l'ambassade, Keller regarde Vera décrire le raid audacieux, la fusillade intense et rendre hommage à ces hommes courageux qui ont donné leur vie. Il enchaîne en encensant le travail assidu du SEIDO, puis il présente Luis Aguilar « qui, comme vous pouvez le constater, a versé son propre sang pour pourchasser ce criminel ».

Aguilar récite en marmonnant une déclaration écrite :

– Nous déplorons cet échec. Toutefois, la population doit être convaincue que le combat continue et que nous allons…

Vera prend son collègue par les épaules.

– Nous sommes Batman et Robin. (Il fixe la caméra.) Et Aguilar a raison : le combat ne fait que commencer. Nous poursuivrons la traque de Barrera sans relâche. Mais aujourd'hui, je m'adresse aux autres narcos, à vous qui me regardez. On va venir vous chercher. Prochaine étape : Tijuana.

– Et la reine de beauté ? demande un journaliste. Qu'est devenue Miss Culiacán ?

Vera revient devant la caméra.

– Elle n'était pas dans la maison. Mais ne vous inquiétez pas… on la retrouvera et on lui offrira une nouvelle écharpe.

Les journalistes rient.

Le combat débute dès le lendemain.

– Vous rentrez chez vous, annonce Aguilar à Keller.

– Effectivement, répond Keller. Dès que Barrera sera de retour derrière les barreaux ou étendu sur une table d'autopsie.

– Maintenant, insiste Aguilar. C'est trop dangereux. Pour vous, mais aussi pour les autres. La porte piégée vous était peut-être destinée. D'autres hommes l'ont payé de leur vie.

– C'est le rôle des soldats, dit Vera.

– C'étaient des policiers, pas des soldats, souligne Aguilar. Et il s'agit d'une opération de police, pas d'une guerre.

– Ne vous faites pas d'illusions, réplique Vera.

– Je m'oppose à la militarisation de…

– Allez dire ça aux narcos. Si Keller est disposé à rester jusqu'à ce que le boulot soit terminé, je suis disposé à le garder.

Keller est disposé.

Adán Barrera court toujours, quelque part dans son monde.

La Tuna, Sinaloa

Adán sort sur le balcon de la chambre principale de sa *finca.*

Ce ranch appartenait à sa tante ; il a été abandonné dans les années 1970 quand les agents américains de la DEA ont dévasté les champs de pavot en les incendiant et en les empoisonnant. Des milliers de *campesinos* et de *gomeros* ont fui leurs maisons dans les montagnes.

La *finca* de *tía* Delores est restée inoccupée pendant des années, n'accueillant plus que les corbeaux.

Depuis son retour au Mexique, Adán a investi des millions dans la rénovation de la grande maison et des dépendances, et d'autres millions encore pour transformer le ranch en forteresse avec des hauts murs, des tours de guet, des détecteurs de mouvements et de son, des *casitas* qui servent de logements pour les domestiques et de baraquements pour les *sicarios*.

Pour Adán, c'est comme un retour au temps de l'innocence, à l'époque idyllique de son adolescence, quand il venait ici pour échapper à la chaleur de Tijuana en été et plonger dans l'eau froide des carrières de granit. L'époque des repas familiaux autour des grandes tables sous les chênes, à écouter les *campesinos* jouer du *tambora* et de la guitare, et les vieilles femmes, les *abuelas,* raconter des histoires datant d'un temps plus ancien que sa mémoire.

Une vie heureuse, une vie intense, une vie détruite par les Américains.

C'est bon de se retrouver chez soi, se dit Adán.

La stupide Sondra a été un pion parfait, pour les blancs comme pour les noirs. De fait, ça n'a posé aucun problème. Magda et lui se sont rendus dans la planque d'Atizapán, il a fait en sorte qu'on le voie, qu'on l'entende, puis il a filé entre les mailles du filet tendu autour de la maison.

Le sosie était déjà sur place, un imbécile heureux tout excité d'avoir une jolie maison et une belle femme pendant quelques jours, une pute de luxe qui ressemblait vaguement à Magda.

Adán prendra soin de sa famille.

Seul point négatif : Keller n'est pas mort dans l'embuscade. Cela aurait été parfait : l'Américain tué au cours de ce raid foiré et dont la mort n'aurait pu lui être mise sur le dos. Mais Keller est toujours là, vivant, et Magda insiste pour qu'il le reste. L'enjeu est trop élevé pour le moment, selon elle, il se passe trop de choses pour courir un nouveau risque.

Adán prolonge donc ce « sursis », mais il tient à préciser que ce n'est rien de plus. Contrairement aux États-Unis, la peine de mort n'existe pas au Mexique, mais Adán aime se dire que Keller habite dans une cellule mobile à l'intérieur du couloir de la mort.

Après le raid, il a jugé plus sûr de déménager dans le ranch du Sinaloa, à la sortie de La Tuna, dans la Sierra Madre. Son convoi a emprunté des routes sinueuses, poussiéreuses à cette époque de l'année, mais souvent impraticables à cause de la boue à la saison des pluies, traversant des agglomérations de petites maisons faites de planches de bois et de tôle ondulée.

Malgré la richesse due à la drogue, le Triangle est une des régions les plus pauvres du Mexique. Les habitants restent dans leur grande majorité des *campesinos,* comme ils l'ont toujours été. Le fait qu'ils cultivent le pavot et la *yerba* à la place du maïs n'est qu'un détail.

Pour la plupart, la vie ne change jamais.

C'était bon de se retrouver chez soi.

– C'est ici que tu as grandi ? lui a demandé Magda en contemplant l'immensité des champs verts et les montagnes à l'arrière-plan.

– L'été seulement, a répondu Adán. En fait, je suis un garçon de la ville.

La voiture a franchi la grille puis gravi la route goudronnée bordée de genévriers, grands et droits comme des soldats qui défilent. Elle s'est arrêtée dans l'allée de gravier en demi-lune, devant la maison principale.

– Pas de douves ? a plaisanté Magda.

– Pas encore.

Elle a regardé la bâtisse de pierre d'un étage, flanquée de deux ailes formant un angle de quarante-cinq degrés. Un large portique soutenu par des colonnes de marbre se dressait devant la façade, des balcons s'avançaient à l'étage de chaque aile.

– C'est un vrai manoir.

– Je n'ai ni besoin ni envie de tout cela, a répondu Adán. Mais il faut répondre aux attentes des gens.

Un roi se doit de posséder un château, qu'il le veuille ou non. C'est ce qu'on attend de lui, et si le roi ne construit pas un château, il peut être sûr que ses rivaux le feront.

Concevoir les travaux de rénovation était devenu une sorte de passe-temps en prison. Adán avait rencontré des architectes et des entrepreneurs, il avait approuvé les plans et même réalisé quelques croquis. Cela lui donnait un objectif.

Un grand nombre de ces « narco-palais » sont des monuments dédiés au mauvais goût. Adán s'est efforcé d'éviter le tape-à-l'œil, l'étalage ostentatoire, pour ne conserver que les lignes classiques des anciennes constructions du Sinaloa, tout en veillant à ce que cette maison révèle sa richesse et son pouvoir.

Après tout, les Barrera étaient arrivés dans les Sierras au début du XVIIe siècle. Ces *hidalgos,* de riches gentilshommes espagnols, avaient combattu et vaincu les Indiens après des siècles de guerres brutales et sanglantes. C'étaient des aristocrates et non des *indios,* des indigènes, comme tant de narcos nouveaux riches.

Adán s'est donc senti tenu à une certaine réserve.

De toute façon, c'est dans sa nature.

Il a fait visiter la maison à Magda, puis ils sont montés dans la grande chambre. Les murs épais conservaient la fraîcheur en été et la chaleur en hiver, et les domestiques avaient aspergé les draps d'eau glacée.

Après qu'ils avaient fait l'amour, Magda a demandé :

– Qu'est-ce que je fais maintenant ?

– Tu vis ?

– Comme la maîtresse de maison ? Je supervise le personnel, j'organise des réceptions, je vais faire du shopping à Culiacán avec les autres épouses, je me fais coiffer et manucurer ? Je vais mourir d'ennui. J'ai besoin d'autre chose. Je veux gagner de l'argent.

Adán a regardé sa longue et fine silhouette, étendue comme un chat, et il a vu qu'elle était parfaitement réveillée ; elle ne le laisserait pas dormir.

– L'argent n'est pas ton problème dans la vie.

– Ça le deviendra un jour. Je perdrai ma beauté, tu te lasseras de moi. Ou je me lasserai de toi. Ou bien tu chercheras une jeune *pura señorita* qui te donnera une nouvelle famille. Qu'est-ce que je ferai, alors ?

– Je prendrai toujours soin de toi.

– Je ne veux pas que l'on « prenne soin de moi », comme une *segundera* fatiguée que l'on met dans une pâture. Je veux entrer dans le métier.

– Non.

– Tu ne peux pas m'en empêcher.

– Bien sûr que si, a répondu Adán.

Mais il était admiratif car elle avait essayé.

– Je pourrais t'être utile, a-t-elle dit.

– Ah bon ? Comment ?

– Je pourrais t'aider à rétablir tes contacts en Colombie.

– Les contacts de Nacho et de Diego sont mes contacts.

– Écoute-toi donc, je t'en prie. Cela prouve bien à quel point tu as besoin de moi.

Elle a raison, a pensé Adán. Magda serait une ambassadrice très efficace. Les Colombiens auraient du mal à résister à une femme belle et intelligente, et les conseils qu'elle lui a donnés ont toujours été avisés.

– Et que voudrais-tu en échange de ces services ?

Magda a souri, elle savait qu'elle avait gagné.

– Une partie de la cocaïne que j'importe. Et la protection qui va avec pour que ça en vaille la peine.

– Quoi d'autre ?

Il voyait, à son regard, qu'elle n'avait pas terminé.

– Un siège à table.

– Tu l'as déjà.

– Je ne parle pas de la table du repas. La table des *hommes*.

– Ils ne t'accepteront pas.

– Je les obligerai à m'accepter.

Maintenant, alors qu'il contemple les collines, Adán se rend compte qu'il la croit et que ça n'a peut-être aucune importance. Osiel Contreras veut sa mort et il a suffisamment d'hommes, suffisamment de moyens pour l'obtenir.

J'ai besoin de nouvelles forces.

J'ai besoin d'une alliance.

La table est dressée dans l'arrière-salle d'un restaurant chic de Cuernavaca.

Cette réunion en terrain neutre est une idée de Nacho, pour mettre Vicente Fuentes à l'aise. Nacho a garanti la sécurité de tous les participants : Fuentes, les Tapia, Adán et les vingt autres associés importants du Sinaloa.

Malgré cela, tout le monde est venu armé.

Des policiers en civil surveillent l'entrée pour interdire l'accès à leurs collègues, aux journalistes et aux autres narcos qui n'ont pas été conviés : Teo Solorzano et Osiel Contreras.

Adán marque un point en ne mentionnant même pas la présence de Magda, comme si c'était une évidence. Mais on ne voit qu'elle : elle est éblouissante dans une robe en lamé doré au décolleté plongeant, et si Vicente Fuentes s'abstient de tout commentaire, il n'en pense pas moins en s'inclinant pour lui faire un baisemain.

Il lève les yeux vers Adán et dit :

– On doit être à Pâques.

– Pourquoi ?

– Tu as ressuscité d'entre les morts.

Cette réflexion déclenche les rires des invités déjà présents. Encouragé par son public, Vicente poursuit sur sa lancée :

– Tu as l'air très en forme, Adán, pour un cadavre.

Les Fuentes sont originaires du Sinaloa et la famille dirige la *plaza* de Juárez depuis des années. Vicente ne possède ni le charisme ni l'intelligence de ses oncles défunts ; il est dissolu, extravagant, trop obsédé par la coke et les femmes pour gérer correctement ses affaires.

Et il est paresseux, se dit Adán. Trop paresseux pour trouver des solutions à des problèmes complexes, aussi choisit-il toujours la facilité : le meurtre. Il commande les assassinats comme si c'étaient des plats chinois livrés à domicile, et beaucoup de ses hommes en ont assez. Ils ont peur d'être les suivants sur la liste à cause d'une parole déplacée ou d'un malentendu. Beaucoup sont venus trouver Adán après son retour au Mexique.

Vicente n'apprécie pas et il considère Adán comme une menace. S'il a accepté de participer à cette réunion, c'est uniquement pour maintenir des relations avec Nacho qui fait transiter d'énormes quantités de meth via Juárez.

– Quand Nacho m'a dit que tu étais vivant, dit Vicente, j'en ai pleuré.

Sûrement de déception, pense Adán.

Vicente demande :

– Elvis est là, lui aussi ?

Cette plaisanterie n'est pas du goût d'Alberto Tapia.

– Tu veux voir Elvis, Vicente ? Ça peut s'arranger.

Vicente porte la main à l'arme qui pend à sa ceinture.

Alberto l'imite.

Nacho s'interpose.

– Ne me faites pas mentir, messieurs.

Vicente retire sa main.

Il pense qu'il est trop beau pour mourir, se dit Adán, que ce serait une trop grosse perte pour un monde en manque de beauté. Alberto attend que Vicente cède le premier, puis, avec un grand sourire, il éloigne la main de son arme.

Mais ça aurait pu dégénérer en une seconde, songe Adán. Des plans que je bâtis depuis des années auraient pu s'écrouler à cause d'un stupide échange d'insultes. On dirige un business d'un milliard de dollars et on se comporte comme de vulgaires gangsters. Il se promet d'ordonner à Diego de contrôler son petit frère.

Martín profite de ce silence pesant pour annoncer :

– Messieurs… et madame, le dîner est servi.

Ils prennent place.

Adán déteste faire des discours.

Mais c'est le discours de son oncle, presque trente ans plus tôt, au cours d'un dîner comme celui-ci, qui a donné naissance à la Federación, et Adán sait que les hommes rassemblés autour de cette table attendent une intervention identique.

Il craint de ne pas être à la hauteur.

– C'est nous, Sinaloans, qui avons créé la *pista secreta,* commence-t-il. Ce commerce coule dans notre sang, dans nos os, dans l'eau que nous buvons et dans l'air que nous respirons. Nous l'avons fait prospérer. Quand les *yanquis* ont détruit nos maisons, nos champs, et nous ont éparpillés comme des feuilles mortes, nous avons refusé de mourir. Nous avons reformé, nous avons recréé la Federación, nous avons divisé le pays en *plazas* et nous l'avons dirigé.

Les convives hochent la tête.

– Quand le Sinaloa contrôlait le trafic de drogue, poursuit Adán, il le faisait efficacement et tout le monde gagnait de l'argent. C'était un business.

Il leur dit ce qu'ils savent déjà, il veut qu'ils se souviennent de son oncle, de ce règne de paix et d'opulence – bref, mais magnifique – qu'il a engendré.

– Aujourd'hui, nous allons reprendre ce qui est à nous.

Il laisse cette phrase pénétrer dans les esprits, puis ajoute :

– J'ai l'intention de réunir, sous notre commandement, toutes les *plazas* et tous les prétendus cartels, grands et petits. C'est nous, les Sinaloans, et uniquement nous, qui les dirigerons. Voilà pourquoi vous êtes réunis ici ce soir. Nous sommes tous du même sang. Je veux donc vous proposer une alliance. Une *alianza de sangre.* Une alliance du sang.

Là encore, il attend que ces paroles soigneusement choisies fassent leur chemin. Une alliance entre égaux et non un empire dont il prendrait seul la tête. Une alliance reposant sur la famille ancienne et les liens culturels vieux de plusieurs siècles. Il les laisse également entendre ce qu'il n'a pas dit. Aucune allusion au cartel du Golfe : ce ne sont pas des Sinaloans.

Il s'adresse à tous les hommes présents, mais sa véritable cible est Vicente.

Les Tapia sont déjà partants, bien sûr, idem pour Nacho. Mais pour atteindre son objectif, Adán a besoin de Vicente, il a besoin de la *plaza* Juárez pour faire transiter sa marchandise.

– Comment ça fonctionnerait, concrètement ? demande Vicente. Cette « alliance de sang » ?

– Nous protégerons ensemble nos intérêts, répond Adán. Nous nous défendrons mutuellement en cas d'agression extérieure. Chacun de nous autorisera les autres à laisser transiter leur marchandise à travers son territoire, en prélevant un *piso,* évidemment.

– Sauf qu'Adán n'a pas de *plaza,* fait remarquer Vicente en s'adressant aux autres, comme s'il n'était pas là. Barrera offre une chose qu'il ne possède pas. J'ai entendu dire qu'il n'avait même plus Tijuana.

Tu as entendu dire ? songe Adán. Ou bien tu es derrière Solorzano ? Mais il ne fait aucun commentaire. Il se tourne vers Vicente et répond :

– Nous avons la marchandise et les protections. Nous avons la police et les politiciens. Nous sommes prêts à partager. Mais seulement avec ceux de notre sang.

Vicente n'en démord pas :

– Tu es en train de dire que tu feras transiter ta marchandise uniquement par Juárez ? Pas par Laredo ni par le golfe ?

Diego en a assez entendu.

– On fera transiter notre marchandise par là où on le souhaite.

– Pas par Juárez, rétorque Vicente. Pas sans mon autorisation. Alors qu'Adán braconne déjà sur mon territoire et qu'il vole mes hommes.

Ça commence à sentir le roussi, se dit Adán. Ce n'était pas du tout le but recherché.

C'est alors que Magda intervient :

– Nous sommes tous amis ici, nous faisons tous partie de la même famille. Dans toutes les familles, il y a de petites disputes, c'est sans importance. Soyons honnêtes : au bout du compte, nous avons tous besoin de la famille. C'est la seule chose en quoi nous puissions avoir confiance.

Elle pose sa main sur celle de Vicente.

Il entend ce qu'elle dit. Son territoire est coincé entre le cartel du Golfe à l'est, et Tijuana à l'ouest, où Solorzano nourrit peut-être certaines ambitions personnelles. Mais c'est surtout le Golfe qui l'inquiète : le pouvoir de Contreras grandit de jour en jour et il ne va pas tarder à reluquer la riche *plaza* d'à côté.

Vicente a besoin de protection et si Adán la lui offre… Qu'est-ce qu'une poignée de transfuges, surtout si Adán garantit qu'ils verseront tous le *piso* ? S'ils paient Adán également, l'argent sortira de leurs poches, pas de la sienne.

Une alliance du sang est une alliance contre Contreras. Pas une déclaration de guerre – ce serait stupide –, mais une démonstration de force qui pourrait empêcher une invasion. De quoi décourager Tijuana. Et la femme d'Adán, en présentant la chose sous l'angle de la famille, lui a fourni l'occasion de faire marche arrière sans perdre la face.

Adán peut quasiment le voir réfléchir. Enfin, *enfin,* Vicente prend la parole :

– Les liens du sang, c'est les liens du sang. Si Adán promet que tous ceux qui feront transiter de la marchandise par notre *plaza* paieront le *piso*…

– Je le promets, dit Adán.

– … et s'il nous fait profiter de ses relations, alors nous nous joindrons à cette alliance. (Vicente se lève, prend son verre de vin et porte un toast.) À l'*alianza de sangre* !

Adán trinque.

– À l'*alianza de sangre* !

Adán s'étire sur le lit à côté de Magda.

La réunion a failli virer au désastre, mais grâce à l'intervention de Magda il a obtenu ce qu'il voulait : une alliance qui contrebalancera le pouvoir de Contreras et le fera réfléchir à deux fois avant de commanditer un nouvel assassinat.

D'après le *susurro,* Contreras lancerait une offensive sur Nuevo Laredo, à la porte de Fuentes. Depuis l'époque de l'opium chinois au début du siècle dernier, Nuevo Laredo est contrôlé par deux familles, les García et les Soto, et les Barrera se font un plaisir de traiter avec les García depuis des années en leur versant un *piso* au rabais. Si le cartel du Golfe mettait la main sur Laredo, ce serait une catastrophe, qui nous coûterait des millions, songe Adán. Pire, cela pourrait donner plus de pouvoir encore à Contreras.

Il ne peut pas laisser faire ça.

Magda promène son doigt sur la tempe d'Adán.

– Ton cerveau, là… il ne se fatigue jamais ?

– Il ne peut pas.

Elle se penche et ouvre sa braguette.

– Même quand je fais ça ?

Au bout d'un moment, elle s'arrête :

– Tu réfléchis encore ?

– Non.

– Menteur.

– Je veux que tu ailles en Colombie, immédiatement.

– Là, maintenant ?

– Non, pas *maintenant.*

– Oh.

Un peu plus tard, il demande :

– Où as-tu appris ça ?

Magda se lève.

– Je vais faire ma valise ce soir pour partir dès demain matin. Je vais te manquer ?

– Oui.

– Tu trouveras une autre femme. Une pauvre vierge idiote. Mais aucune qui saura te faire *ça.*

Elle va lui manquer, oui.

Mais il sera occupé.

Le moment est presque venu d'intervenir contre Contreras dans le Golfe. J'ai une excuse, se dit-il. C'est Contreras qui a déclenché la guerre quand il a essayé de me faire assassiner à Puente Grande.

D'abord le Golfe.

Puis Tijuana.

Puis Juárez.

La nouvelle *alianza de sangre* remplacera l'ancienne Federación.

Et moi, je deviendrai El Patrón.

Keller est allongé sur son lit dans son appartement.

La solitude est une douleur sourde, comme une vieille blessure qui se rappelle à votre bon souvenir, une cicatrice que vous ne remarquez plus car elle fait partie de vous désormais.

Comme ton obsession pour Barrera ? se demande-t-il. As-tu un but légitime, une raison, une cause, ou bien cela fait-il simplement partie de toi, au même titre qu'une infection du sang ou une obstruction des artères ?

C'était jouissif, hein, de tirer sur le type que tu as pris pour Barrera. De voir la peur dans ses yeux. Avoue que c'était bon.

Aguilar a raison : l'embuscade dans cette maison m'était sans doute destinée. C'est drôle, quand on y réfléchit, de se dire que chacun de nous deux a cru avoir tué l'autre.

Et on avait tort tous les deux.

DEUXIÈME PARTIE

La guerre du Golfe

Ils ont acheté la moitié du sud du Texas,
Voilà pourquoi ils se comportent de cette façon.

Charlie Robison,
« New Year's Day »

1

Le diable est mort

Certains disent que le diable est mort,
Le diable est mort, le diable est mort
Certains disent que le diable est mort
Et enterré à Killarney.
Moi, je dis qu'il a ressuscité,
Il a ressuscité, il a ressuscité...

Chanson folklorique irlandaise

NUEVO LAREDO, TAMAULIPAS
2006

Keller regarde la fille se contorsionner autour de la barre dans une pathétique parodie de désir. Il est assis seul dans une *cantina* de La Zona, la « Zone de tolérance », plus connue sous le nom de Boy's Town, un quartier de bars, de clubs de striptease et de bordels entouré d'un mur, fréquenté essentiellement par des adolescents et des étudiants venant de Laredo au Texas, de l'autre côté du Rio Grande.

Los dos Laredos, pense Keller.

Les deux Laredo.

Un au Mexique, l'autre sur la rive opposée du fleuve, au Texas.

Réunies, ces deux villes constituent le port intérieur le plus actif de l'hémisphère. Environ 70 % des exportations mexicaines vers les États-Unis transitent entre

Nuevo Laredo et sa ville jumelle de l'autre côté de la frontière.

Cela inclut la drogue.

Une grosse quantité de drogue.

Keller, assis, regarde la fille exécuter avec lassitude son numéro qui coupe toute envie. Elle est jeune et maigre, son regard vide, même quand il essaye de plonger dans les yeux des hommes pour qu'ils glissent quelques billets sous son string jaune distendu, ses mouvements sont plus mécaniques qu'érotiques.

La fille est en pilotage automatique et Keller parie qu'elle est défoncée.

Cet établissement est terriblement déprimant. Étudiants américains ivres, hommes d'un certain âge tristes, serveuses et putes encore plus tristes, sans oublier, évidemment, les narcos. Pas des caïds, mais des trafiquants de deuxième ou troisième ordre, et des pseudo-trafiquants, qui tous ou presque arborent la panoplie complète du narco-cow-boy *norteño*.

Keller boit une deuxième gorgée de bière. Ce bar, comme la plupart des bars de La Zona, ne sert que de la bière et de la tequila, et il a choisi une bouteille d'Indio.

C'est une période sombre pour Art Keller.

La piste d'Adán Barrera est plus froide que le cœur d'un agent de recouvrement.

Après la fusillade à Atizapán, il a disparu des écrans radar. Aucun appel téléphonique, aucune connexion à Internet, aucun mouvement perceptible. Les signaux « Adán repéré » qui illuminaient les standards comme Times Square au crépuscule se sont arrêtés. Keller ne parvient pas à flairer une seule piste solide, uniquement des rumeurs, dont certaines affirment que Barrera s'est retiré de la *pista secreta* et se contente de vivre dans la paix et l'isolement.

Keller n'y croit pas.

Si Barrera fait profil bas, il a une raison, et cette raison est forcément inquiétante. Il ne joue pas au bridge, il n'est pas parti en croisière, il ne travaille pas son swing. S'il se terre, c'est parce qu'il s'apprête à agir.

La question, c'est : où ?

Barrera a besoin d'une portion de frontière.

Une *plaza.*

Keller mise sur celle du Golfe.

Le cartel du Golfe n'est pas dirigé par des Sinaloans, il ne peut donc pas participer au grand festival de l'amour filial. Le chef, Osiel Contreras, est un gars de Matamoros qui ne possède pas le pedigree des gens de Culiacán, condition requise pour faire partie de la famille royale des narcos. Alors, c'est une cible légitime. Surtout qu'Adán est persuadé d'avoir lui-même placé Contreras sur le trône du Golfe en dénonçant son prédécesseur.

Barreras le considère comme un remplaçant temporaire.

Contreras ne voit pas les choses ainsi.

Il se voit comme le prochain *patrón.*

Son pouvoir grandit. Le cartel s'est récemment développé hors de ses bases de Matamoros et de Reynosa pour menacer Nuevo Laredo en absorbant la famille Soto qui régnait sur le côté Est jusqu'alors. En outre, Contreras possède sa propre armée privée, les Zetas, entraînée par nous, songe Keller avec dépit.

À Fort Benning.

Pour lutter contre le trafic de drogue.

Le cartel de Contreras possède maintenant tout l'État du Tamaulipas, ce qui fait de lui, en réalité, le narco le plus important du pays.

Mais c'est toujours la même vieille histoire, se dit Keller, alors qu'une nouvelle fille, plus âgée, encore plus fatiguée si cela est possible, vient faire son numéro sur scène. Selon certaines sources, Contreras aurait commencé à consommer sa propre marchandise. Il sniffe des montagnes de coke, ce qui alimente sa paranoïa.

Et sa fureur.

Ce qui l'a conduit à merder sérieusement il n'y a pas longtemps.

Deux agents de la DEA avaient un indic dans leur voiture à Matamoros. Contreras a fait encercler leur Ford Bronco par ses hommes, puis il est descendu de son propre véhicule et, un AK-47 plaqué or à la main, un Colt à crosse dorée glissé dans la ceinture, il s'est approché en roulant des mécaniques des agents de la DEA pris au piège, et a exigé qu'ils lui remettent l'indic.

Ils ont refusé et Contreras a annoncé qu'il allait les tuer.

Les agents de la DEA en poste au Mexique n'ayant pas le droit de porter d'armes, ils étaient impuissants.

Ils ont tenu bon cependant, ils ont répondu qu'ils ne livreraient pas leur indic, vu qu'ils allaient mourir de toute façon. Leurs paroles, adressées à Contreras, sont déjà devenues légendaires au sein de l'agence : « Demain, après-demain et tous les jours du restant de votre vie, vous regretterez le geste stupide que vous allez commettre. Vous êtes en train de vous faire trois cents millions d'ennemis. »

Personne n'avait oublié la chasse à l'homme colossale lancée après le meurtre d'Ernie Hidalgo. Les gens se souvenaient surtout que le désir de vengeance obsessionnel de Keller avait entraîné la chute des Barrera.

Contreras s'en souvenait lui aussi, et il a fait marche arrière.

Washington a réagi de façon excessive en plaçant Contreras en haut de la liste des personnes les plus recherchées, juste derrière Ben Laden, et en offrant une récompense de deux millions de dollars pour sa capture. Puis les autorités ont acheté des Suburban blindés pour les huit bureaux de la DEA au Mexique. Ces véhicules étaient un geste symbolique, une récompense, aucun individu sain d'esprit n'essaierait d'en tirer parti.

Toujours est-il qu'Osiel Contreras a remplacé Adán Barrera dans le rôle de cible *número uno*. De multiples inculpations pour trafic de drogue ont été prononcées des deux côtés de la frontière. Il ne reste plus qu'à l'arrêter.

Hélas, ils n'arrivent pas à mettre la main sur Contreras, alors qu'il opère au grand jour au Tamaulipas, dit-on. Son arrogance exaspère, et la raison de cette arrogance est un facteur d'humiliation, surtout pour Vera et Aguilar.

Contreras possède la police.

Les polices municipales de Matamoros, Reynosa et Nuevo Laredo, les chefs de la police d'une centaine de villes plus petites, et la police d'État du Tamaulipas sont à la solde du cartel du Golfe.

Le problème est difficile à résoudre : vous ne pouvez pas flanquer à la porte les trois quarts des forces de police. La circulation s'arrêterait, l'ordre public serait menacé, les vols, les viols et les meurtres resteraient impunis.

Vera et Aguilar ont tenté d'apporter les changements nécessaires, d'en haut, Vera en nommant de nouveaux commandants de l'AFI venus de Mexico, Aguilar en envoyant des équipes composées uniquement d'agents du SEIDO dignes de confiance.

La police locale leur fut hostile car elle les considérait comme des « étrangers », ignorant tout de la réalité du terrain, des types envoyés là pour perturber ses opérations habituelles, et ses bonnes relations avec le Golfe.

Par ailleurs, la discipline militaire des Zetas, leur réputation de tortionnaires ont rendu les arrestations difficiles, les indics introuvables et le cartel impénétrable.

Les Zetas ont réussi à entraver la campagne lancée pour mettre Osiel Contreras hors d'état de nuire.

En revanche, Gerardo Vera et Luis Aguilar, « Batman et Robin », sont en train de laminer le cartel de Tijuana.

Toutes les semaines a lieu une nouvelle saisie ou une arrestation de premier plan. Un tunnel découvert sous la frontière à Otay Mesa, une tonne et demie de marijuana saisie, des personnages clés arrêtés. Les saisies et les prisonniers sont exhibés devant les médias, et chaque arrestation livre son lot d'informations, qui ont permis de coincer plus de mille membres du cartel de Tijuana.

Ceux que l'AFI ne peut capturer, elle les tue.

Un des lieutenants de Solorzano est abattu lors d'un échange de coups de feu à Mazatlán. Une autre fusillade, à Rosarito, se conclut par la mort de son chef de la sécurité.

Le nouvel AFI de Vera est un inspecteur Harry collectif. Les narcos doivent décider s'ils tentent leur chance, et Vera n'hésite pas à proclamer publiquement sa philosophie : « Ils se rendent ou ils meurent. C'est leur seul choix. *Los malosos,* les bandits, ne régneront pas sur le Mexique. »

Les médias adorent ça. Chaque arrestation, chaque saisie, fait la une des journaux américains, surtout en Californie. L'un d'eux est allé jusqu'à titrer : « Batman et Robin nettoient le Gotham mexicain. »

Ajoutez à cela le fait que Nacho Esparza a lancé sa propre campagne contre Solorzano. L'ancien associé d'Adán aurait, dit-on, envoyé son propre fils, Ignacio Junior, mener la guerre afin de récupérer l'ancienne *plaza* d'Adán.

Mais Keller reste persuadé que Barrera est sur le point de mener une opération contre le Golfe. Il a fait part de cette conviction au cours d'une des réunions, de moins en moins fréquentes, du Comité de coordination Barrera. Et il a bien vu Aguilar et Vera lever les yeux au ciel.

– Toujours votre obsession pour Barrera, a dit Aguilar.

– Il n'y a pas si longtemps, me semble-t-il, Barrera était *notre* obsession.

– Et nous l'aurons, a dit Vera. Mais en réalité il n'a plus d'influence, c'est un fugitif traqué qui se contente de rester libre un jour de plus. Nous devons nous concentrer sur les narcos actifs.

Vera lui a montré une carte du Mexique.

– On a une stratégie. On prend le contrôle de Tijuana, à l'ouest de Juárez. Puis on écrase le Golfe, à l'est de Juárez. À partir de là, on tient Fuentes dans un étau, et on le broie. Quand on y réfléchit, la capture de Barrera est plus symbolique que stratégique.

Pour moi, ce n'est pas symbolique, se dit Keller.

C'est personnel.

– Si on ne traque pas Barrera, qu'est-ce que je fais ici ? a-t-il demandé.

– Excellente question, a répondu Aguilar.

– On ne renonce pas à traquer Barrera, a dit Vera. Je dis juste que, en l'absence de nouveau développement, il faut…

– Le reléguer au second plan ?

Le haussement d'épaules de Vera en disait long.

Les réunions hebdomadaires du comité de coordination avaient déjà été suspendues, elles n'avaient lieu que lorsque de « nouveaux développements » l'exigeaient.

Mais il n'y avait pas de « nouveaux développements ».

Barrera se terrait.

Selon certaines rumeurs, il hibernait dans le Sinaloa, ou au Durango. D'autres personnes, parmi lesquelles le président mexicain, laissaient entendre que Barrera se cachait aux États-Unis.

Keller ne ménageait pas sa peine pour dénicher des pistes, mais il ne pouvait pas faire grand-chose. La DEA elle-même avait adopté la théorie de « l'homme qui n'a plus d'influence », théorie qui atteignit bientôt le statut d'opinion la plus répandue.

– Barrera, c'est de l'histoire ancienne, lui avait dit Taylor au téléphone, pas plus tard que cet après-midi.

C'est exact, se disait Keller. Il a disparu des médias comme il a disparu des écrans radar ; et à Washington, conformément à l'étrange cycle qui régit l'information en Amérique, on semblait bien content de voir qu'il ne préoccupait plus l'opinion publique.

Idem à Mexico.

En raison des prochaines élections, principalement.

Après plus de soixante-dix ans d'hégémonie du PRI, le PAN a enfin remporté une élection nationale et pris le contrôle du gouvernement fédéral. Aujourd'hui, le premier mandat du PAN arrive à son terme – le président du Mexique ne pouvant occuper ce poste que pendant six ans – et le nouveau candidat du PAN, Felipe Calderón, est engagé dans une course au coude à coude pour conserver le pouvoir face au PRI.

Le PAN se réjouit donc de pouvoir balayer et pousser sous le tapis le scandale de l'évasion de la prison de Puente Grande, d'autant que le passé de corruption du PRI l'empêche de mettre ce sujet sur la table.

Personne ne veut parler d'Adán Barrera.

Batman et Robin sont un sujet plus agréable, surtout quand Vera lance des formules du genre : « Contreras possède sa propre armée ? Et alors ? Moi aussi, j'ai mon armée… et on verra bien qui va gagner. »

– Je ne suis pas venu ici pour Contreras, a fait remarquer Keller à Taylor.

– Nous sommes d'accord. Le moment est peut-être venu de vous extraire. Vos abeilles doivent se languir, non ?

Je suis sur la liste des espèces menacées, s'est dit Keller en raccrochant. La hache se trouve juste au-dessus de ma tête et Aguilar brûle d'impatience de porter le coup de grâce.

À l'inverse, Gerardo Vera est devenu une sorte d'ami.

Enfin, pas exactement, car Keller n'a aucun ami au Mexique, il s'interdit d'avoir de véritables amis parmi des collègues à qui il ne peut pas faire confiance, mais ils vont parfois boire une bière ensemble en fin de journée et Vera est aussi sociable qu'Aguilar est renfermé.

Toutes les suppositions, ou presque, de Keller concernant Vera se sont révélées fausses. Il avait cru que le flic venait des classes supérieures privilégiées de Mexico, alors qu'en réalité il avait fait son chemin tout seul, à la dure, patrouillant dans un des bidonvilles les plus tristement célèbres de la capitale.

Il s'était battu pour gravir les échelons et avait attiré l'attention de ses supérieurs en nettoyant des quartiers difficiles. Aussi, quand le PAN, après avoir pris le pouvoir, avait cherché quelqu'un pour faire le ménage parmi les *federales* gangrenés par la corruption, il s'était tourné vers Gerardo Vera.

– J'ai acquis un peu de sophistication en route, avait-il confié à Keller en riant, autour de quelques bières au bar de l'Omni Hotel. J'ai appris quelle fourchette utiliser, où acheter mes costards… En fait, ce sont surtout mes maîtresses qui ont fait mon éducation. Je couchais avec des femmes de la haute et elles m'ont dégrossi pour que je présente mieux dans les journaux à scandales.

Il n'était pas marié et n'avait pas d'enfant.

– Je n'ai jamais eu le temps ni l'envie. De plus, une famille ça te rend vulnérable. Je préfère les femmes mariées et les putes de luxe. Tu t'offres un bon repas, tu rigoles, tu t'envoies en l'air et ensuite chacun part retrouver sa petite vie. C'est mieux comme ça.

Vera a invité Keller à boire un verre et lui a demandé de se rendre à Nuevo Laredo pour une mission.

Dans le bar, il lui montre un homme.

– Alejandro Sosa. Le pilote personnel d'Osiel Contreras. Ça fait des mois qu'on le surveille.

– Je suis ici pour Barrera.

Vera l'a devancé.

– On sait bien, tous les deux, que votre temps ici est compté. Si vous m'aidez à épingler Contreras, vous deviendrez intouchable. Vous pourrez rester au Mexique.

Exact, s'est dit Keller. Mais il était affecté exclusivement au Comité de coordination Barrera ; le cartel du Golfe, c'était le domaine d'autres agents. Il deviendrait un intrus, un braconnier.

– Pourquoi avez-vous besoin de moi ?

Vera resta muet quelques secondes avant de répondre :

– Vous et moi, on se ressemble beaucoup. On sait qu'on ne peut pas mettre les narcos K-O avec des gants. C'est un combat de rue à mains nues. Et je veux que vous soyez dans la rue à côté de moi. Ces individus sont la lie de l'humanité, des immondices qu'il faut nettoyer. Par tous les moyens.

– Quelle est votre méthode pour approcher Sosa ? a demandé Keller en sachant qu'il s'engageait sur un terrain où il ne devait pas mettre les pieds.

C'était une violation de son ordre de mission, une violation des pratiques de la DEA et une violation de son propre bon sens.

Mais il voulait rester au Mexique, et Vera lui offrait cette possibilité.

Celui-ci a ricané.

– C'est un peu compliqué, presque baroque. C'est le genre de coup assez dingue pour pouvoir marcher, mais très embarrassant si ça ne marche pas. Comme quand votre CIA a envoyé des cigares empoisonnés à Castro.

Keller observe le dénommé Sosa, vêtu de manière décontractée, mais élégante. Cheveux blond-roux, teint clair, il sirote une bière assis au bar et regarde les strip-teaseuses. Il est mince, et pourtant il a quelque chose de mou : un type capable de piloter un avion, mais qui ne connaît rien à la vie. C'est peut-être le polo vert pastel ou le jean blanc au pli marqué. Ou bien les cheveux déjà clairsemés. Il a quel âge… trente-neuf ans ? Et il pourrait déjà utiliser un produit contre la calvitie.

Quelques minutes plus tard – Dieu soit loué –, Sosa glisse des billets sur le bar et sort dans Cleopatra Street, où il fait du lèche-vitrines devant les piaules des jeunes prostituées, plus attirantes, qui bordent la rue.

Les putes plus vieilles sont dans les rues adjacentes.

Keller n'a pas envie d'attendre que ce type tire son coup, alors il l'aborde :

– Alejandro Sosa ?

Sosa se retourne, perplexe, il ne reconnaît pas cet homme.

– Oui ? Je peux vous aider ?

– Je n'ai pas besoin de votre aide. C'est vous qui avez besoin de la mienne.

– Comment ça ?

– Votre patron, Osiel Contreras. Vous savez certainement qu'il consulte une gitane, hein ? Une diseuse de bonne aventure.

– Oui…

– Eh bien, elle lui a dit qu'une personne très proche de lui, à la peau et aux cheveux clairs, allait le trahir. Vous connaissez quelqu'un de son entourage qui a la peau et les cheveux clairs ?

Le teint de Sosa pâlit encore. Il devient blanc.

– Oh, mon Dieu.

– Vous êtes sur la liste des personnes à abattre, mon vieux.

– Qu'est-ce que je peux faire ?

– Fuir, répond Keller. Décoller, dans votre cas.

– Qui êtes-vous ? Pourquoi vous me racontez tout ça ?

– Vous ne voulez pas que je vous montre mon insigne de la DEA en pleine rue, si ? Marchons, comme deux gars qui se baladent dans La Zona pour essayer d'attraper la chaude-pisse.

C'est l'instant critique.

Keller a recruté des dizaines d'informateurs, et il sait qu'il y a un moment où vous devez obliger le type à vous suivre, où vous devez l'habituer à faire ce que vous dites. Alors, il s'éloigne dans la rue et pousse un soupir de soulagement quand Sosa lui emboîte le pas.

– Regardez autour de vous, dit-il. Vous voyez des arbres décorés ? Avec des ampoules ? Des sucres d'orge ?

Pas vraiment. Ce que voit Sosa, ce sont des rades miteux, des putes, leurs clients, de jeunes voyous, des étudiants ivres et des guetteurs travaillant pour les narcos.

Keller poursuit son numéro de méchant flic.

– Est-ce que je ressemble à un gros bonhomme jovial ? Est-ce que je porte un costume rouge ? Ce que j'essaye de vous dire, Alejandro… c'est qu'on n'est pas à Noël. Il n'y a pas de cadeaux sous le sapin. Vous savez quelle est la définition d'un cadeau ? Quelque chose en échange de rien. Vous voulez que je vous fasse sortir du Mexique, que je vous trouve un visa d'indic de l'autre côté de la frontière ? Il va falloir me donner ce que je veux.

– Je peux vous fournir un tas d'informations sur Contreras.

Keller s'arrête devant une vitrine et regarde de la tête aux pieds une jeune femme en déshabillé mauve.

– J'ai déjà un tas d'informations sur Contreras. J'ai des entrepôts remplis d'informations sur Contreras. Je parie que j'en sais plus sur lui que vous. Alors, il va falloir faire mieux que ça.

– C'est-à-dire ? demande Sosa.

Il est terrorisé.

– Regardez cette femme, pas moi. Je veux connaître l'endroit où il se trouve.

– Je ne le sais jamais. Il me prévient juste quelques minutes avant. Le temps de préparer l'avion.

– Eh bien, la prochaine fois qu'il vous appelle, vous m'appelez.

Sosa secoue la tête.

– Je ne peux pas retourner là-bas. Il va me tuer.
– Qu'est-ce que je ferais si j'étais vous ? Je me contacterais à la première occasion.
– Je refuse.
Vient toujours ce moment, avec un indic, où vous retirez la carotte pour lui montrer le bâton. Vous devez lui faire comprendre qu'il est pris au piège, et que sa seule échappatoire, c'est vous.
Je suis la vérité et le chemin.
– Vous le ferez, dit Keller en souriant à la femme derrière la vitre. Sinon, je ferai savoir que vous avez discuté avec un agent de la DEA. Et Contreras n'aura plus besoin qu'une gitane de mes deux lui conseille de vous tuer. Il vous livrera à Ochoa pour savoir ce que vous m'avez raconté.
– Espèce de salopard.
– Hé, vous auriez pu choisir de partir vers des cieux accueillants, dit Keller en s'éloignant dans la rue, accompagné de Sosa qui marche à côté de lui comme un toutou. Maintenant, vous avez plusieurs options. Les *federales* vous arrêtent sur-le-champ et vous vous retrouvez en prison, où les hommes de Contreras vous tueront ; vous fuyez jusqu'à ce qu'Ochoa vous retrouve et vous torture à mort, ou bien vous reprenez votre travail comme si de rien n'était et vous me téléphonez dès que vous savez où sera votre patron, et je vous fais entrer dans le « programme ».
Sosa choisit l'option numéro trois.
Ils n'ont plus qu'à attendre son coup de fil.
Keller retourne à Mexico.

Luis Aguilar a fini par céder aux imprécations de son épouse et il a invité l'Américain à dîner, non sans une ultime résistance.
– Ce serait cruel, a-t-il dit.
– Pourquoi donc ? a demandé Lucinda.

– Cet homme a perdu sa famille. Ce serait cruel de lui offrir l'image de notre bonheur.

– Tu n'as rien trouvé de mieux ? Comment fais-tu pour remporter des procès ?

– Bon, je vais l'appeler.

Keller a reçu l'appel à son bureau et il était trop surpris pour inventer une excuse. Alors, il s'est présenté au domicile d'Aguilar avec une bouteille de vin et des fleurs, que Lucinda a acceptées gracieusement.

Si Keller s'attendait à tomber sur une épouse… terne, il fut déçu. En un mot, Lucinda est saisissante. Elle mesure une tête de plus que son mari, elle a de longs cheveux châtains, un nez aquilin et elle s'habille avec discrétion mais élégance.

Leurs deux filles, fort heureusement, ressemblent à leur mère. Grandes et fines, on dirait des danseuses (ce qui est le cas, apprend-il au cours du repas). Caterina et Isobel, respectivement seize et treize ans, sont ravissantes, parfait mélange entre la réserve de leur père et la grâce de leur mère.

Elles répondent poliment aux questions de Keller lors d'un dîner qui commence par une délicieuse soupe de cactus, suivie de dés de poulet dans une sauce aux amandes crémeuse, accompagnés de riz sauvage, puis d'un flan à la noix de coco.

– Vous vous êtes donné beaucoup de mal, dit Keller à Lucinda.

– Absolument pas. J'adore cuisiner.

Sur un discret signe de tête de leur père, les filles s'excusent une fois le repas terminé, et la maîtresse de maison annonce qu'elle a « des choses à faire » en cuisine.

– Laissez-moi vous… dit Keller.

– Nous avons du personnel, le coupe Aguilar, et il l'entraîne dans son bureau. Vous jouez aux échecs ?

– Pas très bien.

– Ah.
– Mais on peut faire une partie.
– Non, dit Aguilar. Pas si vous ne jouez pas très bien. Ce ne serait pas un défi.

Une domestique – Keller apprend qu'elle se prénomme Dolores – apporte le café, qu'Aguilar boit avec une goutte de cognac. Ils s'assoient et, comme ils n'ont plus rien à se dire, la conversation s'oriente vers Vera.

– Gerardo foule aux pieds la justice, se plaint Aguilar. Ça fait bien dans les médias, et cela donne des résultats, j'imagine, mais tôt ou tard, ça finit par vous revenir en plein visage.

Keller est un peu sceptique de voir Aguilar afficher un tel attachement aux règles. On ne peut pas dire que l'avocat ait rechigné à utiliser les informations obtenues grâce aux interrogatoires, pas toujours très doux, de Vera. La moitié du temps, les suspects passent aux aveux avec lui, et Keller n'a jamais entendu Aguilar demander comment ces aveux avaient été arrachés.

Il ne lui parle pas de son voyage à Nuevo Laredo pour le compte de Vera.

– Et cette histoire de « Batman et Robin », ajoute Aguilar, c'est idiot et dégradant.
– Mais ça offre une accroche à la presse.
– Je ne fais pas partie du cirque médiatique.
– Bien sûr que si.

L'entrée de Lucinda les sauve d'une nouvelle discussion en entraînant la conversation sur le terrain du cinéma, du sport, de Keller. Ce dernier se surprend à leur parler de son passé : le père homme d'affaires mexicain absent, son séjour à UCLA, la rencontre avec Althea, le Vietnam… Puis il voit Aguilar jeter un coup d'œil à sa montre.

– Il faut que je vous laisse, annonce-t-il. Merci pour cette merveilleuse soirée.

Après son départ, Lucinda dit :
– Tu vois, il n'est pas si désagréable. Je l'aime bien.

– Humm, fait son mari.

Gerardo Vera passe la soirée avec sa nouvelle maîtresse. Le vin est excellent, le repas aussi, le sexe encore meilleur.

L'alcool, la bouffe et les femmes. Y a-t-il autre chose dans la vie ?

– Dieu ? lui a suggéré Aguilar, le jour où Vera avait résumé sa philosophie au cours d'un déjeuner.

– Ça, c'est pour la prochaine vie, a-t-il répondu. Je m'en préoccuperai le moment venu.

– Il sera trop tard.

– Oui, père Luis.

Luis croit au ciel et à l'enfer, Vera sait que ni l'un ni l'autre n'existe. Vous mourez, et c'est tout. Alors, il faut aspirer toute la sève de l'existence. L'Américain, Keller, aime laisser croire qu'il a perdu la foi, mais elle est toujours là, et elle le tourmente avec un sentiment de culpabilité dû à ses péchés supposés.

Vera ne connaît pas ce genre de tourments.

Il ne croit pas au péché.

Au bien et au mal, oui.

Au courage et à la couardise, oui.

Au devoir et à la négligence, oui. Mais tout cela fait partie de la nature humaine. Un homme fait ce qui est bien, il accomplit son devoir et il le fait courageusement.

Ensuite, il boit, il mange et il baise.

La femme de ce soir est une ensorceleuse, mariée à un membre du gouvernement trop accaparé par son travail pour accomplir son devoir conjugal, et Vera est le bénéficiaire reconnaissant de cet abandon, heureux de faire porter des cornes à un imbécile.

Ces temps-ci, c'est une véritable épidémie au Mexique avec tous ces technocrates de l'Ivy League qui rapportent avec eux au pays cette stupide « éthique du travail » héritée des Américains. Ils ont souhaité devenir des rouages dans une machine, et ils oublient pourquoi ils travaillent.

Vera n'oublie pas.

Il a fait livrer un repas fin dans son nid d'amour de Polanco, il a mis un très bon champagne au frais, et de la musique.

Des sentinelles discrètes et dignes de confiance montent la garde dehors.

Vera sert un verre de champagne à la femme, juste assez pour lui faire tourner la tête sans qu'elle sombre dans le relâchement, puis il savoure le parfum de son cou élégant et fait descendre sa main pour palper son cul qui l'est tout autant.

Elle se raidit, mais ne l'arrête pas, alors il soulève la soie et poursuit son exploration. Au lieu de protester, elle se renverse en arrière et pose sa tête sur l'épaule de Vera, pendant qu'il la caresse en lui murmurant des paroles crues à l'oreille.

Chez les riches, les maris sont trop réservés, leurs femmes aiment entendre des mots qui viennent des bas-fonds.

Luis prie le ciel.

Keller craint l'enfer.

Vera craint la mort, mais uniquement parce que la vie lui procure d'immenses plaisirs.

Sosa appelle ce soir-là.

– Je prends Contreras à Nuevo Laredo pour le conduire à la fête d'anniversaire de sa nièce à Matamoros demain, confie-t-il à Keller. Après, il organise sa propre fête dans une de ses planques.

– Il me faut l'adresse.

Sosa la lui donne : un immeuble de deux étages dans Agustín Melgar, dans le quartier d'Encantada.

– Quelqu'un l'accompagne ?

– Ochoa. Et Quarante. Et un autre Zeta nommé Segura. Un cinglé qui porte une grenade autour du cou, au bout d'une chaîne. D'autres Zetas viendront à la fête. Écoutez… je ne veux pas rester au téléphone trop longtemps.

– D'accord, dit Keller. Voilà ce que vous allez faire. Après avoir déposé Contreras, vous vous rendez dans le centre. Vous traversez le Puente Nuevo jusqu'à Brownsville. Un agent de la DEA vous attendra de l'autre côté.

– Promis ?

– Vous avez ma parole.

Keller contacte ensuite Vera. Une demi-heure plus tard, il est assis dans le bureau du SEIDO avec lui et Aguilar.

– Qu'est-ce que vous avez à voir là-dedans ? lui demande ce dernier.

– Il m'a aidé à recruter l'indic, explique Vera.

– Ce n'est pas…

– Vous voulez Contreras, oui ou non ? le coupe Vera.

– J'aurais dû être informé de cette opération, proteste Aguilar. Bon sang ! Des diseuses de bonne aventure… ce sera quoi, ensuite ?

– Ensuite, on met le grappin sur Contreras, répond Vera. Et trois Zetas de premier plan.

Aguilar prévient :

– Ils n'abandonneront pas Contreras sans se battre.

– Tant mieux.

– Je le veux vivant.

Keller téléphone à Tim Taylor.

– J'ai besoin d'un agent pour récupérer un informateur sur le Puento Nuevo à Brownsville. Et il lui faut un visa S.

– Nom de Dieu, Keller ! Qu'est-ce que vous foutez à Matamoros ?

– L'opération s'est déplacée hors de Mexico.

– Quel rapport avec Barrera ?

– Aucun, dit Keller. Il s'agit de Contreras.

– Keller…

– Vous le voulez, oui ou non ? insiste Keller en reprenant l'argument de Vera.

– Évidemment, qu'on le veut.

– Alors, envoyez un agent à l'endroit indiqué demain après-midi. Il doit récupérer un certain Alejandro Sosa et le placer sous protection. Ensuite, préparez la demande d'extradition concernant Contreras.

– Hé, c'est tout, oui ? Autre chose ?

– Pas pour le moment. (Keller raccroche et se tourne vers Aguilar et Vera.) On ferait bien de s'y mettre.

– Vous ne venez pas, déclare Aguilar.

– Vous connaissez l'adresse de la planque ?

– Non.

– Alors, je crois que je vais venir.

Vera s'esclaffe.

À Matamoros, on fait des voitures.

Perchée sur la rive sud du Rio Grande, là où le fleuve se jette dans le golfe, la ville accueille plus de cent *maquiladoras,* les usines des sociétés américaines, dont beaucoup fabriquent des pièces pour GM, Chrysler, Ford, BMW et Mercedes-Benz.

Curieux mélange entre une ville d'éleveurs et un village de pêcheurs jadis, Matamoros a grandi durant la guerre de Sécession quand elle est devenue un port de remplacement d'où partait le coton des Confédérés après que le Nord avait bloqué La Nouvelle-Orléans. Aujourd'hui, elle a l'apparence d'une ville industrielle, avec des usines, des entrepôts, la pollution et d'interminables files de camions qui transportent sa production à Brownsville au Texas, de l'autre côté du fleuve, grâce à quatre ponts.

Matamoros est également le foyer du cartel du Golfe et Osiel Contreras y a organisé une fête.

Il est 10 heures du matin et le boss dort encore à poings fermés, se dit Ochoa. Nu, coincé entre deux putes à mille dollars, tout aussi inconscientes et dévêtues, dans une chambre au premier étage de la planque.

Sacrée fiesta.

Les femmes étaient exceptionnelles.

Toutefois, Contreras l'inquiète de plus en plus. Le boss consomme trop de cocaïne, sa paranoïa devient dangereuse et son ego l'a conduit à commettre de graves erreurs de jugement.

Il s'en était fallu de peu que l'affrontement avec les agents de la DEA vire à la catastrophe. Et cela avait suffi à attirer l'attention sur le cartel du Golfe, ce qui n'était pas bon.

Ochoa n'aime pas ça. C'est mauvais pour les affaires, mauvais pour ses finances. Et Ochoa a appris à aimer l'argent.

– *Patrón, patrón.*

Contreras a ordonné que son avion soit prêt à 11 heures. Ils ont des affaires à traiter à Nuevo Laredo.

– *Patrón !*

Contreras ouvre un œil jaune.

– *Chingate.*

OK, je vais me faire foutre, mais…

Miguel Morales, alias Quarante, monte l'escalier. Trapu, avec une épaisse moustache et des cheveux bouclés noirs, il a enfilé son jean, mais rien d'autre. Il a la tête d'un type qui a la gueule de bois et a trop baisé.

Et qui est inquiet.

Ce qui inquiète Ochoa par ricochet car Quarante n'est pas du genre à paniquer pour rien. Il a rapidement gravi les échelons parmi les Zetas, bien qu'il ne fasse pas partie du premier groupe d'anciens des forces spéciales. En fait, il est à moitié américain, c'est un *pocho* de Laredo, il n'a aucune connaissance dans le domaine militaire, mais une longue expérience avec le gang de Los Tejos, le long de la frontière. Il a suivi la formation militaire comme s'il était né pour ça, sans jamais flancher durant les épreuves les plus rudes.

Selon une rumeur, Quarante aurait arraché le cœur d'une de ses victimes encore vivante pour le manger, en affirmant que cela lui donnait de la force, et si Ochoa ne croit pas réellement à cette histoire, il ne la réfute pas totalement. Alors, quand Quarante dit « Il y a un problème », il y a un problème.

Il le suit jusqu'à la fenêtre et regarde dehors.

Il voit des policiers et des soldats partout.

Les Zetas ripostent.

Durant six heures, à quinze, encerclés, face à plus de trois cents hommes de l'AFI, du SEIDO et de l'armée qui tentent d'investir les lieux.

Ochoa n'entre jamais dans une maison sans la transformer en camp retranché et ses hommes disciplinés sont prêts à en découdre. D'abord, ils repoussent les *federales* massés à la porte jusque de l'autre côté de la rue, mais ils ne peuvent pas faire mieux.

Les soldats ont des véhicules blindés et après un premier échange de tirs incessants, ils se sont calmés et ils choisissent maintenant leurs cibles une par une. Ils ont lancé des grenades lacrymogènes par les fenêtres brisées et des hélicoptères ont canardé les snipers postés sur le toit.

Si on peut tenir jusqu'à la tombée de la nuit, songe Ochoa, on aura une infime chance de faire sortir Contreras en profitant de la confusion, mais on ne pourra pas tenir jusque-là.

Il regarde sa montre.

Il n'est que 13 h 30.

Ils déplorent déjà un tué et deux blessés, et ils commencent à manquer de munitions.

Un mégaphone exige, une fois encore, que Contreras se rende.

Vera abaisse le mégaphone.

– C'est le moment de donner l'assaut, déclare-t-il.

– Pourquoi ? demande Aguilar. Ils sont cernés. Ils ne peuvent pas s'échapper.

– On passe pour des faibles. Plus ils tiennent, plus c'est mauvais pour notre image. J'entends déjà les *corridos* qu'ils vont chanter.

– Laissons-les chanter, dit Aguilar. On va mettre la main sur Contreras. Sans lui, ces Zetas ne sont rien.

Un détail lui échappe, se dit Keller. Vera veut des cadavres, et plus il y en a, mieux c'est. Contreras et ses troupes menottés, ça envoie un message. Contreras et ses troupes dans des mares de sang, ça envoie un autre message.

Quand vous créez une armée, on ne vous arrête pas. On vous tue.

Vous voulez la guerre, vous l'avez.

– Attachez votre gilet ! ordonne Vera. Dans cinq minutes, on fonce.

– Vous devriez réfléchir, dit Keller.

Vera se tourne vers lui, étonné.

Aguilar idem.

Pour une fois, l'avocat a raison, pense Keller. Contreras est pris au piège, il ne peut plus s'échapper. Cette maison n'abrite pas seulement des narcos, ce sont des soldats d'élite hautement entraînés.

– Quel que soit le message que vous voulez envoyer, dit-il, ça ne mérite pas un bain de sang. Ce qui se produira à coup sûr si on donne l'assaut.

Vera le regarde fixement.

– Obligez-les à se rendre, insiste Keller. Faites-les sortir les mains en l'air. Voilà l'image que vous voulez. Morts, ce sont des martyrs. Vivants, ce sont des fiottes.

Voilà la chanson que vous voulez entendre dans les rues. Voilà ce qui fera qu'un gamin vous regardera en héros, vous et pas eux.

– Très beau discours, Arturo, dit Vera. Mais vous n'avez toujours rien compris au Mexique. Cinq minutes.

– Ils bougent ! s'écrie Quarante.

Ochoa revient en rampant vers la fenêtre et jette un coup d'œil dehors. Quarante a raison : ça s'agite derrière les véhicules blindés.

Il reconnaît les signes d'un assaut imminent.

– Ils arrivent, dit-il.

Segura tripote la grenade autour de son cou. C'est un géant de presque deux mètres, taillé comme un arbre. Ochoa l'a toujours connu avec ce « collier grenade », depuis qu'ils ont combattu ensemble au Chiapas.

– S'ils entrent, dit Segura, je les laisse approcher et je dégoupille. On ira en enfer tous ensemble.

– À nous la belle vie, dit Quarante. Les meilleures femmes sont toutes au paradis.

– Ne dites pas de conneries, intervient Contreras. Je vais me rendre.

– Pas moi, grogne Segura.

Voilà pourquoi il porte cette grenade.

– Je n'ai pas parlé de toi, j'ai parlé de moi, dit sèchement Contreras. (Il se tourne vers Ochoa.) File par-derrière avec tes meilleurs hommes. Je vais sortir devant, les mains en l'air, pour amuser la galerie. Vous avez peut-être une chance au milieu de toute l'agitation.

– Ils vont t'abattre, dit Ochoa.

Les hommes de l'AFI sont des assassins.

– Peut-être pas devant les caméras, dit Contreras. Ochoa, écoute-moi bien : c'est la bonne décision.

Ochoa le sait. Contreras pourra toujours diriger l'organisation de sa prison, mais seulement s'il a encore une organisation à diriger.

Pour cela, il faut que les Zetas survivent.

Contreras déclare :

– Mon petit frère gérera l'organisation au jour le jour.

Malgré le caractère dramatique de la situation, Ochoa a presque envie de rire. Le « petit » frère n'est petit que dans le sens de « jeune ». Héctor Contreras a pour surnom « Gordo » et s'il impressionne, c'est parce qu'il parvient à être obèse malgré son addiction à la cocaïne. Cet homme n'a aucune discipline, voilà pourquoi Ochoa n'éprouve pas le moindre respect pour lui.

Si Gordo « gère l'organisation », cela signifie que c'est *moi* qui gérerai les affaires en réalité, songe Ochoa. Ça pourrait être pire.

– Tu sais qui est derrière tout ça, dit-il.

– Évidemment, répond Contreras. C'est bien joué.

– L'enfer attendra, dit Ochoa.

Keller resserre les sangles de son gilet en Kevlar.

Sous le regard pénétrant d'Aguilar.

– Parfois, dit celui-ci, je me demande qui vous êtes.

– Vous n'êtes pas le seul, Luis.

Il vérifie que son Sig Sauer est chargé, en espérant ne pas avoir à s'en servir. Il préférerait également qu'Aguilar reste à l'abri derrière les véhicules. Je ne tiens pas à toi plus que ça, Luis, mais j'aime bien ta femme et tes filles ; et la prochaine fois que je les verrai, je ne veux pas que ce soit à ton enterrement.

Keller ressent ce calme qui l'habite toujours avant un assaut. La peur s'estompe, les picotements de l'angoisse disparaissent, et il sent un flot de fraîcheur envahir son cerveau.

Son seul regret, c'est qu'il ne s'agisse pas de Barrera.

Campé sur ses deux pieds, il est prêt à s'élancer.

C'est alors que la porte de la maison s'ouvre.

Contreras en sort.

Les mains en l'air.

Au moins deux cents armes sont pointées sur lui.

Ainsi qu'une douzaine de caméras de télé.

– *Me rindo !* braille Contreras. Je me rends !

Vera regarde fixement l'autre côté de la rue pendant un instant. Puis il s'écrie :

– Ne tirez pas !

Au même moment, Keller entend une rafale, suivie d'une explosion, derrière la maison. L'espace d'une seconde, on dirait que tout va partir en vrille. Contreras se laisse tomber à genoux, en hurlant :

– Ne tirez pas ! Ne tirez pas !

Vera traverse la rue à grandes enjambées. Il saisit Contreras par les poignets, le retourne, l'expédie au sol d'un coup de pied et le menotte.

– Osiel Contreras, vous êtes en état d'arrestation !

– Allez vous faire foutre, répond calmement Contreras. Toi et tes chefs.

Canelas, Sinaloa

Eva Esparza a dix-sept ans et elle est belle.

Grande, des cheveux noirs ondulés, des yeux de biche, des pommettes saillantes et une silhouette qui commence juste à tenir ses promesses. Elle est à peine plus grande qu'Adán, qui la tient dans ses bras, sans la serrer, alors qu'ils dansent sur la musique de Los Canelos de Durango, un groupe que Nacho a fait venir par avion pour l'occasion.

L'occasion, c'est un bal destiné à recueillir des soutiens pour la candidature de sa fille à l'élection de Miss Canelas, qu'elle remportera certainement de toute façon grâce à sa beauté et à son charme, mais Nacho ne veut prendre aucun risque. Alors, il a sponsorisé ce bal et distribué des cadeaux aux juges.

Adán ne s'intéresserait pas à une dauphine.

Un roi ne peut épouser qu'une reine.

Ou mieux : une princesse.

Adán s'amuse de la sollicitude de Nacho. Son allié possède au moins six familles réparties à travers le Sinaloa, Durango, Jalisco et Dieu sait où encore. Mais Eva est sa préférée, la petite fille à son papa.

En la tenant dans ses bras, en respirant l'odeur de ses cheveux et de son parfum, Adán comprend pourquoi. Eva est enivrante et il se réjouit que la fille favorite de Nacho ait hérité du charme de son père et non de son physique.

Quand le sujet est apparu pour la première fois, Adán ne s'est pas montré d'un optimisme débordant.

– On ne rajeunit pas, a dit Nacho à la fin d'une longue discussion sur la guerre à Tijuana.

Adán flairait un piège.

– Je ne sais pas, Nacho. Tu me parais plus jeune que jamais. C'est peut-être l'argent.

– Ne nous leurrons pas. Je prends du Viagra, tu sais.

Adán a laissé passer cette occasion d'échanger des confidences. Le dysfonctionnement érectile n'était jamais un problème avec Magda, même si elle se trouvait en ce moment en Colombie pour installer un pipeline à cocaïne.

– N'empêche, a ajouté Nacho, je ne fais plus d'enfants.

– Bon Dieu, Nacho, viens-en au fait.

– Très bien. À quoi ça sert tout ça, de bâtir cet empire si on n'a personne à qui le léguer ?

– Tu as un fils.

– Pas toi.

Adán s'est levé de son fauteuil de bureau pour marcher vers la fenêtre.

– J'ai eu un enfant, Nacho.

– Je sais.

– La vérité, c'est que je ne suis pas sûr de pouvoir supporter ce genre de chagrin une seconde fois.

– Les enfants, c'est la vie, Adánito. Tu as encore le temps.

– Je ne crois pas que Magda sera intéressée.

– Ça ne peut pas être avec Magda. Pas de méprise, ne le prends pas mal, mais elle a roulé sa bosse.

– C'est *toi* qui dis ça ?

– Une femme, c'est différent, et tu le sais. Ton épouse doit être vierge, évidemment, et la mère de tes enfants doit venir d'une famille importante.

Adán a compris alors où voulait en venir Nacho.

– Tu suggères que… ?

– Pourquoi pas ? Réfléchis. Une Esparza et un Barrera. Ça, ce serait une *alianza de sangre.*

Oui, en effet, songeait Adán. De quoi « verrouiller » Nacho. Non seulement je gagnerais sa loyauté éternelle, et d'une certaine façon, je récupérerais la *plaza* de Tijuana par la même occasion. Mais…

– Et Diego ? a-t-il demandé.

– Tu as vu sa fille aînée ? Elle aura une barbe plus épaisse que la sienne !

Adán a ri malgré lui. Diego, toujours attentif à sa position, pourrait se sentir menacé si je me rapprochais d'Esparza, songe-t-il.

– J'ai une fille, Eva. Elle a dix-sept ans…

– C'est jeune.

– On va bientôt organiser un bal en son honneur. Viens et tu la verras. Si elle ne te plaît pas, si tu ne lui plais pas, eh bien, ce n'aura été qu'un jour dans ta vie. C'est tout.

– Et que va en penser Eva ?

– Elle a dix-sept ans. Elle ne sait pas ce qu'elle pense.

Alors que la musique s'arrête, Adán se demande ce qu'elle pense. Voilà une jeune fille qui est le centre de l'attention au cours d'une fête en son honneur, et soudain deux cents hommes armés, avec des capuches noires sur la tête et des masques, débarquent dans un grondement d'enfer à bord de véhicules tout-terrain et bloquent les routes. Puis six petits avions se posent dans un champ à proximité et je descends de l'un d'eux, avec un AK en bandoulière. Depuis, deux hélicoptères nous survolent.

Soit elle est totalement subjuguée, soit elle est totalement dégoûtée.

Et j'ai au moins trente ans de plus qu'elle. Que pense-t-elle de ça ? Ce n'est sûrement pas la lune de miel dont elle a rêvé. D'ailleurs, elle ne doit même pas songer au mariage ; elle veut sortir avec des garçons, aller dans des clubs, traîner avec des amies, aller à l'université...

Adán a l'impression d'être un de ces *grandes* d'autrefois, au Sinaloa, qui exerce son droit de cuissage, et il se trouve repoussant. Néanmoins, ce serait un mariage important. Dans une vingtaine d'années, je serai prêt à prendre ma retraite. À ce moment-là, j'aurai peut-être un fils, et tout lui reviendra.

Adán entraîne Eva vers une table pour boire un verre d'*agua fresca.*

Il n'est pas aussi répugnant qu'elle le craignait.

Quand son père est rentré à la maison en lui annonçant qu'Adán Barrera serait « l'invité surprise » de son bal, Eva a pleuré, sangloté, piqué une colère, puis sangloté de nouveau. Son père est sorti de la chambre en claquant la porte, alors sa mère l'a prise dans ses bras et a séché ses larmes, en disant :

– C'est notre vie, *m'ija.*

– Pas la mienne, *Mami.*

Sa mère l'a giflée.

Violemment.

C'était la première fois.

– Pour qui tu te prends ? Tout ce que tu as... les vêtements, les bijoux, les jolies choses, les fêtes... c'est grâce à notre vie. Tu crois que Dieu t'a *choisie* tout simplement ?

Eva tenait sa main plaquée contre sa joue.

– Si cet homme te veut, tu crois que tu peux le rejeter ? Tu crois que ton père accepterait que son allié le plus important soit humilié par sa propre fille ? Il viendra te chercher pour te donner une raclée, et c'est moi qui lui tendrai la ceinture. Il te flanquera à la porte et c'est moi qui ferai ta valise.

– *Mami,* je t'en supplie…

Sa mère l'a serrée contre elle, elle a caressé ses cheveux et murmuré :

– Personne ne pleurera sur ton sort. Tu auras de l'argent, des maisons, une situation, du prestige. Tu seras une reine. Tes enfants auront tout. Alors, je vais prier pour que tu plaises à cet homme. Et tu devrais en faire autant.

Eva ne l'a pas fait.

Elle a juste prié pour qu'il ne soit pas hideux et, en toute franchise, il ne l'est pas. Il n'est pas vilain pour un vieil homme. Contrairement à beaucoup de ses amies *buchonas,* ses parents ne l'ont jamais laissée faire des folies, passer la nuit dans des fêtes ou partir skier le week-end.

Ils l'ont protégée, et elle sait pourquoi.

Sa virginité ne sera pas offerte.

Elle sera négociée.

– Alors ? demande Nacho à Adán quand il revient après avoir dansé avec Eva.

– Elle est charmante.

– Donc, tu aimerais la revoir.

– Si elle est d'accord.

– Elle le sera.

– Je ne sais pas.

– C'est ma fille. Elle fera ce que je lui dis.

Parfois, songe Adán, j'oublie à quel point Nacho est de la vieille école.

– Allons voir Diego.

Ils le trouvent en train de boire une bière à la table des rafraîchissements et ils l'entraînent à l'écart pour discuter en privé. Le colosse tient une bière dans chaque main, il a de la mousse dans la moustache et l'air détendu. En voyant Adán, il lève un verre.

– Aux diseuses de bonne aventure.

– Pour cent dollars, glisse Nacho à Adán, tu as détruit un empire.

– Pas encore.

C'est malheureux et exaspérant, mais Contreras est toujours en vie, et sans doute fera-t-il tout son possible pour gérer le cartel de sa prison. Plus vite les Américains pourront l'extrader, mieux ce sera. Néanmoins, la situation a changé depuis que Contreras est entravé. El Gordo est un incapable. Et les Zetas ? Sans Contreras, ce ne sont que des soldats de plomb : il suffit de les aligner pour les faire tomber.

Il t'a fallu des mois et des mois de patience. Embrasser le cul de Contreras, faire semblant de croire qu'il n'avait pas essayé de te tuer, faire semblant d'accepter sa mainmise sur Nuevo Laredo… tout ça pour le mettre en confiance, le temps de trouver un moyen de le renverser.

Un pot-de-vin à une diseuse de bonne aventure…

On vit dans un drôle de monde.

Ça y est, tout est prêt.

Enfin, presque.

– Pour changer de sujet : Pourquoi Keller est-il toujours en vie ? demande-t-il.

Diego et Nacho échangent un regard gêné. Finalement, Nacho dit :

– Ce n'est pas le bon moment, Adán.

– C'est *quand,* alors ? réplique Adán. Ce n'est jamais « le bon moment », on dirait.

– Pas tout de suite, répond Nacho. Alors que tu veux lancer une opération sur le Golfe. Alors qu'il va y avoir des élections présidentielles. Des élections serrées avec un très gros enjeu. On ne peut pas se mettre à dos…

– Je sais, je sais.

Adán fait un geste de la main, comme pour chasser cette concession importune.

– On sait où est Keller, dit Diego. On ne perdra pas sa trace. Tu pourras t'occuper de lui quand tu voudras.

– Après les élections, précise Nacho.

Ils bavardent encore quelques minutes, de choses et d'autres, puis Adán les abandonne pour aller dire au revoir à Eva.

Il lui fait un baisemain.

Puis il remonte dans son avion et s'envole.

Eva remporte le concours.

C'est une conférence de presse classique, se dit Keller, en regardant la télé au consulat américain de Matamoros. Vera présente Osiel Contreras au public, comme Ed Sullivan le ferait des Beatles.

Contreras joue son rôle.

Ses mains sont menottées devant lui. Il regarde le sol d'un air sombre, tandis que Vera débite son discours : « … une nouvelle victoire pour la société… pour l'ordre… une leçon donnée à tous ceux qui voudraient défier les lois de ce pays… cela se terminera toujours de cette façon… la prison ou la morgue… »

Le corps d'un des Zetas est hissé sur une civière. Deux autres ont été blessés. Malheureusement, un agent de l'AFI et un soldat sont morts en héros, pour leur pays. Leurs meurtriers seront poursuivis et punis de manière implacable.

Un journaliste insolent fait remarquer qu'une fusillade a éclaté dans la rue juste après la reddition de Contreras.

– Pablo, répond Vera en souriant au journaliste, certains des Zetas ont tenté une sortie.

– Et ils ont réussi à sortir, poursuit le dénommé Pablo. C'est exact ?

Ochoa, Quarante et Segura se sont enfuis en tirant de tous les côtés, Keller le sait grâce aux témoignages des deux Zetas blessés.

Vera foudroie du regard le journaliste et répond :

– Certains de ces criminels se sont échappés, mais ne vous inquiétez pas, nous les ramènerons devant la justice.

Vera cède la parole à Aguilar, qui bredouille une déclaration dans laquelle il exprime sa tristesse pour les victimes – ses pensées et ses prières vont à leurs familles –, et sa satisfaction de savoir qu'Osiel Contreras devra répondre de ses actes devant la justice.

Tout cela est très bien, se dit Keller, mais il ne peut se défaire du sentiment que Vera est déçu que Contreras soit toujours vivant.

Les supérieurs de Keller à la DEA, eux, ne sont pas déçus. On fait sauter les bouchons de champagne, on apporte des gâteaux, El Paso adresse des coups de téléphone de félicitations à Washington. Et à Keller aussi, à Brownsville où il a remis consciencieusement Alejandro Sosa à Tim Taylor.

Taylor lui tend le téléphone.

– Le big boss.

– Art ! Excellent travail. Inutile de dire que nous sommes tous très excités ici. Cela apprendra à ces types qu'il ne faut pas menacer nos agents. Les documents d'extradition sont déjà rédigés…

Keller marmonne des remerciements et cesse d'écouter. Taylor reprend le téléphone et Keller devine quelques courbettes verbales au bout du fil. Quand le big boss raccroche, Taylor dit :

– Tout le monde ici ne se réjouit pas d'apprendre que vous avez braconné sur le terrain de chasse d'autres agents, Art.

– Si on pense que c'est la fin du cartel du Golfe…

– Personne ne pense ça, le coupe Taylor. Mais nous avons fait un grand pas. Si on élimine suffisamment de numéros un, bientôt il n'y aura plus aucun candidat pour prendre cette place.

Si, songe Keller.

Ils se battront pour cette place, ils tueront pour l'avoir.

– Le frère de Contreras est un demeuré complètement camé à la coke, ajoute Taylor. On ne peut pas dire que ce soit l'Agence tous risques qui prenne le relais.

– Soit.

– Nom de Dieu ! Vous ne pouvez pas vous réjouir une minute, non ? C'est une belle journée et elles ne sont pas si nombreuses. Alors, souriez avec nous au moins.

– D'accord.

Taylor secoue la tête.

– Ne faites pas le malin. Vous venez de sauver votre peau, et vous le savez.

Oui, ils le savent tous les deux. Taylor n'osera plus le rappeler maintenant, pas le type qui vient de mettre Osiel Contreras hors d'état de nuire.

Keller ne dit pas ce qu'il pense.

L'arrestation de Contreras n'a pas été un véritable succès.

Mais une exécution bâclée.

2

Los Negros

Pars par la route du golfe
Dans l'aube grise,

James McMurtry, « The Gulf Road »

NUEVO LAREDO
2006

Quand Eddie Ruiz repense au passé, il aime se remémorer les vendredis soir.

Les lumières du vendredi soir, baby.

Sous le ciel de satin du Texas.

La foule qui scande son nom, les pom-pom girls qui mouillent pour lui sous leurs minijupes, la poussée d'adrénaline sucrée et acidulée quand il empalait un *quarterback* sous ses protections et enfonçait cet enfoiré dans la terre du Texas.

Lycée de Laredo.

(Juste derrière la frontière, mais à un million de kilomètres. Il y a huit ans seulement, ils étaient champions de division, une éternité.)

Eddie adorait entendre le grognement de douleur du *quarterback,* sentir l'air s'échapper de ses poumons, en même temps que le courage et la volonté. Si tu lui coupes le souffle, tu lui coupes les jambes, son bras, son jeu.

Et tu entends ton nom.

Eddie, Eddie, Ed-die.

Ça lui manque.

Le bon temps.

Les vendredis soir.

Maintenant, il est assis Chez Freddy, un endroit où ils le connaissent bien, sauf quand un inconnu entre et demande après lui, auquel cas plus personne ne le connaît.

Nuevo Laredo, se dit Eddie. « Narco Laredo », « le NL », « le 867 », appelez ça comme vous voulez.

Séparé par un pont – ou plutôt trois ponts, quatre en comptant la voie ferrée – de Laredo au Texas. Mais c'est bien le Mexique, le majeur effilé du Tamaulipas qui se dresse comme pour faire un doigt au Chihuaha.

Certains appellent ça le Bec de perroquet, mais Eddie trouve ce nom débile.

On n'est pas des pirates.

Qui a encore un perroquet ?

Quoi qu'il en soit, toute sa vie il est venu au 867. Gamin pour rendre visite à des cousins, puis adolescent après les matches du vendredi soir pour boire de la bière, se défoncer et faire la fête. Il avait perdu son pucelage avec une pute de Boy's Town (comme tout le monde, non ?), et c'était là qu'il avait emmené Teresa dans un hôtel, où elle avait (enfin) cédé à ses avances, où il avait pu (enfin) glisser la main sous cette jupe de pom-pom girl, enlever cette culotte et entrer en elle ; et il a du mal à croire qu'ils sont mariés depuis presque sept ans.

Sept ans et deux gamins.

Comment est-ce arrivé ?

Et il rentrait du 867 en voiture quand cette autre chose s'était produite.

Il avait alors dix-huit ans, il aurait dû s'offrir une dernière année de lycée agréable, mais il avait fait une embardée du mauvais côté de la route avec son pick-up et percuté de plein fouet la Honda d'un professeur de collège.

Le professeur était mort.

Eddie avait été inculpé d'homicide par négligence, mais les charges avaient été abandonnées et il avait repris l'entraînement. Peu de temps après, il avait commencé à dealer de l'herbe.

Un psy pourrait parler de « relation causale », mais ce psy aurait tort.

C'était un accident, voilà tout.

Un accident, c'est un accident, il n'y a aucune raison de culpabiliser.

Eddie, Eddie, Ed-die.

Personne ne cessait de l'acclamer quand il transperçait le *quarterback* ou pulvérisait le porteur de balle.

Eddie aime repenser à ça.

Il a fière allure aujourd'hui. Il n'a jamais supporté le look *norteño* : les bottes de cow-boy, les chapeaux, les boucles de ceinturon aussi grosses qu'un cul de bébé. Tout d'abord, vous avez l'air d'un crétin, et ensuite, autant porter un panneau pour annoncer que vous êtes un narco.

Eddie aime rester discret, clean, dans l'ombre.

Il porte des polos et des pantalons impeccables, il oblige ses hommes à s'habiller correctement eux aussi. Certains des *Norteños* ne sont pas contents, ils l'emmerdent avec ça, ils le font chier en le traitant de pédé, mais qu'ils aillent se faire foutre.

Et il reste sobre, lucide.

Pas d'alcool, pas de drogue pendant le travail.

C'est une des règles d'Eddie.

Tu veux te défoncer durant ton temps libre, c'est ton problème, mais je ne veux pas que ça devienne le mien.

Eddie ne conduit pas de SUV non plus. Avant, il possédait un Cherokee noir avec des vitres teintées, le cliché parfait, mais il a grandi. Aujourd'hui, il roule en Nissan Sentra. C'est moins voyant et ça consomme peu. Comme il le dit à ses gars : Avec une Nissan, si vous faites régulièrement la vidange, c'est increvable. Vous mourrez avant cette bagnole.

Il avait eu un pick-up aussi, forcément, au Texas.

Quand sa mère picolait, c'est-à-dire quand elle était réveillée, Eddie se rendait la nuit dans les ranches, il attrapait deux ou trois bœufs et il allait les vendre comme un voleur de bétail d'autrefois. Ensuite, avec cet argent, il se rendait au 867 derrière la frontière pour s'offrir quelques bières et des filles.

Le bon temps.

Il regarde sa montre car il ne veut pas faire attendre Chacho.

Chacho García est son fournisseur depuis des années, avant même qu'une inculpation de l'État fédéral américain n'envoie Eddie pour de bon de l'autre côté du Pont international. Plus de trois cents kilos d'herbe expédiés à Houston : la routine, sauf qu'il avait un indic dans son équipe, et il avait dû ajouter Nuevo à Laredo et traverser le fleuve, comme dirait le Boss.

Le Rio Grande, si vous êtes un *yanqui* ; le Rio Bravo, si vous le contemplez du côté mexicain.

Eddie est un résident permanent du 867 depuis… combien de temps ? Six ans maintenant, et ça s'est bien goupillé. Il est passé de l'herbe à la coke, et il en expédie dorénavant deux tonnes par mois, principalement à destination de Memphis et d'Atlanta. Ça représente beaucoup de coke et beaucoup de pognon, alors ça ne le gêne pas de devoir se fournir auprès de Chacho et de lui verser soixante mille dollars par mois de *piso*.

Quand on trafique deux tonnes de coke par mois, soixante mille dollars, c'est une bagatelle. Chacho pratique des prix bas car il a environ vingt « Los Chachos » qui lui achètent sa coke et lui versent le *piso,* si bien qu'il ramasse le fric sans jamais toucher à la drogue.

La famille García est dans la contrebande depuis l'époque du whisky, et Eddie estime que c'est l'héritage de Chacho, son dû. En outre, une grande partie du *piso* sert à soudoyer des agents des douanes afin que les camions puissent emprunter le World Trade International Bridge (« Transactions commerciales uniquement ») puis la vieille Route 35.

Au fil des ans, Chacho et Eddie sont devenus des *cuates,* des potes. C'est Chacho qui l'a accueilli chaleureusement dans le 867, alors que rien ne l'y obligeait ; c'est Chacho qui l'a emmené un peu partout, qui l'a présenté à des gens, qui a fourni à un *pocho* une protection contre la police locale.

Chacho est son meilleur ami, peut-être même son *seul* ami au Mexique.

Eddie Ruiz a vingt-six ans et il est millionnaire, nom de Dieu.

Son père voulait qu'il aille à l'université, il avait même proposé de payer ses études, ce qui constituait un gros sacrifice pour lui, mais Eddie avait répondu, en gros : « Je suis bien comme ça, papa. »

Il expédiait de l'herbe par lots de cinquante kilos, alors l'idée de s'asseoir dans une salle de classe pour suivre des cours intitulés « Comptabilité premier niveau » ou « Introduction à Shakespeare » lui semblait contre-productive.

Son père était ingénieur, il avait un boulot bien payé, une maison en banlieue et une jolie voiture, Eddie ne faisait donc pas partie de ces *cholos* qui avaient grandi dans le barrio. C'était un garçon de la classe moyenne qui avait fréquenté une bonne école et joué au foot avec d'autres *Chicanos* et des gamins blancs, il n'avait donc aucune des excuses habituelles.

Eddie n'avait pas besoin d'une excuse pour vendre de la drogue, il avait une raison.

Ça rapportait de l'argent.

« With my mind on my money and my money on my mind. »

Quatre années de fac lui auraient fait prendre du retard.

Tu veux mener la belle vie, mon gars, être une star du football au Texas. Être un beau gamin chicano aux cheveux blonds, aux yeux bleus et au sourire ravageur, tu veux te trimballer avec une Chicana belle à tomber. Tu sauras à quoi ressemble la vie vue du toit du monde.

Voilà pourquoi il a commencé à dealer, si vous voulez connaître la vérité.

Avec son mètre cinquante-cinq et ses quatre-vingt-quinze kilos, il savait qu'il ne jouerait jamais en Division 1, pas dans une école du Texas en tout cas, alors à quoi bon ? Devenir un joueur de seconde zone dans une sous-division à Ploucville, Iowa ?

Sans façon.

Vous vous habituez au penthouse, vous ne voulez pas redescendre au deuxième étage. Vous voulez conserver la jolie vue, une fois que les lumières du vendredi soir se sont éteintes. Et deux choses seulement peuvent vous permettre de rester tout là-haut…

La Division 1 ou…

Le fric.

Peut-être que l'argent ne peut pas acheter le bonheur, mais il peut le louer pendant un long moment. Aujourd'hui, Eddie a soixante mille dollars de bonheur dans sa mallette et il sort de Chez Freddy pour regagner sa Nissan et apporter ce fric à Chacho.

Mais non.

Car au moment où il sort sur le trottoir, trois types lui collent des flingues sous le nez, l'entraînent vers un Suburban noir et le poussent sur la banquette arrière. Deux des types l'encadrent, le troisième s'assoit à la place du passager et le conducteur démarre.

Eddie connaît un des deux types assis à côté de lui.

Mario Soto.

La famille Soto dirige une partie de Laredo depuis aussi longtemps que les García. Ils se sont arrangés autrefois : Los Chachos possédaient l'Est, Los Sotos, l'Ouest.

Il y en avait assez pour tout le monde et tout le monde s'entendait bien.

Eddie a souvent fait la fête avec Mario.

Le bon temps.

Aujourd'hui, Mario ne semble pas d'humeur festive.

Il a l'air remonté.

Eddie ne connaît pas l'autre type assis à l'arrière : grosse tête, cheveux longs et, sans déconner, une grenade suspendue autour du cou, comme un pendentif ! Mauvais signe.

Le conducteur est trapu, épais : on dirait un *linebacker*

Le type assis à l'avant ressemble à un rapace, avec un bec crochu et des yeux perçants. Et des cheveux épais, noir de corbeau. Une belle gueule de star de cinéma. Il se retourne vers Mario et dit :

– Vas-y, explique-lui.

– Expliquer quoi ? demande Eddie.

– Tu ne paies plus Chacho, dit Mario. Tu paies le Golfe.

– Putain, Mario ! Laredo, c'est pas le territoire du Golfe.

– Maintenant, si.

Nom de Dieu, se dit Eddie. Si Los Sotos se sont mis avec le cartel du Golfe…

– Tu es un *pocho,* hein ? dit Movie Star. Un Américain ?

– Et alors ?

– Rien de changé dans ta vie. Tu peux continuer à faire des affaires comme avant. La seule différence, c'est que tu paieras Mario au lieu de payer Chacho.

Oh, c'est la *seule* différence ? songe Eddie.

Une putain de différence !

– Ces soixante mille dollars que tu trimballes dans ta mallette, ils sont à nous, dit Movie Star. Osiel Contreras tient à te faire savoir qu'il apprécie ta loyauté en ces temps troublés et il t'assure de sa protection.

– Contre qui ?
– N'importe qui.
– Vous m'obligez à choisir…
– Personne ne te laisse le choix, le coupe Movie Star.
Mario prend la mallette et le Suburban revient se garer à côté de la voiture d'Eddie.
– Soixante mille dollars, le premier de chaque mois. Ne sois pas en retard.
Eddie est un peu secoué quand il descend.
Il a entendu des histoires, il sait qui sont ces types.
Les Zetas.

Chacho, lui, ressemble vraiment à un narco.
Avec sa chemise en soie aux motifs éclatants qui a dû coûter un bras, son pantalon blanc, ses mocassins et ses chaînes en or, c'est soit un acteur de *soap opera* soit un narco, et ce n'est pas un acteur.
Eddie s'est rendu directement au « bureau » de Chacho, au premier étage d'un entrepôt vide dans Bruno Álvarez, et le narco s'aperçoit immédiatement qu'il vient les mains vides.
– Tu as oublié quelque chose ? demande-t-il.
– J'ai pas le fric.
Eddie explique à Chacho ce qui est arrivé avec les Zetas et lui répète ce qu'ils ont dit.
– Hein ? Tu les as laissés te piquer le fric ?
– Ils avaient des flingues.
– Et pas toi ?
Si, Eddie a un flingue, dans son grenier. Il n'a jamais eu besoin d'une saloperie de flingue.
– Pas sur moi.
– Peut-être que tu devrais y penser, dit Chacho.
Il balaie du regard les six ou sept Chachos qui traînent dans la pièce pour quêter leur approbation, puis il sort son Glock.
– Tu vois ? Je suis armé, moi.

Tous les Chachos montrent leurs armes. Évidemment qu'ils sont armés, se dit Eddie. Quatre d'entre eux sont des flics de Nuevo Laredo.

– C'est *moi* que tu paies, dit Chacho.

– Pour être protégé, répond Eddie. Mais là, tu appelles ça être « protégé » ? Pas moi, Chacho.

– Je vais régler ça. Soto a peut-être peur du Golfe. Moi, non.

– Et les Zetas ?

– On est quoi, nous ? Une bande de gamins de dix ans qui jouent avec des talkies-walkies ? « À toi, Z-1. Bien reçu, Z-2. » J'ai arrêté de jouer avec mes GI Joe quand j'ai découvert ma bite.

Ses hommes s'esclaffent.

Pas Eddie.

– On raconte qu'ils font des trucs tordus à Matamoros.

Des histoires circulent sur ce qui se passe à l'hôtel Nieto et dans les planques supposées des Zetas. Des « techniques d'interrogatoire » spéciales apprises dans l'armée. Des tortures.

– Ici, c'est pas Matamoros, répond Chacho. C'est le 867. Et c'est *moi* que tu paies.

– Ceux contre qui tu es censé me protéger m'ont pris ton fric, réplique Eddie.

Chacho dit :

– Toi et moi, Eddie, on est amis. Mais les affaires, c'est les affaires.

Eddie soulève Angela de terre et la balance sur son épaule, pendant que Teresa tente de fourrer un truc dégueu à la carotte dans la bouche d'Eddie Jr. Le garçon tourne la tête et ferme la bouche, mais il sourit comme si c'était un jeu.

– Pourquoi tu n'emmènerais pas les enfants chez tes parents quelques jours ? suggère Eddie.

Teresa se retourne vers lui, la cuillère à la main. Elle sait ce que ça veut dire, elle l'a compris quand elle a épousé Eddie.

Mais que pouvait-elle faire ?

Elle l'aimait.

Ce qui ne voulait pas dire que ce n'était pas dur, parfois.

Eddie voit tout cela dans son regard, comme les gens mariés. Ce n'est pas la joie depuis quelque temps, même au lit, alors que ça avait toujours été formidable à ce niveau-là. Mais les couples traversent des phases, il le sait, comme il sait que la vie ne doit pas être facile avec une gamine de quatre ans et un mioche incontrôlable. Il est souvent absent la nuit et il dort dans la journée, et même si Teresa sait que les clubs font partie de son travail, elle se demande toujours où il est et ce qu'il fait.

C'est le métier qui veut ça, pense-t-il.

Et j'aime bien une petite chatte inconnue de temps en temps, bordel !

Teresa connaissait les termes du contrat, il fallait accepter les bons et les mauvais côtés. Elle a du fric, les virées shopping à Laredo, les vacances à Cabo.

La maison : une jolie maison, toute neuve, mais pas une de ces immenses villas tape-à-l'œil que se faisaient construire certains narcos.

Dans un quartier tranquille : médecins, avocats, hommes d'affaires.

Une bonne école au bout de la rue.

Voilà le contrat et elle le connaît. Toute sa famille le connaît. Quand elle a commencé à fréquenter Eddie, ses parents ne l'aimaient pas. Quand ils ont découvert qu'il dealait de la drogue, ils ont flippé et ont interdit à Teresa de continuer à le voir. Mais quand l'argent s'est mis à couler à flots, ils ont changé d'avis.

Maintenant, la mère de Teresa aide à blanchir le liquide.

Alors, Teresa comprend, comme elle comprend que cette suggestion d'emmener les enfants à Laredo pendant quelques jours signifie qu'il y a un problème.

– Tout va bien, dit-il quand elle ne le regarde pas, pour ne pas l'inquiéter. Juste une semaine ou deux.

– C'était juste quelques jours et voilà que c'est deux semaines.

Eddie hausse les épaules.

Qu'est-ce qu'elle veut, nom de Dieu ?

Angela hurle dans son oreille :

– Papa papa papa !

Il enfouit le nez dans son cou, ce qui la fait glousser, puis il la repose. Elle va chercher une Barbie qu'ils viennent d'acheter. Elle a quatre ans, se dit Eddie. C'est pas un peu tôt pour cette merde ?

– Quand dois-je partir ? demande Teresa.

– Tout de suite, ce serait bien.

Une fois débarrassé de Teresa et des enfants, Eddie monte dans le grenier et prend soixante mille dollars en liquide.

Il prend également son arme.

Un Glock 9 mm.

Il choisit un polo plus ample afin de cacher la crosse du pistolet. C'est moche, ça fait plouc, mais il n'a pas le choix.

Il retourne voir Chacho et lui tend l'argent.

Chacho lui adresse un grand sourire.

– Je vais te montrer un truc.

Eddie le suit dans la pièce du fond.

Le corps de Mario Soto gît sur le sol, les mains attachées dans le dos avec du ruban adhésif, les chevilles entravées, du sang s'écoule d'une blessure à sa tête. Deux autres Sotos sont appuyés contre un mur, les yeux écarquillés par la mort.

Eddie n'a jamais vu un cadavre. Sauf sur l'autoroute, un jour.

– Chacho… qu'est-ce que tu as fait ?

– Je t'ai dit que j'allais régler ça.

Il s'avère que quatre flics de Nuevo Laredo, tous des Chachos, ont arrêté la voiture de Mario à un stop et l'ont conduit à l'entrepôt.

– Ici, c'est Nuevo Laredo, mon gars, on défend notre territoire. La police est à *nous*. On peut envoyer cent hommes dans la rue.

De belles paroles, se dit Eddie. Chacho peut se le permettre : il n'a pas une femme et deux enfants.

– En quoi ça va arranger les choses ? demande-t-il.

Chacho ne comprend pas ce qui est en train de se passer.

Les Caïds reviennent.

Les big boss. *Los buchones.*

Contreras dans le Golfe, en tirant les ficelles depuis sa cellule.

Solorzano à Tijuana.

Fuentes à Juárez.

Et maintenant qu'il est libre, Barrera fonde l'Alliance – putain, on se croirait dans *Star Wars* – avec Nacho Esparza, les frères Tapia et Fuentes.

Les gros ont un gros appétit et ils vont dévorer le monde. Le cartel du Golfe veut le 867, ils ont déjà avalé Los Sotos. Si on veut survivre, on va devoir s'associer avec un de ces gros.

Mais Chacho ne le comprend pas.

– J'ai besoin de savoir dans quel camp tu es, dit-il. Tu es avec moi ou avec eux ? Tu dois choisir. (Chacho le serre dans ses bras, de toutes ses forces.) Le 867, *'mano*. Nous contre le monde.

– Le 867, répète Eddie.

Il faut qu'il paraisse détendu, comme si de rien n'était. Qui sait ? Chacho a peut-être raison. Peut-être que ça va faire reculer le cartel du Golfe.

En fait, non. Une semaine plus tard, la police de Nuevo Laredo découvre quatre barils d'essence en feu à la périphérie de la ville. Rien d'inhabituel : on trouve de vieux fûts dans tous les quartiers miséreux de la ville. Les gens y mettent le feu pour se chauffer, pour cuisiner, pour s'éclairer, ou même sans raison.

En revanche, la présence d'un corps dans chacun des barils est moins habituelle. Les quatre flics qui ont embarqué Mario Soto ont été tabassés, ligotés, mis dans ces fûts et brûlés vifs. Les policiers de Nuevo Laredo n'enquêtent pas pour découvrir qui a fait subir ça à leurs camarades. Ils le savent déjà et ils réagissent intelligemment.

Ils changent de camp.

Eddie et Chacho quittent la ville.

Monterrey niche dans une vallée dominée par le Cerro de la Silla, qu'Eddie connaît sous le nom de Saddle Mountain. Eddie est bilingue, mais il pense généralement en anglais. À l'heure actuelle, dans une langue comme dans l'autre, il est dans une merde noire.

Jusqu'au cou.

Même à Monterrey, que beaucoup de gens considèrent comme la plus « américaine » des villes du Mexique. Whirlpool est installé là, Dell et Boeing également, et un tas d'autres sociétés du style Samsung, Sony, Toyota et Nokia.

Monterrey est riche, alors que Nuevo Laredo est pauvre, et Eddie sait pourquoi : les hommes qui travaillent dans les bureaux de ces sociétés ont décidé que la marchandise qu'ils faisaient fabriquer par une main-d'œuvre bon marché à Nuevo Laredo pouvait être fabriquée par une main-d'œuvre encore meilleur marché en Chine.

Alors, Nuevo Laredo s'est tarie et a périclité, pendant que Monterrey construisait des gratte-ciel et ouvrait de nouveaux restaurants où les yuppies mexicains pouvaient se plaindre de la sauce hollandaise.

Eddie et Chacho se sont enfuis à Monterrey car ce dernier possède une planque dans la banlieue de Guadalupe et parce que, pour les narcos, c'est une ville ouverte. Personne n'y exerce une trop forte présence, pas même le cartel du Golfe, et selon un accord tacite, Monterrey est un territoire neutre, un terrain sûr. Les narcos s'y rendent pour s'asseoir sur le banc de touche quand ils en ont besoin, pour mettre leurs familles à l'abri quand ça chauffe un peu trop chez eux.

Et on peut dire que ça chauffe sur le territoire d'Eddie.

Ou ce qui *était* notre territoire, songe Eddie en entrant dans le métro. Los Sotos se sont ralliés au Golfe, à l'instar de la plupart des forces de police de la ville et de l'État. Idem pour l'armée, même si l'armée a toujours constitué une sorte de gang à elle seule.

Eddie sait qu'il ne pourra pas vivre éternellement à Monterrey. Et qu'il ne peut pas retourner au 867 – autrement que sous la forme d'une torche humaine –, à moins de trouver une solution. Saloperies de Zetas. Personne ne fait des trucs pareils. Bon d'accord, il arrive que ça dérape parfois, et que quelqu'un reçoive une balle. Mais brûler des gars vivants ?

C'est un truc de malade.

Ça dépasse largement les bornes.

Mais ça remplit un objectif, il doit le reconnaître. Et si cet objectif était d'effrayer les gens, c'est réussi.

J'ai la trouille.

Eddie descend à la station Niños Heroes et continue à pied jusqu'au stade de base-ball où les Monterrey Sultanes jouent contre son équipe des Tecolotes. Il n'est pas vraiment un fan : il regarde le base-ball seulement s'il ne peut pas choper un match des Cowboys sur le satellite.

Il achète une place au niveau de la première base et descend vers sa rangée, où il aperçoit un type costaud, avec une épaisse barbe, en train de gober des cacahouètes entre deux gorgées de bière, dans un gobelet en carton.

Ce doit être Diego Tapia.

Personne d'autre ne ressemble à ça.

Eddie et Chacho ont pris des contacts. Les Tapia font des affaires à Laredo. On doit s'associer à quelqu'un, Eddie le sait bien, et ils n'ont plus le choix. L'*alianza de sangre* est leur seule chance.

L'homme assis à côté de Tapia se lève en voyant Eddie, qui s'installe à sa place.

– J'aime bien regarder les lanceurs, dit Diego. Beaucoup de gens n'aiment pas les matches de bas de tableau, mais moi si. Tu veux une Modelo ?

Eddie n'a pas vraiment envie d'une bière, mais il ne veut pas froisser Diego Tapia, alors il hoche la tête et Diego fait un signe au type, qui va chercher une bière pour Eddie. Puis Diego demande :

– Où est Chacho ?

– J'ai pensé que ça ne serait pas très intelligent qu'on te voie avec lui, répond Eddie. Moi, personne ne sait qui je suis.

Diego le regarde comme s'il le réévaluait. Eddie connaît ce regard, c'est celui des entraîneurs de football qui le trouvaient trop petit, jusqu'à ce qu'ils le voient percuter un joueur. Ils le regardaient de la même façon ensuite.

– Tu aimes le base-ball ? s'enquiert Diego.

– Un peu.

– Tu es un *yanqui.* Je croyais que tous les *yanquis* aimaient le base-ball.

– Je suis plus football.

– Lequel ?

– Le vrai. Celui où il se passe quelque chose parfois.

Il préférerait regarder l'herbe pousser et sécher plutôt que d'endurer un match de soccer.

Le factotum de Diego dépose une bière dans la main d'Eddie.

Le lanceur des Tecolotes envoie une balle à effet et le batteur la renvoie. C'est un joli coup, mais Eddie sait, au bruit de la batte, qu'il manque de puissance, et en effet la balle va mourir dans le gant du joueur de champ.

– Tu es ici pour toi ou pour Chacho ? interroge Diego.

C'est délicat. Diego sait certainement que c'est Chacho qui a tué Mario Soto et les autres, et déclenché ce merdier. Conclusion, Chacho est à peu près aussi populaire qu'un herpès en ce moment. Mais Eddie est venu offrir sa loyauté à Diego, et s'il se montre déloyal envers Chacho…

– Pour nous deux, répond-il.

Diego enregistre la réponse.

– Et qu'est-ce que je peux faire pour vous, à votre avis ?

– On a eu quelques ennuis à Laredo.

– Vous êtes dans la merde. Vous auriez dû venir me trouver avant que le sang coule. C'est plus difficile à arranger maintenant.

Eddie remarque qu'il a laissé la porte entrouverte, cependant. « Plus difficile », ce n'est pas « impossible ». Il dit :

– Chacho et vous, vous avez toujours eu de bonnes relations. Vous avez fait transiter de la marchandise par Laredo.

– Chacho ne contrôle plus Laredo. Il ne peut pas affronter ceux du Golfe.

– Vous, vous pouvez

– Mais je ne le ferai pas, répond Diego. Pourquoi est-ce que je ferais la guerre pour payer le *piso* à Chacho plutôt qu'à Contreras ?

– On baissera le tarif.

Diego sourit.

Eddie boit sa bière car il a soudain la gorge sèche. Si Tapia le prend pour un clown, la conversation est terminée et il va se retrouver dans un fût d'essence, plein.

Au diable le base-ball, c'est l'heure du blitz.

– Si vous nous débarrassez du cartel du Golfe, dit Eddie, vous pourrez utiliser notre territoire, sans *piso.*

– Tu as des couilles. Tu viens réclamer ma protection et ensuite, tu veux me faire payer un loyer pour une propriété qui ne t'appartient pas.

Le batteur expédie un boulet de canon au *shortstop,* qui l'arrache du sol et envoie une belle balle au joueur de première base pour un *out.*

– Balle glissante, commente Diego. Il attendait le rebond. Si je vous débarrasse du Golfe, vous travaillerez pour *nous*. Vous vous occuperez de notre marchandise, vous gérerez la *plaza* et si vous voulez expédier votre came, vous *nous* verserez 8 %.

Le batteur suivant frappe le premier lancer. C'est une balle à effet qui flotte dans l'air une milliseconde de trop, et s'envole par-dessus le mur de champ gauche.

Eddie accepte la proposition.

Diego est assis devant une assiette de *cabrito,* une spécialité culinaire de Monterrey : du chevreau cuit lentement dans la braise.

Diego et Heriberto Ochoa sont dans l'arrière-salle d'un restaurant du quartier chic de Garza García, à l'extrémité sud de Monterrey, sous la Santa Catarina River. Deux policiers en civil gardent l'entrée.

– Pourquoi on est ici ? demande Ochoa.

C'est une question impolie, mais il s'impatiente. Ils ont parlé de base-ball, du temps, de cuisine, de vin, encore de base-ball, et encore de cuisine. Le moment est venu de passer aux choses sérieuses.

Diego pose sa fourchette et regarde l'homme assis devant lui.

– On ne veut pas d'ennuis avec toi, dit-il. On est prêts à oublier que Contreras a essayé de faire tuer Adán Barrera.

– Quelqu'un t'a raconté des mensonges.

– Il y a toujours quelqu'un qui me raconte des mensonges, répond Diego. Si on ne m'a pas encore menti à l'heure du déjeuner, je me sens frustré.

– C'était pas nous, ment Ochoa. Mais celui qui a fait ça te rendait service. Tu serais plus tranquille si le Petit Roi était six pieds sous terre, non ?

Là encore, Diego ne relève pas l'insulte.

– On est en affaires avec Chacho García.

– On fait quoi comme affaires dans un cimetière ? demande Ochoa.

Diego reprend sa fourchette. Il regarde son assiette et dit :

– Au bout de neuf tours de batte, si tu es en tête, le match est terminé. Tu ne continues pas à jouer après avoir gagné.

Aveu étonnant, songe Ochoa. Diego Tapia vient de reconnaître que Nuevo Laredo appartient désormais au cartel du Golfe.

– Qu'est-ce que tu trafiques avec Chacho ?

– On fait transiter de la marchandise par son ancienne *plaza,* dit Tapia. Il a les hommes, la machinerie, les agents des douanes. À quoi bon réinventer la roue ? Tout ce qu'on veut, c'est l'autorisation. Évidemment, je ne suis pas venu les mains vides. Il va sans dire qu'on te versera le traditionnel *piso.*

– Évidemment.

– Aucun problème, alors ?

– Si, on a un problème, dit Ochoa. Ce Chacho, il a tué Soto et deux de ses hommes.

– Et vous en avez tué quatre en retour.

– Mais ce n'est pas la famille de Chacho qui pleure.

– Vous avez marqué le coup. Laissez tomber maintenant.

Diego a appris cette leçon avec Adán : frapper vite, frapper fort et se contenter de la victoire. Inutile d'écraser l'adversaire dans la poussière et de se faire de nouveaux ennemis.

Ochoa a appris une autre leçon dans le Chiapas. Gagner ne suffit pas : les perdants doivent te craindre pour qu'ils ne recommencent pas. Alors, il répond :

– Si tu veux que la *plaza* de Laredo accueille ta marchandise, dis-nous où se trouve ce *malandro* de Chacho.

– Il faudrait d'abord que je le sache.

– Si tu ne le sais pas, répond Ochoa, qu'est-ce qu'on a à se dire ?

Diego a eu cette discussion avec Adán.

– Combien de temps encore on va devoir se faire entuber par le Golfe ? lui a-t-il demandé.

– Le temps qu'il faudra.

– Ce n'est pas une réponse.

– Tu en as une meilleure ?

– Je peux réunir cinquante hommes à Matamoros ce soir, a dit Diego. On commence par tuer Z-1, puis Z-2, puis Z-3…

– Non, a répondu Adán. On coopère avec eux, on leur laisse croire qu'on a peur d'eux. Je veux les voir contents d'eux, arrogants, confiants.

Diego a appris à ne pas critiquer les choix d'Adán. Depuis qu'il s'est échappé de Puente, il ne s'est pas trompé une seule fois. Alors, si Adán veut qu'il joue le jeu avec les Zetas, il le fera.

Cela lui fait mal au cœur, mais Diego indique à Ochoa où il peut trouver Chacho.

Le dimanche, c'est *carne asada.*

Carne asada et bière, mec, voilà un vrai dimanche. *Carne asada* signifie « viande », et aussi « barbecue », mais il n'y a pas vraiment de différence car l'un n'existe pas sans l'autre.

C'est une tradition, et en plus aujourd'hui ils fêtent l'accord conclu avec l'Alliance, pour lequel Eddie a beaucoup insisté.

Il s'amuse à charrier Chacho, il essaye de faire contre mauvaise fortune bon cœur, de prendre ça avec le sourire ; il lui explique qu'il recevra un chèque chaque semaine désormais, avec tous les avantages, la couverture santé, lunettes et soins dentaires inclus, congés payés, épargne retraite.

– Et peut-être une carte de membre dans un club de gym, ajoute-t-il.

– Je fais de l'exercice avec elle, répond Chacho en pointant le pouce vers Yolanda, assise sur la véranda en soutien-gorge et culotte rouges (« Quelle différence avec un maillot de bain, hein ? ») et d'après ce que peut voir Eddie – c'est-à-dire presque tout –, il ne peut pas reprocher à Chacho de faire des pompes avec elle.

Quoi qu'il en soit, il aime bien Yo.

Elle est avec Chacho depuis deux ans environ et c'est une nana très cool, très décontractée. Elle réclame très peu d'attention, ce qui constitue un plus dans leur métier. Elle ne l'emmerde pas pour savoir où il était, ce qu'il a fait, qui il s'est tapé. Teresa pourrait en prendre de la graine, songe Eddie, et il se promet de les présenter l'une à l'autre. Peut-être que Yo pourra lui apprendre également quelques trucs au plumard, histoire d'apporter un peu de nouveauté.

Chacho retourne la viande sur la grille, puis les deux hommes se lancent dans une de ces disputes typiques de la frontière tex-mex au sujet de la marinade.

– Vous autres, les basanés, vous mettez trop de citron vert, dit Eddie entre deux gorgées de *cerveza*. Putain, si je voulais un jus de fruit, je boirais du V8.

Chacho lui répond sur un ton bon enfant :

– Vous autres, les *pochos,* vous seriez pas capables de reconnaître un bon morceau de viande même s'il pendait entre vos jambes… ce qui n'est pas le cas.

– Tu veux voir ?

– J'ai pas apporté ma loupe.

Ils continuent à se chambrer et à chahuter, puis s'assoient à table pour manger. Eddie ne peut s'empêcher de reluquer en douce les seins de Yo quand elle se penche pour prendre de la sauce. Elle le remarque et se contente de sourire.

Cool, cette *chica.*

Après avoir mangé, ils retourneront à Nuevo Laredo. Eddie est impatient d'appeler Teresa pour lui dire de rappliquer. En attendant, ils mangent, nettoient la cuisine, chargent la voiture et ils s'apprêtent à partir quand un Ford Explorer noir se gare derrière eux. Un autre surgit devant en rugissant et leur barre la route. Un troisième arrive sur le côté.

Vingt hommes au moins en descendent.

Vêtus de noir.

Avec des cagoules sur la tête.

Les croquemitaines.

Ça va vite, très vite. C'est terminé avant même d'avoir commencé. Eddie n'a même pas le temps de s'emparer de son arme avant qu'ils l'arrachent de la voiture pour le balancer à bord d'un des SUV.

Où on lui enfile une cagoule sur la tête.

La pièce empeste l'essence.

Eddie, totalement nu, est attaché à une chaise en bois avec un épais ruban adhésif aux poignets et aux chevilles. Chacho est à côté de lui.

Yolanda est déjà morte.

Ils ont ligoté Chacho sur la chaise et l'ont obligé à regarder pendant qu'ils faisaient tout ce qu'ils voulaient avec elle, avant de lui tirer une balle dans la tête. Elle gît à ses pieds, son soutien-gorge et sa culotte rouges ont été jetés dans un coin de la pièce. On dirait un salon, mais à l'exception des chaises en bois, il n'y a aucun meuble.

Les murs blancs sont nus et les stores baissés.

Trois Zetas sont dans la pièce. Le type à la grenade est parmi eux, Eddie a entendu les autres l'appeler Segura. Le *linebacker* est là aussi. Ils l'appellent Cuarenta, Quarante, et il trouve ça étrange car il avait entendu dire qu'il n'y avait que trente Zetas. Il parle anglais comme s'il avait passé un certain temps au Texas.

Ochoa est adossé au mur.

C'est le nom de Movie Star : Ochoa.

« Z-1. »

Le fait qu'ils n'aient pas pris la peine de cacher leurs visages ni leurs noms fait comprendre à Eddie qu'ils vont le tuer lui aussi.

Il espère seulement que ce sera rapide.

Puis il aperçoit des T-shirts blancs qui trempent dans une bassine remplie d'essence, et Ochoa dit :

– Vous aimez la *carne asada,* les gars ? On a été obligés d'attendre là-bas pendant des heures, à renifler cette bonne odeur. Ça nous a donné faim. Alors, on va se faire une *carne asada* nous aussi.

Il adresse un signe de tête à Quarante, qui sort un des T-shirts de la bassine, l'essore, puis passe derrière Chacho et étend le T-shirt sur son dos nu. Les pieds de la chaise de Chacho cognent sur le plancher tellement il tremble. Encore plus quand Quarante sort de sa poche un Zippo, l'allume et se met à l'agiter comme s'il était au concert.

Nom de Dieu, nom de Dieu, nom de Dieu, se dit Eddie. Il a l'impression qu'il va se pisser dessus et sa jambe droite se met à s'agiter, impossible de la contrôler.

Quarante retourne derrière Chacho et lui parle à l'oreille :

– Tu as tué Soto. Maintenant, tu vas griller en enfer.

Il met le feu au T-shirt.

Qui s'embrase aussitôt.

Chacho hurle.

Sa chaise tressaute.

Segura rit aux éclats.

– On dirait une gonzesse.

Les flammes s'éteignent, le T-shirt brûlé colle à la peau à vif.

L'odeur de chair calcinée assaille les narines d'Eddie, puis ses poumons, son âme.

Ochoa se détache du mur et s'approche de Chacho pour lui soulever le menton.

– Tu trouves que ça fait mal ? Attends, tu n'as pas encore eu mal. C'est rien du tout, ça.

Passant derrière Chacho, il prend le T-shirt en lambeaux entre le pouce et l'index.

– C'est rien du tout, répète-t-il.

Et il arrache le tissu qui adhère à la peau de Chacho.

Chacho beugle.

Il souffle rapidement, comme un animal.

On dirait que les veines de son cou vont exploser et ses yeux semblent près de jaillir de leurs orbites.

– Là, tu as mal, dit Ochoa.

Quarante s'esclaffe. Il semble juger cette réaction hystérique. Segura tripote la grenade autour de son cou, à la manière d'un chapelet. Quand Chacho cesse enfin de hurler, épuisé, Quarante va chercher un autre T-shirt dans la bassine et l'étend sur son dos.

– Pitié… murmure Chacho.

– Quoi, pitié ? demande Ochoa.

– Pitié, non… arrêtez.

Ils recommencent encore trois fois. Ils mettent le feu au T-shirt, puis l'arrachent, en même temps que la peau brûlée. Quand ils arrêtent enfin, Chacho n'est plus qu'un morceau de viande, songe Eddie. Un morceau de viande trop cuit.

Carne asada.

Son dos fume.

Eddie entend alors Ochoa prononcer les paroles les plus terribles qu'il ait entendues dans son existence :

– À ton tour.

Quarante se place derrière Eddie et pose un T-shirt imbibé d'essence sur son dos. Eddie tente de se contrôler, mais en vain. Il sent l'urine couler le long de sa jambe et il voit la flaque s'élargir sur le sol.

– Il s'est pissé dessus, ricane Quarante.

Segura tripote sa grenade.

– Encore une gonzesse.

Eddie bafouille :

– Non… pitié…

Il a l'impression que sa voix vient de très loin, à travers un tube en carton ou un truc dans lequel vous vous amusiez à crier quand vous étiez gamin.

Quarante allume son briquet.

– Non ! hurle Eddie.

Quarante referme le couvercle.

– On va te laisser partir, dit Ochoa en tenant Eddie par le menton. Pour que tu puisses raconter aux gens ce qui arrive quand on manque de respect aux Zetas. Maintenant, arrête de pleurer, tapette, et habille-toi.

Ils coupent le ruban adhésif, Eddie enfile ses vêtements précipitamment et dévale l'escalier.

Il les entend rire derrière lui.

– Segura, dit Eddie à Diego, exprimant à voix haute ce qui est devenu une psalmodie interne, une prière, un mantra. Quarante, Ochoa, dit-il. Ils sont à moi. Je les tuerai moi-même, l'un après l'autre.

Diego sourit. Il aime ce jeune gars, il aime sa mentalité.

Eddie s'est précipité à Badiraguato dès que les Zetas en ont eu fini avec lui. Ils ont déposé le corps de Chacho dans la rue, vêtu uniquement des sous-vêtements de Yolanda, pour lui faire honte, pour faire honte à sa famille, en le traitant de *joto,* mort comme une fille.

Une grosse plaisanterie.

Salopards de petits farceurs.

Eddie s'est rendu à Badiraguato, au cœur du cartel de Sinaloa, pour annoncer au caïd qu'il était partant, il voulait rejoindre le cartel, il était leur homme pour faire la guerre aux Zetas et aux Contreras.

Le colosse barbu le regarde et dit :

– Pas de guerre.

Eddie n'en croit pas ses oreilles.

– Je vous ai raconté ce qu'ils ont fait ! À Monterrey, en terrain neutre normalement.

– J'ai dit : pas de guerre.

– Dans ce cas, je la ferai tout seul, rétorque Eddie et il se lève. Sans vous.

– Tu crois que tu peux faire la guerre aux Zetas avec une poignée de Chachos ? Cette fois, ils te tueront pour de bon.

C'est lui qui a demandé à Ochoa de ne pas tuer ce jeune *pocho,* de le laisser en vie pour gérer les affaires.

– Au moins, je mourrai comme un homme, réplique Eddie.

– *Réfléchis* comme un homme. Un homme a des responsabilités. Tu as une femme, tu as des enfants, tu dois t'en occuper.

– Je n'ai plus les moyens de m'occuper d'eux.

– Tu géreras Laredo pour nous, tu verseras notre *piso* à Ochoa.

– Je dois lui sucer la queue aussi ?

– À toi de voir, *m'ijo*. J'essaye juste de te dire, ne fais pas le con. Tes émotions ne doivent pas t'empêcher d'agir intelligemment. Assieds-toi.

Eddie s'assoit. Mais il dit :

– Ils ont tué mon ami. Devant moi. Ils l'ont brûlé vif.

Diego sait déjà ce qui s'est passé dans cette pièce. C'était épouvantable, écœurant, inutile. Mais c'est fait. Alors, il explique :

– Tu sais combien d'amis j'ai perdus ? Tu portes le deuil, tu vas déposer de la nourriture sur leur tombe le jour des Morts, et tu tournes la page. Je t'offre une *plaza*. Tu es un *pocho* et je t'offre une *plaza*. En échange, je te demande juste une chose…

– De bouffer de la merde.

– De prendre ton temps, dit Diego.

Tu bouffes de la merde et tu souris. Tu apportes le *piso* à Ochoa et tu souris encore. Tu es heureux et reconnaissant d'être toujours en vie et dans le business.

Entre-temps, discrètement, intelligemment, tu recrutes des hommes. Pas à Laredo, pas même dans le golfe, mais au Sinaloa, au Guerrero, à Baja. Pas des *malandros* camés à la coke, mais des policiers, des militaires, des gens sérieux.

Lentement, tranquillement, tu les installes à Laredo.

Tu bâtis une force, une armée.

– Le Golfe a les Zetas, dit Diego. Nous, on aura…

– Los Negros, dit Eddie.

Les Noirs.

Noir.

La couleur de la chair brûlée.

Cela prend des mois.

Des mois passés à recruter, à louer des planques en cachette, à faire venir des hommes et des armes à Nuevo Laredo, des mois passés à lécher le cul du cartel du Golfe, à payer des types qui avaient torturé à mort son ami, en souriant comme un chien abandonné auquel on jette des restes.

Mais tout était enfin prêt.

Adán Barrera leur donne le feu vert.

El Señor donne l'ordre, Diego le transmet à Eddie comme un cadeau, et Eddie téléphone à Ochoa.

– Vous avez une semaine pour foutre le camp de Nuevo Laredo et de Reynosa. Vous pouvez garder Matamoros pour ne pas crever de faim, mais c'est tout.

Eddie savoure le long silence hébété. Puis Ochoa demande :

– Et si on refuse ?

La réponse d'Eddie est simple.

Si vous refusez…

… on vous fait cramer.

Une semaine plus tard, Eddie se tient sur le toit d'une maison de Nuevo Laredo avec cinq hommes en uniforme de policier. Il tire des rafales de fusil-mitrailleur en l'air et braille :

– On est Los Negros, les hommes d'Adán Barrera, et il est ici… à Nuevo Laredo !

Keller ne peut s'empêcher de sourire en lisant les gros titres.

Le diable était mort.

Mais il n'est pas resté mort longtemps.

3
Los Dos Laredos

Le blues, c'est mon business
Et le business marche bien.

Todd Cerney, « The Blues
Is My Business »

NUEVO LAREDO
2006

C'est la guerre civile à Nuevo Laredo.

C'est là que se rend Keller car Adán Barrera a annoncé sa présence, il l'a clamée sur tous les toits.

Tout le monde attend l'apparition de Barrera à Nuevo Laredo. Selon une rumeur, répétée inlassablement, au point de devenir une réalité, ses hommes sont entrés dans un restaurant de la ville, ils ont confisqué tous les téléphones portables, verrouillé les portes et annoncé, poliment, que personne ne pouvait sortir. Toujours d'après cette même rumeur, Barrera est entré à son tour pour dîner dans l'arrière-salle et il est reparti, après avoir réglé toutes les additions. Les portables ont été restitués à leurs propriétaires, qui ont pu quitter le restaurant.

Keller sait que c'est du baratin, mais qu'une telle histoire passe pour être authentique en dit long. Il sait bien qu'Adán Barrera n'approchera pas de la zone de combat tant que les échanges de tirs ne seront pas terminés.

Des substituts se battent à sa place, des substituts comme Los Negros et les Tapia, et ils permettront peut-être de remonter jusqu'au chef en personne.

À l'époque, se dit Keller… à *mon* époque, les narcos réglaient leurs différends eux-mêmes, à coups de fusillades. Le frère d'Adán, Raúl, combattait au premier rang. Maintenant, ils ont des « armées ». Le cartel du Golfe a les Zetas, Tapia a Los Negros. À Juárez, Fuentes a un machin qui s'appelle La Línea. Les narcos deviennent de petits États et leurs chefs des politiciens qui envoient d'autres hommes à la guerre.

La guerre civile, en l'occurrence.

La violence entre flics.

La police municipale de Nuevo Laredo est dans la poche du Golfe et avec les Zetas, ils se battent contre l'*alianza de sangre* et les *federales* de Barrera. L'*alianza* et les *federales* ne sont pas alliés pour autant, mais lorsque Gerardo Vera a envoyé un officier de l'AFI pour rétablir l'ordre à Nuevo Laredo, des policiers à la solde du Golfe lui ont tendu une embuscade alors qu'il revenait d'une virée shopping de l'autre côté du pont, ils l'ont tué et ont blessé sa femme enceinte.

Keller a eu la courtoisie de ne pas fanfaronner au sujet de la résurrection de Barrera. De leur côté, Vera et Aguilar ont eu l'honnêteté d'admettre qu'ils s'étaient trompés : ce qu'ils considéraient comme des rumeurs concernant la création d'une *alianza de sangre* était en fait une réalité.

Tout comme la prédiction de Keller selon laquelle Barrera allait faire main basse sur Laredo.

En occupant l'espace que nous lui avons créé quand nous avons arrêté Contreras, ne peut s'empêcher de penser Keller.

À peine le boss du cartel était-il installé dans sa cellule que Barrera était passé à l'offensive, ce qui signifiait qu'il préparait son coup depuis des années, peut-être même avant son évasion de Puente Grande. Adán attendait-il patiemment la chute de Contreras ou bien avait-il joué un rôle dans cette chute, avec l'aide volontaire ou involontaire des agents de l'AFI ?

Et maintenant, voilà que le cartel du Golfe tuait un officier de l'AFI.

En représailles après l'arrestation de Contreras ou parce qu'ils considèrent l'AFI comme l'alliée de Barrera ? se demande Keller. Des reportages à la télé ont indiqué que la police de Nuevo Laredo « retournait chaque pierre » pour retrouver les tueurs.

– Ça ne devrait pas être trop difficile, a ironisé Vera. Ils n'ont qu'à regarder autour d'eux dans leur bureau.

Il était livide de colère : l'homme qu'il avait spécialement choisi a été assassiné, sa femme blessée. Il a donné une conférence de presse au cours de laquelle il a déclaré : « Il s'agit ni plus ni moins d'une attaque contre le gouvernement et le peuple mexicains. Et je vous jure que ce crime ne restera pas impuni. »

Plus tard dans la journée, des agents de l'AFI et des policiers de Nuevo Laredo ont échangé des coups de feu dans les rues.

La guerre civile.

Eddie se tient devant le restaurant Otay.

La rue est calme en ce mercredi matin à 1 h 15.

Derrière la vitre, il aperçoit les trois flics, seuls clients, assis à la même table pour partager un repas de flic de nuit. Il se tourne vers les quatre types qui l'accompagnent.

– Vous avez vu *Le Parrain* ?

Ils le regardent d'un air vide.

– Je m'en doutais.

Ce sont des Salvadoriens, membres de Mara Salvatrucha – MS-13 –, un gang davantage réputé pour sa pure cruauté que pour sa culture cinématographique. Ces gars ne connaissent sans doute même pas le papier-toilette. Ce qu'ils connaissent bien, ce sont les tatouages et surtout le meurtre. Eddie s'en est assuré avant de les recruter pour Los Negros.

– En gros, on va leur faire une Al Pacino, dit Eddie, en se parlant surtout à lui-même. Pigé ?

Non, bien sûr.

– Je suis le *palabrero*. C'est compris, ça ?

Palabrero, le mot salvadorien pour « patron ».

Ils hochent la tête.

Ils sont nerveux. Sans doute plus à l'idée d'entrer dans un restaurant que de tuer trois types. À vrai dire, Eddie est nerveux lui aussi. Il n'a jamais tué personne… pas délibérément, du moins.

Mais les flics qui se trouvent à l'intérieur ne sont pas innocents. Ce sont eux qui ont abattu l'officier de l'AFI. Nom de Dieu, tirer sur une femme enceinte ! Envolé le million et demi de dollars versé par Diego et lui pour que cet officier les protège.

Merde alors, ce type n'avait même pas pu se protéger lui-même.

L'heure de la vengeance a sonné.

– OK, allons-y.

Ils traversent la rue.

Eddie entre en premier dans le restaurant.

Les flics – un commandant, un lieutenant et un simple agent – lèvent la tête, puis reprennent leur activité sérieuse : manger.

Ne jamais s'interposer entre un flic et sa bouffe, songe Eddie.

– On ne sert plus, annonce le patron.

– On peut juste utiliser les toilettes ? demande Eddie.

Le patron montre le fond du restaurant d'un mouvement du menton. Virer ces minables lui causerait plus de soucis que de les laisser pisser.

– Merci, dit Eddie.

Il passe devant la table des flics, se retourne, sort son pistolet et explose l'arrière du crâne du commandant. Les MS-13 mitraillent le lieutenant et l'agent, puis ils ressortent tous les cinq, en laissant quarante-trois douilles sur le sol du restaurant.

Un SUV blanc s'arrête devant, ils sautent à bord et s'enfuient.

– Dans le film, dit Eddie, Pacino fait ça en sortant des toilettes, mais je me suis dit : Pourquoi se faire chier ?

Ils le regardent avec le même air vide.

– Merde, dit Eddie.

Il y a du sang sur son polo neuf.

Ochoa et Quarante sont assis dehors sous un auvent, dans un ranch situé à cinq kilomètres de l'autoroute au sud de Matamoros.

En face d'eux se trouvent le gouverneur du Tamaulipas et deux de ses collaborateurs. Dix mallettes sont posées sur la table, chacune contient un demi-million de dollars en liquide.

La guerre a dépassé le cadre de Nuevo Laredo, Ochoa le sait bien ; elle va se propager à tout l'État du Tamaulipas. En apparence, ce gros porc de Gordo Contreras dirige le cartel du Golfe, mais tant que les Sinaloans et les *federales* n'ont pas de *carnitas* dans les mains, Gordo ne leur cherchera pas de poux dans la tête.

Le gouverneur et ses sbires partent avec les mallettes.

– Fonce à Nuevo Laredo, ordonne Ochoa à Quarante. C'est toi qui commandes là-bas. Tiens la ville.

– On aurait dû tuer cet Eddie quand on en avait l'occasion, dit Quarante.

Oui, on aurait dû, se dit Ochoa. On n'a pas cramé le bon.

– Tuez-le maintenant, dit-il.

Deux jours plus tard, le corps législatif de l'État du Tamaulipas en appelle au gouvernement fédéral pour l'aider à lutter contre une « invasion » de gangsters de Mara Salvatrucha venus du Salvador. Une semaine plus tard, les cadavres de cinq membres des MS-13 sont retrouvés dans une décharge ; un mot est épinglé sur un des corps : « Adán Barrera et Diego Tapia : envoyez-nous d'autres *pendejos* comme ceux-là pour qu'on les bute – Les Zetas. »

Eddie les prend au mot.

Il se rend à Matamoros avec quatre Salvadoriens survivants, un ex-*federal* du Sinaloa et deux *sicarios* de Diego originaires du Durango.

– On va jouer dans leur moitié de terrain pendant quelque temps, dit Eddie.

Ils roulent jusqu'à un club baptisé le Wild West, l'Ouest sauvage, devant lequel est garée la Jeep métallisée de Segura, exactement comme on le leur a indiqué.

Négligence, songe Eddie. L'homme à la grenade se montre imprudent et trop sûr de lui sur son territoire.

Tant mieux.

Les deux Mexicains entrent dans le club et en ressortent peu de temps après pour indiquer que Segura se trouve bien à l'intérieur, en train de boire et de danser avec trois adolescentes. Parfait, se dit Eddie. Il est 4 h 30 et ce pervers de Segura fait la bringue avec des gamines ?

L'important, c'est qu'il soit là. Eddie a encore dans les narines l'odeur de la chair brûlée de Chacho, il revoit la terreur et l'angoisse dans ses yeux.

Il récite son mantra : Segura, Quarante, Ochoa.

Trois noms.

C'est le moment d'en rayer un.

Il ordonne aux Salvadoriens d'entrer par-derrière. Ils ne se font pas prier : ils doivent venger les leurs désormais. Et cette fois, ils n'ont pas pris des pistolets : ils ont emporté des AK et des AR-15. Pas question de manquer de puissance de feu.

Les Salvadoriens s'engagent dans l'allée, derrière le club. Deux minutes plus tard, Eddie entend des détonations et des cris. Segura jaillit par la porte de devant en canardant, suivi des filles qui titubent sur leurs talons hauts, terrorisées.

Ils montent dans la Jeep.

Eddie tire dans les pneus.

Segura met le contact et enclenche la marche avant, mais Eddie et Los Negros la jouent à la Bonnie and Clyde.

La Jeep tressaute comme un junkie en manque.

Segura hurle sous l'impact des balles.

– On dirait une gonzesse ! lui crie Eddie.

Il introduit un chargeur plein dans son AR et marche vers la Jeep.

Segura pend à moitié hors du véhicule, par la portière ouverte.

– Tu te souviens de Chacho, sale détraqué ? lui demande Eddie. Ça, c'est pour lui.

Segura saisit la grenade autour de son cou et tente de la dégoupiller, mais le tir d'Eddie lui arrache la main.

Ses doigts inertes restent crispés autour de la goupille.

Les Salvadoriens approchent de la Jeep de l'autre côté et regardent à l'arrière.

Deux des filles sont blessées, elles gémissent.

La troisième, maculée de sang, braille.

Les Salvadoriens ouvrent le feu. L'un d'eux éclate de rire.

– Hé, regardez, elles dansent !

Eddie s'oblige à regarder.

Puis il s'éloigne.

Segura, Quarante, Ochoa.

Un de moins.

Nouveau mantra : Quarante, Ochoa.

Deux soirs plus tard, les Zetas dénichent la maison d'Eddie à Nuevo Laredo et l'incendient.

Eddie ne s'y trouve pas.

Sa famille non plus. Teresa est restée dans l'autre Laredo. Elle ne reviendra pas, Eddie le sait, et c'est le bon choix.

Ce n'est pas une vie pour une famille.

Homme recherché – les Zetas ont mis sa tête à prix pour un million de dollars –, il passe d'une planque à l'autre, d'un hôtel miteux à l'autre, qu'il transforme en caserne en y installant quinze ou vingt Negros.

Enfin, le plus souvent.

Les Zetas attaquent une des maisons, dans le style opération militaire, ils capturent quinze des Negros, les balancent à bord d'un camion et s'en vont.

Eddie sait qu'ils ne reviendront pas, eux non plus.

En effet.

On les conduit dans un ranch isolé, près de la frontière, où Quarante les torture pour obtenir des informations, la principale étant l'endroit où se cache Eddie Ruiz. Après leur avoir soutiré tout ce qu'ils savent, Quarante les asperge d'essence et les fait brûler.

La réaction d'Eddie bat des records au niveau audace, même dans les annales des narcotrafiquants.

Il se paie une pleine page dans *El Norte,* le plus grand quotidien de Monterrey.

Sous la forme d'une lettre ouverte au président du Mexique, Eddie l'implore d'« intervenir pour mettre fin à l'insécurité, aux extorsions et à la terreur qui règnent dans l'État du Tamaulipas, et particulièrement dans la ville de Nuevo Laredo, à cause d'un groupe de déserteurs de l'armée qui se font appeler les Zetas ».

Un peu plus loin, on peut lire : « Franchement, mec, l'armée mexicaine, les *federales* et le ministre de la Justice n'ont pas les moyens ni les outils suffisants pour s'occuper de ces types ? Je ne suis pas un ange, mais j'assume la responsabilité de mes actes. »

Et il signe : « Cordialement, Edward Ruiz. »

Ce texte attire l'attention.

Il lui vaut le surnom de « Eddie le Dingue ».

Ce qui ne lui plaît pas vraiment.

Cela lui vaut aussi de provoquer une attention plus gênante et Diego décide qu'Eddie a peut-être besoin de se calmer un peu, alors il transfère son poste de commandement très loin, au sud-ouest, à Acapulco.

Eddie décompresse au bord de la mer, dans un appartement situé au sixième étage d'un immeuble qui donne sur le Pacifique. Deux chambres, jacuzzi, téléviseur à écran plat et PlayStation.

C'est de là qu'il dirige Los Negros car le 867 est devenu trop risqué pour lui et la nouvelle de son assassinat constituerait une victoire trop éclatante pour les Zetas, en termes de relations publiques. Résultat, Eddie va d'appartement en appartement, il joue au tennis et aux jeux vidéo et, comme dans *Call of Duty,* il mène sa guerre par télécommande interposée.

La vie à Acapulco est agréable car ce territoire appartient désormais aux Tapia. Diego possède des clubs, des bordels, des restaurants, la police, et Eddie et Diego sont comme les deux doigts de la main maintenant. Une douzaine de Negros le protègent et Diego a chargé les *federales* locaux de monter la garde également.

Cette vie est bizarre, mais plutôt chouette, si on fait abstraction de ce qu'il ne voit jamais sa femme et ses enfants, car Teresa et lui sont officiellement séparés. Séparation ou pas, Teresa et sa famille sont toujours accros à l'argent, et belle-maman continue à blanchir l'argent. Ça aussi, c'est bizarre.

Ses enfants lui manquent terriblement, mais Teresa ?

Euh…

En vérité, Eddie n'a pas assez d'une bite pour s'occuper de toutes ces chattes.

C'est un beau mec et il y a de la touriste à baiser dans tous les bars, les clubs, ou juste sur la plage. Les navires de croisière les déchargent par cargaisons entières, Eddie n'a donc aucun mal à s'envoyer en l'air. Mexicaines, Américaines, Françaises, Suédoises, Espagnoles, Anglaises… Elles viennent toutes chercher le soleil, le sable, les margaritas et la baise.

Alors, quand elles tombent sur un beau type, blond, aux yeux bleus, élégant, qui parle la langue du pays, qui les fait entrer dans les carrés VIP et n'hésite pas à claquer quelques dollars, elles craquent. Mais les jours où il n'a pas envie de se donner du mal, il se rend dans un des clubs ou un des bordels de Diego et il allonge le fric, simplement. Ces professionnelles sont incroyables. Elles peuvent vous faire faire le tour du monde en vingt minutes.

Et le fric n'est pas un problème.

Guerre ou pas, il continue à couler à flots.

Cocaïne au nord, cash au sud.

Alors, Eddie s'offre du bon temps à Acapulco.

Mais Chacho lui manque. Chacho devrait être ici avec lui pour profiter de tout ça. Car s'il y a une chose qui fait défaut à Eddie, ce sont des amis. Il a des larbins, des hommes à tout faire, il est entouré de parasites, mais il n'a pas d'amis. Et d'ailleurs, il n'en veut pas réellement, car les amis, ça se fait tuer. Il confie des missions à ses larbins : aller chercher du champagne, ramener des filles. Un jour, il tend quelques milliers de dollars à une bande de sbires et leur ordonne d'acheter tous les jeux vidéo qu'ils peuvent trouver, puis il passe une semaine seul dans son appartement à appuyer sur des boutons.

Un dimanche, Eddie se relaxe devant un match de football, en buvant quelques bières, quand un des *federales* d'Acapulco vient le voir.

– Une bière ? lui propose-t-il.

Le flic accepte et Eddie lui demande ce qui se passe. Il n'est pas venu pour regarder les Cowboys se faire remonter dans le quatrième quart-temps.

– Des mecs ont débarqué à Zihuatanejo, dit le *federal*. Des Zetas.

Zihuatanejo est une petite station balnéaire un peu plus haut sur la côte.

– Qu'est-ce qu'ils veulent ?

Comme s'il ne le savait pas.

La *plaza*.

Et moi.

– Où sont-ils ?

– Dans une planque au bord de la plage.

Bien. Sauf que cette planque n'en est pas vraiment une. Les *federales* et les flics locaux la prennent d'assaut avant l'aube et mettent le grappin sur quatre Zetas. Apparemment, un de ces types croyait pouvoir combiner l'assassinat d'Eddie et quelques jours de vacances car il est venu avec sa femme et sa belle-fille de deux ans. Bordel, se dit Eddie, je vis à Disneyworld ou quoi ? Qu'est-ce que je suis censé faire de la femme et de la gamine ?

Il les envoie dans une maison de trois étages qu'il possède près de la plage, à Acapulco. Il installe la femme et la gamine au rez-de-chaussée et enferme le mari et les trois autres Zetas au dernier étage. Eddie demande à ses hommes de découper des sacs-poubelles et de les scotcher sur le sol et les murs parce qu'ils vont faire des saletés là-haut, et les taches de sang, ça fait baisser la valeur d'un bien immobilier.

C'est alors qu'il a une de ses fameuses idées.

Si une pleine page dans le journal, c'était cool…

Il monte au dernier étage avec un Glock et une caméra Sony.

Les Zetas sont assis sur les sacs-poubelles noirs, le dos au mur, les mains attachées derrière eux avec des bracelets en plastique. Eddie trouve qu'ils ne ressemblent pas à des surhommes, à des soldats d'élite ; ils ressemblent plutôt à des petits branleurs terrorisés. Il a entendu dire que les Zetas recrutaient maintenant des civils qu'ils entraînaient dans des camps en plein désert, et il se demande si ces types-là ont seulement fait leurs classes.

Deux d'entre eux ont une trentaine d'années, les deux autres sont des mômes, à peine sortis de l'adolescence. Moustache clairsemée, T-shirts… ils font peine à voir. Il faut dire aussi qu'ils ont été sérieusement tabassés.

– Mauvaise idée, les gars, de venir ici, leur dit Eddie en installant la caméra sur son pied pour régler le cadrage.

Il fait en sorte que les quatre hommes entrent dans le champ et met la caméra en marche.

– C'est comme dans *The Real World,* pas vrai ? Vous recevez MTV, les gars ? Non ?

Si les gens croient que les Zetas sont des héros, je vais les détromper, se dit Eddie. Il cadre le type le plus à gauche et lui demande :

– Depuis quand tu es chez les Zetas ? Et qu'est-ce que tu fais ?

Le gars porte un T-shirt vert délavé qui laisse voir sa bedaine (Où donc s'est-il entraîné, au McDo ?), un short kaki et des tennis, sans chaussettes. Il lève les yeux vers Eddie, comme pour dire « Tu te fous de moi ? », mais il se met à parler.

– J'ai des contacts dans l'armée et j'informe les Zetas quand il y a des patrouilles et des opérations.

Eddie passe ensuite au deuxième type. T-shirt rouge, jean, vilaine moustache et cheveux noirs bouclés. Il sourit à Eddie, comme s'il avait deviné qu'il s'agit d'une sorte de plaisanterie et qu'en réalité ils sont tous amis ici.

– Je suis recruteur, dit-il.

– Tu recrutes qui ?

– Bah, tu sais bien, des types qui ont besoin de travailler.

– Des soldats ?

– Parfois. Parfois des flics. Ou de simples gars.

Comme nous, quoi, pense Eddie. Il glisse vers le troisième. Celui-ci ne porte qu'un short et une paire de tongs.

– Je suis un *halcón,* dit-il.

– C'est quoi, ça ?

– Tu le sais.

– Moi, je le sais, répond Eddie en jouant les animateurs télé, mais notre public ne le sait pas forcément.

– Un faucon, c'est une sorte d'éclaireur. J'observe ce qui se passe dans la rue, j'indique où on peut trouver certaines personnes.

– Et ensuite ?

– On les embarque.

– Et ensuite ?

– Le boss me dit si je dois faire *el guiso* ou pas.

– C'est quoi, *el guiso* ?

– C'est quand ils kidnappent quelqu'un et qu'ils le torturent pour obtenir des informations, sur le transport de la drogue ou du fric. Et après, ils l'emmènent dans un ranch, ou ailleurs, pour l'exécuter. Ils lui tirent une balle dans la tête, puis ils le foutent dans un baril et ils le font cramer avec de l'essence, du gas-oil, ou autre chose.

– Parlez-moi des Zetas, dit Eddie. Parlez-moi des saloperies que vous faites.

Les gars se mettent à tout raconter. Ça devient un véritable talk-show : ils évoquent les meurtres, les enlèvements, les viols. Le type au torse nu raconte qu'il a tué une femme journaliste.

– La femme de la radio ? demande Eddie.

– Oui.

– Pourquoi ?

– Elle a pris notre fric, mais elle a dit des saloperies sur nous.

– Et le journaliste à qui vous avez brisé les mains ?

– Ça, c'était Ochoa.

– Qu'est-ce qu'il avait fait, ce journaliste ?

– Il avait énervé Z-1.

Eddie s'approche du quatrième type. Il veille à ce que seul le pistolet apparaisse dans le champ de la caméra.

– Et toi, mon pote ?

Le Zeta lève les yeux vers le canon de l'arme.

Et puis merde, se dit Eddie, et il presse la détente.

Heureusement qu'il a mis des sacs plastique.

– Débarrassez-moi de ces ordures, ordonne-t-il.

Il récupère la caméra et redescend.

La fillette nage dans la piscine, avec des flotteurs.

Elle passe un bon moment.

Eddie sort et s'assoit à côté de l'épouse.

– Comment elle s'appelle ?

– Ina.

– C'est joli. Et toi ?

– Norma.

Elle est mignonne. Un huit sur dix, peut-être. Pas un huit d'Acapulco où les cotes sont gonflées, mais un huit au niveau national.

Son téléphone sonne.

– Eddie Ruiz ?

– Comment tu as eu ce numéro ?

Eddie se lève et se rend dans la cuisine.

– Tu penses que si je peux avoir ton numéro, je ne peux pas arriver jusqu'à toi ? demande Quarante.

– Ouais. Alors, tout se passe bien ?

– C'est un avertissement, dit Quarante. Ne touche pas à la famille.

Eddie regarde par la fenêtre la fillette qui nage dans la piscine et la mère qui trempe ses pieds dans l'eau.

– Je ne suis pas comme toi, répond-il. Je ne fais pas de mal aux femmes et aux enfants.

– Je dirai ça aux filles de Matamoros.

– Ce n'était pas moi.

– Non, c'étaient les blackos, hein ?

– Tu es à court de Rambos ? dit Eddie. Parce que là, tu m'as envoyé les bidasses en folie.

Quarante rit.

– Faut arrêter d'aller au cinoche, Eddie le Dingue.

– J'aime ça.

– Relâche la famille.

Eddie coupe la communication au moment où Norma et la fillette entrent dans la cuisine.

– Elle a faim ? demande-t-il. (Il se tourne vers un de ses larbins.) Qu'est-ce qu'on a ? Pour un enfant ?

– Je sais pas. Des Cheerios, peut-être. Une banane ?

– Alors, donne-lui des Cheerios et une banane. Qu'est-ce que tu attends ?

La fillette s'assoit à table et mange avec appétit. Eddie l'observe. Quand elle a fini, il glisse la main dans sa poche et tend mille pesos à Norma.

– Pour le car. Mes hommes vont vous conduire à la gare.

Elle prend l'argent.

– Et mon mari ?

– Il m'a chargé de vous dire qu'il vous aimait.

En fait, le type n'a rien dit. Eddie ne sait même pas lequel c'était, mais on s'en fout, non ? Ce mensonge réconforte un peu la femme, elle aura quelque chose à raconter à ses amies. Après son départ, Eddie fourre la cassette vidéo dans une enveloppe et l'adresse au *Dallas Morning News*. Il charge un de ses gars de l'apporter chez FedEx.

Puis il retourne à Acapulco en envisageant de se lancer dans une nouvelle carrière.

Réalisateur de films.

Son portable sonne, c'est Diego.

– Tu as la femme et la gamine de quelqu'un ?

– J'avais.

– Oh, merde.

– Non, non, c'est pas ce que tu crois, dit Eddie. Je les ai mises dans le car pour rentrer chez elles.

Diego pousse un soupir de soulagement, puis demande :

– Et les hommes ?

– Regarde la vidéo.

Santa Marta, Colombie

Cette fois, Magda s'est rendue à l'aéroport Benito Juárez pour prendre un avion à destination de la Colombie et elle est montée à bord.

Une amélioration incontestable. Quand on est lié à Nacho Esparza, via Adán, ça change tout. Techniquement parlant, c'est toujours une fugitive et elle figure sur la liste des personnes recherchées, mais elle a utilisé un autre passeport, et de toute façon personne n'a pris la peine d'y jeter un coup d'œil, alors que sa photo avait fait jadis la une de tous les journaux du pays.

Certes, elle s'est teinte en blonde, ce qui lui donne un petit air de Christina Aguilera et de Shakira, mais cela n'aurait pas suffi à tromper quiconque ne voulait pas être trompé, et c'est plus un choix esthétique de sa part qu'une envie de se déguiser.

C'était différent, rafraîchissant, et elle avait envie de savoir si les hommes réagissaient autrement quand elle était blonde.

En fait, les réactions étaient identiques : les yeux des hommes allaient des cheveux aux seins et aux jambes, puis ils effectuaient le même trajet en sens inverse.

Quoi qu'il en soit, elle a franchi tous les contrôles sans aucun problème et a pris place dans l'avion.

En première, évidemment.

Elle a accepté un mimosa et s'est calée contre le dossier bien rembourré pour attaquer sa pile de magazines – des éditions espagnoles de *Vogue, WWD* et *Cosmo* – dans lesquels étaient présentés des vêtements qu'elle pouvait s'offrir désormais.

Avec l'argent d'Adán.

Mais Magda ne veut pas de l'argent d'Adán.

Elle veut son propre argent. Comme dans cette chanson des Destiny's Child, hein ? Elle chante les paroles dans sa tête :

Les chaussures que j'ai aux pieds, je les ai achetées
Les vêtements que je porte,
Je les ai achetés.

Voilà ce qu'elle veut car, au bout du compte, les hommes, c'est comme les bas : vous avez beau en prendre soin, ils finissent par vous filer entre les mains.

Le vol était court jusqu'à l'aéroport international Simón Bolivar de Santa Marta, et en débarquant, Magda s'est vaguement souvenue d'avoir appris à l'école que Bolivar était né ou mort ici, un des deux.

Jorge l'emmenait souvent dans cette ville, la plus ancienne de Colombie, avec ses magnifiques plages de la mer des Caraïbes et ses beaux hôtels. Ils venaient pour une semaine, ou juste un week-end, et ils s'allongeaient sur le sable, ils se soûlaient légèrement dans un bar sur la plage, puis regagnaient la *cabana* pour faire l'amour. Ensuite, ils dînaient et sortaient dans un des clubs du Parque de Los Novios, où ils dansaient jusqu'à l'aube.

Jorge est stupéfait quand elle apparaît sur la terrasse du bar de l'hôtel qui domine la mer.

Il a toujours aimé déjeuner ici, Magda l'a donc trouvé sans peine. Il est toujours beau – même si ses cheveux sont un peu plus clairsemés – et élégant avec sa chemise bleu ciel glissée dans son jean blanc. Il n'a pas pris un kilo, il a le ventre plat, le teint bronzé, et ses yeux sont assortis à la couleur de sa chemise quand il ôte ses lunettes de soleil de luxe pour s'assurer que sa vue ne lui joue pas des tours.

– Magda ?

Elle se contente de sourire, elle sait qu'elle est… séduisante, disons, dans sa robe bain de soleil blanche qui met en valeur sa silhouette, coiffée d'un chapeau assorti.

– Je… je suis content que tu sois sortie, bredouille-t-il.

– De la prison dans laquelle tu m'as envoyée ? Merci infiniment.

Magda savoure l'embarras de Jorge. Elle constate avec joie qu'il a peur, lui toujours « si cool », comme s'il s'attendait à voir surgir d'une seconde à l'autre Adán Barrera et ses tueurs. Car il sait forcément, il a appris qu'elle avait établi des relations puissantes.

– Rassure-toi, je ne suis pas venue pour te tuer.

– Tu en aurais le droit.

Il sourit. Ce vieux Jorge n'a pas changé, toujours charmeur.

Mais, désormais, son charme la laisse indifférente.

Elle coucherait avec lui, s'il le fallait, mais cela ferait partie du boulot, rien de plus. Ça pourrait être divertissant avec un peu de chance, peut-être même satisfaisant sur le plan sexuel, mais plus question d'être amoureuse de cet homme. Elle a du mal à se dire qu'elle n'a pas vu combien il était pathétique.

– Mais c'est bien Adán qui m'envoie, dit-elle et elle le voit pâlir. Tu m'offres un verre ou pas ?

– Évidemment. Que veux-tu boire ?

– Tu as oublié ?

– Un gin tonic.

– Sans citron.

Il en commande deux et le cocktail le détend un peu, assez du moins pour qu'il demande :

– Que puis-je faire pour Barrera ?

– Ce serait plutôt ce qu'il peut faire pour toi.

– C'est-à-dire ?

– Il peut faire de toi un homme riche, ou mort. (Elle lui sourit.) À toi de choisir, *cariño.*

Jorge choisit l'argent.

– Bien sûr, dit-il, ce sera la quantité qu'il veut. En fonction de la qualité, je peux la lui donner pour… disons sept mille dollars le kilo.

Magda sait compter, elle sait que ce même kilo peut être revendu au Mexique autour de seize mille dollars, et vingt mille ou même vingt-quatre mille dans les villes du Nord, le long de la frontière.

– Tu ne « donnes » rien, rectifie Magda. Tu vends. Et tu vas me la vendre à six.

– Et tu diras à Barrera que c'était sept ?

– Non. Adán paiera le prix au détail pour la quantité de marchandise qu'il souhaite. Mais si moi, je veux acheter quelques kilos de plus, de mon côté, tu me feras un rabais jusqu'à six.

Jorge a un petit sourire en coin. Autrefois, ce sourire lui paraissait délicieusement sardonique, mais aujourd'hui elle le trouve dégoulinant de suffisance en l'entendant demander :

– Et pourquoi je ferais ça ?

– Parce que tu as une dette envers moi, dit Magda.

– Un autre verre ? propose Jorge. Moi, oui. Écoute, *cariña,* j'ai une dette envers toi, c'est certain, en souvenir du bon vieux temps, mais pas à ce point-là. En toute franchise, au risque de te vexer, tu n'étais pas si douée que ça au plumard.

– Je ne parle pas de sexe. Je parle des mois que j'ai passés en prison.

– Tu savais que tu courais un risque. Mais je vais te dire ce que je vais faire, car j'ai toujours de l'affection pour toi. Six et demi pour les dix premiers kilos, mais au-delà, désolé, ce sera sept.

– Et moi, je vais te dire ce que je vais faire parce que j'ai toujours de l'affection pour toi, rétorque Magda. Six pour les dix premiers kilos, et au-delà, désolée, ce sera cinq et demi.

– Ou sinon, ton petit copain Barrera envoie ses tueurs pour me liquider ?

– Non. C'est moi qui le ferai.

Elle se lève.

– Je serai au Carolina, dit-elle. Fais-moi parvenir ta réponse. Inutile de venir en personne, ça ne marchera pas.

– La prison t'a changée.

– Oh, sans blague ? Mais ne fais pas cette tête, *cariño,* tu vas gagner beaucoup d'argent avec moi.

Sur ce, elle s'éloigne, en sachant qu'il mate son cul.

Le soir, elle envisage de sortir dans un club, pour danser et peut-être trouver quelqu'un à ramener à l'hôtel, mais opte finalement pour un bon dîner dans sa chambre, un bain et une soirée de solitude.

Le message est dans son casier le lendemain matin.

Jorge est honoré d'accepter son offre.

Magda s'en réjouit car cela va la rendre riche et elle n'avait pas vraiment envie de le tuer. Toutefois, elle l'aurait fait, pour donner une leçon au prochain vendeur potentiel. Avec la prime que lui verse Adán afin d'instaurer cette relation commerciale, elle aurait fait venir des *sicarios* en Colombie pour tuer Jorge.

Quoi qu'il en soit, cette histoire va circuler et les hommes la respecteront. Elle quitte l'hôtel en fredonnant.

Les filles, c'est pas facile d'être indépendante.

Ce n'est pas facile, se dit-elle.

Mais c'est bon.

Mexico

Malgré le faible éclairage du couloir, Keller constate que sa porte a été forcée.

La lampe de la chambre est allumée et la lumière filtre sous la porte. Il dégaine son Sig Sauer et enfonce la porte.

Un homme est assis dans un fauteuil et le regarde calmement.

– *Señor* Keller ?

Celui-ci pointe son arme sur la poitrine de l'intrus.

– Qui êtes-vous et que voulez-vous ?

L'homme lève lentement une photo au format 18 x 24 montrant une jeune femme qui regarde l'objectif d'un air terrifié.

– Elle s'appelle María Moldano, elle a été kidnappée dans la rue aujourd'hui et elle sera assassinée de manière brutale si vous ne venez pas avec moi.

– Et si je viens avec vous ?

– Vous avez ma parole qu'elle sera libérée, dit l'homme. Et il ajoute : Indemne. Nous savons qui vous êtes. Alors, nous savons que vous allez accepter ce marché.

Keller baisse son arme.

Ils le font monter à l'arrière d'un Navigator, lui enfilent une cagoule sur la tête, puis l'obligent à s'allonger par terre. Keller a eu le temps d'entrevoir la plaque d'immatriculation, mais la belle affaire. Même s'il survit, ce sera pour découvrir que ces plaques ont été volées.

Les hommes sont bien entraînés, ils ne parlent pas.

Keller tente de chronométrer le trajet, mais il sait que la peur et l'adrénaline vont accélérer son horloge mentale.

Il n'essaye même pas d'engager une conversation ni de poser des questions. Qui êtes-vous ? Où m'emmenez-vous ? Que voulez-vous ? Cela ne servirait à rien, à part afficher sa faiblesse. S'ils veulent les deux millions de dollars offerts par Adán Barrera, ils les auront.

Ils roulent longtemps – deux heures selon son estimation – jusque dans la campagne. Le bruit de la circulation diminue peu à peu, puis il sent qu'ils quittent le bitume pour s'engager sur une route de gravier cahotante. Il entend des chèvres et des poulets. La voiture grimpe, le chauffeur rétrograde en première, puis ils prennent un virage serré sur la droite.

La voiture s'arrête.

Les portières s'ouvrent, des mains le saisissent et l'extirpent du véhicule.

S'ils ont l'intention de me tuer, ils vont le faire maintenant, songe-t-il. Ils vont me mettre à genoux et me tirer une balle derrière la tête. Ce n'est pas la pire des hypothèses. L'autre, c'est la torture, comme celle que décrivaient les Zetas sur la vidéo d'Eddie le Dingue.

Pas facile de rester courageux face à cela. Celui qui prétend qu'il n'a pas peur de la torture est un menteur et Keller sent ses jambes flageoler tandis qu'ils l'entraînent loin de la voiture, à l'intérieur d'un bâtiment.

Des mains l'assoient de force sur un tabouret.

Keller perçoit une odeur familière.

De l'essence.

Cet endroit empeste l'essence et autre chose…

La mort.

L'odeur est palpable et Keller songe qu'une bête doit avoir la même impression à l'abattoir : de la compassion envers ses congénères qui ont souffert et sont morts dans ce lieu.

Il tremble.

Il entend quelqu'un s'asseoir en face de lui. Un homme. Sa voix est forte, son ton calme et autoritaire.

– *Señor* Keller, je suis Heriberto Ochoa. Désolé de vous avoir fait venir ici dans ces conditions. Mais vous êtes le seul à qui on peut s'adresser et on ne savait pas si vous accepteriez de venir.

– Libérez cette fille.

– Elle est déjà dans un taxi qui la ramène chez elle, dit Ochoa. Je suis un homme de parole.

– Que voulez-vous ?

Keller se prépare à subir un interrogatoire. Les noms de ses informateurs ? L'état de l'enquête ? Le moyen d'atteindre Aguilar ou Vera ? En un éclair, il revoit le corps d'Ernie Hidalgo, les traces de torture, le visage figé dans un rictus de souffrance. Combien de temps pourrai-je tenir avant de parler ? se demande-t-il.

– On a un point commun, dit Ochoa.

– J'en doute.

– On veut l'un et l'autre la peau d'Adán Barrera. Et vous connaissez le vieux dicton : « L'ennemi de mon ennemi est mon ami. »

– Je ne suis pas votre ami.

– Vous pourriez le devenir.

– Non.

– Barrera vous tuera.

– Ou je le tuerai.

– Vous êtes exactement tel qu'on le dit. La plus rare des créatures : un flic honnête.

– Et vous vous y connaissez, réplique Keller, avec tous les flics que vous avez achetés.

– Je ne possède pas les *federales,* souligne Ochoa. C'est Barrera.

– Si vous en avez la preuve, donnez-la-moi. Je veillerai à ce qu'elle atterrisse entre de bonnes mains.

Ochoa répond par un rire.

– Ces mains sont trop occupées à rafler le fric de Barrera.

Nous avons donc un point commun, en effet, se dit Keller. Nous ne faisons confiance à personne.

– Tout ce qu'on veut, reprend Ochoa, c'est que tout le monde soit sur un pied d'égalité. Le gouvernement doit traiter les deux camps de la même manière. Si on perd, on peut l'accepter, mais on ne peut pas tolérer que le gouvernement applique la loi seulement contre nous.

– Avez-vous, oui ou non, des preuves compromettantes ?

Ochoa se lève.

– C'est vous, le super-flic. Trouvez-les. Si j'étais vous, je commencerais par les Tapia. Je regrette que vous rejetiez mon amitié. On aurait été gagnants tous les deux.

Ils le ramènent à bord du Navigator pour le long trajet de retour. Arrivés en ville, ils s'arrêtent à un pâté de maisons de l'appartement de Keller, lui ôtent sa cagoule et le laissent descendre. Il monte chez lui et s'assoit sur le lit, tremblant. Cela ne dure que quelques secondes, puis il regarde sous le lit. Le fusil est toujours là, ils ne l'ont pas pris. Le couteau non plus.

Les paroles d'Ochoa sonnaient vrai.

Les raids manqués contre Barrera, le fait qu'il semble vivre en toute tranquillité au Sinaloa, la guerre menée par Batman et Robin contre les ennemis de Barrera à Tijuana, l'arrestation d'Osiel Contreras, l'AFI et le SEIDO qui font la guerre aux flics achetés par le cartel du Golfe à Tamaulipas… Tous ces éléments étayaient la théorie selon laquelle l'Administration soutenait Barrera face aux autres cartels.

Mais quelle partie de l'Administration ?

Aguilar ?

Vera ?

Ni l'un ni l'autre ? Les deux ?

Et comment le découvrir ? Comment le prouver ?

« Commencez par les Tapia », avait dit Ochoa.

Regarde les choses en face, Keller, la traque de Barrera ne mène nulle part, et maintenant Batman et Robin se retrouvent, involontairement ou pas, enlisés dans la guerre du Golfe, et ils t'y ont entraîné avec eux.

« Commencez par les Tapia. »

Encore une fois : comment ?

Bien que la nuit ne soit pas froide, Keller ne parvient pas à se réchauffer.

Il entre dans la douche, sous une eau brûlante, pour chasser les frissons, mais aussi se débarrasser de la sensation provoquée par cet endroit où il a rencontré Ochoa. Certains lieux sont habités par l'horreur, elle s'infiltre dans les murs, elle envahit l'atmosphère, et son odeur vous suit après votre départ, comme si elle voulait entrer par les pores de votre peau, jusque dans votre sang, votre cœur.

Le mal à l'état pur.

Le mal au-delà de tout espoir de rédemption.

4

Jésus le Kid

Tu as un aller simple pour la Terre promise

Bruce Springsteen,
« The Ghost of Tom Joad »

LAREDO, TEXAS
2006

Jesús « Chuy » Barajos n'avait pas grandi dans un joli quartier de Laredo.

Il avait été élevé avec neuf frères et sœurs dans une cabane en bois posée sur des parpaings. Son père travaillait sur des chantiers, sa mère coupait les cheveux. Des gens durs à la tâche, des parents affectueux, qui étaient trop occupés à subvenir aux besoins de leurs enfants pour passer du temps avec eux.

Chuy jouait au *fútbol* dans un square de l'autre de côté de la rue et il voulait devenir un joueur professionnel ou un Navy SEAL. Avec son meilleur ami, Gabe, ils en parlaient beaucoup, surtout après le 11 Septembre. Chuy voulait se battre pour son pays, Gabe voulait apprendre à tabasser son père alcoolique et violent.

Aucun des deux n'est jamais entré dans la Navy, et encore moins chez les SEALs.

Gabe commença à traîner dans Lincoln Street avec les dealers de *mota*. Chuy s'enfuit de chez lui et fut arrêté pour possession de marijuana, ce qui n'était pas très grave.

Le pistolet, si.

Chuy tapait dans un ballon sur un terrain vague quand il aperçut un sac en papier brun dans un buisson, le long de la clôture. Il ouvrit le sac et soupesa l'arme dans sa main, lourde, argentée, superbe. Quand vous trouvez un pistolet comme ça, que voulez-vous en faire, à part tirer avec ?

Obligé.

Chuy tira un coup de feu en l'air.

Une voisine appela les flics.

Dans la « salle d'interrogatoire » du poste de police, Chuy avoua ce qu'il avait fait. Quand il réitéra ses aveux devant le tribunal, le juge l'envoya dans un centre de détention pour mineurs pendant un an, huit mois s'il se tenait bien.

« L'École des gladiateurs » fut une expérience instructive.

Les garçons plus âgés lui apprirent des choses qu'il n'avait jamais eu envie de connaître. Il était petit, maigre et faible, alors ils le prirent dans les douches, dans les toilettes, dans sa cellule la nuit. Il tenta de se défendre, il implora… et apprit que toute tentative pour se débattre était inutile, et si vous suppliiez, ça faisait de vous une gonzesse, une fiotte.

Encore plus.

Ce qu'ils lui infligèrent en fit une fiotte, en effet, et ils le lui rappelaient sans cesse, le traitant de chienne, de gonzesse, de *joto*.

Aujourd'hui, chaque fois qu'il se regarde dans un miroir, c'est ce qu'il voit. Il n'oublie pas ce qu'ils lui ont fait, ce qu'ils l'ont obligé à leur faire. Ce feu ne s'éteint pas, les braises couvent et il se souvient de chaque visage.

Une fois libéré, Chuy commença à franchir la frontière pour se rendre à Nuevo Laredo : ce n'était pas un long voyage, il suffisait de traverser le pont. Beaucoup de *pochos* le faisaient. Chuy, Gabe et une douzaine d'autres.

Il passait la majeure partie de son temps dans une boîte appelée L'Éclipse.

Il s'efforçait de danser au son du reggaetón et de rassembler son courage pour aborder les filles chicos en robes moulantes ; il regardait avec admiration les narcos, avec leurs chaînes, leurs montres, leur fric et leurs bagnoles garées devant l'entrée.

Aucun de ces narcos ne vivait dans une cabane de bois posée sur des parpaings. Aucun ne partageait une salle de bains avec onze personnes, pour un mince filet d'eau froide, des toilettes dont la chasse d'eau ne fonctionnait pas un jour sur deux, avec un père qui rentrait tard le soir et partait avant l'aube le lendemain matin, et une mère qui paraissait aussi fatiguée qu'elle l'était.

Les narcos possédaient des maisons, des appartements. Ils possédaient des voitures neuves, des filles canon et de l'argent.

Beaucoup d'argent, qu'ils jetaient par les fenêtres.

Comme si ce n'était rien.

Comme s'il ne fallait pas le gagner en coulant du béton, en creusant des tranchées et en installant des tuyaux. Ou en tenant une paire de ciseaux, à en avoir les mains tordues et ankylosées comme une sorcière d'Halloween, le dos voûté et le cou raide.

Chuy sait d'où vient cet argent.

Un petit saut de l'autre côté du pont.

Il fait ça tout le temps, et il sait qu'on peut faire le trajet à vide, bêtement, ou voyager avec le coffre plein, et c'est une raison supplémentaire – avec la musique, les lumières et les filles – de traîner à L'Éclipse, dans l'espoir d'établir un contact.

Dans l'espoir qu'un des narcos vous remarque et vous offre une chance.

C'est ce que lui a dit Gabe.

« À force de traîner là, quelqu'un va nous repérer et nous brancher sur un coup. »

Ce qui finit par arriver.

Un des narcos les plus âgés, Esteban, un gars d'une vingtaine d'années, leur confie à chacun un petit sachet de coke et leur demande de traverser le pont, puis d'aller dans telle maison pour le remettre à tel type.

Chuy le fait.

Évidemment.

C'est facile.

Il traverse le pont tranquillement. En flânant, il se rend à l'adresse indiquée et remet le sachet de *perico* au type qui vient lui ouvrir. Le type prend le sachet et tend un billet de cent dollars à Chuy.

Pourboire.

Chuy retourne à L'Éclipse et enchaîne les voyages.

Gabe et lui livrent des quantités de plus en plus importantes, et voilà qu'ils commencent à se trimballer avec du fric dans les poches.

Ce n'est pas suffisant.

– On gagne des clopinettes, se plaint Gabe. Jamais on décrochera le gros lot de cette façon.

– Comment alors ? demande Chuy.

Les Zetas, lui répond Gabe. Ils cherchent des gens. Si on se branche avec eux, c'est gagné.

– Et comment on fait pour se brancher avec eux ?

Gabe dit qu'il va faire passer le mot.

Ce qu'il fait, mais ça ne débouche sur rien.

Des mois durant, ils continuent à se rendre au 867 et à transporter de la came pour gagner des clopinettes.

– Ça mène nulle part, dit Chuy.

– Faut être patient, *'mano,* répond Gabe. Ils nous surveillent.

Finalement, Chuy traîne à L'Éclipse un jour quand Esteban, le type qui lui a confié sa première mission, vient le voir et demande :

– Tu veux toujours entrer en relation avec certaines personnes ?

Chuy sent sa gorge se serrer. Il a du mal à respirer. Il se contente de hocher la tête.

– Alors, suis-moi, dit Esteban.

Il entraîne Chuy dehors, jusqu'à un Navigator noir et lui bande les yeux. Ils roulent pendant une heure peut-être avant qu'il fasse descendre Chuy du SUV et le conduise à l'intérieur d'une maison, où il enlève le bandeau.

Chuy découvre alors un homme trapu et musclé, vêtu d'une chemise et d'un jean noirs. Il a d'épais cheveux noirs bouclés et une grosse moustache de la même couleur. Il a également un .38 dans un étui fixé à sa ceinture et il regarde Chuy avec une sorte d'ironie amusée.

– Voici le *señor* Morales, dit Esteban. Z-40.

Chuy hoche la tête.

Esteban lui balance un coup de coude.

– Dis-lui ton nom.

Chuy entend sa voix haut perchée :

– Chuy – Jesús – Barajos.

Quarante éclate de rire.

– Et tu viens d'où, Chuy Jesús Barajos ?

– Laredo.

– Un *pocho,* dit Quarante. Eh bien, Chuy, tu crois avoir ce qu'il faut pour travailler pour les Zetas ?

– Oui.

– Faudra le prouver.

Chuy regarde autour de lui. Cinq autres Zetas sont dispersés dans la pièce, tous l'observent. Et il y a un autre homme, assis sur une chaise en bois, les mains attachées dans le dos, du sang séché au coin de la bouche.

– Tu vois cet homme ? lui demande Quarante. (Il dégaine son pistolet et le dépose dans la main de Chuy.) Tu as déjà tiré avec une arme à feu ?

– Oui.

– Tu as déjà tué quelqu'un ?

Chuy fait non de la tête.

– Eh bien, tu vas le faire maintenant. Si tu veux travailler pour nous. Si tu le fais pas, *m'ijo*… tu as vu des trucs, tu comprends ?

Chuy comprend. Soit il prouve qu'il peut tuer quelqu'un, soit quelqu'un d'autre lui succédera pour faire ses preuves… avec lui.

– À mon avis, ce petit merdeux rachitique n'en est pas capable, dit Quarante en s'adressant aux autres.

Chuy partage cet avis. Tirer un coup de feu en l'air, c'est une chose, c'en est une autre de…

Esteban lui souffle à l'oreille :

– Gabe l'a fait.

Chuy lève le pistolet. Il est lourd, solide… vrai. Il le pointe sur la tête de l'homme assis, il le regarde dans les yeux et y voit la terreur ; l'homme le supplie de lui laisser la vie sauve. La détente est dure, plus dure que celle de l'arme trouvée dans le sac en papier.

– Si tu ne le fais pas, dit Quarante, tu n'es qu'un minable. Une fiotte.

Chuy tire.

Il tue l'homme.

C'est bon.

Chuy Barajos vient d'avoir onze ans.

Ce n'est pas encore un Zeta.

Gabe et lui se retrouvent à l'arrière d'une camionnette qui bringuebale sur une route de terre en pleine cambrousse, près de la petite ville de San Fernando dans le Tamaulipas. Six autres recrues tressautent avec eux ; deux ont une vingtaine d'années, les autres sont des ados.

La camionnette s'engage dans une grande vallée où Chuy découvre un ranch entouré d'une clôture coiffée de barbelés et de fils électrifiés. Le chauffeur s'arrête à l'entrée, il échange quelques mots avec un garde armé d'un AK-47, puis franchit la grille.

Esteban est là pour les accueillir.

– Dehors ! braille-t-il.

Des hommes en uniforme leur crient après, les font descendre de la camionnette sans ménagement, leur ordonnent de récupérer leurs affaires et les poussent à l'intérieur d'un long bâtiment de plain-pied où des lits de camp sont alignés contre les murs.

Chuy a déjà vu ça dans des films.

C'est une caserne, ils sont ici pour faire leurs classes.

Il passe six mois dans ce lieu.

Et il adore ça.

Car la bouffe est bonne, et copieuse. La douche doit être rapide – trente secondes –, mais l'eau est très chaude. Les dortoirs sont propres, impeccables même : les instructeurs y veillent. Tout est ordonné, et Chuy découvre qu'il aime ça.

Tout comme l'entraînement.

Ils courent, en short et tennis tout d'abord, puis avec des gros sacs sur le dos et des bottes aux pieds. Ils font de la gymnastique, ils rampent sous des fils barbelés, puis ils passent aux arts martiaux et au close-combat.

Après cela, on leur remet des armes – AK, AR-15, Glock, Uzi – avec lesquelles ils apprennent à tirer, pour de bon, pas comme une bande de gangsters mais comme des soldats. Chuy devient un excellent tireur, un des meilleurs avec son *erre,* son AR-15. Tout ce qu'il vise, il l'atteint, et il en est fier.

Ils manient les explosifs et apprennent à piéger une voiture avec un EEI, une charge de C-4 capable d'arracher une portière. Ils lancent des grenades, tirent avec des lance-grenades, s'exercent à fixer une grenade à une porte pour décapiter un intrus.

Ils apprennent la discipline, principalement grâce au *tablazo,* une fessée administrée avec une sorte de raquette en bois. Si vous ne répondez pas à un appel radio, deux fessées. Vous ne vous présentez pas au quartier général quand on vous convoque, dix fessées.

Mais, surtout, on leur inculque la culture de groupe.

La culture d'une force d'élite.

Le protocole militaire est scrupuleusement observé : grades, saluts et chaîne de commandement. Il y a d'abord les haut gradés comme Ochoa et Quarante, puis les commandants de régions et de *plazas*. Au niveau inférieur, on trouve *los licenciados,* les lieutenants. En dessous, il y a les sergents. Chacun est responsable d'une *estaca,* une cellule de cinq à sept hommes, car c'est le nombre d'hommes que l'on peut faire entrer, avec des armes, dans un véhicule.

La loyauté est exigée et la camaraderie mise en avant. L'éthique est un impératif : « aucun homme ne doit être abandonné ». Un camarade, mort ou vivant, ne doit pas rester sur le champ de bataille. S'il est blessé, il recevra le meilleur traitement possible. S'il est tué ou envoyé en prison, sa famille sera prise en charge et recevra mille dollars tous les quinze jours.

Et sa mort sera vengée.

Sans exception.

Leurs instructeurs sont des Zetas, des Israéliens, d'anciens marines des États-Unis et d'ex-membres des forces spéciales du Guatemala surnommés les Kaibiles, des individus terrifiants, qui connaissent toutes les manières de tuer avec un couteau.

Les instructeurs leur apprennent également les techniques de surveillance et de contre-surveillance, à suivre une voiture, à se débarrasser d'une filature, à placer un micro sur un téléphone ou dans une pièce, à pirater une boîte mail. Ils leur expliquent que les téléphones portables sont comme les femmes : vous vous en servez une ou deux fois, puis vous les jetez.

– On est des James Bond ! s'enthousiasme Chuy un soir en compagnie de Gabe. On est des 007 !

Certaines recrues craquent.

Elles ne supportent pas la pression physique ou n'arrivent pas à apprendre. Chuy a un peu de peine pour ces garçons car leur avenir s'annonce sombre : ils deviendront des guetteurs, au mieux, ou ils feront des petites livraisons de drogue.

Ils ne graviront pas les échelons.

Gabe et lui s'en sortent bien.

Très bien.

Ils attirent l'attention d'Esteban et de Quarante, qui dirige une section du camp au sujet de laquelle courent de nombreuses rumeurs.

Des rumeurs épouvantables sur ce qui s'y passe.

Des camionnettes bâchées effectuent des livraisons, et selon certaines recrues, ces camionnettes transportent des gens.

– C'est des conneries, dit Gabe. De toute façon, c'est pas nos oignons.

Chuy sait que si vous voulez rester au camp, il faut, entre autres, s'occuper de ses affaires. Vous ne parlez pas des choses louches que vous ne devriez pas savoir, et vous ne posez pas de questions non plus.

Vous faites ce qu'on vous dit.

Ils approchent de la soirée de remise des diplômes et Chuy ne veut pas tout gâcher en colportant des rumeurs.

Le réfectoire est décoré de lampions en papier allumés et il y a de vraies nappes blanches sur les tables. De vraies assiettes et des verres à vin.

Chuy n'a jamais fait un aussi bon repas de sa vie. Un gros steak pour lui seul, des pommes de terre sautées, des légumes, du flan et un gâteau *tres leches* pour le dessert.

Du vin.

À la fin du repas, Chuy est un peu ivre.

Et fier.

Il est affûté, en pleine forme, et il estime avoir gagné le droit d'appartenir à une confrérie de guerriers d'élite.

C'est une sensation merveilleuse.

Après le dîner, les instructeurs les conduisent jusqu'à un bâtiment situé au sommet d'un tertre, dans lequel aucun d'entre eux n'a pu pénétrer durant toute leur formation. Un par un, on les fait entrer dans une pièce au fond du bâtiment. Chuy attend, assis par terre. Les recrues ressortent et passent devant lui d'un pas vif, sans rien dire, le regard fixe.

Finalement, c'est au tour de Chuy. Esteban vient le chercher, ouvre la porte et le fait entrer.

Quarante et Heriberto Ochoa, Z-1, El Verdugo lui-même, sont là pour l'accueillir et lui annoncer ce qu'il doit faire afin d'obtenir son diplôme. Un homme est agenouillé sur le sol, les mains ligotées dans le dos. Un des Kaibiles se tient derrière lui et il tend à Chuy un couteau dentelé. Jusqu'à la fin de ses jours, chaque fois qu'il parviendra à s'endormir, Chuy revivra dans ses cauchemars ce qui s'est passé dans cette pièce.

Ce qu'il voit, c'est le visage de cet homme.

Chuy ne vit plus dans une cabane.

Plus de parpaings, plus de douche froide.

Il vit dans une maison en location de cinq pièces, au fond d'une impasse arborée, dans un quartier chic de Laredo. Chuy et Gabe ont chacun leur chambre, le salon est équipé d'un téléviseur à écran plat et d'une Xbox, le frigo déborde de provisions. Trois Mexicains vivent là avec eux, mais ils sont discrets et sortent peu.

Esteban vient les voir tous les vendredis et leur remet à chacun cinq cents dollars en liquide ; leur salaire hebdomadaire.

Pour ne rien faire.

Jusqu'à présent, depuis leur retour du camp d'entraînement, ils se sont contentés de rester assis, pour jouer à

Call of Duty et à *Madden,* d'aller au centre commercial Mall del Norte, de bouffer des cookies chez Mrs. Fields, et d'essayer, sans succès, de draguer des filles. (Pour Chuy, c'est frustrant, il ne peut pas leur dire qu'il est un homme, un tueur, un guerrier d'élite. À leurs yeux, il n'est qu'un collégien.) Le reste du temps, ils boivent de la bière, fument des joints, se branlent et dorment jusqu'à midi.

Un paradis pour ados.

Exception faite des cauchemars, c'est la belle vie.

Un vendredi, lors de sa visite hebdomadaire, Esteban leur annonce qu'il a un boulot pour eux. Un type de Laredo a une aventure avec une des femmes de Quarante.

– Ce type doit disparaître, déclare Esteban.

À vrai dire, Chuy est un peu déçu. Il croyait être un soldat, qui livrait une guerre contre l'Alliance (« C'est comme *Star Wars,* mon pote ! »), mais la première mission qu'on leur confie, c'est une histoire de *chica.*

Les ordres sont les ordres. Et cinq cents dollars par semaine, c'est cinq cents dollars par semaine. Si vous voulez vivre dans une jolie maison, il faut payer le loyer, alors Chuy et Gabe se rendent à l'adresse que leur a donnée Esteban, dans une voiture volée par les Mexicains.

– Tu conduis et moi, je flingue, dit Gabe.

– Pourquoi c'est pas l'inverse ? répond Chuy.

– C'est moi le plus âgé.

– D'un an.

– Un an et demi.

– Tu parles !

Chuy conduit. Il n'a pas le permis, mais ils partent tuer un type, alors c'est le cadet de ses soucis. Il se gare le long du trottoir, Gabe vérifie que le 9 mm est chargé et descend de voiture.

– Je reviens.

– Cool.

– Tu as intérêt à être là.

– Je serai là, mon pote. Fais ce que tu as à faire.

Chuy regarde Gabe glisser l'arme dans son dos, marcher jusqu'à la porte et sonner. La porte s'ouvre. Gabe sort le 9 mm et tire deux fois, puis il revient vers la voiture à reculons.

– On va chez Mrs. Fields ? demande-t-il.

– OK.

Ils abandonnent la voiture au centre commercial.

Mission accomplie.

Sauf que non.

Esteban vient les voir le lendemain matin, il les réveille, il est furieux. Il leur montre le journal.

– Vous avez merdé, *malandros* ! Vous n'avez pas tué le type, vous avez tué son fils !

Chuy regarde la photo dans le journal.

Le gamin avait onze ans.

– Je t'avais bien dit que j'aurais dû le faire ! lance-t-il à Gabe.

– C'est grave, dit Esteban. Quarante voulait que je vous liquide tous les deux, mais j'ai réussi à le faire changer d'avis. Vous êtes dans le collimateur, les gars. La prochaine chance sera la dernière, *comprende* ?

Ils *comprende.*

Chuy est inconsolable.

– On a eu l'occasion de faire nos preuves et on a tout gâché, dit-il à Gabe. Tu n'as pas vu que c'était un gamin ?

– La porte s'est ouverte et j'ai tiré.

– Tu étais trop défoncé, mon pote. Faut que tu lèves le pied.

Ils attendent plusieurs mois une nouvelle chance. Esteban leur dit :

– On va partir en mission tous les trois. Je peux compter sur vous pour ne pas merder ?

– Vous pouvez compter sur nous, mec, répond Chuy. À cent pour cent.

C'est important, ajoute Esteban. Cet ancien flic de Nuevo Laredo a changé de camp, il est passé du côté de l'Alliance. Maintenant, il vit à Laredo où il offre sa protection à la concurrence. Avant de pouvoir les atteindre, il faut d'abord liquider ce type.

Ce soir.

Chuy monte dans la voiture choisie pour cette mission et comprend que c'est du sérieux, en effet, car Esteban lui tend un *erre.*

– Tu sais encore t'en servir ? demande Esteban.

– Bien sûr.

– J'espère.

Gabe conduit. Ils attendent devant un club de striptease près de l'aéroport jusqu'à ce que le gars en question apparaisse, puis ils suivent sa Dodge Charger sur une route qui longe une succession d'usines et d'entrepôts. Esteban sort un gyrophare de la police, le place sur le toit et le met en marche.

– *Bad boys, bad boys,* chante Gabe, *whatcha donna do...*

– La ferme, dit Esteban.

La Charger se gare sur le bas-côté.

Chuy voit le plafonnier s'allumer, mais il ne peut pas dire si le type prend ses papiers ou un flingue. Il n'attend pas de le découvrir. Dès qu'ils s'arrêtent à sa hauteur, il baisse sa vitre, sort son AR et pulvérise le type.

À cette heure, Mrs. Fields est fermée.

Tant pis : Esteban leur donne à chacun dix mille dollars en liquide, à la place.

Chuy et Gabe jouent moins à *Call of Duty*. Quand vous avez fait ça pour de vrai, la version vidéo vous paraît… chiante.

Leur job suivant est un gros coup.

Un grand pas en avant.

– Bruno, c'est pas un personnage de dessin animé ? dit Gabe quand ils reçoivent leur mission.

– Je crois que c'est Brutus, répond Chuy.

Il regarde beaucoup Cartoon Network.

Bruno Resendez n'a rien d'un personnage de dessin animé. C'est un gros dealer de marijuana installé à Rio Bravo, au Texas, juste à la frontière, et affilié à l'Alliance. À tel point qu'il montre du doigt les Zetas du côté mexicain pour les faire liquider. Esteban estime que Bruno est responsable d'une douzaine de morts.

Quarante veut sa peau.

– Si vous éliminez Bruno, leur dit-il, vous êtes riches.

Pendant une semaine, ils mènent des recherches en ville, sans se faire remarquer car sur les cinq mille habitants, grosso modo, que compte Rio Bravo, quatre mille neuf cent quatre-vingt-dix-huit environ sont hispaniques.

Bruno se promène dans cette ville comme si elle lui appartenait.

Et c'est peut-être le cas, se dit Chuy.

Bruno circule sur la Route 83, dans les deux sens, au volant de son pick-up Ford noir, coiffé d'un chapeau de cow-boy en paille, avec son neveu sur le siège passager. Pas de garde du corps, pas d'escorte : il doit se sentir en sécurité de ce côté-ci de la frontière.

Il effectue ses tournées en suivant toujours la même routine. Il attend dans le pick-up pendant que le neveu descend pour aller récupérer l'argent. Chuy lui donne quinze ou seize ans. Voilà un chouette boulot, se dit-il, se balader en bagnole avec son *tío* pour ramasser du fric.

– Comment tu veux qu'on fasse ? lui demande Gabe.

– Je sais pas. Sur la route ?

– Et le neveu ? Ils nous ont rien dit sur lui.

– On s'en branle, du neveu, dit Chuy.

Ils passent à l'action sur la 83.

Mais Bruno ne veut pas se laisser rattraper. Il a dû repérer le danger dans son rétroviseur car il pousse le pick-up jusqu'à cent trente, puis cent cinquante. Gabe roule au moins à cent soixante avec l'Escalade quand il déboîte pour se porter à la hauteur du Ford de Bruno.

Chuy rit comme un cinglé en vidant le chargeur du AR. Il entend le neveu pousser des hurlements de fillette. Il voit Bruno s'écrouler sur le volant, le chapeau de cow-boy écrasé contre le visage.

Le pick-up fait une embardée et se retourne.

Après un double tonneau, il finit dans le fossé.

Gabe ralentit.

– Tu crois qu'ils sont morts ?

– Faut vérifier.

Gabe exécute un demi-tour et ils reviennent sur leurs pas. Ils descendent de l'Escalade et marchent jusqu'au fossé où gît le pick-up, sur le toit.

Bruno est mort, sans le moindre doute.

La moitié de la tête est écrasée, le reste a disparu.

Le neveu gémit. Prisonnier sur le siège du passager, il est bon pour le désincarcérateur et il a l'air mal en point. Il lève les yeux vers Chuy et murmure :

– Par pitié…

– C'est un service que je te rends.

Même si le gamin s'en sort, il ne sera plus bon à rien.

Chuy lui tire une balle dans la tête.

Quand ils rentrent à Laredo, Esteban leur donne cent cinquante mille dollars.

Et Chuy gagne un *aporto*.

On l'appelle Jésus le Kid.

La Tuna, Sinaloa

La réaction d'Adán quand Magda lui annonce qu'elle a rencontré Jorge est typiquement masculine :

– Tu as couché avec lui ?

– Tu as besoin d'établir cette filière de coke ? demande Magda.

– Oui.

– Alors, j'ai couché avec lui. Ou pas. En fonction de ce qui t'excite le plus.

Elle aime encore l'allumer, peut-être même davantage depuis que ce n'est plus une obligation. Ce n'est plus une question de survie, c'est un choix, et la distinction est importante. Qu'elle ait couché ou pas avec Jorge, ou avec n'importe qui d'autre, ne regarde pas Adán ; c'est pourquoi elle laisse planer le doute.

Qu'il se ronge les sangs.

D'autant qu'elle a entendu parler de son numéro de séducteur avec la fille de Nacho, la petite vierge. Ce n'est pas surprenant, mais un peu décevant : Adán dans le rôle stéréotypé du *señor* du Sinaloa qui cueille une rose dans le jardin des concours de beauté. Toutefois, il ne l'a pas encore cueillie, à en croire les rumeurs. Adán, le parfait gentleman, jusqu'au bout.

Magda a choisi une robe noire basique pour ces retrouvailles, agrémentée d'un collier de diamants qu'elle s'est offert. Il ne fait pas qu'attirer le regard sur son décolleté, il lance un message : Je me suis acheté ce collier, Adán chéri, avec mon argent. Je n'ai plus besoin que tu me couvres de bijoux.

Ou d'une couverture.

Magda a touché un bonus de vingt kilos de cocaïne pour avoir installé la filière colombienne. Évidemment, Adán sait qu'elle a déjà vendu ces vingt kilos et utilisé l'argent pour acheter à Jorge une autre quantité de coke, au rabais, grâce à laquelle elle va multiplier ses bénéfices. Rien ne se passe au Sinaloa sans qu'Adán Barrera en soit informé. Néanmoins, pour un comptable, les chiffres ce sont les chiffres : une petite aide visuelle ne peut pas faire de mal.

– Tu aimes ce que tu as devant les yeux ? demande Magda.

– J'ai toujours aimé ça, répond Adán.

– Je parlais du collier.

– Je sais.

Il comprend : Magda proclame son indépendance. Et c'est une bonne chose, étant donné qu'il va probablement devoir se séparer d'elle. Elle a sans doute entendu parler d'Eva, et sa fierté la poussera à partir avant d'être chassée.

– Il est superbe.

– Tu aimerais me l'enlever ?

– Non, répond Adán en sentant sa gorge se serrer.

Elle n'a plus besoin de lui et cela la rend follement désirable.

– Juste la robe. S'il te plaît.

– Oh. « S'il te plaît. » Dans ce cas…

La robe coule sur son corps comme de l'eau. Les diamants s'enfoncent dans la poitrine d'Adán pendant qu'il lui fait l'amour.

Chuy possède environ cent vingt mille dollars en banque (enfin, pas vraiment à la banque car il n'a pas encore l'âge d'ouvrir un compte), mais que peut faire un garçon de onze ans avec cent vingt mille dollars ?

Il ne peut pas acheter une maison.

Il ne peut pas acheter une voiture.

Il ne peut pas acheter un billet pour voir un film interdit aux moins de dix-huit ans.

Il peut acheter des fringues, des Air Jordan, des jeux vidéo. Il peut acheter une femme, ou en louer une du moins. Avec Gabe, ils franchissent le pont, traversent le poste de contrôle et pénètrent dans la Calle Cleopatra de Boy's Town, où Esteban les conduit dans un bordel. Pas un endroit qui vous expédie aussitôt à la pharmacie en sortant, mais une vraie maison close où les femmes sont belles et connaissent leur métier.

Et c'est tant mieux, car Chuy n'y connaît rien.

Le lendemain matin, il revient sur la question de la voiture.

– Tu veux une bagnole ? dit Esteban. Pas de problème.

Retour à l'autre Laredo. Esteban emmène Chuy chez un concessionnaire et sort le fric du gamin pour acheter une Mustang décapotable neuve. Noire. Elle est enregistrée au nom d'Esteban, mais c'est la voiture de Chuy, et Esteban lui tend les clés.

Ça roule pour Chuy.

Il a du fric, des fringues, une caisse toute neuve. Et des rêves qui vous crameraient l'intérieur des paupières. En parlant de ça, Gabe a fait une chose vraiment étrange : il rentre un soir avec des yeux tatoués sur les paupières.

– Quand je ferme les yeux, explique-t-il en effectuant une démonstration, on dirait qu'ils sont encore ouverts.

C'est surtout flippant, songe Chuy. D'autant que Gabe a les yeux marron, et les tatouages sont bleus !

Par la suite, ça devient encore plus flippant.

Gabe est envoyé de l'autre côté du fleuve pour « un travail ». Il appelle un soir, il a l'air complètement parti, défoncé à mort, et il raconte un truc dément, comme quoi il aurait enlevé ce gamin qu'ils connaissaient, Poncho, qui dealait pour l'Alliance, et sa petite amie.

Gabe est en plein délire au téléphone :

– Tu aurais dû voir Poncho, mec ! Il chialait comme une tapette. « Non ! Je suis ton ami ! Je suis ton ami ! » Et moi, j'étais genre : « Quel ami, espèce d'enfoiré ? Ferme ta sale gueule ! » Et là, vlan ! je l'ai tailladé, mec. J'ai pris cette putain de bouteille de bière et je lui ai ouvert le bide ! Ah, t'aurais dû être là, mon pote, t'aurais dû voir ça. Il pissait le sang. Et moi, j'ai pris un gobelet en plastoc, je l'ai mis sous son ventre pour qu'il se remplisse de sang, et je l'ai bu, mec ! Devant lui. J'ai bu et j'ai levé mon verre à la santé de Santisima Muerte. Et après, j'ai fait la même chose avec la fille.

– Alors, ils sont morts tous les deux ? demande Chuy.

– Ouais, saignés comme des poulets. Ils sont morts de chez mort, mec.

– Tu les as fait cuire ?

– Évidemment. Là-bas, dans la baraque. (Un baril de deux cents litres et de l'essence.) C'est plus que de la soupe, mec.

Chuy raccroche et reprend sa partie de *Grand Theft Auto*. Il ne savait pas que Gabe était branché sur ce truc zarbi de Santisima Muerte. Chuy, lui, est catholique. Il croit au Père, au Fils et au Saint-Esprit.

Eddie se détend en buvant un cocktail au Punta Bar d'Acapulco, au bord de la plage, tout en reluquant la *tourista* qui semble être danoise, suédoise ou norvégienne ; en tout cas, c'est une Scandinave qui mérite un dix.

Cheveux blonds.

Beaux nichons.

Un cul musclé par le yoga.

Eddie sait qu'il a la classe : polo couleur prune tout neuf, jean blanc, Huarache aux pieds. Dommage qu'il soit obligé de porter des polos trop grands désormais, pour cacher le Glock, mais à la guerre comme à la guerre.

La fille boit un mojito, évidemment, et Eddie demande au barman de lui en préparer un autre. Elle se tourne vers Eddie et lève son verre en signe de remerciement. Eddie lui rend son sourire.

Il va se la taper ce soir.

C'est alors qu'une explosion se produit.

Chuy y va fort.

Très fort.

OK, *trop* fort.

Il connaît la réputation de Ruiz. Il a vu sa vidéo et il n'a pas envie de tenir la vedette dans son prochain film. Il sait aussi que le Punta Bar est un des repaires des Tapia et que Ruiz aura des hommes à lui sur place.

Chuy a reçu ordre de se rendre à Acapulco pour éliminer ce type, cet Eddie Ruiz.

Parce que merde alors !

Pourquoi pas, hein ?

Ruiz fait attention aux *sicarios,* aux Zetas. Il ne se méfiera pas d'un gamin de onze ans. Et puis, c'est une sacrée occasion. Si Bruno Resendez valait cent cinquante mille dollars, Eddie Ruiz, ennemi public *número uno*, doit valoir… combien ? Un demi-million ? Un million ? Plus ? Et si Esteban a pu lui acheter une voiture, il pourrait également lui acheter une maison. Deux maisons : une pour lui et une autre pour sa *Mami* et son *Papi.*

C'est le fantasme de Chuy : s'arrêter devant son ancienne cabane, au volant de sa caisse, entrer et annoncer : « Plus besoin de creuser des tranchées, Papi. Plus besoin de couper les cheveux, Mami… » Là, il leur tend les clés de leur nouvelle maison, de l'autre côté de Laredo. Une maison de neuf pièces : une chambre pour chacun et une domestique guatémaltèque pour l'entretenir.

S'il liquide Eddie Ruiz, Quarante et Ochoa organiseront une fête en son honneur, ils lui donneront de la coke, ils le nommeront officier, ils lui confieront sa propre *plaza*. Il donnera des ordres à Gabe, et même à Esteban, putain. Les gens le traiteront avec respect, en le voyant passer ils murmureront : « C'est le gars qui a buté Eddie Ruiz. C'est Chuy Barajos, Jésus le Kid, le *macho* qui est entré seul au Punta Bar et qui… »

Chuy pousse la porte et lance une grenade à l'intérieur.

Puis il épaule l'*erre* et ouvre le feu.

Eddie saute sur Ilsa, la projette au sol et se couche sur elle.

Il sort son Glock de sa ceinture et lève les yeux.

Ce n'est pas beau à voir. Des gens tiennent à deux mains leurs visages ensanglantés, hérissés d'éclats de verre. Un de ses larbins regarde fixement son bras gauche arraché. Derrière le bar, des bouteilles se brisent et le miroir tombe. Les balles ricochent, des gens s'effondrent, des femmes hurlent, même les hommes hurlent…

Enfoirés de Zetas, se dit Eddie. Cet endroit est bourré de civils. Ce n'est pas une façon de faire. Il cherche les tireurs, mais il n'en voit qu'un : un petit gars filiforme planté sur le seuil, qui canarde dans tous les sens comme s'il était dans un jeu vidéo.

Il n'y a pas de *replay,* connard.

Il pointe son Glock sur la poitrine du tireur.

Celui-ci le voit, déplace le canon de son arme et tire.

Chuy lâche l'AR et s'enfuit.

Il court comme seul peut courir un gamin effrayé, rapide et léger, à travers les rues. Il n'ose pas se retourner pour voir s'il est suivi.

Il se dit : Tu dois rester en vie pour dépenser le fric. Tu dois rester en vie pour acheter une maison à ta mère et à ton père. Mais les Zetas veilleront sur eux, c'était la promesse, le serment. Si un soldat tombe au combat, sa famille sera prise en charge. Ochoa le lui a dit en personne, le soir de la remise des diplômes, avant…

Chuy court à perdre haleine.

Il s'arrête et se retourne.

Il entend les sirènes, il voit les ambulances qui foncent dans la direction opposée, vers le Punta Bar.

Une heure plus tard, il est dans le car qui remonte la côte vers le port de Lázaro Cárdenas, le pays des Zetas, il va chercher sa récompense pour le meurtre d'Eddie Ruiz.

Quatre morts, vingt-cinq blessés.

Un vrai carnage.

Il faut trois heures à Eddie pour joindre Quarante au téléphone, et quand il y parvient enfin, il demande :

– C'est quoi, ce bordel ? Tu es tellement à court d'hommes que tu engages des nains maintenant ?

– Qu'est-ce que tu racontes ?

– Le pygmée que tu m'as envoyé ! Il était encore plus petit que ta queue. Joli travail, soit dit en passant. Il a flingué une douzaine de civils et l'un d'eux est mort. Balancer une grenade dans un lieu public ? C'est ça, les nouvelles règles ?

Quarante raccroche.

Eddie se tourne vers Ilsa, assise sur son lit.

La partie de jambes en l'air était sensationnelle. Sûrement la confrontation avec la mort, se dit-il.

– Une nuit de dingue, hein ? dit-il.

Chuy se rend à la planque dont ils lui ont donné l'adresse.

Gabe et Esteban l'attendent ; Chuy leur sourit.

– Quarante veut te voir, dit Esteban.

Chuy continue à sourire. Évidemment que Quarante veut le voir. Quand il entre dans la pièce, Quarante se lève et le gifle, avec une telle violence que Chuy a l'impression qu'il va s'évanouir. Malgré sa tête qui tourne, il dit :

– Mais j'ai tué Ruiz.

– Non, dit Quarante. Tu l'as manqué.

– J'ai vu…

Quarante le gifle de nouveau.

– Une grenade ? Tu as lancé une grenade dans un bar rempli de touristes et tu as ouvert le feu ? Tu es débile ou quoi ? Tu es cinglé ?

– Désolé.

– Que ça fasse mal, ordonne Quarante d'un ton cassant.

Gabe et Esteban se saisissent de Chuy et le traînent dans l'escalier, jusqu'à l'étage. Là, ils le déshabillent, lui attachent les poignets avec une corde et passent cette corde dans une poulie, puis ils le soulèvent jusqu'à ce que ses orteils touchent à peine le plancher. Après quoi, ils attachent l'autre extrémité de la corde à un anneau fixé dans le sol.

Esteban tend à Gabe une large lanière de cuir. Gabe vient derrière Chuy et lui glisse :

– Désolé, mon pote.

Il boit une gorgée de Coca, le bon Coca mexicain, en bouteille, plein de sucre, et puis, avec la lanière de cuir, il s'attaque au dos de Chuy, à son cul, ses cuisses. Il boit une autre gorgée de Coca, repose la bouteille par terre, et recommence à fouetter son camarade.

Chuy essaye de ne pas crier, mais sa détermination ne résiste pas au troisième coup de lanière.

Ça fait mal, très mal.

Il hurle, se contorsionne, pleure.

Supplie.

Comme la petite fiotte qu'il est.

Finalement, Esteban dit :

– Assez.

Il ramasse une planche et la montre à Chuy.

– Tu sais ce que je vais faire ?

Chuy le sait.

La *paleta* est une spécialité des Zetas qu'on lui a enseignée au camp d'entraînement.

Vous prenez un morceau de bois, avec lequel vous frappez quelqu'un dans les reins. Lentement, en rythme, encore et encore. Le supplicié a envie de mourir. Parfois, ils arrêtent avant et le type reste estropié toute sa vie, à peine capable de marcher, hurlant de douleur chaque fois qu'il pisse.

Chuy a vu des gars à qui c'était arrivé et il s'est moqué d'eux.

Esteban vient se placer derrière lui.

Chuy éclate en sanglots.

– Petite fiotte, dit Esteban. Tu n'es rien d'autre qu'une petite fiotte.

– Une fiotte, répète Gabe. Une tapette.

– Penses-y, dit Esteban. Pense à ce qui va t'arriver, *perrita.*

Il détache la corde et Chuy s'écroule sur le sol

– Quarante veut le faire lui-même, annonce Esteban.

Chuy est couché sur le sol en position fœtale.

Son sang colle aux lattes du plancher.

Gabe est assis par terre, adossé au mur.

– Je suis désolé, vieux.

Chuy ne répond pas.

– Tu ne sais pas, dit Gabe. Tu ne sais pas ce qu'ils t'obligent à faire. Au ranch. L'un après l'autre. L'un après l'autre. Comme une machine, mon pote. Après, on les brûle. On les met dans des barils et on les brûle.

Chuy ne veut pas écouter, il ne veut pas avoir pitié de Gabe. Qu'il aille se faire foutre, ce n'est pas lui qu'ils vont tabasser à mort. Il ferme les yeux et ne les ouvre que quand Gabe se tait enfin.

Il regarde les yeux de son camarade.

Ses yeux bleus.

Qui le regardent sans le voir.

Chuy rampe sur le sol comme un serpent. Il prend la bouteille de Coca de Gabe et la brise contre le mur. Le bruit réveille Gabe, mais Chuy est déjà sur lui et il lui ouvre la gorge d'un coup de tesson.

Gabe tente de contenir le sang, mais celui-ci gicle de la carotide.

Il essaye de hurler, mais il a la gorge tranchée.

Nu, les poignets toujours ligotés devant lui, Chuy saute par la fenêtre.

Morelia, Michoacán

Deux semaines plus tard, une pute découvre Chuy endormi dans une benne à ordures, au fond d'une ruelle, derrière la rue où elle travaille.

Flor est une jeune Guatémaltèque. Elle est venue du Petén quand les Kaibiles ont obligé sa famille à quitter leurs terres. Ils ont pris un train jusqu'au Mexique, avec l'espoir d'entrer aux États-Unis, mais quelque part à Quintana Roo, la police a arrêté le train et les a forcés à descendre.

Son père et ses frères ont été emmenés, elle ne sait pas où.

Des hommes l'ont emmenée elle aussi, dans la ville de Morelia, où ils lui ont dit qu'elle trouverait un bon poste de serveuse, elle gagnerait de l'argent qu'elle pourrait envoyer à sa famille. Elle a travaillé dans un restaurant, elle faisait la vaisselle et lavait par terre, mais ces hommes lui ont expliqué qu'elle devait leur donner l'argent qu'elle gagnait pour payer le loyer de la pièce où elle vivait, au-dessus du restaurant, avec douze autres filles.

Ce sont elles qui lui ont appris la vérité.

Elle a appris que ces hommes, les « Zetas », allaient la mettre dans la rue pour qu'elle fasse l'amour avec des hommes qui la paieraient.

Au début, elle ne les a pas crues, puis elle a appris à y croire.

L'un après l'autre, les hommes lui ont appris à y croire.

Sur les sièges des voitures, ils lui ont appris à y croire. Dans des chambres miteuses et sales, ils lui ont appris à y croire. Arc-boutée sur des poubelles dans des ruelles, ils lui ont appris à y croire.

Aujourd'hui, vêtue d'une tenue qui lui fait honte, dans la lumière des lampadaires, Flor apostrophe les conducteurs, avec des mots qui lui font honte, elle les supplie de faire des choses qui lui font honte, pour de l'argent qui lui fait honte.

Elle n'en envoie pas à sa famille. Ces hommes lui ont dit qu'ils l'aideraient à retrouver les siens, mais ils ne l'ont jamais fait.

L'argent qu'elle gagne avec sa honte paie le loyer, la nourriture, les vêtements, le maquillage, les médecins et les médicaments ; il rembourse le train qu'elle a pris. Il sert à payer les « intérêts » de la dette qui grossit de jour en jour, quelle que soit la quantité de honte qu'elle gagne chaque nuit.

Cet argent a servi à acheter de la drogue également.

Elle a commencé à s'injecter de l'héroïne, qui chassait sa honte comme un nuage moelleux et apaisant, chargé de pluie, qui lui faisait revoir en rêve sa belle maison dans le Petén, ses parents, ses frères. Ses rêves chimiques étaient verts, doux et beaux comme sa maison.

Mais l'héroïne, c'est cher.

Les hommes lui en fournissaient, et ils l'ajoutaient à sa « note », et plus elle s'enfonçait dans la dépendance, plus elle s'enfonçait dans les dettes, jusqu'à ce que les hommes l'obligent à travailler tout le temps, et à se faire honte dix, douze, quatorze fois par nuit.

Mais elle n'éprouvait plus de honte.

Elle n'éprouvait plus rien.

C'est alors que Flor a trouvé le Seigneur.

Pas le dieu catholique de son enfance, mais un Seigneur aimant.

Jéhovah.

Un soir, un homme l'a achetée dans la rue, il l'a conduite dans une pièce mal éclairée et sale, mais au lieu de la prendre, il lui a demandé : « Mon enfant, ma sœur, connais-tu le Seigneur ? »

Il lui a lu des passages de la Bible, puis il lui a donné un livre, écrit par le chef, un nommé Nazario. Il est revenu la voir chaque soir, pendant que les hommes ne regardaient pas, pendant que les autres filles ne regardaient pas, et il lui a expliqué que Jésus l'aimait, que le Seigneur l'aimait, que Nazario l'aimait, et que si elle acceptait cet amour, elle reverrait sa famille au ciel. Elle a lu le livre et l'homme lui a fait rencontrer d'autres personnes, des frères et des sœurs, dans une maison où ils vivaient tous ensemble, en se présentant comme une famille.

Un soir, Nazario est venu vers elle, il a soulevé ses manches et a vu les traces de piqûres. Gentiment, il lui a dit : « Tu n'as pas besoin de ça, ma sœur. » C'était la vérité et elle y a cru. Il lui a appris à croire.

À croire que même si son corps est esclave, son esprit est libre.

Elle a renoncé à l'héroïne.

Ce soir-là, postée à l'entrée de la ruelle, Flor entend des bruits à l'intérieur de la benne à ordures. Elle pense qu'il s'agit d'un rat, puis elle voit un garçon en sortir, un enfant. Il semble surpris et se met à courir, mais elle lui lance :

– Tu as faim ?

Le garçon hoche la tête.

– Attends ici.

Elle entre dans le restaurant de poulet voisin et demande au cuisinier quelques restes – un peu de viande, une galette de maïs – qu'elle apporte dans la ruelle.

Le garçon est toujours là. Elle lui tend la nourriture. Il mange comme un chien affamé.

– Comment tu t'appelles ?

– Pedro.

– Tu sais où dormir ?

Chuy secoue la tête.

– Je peux te conduire dans un endroit pour dormir, dit Flor. Jésus t'aime.

Voilà comment Chuy rejoint la Familia Michoacana.

Maintenant, Chuy vit dans une vieille maison avec une vingtaine d'autres personnes, jeunes pour la plupart, et sans domicile fixe. Parmi elles, il y a des filles, et même des garçons, qui se prostituent. D'autres vendent des confiseries, des fleurs ou des journaux aux feux rouges.

Chuy, lui, livre de la nourriture dans les orphelinats, les refuges pour sans-abri et les centres de désintoxication. Le matin, il saute dans une camionnette ou un pick-up et passe la journée à distribuer des paquets de riz, de pâtes, de lait en poudre et de céréales, de grosses marmites de soupe, des biscuits et des sucreries. Tous ces produits portent la mention : « La Familia vous aime. »

Dans les centres de désintoxication, outre la nourriture, ils apportent des exemplaires du livre intitulé *Les Adages de Nazario*. Parfois, un adulte reste au centre pour s'entretenir avec les drogués, leur parler de Jéhovah, de Jésus-Christ et de Nazario. Au fil des semaines, Chuy remarque que certains des patients qu'il a vus au centre viennent vivre dans la grande maison ou participer aux livraisons.

Le soir, après le dîner, Chuy se rend à la réunion où ils parlent de la Bible et du Livre, et parfois, il traîne autour du restaurant situé près de la rue où Flor travaille, ou bien il reste dans la maison pour tenter, péniblement, de déchiffrer le Livre car il n'a jamais été très doué pour la lecture, en espagnol ou en anglais. Mais avec l'aide de Flor, il y parvient, et il mémorise quelques adages essentiels : « Un homme digne de ce nom a besoin d'une cause, d'une aventure et d'une brave femme à sauver. »

Le dimanche matin, tout le monde va à l'église, et dans les grandes occasions, Nazario en personne vient prêcher la bonne parole, il leur parle de Jéhovah et de Jésus-Christ, il leur dit comment vivre dignement, comment faire le bien, et Chuy voit les yeux de Flor s'illuminer quand elle regarde Nazario. Après le service, ils font la queue pour recevoir sa bénédiction et Chuy ressent une excitation qu'il n'a pas connue depuis qu'il a rencontré Ochoa, mais cela lui semble très lointain car aujourd'hui il a une nouvelle vie : il aime Jéhovah et Jésus-Christ. Il aime Nazario.

Il aime Flor.

Néanmoins, les Zetas continuent à occuper une part importante de sa nouvelle vie.

Et de la vie de tous.

Quand il parcourt la ville, Chuy voit leurs hommes de main dans la rue, il les voit entrer dans les bars et les clubs, les bordels et les *tienditas* – les boutiques – et il les voit racketter les gens, en échange de leur protection.

Les Zetas règnent sur le Michoacán.

– Tu ne le savais pas ? lui demande Flor un soir.

– Je croyais que c'était juste des narcos.

– Ils dirigent tout maintenant, explique-t-elle. C'est eux qui m'ont capturée dans le train et m'ont mise sur le trottoir. L'argent que je gagne, c'est pour eux. Toutes les filles les paient, sinon, ils te tabassent, ou ils te tuent.

Elle connaît des filles qui ont disparu.

Les Zetas gèrent le Michoacán comme une colonie.

Alors, quand il fait ses distributions, Chuy garde la tête baissée. Quand il circule en ville à bord du pick-up, et même dans les villages à la campagne où La Familia apporte des provisions et de l'eau potable, creuse des puits et construit des crèches, il guette les Zetas.

S'ils le reconnaissent, ils le tueront.

En prenant leur temps.

Mais, cela mis à part, l'existence est agréable. Il aime vivre dans cette maison avec ses nouveaux amis, il aime passer du temps avec Flor, il s'aperçoit qu'il aime aller à l'église, chanter les cantiques, écouter les prêches de Nazario.

Celui-ci a un adage : « Un homme n'est pas plus malade que ses secrets », et Flor pousse Chuy à se confier à un des animateurs, l'homme qui l'a conduite à La Familia, et à se « purifier » car, affirme-t-elle, c'est formidable et il se sentira mieux.

– Je me sens bien, dit-il.

– Tu fais des cauchemars. Tu te réveilles en pleurant. Si tu te purifies, tes cauchemars disparaîtront. Comme les miens.

Quelques soirs plus tard, Chuy décide donc de se purifier. Il entre dans une petite pièce avec l'« animateur », un homme d'une quarantaine d'années nommé Hugo Salazar.

– Confie-moi tes péchés, dit Hugo. Libère ton âme.

Chuy rechigne, il reste muet.

Hugo dit :

– Tu ne peux pas gravir une montagne avec un sac d'ordures sur le dos.

– J'ai fait des mauvaises choses.

– Dieu sait déjà tout ce que tu as fait et tout ce que tu vas faire. Pourtant, il t'aime. Ce n'est pas une confession, c'est une libération. Les cauchemars ne peuvent pas vivre dans la lumière.

– J'ai tué des gens.

– Tu n'es encore qu'un enfant.

Chuy hausse les épaules.

– Combien de personnes ? demande Hugo.

– Six ?

– Tu ne sais pas exactement ?

– Je dirais six.

– C'étaient des innocents ? Des femmes ? Des enfants ?

– Non.

– Comment en es-tu venu à tuer ?

– Je travaillais pour les narcos.

– Je vois, dit Hugo. Quoi d'autre ?

Chuy a envie de lui parler de ses cauchemars, de ce qu'il a fait avec Ochoa ce soir-là, mais il a trop honte, et peur. Peut-être que les Zetas le recherchent, et s'il parle, il risque d'être reconnu, car seuls les Zetas font ce genre de choses.

– Oui, dit-il, les yeux fixés sur le sol. J'ai tué mon meilleur ami.

– Pourquoi donc, mon jeune frère ?

– Il allait me tuer.

Hugo pose la main sur son épaule.

– Nazario dit que ce monde est envahi par le mal, c'est pourquoi nous ne devons pas faire totalement partie de ce monde et garder en permanence un œil sur le suivant. Dans un monde mauvais, nous devons parfois faire le mal pour survivre, et Dieu le comprend. L'important, c'est d'essayer de faire le bien, avec un cœur pur. Va maintenant, mon frère, et fais ce qui est bien.

Chuy ressort et retrouve Flor dans la rue.

– Alors, c'était formidable, hein ? demande-t-elle, rayonnante. Je suis tellement contente que tu l'aies fait.

Ça valait la peine, se dit Chuy.

Il se sent plus léger.

Les cauchemars sont toujours là, mais moins fréquents, et ils ne disparaîtront que quand il se sera libéré de ce qu'il a fait avec Ochoa ce soir-là. Peut-être qu'un jour, se dit-il, j'aurai le courage de l'avouer.

Trois jours après la purification, Hugo vient le trouver.

– Nous avons un nouveau travail pour toi, petit frère.

La Famille a besoin de guerriers.

Car la Familia Michoacana se livre au trafic de drogue.

Nazario est le *chaca,* le boss.

Sous la coupe des Zetas. Puisque les Zetas règnent sur le Michoacán, La Familia est naturellement à leur botte. Néanmoins, La Familia gère son propre trafic, de meth principalement, et cela lui rapporte de grosses sommes d'argent.

La Familia verse un impôt aux Zetas pour avoir le droit d'exister. Nazario était très ami avec Osiel Contreras, qui a envoyé ses Zetas entraîner les hommes de main de Nazario. Puis les Zetas ont pris le pouvoir.

Chuy n'aime pas l'idée de travailler de nouveau pour Quarante, même indirectement, et il explique à Hugo que les Zetas incarnent le mal.

– Dans un monde mauvais, lui répond Hugo, tu dois faire le mal pour faire le bien. Les drogues que nous envoyons en Amérique paient la nourriture des orphelins, l'eau potable des villageois. Tu comprends ?

– Oui.

– Dieu a besoin de guerriers dans ce monde. Tu as lu la Bible.

Chuy n'ose pas dire non.

– David était un grand guerrier, poursuit Hugo. Il a tué Goliath. La Famille a besoin d'avoir des David. Et tu en es un.

Chuy le regarde, perplexe.

– Ne vois-tu pas la vérité, mon frère ? Toutes ces mauvaises actions de ta vie passée, toutes ces choses dont tu avais honte, Dieu les transforme en bienfaits. Quand tu combats pour Nazario, tu combats pour le Seigneur. Ton âme brille comme l'armure d'un chevalier.

– Mais je combattrai pour les Zetas, répond Chuy.

– La volonté de Dieu est un mystère que nous autres, humains, ne pouvons pas toujours résoudre. Et il ne faut pas essayer de tout résoudre. Nous devrions uniquement écouter sa voix, et si tu l'écoutes, Pedro, tu l'entendras t'appeler.

Chuy entend cet appel.

Il devient un guerrier de Dieu.

Chaque soir, ils se réunissent pour étudier la Bible ou discuter du Livre. Le dimanche, ils ne travaillent pas ; ils assistent à un grand office, en extérieur, et ils écoutent le prêche de Nazario.

– Chaque homme a besoin d'une cause ! clame le leader. Une cause, une aventure et une brave femme à sauver !

Ses disciples l'applaudissent, puis chantent un cantique.

Après l'office, un immense repas est organisé, puis c'est le moment de silence. Pendant quatre heures, ils méditent sur leur âme, leur mission, le sens de leur vie, les adages de Nazario. Le dimanche soir, ils se retrouvent dans le hall et psalmodient les adages du leader, encore et encore.

Ils regardent des vidéos, ils écoutent des enregistrements et apprennent les règles strictes : interdiction de fumer, de boire, de se droguer. La première infraction vous vaut une correction ; la deuxième, une sévère flagellation ; et la troisième est synonyme d'exécution.

Comme au base-ball : trois fautes et dehors.

Un jour, les chefs amènent à Chuy un homme qu'ils ont enlevé dans la rue, un violeur d'enfants, la lie de la lie, et ils ordonnent à Chuy de le tuer.

Pas de problème.

En guerrier du Seigneur, il étrangle l'homme à mains nues.

Chuy a un travail différent désormais.

Il ne livre plus des provisions.

Lui et sa cellule de cinq hommes, ils patrouillent dans trois pâtés de maisons de la ville. Ils observent les allées et venues, ils signalent les personnes suspectes à leurs supérieurs, ils maintiennent l'ordre. Et ils versent l'argent du racket au chef local des Zetas, installé avec ses sous-fifres dans le bureau d'un atelier de carrosserie.

Chuy ne porte plus des cartons, mais un Glock. Il touche un salaire. Pas grand-chose, mais de quoi louer une petite chambre où il installe Flor. Ils achètent un lit chez un brocanteur, dénichent une table dans une décharge et une lampe dans un magasin d'occasion. En outre, Chuy possède un statut différent : en tant que guerrier, il jouit d'un respect qui l'autorise à émettre une requête.

– Je veux que Flor arrête de faire le trottoir, dit-il à Hugo. Et qu'elle travaille comme serveuse.

– Ce n'est pas ta femme, répond Hugo.

– Elle va devenir la mère de mon enfant.

Flor lui a avoué, non sans crainte, qu'elle n'avait plus ses règles depuis deux mois.

Il était partagé entre la peur et l'excitation. Il l'a prise dans ses bras, tendrement.

– Tout se passera bien. Je prendrai soin de toi.

– Tu n'es pas obligé.

– Je le ferai, a-t-il promis. Je prendrai soin de vous deux.

Hugo fait remarquer :

– Le père de cet enfant peut être n'importe qui, petit frère.

– Flor est ma femme, alors cet enfant est à moi, répond Chuy.

Tout simplement.

– Il faut que je pose la question, dit Hugo.

– Au chef des Zetas ?

– Oui.

– Ne lui pose pas la question. Dis-lui que la mère de l'enfant d'un guerrier ne peut pas être une putain.

La réponse du chef des Zetas arrive trois soirs plus tard.

Accompagné de quatre Zetas, il entre dans le restaurant après la fermeture, tandis que Flor nettoie et dresse les tables pour le lendemain.

– Tout le monde dehors, ordonne-t-il, puis il regarde Flor. Sauf toi.

Les autres sortent sans se faire prier, les yeux baissés. Parmi eux, une ancienne prostituée court prévenir Pedro.

– C'est toi, Flor ? demande le chef.

Terrorisée, la jeune femme hoche la tête.

– Enlève ta robe.

– Je ne fais plus ça.

– Tu es une putain, tu fais ce que je te dis. Tu nous dois encore de l'argent.

– Je vous paierai.

– Oui, tu vas nous payer. Tout de suite.

Sur un signe de leur chef, les quatre hommes s'emparent d'elle, la déshabillent et la clouent sur une des tables.

– Pedro ! Pedro !

Chuy voit la fille se précipiter vers lui.

– Qu'y a-t-il ?

– C'est Flor ! Viens vite !

Il court.

Chuy soulève le corps de Flor étendu sur la table et le berce sur ses genoux. Sa peau est encore chaude.

Des gens disent qu'on entendit le hurlement de Chuy dans toute la *colonia.*

Ils disent aussi qu'ils n'oublieront jamais ce cri.

Chuy se tient devant le *yonke,* l'atelier de carrosserie qui sert de repaire aux *peces gordos,* les big boss, des Zetas.

Il les entend rire à l'intérieur.

Il entend le tintement des verres et des bouteilles.

En soldat aguerri, il vérifie le chargeur de son *erre*. Puis il enfonce la porte d'un coup de pied et les canarde tous les cinq avant même qu'ils aient le temps de faire un geste.

Il s'agenouille à côté du *chaca* blessé et empoigne ses cheveux d'une main, comme l'a fait Ochoa avec cet homme ce soir-là. Il sort son couteau, semblable à celui que lui a donné le Kaibile ce même soir, il tire la tête en arrière pour tendre le cou et il appuie la lame dentelée contre la gorge.

Il a revécu mille fois cette scène.

Plus souvent que celles où les garçons du centre de détention l'ont martyrisé, violé et ont fait de lui leur petite fiotte. Plus que ces moments-là, ses cauchemars lui font revivre cet instant où ils lui ont tendu le couteau en lui expliquant ce qu'il devait faire…

Alors maintenant il sait, et comme dans un rêve, il fait aller et venir la lame sur la peau, pendant que l'homme qui a violé et tué Flor hurle, comme l'autre homme avait hurlé ce soir-là. Les jets de sang chaud jaillissent et Chuy continue à trancher les artères, puis le chef se tait, il émet juste des gargouillis, tandis que Chuy scie le cartilage et l'os, comme il l'a fait ce soir-là, jusqu'à ce qu'ils cèdent avec un bruit sec lorsqu'il tire sur la tête, en arrachant le reste de peau.

Il la pose par terre pour s'attaquer aux quatre autres types. Deux sont déjà morts. Un troisième tente de s'échapper en rampant ; Chuy le retient par les cheveux. Le survivant pleure, sanglote et supplie, mais Chuy lui dit :

– Ferme-la, sale fiotte.

Chuy est assis par terre, à côté des cinq cadavres décapités quand Hugo fait irruption dans la pièce.

– *Dios mío,* Pedro, qu'as-tu fait ?

– Je m'appelle Jesús, dit Chuy d'un air hébété.

Derrière Hugo, il aperçoit Nazario et plusieurs hommes.

– Tuez-moi.

Hugo dégaine son arme, prompt à s'exécuter. Les conséquences de ce massacre vont être terribles : un des leurs a tué cinq chefs des Zetas. S'ils peuvent au moins montrer le cadavre du coupable… Il pointe son arme sur la tête de Chuy.

– Stop ! s'écrie Nazario en abaissant la main d'Hugo. « L'agneau n'aura rien à craindre du lion, dit-il en citant vaguement les Écritures. Et un petit enfant les conduira. »

Il relève Chuy.

– Le moment est venu, dit-il.

Chuy entraîne cinq guerriers de La Familia à l'intérieur de la discothèque Sol y Sombre où un grand nombre de Zetas font la fête.

La musique cogne, les lumières palpitent.

Chuy tire une rafale au plafond avec son AR.

Tandis que les fêtards se jettent à terre, deux des hommes de Chuy ouvrent un sac plastique noir, dont ils déversent le contenu.

Cinq têtes humaines roulent sur le carrelage noir et blanc.

Chuy lit ensuite un texte rédigé sur un carton :

– « La Famille ne tue pas pour l'argent ! Elle ne tue pas des femmes, elle ne tue pas des innocents ! Seuls ceux qui méritent de mourir, meurent ! C'est la justice divine ! »

Il lance le bout de carton et ressort.

La révolution – la rébellion de la Familia Michoacana pour chasser les Zetas de son territoire – débute ce soir-là. Nazario rédige des communiqués de presse et fait paraître des publicités dans les principaux journaux pour expliquer que La Familia ne représente pas une menace ; au contraire, il s'agit d'une organisation patriotique qui fait ce que le gouvernement ne peut ou ne veut pas faire : nettoyer le Michoacán de tous les kidnappeurs, racketteurs, violeurs, dealers de meth et oppresseurs étrangers tels que les Zetas.

Chuy se contrefout de tout cela.

Il ne connaît plus qu'une seule chose désormais : tuer. C'est tout ce qui l'intéresse.

Eddie apprend ce qui s'est passé au Sol y Sombre en regardant les infos.

– Joli, commente-t-il en s'adressant au sous-fifre qui fait une partie de *Madden* avec lui. Des décapitations ? Genre… des *décapitations* ? Je croyais que c'était un truc de musulmans. Style al-Qaida.

Quelques jours plus tard, Eddie apprend que ces décapitations pourraient être l'œuvre du type qui a attaqué son club.

– Jésus le Kid.

Le gamin a changé de maillot, je parie, se dit Eddie. Un transfert en milieu de saison.

Certains narcos disent que le Kid est réellement un gamin : onze ou douze ans.

Il se sent vieux soudain.

Mais on lui demande…

… non, d'accord, on lui ordonne…

de se montrer conciliant avec lui.

L'ordre émane d'AB en personne, El Señor, via Diego.

Eddie comprend : les Zetas les ont conduits dans une impasse sanglante au Tamaulipas, une guerre de tranchées où chacun rend coup pour coup, et qui promet toujours plus de tueries. Alors, si ces mabouls de La Familia peuvent éloigner quelques troupes du Tamaulipas, parfait, tant mieux.

Ce qui n'empêche pas Eddie de protester :

– Ce sont des fanatiques religieux. Tu connais l'*aporto* de ce Nazario ? « El Más Loco », le plus cinglé.

– Tant qu'il bute des Zetas… répond Diego.

– Oui, exact. Mais c'est aussi notre plus grand rival sur le marché de la meth en Amérique du Nord.

– Ce ne sont pas les amateurs d'anabolisants qui manquent.

Voilà une vérité vraie, se dit Eddie. Les Mexicains ont enfin trouvé une drogue que les pauvres petits Blancs adorent et qu'ils peuvent s'offrir. Et s'il y a une chose qui ne manquera jamais, c'est les pauvres petits Blancs.

Ça se reproduit tout seul.

Ils sont fabriqués sur les sièges arrière des voitures, et ensuite, ils y passent leur vie.

Conclusion, une semaine plus tard, Eddie Ruiz se retrouve assis à une table devant Chuy, à Morelia, au Michoacán.

Effectivement, c'est un gamin.

Un vrai gamin.

– J'ai de quoi être furax contre toi, dit Eddie. Le coup d'Acapulco… c'était franchement naze.

Il a l'impression qu'il devrait l'envoyer au coin.

Chuy ne réagit pas. Eddie sonde son regard, et il n'y voit rien, il a l'impression d'observer un serpent. Il doit se rappeler que ce gamin, ce simple porteur d'eau d'une équipe de lycéens, a décapité cinq hommes et fait rouler leurs têtes sur le sol d'une discothèque comme s'il jouait au bowling.

Guilty feet ain't got no rythm[1], se dit-il.

Mais Diego veut qu'il coopère avec ces foutus prédicateurs, alors…

– Hé, « Texas forever », hein ? dit-il. Nous autres, *pochos,* on doit se serrer les coudes. Alors, toi et moi, on va se farcir quelques enfoirés de Zetas.

– Je tue pour le Seigneur.

– D'accord.

Au cours des trois mois qui vont suivre, plus de quatre cents narcos seront tués à Uruapan, Apatzingán, Morelia et Lázaro Cárdenas.

Un grand nombre de meurtres est à mettre à l'actif du nouveau duo composé d'Eddie le Dingue et de Jésus le Kid.

1. Allusion à la chanson « Careless Whisper » de George Michael.

5

Narco Polo

Ça doit être l'argent

Nelly, « Ride Wit Me »

MEXICO
2006

Keller sirote son vin blanc en regardant, par-dessus son verre, la femme magnifique qui lui sourit à l'autre bout du hall du cinéma.

Yvette Tapia est éblouissante dans sa minirobe argentée, avec son carré court sévère et son rouge à lèvres sombre et provocant. Si son but était d'évoquer l'époque des garçonnes, un mélange de sophistication et de sex-appeal à la Zelda Fitzgerald, mâtinée d'ambiance mexicaine, elle a réussi. En tant que coproductrice du film, elle se déplace avec grâce dans la foule, distribuant les sourires et les paroles aimables, charmeuse.

Les hommes désespérés font des tentatives désespérées, se dit Keller.

Et il est désespéré.

La traque d'Adán Barrera est dans une impasse, enlisée dans les sables mouvants de l'enquête, sans aucune piste, noyée sous le chaos bureaucratique. Ses collègues du comité de coordination sont embourbés ailleurs, et trop débordés pour tenter de faire face aux guerres qui se déroulent simultanément à Baja, au Tamaulipas, et maintenant au Michoacán.

Keller doit reconnaître que cette vague de violence est sans précédent. Même à l'apogée (si l'on peut dire) de la guerre entre Barrera et Güero Méndez, dans les années 1990, les affrontements étaient sporadiques : de brèves poussées de violence, de temps à autre. Et ils n'étaient pas dispersés sur trois grandes zones du pays, mettant aux prises des adversaires à la fois multiples et intimement liés.

L'Alliance combat Teo Solorzano à Baja.

L'Alliance combat le cartel du Golfe/les Zetas au Tamaulipas.

La Familia (avec l'aide de l'Alliance, apparemment) combat les Zetas au Michoacán.

Dans les années 1990, la guerre concernait quelques dizaines de combattants à la fois. Aujourd'hui, les cartels rassemblent des centaines d'hommes, voire des milliers, d'anciens militaires pour la plupart, mais aussi d'anciens policiers et d'autres toujours en fonction. En tout cas, des individus sachant se battre.

L'AFI et le SEIDO tentent de les affronter tous en même temps.

À moins de croire Ochoa, se dit Keller. Auquel cas, le tableau est un peu différent :

L'Alliance et le gouvernement fédéral combattent Teo Solorzano à Baja.

L'Alliance et le gouvernement fédéral combattent les Zetas au Tamaulipas.

La Familia (avec l'aide de l'Alliance, apparemment) et le gouvernement fédéral combattent les Zetas au Michoacán.

Keller ne veut pas y croire. Y a-t-il eu des complicités officielles quand Barrera s'est évadé de Puente Grande ? Assurément. Des complicités lors des tentatives d'arrestation manquées de peu ? Probablement. Existe-t-il une corruption solidement ancrée qui protège Barrera, où qu'il se « cache » ? C'est incontestable.

Mais un effort coordonné, au niveau fédéral, pour aider Barrera à mettre la main sur l'ensemble du trafic de drogue au Mexique ? Voilà une pente herbeuse que Keller ne peut escalader

Néanmoins, Ochoa et lui sont d'accord sur un point.

« Commencez par les Tapia. »

De toute façon, je n'ai pas d'autre point de départ, se dit Keller en regardant Yvette marcher vers lui dans le hall.

Il s'agit d'une violation directe de l'accord qu'il a conclu avec la DEA et les Mexicains. « Vous n'êtes pas ici pour cultiver vos propres sources… »

Ouais, c'est ça, se dit-il. Je ne suis pas non plus ici pour rester assis sur mon cul, les bras croisés, pendant que vous vous occupez de tout sauf de Barrera. Rien ne change si rien ne change, alors il est temps de changer certaines petites choses.

Il a utilisé un contact à l'ambassade pour obtenir une invitation à ce cocktail d'avant-première, où tout le monde piétine en cherchant à placer un commentaire agréable. Keller a abordé Yvette, il l'a complimentée sur le film et ils se sont mis à bavarder.

– Yvette Tapia, a-t-elle dit. Mon mari, Martín, et moi avons participé au financement du film.

– Art Keller.

Si elle a reconnu ce nom, elle n'a rien laissé paraître.

– Et que faites-vous ici, à Mexico, Art ?

– Je travaille pour la DEA.

Il fallait lui accorder ce mérite : elle n'a pas bronché. Ses beaux-frères comptent parmi les plus gros trafiquants de drogue au monde, et elle n'a pas même cillé. Avec un sourire charmant, elle a répondu :

– Vous devez être très occupé.

Ils ont bavardé ainsi pendant un instant, puis elle est partie saluer d'autres invités. Et voilà qu'elle revient vers lui.

– Art, nous organisons un *after* à la maison. En toute simplicité. Voulez-vous vous joindre à nous ?

– Je suis seul, répond Keller. Je ne veux pas être la cinquième roue du carrosse.

– Vous seriez la vingt-cinquième roue, dit-elle.

Son mari la rejoint. Elle se tourne vers lui et dit :

– Martín, nous avons là un pauvre diplomate esseulé qui refuse mon invitation. Persuade-le de venir.

Martín Tapia ressemble à tout sauf à un narco. Il porte un costume bleu foncé à la coupe impeccable, une chemise blanche et une cravate, et le mot qui vient immédiatement à l'esprit de Keller est « raffiné ».

Martín lui tend la main.

– Ma femme a invité toutes les personnes habituelles, un peu de sang frais serait le bienvenu.

– Toujours ravi de servir de transfusion, répond Keller. Où…

– Cuernavaca, dit Martín.

Tiens, tiens, Cuernavaca, se dit Keller en repensant à la série de coups de téléphone ayant abouti à l'embuscade d'Atizapán.

– Je ne suis pas venu en voiture.

– Je suis sûr que nous pouvons trouver quelqu'un pour vous servir de chauffeur.

Et donc, Keller monte dans la voiture d'un agent artistique qui le conduit jusqu'à une maison moderne, située dans l'enceinte d'un quartier sécurisé, dans les collines de Cuernavaca.

Un seul qualificatif peut s'appliquer au groupe d'invités : brillant. Au sens propre dans le cas des actrices vêtues de robes à paillettes (il croit avoir vu l'une d'elles dans des films hollywoodiens) ; métaphoriquement dans le cas des écrivains, producteurs et financiers. Il est arrivé depuis une dizaine de minutes quand Yvette le rejoint.

– Voyons voir, dit-elle en balayant du regard toutes les personnes présentes. Qui pourrait vous convenir ? Pas Sofia, c'est une formidable actrice, mais totalement folle…

– Peut-être autre chose qu'une actrice ?

– Un écrivain, alors, dit Yvette. Il y a Victoria, là-bas… Saisissante, n'est-ce pas ? C'est une sorte de journaliste financière, mais je crois qu'elle est mariée. Et de toute façon, elle vit à Juárez…

– Ne vous sentez pas obligée de jouer les entremetteuses.

– J'adore ça ! Et vous ne voudriez pas priver une pauvre épouse guindée de ses petits plaisirs, n'est-ce pas ?

– Non, bien sûr.

– Venez, alors, dit-elle en le prenant par le bras. Laissez-moi vous présenter à Frieda. Elle est critique de films et elle nous terrorise tous, mais…

Yvette le colle habilement dans les bras de cette Frieda et Keller bavarde avec la critique de cinéma pendant que la maîtresse de maison passe d'un invité à l'autre, tous subjugués.

Elle est là pour ça, se dit-il.

Tout comme son mari.

Martín Tapia est un jeune entrepreneur en pleine ascension, qui établit des contacts de haut niveau dans sa branche. Ou celle de son frère, se dit Keller. Les Tapia pourraient fort bien constituer le lien entre Diego et la haute société mexicaine. Et s'ils sont le lien de Diego, ils pourraient être celui d'Adán également.

Ce n'est pas grand-chose, mais il n'a pas d'autre piste. C'est plutôt courageux de sa part, il doit le reconnaître, de s'introduire sous le toit des Tapia. Je me demande ce que penserait Adán s'il savait que je suis ici.

Peut-être le sait-il déjà.

Keller bavarde poliment avec la critique de films, puis il l'abandonne pour aller chercher un autre verre de vin.

– Vous semblez aussi perdu que j'ai l'impression de l'être.

La femme qui se tient près de lui est d'une beauté renversante : visage en forme de cœur, pommettes saillantes, yeux noisette éblouissants, cheveux auburn qui tombent sur les épaules et une silhouette que Keller est obligé de remarquer sous la petite robe noire classique.

– Je ne sais pas quelle impression vous avez, répond-il, mais oui, je me sens perdu. (Il lui tend la main.) Art Keller.

– Marisol Cisneros, dit-elle en lui serrant la main. Américain ?

– Je travaille à l'ambassade.

– Leurs cours d'espagnol sont meilleurs que dans le temps, fait remarquer Marisol. La pierre de Rosette version Amérique latine ?

– Ma mère était mexicaine. J'ai parlé espagnol avant de parler anglais.

– Vous êtes un ami des Tapia ?

– Je viens de les rencontrer, à l'avant-première.

– Moi, je ne les connais pas du tout. Je suis venue avec quelqu'un.

Keller s'étonne d'éprouver un léger pincement de déception, jusqu'à ce qu'elle ajoute : D'ailleurs, je crois que vous la connaissez déjà. Frieda ?

– La critique terrifiante.

– Tous les critiques sont terrifiants, dit Marisol. C'est pour ça que je suis devenue croque-mort.

– Vous n'avez pas l'air d'un…

– En fait, je suis médecin. C'est juste l'étape d'avant.

Keller la voit rougir.

– Désolée, dit-elle en riant d'elle-même. C'était une plaisanterie stupide. La nervosité, je suppose. C'est un peu ma première soirée d'après.

– D'après quoi ?

– Mon divorce. Ça date d'il y a six mois et j'ai choisi de me noyer dans le boulot. Frieda m'a traînée ici. Je ne suis pas très à l'aise au milieu des gens riches et beaux.

Pourtant, vous êtes belle, pense Keller.

– Moi non plus.

– Ça se voit. (Elle rougit de nouveau.) Voilà que je recommence. Je suis nulle en société. Ce que je voulais dire… Oh, je ne sais pas… Vous n'avez pas l'air…

– Riche et beau ?

– C'était censé être un compliment, je vous assure.

– Je le prends comme tel.

Ils restent là, face à face, gênés, puis Keller trouve quelque chose à dire :

– Vous habitez à Cuernavaca ?

– Non, en ville. Condesa. Vous connaissez ?

– J'y vis.

– J'ai quitté Polanco après mon divorce. Je me plais bien là-bas. Il y a des librairies, des cafés. Vous êtes moins… honteux… d'entrer seule dans ce genre d'endroits.

Keller a du mal à croire qu'elle soit souvent seule. Ou alors, c'est par choix.

– L'autre soir, lui confie-t-il, je lisais un livre en dînant seul dans un restaurant chinois… et le livre parlait d'un homme si solitaire qu'il mange seul dans des restaurants chinois.

– Quelle tristesse !

– Mais ça vous fait rire.

– Oui, c'est drôle en même temps.

– Je me suis levé et je suis parti. Totalement déprimé.

– Moi, pour la dernière Saint-Valentin, dit Marisol, j'ai commandé une pizza. Je l'ai mangée seule chez moi en regardant *Sabrina* et j'ai pleuré.

– C'est moche.

– Moins que votre restaurant chinois.

Ils se regardent une seconde, puis Keller dit :

– Je suppose que c'est à ce moment-là que je vous demande votre numéro de téléphone. Alors, est-ce que je peux… vous appeler ?

– Oui.

Marisol fouille dans son sac.

– Pas la peine de le noter, je m'en souviendrai, dit Keller.

– Ah bon ?

– Oui.

Elle lui donne son numéro et il le répète. Sur ce, elle annonce qu'elle ferait mieux de récupérer Frieda et de rentrer en ville ; elle travaille tôt au dispensaire demain matin.

– Ravie de vous avoir rencontré, dit-elle.

– Moi aussi.

Alors qu'elle s'éloigne, Keller demande :

– Avec Julia Ormond ou Audrey Hepburn ?

– Oh, Audrey Hepburn, évidemment.

Évidemment, songe Keller.

Évidemment.

– Qu'est-ce que tu penses de l'Américain ? demande Martín Tapia en sortant de la douche ce soir-là.

Assise devant le miroir, Yvette se démaquille soigneusement en examinant les rides autour de ses yeux, aussi inévitables qu'indésirables. Il est peut-être temps, pense-t-elle, de parler Botox ou chirurgie esthétique.

– Keller ? dit-elle. Sympathique.

– Ne t'attache pas. Adán veut sa mort.

– Quel dommage. Il pourrait être utile.

– En quoi ?

– Laisse-moi te poser une question, dit Yvette en se glissant dans le lit. Fais-tu confiance à Adán ?

Keller commence par Martín Tapia le lendemain matin.

Apparemment, le cadet de la famille est un jeune entrepreneur à succès qui fait ce que font les jeunes entrepreneurs à succès.

Tous les jours ou presque, il part de chez lui en milieu de matinée pour se rendre dans le centre de Mexico en voiture. Il a des réunions, des déjeuners, d'autres réunions. Il joue au golf au Lomas Country Club. Il se rend dans des banques et des bureaux. Certains soirs, avec sa jolie femme généralement, on le voit dans les restaurants à la mode, au théâtre, au ballet ou à l'opéra. Parfois, ils restent chez eux pour dîner tranquillement, en profitant de la piscine, du jacuzzi et du court de tennis, avant de se coucher tôt.

Le dimanche, Yvette et lui vont bruncher à l'Hotel Aristo avec d'autres couples élégants. La liste de leurs amis, relations et associés est un *Who's Who* de la capitale mexicaine. Mais après un mois de surveillance, Keller n'a pas vu une seule fois Martín en compagnie d'un policier ou d'un politicien.

Je me trompe peut-être, se dit-il. Peut-être que Martín est clean et qu'il ne trempe pas dans les affaires de ses frères. Ou peut-être qu'il a utilisé une partie de leur argent pour se lancer dans des affaires légales.

Peut-être.

Keller reporte alors son attention sur Yvette.

Là encore, selon toutes les apparences, elle se conduit comme l'épouse d'un jeune entrepreneur à succès. Le matin, elle fait son yoga ou quelques longueurs de bassin, elle prend des leçons de tennis avec un professeur particulier. Puis elle va déjeuner avec d'autres épouses qui lui ressemblent, donne de son temps à des associations caritatives.

Elle joue au golf.

Yvette Tapia est même une golfeuse acharnée : deux ou trois fois par semaine, elle va jouer au La Vista Country Club.

Keller ne peut pas la suivre à l'intérieur du club sans se faire arrêter à l'entrée, alors il se gare de l'autre côté de la route. Il change de voiture de location chaque jour et il parvient ainsi à se faire une idée précise de l'emploi du temps d'Yvette : tous les lundis, mercredis et vendredis elle se rend au club avec sa Mercedes blanche, elle fait neuf trous, puis elle rentre chez elle, à moins qu'elle n'aille prendre un verre quelque part avec des amies.

Je me trompe peut-être, se répète Keller.

L'après-midi suivant, au lieu de suivre Yvette de son domicile au golf, Keller attend devant le club qu'elle ait fini son parcours. Cette fois, elle ne rentre pas chez elle, mais au lieu d'aller dans un bar ou un restaurant, elle s'engage dans un quartier résidentiel qui borde le golf.

Keller voit la Mercedes blanche pénétrer dans une allée.

Il note l'adresse : 123 Vista Linda.

Sans doute une amie, pense-t-il.

Il passe devant le portail en voiture et jette un regard dans le rétroviseur au moment où Yvette descend de sa Mercedes, récupère une mallette sur le siège arrière et marche vers la porte d'entrée. Il se gare de l'autre côté de la rue, pendant qu'elle ouvre la porte avec une clé.

Nom de Dieu ! Yvette Tapia aurait-elle une liaison ?

Mais il n'y a pas d'autre voiture dans l'allée. Peut-être que le type est assez prudent pour se garer un peu plus loin et marcher jusqu'au lieu de rendez-vous. Keller a l'impression de jouer les détectives privés de seconde zone. Il coupe le moteur et attend.

Si Yvette a une liaison, ce n'est pas la grande passion car elle ressort presque aussitôt de la maison.

Sans la mallette.

Obligé de choisir entre suivre Yvette ou surveiller la maison, Keller opte pour la seconde idée.

Une heure plus tard, une Audi bleue s'engage dans l'allée et un homme bien habillé, d'environ trente-cinq ans, en descend et entre à son tour dans la maison. Il n'y reste qu'une poignée de minutes lui aussi, puis ressort avec la mallette. Il repart.

Keller lui laisse un peu d'avance avant de le suivre.

Yvette Tapia n'a pas une liaison.

Elle fait des livraisons.

Keller aurait bien besoin d'un coup de main.

Une surveillance ne se fait pas seul.

Pas facile de suivre une voiture sans la perdre de vue ou se faire repérer, surtout dans le labyrinthe des embouteillages de Mexico, et surtout quand vous êtes relativement nouveau et ne connaissez pas toutes les subtilités de la ville. Au moins, l'Audi ne cherche pas à le semer ; le conducteur semble décontracté, il n'a pas conscience d'être filé.

C'est un bon point, mais Keller sait qu'une filature réussie exige une équipe : deux ou trois voitures qui se relaient, un hélicoptère, des moyens de communication et une assistance technique. Il pourrait obtenir tout ça, ou une partie, grâce au SEIDO ou à l'AFI, mais…

Impossible.

Premièrement, il n'est pas censé mener sa propre enquête, et encore moins effectuer une surveillance active. Deuxièmement, il ne sait pas à qui il peut faire confiance.

Vera ? Aguilar ?

Chaque fois – chaque fois – qu'ils s'approchent de Barrera, celui-ci leur file entre les pattes. Et puis il y a eu l'embuscade d'Atizapán. L'un des deux était-il au courant ? Tous les deux ?

Keller pourrait demander l'aide de la DEA, mais il ne doit même pas y penser car a) il n'est pas censé faire ce qu'il est en train de faire, une fois encore, b) ils voudraient savoir pourquoi il n'opère pas avec les Mexicains et c) il ne sait pas à qui il peut faire confiance.

Si ça se trouve, cette filature est un coup monté et l'Audi bleue le conduit dans un piège.

Je suis un appât, pense-t-il.

Ou peut-être que cet appât m'était destiné.

Il envisage de mettre fin à la filature. Il a relevé le numéro de l'Audi, il pourrait peut-être interroger le fichier des immatriculations sans trop attirer l'attention. Découvrir l'identité du conducteur et remonter la piste.

Ce n'est pas un mauvais plan. Peut-être plus intelligent que de se faire semer ou, pire, repérer.

Ou tomber dans une embuscade.

L'Audi tourne à gauche.

C'est le moment de laisser tomber.

Keller la suit.

Longtemps. Jusqu'à Lomas de Chapultepec.

L'homme lance ses clés au voiturier posté devant le Marriott et pénètre dans l'hôtel, la mallette à la main.

Keller aurait bien besoin d'un équipier, pour entrer à sa place. Car si quelqu'un le reconnaît dans le hall, c'est fini. Mais il n'a pas cette option, alors il tend ses clés au voiturier, accompagnées de quelques pesos, et dit :

– Ne la garez pas trop loin.

Il se dirige directement vers le bar.

L'homme est assis dans le lounge, la mallette posée à ses pieds.

– Une Cucapá, s'il vous plaît.

Il peut surveiller l'homme dans le miroir du bar. Il le voit commander à boire et il voit le serveur lui apporter ce qui ressemble à un gin tonic, il le voit finir son verre, laisser quelques billets sur la table et partir.

La mallette reste.

Quelques secondes plus tard, un autre homme – la quarantaine, costume gris anthracite – s'assoit à la même place, récupère la mallette par terre, puis s'en va.

Keller paierait cher pour disposer d'une surveillance photographique.

Il règle sa bière et se dirige vers la sortie, juste au moment où l'homme s'installe au volant d'une Lexus blanche. Il n'a pas le temps de reprendre sa voiture pour le suivre, mais il note l'immatriculation.

Le lendemain matin, il se renseigne sur les deux numéros par le biais de l'EPIC. L'Audi bleue qui a récupéré la mallette au 123 Vista Linda est enregistrée au nom de Xavier Cordunna, associé dans une société d'investissement de Mexico.

La Lexus blanche qui est venue récupérer la mallette à l'hôtel appartient à un certain Manuel Arroyo.

Un commandant de l'AFI.

Keller décide d'appeler Marisol Cisneros.

– Je commençais à croire que vous aviez oublié mon numéro, dit-elle.

Il perçoit une certaine sécheresse dans sa voix : cette femme n'a apparemment pas l'habitude d'être ignorée.

– Non, répond Keller. Je ne voulais pas me montrer trop pressant, voilà tout. Désolé, je manque un peu d'entraînement à ce niveau-là. Je ne connais plus les règles.

– Je vous enverrai un manuel.

– Vraiment ?

– Encore une mauvaise blague due à la nervosité. Une sale manie.

– Bref, je me disais que quitte à dîner seul, autant dîner seul ensemble.

– Excellent, dit Marisol. Vous avez préparé cette phrase ?

– Un peu.

– Je suis flattée.

– Alors… oui ?

– Avec plaisir.

Sa voix est chaude, sincère, et Keller est parcouru d'une rapide décharge électrique.

– Où voudriez-vous aller ? demande Keller.

– On pourrait retourner dans votre restaurant chinois. Et redorer votre blason devant les serveurs.

– C'est un boui-boui. Essayons de trouver un endroit plus agréable.

Ils optent pour un restaurant italien de Condesa qu'ils connaissent l'un et l'autre et décident de s'y retrouver, en venant chacun par leurs propres moyens.

– Comme ça, dit Marisol, si on ne se plaît pas, ce sera plus facile de s'échapper.

Ils n'ont pas besoin de s'échapper. Une fois encore, la conversation roule sans peine et Keller découvre, avec un certain étonnement, que le Dr Marisol Cisneros lui plaît beaucoup.

Autour d'une assiette de linguine aux palourdes, accompagnée de tomates mozzarella et d'une bouteille de vin blanc, il apprend qu'elle est originaire de Valverde, une petite ville située dans la vallée de Juárez, au bord du Rio Bravo. Sa famille a toujours vécu là, depuis les années 1830 en tout cas, époque à laquelle on leur a donné des terres pour avoir combattu les Apaches qui menaient des raids incessants en venant du Nord.

Le clan Cisneros occupait une place de premier plan dans la région de Valverde – sans faire partie des « Cinq Familles » qui dominent la vallée, elle est d'un niveau social supérieur à la plupart des gens qui vivent là – grâce à la culture du coton et du blé, au bord du fleuve, et à l'élevage de bétail et de chevaux sur les plateaux plus arides.

Marisol a toujours su qu'elle ne voulait pas devenir l'épouse d'un *ranchero,* alors elle a étudié avec acharnement et obtenu une bourse pour entrer à l'Universidad Nacional Autónoma de Mexico, dans la capitale. Puis elle est allée à la Boston University Medical School et a passé son internat au Massachusetts General et à l'Hospital Mexico Americano de Guadalajara, dans des services de médecine interne.

Elle a épousé un avocat d'affaires et elle est revenue vivre ici ; elle a ouvert un cabinet avec trois collègues dans le quartier huppé de Polance, mais elle travaille parfois comme bénévole dans un dispensaire d'Iztapalapa.

– Un quartier difficile, fait remarquer Keller.

– Les gens me protègent. Et je n'y vais que le samedi matin. Le reste de la semaine, je soigne les petits bobos des riches. Mais je parle, je parle. Et vous, alors ?

Il lui en dit un peu plus que chez les Tapia, « avouant » que son poste à l'ambassade est lié à la DEA.

– Les histoires de drogue, on connaît ça dans la vallée, dit Marisol. Les gens de Juárez opèrent dans la région depuis des années, par le biais de la famille Escajeda.

– Ça vous pose un problème ?

– Pas vraiment. À force, un modus vivendi s'instaure. Vous savez comment ça se passe : si vous les laissez tranquilles, ils vous laissent tranquille.

– Je m'occupe surtout des questions politiques bilatérales, dit Keller.

– J'aime bien les États-Unis, dit Marisol. Voyons voir… Je suis allée à El Paso, évidemment, San Antonio, La Nouvelle-Orléans et New York. J'ai vécu à Boston. De toutes ces villes, c'est La Nouvelle-Orléans que j'ai préférée.

– Pourquoi ? Je n'y suis jamais allé.

– La gastronomie. Les jardins.

La faute du divorce, confie-t-elle, lui incombe en grande partie. Son mari croyait savoir qui il épousait, et elle aussi. En toute honnêteté, il lui a offert la vie à laquelle, croyait-il, elle aspirait : deux membres des professions libérales habitant dans un quartier chic, entourés d'amis qui avaient tous réussi, dînant dans les meilleurs restaurants…

– Il était exactement ce que je voulais qu'il soit, dit-elle, et je le lui ai fait payer. Du moins, c'est ce qu'a dit mon psy. Vers la fin, j'étais devenue une vraie salope. Je crois qu'il était soulagé quand je suis partie.

Après une courte pause, elle reprend :

– J'ai toujours pensé que Valverde n'était pas assez bien pour moi. Et puis, il s'est avéré que Mexico n'était pas assez bien pour moi. Je m'ennuyais et j'ennuyais les autres. Je n'étais plus qu'une consommatrice. J'ai besoin de… participer à quelque chose. Et vous, c'est quoi, votre histoire ?

– L'histoire typique du flic, répond Keller. J'étais marié avec mon métier, plus qu'avec ma femme. Vous avez vu ça dans des dizaines de films. C'était entièrement ma faute.

– Nous sommes deux salopards rongés par la culpabilité, hein ?

Ils finissent les linguine.

– Alors, vous voulez vous échapper ? demande Keller. Ou vous voulez un dessert ?

– Je prendrais volontiers un dessert, mais j'aimerais bien marcher un peu après ce repas. Peut-être qu'on pourrait se promener et trouver un autre endroit.

– Très bonne idée.

Keller règle l'addition et il est content que Marisol ne propose pas de partager, puis ils marchent jusqu'à la librairie Pendulo. Il prend plaisir à la regarder flâner dans les rayons et parcourir attentivement les livres sur les étagères.

Les lunettes lui vont bien.

– J'adore ce genre de soirées, dit-elle. Regarder des livres, boire un café. Je passe un très bon moment, Arturo.

– Je m'en réjouis.

Marisol choisit un recueil des poèmes de Sor Juana et ils s'assoient à une table où ils commandent deux cafés et du *pan dulce*.

– Il y a une boulangerie à Valverde. Ils font le meilleur *pan dulce* au monde. Peut-être que je vous y emmènerai un jour.

– Ce serait avec plaisir.

Ensuite, ils se promènent dans l'Avenida Nuevo León.

– C'était comme ça dans le temps, dit-elle. Un couple qui se faisait la cour marchait sur le paseo le soir. Évidemment, les *tías* marchaient derrière, aux aguets – elles n'entendaient pas, mais elles voyaient tout – pour s'assurer que le garçon n'essayait pas de voler un baiser à la jeune femme.

– Y a-t-il des *tías* derrière nous ? demande Keller.

Marisol se retourne.

– Non.

Keller se penche et l'embrasse. Il est presque aussi surpris qu'elle et il ne sait pas où il a trouvé le courage de faire ça.

Les lèvres de Marisol sont douces, charnues et chaudes.

Deux jours plus tard, Keller répond au téléphone et entend Yvette dire :

– Je vous en supplie, dites-moi que vous êtes libre dimanche.

– Je suis libre dimanche.

– Parfait ! Vous aimez le polo ?

Keller ne peut s'empêcher de rire. Le polo ? Sérieusement ?

– On ne m'a jamais posé cette question.

– Martín y joue, dit Yvette. Nous réunissons quelques amis pour aller le voir et ensuite nous organisons une petite fête à la maison. Si on disait Campo Marte à 13 heures ?

Disons cela.

Mais Keller ne sait pas pourquoi.

Campo Marte se trouve sur un plateau de Chapultepec. Un rectangle de champ vert avec les silhouettes des tours de la ville au second plan.

Keller est assis à côté d'Yvette Tapia dans les vestiges d'un amphithéâtre qui accueille les spectateurs. Elle est resplendissante dans une robe blanche légère qui dévoile ses jambes, coiffée d'un béret blanc qui fait ressortir la noirceur d'encre de ses cheveux.

Les autres spectateurs, une centaine environ, tous aussi nantis, les gens riches et beaux de Mexico, sirotent du champagne ou des mimosas en grignotant des canapés proposés par des serveurs en blanc.

– Expliquez-moi les règles du polo, dit Keller.

– Moi-même, je n'y comprends pas grand-chose, avoue Yvette. Martín y joue depuis deux ans seulement, mais je crois qu'il est très bon. « Handicap un », paraît-il. J'ignore ce que ça veut dire.

– Les chevaux vous appartiennent ? Ou vous les louez, comme des chaussures de bowling ?

– Vous vous moquez de nous. Je ne vous en veux pas. C'est un peu trop, hein ? Que voulez-vous, Martín se passionne pour ce sport et une épouse avisée n'empêche jamais un mari d'assouvir ses passions si elle veut rester sa femme le plus longtemps possible.

– Et un mari avisé ?

– *Lo mismo.*

Idem.

– Certains maris achètent des voitures de sport, reprend Yvette. Ou des avions, ou des putains. Martín, lui, achète des chevaux, alors je peux m'estimer heureuse. Les chevaux, c'est beau et nous rencontrons des gens très bien.

C'est le but, n'est-ce pas ? se dit Keller. Le golf et le tennis, ça vous introduit dans un certain milieu ; le polo, ça vous fait entrer carrément dans un autre monde.

Keller regarde se dérouler la partie. C'est un tourbillon de couleurs entre les maillots verts ou rouges des cavaliers et les robes des chevaux qui offrent un éventail de brun, de blanc et de noir. Il comprend à peine ce qui se passe – quatre cavaliers dans chaque équipe tentent apparemment d'envoyer la balle dans le but adverse avec de longs maillets –, mais c'est rapide et spectaculaire.

Et dangereux.

Les chevaux se rentrent dedans et à plusieurs reprises il s'en faut de peu qu'un ou deux chutent, sous les cris d'effroi de la foule.

Martín semble être un bon joueur, en effet : cavalier gracieux, agressif sur la balle. Keller apprend qu'il est le « numéro deux » de son équipe, chargé d'adresser des passes au marqueur et de défendre. C'est le poste le plus « tactique », glisse Yvette à Keller, qui n'est pas étonné.

À la fin des deux premières « chukkas », les périodes, le score est de 4 à 4.

Yvette se lève.

– Venez.

– Où va-t-on ?

– C'est une tradition.

Imitant tous les spectateurs, ils pénètrent sur le terrain pour replacer les mottes de gazon arrachées par les sabots des chevaux. Tout le monde participe afin de remettre le terrain en état pour la seconde période, mais aussi pour socialiser.

Yvette le présente à plusieurs personnes.

Keller fait la connaissance de banquiers et de leurs épouses, de diplomates et de leurs épouses, puis il rencontre Laura Amaro.

Laura et Yvette sont très amies.

– Où est ton mari ? demande cette dernière.

– Il travaille.

– Le pauvre.

– Le président ne le ménage pas. (Elle se tourne vers Keller.) Benjamin, mon mari, est au gouvernement.

– Ah.

– Je ne le vois presque plus, soupire Laura en faisant la moue. Je vis chez Yvette plus que chez moi.

– Tu peux passer à la maison ensuite ? demande celle-ci.

– Rien ne m'en empêche. Benjamin pourra peut-être nous rejoindre.

– Appelle-le et dis-lui que j'insiste.

– Je pense que ça va l'effrayer.

Ils se déplacent sur le terrain pour replacer les mottes, tout en parlant. Yvette montre une très jolie femme en pleine conversation avec un homme de grande taille au sourire éclatant, vêtu d'un costume sans doute italien à la coupe impeccable.

– Vous reconnaissez cette femme ? demande-t-elle à Keller.

– Non.

– C'est l'épouse du président. La première dame.

– Tu veux aller la voir ? s'enquiert Laura.

Yvette secoue la tête.

– Je n'en suis pas encore arrivée là. Et puis, nous aurons bientôt une nouvelle première dame, n'est-ce pas ? Mon Dieu, faites que son mari soit du PAN.

La pause est terminée, ils regagnent leurs sièges.

La seconde période est plus intense que la première. L'atmosphère devient plus compétitive, l'engagement plus physique. À un moment donné, le cheval de Martín semble sur le point de s'écrouler et Yvette agrippe la main de Keller.

Elle la serre pendant plusieurs secondes, puis la relâche.

Le score est de 6 à 6 quand soudain Martín propulse son cheval gris vers l'avant et accroche le maillet du joueur adverse. Il écarte celui-ci d'un mouvement d'épaule, récupère la balle et dévale le terrain.

Keller remarque la ferveur dans les yeux d'Yvette pendant que son mari galope droit devant.

Un adversaire se dresse entre lui et le but.

Martín lève son maillet au-dessus de sa tête, prêt à frapper et, à la dernière seconde, il transmet la balle à son équipier, qui marque.

Le mari débordé de Laura Amaro ne les rejoignant pas au dîner, Yvette installe Keller à côté de son amie pour lui servir de « chevalier servant ».

– Benjamin gère les déplacements du président, explique-t-elle. Sept jours sur sept.

– Ce doit être quelqu'un de très important, dit Keller.

– Oh, oui, nous sommes tous très importants, répond Laura. Mais, évidemment, nous risquons de nous retrouver au chômage bientôt.

– Vous pensez vraiment que le PRD peut l'emporter ?

Le PRD est une coalition de gauche qui a quasiment remplacé le PRI comme principal parti d'opposition. Le candidat du PRI à l'élection présidentielle, Manuel López Obrador, le maire de Mexico, avait vu fondre sa colossale avance dans les sondages face au candidat du PAN, Felipe Calderón.

– Je pense que ce sera serré, dit Laura. Et Benjamin le pense aussi. Si nous perdons, ce sera une catastrophe pour le pays. D'ailleurs, je crois que vos amis à Washington partagent cet avis, non ?

– Je crois, oui.

Keller songe alors : le centre du trafic de drogue ne se trouve pas dans les villes frontalières comme Tijuana, Juárez ou Laredo.

Ni même au cœur du Sinaloa.

Il est ici, à Mexico.

– Tu embrasses un cobra, dit Martín Tapia en se couchant à côté de sa femme dans leur lit.

– Oui, mais c'est très amusant.

– Si Adán apprenait que nous avons invité Keller ici…

– Adán, Adán, Adán… « De quelle viande se nourrit donc notre César pour devenir si grand ? »

– Diego lui est dévoué.

– Je sais, dit Yvette en se tournant vers son mari, ils ont grandi ensemble. Le problème de Diego, c'est qu'il n'a pas conscience de sa propre valeur.

– Il est loyal.

– La loyauté devrait s'exercer dans les deux sens.

– C'est-à-dire ?

– Adán se rapproche de plus en plus de Nacho Esparza. D'abord, il lui offre Tijuana, et maintenant il renifle autour de sa fille.

– Elle a dix-sept ans.

– Il n'y a aucun mal à garder Keller sous la main. Il pourrait nous être utile et, au pire, il vaut toujours deux millions, non ? Sans parler de la gratitude éternelle de l'Empereur.

Yvette glisse vers le bas du lit.

– Laisse-moi te montrer comme c'est amusant d'embrasser le cobra.

Keller attend devant le Marriott dans une voiture de location.

Arroyo sort avec la mallette et monte dans sa Lexus. Il remonte le Paseo de la Reforma, jusqu'à Colonia Polanco, puis il prend l'Avenida Rubén qui borde le parc Chapultepec.

La Lexus s'arrête.

Une femme sort du parc, la portière du passager s'ouvre et la femme prend la mallette. Keller n'a pas besoin de courir un risque en suivant cette femme pour découvrir son identité car il a déjà dîné avec elle.

Il regarde Laura Amaro s'éloigner.

Nom de Dieu, se dit-il. Laura remet l'argent à son mari, Benjamin, qui l'apporte à Los Pinos.

Trois semaines plus tard, le soir de l'élection, Keller et Marisol se joignent à des milliers de personnes rassemblées sur le Zócalo pour attendre les résultats.

Le Zócalo est la place principale de Mexico, une des plus grandes au monde. Elle est bordée à l'est par le Palacio Nacional, bâti sur l'emplacement du palais de Moctezuma, et à l'ouest par la Portal de Mercaderes. Le bâtiment banal du District fédéral occupe le côté sud, alors que le nord de la place est dominé par la cathédrale métropolitaine de l'Ascension de Marie, la plus grande cathédrale des Amériques, dont la construction a débuté en 1573. On dit que la première pierre a été posée par Cortés lui-même. Ses clochers jumeaux, faits de *tezontle* rouge, toisent le Zócalo comme des sentinelles.

La place est immense et occupée uniquement par le *zócalo* qui lui donne son nom, le socle d'une colonne qui n'a jamais été érigée et qui supporte un mât au sommet duquel flotte un gigantesque drapeau mexicain. C'est un lieu de rassemblement depuis plusieurs siècles et Keller a appris que pour les Aztèques, le centre de l'univers se trouvait tout près de là, au nord-est, à l'emplacement du vieux Templo Nachor.

Quand vous vous trouvez sur le Zócalo, vous vous sentez tout petit ; et en tant que Nord-Américain, vous avez l'impression que votre pays est très jeune.

Marisol, comme l'a découvert Keller, est un animal politique, une gauchiste passionnée. Elle a pleuré en regardant *Le Labyrinthe de Pan,* de colère tout d'abord vis-à-vis des fascistes espagnols, puis de fierté, qu'un si beau film ait été réalisé par un Mexicain, Guillermo del Toro.

À mesure que l'élection approchait, la politique prenait de plus en plus de place dans sa conversation, à tel point qu'elle devait s'en excuser et s'obliger à changer de sujet, avant d'y revenir quelques minutes plus tard.

Keller s'en fichait ; il aimait cette passion, et la vérité était qu'il ne pouvait s'empêcher de comparer Marisol à Althea : une progressiste pure et dure pour qui Richard Nixon et Ronald Reagan étaient des figures démoniaques.

– Aux États-Unis, vous ne savez pas ce qu'est la pauvreté, lui a dit Marisol lors d'un dîner dans un restaurant argentin.

– Tu as déjà vu le South Bronx ?

– Tu as déjà vu les *colonias* de Juárez ? Ou encore la pauvreté rurale dans la vallée d'où je viens ? Crois-moi, Arturo, le conflit entre la droite et la gauche est différent au Mexique.

Donc, elle déteste le PAN, elle soutient de tout cœur et avec espoir le PRD, et le soir de l'élection, elle a proposé à Keller de sortir avec elle.

Pour découvrir le résultat sur le Zócalo.

Keller, lui, n'est pas très politisé ; ses expériences à Washington l'ont rendu méfiant et cynique. Marisol le sait et était d'autant plus ravie qu'il accepte de l'accompagner car il faisait cela pour elle.

Et ils sont là, sur cette immense place, au milieu d'une foule que Keller estime à environ cinquante mille personnes. L'atmosphère est tendue et des rumeurs de fraudes ont circulé toute la journée : urnes bourrées ou jetées, petites communautés rurales menacées d'être privées d'aide gouvernementale si elles votaient pour le PRD.

Tout le monde sait que le scrutin sera serré et l'ambiance est électrique dans l'attente du résultat d'une procédure mexicaine particulière nommée la *Cuenta rápida,* le comptage rapide. La commission électorale prélève un échantillon de votes dans quelque sept mille districts après la fermeture des bureaux à 22 heures. Si l'avance d'un candidat dépasse 0,6 %, un gagnant peut être pronostiqué ; dans le cas contraire, l'élection est considérée comme « trop serrée » et exige un décompte complet des bulletins de vote.

À 23 heures ce soir-là, le commissaire chargé des élections vient à la télévision pour annoncer que la *Cuenta rápida* indique que les résultats sont « trop serrés », mais il refuse de donner les chiffres.

– On va se faire rouler, dit Marisol, alors qu'ils traversent lentement la foule pour quitter le Zócalo. Les gens veulent le PRD mais ils vont truquer les chiffres.

– Tu n'en sais rien, répond Keller, mais il s'inquiète.

Il s'inquiète pour Marisol, il ne veut pas qu'elle soit meurtrie et déçue, et il s'inquiète pour lui : si le PAN remporte l'élection, légalement ou illégalement, les Tapia pourront poursuivre tranquillement leur petit manège financier.

Les renseignements qu'il possède sur le pipeline à fric qui alimente Los Pinos le placent face à un dilemme.

S'il en parle à Aguilar ou à Vera, il risque d'être expulsé immédiatement du pays.

Mais surtout, il ne sait toujours pas si l'un ou l'autre, ou les deux, sont corrompus.

Il devrait transmettre l'information à Taylor, puis laisser la DEA et toute la soupe alphabet reprendre l'enquête, et gérer les conséquences au plus haut niveau.

Mais qui à la DEA osera s'attaquer à Los Pinos ? Le problème serait transféré à la Justice, puis au Département d'État, avant de mourir à petit feu dans les couloirs. Car Laura Amaro a raison, l'administration conservatrice actuellement en place à la Maison-Blanche veut que le PAN remporte cette élection. Elle ne fera rien qui puisse ébranler l'édifice, de peur de voir le Mexique basculer à gauche.

Alors, la meilleure chose à faire pour le moment, c'est de ne rien faire.

Poursuivre l'enquête, sans rien dire à ses collègues et à ses supérieurs, jusque après l'élection.

Tout repose sur cette élection.

Le comptage officiel débute trois jours plus tard.

La commission électorale collecte toutes les urnes scellées dans les districts et les examine pour déceler d'éventuelles altérations. Des représentants des divers partis sont présents et peuvent émettre des objections.

Marisol passe toute la nuit devant sa télé.

Keller attend avec elle. Ils boivent du café et bavardent nerveusement, tandis que les premiers chiffres tombent. López Obrador prend très vite la tête.

– Je te l'avais dit, clame Marisol. Le pays veut le PRD.

Puis l'érosion commence. C'est comme regarder une rive s'écrouler sous l'effet d'une lente inondation. L'avance se réduit, puis s'effondre alors qu'arrivent peu à peu les résultats des districts du Nord.

– C'est chez moi, dit Marisol. C'est ma région.

Les votes du Nord sont nettement en faveur de Calderón.

– Je ne peux pas y croire, dit-elle. Je connais les gens qui vivent là-bas, ils sont pauvres, ils ne votent pas pour le PAN.

Le résultat officiel est annoncé le lendemain matin de bonne heure.

Calderón l'emporte avec seulement 243 934 votes d'avance.

Soit 0,58 %.

Une histoire de bulletins mal perforés, se dit Keller.

Marisol pleure.

Puis la colère prend le dessus.

Ils sortent dans la rue.

Deux jours après l'annonce du résultat, près de trois cent mille personnes manifestent sur le Zócalo et écoutent des militants du PRD parler de fraudes électorales. Une semaine plus tard, ils sont un demi-million à exiger que les tribunaux ordonnent un nouveau comptage.

Marisol est parmi eux.

Keller aussi.

Il est présent pour la protéger, mais aussi parce que le spectacle est saisissant. Il n'a jamais vu un demi-million d'Américains se rassembler au nom de la démocratie. Il ignore si les accusations de fraude sont fondées ou pas, mais il est impressionné, même *ému,* de voir autant de gens concernés. Lui qui a assisté au vol d'une élection américaine sans protester.

L'ambassadeur aurait une attaque s'il savait que Keller se trouve sur cette place, Tim Taylor ferait une hémorragie nasale, mais il s'en fiche. Il ne veut pas manquer ce moment historique. Et évidemment, il sait qu'il y a autre chose.

Il est peut-être en train de tomber amoureux.

Cela semble improbable à son âge et dans sa situation. Marisol a vingt ans de moins que lui (même si elle est la première à dire qu'elle a « une mentalité de vieille ») et elle aime plus que tout son pays, dont il peut être chassé d'un jour à l'autre.

Ils n'ont pas encore couché ensemble, mais l'attirance physique est bien là. Et il sait que c'est réciproque, à en juger par la nature de leurs baisers et des soupirs de Marisol quand ils se disent au revoir.

Mais c'est une Mexicaine d'un certain milieu, et une Mexicaine d'un certain milieu ne couche pas le premier soir, ni le troisième. Si cela se produit, ce ne sera pas anecdotique pour elle ; elle a déjà vécu l'échec d'un mariage, elle veut prendre son temps.

Art Keller n'est pas un amoureux transi, victime d'un coup de foudre ou de la crise de l'âge mûr. Il n'occulte pas les problèmes, des problèmes dont il ne lui a pas parlé. Comment expliquer à une femme que vous rechignez à vous impliquer dans une relation pour ne pas la mettre en danger ? Comment lui annoncer cette nouvelle surréaliste et mélodramatique : votre tête est mise à prix deux millions de dollars, quelqu'un peut essayer de toucher la récompense à tout moment et vous ne voulez pas qu'elle se trouve sur la trajectoire d'une balle perdue ?

C'est surréaliste, oui, comme un tas de choses dans le monde des narcos, et pourtant, comme un tas de choses dans le monde des narcos, c'est bien réel.

Alors, Keller sait qu'il ne devrait pas fréquenter Marisol.

Ni personne d'autre.

Mais c'est si bon d'être avec elle, si naturel. Il l'apprécie, il la respecte, il l'admire (bon d'accord, il la désire aussi), et oui, il pourrait être en train de tomber amoureux.

En outre, le risque que quelqu'un tente de profiter de la générosité de Barrera est limité. Bizarrement, cette élection serrée lui offre une certaine protection car Adán est trop prudent pour faire chavirer le bateau en pleine tempête.

Néanmoins, Keller sait qu'il ne devrait nouer aucune relation avec qui que ce soit.

Quinze jours plus tard, il rejoint Marisol pour une manifestation plus importante encore : un défilé sur le Paseo de la Reforma afin d'exiger un recomptage des votes. Impossible d'évaluer le nombre de manifestants de l'intérieur d'un cortège – certains observateurs annoncent le chiffre de deux cent mille –, mais selon la police de Mexico, ce sont presque deux millions et demi de personnes qui défilent ce jour-là pour réclamer une élection propre.

Deux millions et demi, se dit Keller en avançant à côté de Marisol, qui scande des slogans avec la foule. La marche pour les droits civiques à Washington avait rassemblé deux cent cinquante mille personnes, une manifestation contre la guerre du Vietnam en 1969 peut-être six cent mille.

Malgré lui, il est fasciné. Quiconque affirme que les Mexicains se contrefichent de la démocratie devrait être ici aujourd'hui, pense-t-il, alors que le cortège passe devant la statue dédiée à Los Niños Héroes et à El Ángel de la Independencia, puis devant l'ambassade américaine et la Bourse.

C'est émouvant.

– Ils sont obligés de nous accorder un recomptage maintenant ! s'exclame gaiement Marisol par-dessus les slogans. Ils sont obligés !

La manifestation s'achève sur le Zócalo, mais cette fois, les gens ne partent pas. Des milliers d'entre eux installent un *plantón,* un campement, ils refusent d'évacuer les lieux tant qu'un recomptage n'est pas décidé. Keller ne veut pas que Marisol reste.

– C'est dangereux. Si la police essaye de vous déloger ? Tu risques d'être blessée.

– Rentre chez toi si tu veux.

– Ce n'est pas ça…

– Après tout, ce n'est pas ton pays.

Non, mais si.

Ces vingt dernières années, Keller a vécu plus longtemps au Mexique qu'aux États-Unis, et même le temps passé « chez lui » a été dévoré par le Mexique. Il a fait couler le sang dans ce pays, des amis y sont morts.

Alors, il reste sur la place.

Sa première nuit avec Marisol, il la passe sur un sac de couchage, entouré d'un millier d'autres personnes.

La situation commence à dégénérer le lendemain quand les manifestants bloquent la circulation sur le Paseo de la Reforma et d'autres artères. Keller exhorte Marisol à ne pas s'en mêler, elle doit penser à son travail, à ses patients, il prône la prudence, mais elle refuse de quitter les lieux. Elle décale les rendez-vous de ses patients et n'abandonne l'occupation de la place que pour accomplir ses heures de bénévolat au dispensaire d'Iztapalapa. Cet après-midi-là, les juges décident qu'il existe suffisamment de doutes sur la conformité du vote pour justifier un recomptage dans cent cinquante-cinq districts litigieux.

L'opération débutera dans quatre jours et prendra plusieurs semaines, au moins.

Sur le Zócalo, c'est la fête. On joue de la guitare, des gens s'étreignent et s'embrassent, certains pleurent de joie.

– Alors, tu veux bien rentrer chez toi maintenant ? demande Keller à Marisol.

– Seulement si tu viens avec moi.

– J'ai envie de prendre une douche, déclare-t-elle dès qu'ils arrivent chez elle. Je me sens vraiment crasseuse.

Keller attend sur le canapé dans le petit salon. L'appartement est agréable, mais la décoration austère ; c'est l'intérieur d'une personne divorcée qui passe peu de temps chez elle. À travers la fine cloison, il entend l'eau couler. La douche s'arrête enfin et il pense que Marisol va ressortir, mais l'attente dure une éternité.

Ça valait la peine.

Ses cheveux auburn tombent sur ses épaules nues, par-dessus un déshabillé noir qui offre un aperçu alléchant du corps qui se trouve dessous.

– On va se coucher ?

Keller pensait que Marisol serait timide, il pensait qu'ils le seraient tous les deux. Mais leurs corps prennent le contrôle des opérations et très vite, elle lui fait comprendre qu'elle le veut en elle, et dès cet instant, elle n'a plus rien d'une jeune femme respectable.

Un peu plus tard, la tête posée sur l'épaule de Keller, ses cheveux étalés sur sa poitrine, Marisol dit :

– On a toujours peur que le fantasme soit meilleur que la réalité, mais dans ce cas précis… non.

– Tu fantasmais ? demande Keller.

– Pas toi ?

– Si.

– J'espère.

Après quelques minutes de silence, Marisol pousse un soupir.

– Ça faisait longtemps.

– Moi aussi.

– Non, je voulais dire : que je n'ai pas aimé quelqu'un.

Et il s'agit bien de cela : entre eux, c'est *una locura de amor*.

Un amour fou.

– J'ai devant les yeux des photos intéressantes, dit Taylor au téléphone. On vous voit dans une manifestation. Certains ici ne sont pas très contents, Art. Ils se demandent dans quel camp vous êtes.

– Je me contrefous de savoir qui est content ou pas, répond Keller. Quant à savoir dans quel camp je suis : le mien.

– Toujours fidèle à vous-même.

– Ne m'appelez plus pour ce genre de conneries.

Au Mexique, le mois d'août est pluvieux.

La pluie arrive généralement dans l'après-midi, des après-midi qu'ils passent souvent au lit, quand leurs activités respectives le leur permettent. Ils se retrouvent chez Marisol et font l'amour pendant que la pluie frappe la fenêtre de la chambre, puis ils se lèvent, boivent un café et attendent que l'averse s'arrête pour s'aventurer dehors.

Les manifestations contre le résultat de l'élection se poursuivent durant l'opération de recomptage. Des défilés sont organisés sur la route de l'aéroport ou dans le centre-ville ; d'autres mouvements font leur apparition à travers le pays, y compris à Juárez, la ville chère au cœur de Marisol.

Keller continue à surveiller le pipeline à fric des Tapia. Le procédé destiné à alimenter Los Pinos, ou du moins ses hauts dirigeants, varie à peine. Et il continue à jouer son jeu dangereux en fréquentant les Tapia, pour provoquer une réaction.

Les Zetas ne le contactent plus, mais il devine qu'ils font comme tout le monde : ils attendent le résultat de l'élection, qui pourrait mettre à mal leur business.

Le Mexique retient son souffle comme un seul homme, et puis le 28 août, la commission électorale donne les chiffres définitifs. Grâce à une très courte avance, similaire à celle des premiers résultats, Calderón est déclaré vainqueur et le PAN conserve Los Pinos.

Nouveau président, même parti.

Marisol est anéantie.

– Ils ont confisqué l'élection, dit-elle à Keller, et elle énumère les diverses accusations de fraude, d'intimidation, de décomptes erronés. Ils nous ont volés.

Le résultat officiel confirme également ce qu'elle craignait : son pays est désespérément corrompu et le pouvoir protégera toujours le pouvoir.

La pluie continue de tomber.

Marisol est déprimée, morose. Keller découvre une personne qu'il ne connaissait pas : muette, renfermée, distante. Sa déception se mue en amertume, son amertume en colère et il lui sert d'exutoire.

Elle se dit certaine que « son » gouvernement se réjouit du résultat, peut-être même est-il complice. « Ses » opinions politiques sont un peu plus à droite que les siennes, non ? C'est un homme (Keller plaide coupable) et aucun homme ne peut être féministe, n'est-ce pas ? Est-il obligé de suspendre sa chemise au portemanteau de la salle de bains, est-il obligé de lui lire les gros titres des journaux (elle sait lire, non ?). Un Américain peut-il vraiment comprendre une Mexicaine ?

– Ma mère était mexicaine, lui rappelle Keller.

– Je ressemble à ta mère ? réplique-t-elle, choisissant délibérément le conflit.

– Loin de là.

– Car je n'ai aucune envie d'être une figure maternelle qui…
– Marisol ?
– Ne m'interromps pas.
– Fais chier.
Il inspire profondément et ajoute :
– Ce n'est pas moi qui ai truqué l'élection, si elle a vraiment été truquée…
– Il n'y a aucun doute.
– … alors, ne t'en prends pas à moi.
Marisol en a conscience. Elle a honte, mais elle ne peut s'en empêcher. Elle a agi de la même façon avec son ex-mari, elle lui a reproché des choses auxquelles il ne pouvait rien : sa frustration, sa colère, sa rage de voir que la vie ne ressemblait pas à ce qu'elle devrait être… sans même savoir ce qu'elle devrait être.
Et Arturo, cet homme aimant, beau et merveilleux, il est tellement… *américain*. Ce n'est pas seulement un Américain, c'est un représentant de l'ordre, un flic antidrogue qui fait Dieu sait quoi, et qui en est venu, d'une certaine manière, à incarner sa…
… colère.
Elle s'efforce de rester raisonnable, néanmoins.
– Ce que j'essaie de te faire comprendre, c'est qu'il existe, dans ce pays, mille ans d'histoire que vous autres, Nord-Américains, vous ne comprenez pas, et vous débarquez ici en pataugeant dans votre ignorance…
– J'ai franchi la frontière pour…
– Tu as « franchi la frontière » ? As-tu conscience du paternalisme et de la condescendance contenus dans…
– Nom de Dieu, Mari, arrête de jouer les…
– Les chieuses ? demande-t-elle. Comme une femme qui se bat pour ses opinions, c'est ça ?
Keller quitte l'appartement. Lui aussi est furieux du résultat de l'élection, pour des raisons qu'il ne peut pas confier à Marisol.

Le maintien au pouvoir du PAN l'oblige à agir vis-à-vis du pipeline à fric des Tapia. Il doit faire confiance à Aguilar ou à Vera ; ou bien tout déballer à Taylor, qui voudra savoir pourquoi il ne l'a pas informé plus tôt.

Et il me foutra à la porte du Mexique, se dit-il.

Et ensuite ?

Tu demanderas à Marisol de partir avec toi ?

Elle est attachée à son pays, ce serait déloyal d'exiger cela. Jusqu'à présent, elle a accepté le côté secret de sa vie. Elle est intelligente, elle devine que son travail ne se limite pas à établir des « contacts diplomatiques », et elle ne l'interroge jamais pour savoir où il est ni ce qu'il fait quand il n'est pas avec elle.

Mais ça ne peut pas durer ainsi, ce n'est pas une vie.

Dans un autre monde, il lui proposerait de l'épouser, et il pense qu'elle dirait oui. Dans un autre monde, il quitterait l'agence pour s'installer au Mexique, et il trouverait un emploi, au SEIDO ou dans une société de sécurité privée. Ou il ouvrirait une librairie, un café.

Mais ce serait dans un autre monde.

Cela fait bientôt deux ans maintenant que tu es sur ce coup-là et Barrera demeure toujours aussi insaisissable. Il est plus que jamais introduit dans les rouages du pouvoir.

Surtout, la validation de l'élection va lui laisser les coudées franches. Il va te traquer aux États-Unis, au Mexique, partout où tu iras, et tu n'as pas le droit de faire endurer une chose pareille à Marisol.

On n'inflige pas ça à la personne qu'on aime.

Keller sait ce qu'il devrait faire, et sans tarder. La période des fêtes approche, et c'est encore plus cruel de rompre une relation à cette époque de l'année. De toute façon, ce sera cruel, pour tous les deux, mais il n'a pas le choix.

Ce soir-là, chez elle, à Condesa, il dit :

– Marisol, il faut que je te parle.

– Moi aussi.

Elle le conduit vers le canapé et s'assoit à côté de lui, délicatement.

– Le moment est mal choisi sans doute, mais je t'annonce que je déménage.

– Pour aller où ?

– À Valverde. J'ai décidé de rentrer chez moi.

Elle se sent inutile ici, explique-t-elle. Elle soigne des patients riches, alors qu'il y a tellement de pauvreté et de besoins, là-bas chez elle. Elle pourrait aider les gens, participer à la lutte au lieu de se contenter de gestes symboliques en défilant dans les rues. Elle ne peut plus vivre de cette façon.

– On pourra continuer à se voir, dit-elle. Je viendrai à Mexico, tu viendras à Juárez…

– Oui, bien sûr.

C'est le genre de choses que se disent les gens quand ils savent que cela n'arrivera pas.

– Essaye de comprendre, Arturo, s'il te plaît. J'ai l'impression de vivre dans un mensonge ici. Nous vivons dans un mensonge.

Keller comprend très bien.

Vivre dans le mensonge, il connaît.

Adán décide d'instaurer la paix dans le Golfe.

Le cartel du Golfe et ses troupes de Zetas se sont révélés être des ennemis particulièrement brutaux et coriaces, bien qu'Osiel Contreras soit en prison. On compte déjà sept cents meurtres au Tamaulipas, cinq cents autres au Michoacán, et l'opinion publique mexicaine est lasse de toute cette violence.

– Tu crois qu'ils viendront s'asseoir à la table des négociations ? demande Magda. (Elle connaît son rôle : se faire l'avocate du diable.) Pourquoi instaurer la paix maintenant ?

– Parce qu'on peut obtenir ce qu'on veut désormais, répond Adán.

– Et La Familia ? Ce sont de bons alliés, mais ils ne feront jamais la paix avec les Zetas.

Elle connaît l'histoire de la jeune putain assassinée et du garçon qui était amoureux d'elle.

C'est presque romantique.

– Les Zetas peuvent garder le Michoacán. Je n'en veux pas.

Magda sait ce qu'il veut.

Eddie est assis en compagnie de Diego et de Martín Tapia à l'arrière d'un Cessna 182 qui les conduit à la réunion avec le Golfe et les Zetas. Après de longues négociations, les Sinaloans ont accepté une rencontre dans un ranch appartenant à Ochoa, entre Matamoros et Valle Hermosa.

Diego dit à Eddie :

– Laisse-moi t'apprendre ce que ma mère m'a enseigné : si tu gardes la bouche fermée, personne ne peut y fourrer sa bite.

– Ce n'est pas ta mère qui t'a appris ça.

– Ce que je veux te dire, c'est que pendant la réunion, tu dois fermer ta grande gueule.

Eddie contemple le paysage aride tout en bas.

– Si tu crois que je vais rester sagement assis devant ces types qui ont torturé à mort mon meilleur pote...

– *Sí, m'ijo,* c'est ce que je crois, dit Diego. Sinon, tu reprends ton fric, tu retournes *al norte* et tu ouvres une pizzeria ou je ne sais quoi.

– Pourquoi pas un restaurant bio ? murmure Eddie.

– Haut les cœurs, dit Diego. Peut-être que ça va mal tourner et qu'on pourra tuer tout le monde.

Dieu sait qu'ils possèdent une puissance de feu suffisante pour cela. Ils ne sont pas venus les mains vides : quatre avions remplis de fusils automatiques, d'armes de poing, de lance-grenades, et les hommes pour les utiliser. S'il s'agit d'un traquenard, ils auront de quoi se défendre.

– N'oublie pas, Quarante et Ochoa sont pour moi, dit Eddie.

Gordo Contreras – alias Jabba le Boss – n'en a rien à foutre, même si c'est Eddie qui a inventé cette devinette : « Que s'est-il passé quand Gordo a pris possession du Golfe ? Le niveau de la mer est monté de un mètre. »

Martín l'a mis en garde : s'il veut débiter des vannes, il n'a qu'à se produire sur la scène d'un club, mais pas question de jouer les comiques à la table des négociations.

L'avion atterrit sur une piste située à l'ouest du ranch d'Ochoa. Par la vitre du cockpit, Eddie aperçoit une dizaine de jeeps, dont trois munies de mitrailleuses pointées sur le Cessna, et Quarante sur ses gardes.

– Oh, je sens l'amour qui flotte dans l'air, commente-t-il.

– Si c'est ça que tu appelles fermer sa gueule, tu te goures, dit Martín.

L'hacienda possède une large galerie couverte qui abrite une longue table sur laquelle ont été disposées des carafes d'eau fraîche ou de thé glacé et des bouteilles de bière. Ochoa, semblable à un bellâtre dans un vieux film hollywoodien, descend de la galerie et s'avance vers Adán qui sort d'une des jeeps.

C'est un moment clé, Adán le sait. Tout le monde a conscience que la réunion peut dégénérer et laisser la parole aux armes. Il observe Ochoa de la tête aux pieds et lâche :

– Tu es aussi beau qu'on le dit. Si j'étais de l'autre bord, je t'épouserais.

Il s'ensuit un moment de silence, puis Ochoa éclate de rire.

Tous les autres l'imitent alors, et ils rejoignent la galerie.

Gordo Contreras, le petit frère devenu le chef putatif du cartel du Golfe, est assis à table. Il ne s'est pas donné la peine de lever son gros cul, constate Adán. Il transpire abondamment, c'est répugnant. Encore plus quand il reluque Magda.

– Je ne savais pas que les *segunderas* étaient invitées, lâche Gordo. J'aurais amené la mienne.

Adán s'apprête à répliquer, mais Magda le devance :

– Les *associés* sont invités, Gordo. Ta *segundera* peut rester à la maison, c'est sa place.

L'expression qu'affiche le visage adipeux de Gordo est hilarante : il semble à la fois hébété et furieux. Il foudroie Magda du regard, mais celle-ci le regarde froidement, jusqu'à ce qu'il baisse les yeux.

Avantage Magda, songe Adán.

Ils s'installent, Adán et Ochoa chacun à un bout de la table. On remplit les verres, puis Nacho prend la parole :

– Je pense que nous devrions consacrer cette discussion aux moyens d'aller de l'avant. Je ne vois pas l'intérêt d'évoquer le passé.

– Ce n'est pas nous qui avons déclenché cette guerre, se défend Gordo.

– Ton frère a tenté de me faire assassiner à Puente Grande, répond Adán, calmement. J'ai considéré cela comme une déclaration de guerre.

– Ça fait deux ans, t'as mis du temps à réagir, souligne Gordo, déjà essoufflé.

Il se penche pour boire une grande gorgée d'eau.

Adán hausse les épaules.

– Je suis long à la détente.

– Si on se concentrait sur la façon de mettre fin à cette guerre ? suggère Nacho.

– D'accord, approuve Gordo. Vous retirez tous vos hommes du Tamaulipas et si vous voulez utiliser la *plaza* Laredo, vous nous versez une taxe. Et nous exigeons des… comment vous appelez ça ? Des compensations.

– Vous avez perdu la raison, objecte Magda.

Adán remarque qu'Ochoa n'a pas encore prononcé un seul mot. L'ancien soldat demeure en retrait, il laisse le baratin préliminaire à Gordo. Comme me l'a appris Tío, se dit-il : *Él que menos habla es el más chingón.*

C'est celui qui parle le moins qui a le plus de pouvoir.

À propos de baratin, Vicente Fuentes intervient pour débiter un charabia inspiré par la cocaïne :

– Les bénéfices sont la fleur de la plante de la paix. Au lieu d'arroser les champs avec du sang, on devrait…

Pendant que Vicente poursuit son délire, Ochoa observe Adán en bout de table, qui se demande s'il n'hallucine pas. Le sourire d'Ochoa est discret, presque imperceptible, mais il est bien réel, puis il esquisse un mouvement du menton en direction de Vicente.

C'est une question.

Adán répond par un hochement de tête tout aussi discret.

Oui.

Le véritable accord de cette réunion vient d'être conclu : Juárez est une cible légitime et le cartel du Golfe n'interviendra pas. Adán se lève.

– Nous ne nous retirerons pas du Tamaulipas, et nous ne verserons pas de compensations. Mais voici ce que nous allons faire…

Un cessez-le-feu va être instauré immédiatement, chaque camp conservant les territoires qu'il a acquis.

Le Golfe gardera la totalité du Tamaulipas, à l'exception de Nuevo Laredo, qui deviendra une ville ouverte. Par ailleurs, il gardera Coahuila, Veracruz, Tabasco, Campeche et Quintana Roo.

L'Alliance fera transiter sa marchandise par Laredo sans acquitter de taxes. Elle conservera le contrôle de tous ses anciens territoires – Sonora, Sinaloa, Durango, Chihuaha, Nayarit, Jalisco, Ochoa, Guanajuato, Querétaro, et Oaxaca, ainsi qu'Acapulco –, auxquels elle ajoutera, Diego a insisté auprès d'Adán sur ce point, la municipalité de San Pedro Garza García, dans la banlieue de Monterrey, la plus riche de tout le Mexique.

Les territoires de Nuevo Léon, du District fédéral, de l'État de Mexico, Aguascalientes, San Luis Potosi, Zacatecas et Puebla demeureront neutres.

Gordo se lève avec peine.

– Barrera propose généreusement de nous donner ce que nous possédons déjà. Nous perdons notre temps.

– Assis, ordonne tout bas Ochoa.

Gordo le foudroie du regard.

Mais il s'assoit.

Belle démonstration d'autorité, songe Adán. Ochoa n'a pas cherché à se cacher, il voulait que j'en sois témoin. Gordo Contreras gardera le pouvoir aussi longtemps qu'Ochoa le souhaitera, et pas une seconde de plus.

Ochoa ajoute :

– Je suis sûr que Barrera n'a pas fini d'énumérer ses propositions et qu'il allait nous parler du Michoacán.

Adán réfléchit : Ochoa a appris les règles du jeu mais il n'est pas encore Osiel Contreras. Celui-ci n'aurait jamais abordé le sujet du Michoacán d'emblée, dévoilant ainsi sa principale préoccupation.

– Je ne contrôle pas La Familia, dit-il. Ce sont des francs-tireurs. Mais nous pourrions devenir neutres dans ce conflit.

– Vos amis du gouvernement ne sont pas neutres, rétorque Ochoa.

– Si nous faisons la paix, nos amis deviendront vos amis. Du moins, ce ne seront plus vos ennemis. Le gouvernement pourrait décider de concentrer ses efforts sur La Familia.

– Et combien nous coûterait cette « amitié » ? intervient Gordo.

Vulgairement.

– Quand j'invite des gens à dîner, répond Adán, je ne leur tends pas l'addition.

Ochoa prend le temps de regarder Gordo, comme pour lui dire : Tu as conscience de l'importance de cette proposition ? Ce qu'il nous offre vaut bien plus que n'importe quel territoire. Il reporte son attention sur Adán et demande :

– Néanmoins, vous aurez la politesse de nous laisser régler la note de temps en temps ?

Adán hoche la tête.

Il est obligé de céder sur ce point, il ne s'agit pas seulement de ménager la fierté d'Ochoa en le laissant verser les pots-de-vin, il sait également que le chef des Zetas veut établir ses propres liens avec Mexico.

Ça pose un problème, mais il trouvera une solution.

– Par ailleurs, dit-il, si nous ne soutenons pas une rébellion contre vous au Michoacán, nous devons supposer que vous n'aiderez pas des rebelles à se battre contre nous à Tijuana.

– Entendu, dit Ochoa.

– Nous avons terminé ? demande Adán.

– Pas tout à fait. (Ochoa regarde ostensiblement Eddie.) Cet homme doit quitter Nuevo Laredo. Sa présence là-bas est une insulte.

Eddie reste muet. C'est difficile, car il pense : Putain, c'est moi qui ai conquis Laredo. Et maintenant, je dois partir ? C'est difficile car, en regardant Ochoa, il voit le visage de Chacho, il entend ses hurlements de souffrance, il sent l'odeur de chair brûlée. Il a envie de se lever et de tirer une balle entre les deux yeux de Movie Star, mais il ne bouge pas et il la ferme.

– Entendu, dit Adán.

Tout le monde se lève.

La guerre du Golfe est terminée.

Adán a établi la paix entre les narcos et divisé le pays en *plazas*.

Il est devenu son oncle. C'est lui, le nouveau Tío.

Ce qui suit est une putain de fiesta.

Adán et Magda sont repartis aussitôt, et c'est tant mieux car El Patrón a la sinistre réputation d'être très vieux jeu dans ce domaine. Mais en l'absence de Barrera, tout le monde se lâche – champagne, herbe, coke, putes – jusqu'au matin.

Eddie est particulièrement sensible aux charmes de Las Panteras : le contingent féminin des Zetas. Des *chicas* torrides qui ont subi le même entraînement que les hommes et en sont sorties encore plus canon. Elles ont même des noms sexy. Eddie a choisi la chef des Panteras, Ashley (non, sérieux, une Mexicaine prénommée Ashley ?) qui se fait appeler *la comandante Bombón*. La « commandant Bonbon » porte un Uzi rose qui fait craquer Eddie. Pendant qu'elle le chevauche, elle tient l'arme dans sa main, en disant d'un ton menaçant : « Voyons qui décharge le premier, toi ou l'Uzi. »

Eddie a couché avec un tas de femmes, mais se taper une gonzesse qui a expédié un ou plusieurs types six pieds sous terre vous procure une excitation unique. Le genre baise mortelle. S'envoyer en l'air avec une nana capable de vous buter si on lui en donnait l'ordre ajoute un peu de Tabasco sur le taco.

Commandant Bonbon… putain.

Eddie projette toujours de tuer Quarante et Ochoa, mais il doit reconnaître qu'ils savent faire la fête.

– Ruiz s'est bien tenu, dit Nacho à Adán dans l'avion qui les ramène au Sinaloa.

– Oui, confirme Adán. Diego va lui donner du galon, il va lui offrir San Pedro Garza García.

– Et il aura raison.

– Nacho, encore une chose.

En disant cela, Adán ne regarde pas Nacho, mais Magda.

Celle-ci hausse un sourcil interrogateur, puis se tourne vers Nacho.

– Maintenant que nous avons rétabli la paix dans le golfe, je voudrais te demander la main de ta fille.

Magda s'oblige à sourire.

En dépit de cette incroyable cruauté : demander une femme en mariage devant elle ! Elle sait qu'il lui fait payer son infidélité, supposée, avec Jorge, et elle l'accepte.

Nacho lui-même, toujours impassible et imperturbable, semble désarçonné et il bafouille :

– Euh… Adán… Je suis honoré.

– Si elle veut bien de moi.

– J'en suis sûr.

Il est temps de fonder une autre famille, se dit Adán.

– Une dernière chose, ajoute-t-il.

– Ce que tu veux.

Cette fois, il s'adresse à Nacho et à Magda :

– Je ne veux pas entendre dire que le moment est mal choisi, que c'est un sujet trop sensible politiquement, que c'est risqué ou n'importe quoi d'autre. Dès que le nouveau président sera en place, je veux que Keller soit liquidé.

Il est temps, là aussi.

Grand temps.

Yvette Tapia invite Keller chez elle la veille de la cérémonie d'investiture pour un dîner de célébration.

– Vous êtes contente du résultat ? lui demande-t-il au téléphone.

– Bien sûr ! répond Yvette. Six années de plus avec le PAN au pouvoir, ça veut dire six années de prospérité, de croissance économique pour sortir les gens de la pauvreté. Six années de véritable démocratie.

– Même si le vainqueur a été choisi par un tribunal fédéral ?

– Un peu comme votre Cour suprême, non ? Venez donc dîner. Nous pourrons parler de la Floride, de bulletins mal perforés et de fraude électorale.

Autant accepter cette invitation, poursuivre ces liaisons dangereuses avec les Tapia, encore plus dangereuses maintenant que le PAN va conserver le pouvoir. Reste à savoir si l'argent de Barrera va continuer à alimenter les caisses du nouveau président, via les Tapia, si Vera et Aguilar vont rester en place, et de quelle manière le changement de gouvernement, à défaut d'un changement de parti, va influer sur le trafic de drogue.

En tout cas, les affrontements au Tamaulipas ont cessé aussi brusquement qu'ils avaient éclaté et des rumeurs parlent de pourparlers de paix entre l'Alliance et le cartel du Golfe. Ça pourrait être vrai car, apparemment, Adán a retiré ses hommes du Michoacán et les Zetas ont cessé de se plaindre publiquement de la partialité du gouvernement envers eux.

D'après les informations qui leur parviennent de Nuevo Laredo, Barrera peut utiliser cette ville sans verser le *piso*. De l'avis général, il a « perdu » la guerre contre le Golfe et a dû « se contenter » de Laredo, mais Keller sait bien que l'avis général, c'est des conneries.

Barrera a obtenu exactement ce qu'il voulait, comme toujours.

Laredo.

Une *plaza.*

Parallèlement, la guerre à Tijuana semble évoluer en sa faveur, et on raconte qu'il va bientôt reprendre le contrôle de la ville à Teo Solorzano, si ce n'est pas déjà fait.

Deux de chute, se dit Keller, plus qu'un.

Et moi.

Adán va essayer de régler ses comptes, maintenant.

Au moins, Marisol est à l'abri de tout ça.

Elle vit à Valverde désormais, elle a acheté une maison, ouvert un dispensaire. Il l'a aidée à faire ses cartons et à déménager. Ils se sont comportés de manière très civilisée et se sont promis, pour la forme, de se revoir dès qu'elle serait installée.

Ce qu'ils n'ont pas encore fait.

Elle lui manque.

Ils se téléphonent, mais les conversations sont courtes et embarrassées ; et il sent qu'elle est très prise par son travail.

C'est bien, se dit-il en roulant vers Cuernavaca.

C'est la meilleure solution.

Les Tapia ont mis les petits plats dans les grands, la soirée est bruyante, l'ambiance festive. Un rassemblement de tous les nouveaux riches mexicains : agents de change, gestionnaires de fonds spéculatifs, producteurs de films, auxquels on a ajouté quelques comédiens, chanteurs, artistes en tout genre pour donner un peu de glamour à la fête.

Laura Amaro est présente et, cette fois, même son mari a réussi à se libérer.

– Il est au chômage, explique gaiement Laura. Il n'a plus de travail.

Benjamin hausse les épaules.

– Mais ne vous inquiétez pas, ajoute Laura. On lui a promis un poste qui risque de le tenir encore plus éloigné de la maison.

– Allons, Laura…

– C'est une victoire pour les affaires, déclare Martín en levant un verre de champagne en l'honneur du nouveau président. Une victoire pour la stabilité, la croissance et la prospérité.

– Même pour les pauvres ? demande Keller, car il ne peut s'en empêcher.

– Surtout pour les pauvres, répond Martín. Qu'ont fait soixante-quinze ans de socialisme pour eux ? Rien. Au cours de ces six dernières années, nous avons commencé à créer une classe moyenne. Durant les six années à venir, cette classe moyenne va se renforcer et grandir. Bientôt, nous irons chercher de la main-d'œuvre bon marché de *votre* côté de la frontière.

– Ces emplois seront les bienvenus, dit Keller.

Après le dessert et le café, Yvette lui glisse :

– Descendons à la piscine.

– Où est Martín ?

– Vous avez remarqué ce beau et jeune acteur ?

– Oui.

– Eh bien Martín aussi.

– Oh.

– Nous avons un arrangement, explique Yvette. Nous sommes moins arriérés sur ces sujets que vous autres, là-haut, chez les barbares du Nord. Martín fait ce qu'il veut, avec qui il veut. Et moi aussi.

– Yvette…

– Détendez-vous. Je ne cherche pas à vous séduire, pas de cette façon.

Ils sont arrivés à la piscine. Yvette s'assoit au bord, ôte ses chaussures et trempe ses pieds dans l'eau. Le bassin brille d'un magnifique éclat bleu sous les éclairages tamisés. Assis à côté d'elle, Keller demande :

– De quel genre de séduction s'agit-il ?

– Tout d'abord, si nous laissions tomber les faux-semblants ? Nous savons qui vous êtes et vous savez qui nous sommes. Ce petit numéro était amusant au début, mais à un moment donné, la mascarade s'arrête et il faut tomber le masque.

– Très bien.

Parfait, se dit Keller. Venons-en au fait.

– Nous pourrions être vos amis, dit Yvette. Des amis influents capables de vous fournir des informations importantes. C'est votre monnaie d'échange, n'est-ce pas ? Vous remarquerez, je vous prie, que je ne vous ai pas insulté en vous offrant de l'argent.

– Comment savez-vous que je me serais senti insulté ?

– Vous êtes trop catholique pour cela. Vous ne pourriez pas vivre avec ce sentiment de culpabilité. Il faudrait vous convaincre que vous avez agi pour le bien de tous.

– C'est le cas ?

– Vous connaissez la réalité, répond Yvette. Nous n'incarnons peut-être pas l'image du bien, mais nous sommes sans aucun doute le moindre mal.

Si j'étais aussi catholique dans l'âme que vous le pensez, se dit Keller, vous sauriez qu'à mes yeux le mal est une chose absolue, sans gradations.

– Que voudriez-vous en échange ?

– L'amitié. Jamais nous ne vous demanderons de trahir un collègue, de dénoncer un indicateur, rien de ce genre. Nous ferons appel à vous seulement quand nos intérêts coïncideront. Vous serez « une oreille », ou défendrez un point de vue à Washington…

– Le point de vue de qui ? Le vôtre ? Celui de Martín ? De Diego ? D'Adán Barrera ?

Il lui semble inconcevable que Barrera tente d'établir un contact, d'instaurer la paix. Le contentieux est trop lourd. Pourtant, les Tapia sont des créatures d'Adán, ses fonctionnaires, ses ambassadeurs dans le monde extérieur.

Vraiment ?

– Martín et moi sommes réellement partenaires, répond Yvette. Nous partageons tout. Diego ? Il est adorable et je l'aime comme un frère, mais c'est un dinosaure. Il croit encore que c'est une culture, un style de vie, il croit encore que c'est une histoire de drogue.

– C'est une histoire de quoi ?

– D'argent, dit Yvette. De finances. De pouvoir. De relations. Je parle pour Martín et moi.

– Et Adán ?

– Si nous représentions le point de vue d'Adán, votre tête serait dans une glacière à cette heure-ci, en route pour le Sinaloa, et nous serions plus riches de deux millions de dollars. Mais deux millions de dollars, c'est des clopinettes. Sans vouloir vous offenser.

Y a-t-il un schisme entre les Tapia et Barrera ? se demande Keller. Assez large pour que je m'y faufile ? Pour rassembler les preuves dont j'ai besoin contre Vera ou Aguilar ? Ou Los Pinos ? Assez large pour faire chuter Barrera ?

En effet, c'est un autre genre de séduction.

– Vous comprenez bien que si nous devenons « amis », cette amitié ne pourra jamais inclure Adán, dit-il.

– En fait, je compte là-dessus. (Yvette tend la main.) Nous vivons dans un monde complexe. Et dans un monde complexe, tout le monde a besoin d'amis.

Keller serre la main tendue.

– Amis.

Yvette se lève.

– Rejoignons les autres. Les sodomies de mon mari sont passionnées, mais brèves.

Le lendemain matin, Felipe Calderón entre en fonction.

Le même jour, il nomme Gerardo Vera à la tête de toutes les forces de police fédérales du Mexique.

Benjamin Amaro devient son agent de liaison avec Los Pinos.

Luis Aguilar conserve la direction du SEIDO.

Douze jours plus tard, le nouveau président lance l'Opération Michoacán et envoie quatre mille soldats et cent agents de l'AFI dans cet État déchiré par la violence, le pays natal de son épouse, afin d'éradiquer La Familia.

Trois semaines plus tard, l'Opération Baja California envoie trois mille trois cents hommes à Tijuana.

Trois semaines plus tard encore, Osiel Contreras est extradé aux États-Unis.

C'est le début de la nouvelle guerre contre la drogue au Mexique.

TROISIÈME PARTIE

Bonne nuit, Juárez

Ce n'est pas une ville, c'est un cimetière.

Peggy Cummins incarnant Laurie Starr dans *Le Démon des armes*

1
Gente Nueva

Et celui qui s'est assis sur le trône dit :
« Voici, je fais des choses nouvelles. »

Apocalypse 21,5

MEXICO
MAI 2007

La *trajinera,* baptisée Maria, est décorée de couleurs vives, l'arche est peinte en bleu, rouge et jaune, et l'avant de l'embarcation, semblable à une gondole, est orné de fleurs des champs.

Keller et Yvette sont assis à la proue, loin des oreilles des rameurs qui font avancer la barque sur le canal bordé de saules. Ces étroits canaux sont les uniques vestiges de l'ancien grand lac de Xochimilco, sur lequel les Aztèques faisaient pousser des cultures, dans les *chinampas,* les jardins flottants.

Depuis cinq mois, Keller et Yvette se rencontrent en secret. Ils se sont retrouvés sur le Zócalo, au musée de Chapultepec, au Palacio de Bellas Artes, près des murs peints par Orozco. Chaque fois qu'il acceptait un de ces rendez-vous, Keller se demandait si un piège l'attendait ; et chaque fois, il rentrait sain et sauf, un peu étonné.

À deux reprises, Yvette l'a averti d'une agression imminente. « Ce restaurant italien que vous aimez bien, n'y allez pas. Changez d'itinéraire ce soir. » Elle prenait des risques. Adán s'impatientait, selon elle. Ces tentatives ratées attisaient sa frustration, il commençait à avoir des soupçons.

C'était risqué pour Keller également. Chaque rencontre avec Yvette augmentait les probabilités que Vera ou Aguilar découvre ce qu'il manigançait. Au mieux, ils l'expulseraient, au pire, si l'un des deux ou les deux étaient corrompus, cela détruirait tout espoir de coincer Barrera.

Sans oublier le danger physique, le stress de se retrouver dans la peau d'un homme traqué. Il s'apercevait que sa vie devenait de plus en plus restreinte, limitée ; son monde rapetissait, entre son appartement, son bureau, un rendez-vous avec Yvette de temps en temps ou des réunions dans les locaux du SEIDO ou de l'AFI.

Avant de connaître Marisol, il ne souffrait jamais de la solitude ; il s'en délectait au contraire. Depuis qu'elle était partie, ils s'étaient téléphoné plusieurs fois. Dans son dispensaire, elle était l'unique médecin à temps plein pour vingt mille habitants, et cette activité débordante la rendait heureuse. Ils avaient envisagé de se voir, elle pourrait venir à Mexico pour un week-end, il pourrait aller à Valverde, mais elle avait toujours un empêchement et Keller ne voulait pas la mettre en danger en s'affichant avec elle.

Les coups de téléphone s'étaient espacés : un par semaine tout d'abord, puis un tous les dix jours, et enfin un par mois, environ.

Par ailleurs, la traque de Barrera demeurait au point mort.

Keller restait là, à faire du surplace, à espérer un coup de chance.

Yvette lui fournissait des bribes d'informations, dont il savait qu'elles avaient été approuvées et censurées par Martín : Diego s'investissait de plus en plus dans la région de Monterrey, l'étoile d'Eddie Ruiz était sur une pente ascendante, Nacho avait une nouvelle maîtresse. Les quelques informations « solides » qu'elle lui donnait concernaient surtout Solorzano – planques, cargaisons de drogue, nom des flics qu'il soudoyait – dans l'espoir qu'il les transmette à la DEA.

À côté de cela, elle déblatérait sur Diego. Martín Tapia lui-même ne supportait plus les singeries de son frère. Celui-ci logeait parfois dans leur maison de Cuernavaca pendant plusieurs semaines d'affilée et les voisins nantis avaient commencé à se plaindre de la musique trop forte, des types bizarres qui entraient et sortaient à toute heure du jour et de la nuit, des nuages de fumée de *yerba* qui passaient par-dessus les murs, des escouades de prostituées qui débarquaient le soir et repartaient le lendemain matin.

Quant à Alberto, c'était encore pire, avec ses pistolets incrustés de pierres précieuses et ses tenues de *norteño*. Il exhibait son argent dans les bijouteries, les boîtes de nuit, les restaurants. Des incidents s'étaient produits – bagarres dans les bars, coups de feu, accusations de viol –, tout cela coûtait très cher, financièrement et en services à rendre. En outre, des rumeurs affirmaient qu'Alberto était impliqué dans des enlèvements – des fils de riches hommes d'affaires – et si cela continuait ainsi, le problème deviendrait ingérable. L'establishment ne le tolérerait plus très longtemps.

Yvette distribuait des petits scoops familiaux, utiles à leur manière, mais pas de véritables renseignements.

Keller savait qu'elle jouait un double jeu malin : elle lui en donnait assez pour maintenir son intérêt, sans toutefois nuire aux Tapia ni même à Barrera. Elle le gardait sous le coude au cas où les choses tourneraient mal avec Adán et que son mari et elle aient besoin d'un avocat à Washington.

Keller jouait le jeu de son côté. Il fournissait à Yvette quelques renseignements en provenance de la DEA : des informations sur Solorzano, des ragots sur leurs alliés les Zetas, une analyse générale des tendances de la politique américaine en matière de drogue.

– Et le plan Mérida ? lui a-t-elle demandé un jour. Il va être adopté ?

Le plan Mérida prévoyait d'octroyer une aide d'un milliard quatre cent mille dollars au Mexique pour lutter contre le trafic de drogue : argent liquide, matériel, formation.

– Je ne sais pas, répondit Keller. C'est un sujet controversé.

– À cause de la corruption ?

– En partie.

Même les questions qu'ils échangeaient constituaient un risque, car chacun tentait de deviner la raison qui se cachait derrière, et chaque question pouvait fournir des informations. Pourquoi les Tapia s'intéressaient-ils au plan Mérida ? Pourquoi Keller voulait-il savoir où Adán achetait ses vêtements ? Où était Magda Beltrán ? Pourquoi Keller voulait-il le savoir ?

Keller commence à en avoir assez de ce petit jeu. Aguilar ou Vera, ou même Adán, vont finir par découvrir la vérité, et à ce moment-là, ce sera terminé. Il doit tirer avantage de ces échanges avant que ça n'arrive. Alors, aujourd'hui, tandis que l'embarcation à fond plat avance lentement sur l'eau verte du canal, il se montre plus pressant.

– Donnez-moi quelque chose que je puisse réellement utiliser.

Yvette porte une longue robe blanche. L'effet est à la fois saisissant et anachronique, comme s'ils se trouvaient dans un tableau de Monet représentant des gens sur la Seine, un dimanche.

– Soit, dit-elle. Adán va se marier.

– Sans rire ?

– Avec la fille de Nacho Esparza, précise-t-elle d'un ton où perce une légère tension.

Ce mariage va rapprocher Adán et Esparza, pense Keller. Est-ce que cela inquiète les Tapia ? Craignent-ils de perdre leur influence, de voir Adán s'éloigner d'eux ?

– Elle n'a que dix-huit ans, ajoute Yvette avec mépris. C'est une reine de beauté, évidemment.

– Adán aime un certain type de femmes.

– Apparemment.

Conservant un air détaché, il demande :

– Quand doit avoir lieu la cérémonie ?

– On nous a priés de réserver trois jours : le 1er, le 2 et le 3 juillet.

– Où ça ?

– Personne ne le sait.

– Vous mentez.

Elle le sait forcément : Diego a certainement été chargé de la sécurité. Keller le lui fait remarquer.

– Il ne nous a rien dit, insiste Yvette. Il a indiqué que nous serions informés de l'endroit la veille.

Classique, se dit Keller. Un mélange entêtant de paranoïa et d'arrogance. Barrera prendra toutes les précautions, mais son ego lui fait croire, sans doute à juste titre, qu'il est intouchable.

Même si une agence gouvernementale voulait organiser un raid le jour du mariage, elle ne pourra pas monter une opération d'envergure en moins de vingt-quatre heures. Diego fera protéger le site par des cordons de sécurité, incluant des policiers des forces locales et fédérales. Quiconque souhaitant s'approcher de la cérémonie sans invitation devra se frayer un chemin en ouvrant le feu, et encore, ce n'est pas sûr.

Mais nom de Dieu, la liste des invités…

Un vrai mariage royal : les Barrera nouent une alliance dynastique avec les Esparza. Adán sait qu'il doit mettre le paquet, inviter tous les gros narcos avec qui il n'est pas en conflit, faire étalage de sa fortune et de sa confiance.

Et les invités savent qu'ils devront être présents s'ils ne veulent pas offenser le couple royal. Une opération durant le mariage permettrait de rafler la presque totalité des personnes figurant sur la liste des criminels les plus recherchés, au Mexique et aux États-Unis.

Un rêve utopique, se dit Keller.

Mais les rêves utopiques sont parfois utiles.

Keller épluche les commandes passées chez les dizaines de fleuristes du Sinaloa et du Durango. Tous ont enregistré une importante augmentation de leurs commandes pour les trois premiers jours de juillet. Barrera va faire livrer des fleurs venant de tout le Triangle d'or.

Idem chez les traiteurs. Il a engagé les meilleurs professionnels de la région.

Adán va organiser une fête gigantesque, à laquelle assisteront tous les grands narcos du pays, se dit Keller, et on ne peut rien faire.

Il réclame une réunion du comité de coordination.

– Si je vous indique l'endroit vingt-quatre heures à l'avance, vous interviendrez ? demande Keller.

– Oui, répond Vera.

– Non, répond Aguilar. Nous n'aurons pas le temps de planifier une opération. Ce serait comme donner un coup de pied dans une fourmilière, sans parler du risque possible, non, *certain,* de faire des victimes civiles.

– Avec un groupe d'hommes triés sur le volet… dit Vera.

– Vous provoqueriez un bain de sang, le coupe Aguilar. Enfin quoi, nom d'un chien, vous voulez des images d'un massacre pendant un mariage sur toutes les chaînes de télé ? L'opinion publique ne le tolérerait pas, et je ne pourrais pas lui en vouloir. Imaginez un peu qu'une balle perdue atteigne la mariée. Alors, non, le jeu n'en vaut pas la chandelle.

– Même pour capturer Barrera ? insiste Keller.

– Barrera ou n'importe qui d'autre, rétorque Aguilar. On ne combat pas les narcos en agissant comme eux, et d'ailleurs, même les narcos n'ont jamais attaqué un mariage.

– Qui aurait pu croire que vous étiez sentimental, ironise Vera.

– Je ne suis pas sentimental, je suis respectueux. Le mariage est un saint sacrement.

– Démoniaque dans ce cas précis.

– Quel crime a commis Eva Esparza ? De quoi l'accuse-t-on ?

– Oh, c'est reparti, soupire Vera.

– Oui, c'est reparti, dit Aguilar. Il y a différentes façons de faire les choses. Et j'insiste pour que nous agissions de manière correcte.

– Dans ce cas, on ne gagnera jamais, dit Vera. (Il se tourne vers Keller.) Comment pourriez-vous connaître le lieu du mariage vingt-quatre heures avant ?

– Grâce aux téléphones portables, répond Keller. Ils seront obligés de prévenir les invités, et si nous détectons une forte augmentation des appels dans une certaine zone, cela nous fournira une indication.

– Donc, vous n'avez pas d'informateur, dit Aguilar.

– Comment pourrais-je avoir un informateur ?

– Bonne question. Je n'aimerais pas penser que vous violez notre accord.

– Il pourrait violer ma sœur si ça nous permettait de choper Barrera, dit Vera.

– Charmant, dit Aguilar. Je vous remercie.

– Alors, que dois-je dire à Washington ? demande Keller. Que vous ne voulez pas tenter le coup pour arrêter Barrera ?

– C'est un avertissement, dit Vera. Quelqu'un a prononcé les mots « plan Mérida » ?

– Que sait Washington concernant ce mariage ? s'enquiert Aguilar.

– Je n'ai rien dit, se défend Keller, mais je suis sûr que l'EPIC a relevé des traces sonores. Et si vous voulez des survols par satellites, je serai obligé de leur fournir une explication.

– Dites-leur qu'il s'agit d'une affaire interne au Mexique, répond Aguilar.

– Ce n'est plus une affaire interne s'ils nous fournissent pour plus d'un milliard d'armes, d'avions et de moyens de surveillance, souligne Vera. Si nous sommes alliés, nous sommes alliés.

– Si nous décidions de monter une opération contre Barrera dans ce contexte, dit Aguilar, et je répète que j'y reste opposé, il nous faudrait des autorisations au plus haut niveau.

Ce qui revient à saboter l'opération, songe Keller.

Mais c'est instructif.

Des consultations « top secret » réunissent le cabinet du ministre de la Justice, du ministre de l'Intérieur et un représentant de Los Pinos, sans oublier le chef de la DEA et le ministère de la Justice des États-Unis.

La décision redescend : le SEIDO et la DEA doivent tout mettre en œuvre pour déterminer le lieu et la date du mariage de Barrera, mais cela ne doit être considéré que comme une « occasion de collecter des renseignements » et non comme un « mandat opérationnel ».

Barrera a raison, se dit Keller.

Il est intouchable.

Keller a longtemps cru qu'il fallait avoir de la chance pour être bon, mais pas forcément bon pour avoir de la chance.

Néanmoins, la chance vous tend parfois les bras.

Ce n'est pas lié à ce que vous avez fait ou pas fait, et cela peut venir des endroits les plus inattendus.

Mais le vent va tourner.

Grâce au plus improbable des coups de pouce.

Salvador Barrera fait la fête au Bali.

Ce n'est pas aussi cool que de faire la fête *à* Bali, mais c'est la discothèque la plus cool de Zapopan, et ses copains et lui ont été installés dans le carré VIP car ce sont des *buchones*. Sal est le neveu d'Adán Barrera, César est le fils de la dernière maîtresse en date de Nacho Esparza et le père d'Edgar est un gros bonnet de l'organisation d'Esparza.

Alors, ils trônent sur une estrade au centre de la boîte, décorée dans le style indonésien, et ils reluquent les jolies filles autour d'eux.

– Il n'y a pas foule, ce soir, commente César.

C'est un beau garçon, mince, avec des cheveux noirs ondulés, bien habillé : chemise noire Perry Elis et jean sur mesure.

– Il suffit d'une, répond Sal en scrutant le rez-de-chaussée de la boîte, là où se trouve la plèbe.

Sal s'est sapé pour emballer lui aussi : chemise en soie style batik, jean blanc, mocassins Bruno Magli. Il est venu pour se faire astiquer le manche, au minimum. Il estime qu'il a besoin de se détendre car Nacho le fait trimer comme un âne.

Adán a tenu parole : ses études terminées, Sal est allé trouver son oncle.

– Tu as fait tout ce que je t'ai demandé, a dit Adán.

– Je te l'avais promis.

– Et je l'ai remarqué. Alors, je veux que tu commences comme apprenti chez Nacho Esparza pendant un an. À ce titre, tu assisteras aux réunions importantes et tu seras au courant des affaires familiales. Si tout se passe bien, comme je l'espère, tu deviendras mon second, ici au Sinaloa. Sois une éponge, absorbe tout ce que Nacho pourra t'apprendre.

Sal a rougi sous l'effet de cette nouvelle inattendue.

– *Sí, patrón.*

– *Tío,* a corrigé Adán. Je suis ton oncle.

– *Sí, tío.*

– Pour te permettre de démarrer, je te donne cinq kilos de cocaïne. Vends-les par l'intermédiaire de Nacho. Il t'aidera à faire de bons bénéfices et à t'installer dans le business.

– Merci, *tío.*

– *Sobrino,* les jours à venir vont être intéressants… et dangereux… Je vais m'appuyer de plus en plus sur la famille. Tu comprends ? Sur la *famille.*

– Je suis honoré, *tío* Adán.

– Ne sois pas trop honoré, attends de voir ce que ça implique.

Pour Sal, ça a été une révélation : il n'imaginait pas que le trafic de drogue puisse être aussi ennuyeux. Certes, il y a les femmes, le fric, les fêtes, les clubs, mais surtout il y a des chiffres.

Des colonnes de chiffres interminables.

Et pas uniquement pour comptabiliser l'argent qui entre. Nacho est également très attentif à l'argent qui sort : prix des produits chimiques, coûts d'expédition, de manutention portuaire, matériel, transport, main-d'œuvre, sécurité… C'est sans fin.

Sal passe le plus clair de son temps à revérifier des chiffres qu'un simple employé a déjà vérifiés, mais quand il se plaint du côté répétitif de ce boulot pénible, Nacho lui rétorque qu'il apprend le métier, et le métier, ce sont des chiffres.

Et puis, il y a les réunions.

Nom de Dieu, les réunions.

Tout le monde doit s'asseoir, tout le monde doit se voir offrir du café ou une bière, tout le monde doit manger. Puis tout le monde doit parler de sa famille, de ses gamins, des gamins de ses gamins, de ses problèmes de prostate… et enfin ils abordent les détails sans intérêt. Ils veulent baisser le *piso,* ils veulent que quelqu'un verse un *piso* plus élevé, untel surpaye les chauffeurs de camion et sème la zizanie sur le marché, un chimiste d'Apatzingán déconne avec la formule de la meth…

Ça continue ainsi, encore et encore, jusqu'à ce que Sal ait envie d'avaler son flingue.

Au moins, il en a un.

Au moins, Nacho l'autorise à porter une arme, et il a l'impression d'être un narco, et non pas un comptable. Un Beretta 8000 Cougar est glissé dans la ceinture de son jean.

Tous les *buchones* sont armés. Un flingue à la ceinture est un accessoire obligatoire, au même titre que les chaînes en or autour du cou. Sans *pistola,* vous n'êtes pas un *buchón.* C'est comme si vous n'aviez pas de bite.

Il balaye du regard les clients de la boîte et aperçoit une nana assise à une table, en train de boire un cocktail de jus de fruit.

Elle est avec deux types.

Pas de problème : les types ont l'air de vrais minables, mal habillés, sans aucune classe. Et aucun des deux n'est Salvador Barrera.

– J'y vais, glisse-t-il à César.

– Elle est avec quelqu'un.

– Non, elle est avec des moins que rien, rétorque Sal.

Il verse du champagne (offert par la maison) dans une coupe, descend au niveau de la piste et marche vers la table de la fille.

– J'ai pensé que tu voudrais boire quelque chose de bon, dit-il. Du Cristal Roederer.

– Ça va, merci.

– Je m'appelle Sal.

– Brooke.

– Joli nom, dit-il, ignorant les deux types assis là comme des statues.

Ils semblent à la fois agacés, perplexes et un peu apeurés. Ils sont mexicains, ils savent à quoi s'en tenir.

– Tu viens d'où, Brooke ?

– L.A. Enfin, Pasadena. Le sud de Pasadena.

Elle est jolie. Yeux bleus, cheveux blonds, nez retroussé et belle paire de nichons sous un chemisier blanc.

– Qu'est-ce qui t'amène au Mexique ? Les vacances de printemps ?

Elle secoue la tête.

– Je suis étudiante à UAG.

Universidad Autónoma de Gualalajara, juste ici à Zapopan.

– Une étudiante ! Et qu'est-ce que tu étudies ?

– Je suis en médecine.

C'est elle qui semble un peu nerveuse maintenant : ce type la drague, devant ses deux amis, alors Sal décide d'enclencher la vitesse supérieure :

– Ça te dirait d'aller dans le carré VIP ? C'est plus chouette.

– Je suis avec des amis. On fête l'anniversaire de David.

– *Feliz Navidad,* David, dit Sal au crétin qu'elle montre du doigt. Vous pouvez venir tous les trois, pas de problème.

Ils se regardent, genre : Vous en pensez quoi ? Sal voit que David n'est pas chaud. Nom de Dieu, est-ce que ce minable se la tape ? Incroyable. Toujours est-il que la fille se tourne vers David, et celui-ci secoue discrètement la tête. Alors, elle lève les yeux vers Sal et répond :

– Merci, mais… vous comprenez… c'est une petite fête d'anniversaire. Merci quand même.

Sal est furieux.

– Un peu plus tard, alors ? Je veux dire… quand tu auras largué ces minables.

David commet une erreur.

Il se lève.

– Mademoiselle a dit non.

– C'est ce que mademoiselle a dit ? Tu es quoi, toi, un caïd ?

– Non. (Sa voix tremble un peu, mais il tient tête à Sal.) Laissez-nous tranquilles et retournez dans votre carré VIP, d'accord ?

– C'est toi qui me dis ce que je dois faire ?

– S'il vous plaît, dit Brooke.

Sal lui sourit.

– Je parie que tu es une vraie connasse. Tu n'es pas capable de faire médecine aux États-Unis. Mais c'est pas grave, je te baiserai jusqu'à ce que tu cries mon nom et que tu jouisses sur ma queue.

David le pousse.

Sal saisit son arme et les videurs s'interposent aussitôt. César et Edgar retiennent leur camarade.

– Grosse erreur, mon petit gars ! crache Sal en direction de David.

Edgar est costaud. Il ceinture Sal et l'entraîne vers la sortie.

– Viens, *'mano*. Cette *chiflada* n'en vaut pas la peine.

Ils le poussent dehors pendant qu'il se débat. Sur le trottoir, Sal lance :

– C'est pas fini !

– Si, dit Edgar. Nacho…

– J'emmerde Nacho.

Ils montent dans la BMW rouge de Sal, mais celui-ci refuse de démarrer.

– On attend.

– Allez, mec, dit César.

– Si vous voulez partir, tirez-vous.

– C'est toi qui m'as amené.

Alors ils restent assis dans la voiture et attendent ; mais au lieu de se calmer, Sal est de plus en plus énervé. À 4 heures du matin, il bouillonne.

– Les voilà, annonce Edgar.

Brooke, David et l'autre gars sortent du club et montent à bord d'un vieux pick-up Ford.

– C'est un fermier, ricane Sal.

– Tu ferais mieux de laisser tomber, tu vas tout foutre en l'air, dit Edgar.

– Fais pas chier.

Sal démarre et suit le pick-up. Quand celui-ci s'engage sur l'autoroute, Sal met les gaz et vient se coller à son pare-chocs arrière. Le vieux Ford accélère, mais il n'a aucune chance de distancer une BMW.

Sal éclate de rire.

– Là, ça devient amusant !

Il se porte à la hauteur du pick-up.

Ils roulent à cent vingt à l'heure maintenant.

– On va se les faire, dit Sal.

– Allez, *'mano,* dit César. Ça suffit comme ça. Rentrons.

– Pas question ! Tu crois qu'on peut laisser quelqu'un nous manquer de respect comme ça, en public ? Pour que les gens racontent qu'on n'est que des *pajearses,* des petits branleurs ?

Il sort son Beretta de sa ceinture et baisse les vitres.

– Vous êtes avec moi, les gars ? Ou vous êtes deux gonzesses ?

Ses amis sortent leurs armes.

– Baisse-toi ! ordonne Sal à César.

Et il ouvre le feu.

Imité par César et Edgar.

Ils criblent le pick-up de vingt balles avant que celui-ci roule dans le fossé.

David et Brooke meurent sur le coup.

L'autre ami, Pascal, est grièvement blessé, mais vivant.

Il identifie les trois tireurs en présence d'un flic de l'État du Jalisco, assez intelligent pour comprendre de quoi il s'agit, et assez honnête pour savoir ce qu'il doit faire. Il appelle le SEIDO et patiente jusqu'à ce que Luis Aguilar en personne prenne la communication.

– On a arrêté Salvador Barrera, annonce-t-il.

– Pour quel motif ? demande Aguilar, convaincu qu'il s'agit d'une affaire de drogue.

Mais non.

– Double homicide, répond le flic du Jalisco.

Sal Barrera affiche une attitude à la *me vale madre,* genre j'en ai rien à foutre, mais Keller voit bien qu'il a peur.

Non sans raison.

La police du Jalisco a des témoins de la dispute à l'intérieur du club et la troisième victime peut identifier les tueurs. Sal a balancé son Beretta par la vitre de la voiture, mais il y a ses empreintes dessus et l'arme correspond à huit des projectiles. De plus, les tests à la paraffine sont positifs.

Sal est foutu.

Aguilar et Keller ont pris immédiatement un avion du SEIDO pour se rendre à Guadalajara. Keller assiste à l'interrogatoire de Sal par Aguilar, derrière un miroir sans tain.

– Je veux mon avocat, dit Sal.

– Un avocat, c'est bien la dernière chose dont tu aies besoin, répond Aguilar. (Il énumère toutes les preuves qui l'accusent.) Tu as tué une riche fille blonde venue de Californie, Salvador. Tu ne pourras pas t'en tirer. Je me contrefiche de savoir qui est ton oncle. Laisse-moi t'aider.

– Comment pouvez-vous m'aider ?

– Nous pouvons négocier pour alléger les chefs d'inculpation. Peut-être que tu feras dix ans au lieu de vingt. Tu seras encore jeune quand tu sortiras.

– Qu'est-ce que je dois faire ?

– Donne-nous ton oncle, dit Aguilar.

Sal secoue la tête.

– Il va se marier, n'est-ce pas ? reprend Aguilar. Avec Eva Esparza. Nous pourrons le cueillir après la cérémonie. Personne n'a besoin de savoir que ça vient de toi.

– Il le saura. Et il me tuera.

Aguilar se penche au-dessus de la table.

– Il te tuera de toute façon. Tu l'as placé dans une situation très difficile. Et s'il soupçonne, simplement soupçonne, que tu risques de passer à table, il pourrait être tenté… d'éliminer ce risque. On ne pourra pas te protéger éternellement. En revanche, je peux te faire extrader vers les États-Unis.

– Vous pensez que mon oncle ne peut pas me faire assassiner aux États-Unis ? ironise Sal.

– Alors, aide-moi à l'arrêter, insiste Aguilar. Sauve ta peau.

Sal secoue la tête et regarde le sol. Sans rien dire.

– Réfléchis. Mais pas trop longtemps.

Aguilar se lève et se rend dans la salle d'observation.

– Alors ? demande-t-il.

– C'est bien le fils de Raúl, dit Keller. Il résiste.

– Vous croyez vraiment que Barrera est capable de le supprimer ? Uniquement parce qu'il pourrait parler ?

– Pas vous ? répond Keller.

Nacho est dans le bureau d'Adán, visiblement embarrassé.

– Tu étais censé veiller sur lui ! rugit Adán. Faire son éducation !

– C'est ce que j'ai fait. Et tout se passait bien.

– Tu appelles ça « bien » ? braille Adán.

Il prend le temps de se calmer.

– Qu'est-ce qu'il peut leur donner ?

– Un tas de choses, répond Nacho. Tu m'as demandé de lui apprendre le métier, c'est ce que j'ai fait.

– Putain.

– Et il connaît cet endroit, ajoute Nacho. Il pourrait les conduire ici directement. Tu vas te retrouver en cavale une fois de plus.

– Puis-je te rappeler que j'épouse ta fille dans une semaine ?

Le téléphone sonne, Adán regarde le nom du correspondant.

– Bordel de merde.

Il hésite, puis répond.

Au bout du fil, Sondra sanglote.

– Ne le tue pas, Adán ! C'est mon fils ! Je t'en supplie, ne le tue pas !

– Personne n'a eu cette idée, Sondra.

– C'est la vérité ? Il a vraiment fait ça ?

– Oui, on dirait.

Elle se remet à sangloter.

– Comment a-t-il pu ? C'est un gentil garçon. Je ne comprends pas !

Moi, si, se dit Adán. Il est jeune, arrogant et il croit que le monde lui appartient, y compris toutes les femmes qu'il désire. Son père était pareil. Et je suis en partie responsable. J'aurais dû me méfier. Je n'aurais jamais dû l'introduire dans les affaires.

– Sondra ? Je suis avec son avocat sur l'autre ligne. Il faut que je te laisse.

– Je t'en supplie, Adán. Par pitié. Ne lui fais pas de mal. Aide-le. Je ferai tout ce que tu veux. Tu peux reprendre l'argent, la maison…

– Je te rappelle quand j'en saurai plus.

Il coupe la communication et regarde Nacho.

– Je suis ouvert aux suggestions.

Nacho en a une.

Le téléphone d'Aguilar sonne. Il répond, écoute, puis raccroche et demande à Keller :

– Connaissez-vous un avocat américain nommé Tompkins ?

– Minimum Ben ?

Keller n'a pas mis les pieds à San Diego depuis des années.

Il a grandi ici, dans le Barrio Logan, jusqu'à ce qu'il trouve le courage, un jour, de pénétrer dans le bureau de ce père qu'il ne connaissait pas et exige de l'argent pour aller à l'université. Il a étudié à UCLA, où il a rencontré Althea, puis il y a eu le Vietnam et la CIA, puis la DEA, le Sinaloa et Guadalajara, avant qu'il revienne à San Diego dans la peau du Seigneur de la frontière, dirigeant la Southwest Task Force de son bureau situé dans le centre.

Ça fait bizarre d'être de retour.

Aguilar, Vera et lui ont pris un avion jusqu'à Tijuana, ils ont franchi la frontière en empruntant le pont pour piétons, jusqu'à San Ysidro où les attend Minimum Ben.

Keller connaît bien Ben Tompkins, depuis l'époque du Seigneur de la frontière, quand ils ont joué au chien de berger et au coyote dans des dizaines d'affaires de trafic de drogue. Aujourd'hui, il est assis dans la Mercedes de l'avocat, en compagnie des deux Mexicains, installés à l'arrière car ils ne veulent pas être vus, et personne n'avouera jamais que cette rencontre a eu lieu.

Tompkins se met illico en mode Minimum Ben :

– Avant toute chose, Salvador Barrera doit être relâché.

– Appelez-nous quand vous aurez dessoûlé, répond Keller, et il ouvre la portière.

Tompkins se couche sur lui pour la refermer.

– Le plafonnier.

– Si Salvador nous donne Adán Barrera, dit Aguilar, je veux bien accepter une remise de peine afin qu'il ne fasse pas plus de dix ans de prison.

– Vous demandez à Adán d'échanger sa vie contre celle de Salvador ?

– Je ne demande rien, rétorque Aguilar. Je me ferai un plaisir d'inculper Salvador de double homicide et de l'envoyer en prison jusqu'à la fin de ses jours. C'est *vous* qui m'avez appelé. Si vous n'avez rien de sérieux à me proposer, j'aimerais aller dîner.

– Ce que je vais dire ne doit pas sortir de cette voiture, jamais, dit l'avocat. Et si vous ouvrez un dossier « Informateur », ce sera *moi* l'indic.

– Continuez, dit Keller.

– Je ne peux pas vous donner Adán…

– Salut, Ben.

– Mais je peux vous donner les frères Tapia.

Putain, se dit Keller. Quel coup de génie ! Une manœuvre à la Adán. Typique. Il a livré Garza pour pouvoir sortir d'une prison américaine, et maintenant il va donner les Tapia pour faire sortir son neveu d'une prison mexicaine.

Tompkins se lance dans son marchandage :

– Si vous regardez les chiffres, les plus gros trafiquants de drogue au Mexique, ce sont les Tapia, pas Adán Barrera. Par conséquent, ce serait absurde de ne pas accepter cet arrangement. Vous n'êtes pas perdants, vous êtes gagnants.

– Nous parlons du meurtre gratuit et brutal de deux jeunes gens innocents, dit Aguilar.

– Oui, je comprends, répond calmement Tompkins. D'un autre côté, combien de personnes les Tapia ont-ils tuées ? Sûrement plus de deux.

Keller remarque que Vera n'a toujours rien dit, ce qui ne lui ressemble pas.

– Il faut qu'on en discute, dit Aguilar.

– Bien sûr, dit Tompkins. Prenez votre temps, je vais me chercher un café.

Il descend de voiture et traverse la rue pour entrer au Don Félix. Il s'assoit dans un box derrière la vitre.

Keller sent un frisson d'excitation le parcourir de la tête aux pieds.

Car la brèche dans la muraille de Barrera lui apparaît tout à coup.

Sa tentative pour balancer les Tapia sous les roues du train est aussi brillante qu'impitoyable. Il existe bien un désaccord entre lui et les Tapia, comme le craignait Yvette, et il veut les éliminer. Voilà que son neveu tue deux innocents, se fait prendre, et Adán y voit la possibilité de faire d'une pierre deux coups.

Du pur Adán.

Habituellement, il examine l'échiquier et prévoit plusieurs coups d'avance, mais cette fois-ci il ne s'aperçoit pas qu'il s'est mis lui-même échec et mat.

Aguilar et Vera non plus. S'ils travaillent pour Barrera ou les Tapia, ou les deux, ils sont sur le point de s'exposer et de se placer en position de faiblesse, comme deux cavaliers joués prématurément.

Et l'édifice soigneusement construit par Adán pour se protéger, la tour, va s'écrouler.

Après la tour, vient le roi.

Néanmoins, Keller fait semblant de protester, il joue le rôle qu'ils attendent de lui.

– Vous allez laisser Adán Barrera manipuler votre système judiciaire et relâcher son neveu qui a tué deux personnes ?

– Vous le laisseriez filer en échange d'Adán, rétorque Aguilar. Nous devons voir la réalité en face. Salvador ne livrera jamais son oncle. Toutefois, Tompkins n'est pas venu les mains vides. Il s'agit d'une offre très sérieuse : la capture des Tapia serait un coup fatal qui perturberait le trafic avec les États-Unis pendant plusieurs mois, au moins ; des tonnes de marchandises disparaîtraient des rues.

– Pourquoi Adán trahirait-il son plus vieil ami ? demande Keller, en connaissant la réponse.

– Parce que Salvador, c'est la famille, dit Vera. Le fils de son frère mort. Il a trois options : échanger sa place contre la sienne, le tuer ou le faire libérer. Que feriez-vous ?

– Mais pourquoi les Tapia ?

– Qu'a-t-il d'autre à offrir ? poursuit Vera. Nacho Esparza va devenir son beau-père. Impossible, donc. Il ne lui reste que les Tapia.

– On a deux jeunes gens massacrés sans raison, dit Keller. On a deux familles en deuil. Que va-t-on leur dire ? Que nous avons une meilleure offre et qu'elles doivent se montrer compréhensives ?

– Diego et Alberto Tapia sont de plus grands meurtriers, répond Aguilar.

– Vous parlez comme Tompkins.

– Même un avocat américain peut avoir raison, parfois. Comme une pendule arrêtée : deux fois par jour. Je pense que nous devrions accepter son offre.

Et donc, pense Keller, si tu es *sucio,* un ripou, c'est pour le compte de Barrera.

– Si j'ai voix au chapitre, c'est non, dit Keller. Notez-le bien : non, non et non.

Ils se tournent vers Vera.

– Messieurs, dit celui-ci, nous œuvrons dans le domaine du possible. Éliminer les Tapia, c'est éradiquer un tiers du cartel de Sinaloa et surtout le bras armé de

Barrera. Je pense que la DEA serait aux anges. Alors, je suis désolé, Arturo, mais je suis d'accord, nous devons saisir cette occasion à pleines mains.

Si tu étais payé par les Tapia, se dit Keller, tu viens de changer de camp.

Et tu l'as dans le cul.

– C'est un mauvais choix, dit-il.

– Mais vous le soutiendrez ? demande Aguilar.

Keller sait ce qui inquiète l'avocat mexicain. Une des deux victimes est une citoyenne américaine. Si par malheur Keller dévoile cet arrangement, ce sera un tollé aux États-Unis, capable de plomber le fragile plan Mérida.

Ils ont besoin de son approbation.

Keller reste muet quelques secondes.

– Je ne saboterai pas l'accord.

Je leur dis ce qu'ils veulent entendre et je leur donne du mou, l'hameçon est accroché, je peux les laisser partir. Je n'aurai plus qu'à ferrer quand il sera bien planté.

Trois heures plus tard, Salvador Barrera et ses copains sortent de prison.

Libres.

On explique aux parents de David Ortega et de Brooke Lauren que les autorités font tout ce qui est en leur pouvoir pour retrouver les assassins de leurs enfants.

SINALOA
2 JUILLET 2007

Eva est en blanc.

Une jeune mariée printanière, virginale.

Jolie et fidèle à la tradition, elle porte une mantille et un voile pour accompagner sa robe banche et un boléro brodé de minuscules boutons de roses blancs. Chele Tapia, la *madrina,* la marraine, a cousu trois rubans sur la lingerie de la mariée : jaune pour la nourriture, bleu pour l'argent, rouge pour la passion.

Adán espère qu'il y aura de la passion, malgré la différence d'âge.

Chele a tenté de le persuader d'enfiler lui aussi le costume avec le boléro, mais il a pris quelques kilos dernièrement et son orgueil l'a poussé à refuser le pantalon moulant. Au lieu de cela, il porte une *guayabera,* une chemisette avec des motifs brodés devant et derrière, sur un pantalon ceinturé d'un cordon et des sandales : la tenue traditionnelle d'un marié à la campagne.

Il se lève et attend la mariée.

Eddie trouve Eva super-canon et il se dit que, putain, il se la taperait bien. Il pourrait demander à Esparza s'il n'a pas d'autres filles, mais le jour du mariage d'Adán Barrera, ce n'est pas le moment de déconner, et Esparza ne plaisante pas avec la virginité de ses filles.

Adán va s'offrir un pucelage cette nuit.

Heureusement, ce mariage regorge de cibles potentielles, il y a là plus de nanas dix sur dix qu'une seule bite ne peut en satisfaire, dont au moins la moitié sont des reines de beauté, d'anciennes ou actuelles Miss Machin-Chose : Miss Goyave, Miss Papaye, Miss Méthamphétamine…

Si tu n'arrives pas à tirer ton coup aujourd'hui, se dit-il, tu n'es qu'un gnome sans queue. Ou alors, tu n'as pas assez de fric : ces gonzesses portent autour du cou et des poignets plus d'or que Cortés n'en a découvert au Mexique, c'est certain.

Il y a un sacré paquet de pognon dans cette teuf.

Tous ceux qui comptent dans le monde des narcos ont été invités, et Eddie sait que sa présence indique qu'il a pris du galon.

Nacho est là, évidemment, avec l'épouse qui a créé la belle Eva. Il y a également Diego, avec son épouse,

Chele (qui montre ses nichons, une vraie cougar, celle-là), son frère Alberto et son épouse canon, et son autre frère Martín, avec son épouse canon elle aussi, un iceberg dans lequel Eddie aimerait bien rentrer.

La famille d'Adán est là, du moins ce qu'il en reste.

Eddie croit reconnaître sa sœur, Elena – Elena la Reina –, l'ancienne *patrona* de Tijuana. Il y a aussi le neveu, Sal, un vrai connard, et sa mère, qui semble avoir sucé des citrons. Et puis, quelques narcos de seconde zone, comme moi, se dit Eddie. Et les politiciens.

Le directeur local du PAN.

Un sénateur du PAN.

Le maire de la ville.

Présents au mariage du trafiquant le plus recherché du Mexique, un homme dont les gouvernements américain et mexicain jurent qu'il reste introuvable. C'est curieux, se dit Eddie, ces types ont sans doute peur d'être vus au mariage d'Adán Barrera, mais encore plus peur de ne pas y être vus.

Et, bien évidemment, le village est truffé d'hommes de Diego et d'Eddie. Des patrouilles de policiers sillonnent les routes environnantes et des hélicoptères survolent les lieux, ne s'écartant qu'un instant afin que le bruit des rotors ne couvre pas l'échange des vœux.

Les mesures de sécurité pourraient être plus importantes encore, songe Eddie, mais nous sommes relativement en paix désormais, en guerre uniquement contre les gars de Tijuana, qui ne risquent pas de venir ici pour flinguer Adán.

La paix est une bonne chose, se dit Eddie, même si cela veut dire faire la bouche en cœur devant ces enculés de Zetas. En attendant, c'est chouette de ne pas avoir la tête montée sur pivot. C'est chouette de ne pas craindre une balle ou une grenade, ou de finir kidnappé et torturé.

Et c'est chouette de recommencer à gagner du fric.

D'être assis à côté d'une femme ultra-sexy, même s'il est ici pour servir de couverture à Adán.

Magda Beltrán trouve Eva jolie, elle aussi.

Cette petite salope avec sa chatte étroite.

C'est injuste, pense-t-elle. Je suis sûre qu'elle est très gentille, douce et, en toute franchise, exactement ce dont Adán a besoin en ce moment. Mais aucune femme ne peut s'empêcher d'être un peu jalouse.

Astucieux, doit-elle reconnaître, ce stratagème d'Adán pour faire entrer Nacho dans la famille. La paix est revenue et le roi peut choisir une reine et pondre quelques princes.

Une fin de conte de fées.

Du pur Walt Disney.

Il ne manque plus que des oiseaux qui gazouillent.

Il est vrai qu'Adán obtient toujours ce qu'il veut. Il voulait Nuevo Laredo, il l'a eu. À présent, il possède un port sûr pour expédier la cocaïne que Magda lui fournit, sans rendre de comptes à Diego ou à son nouveau beau-père, sans être soumis au détestable *piso,* qu'il peut désormais faire payer aux autres.

Lentement, discrètement, avec son aide, Adán a recruté une force indépendante de celles de Nacho et de Diego. La Gente Nueva – « Les Nouveaux » –, composée essentiellement de policiers fédéraux, anciens ou encore en exercice, n'obéit qu'à Adán.

Il possède ainsi sa propre filière d'approvisionnement en cocaïne et sa propre armée.

Il possède Laredo et Nacho gagne du terrain à Tijuana, de nouveau rattaché à Adán par la famille.

– Comment va notre petite vierge ? lui a demandé Magda la dernière fois qu'ils se sont vus, pour discuter d'un problème de coûts et de tarification.

– C'est ma fiancée maintenant.

– Mais toujours vierge, hein ? Non ? Peu importe, un gentleman ne parle pas de ces choses-là. Mais tu sais que Nacho attend de voir le drap taché de sang pendu à la fenêtre.

Adán n'a pas relevé la pique.

– Mon mariage n'est pas obligé de changer quoi que ce soit entre toi et moi.

– Ta petite vierge est au courant ?

– Elle s'appelle Eva.

– Oui, je sais.

Après un moment de silence, elle a ajouté :

– Tu l'aimes ?

– Elle sera la mère de mes enfants.

– Ah, les Mexicaines, a soupiré Maga. Nous sommes soit des vierges, soit des madones, soit des putes. Rien d'autre.

– Des maîtresses ? Des associées ? Des amies ? Des conseillères ? Fais ton choix. J'aimerais bien que tu prennes tout.

– Peut-être.

Son associée, elle l'est certainement. Quant au reste, elle a des doutes. Mais ce qu'elle veut, c'est retirer le maximum d'avantages.

– Je veux être invitée au mariage.

C'était amusant de voir la surprise sur le visage d'Adán, même brièvement.

– Tu ne crois pas que ce sera gênant ?

– Pas si tu me trouves un cavalier acceptable.

Voilà pourquoi Magda se retrouve assise à côté de ce beau et jeune Américain, qui se montre très gentil et attentionné, mais ne peut s'empêcher de reluquer toutes les jolies femmes présentes, et elles sont nombreuses. Elle ne s'en offusque pas ; elle suppose que, en tant que protégée d'Adán, elle est intouchable. Ça servirait de leçon à Adán si elle couchait avec ce garçon. Elle le fera peut-être, mais probablement pas. Néanmoins, elle ne peut s'empêcher de le taquiner.

– Il paraît que vous avez un surnom.

Eddie le Dingue.

– Je ne l'aime pas.

Sa moue boudeuse amuse Magda.

– Inspiré de votre garde-robe, dit-elle. Il paraît qu'on vous appelle « Narco Polo ».

Eddie rit.

– Ça, j'aime bien.

Diego Tapia n'a pas chômé.

Assurer la sécurité du mariage avait été un enfer.

D'abord, il y avait le problème des dates et des lieux multiples. C'est hier seulement que ses hommes, grâce à un réseau de téléphones portables, ont contacté les invités dans tout le pays pour leur indiquer le véritable lieu de la cérémonie.

Ensuite, et ensuite seulement, il a dispatché ses *sicarios,* en cercles concentriques autour du village, en accordant une attention particulière aux voies d'accès. Il a posté d'autres hommes sur les aérodromes environnants pour accueillir les nombreux invités qui venaient avec leurs avions privés et les conduire au mariage.

Il a fallu confisquer, poliment, mais fermement, les téléphones et appareils photo de tous les invités, qui ont été informés, tout aussi poliment et fermement, qu'ils ne devraient en aucun cas évoquer ce mariage, ni même mentionner qu'ils y avaient assisté.

Adán s'est montré intransigeant sur ce point : il ne veut aucune photo, aucune vidéo, aucun enregistrement et aucun commérage. La liste des invités à elle seule constituerait une mine d'or pour la DEA et ses autres ennemis.

Toutes les voitures qui se présentent sont inspectées, bien avant le village. Des snipers sont cachés dans les collines environnantes, et d'autres hommes plus lourdement armés montent la garde dans des véhicules qui bloquent les routes aux quatre points cardinaux.

Personne ne peut entrer dans le village – ni en sortir – sans que Diego en soit informé et donne son autorisation.

Pourtant, ils ne craignent pas d'incidents maintenant que la paix règne dans le golfe. La seule menace possible vient de La Familia, furieuse d'avoir été abandonnée par Adán. Mais ses membres sont trop occupés à combattre l'armée et les *federales*. En outre, Nazario n'est pas assez dingue pour attaquer la cérémonie de mariage d'Adán Barrera au cœur du Sinaloa.

Le *jefe* de La Familia est peut-être fou, mais il n'est pas suicidaire.

En regardant Nacho accompagner Eva jusqu'à l'autel, Diego s'interroge. Nacho a obtenu Tijuana. Et en plus il devient le beau-père d'Adán ? C'est comme si une porte vitrée venait de lui claquer au nez. Il voit encore ce qui se passe, mais de l'extérieur.

Je ne devrais pas m'inquiéter, se dit-il. Je suis le cousin d'Adán, je suis comme son frère même. On est amis depuis que nos boules sont descendues. Et Nacho est mon ami, mon allié. Nous avons des intérêts communs. Rien n'a changé.

Alors, d'où venait ce sentiment désagréable ?

– J'aimerais que tu te charges de nos relations avec Ochoa, lui a dit Adán après la négociation de paix avec le Golfe. Fais en sorte qu'il devienne ton ami.

– Tu y vas un peu fort.

– Et va voir nos amis de Mexico. Qu'ils sachent bien que le cartel du Golfe est désormais sous notre protection, au Michoacán comme au Tamaulipas.

– Je le ferai, est intervenu Martín.

– Je veux que Diego aille sur place, a insisté Adán. Pour qu'ils comprennent que la moindre trahison aura des conséquences.

Martín était le gant, Diego le poing à l'intérieur.

– On ira tous les deux, a déclaré Diego.

La réunion avec les connards du gouvernement à Mexico avait été amusante. Ils sont restés assis là, sans dire un mot, pendant que Martín Tapia leur expliquait soigneusement à quoi allait ressembler le nouveau monde.

– Surtout, leur a-t-il dit, poursuivez votre campagne au Michoacán. La Familia représente une grave menace pour la sécurité du public – ce sont des fous, véritablement –, sans compter qu'ils inondent ce pays de méthamphétamine.

– Et les Zetas ?

– Ils sont sous notre protection.

Incroyable, se disait Diego. Les *federales* avaient fichu la paix à La Familia et s'étaient déchaînés sur les Zetas comme sur des mules de location, et ils ne cillaient même pas quand on leur annonçait qu'ils allaient changer de camp.

Mais c'est ainsi que ça fonctionne dans ce business.

Ennemis un jour, amis le lendemain.

Malheureusement, ça marche également dans l'autre sens.

Chele lit dans les pensées de son mari.

– Ne t'en fais pas. C'est nous qu'ils ont choisis comme *padrinos*.

Les parrains servent de guides aux jeunes mariés durant toute leur union. Dans ce cas précis, Diego sait bien que c'est un honneur symbolique car Adán n'a pas besoin de conseils matrimoniaux.

Eva, en revanche, est venue trouver Chele pour lui demander certaines choses que cette dernière ne révélera pas et que Diego peut juste deviner. Il aurait cru que les filles d'aujourd'hui ne se posaient plus ce genre de questions, mais il faut croire que si, à en juger par les sourires en coin de son épouse.

– Je lui ai simplement expliqué comme rendre un homme heureux, a-t-elle dit.

– Ah oui ? Comment ?

– Plus tard, *marido*.

Chele n'a rien dit à la jeune fille, mais la triste vérité, c'est qu'Eva n'a pas besoin de satisfaire Adán dans la chambre à coucher – sa spectaculaire maîtresse s'en chargera –, il suffira qu'elle le rende heureux en salle d'accouchement.

Eva doit enfanter un fils qui rejoindra les organisations des Barrera et des Esparza, transformant ainsi, indirectement, les Tapia en outsiders. Si Chele avait eu une fille en âge de se marier, elle l'aurait conduite sans vergogne dans le lit d'Adán, elle l'aurait même bordée. Mais sa fille est trop jeune et, de toute façon, ayant hérité majoritairement des gènes paternels, elle n'a aucune chance d'être aussi belle que la juvénile et splendide Eva.

Chele la regarde descendre l'allée entre les rangées de chaises blanches.

Nacho, qui l'accompagne, est la parfaite incarnation du papa fier dans son boléro noir et son pantalon moulant, conscient et enchanté des regards envieux que provoquent sa bonne fortune et la beauté de sa fille.

Bonne fortune, mon cul, se dit Chele. Il prépare sa fille pour cet instant depuis qu'elle est apparue entre les cuisses de sa mère.

Adán en a le cœur brisé.

Se retourner contre son vieil ami.

D'un autre côté, il a des raisons de croire que Diego Tapia l'a trahi. Pas avec les forces de l'ordre, certes, mais avec les Zetas.

C'est ma faute, se dit-il en attendant sa future épouse. J'ai poussé Diego et Ochoa dans le même lit : je les ai fait se rencontrer, et ai demandé à Diego de devenir l'« ami » des Zetas.

Et Diego s'est exécuté. Ses informateurs lui indiquent que Diego transfère peu à peu ses activités à Monterrey, en s'installant dans le quartier chic de Garza García, et qu'il accueille volontiers les Zetas en ville.

Où ils vendent de la drogue et montent des opérations de racket et de kidnappings.

C'est idiot, se dit Adán, de rechercher de petits profits qui pourraient interférer avec le pipeline à fric venant des États-Unis en provoquant l'hostilité de la police, des politiciens et des puissants industriels de Monterrey qui, au bout du compte, les contrôlent.

Un choix idiot et à courte vue.

Leur comportement ostentatoire est presque aussi déplorable : ils exhibent leur richesse et leur pouvoir comme des *chúntaros,* des ploucs, au lieu de se conduire en hommes d'affaires milliardaires, ce qu'ils sont.

Adán a appris avec tristesse que son vieil ami fourrait le nez dans sa propre marchandise (au sens propre). Comme Tío à cette triste époque, il s'est mis à sniffer de la coke. Si c'est vrai, c'est une mauvaise nouvelle, et l'attitude récente de Diego confirme ces soupçons. Il organise de gigantesques fêtes tape-à-l'œil dans des endroits mal choisis : Cuernavaca, Mexico… où elles ne peuvent échapper à l'attention des autorités.

Quand apprendra-t-il ? se demande Adán.

Les flics, les politiciens sont peut-être à notre solde ; les financiers, les banquiers et les hommes d'affaires sont peut-être nos associés dans des entreprises légales, et peut-être qu'ils ferment les yeux sur nos autres activités, mais il ne faut pas les mettre dans une position délicate.

C'est idiot et puéril, se dit Adán. On ne peut pas faire ce genre de choses dans un quartier comme celui-ci. Nous avons tout. Tout ce que l'argent peut acheter. Nous pouvons faire tout ce que nous voulons… à condition de rester discrets.

Des rumeurs circulent sur Diego, des rumeurs auxquelles Adán refuse de croire. Il aurait commencé à idolâtrer Santa Muerte, la sainte de la Mort, un culte qui fait fureur chez les narcos les plus jeunes, avec des sacrifices sanglants et Dieu sait quoi encore.

Folie.

Quand il était jeune, Adán a conclu un pacte de sang avec Santo Jesús Malverde, le martyr local du trafic de drogue au Sinaloa, devenu une sorte de figure religieuse, disposant de son propre sanctuaire à Culiacán.

Adán rougit en repensant à cette bêtise de jeunesse.

Mais Diego n'est plus un gamin. Il a une femme, des enfants et des responsabilités. Il est le chef de la plus grande organisation de trafic de drogue au Mexique et il fait l'imbécile avec ce truc ?

Ridicule.

Et dangereux.

Mais pas aussi dangereux que de caresser l'idée d'une alliance avec les Zetas.

Adán comprend. Diego se sent menacé par l'ascension de Nacho. J'ai pris Tijuana et j'épouse sa fille.

Adán a envisagé de faire un geste pour arranger les choses avec Diego. Ils auraient bavardé comme les deux vieux amis qu'ils sont. Et il se serait excusé s'il avait donné l'impression de lui manquer de respect ou de le négliger. Mais maintenant, c'est trop tard.

Diego est le prix à payer pour la vie de cet imbécile de Salvador, infantile et indiscipliné. Et c'est mieux ainsi, se dit Adán. Les Tapia doivent disparaître. Et en toute honnêteté, j'aurais fini par le faire, et les ennuis de Sal ne sont qu'un prétexte bienvenu.

Tout est prêt.

Deux opérations simultanées contre Alberto et Diego à Badiraguato, pour les éliminer tous les deux, d'un seul coup.

Martín, il le laissera en paix, pour le moment.

Il a trop de relations – encore une de tes erreurs stupides, pense Adán : laisser les Tapia acquérir une telle influence politique – et il est ouvert à la négociation. Il se montrera raisonnable.

Du moment qu'il n'y a pas de morts.

Adán a bien insisté : Alberto et Diego doivent être pris vivants, coûte que coûte. Ce sont ses amis, ses frères, le sang de son sang, le sang du Sinaloa.

L'autel a été érigé sous une charmille de ficus. Les chaises sont disposées sur une pelouse vert émeraude tondue le matin même et entourée de brassées de fleurs.

Adán se tient à côté du prêtre. Il sourit à Eva lorsque son père lui lâche le bras, il l'embrasse sur la joue et la conduit vers l'autel.

D'un coffret en bois, il fait tomber treize pièces d'or, une pour le Christ et une pour chaque apôtre, dans les paumes tendues et jointes de la jeune fille. Puis il dépose la boîte dans ses mains. Ces pièces symbolisent sa promesse de veiller sur elle et celle d'Eva de tenir son foyer consciencieusement.

Ils se tournent ensuite vers le prêtre qui passe le *lazo,* une longue corde décorée, autour de leurs épaules pour signifier qu'ils sont maintenant liés l'un à l'autre. Ils gardent le *lazo* durant la longue cérémonie, qui inclut une messe, puis les serments de mariage, après quoi le prêtre les déclare enfin mari et femme.

Eva s'agenouille devant le petit sanctuaire construit en l'honneur de la Vierge de Guadalupe et fait une *ofrenda* en déposant un bouquet de fleurs.

Puis les mariés remontent l'allée ; les proches et tous les invités les suivent jusqu'à l'endroit où va avoir lieu la réception. L'orchestre de mariachis, vêtus de leurs plus beaux costumes noir et argent, leur emboîte le pas en jouant l'air d'*Estudiantina*.

Salvador Barrera a fait profil bas durant tout le mariage.

Après le déplorable incident survenu à Zapopan, Adán l'a rappelé au Sinaloa et l'a placé en liberté surveillée, avec mise à l'épreuve.

– Si tu n'étais pas de mon sang, tu serais déjà mort, lui a-t-il dit quand il l'a fait asseoir dans son bureau.

– Je sais.

– Non, a répondu Adán, le visage crispé. Tu ne sauras jamais… tu ne sauras jamais ce que m'a coûté ta liberté.

– Merci, *tío*. Je suis vraiment désolé.

Sal a dû écouter pendant vingt minutes un sermon de son oncle sur le respect des femmes et des innocents. De la part de cet homme qui a invité sa putain à son mariage ? Qui a fait décapiter une femme et envoyé sa tête à son mari comme une corbeille de biscuits ? Ce type qui a balancé deux enfants d'un pont ? Allons ! C'est lui qui veut me donner des leçons sur les valeurs familiales ?

Mais Sal se sait observé.

Il espère que, tôt ou tard, son oncle lui pardonnera et lui remettra le pied à l'étrier.

Eva accourt, prend Adán par la main et l'entraîne vers un endroit dégagé au milieu des tables de banquet.

C'est le moment de *lanzar el ramo,* de lancer le bouquet.

Conformément à la tradition, les invités forment non pas un cercle, mais un cœur autour des mariés. Toutes les femmes célibataires se rassemblent et Eva lance son bouquet par-dessus son épaule. Il atterrit dans les mains de Magda, qui pousse un cri d'effroi et le renvoie aussitôt en l'air ; une des demoiselles d'honneur l'attrape au vol.

On apporte une chaise, Eva s'y assoit, puis Adán, accompagné de Diego, de Nacho et de Sal, s'agenouille devant elle. Sous les commentaires grivois des invités, il remonte sa robe sur ses cuisses et lui retire sa jarretière.

C'est une étrange sensation de faire glisser sa main sur cette peau lisse car ils n'ont fait qu'échanger des baisers jusqu'à présent, et ce geste lui semble étrangement intime. Il se relève, jette la jarretière par-dessus son épaule et se retourne pour voir Sal la rattraper.

Sur ce, les hommes se précipitent, soulèvent Adán de terre et commencent à le chahuter et à danser avec lui au rythme de la musique d'enterrement (« Ta vie est finie ! ») jouée par l'orchestre. Quand un autre morceau lui succède, Sal et la demoiselle d'honneur dansent ensemble, puis c'est au tour d'Adán et d'Eva, et enfin tous les invités se joignent au bal. Pendant que les mariés dansent, des couples s'approchent d'eux, échangent quelques mots, puis épinglent des enveloppes sur la robe de la jeune fille : elles contiennent de l'argent qui sera versé ensuite à des œuvres de charité, car Adán Barrera et la fille de Nacho Esparza n'ont pas vraiment besoin d'aide pour commencer leur vie de jeunes mariés. Quand l'orchestre attaque la *vibora de la mar,* le serpent de mer, les invités se donnent la main et « serpentent » sous les bras tendus d'Adán et d'Eva, debout sur des chaises.

Magda trouve Adán seul dans une chambre, en train de se changer pour partir en voyage de noces.

– Ça tombe bien, dit-elle.

– Comment ça ?

– Allons, dit Magda en s'agenouillant devant lui, il ne faudrait pas que tu déçoives ta nouvelle femme en laissant cette *chocha* vierge et étroite te faire jouir trop vite. La pauvre petite s'attend à une nuit de passion haletante et d'endurance juvénile.

– Magda…

– Ne sois donc pas si égoïste, dit Magda en ouvrant la braguette d'Adán. Je fais ça pour elle.

– Tu es très attentionnée.

– De plus, quand elle sera grosse, pleine de boutons et irascible, tu te souviendras qu'il y a *ça* qui t'attend. Mais ne tache pas ma robe, il faut sauvegarder les apparences.

Magda l'amène au bord de la jouissance, puis s'arrête.

– Finalement, dit-elle en se levant, j'aime mieux que tu la déçoives.

– Magda !

– Oh, allez. Tu crois vraiment que je vais te laisser comme ça ?

Elle le fait jouir, puis s'abandonne à la mélancolie.

Ça aurait pu être moi, pense-t-elle. Peut-être que ça m'aurait plu de m'installer dans une vie casanière avec lui, de m'autoriser quelques kilos de trop sur les hanches et de regarder mes enfants cavaler autour de moi.

Contente-toi de ce que tu as, lui dit la voix de la raison. Il n'y a pas si longtemps, une simple couverture aurait fait ta joie.

Maintenant, tu es riche, bientôt tu le seras encore plus, et ne dépendant d'aucun homme, y compris d'Adán. Tu peux avoir d'autres amants et baiser avec lui quand il sera là, avoir ta propre maison, gagner ta vie.

Tu es une *narca,* une *chingona.*

Ta propre patronne.

Magda sait que l'épouse d'Adán est surnommée « la reine Eva Ire ». Les plus cultivés l'ont baptisée « Evita » *(Don't cry for me, Sinaloa)*. Elle sait également à quel surnom elle-même a droit.

La Reina amante.

La Reine maîtresse.

Il y a pire.

Après le somptueux repas de noces – plats de poulet et de porc, pommes de terre et riz, *tres leches* et gâteaux aux amandes, champagne, vin et bière –, les invités se rassemblent pour regarder les mariés partir en lune de miel.

Diego s'approche d'Eddie.
– On s'en va.
– Vous rentrez à Monterrey ?
– Non, dit Diego, on va passer la nuit dans notre maison de Badiraguato. Viens avec nous, si tu veux.
– Je vais rester pour la *tona borda*, répond Eddie. Il y a trop de chattes ici pour foutre le camp maintenant qu'elles sont toutes bourrées.
Il a repéré une des demoiselles d'honneur, et puis il y a la *Reina amante*. Nom de Dieu, rien que d'être assis à côté d'elle…
– Attention à ce que tu fais et avec qui, dit Diego. Tu es à la campagne ici. Ces vieux ploucs vont te tirer dessus. Et pas touche à la femme d'El Patrón.
– Il vient de se marier, bordel !
– Ne sois pas stupide, l'avertit Diego.
Adán et Eva sortent de la maison et marchent vers l'hélicoptère qui attend pour les emporter dans un endroit gardé secret. Ils passent au milieu des invités en distribuant des poignées de main et des baisers.
Adán s'approche de Diego.
– Merci, *primo,* dit-il, et il l'embrasse sur la joue. Merci pour tout.
– De rien, *primo*.
Diego se sent mieux.
Adán l'apprécie toujours.

Adán et Eva passent leur lune de miel dans une villa qu'il possède à Cabo.
Il avait envisagé d'aller en Europe, mais il est visé par des mandats d'Interpol dans presque tous les pays.
Le Mexique est sa prison.
Peu importe : tout ce qu'il désire se trouve ici.
Quand ils arrivent dans la maison qui domine le Pacifique, Eva s'excuse et se retire dans la salle de bains. Elle en ressort une demi-heure plus tard, vêtue d'un déshabillé

bleu qui met ses yeux en valeur, beaucoup plus suggestif que ne l'avait imaginé Adán. Ses longs cheveux flottent sur ses épaules dénudées. Adorable, elle se présente à lui, mais garde les yeux fixés sur le parquet ciré.

Adán s'approche d'elle et lui soulève le menton.

– Je veux te rendre heureux, dit-elle.

– Tu me rendras heureux. Tu me rends déjà heureux.

Au lit, ils sont intimidés tous les deux ; elle à cause de sa jeunesse, lui à cause de son âge. Il passe un long moment à la caresser, à l'embrasser sur les joues, dans le cou, sur les seins, le ventre. Son corps de dix-huit ans réagit facilement, malgré sa nervosité, et quand il la sent prête, il la prend, en remerciant intérieurement Magda pour ses attentions, tandis qu'Eva rue sous lui. Son énergie ne peut rivaliser avec l'expérience de Magda, mais il s'en réjouit.

Elle est le printemps de son automne.

C'est un truc de malade, se dit Eddie en regardant Diego s'agenouiller devant la statue d'un squelette en robe violette, avec des cheveux humains plantés dans le crâne. Il tient un globe terrestre dans une main et une faux dans l'autre.

Santa Muerte.

La sainte de la Mort.

Cette « dame » a de nombreux noms : la Flaquita (la Décharnée), la Niña Blanca (la Fille blanche), la Dama Poderosa (la Puissante Dame.) C'est sûr, elle a l'air super-puissante, là, songe Eddie, pendant que Diego macule le visage de la statue de sang de chèvre (Putain, j'espère que c'est bien du sang de chèvre).

Ils sont dans une pièce située au fond de la planque de Diego à Badiraguato, et Eddie vient d'arriver de la fête d'après-mariage. Il est lessivé d'avoir trop baisé, à moitié endormi, mais il a faim. Il regarde Diego tirer une longue bouffée d'un joint et souffler la fumée au visage de la Décharnée. Il a déjà déposé ses offrandes sur le petit autel qu'il a lui-même construit dans cette maison, comme dans toutes ses autres maisons : des bonbons, des cigarettes, des fleurs, des fruits frais, de l'encens, une flasque de scotch single malt, de la cocaïne et de l'argent.

Ce tas d'os est mieux traité que les vraies *segunderas* de Diego, se dit Eddie.

Il allume une bougie dorée.

– Pour la fortune, explique-t-il.

Ça, au moins, ça marche, songe Eddie. Diego est plus riche que Dieu. On raconte même qu'il a plus d'argent qu'Adán Barrera, ce qui ne doit pas faire plaisir à AB. Et Diego a glané un nouvel *aporto* dans certains cercles – El Jefe de los Jefes –, le chef des chefs, ce qui ne doit pas non plus réjouir tout le monde à La Tuna.

Il allume une autre bougie.

Noire.

Comme celles qu'on achète pour Halloween, pense Eddie.

Si vous êtes un blaireau.

Il écoute Diego prier Santa Muerte en déposant la bougie noire sur l'autel, pour qu'elle le venge de ses ennemis et protège ses cargaisons de drogue. Peut-être qu'une seule bougie ne suffira pas, songe Eddie. Il espère qu'ils ont enfin terminé, mais Diego prend une autre bougie. Blanche, celle-ci.

– Pour la protection, dit-il.

– Ouais, super.

Diego a besoin de protection, en effet, il a l'air complètement rétamé. El Jefe s'enfile de la coke, ça ne fait aucun doute. Il marmonne une autre prière, puis se relève et se rend dans le salon.

– Adán a appelé tout à l'heure, dit-il.

– À quel sujet ?

– Pour m'annoncer qu'il était bien arrivé à Cabo.

Le signal d'alarme d'Eddie se déclenche. Habituellement, Adán est très boulot-boulot, pas du genre à papoter au téléphone. Il fait partie de ces cinglés qui, quand ils vous appellent, donnent l'impression de lire ce qui est écrit sur une fiche, avec un agenda juste à côté.

L'idée qu'AB ait téléphoné à Diego, pour bavarder comme une femme au foyer qui a une demi-heure à tuer avant son cours de yoga, ne plaît pas à Eddie. Il n'aime pas non plus le fait que Diego Tapia, d'habitude vif d'esprit, semble désormais indifférent et las.

Autrefois, il connaissait toutes les réponses. Aujourd'hui, il ne connaît même pas les questions. La Dama Poderosa, mon cul.

– Hé, Diego. Tirons-nous d'ici.

– Pour aller où ?

– J'en sais rien, mec. Prendre l'air, aller bouffer un truc. Je me paierais bien un petit déj avec des burritos.

– Il est 2 heures du mat'.

– Et alors ?

– J'ai pas faim.

– Moi, si, dit Eddie. Amène-toi.

Alberto Tapia rentre chez lui après être allé faire un saut au domicile de sa *segundera*. Il s'est dit qu'il pouvait profiter du mariage pour s'envoyer en l'air.

Son Navigator affiche complet.

Un chauffeur et deux gardes du corps. Vous avez besoin de protection quand vous vous trimbalez à 2 heures du matin avec deux mallettes contenant neuf cent cinquante mille dollars en liquide et une autre qui contient pour cent mille dollars de montres de luxe.

Alberto aime les Rolex et les Patek.

C'est peut-être pour ça qu'il a un AK-47 posé sur les genoux. On pourrait penser que c'est inutile à Badiraguato, en plein territoire du cartel de Sinaloa, mais dans ce métier, la paranoïa n'est pas une mauvaise chose. Il porte également à la ceinture son .45 incrusté de pierres précieuses qui forment les mots « Vivre libre », en espagnol. Mais il est un peu somnolent après cette longue nuit de baise. C'est pourquoi il a les yeux fermés et la tête renversée quand ça se met à déconner.

Quatre SUV rugissants surgissent de toutes les directions et bloquent la route. Alberto se réveille et règle son AK en position automatique, puis il entend :

– Police fédérale ! Descendez du véhicule les mains en l'air !

Des *federales* qui l'arrêtent au Sinaloa ? Il doit s'agir d'une plaisanterie, ou alors ces connards n'ont pas saisi le message, et Alberto s'apprête à descendre de son Navigator pour leur expliquer quand un des gardes du corps dit :

– Et si c'est des gars à Solorzano ?

Car c'est possible, ça s'est déjà vu : des tueurs portant des uniformes de l'AFI. Alberto voit un tas de canons dépasser d'une des voitures, pointés sur lui. Et il entend :

– Descendez immédiatement !

Il baisse sa vitre et lance une phrase que l'on associe généralement aux starlettes de Hollywood qui ne peuvent pas obtenir une table au restaurant :

– Vous savez qui je suis ?

– Descendez de ce véhicule !

– Je suis Alberto Tapia !

Genre : c'est grâce à moi s'il y a de la bouffe sur votre table.

– Dernier avertissement !

Eh bien moi, je ne vais pas te le dire deux fois, mon gars.

– Vous devriez contacter votre chef pour lui demander…

La balle l'atteint au milieu du front.

S'ensuit aussitôt un tir de barrage, à l'issue duquel les seules choses encore intactes à bord du Navigator sont deux mallettes bourrées de fric et une autre contenant des montres de luxe.

Qui font encore tic-tac.

Eddie regarde les voitures foncer vers la planque.

Des hommes de l'AFI en jaillissent et se ruent en formation militaire vers la maison, fusils à l'épaule. Il a déjà vu cette scène à la télé, lors de l'arrestation de Contreras à Matamoros.

Diego a les yeux écarquillés, ça change.

– *Madre mía,* dit-il.

Laisse ta mère en dehors de ça, songe Eddie. Il jette l'emballage de son burrito dans la poubelle.

– Barrons-nous d'ici.

Il entraîne Diego loin de la terrasse du café. Heureusement, les *federales* sont focalisés sur la maison. Eddie les entend hurler :

– Diego Tapia ! Vous êtes cerné ! Sortez avec les mains sur la tête !

Eddie a déjà atteint la rue suivante quand Diego lui lance :

– Tu vois ? La Niña Blanca m'a protégé.

Oui, c'est sûr, songe Eddie.

C'est bien grâce à la bougie blanche.

Aucun doute.

Adán attend près du téléphone.

Quand celui-ci sonne enfin, il le regrette.

Alberto et trois de ses hommes sont morts. Adán est furieux, il avait ordonné que personne ne soit tué et Alberto est mort ? Le *frère* de Diego est mort ?

Il attend l'appel suivant.

Cela ne tarde pas.

Si le premier appel annonçait un désastre, le second est catastrophique.

Les *federales* ont manqué Diego. Ils ont investi quatre planques sans le trouver. Comment ces imbéciles ont-ils pu le rater ? Maintenant, Diego Tapia est en fuite, affligé, scandalisé et très certainement assoiffé de vengeance.

Et il se vengera.

Adán doit tenter de limiter les dégâts.

– Il faut le retrouver, dit-il à Nacho au téléphone.

Nacho lui-même semble ébranlé.

– Il est dans la nature, Adán.

– Trouve-le.

Mais ils n'ont pas besoin de retrouver Diego. Il appelle Adán.

– Alberto est mort. Ces salopards se sont retournés contre nous. Ils ont tué Alberto.

Il pleure.

– Diego, où es-tu ?

– Ils ont tué Alberto.

– Il faut qu'on te conduise dans un endroit sûr. Dis-moi où tu es, je vais envoyer quelqu'un.

C'est un énorme risque, se dit Adán. Diego dispose d'un tas d'hommes de main, bien plus qu'il n'en faut, pour venir le chercher, le cacher, le protéger. S'il réfléchit, il saura que je le sais et il va se méfier de ma proposition.

– Je veux qu'ils meurent, dit Diego. Tous.

– Où es-tu ?

– Je suis à l'abri, *primo*. Mais j'ai envie de mourir.

– Ne fais pas de bêtise, Diego.

– Je veux qu'ils meurent.

Fin de la communication.

Keller reçoit à son bureau un appel d'Aguilar.

– C'est la pagaille. Un ratage total. Gerardo est hors de lui.

C'est la débâcle, poursuit-il. Alberto Tapia est mort, Diego et Martín sont dans la nature… Ces arrestations bâclées sont une honte… La justice a été bafouée pour deux familles… Il a envie de vomir…

Ça marche, se dit Keller en raccrochant.

Cette « débâcle » est un baril de poudre avec une mèche courte posé sous Adán, les Tapia, les forces de l'ordre mexicaines et même Los Pinos. Il ne manque plus qu'une allumette et tout le système soigneusement construit par Adán va exploser.

Keller sort du bâtiment et se sert de son téléphone personnel pour contacter Yvette Tapia.

– Je vous appelle en ami. Il y a une chose que vous devez savoir.

Il gratte l'allumette.

– Adán Barrera a dénoncé votre famille.

– Adán n'a pas de frère, gémit Diego.

Ce pauvre gars est dans un sale état, se dit Eddie. Camé jusqu'aux yeux, il n'a pas dormi depuis qu'il a enterré son petit frère. De retour à Monterrey, ils sont relativement à l'abri et la vengeance est à l'ordre du jour. Diego veut venger la mort d'Alberto, mais le problème, c'est… son état justement.

L'enterrement d'Alberto était grotesque, un étalage d'hypocrisie qui aurait fait rougir un télévangéliste de Louisiane. Adán et la reine Eva étaient là, ils ont étreint Diego et remis une grosse enveloppe à la veuve ; Diego a étreint Adán lui aussi, en faisant comme s'il ne savait pas.

Ce sale enfoiré de Nacho était là également, triste et compatissant, comme si ce n'était pas lui qui avait poussé Barrera.

Toute la crème des narcos était venue présenter ses condoléances, même si, à vrai dire, personne n'aimait beaucoup Alberto. C'était un emmerdeur de première, une grande gueule, un m'as-tu-vu, un petit merdeux qui aboyait comme ces mini-clebs que les femmes amènent dans les restaurants de nos jours, pour énerver tout le monde.

La seule chose bien chez Alberto, c'était sa femme, sa veuve maintenant, avec ses nichons à pression hydraulique.

En la regardant accepter les condoléances et le fric d'Adán, Eddie en avait conclu qu'elle ne savait rien. Aucune stripteaseuse ne pouvait être aussi bonne comédienne. Elle ignorait que l'homme qui lui tendait l'enveloppe avait vendu son mari.

Au moins, Barrera avait eu la décence de ne pas glisser l'enveloppe dans sa culotte.

Les Tapia veilleront sur elle, Eddie le sait. Ils ne la laisseront pas retourner sur scène. Et c'est dommage car il aurait bien aimé voir ça.

Mais pas autant qu'il aimerait voir Yvette Tapia ôter la robe noire qu'elle portait à l'enterrement. Elle avait sûrement un soutien-gorge et une culotte noirs dessous, et elle est canon. Et, rien qu'en l'observant, il savait que son mari ne devait pas assurer souvent.

Viens voir un homme, un vrai, un cow-boy, ma chérie, se disait-il. Laisse-moi t'emmener sur mon cheval. Tu resteras en selle plus de huit secondes, crois-moi.

Même les Zetas, qui haïssaient Alberto, étaient venus. Rassemblés autour de Diego, ils l'aident à trouver le moyen de combattre l'Empire du Mal. C'est compliqué, car Adán contrôle la police fédérale, et les politiciens. Autrefois, ils avaient tout le monde dans leur poche, il n'y avait qu'une seule et grande famille heureuse, mais c'est fini.

– Avant de nous en prendre à Adán, il faut préparer le terrain, dit Martín. Nous devons nous débarrasser de certains ennemis puissants au sein de la police.

– Ça ne risque pas d'alerter Adán ? demande Ochoa.

Ils sont alliés à présent, se dit Eddie. Le vieil échange de bons procédés est enclenché : les Tapia ont permis aux Zetas de se réfugier à Monterrey ; en retour, les Zetas ont accepté de participer à la guerre contre Barrera.

Ce n'est qu'un début, songe Eddie. Tous les cartels vont se réaligner, et les relations avec la police et les politiciens seront modifiées. Les cartes seront rebattues et qui sait dans quelles mains vont se retrouver les as et les rois ? Pour l'instant, ils semblent être dans celles d'Adán.

Eddie constate que Martín a pris les commandes de cette réunion. Diego reste le chef en titre, mais c'est Martín qui établit la stratégie.

Avec Ochoa.

– Nous présenterons cela comme une vengeance après le meurtre d'Alberto, dit Martín. Faisons croire à Adán que nous sommes convaincus que la police nous a trahis. Le temps qu'il comprenne la vérité, nous aurons éliminé certains de ses alliés et nous serons prêts à l'attaquer directement.

Ouais, facile à dire, pense Eddie. Moins facile à faire. Il ne s'agit pas de petits flics locaux, mais de la police fédérale surpuissante, dotée de ses propres unités de sécurité, des types qui ne sont pas arrivés là en étant idiots ou négligents.

Mais on n'a pas le choix, se dit-il. Les feds ont voulu éliminer Diego et ils ont échoué, ils sont obligés de recommencer. On doit les prendre de vitesse, mais cela nécessite une véritable préparation, il faut surveiller leurs horaires, leurs habitudes, leurs moyens de protection…

La guerre, c'est beaucoup de travail.

Et Eddie a l'impression que désormais il n'y aura rien d'autre que la guerre.

Roberto Bravo, directeur du renseignement à l'AFI, gare son SUV devant sa maison de Mexico. Demain, il est en congé, il doit se rendre à Puerto Vallarta, alors il a laissé partir son garde du corps. Au moment où il descend de voiture, un homme s'approche de lui et lui tire deux balles dans la tête.

Moins de vingt-quatre heures plus tard, le directeur administratif de la Police fédérale préventive, José Aristeo, bavarde avec une voisine sur le trottoir, devant son domicile dans le quartier chic de Coyoacán. Deux hommes l'abordent et tentent de l'entraîner à l'écart de la femme, vers sa voiture. Comme il se débat, ils lui tirent une balle dans le cou et une autre dans la poitrine.

Le lendemain matin, à 2 h 30, Reynaldo Galvén rentre chez lui à Ochoa, une zone sensible de Mexico. Il a choisi d'habiter là car c'est près du siège de la police, et Galvén est dévoué à son travail. Et puis, quand vous êtes un commandant de l'AFI et que vous bénéficiez d'une protection rapprochée, vous ne craignez pas les agressions.

Le commandant Galvén, numéro deux de la police fédérale, juste derrière Gerardo Vera, est un peu ivre après une soirée arrosée à son club, mais peu importe car il est flanqué de deux gardes du corps. Ceux-ci l'accompagnent jusqu'à sa porte, attendent qu'il ait introduit sa clé dans la porte, puis regagnent leur voiture.

Ils ont tort.

Quand Galvén ouvre sa porte, un homme pointe sur lui un Sig Sauer 380.

Galvén n'est pas devenu un super-flic en étant faible. La première balle lui traverse la main droite, mais il parvient à saisir le tueur par le poignet et à le désarmer.

L'homme sort alors une deuxième arme, avec laquelle il tire huit balles dans la poitrine et le ventre de Galvén avant de s'enfuir. Les gardes du corps reviennent en courant, maîtrisent le tueur et appellent une ambulance, mais il est trop tard.

Galvén meurt à l'hôpital, quelques minutes après son arrivée.

Interrogé, le tueur, un ancien policier de Mexico, âgé de trente-deux ans, déclare que le mobile était le vol.

Personne ne le croit.

Galvén avait dirigé l'opération au cours de laquelle Alberto Tapia a été tué.

Sal Barrera aimerait que les mécaniciens se magnent le cul.

Il est bientôt 20 heures et, aussi stupide que cela puisse paraître, il doit rentrer avant une certaine heure. Adán le mène à la baguette, mais que peut-il faire ? Adán n'est pas seulement celui qui le paie, c'est le *patrón* de la famille, et si Sal veut espérer revenir dans le business, il doit supporter le baratin d'Adán et sourire.

Son oncle l'a assigné à résidence, mais il est parti roder sa nouvelle épouse et Sal en a profité pour sortir, en prétextant des courses à faire en ville.

Parmi elles, récupérer le nouveau pick-up d'Adán pour qu'il puisse faire le tour de sa *finca* comme un vieux *gomero,* et Sal espère qu'il pourra s'offrir un peu de bon temps avec ses potes dans un club avant d'être obligé de rentrer à La Tuna. C'est comme s'il portait un putain de bracelet à la cheville. Enfin, *enfin,* les mécanos descendent la voiture du pont.

Sal s'installe au volant, Edgar se glisse au milieu, César monte en dernier et ferme la portière. Il demande :

– Alors, on va où ? Mandalay ? Bilbao ? Shooters ?

– Au Bilbao, répond Sal.

Ce club appartient à la mère de César, ils n'auront donc pas d'addition à payer. Il est tôt, sans doute trop tôt pour qu'il y ait des jolies filles, mais il a encore deux heures devant lui avant que le Ford Lobo se transforme en citrouille, et certaines des filles de Culiacán craquent toujours pour le look *norteño* du pick-up.

Il démarre.

Quand Eddie a déposé Diego à sa planque, en dehors de Cuernavaca, c'est devenu vraiment glauque.

– Viens voir Santa Muerte avec moi, a dit Diego.

– Pas la peine.

– Ça te portera chance. Elle bénira la réussite de ta mission.

Diego a tellement insisté qu'il a dû le suivre dans le petit sanctuaire pour embrasser le cul osseux de la sainte. Diego l'a obligé à lui jeter un billet de vingt, et ensuite, il a fallu qu'il s'agenouille pendant que Diego allumait une collection de bougies colorées alignées comme des Crayola dans leur boîte. Après quoi, il a plongé les mains dans un bol et les a ressorties dégoulinantes de sang.

– Du sang humain, a-t-il précisé.

– Euh… où tu as trouvé ça ?

Eddie était obligé de poser la question, alors qu'il n'avait pas envie de le savoir.

– C'est le sang d'un ennemi.

Je suis content que ce ne soit pas celui d'un ami, a pensé Eddie, pendant que Diego maculait le visage de la Flaquita, puis le sien, avant de marmonner des sortes d'incantations vaudous à la con. Il a tendu les mains vers le visage d'Eddie, mais celui-ci s'est reculé.

– Non, non, c'est bon.

– Ta mission sera un succès.

Oui, je sais que ce sera un succès, se dit Eddie maintenant, et pas parce que j'ai refilé un pourboire à la Flaquita, mais parce que j'ai amené quinze de mes meilleurs gars pour être certain que ça réussisse.

Il regarde Sal Barrera monter à bord du pick-up. Ce gamin a tué deux innocents, dont une fille, et on lui offre une nouvelle caisse.

Ça doit être chouette d'être un Barrera.

Eddie presse la détente du bazooka.

La roquette atteint l'avant du véhicule et explose.

Le pick-up fait un bond.

Tout d'abord, Sal ne comprend pas ce qui se passe.

Sa tête heurte le toit de la cabine, et quand il se retourne, il voit le visage d'Edgar à moitié enfoncé dans le pare-brise. Le moteur est en feu, des flammes et de la fumée s'en échappent. César s'agite comme s'il se tapait un méga-trip aux amphés, puis Sal voit des balles traverser la vitre et la portière.

Il descend du pick-up et fonce vers le garage, c'est alors qu'il aperçoit toutes les armes pointées sur lui.

– *Nooon !* hurle-t-il. *Mamaaaa !*

Mama ? se dit Eddie.

Tafiotte.

Il prend son AR et vise Sal Barrera. Uniquement parce qu'il a promis à Diego de s'en charger lui-même car, en réalité, il ne reste pas grand-chose de Sal, qui s'écroule sur le bitume et se relève pour se mettre à courir ; son corps n'a pas encore reçu le message que son cerveau a déjà enregistré.

Il s'écroule de nouveau et demeure immobile cette fois, un bras tendu devant lui. Une mare de sang s'étale sur la chaussée.

Des gens hurlent, laissent tomber leurs sacs de courses et s'enfuient. Les mécaniciens se sont réfugiés derrière des voitures ; ils assistent à la scène avec des yeux exorbités. Eddie remarque avec satisfaction que ses hommes continuent à tirer, en l'air, pour effrayer d'éventuels témoins.

Si cela ne suffit pas, l'explosion du pick-up s'en charge.

Adán décroche le téléphone et entend les hurlements de Sondra.

Interminables.

Sacrée journée.

Adán l'a passée au téléphone pour amadouer des journalistes, en répétant que c'étaient les Tapia qui avaient assassiné des policiers. Les premiers articles accusaient tous le cartel de Sinaloa, et à mesure que la journée avançait et que l'état d'esprit de la population se modifiait, il a dû veiller à ce que les articles mentionnent plus particulièrement Diego Tapia.

Les trafiquants de drogue, tout comme les guérilleros, doivent évoluer dans la population comme un poisson dans l'eau, ils ont besoin des gens pour assurer leur protection et obtenir des informations, ils ne peuvent donc pas se permettre d'être méprisés par l'opinion publique.

Les appels se sont donc succédé, émanant de « sources anonymes », pour expliquer les dessous de l'histoire : les Tapia ont voulu se venger du meurtre d'Alberto, Adán Barrera n'avait rien à voir dans tout cela, et à vrai dire, il était furieux après Diego ; à tel point que cela pouvait provoquer une scission définitive au sein de l'organisation.

D'autres appels, destinés à des politiciens, leur avaient rappelé leurs obligations, et également les dettes dont ils devaient s'acquitter désormais. Ils devaient choisir leur camp, et ils feraient mieux de choisir celui qui allait l'emporter.

Certains pensent, sans nul doute, que ce sera les Tapia.

Après tout, ils possèdent la plus grande organisation, ils ont plus d'argent, plus de *sicarios*. Diego et Martín sont toujours dans la nature et Ochoa refuse de prendre les appels d'Adán, ce qui n'augure rien de bon : il est fort probable que les Zetas rejoignent les Tapia.

Que me reste-t-il ? pense Adán.

– J'ai besoin que tu ailles au Michoacán, dit Adán à Nacho.

– Je ne peux pas laisser Carla en ce moment.

– C'est ta maîtresse, pas ta femme.

– Je sais qui elle est, Adán, je te remercie.

– Juste une journée. Va voir Nazario, renoue l'alliance avec La Familia. On a besoin d'hommes, il peut nous les fournir.

– Nazario te considère comme un traître. Comme le diable, même.

– Il conclura un pacte avec le diable, si cela veut dire battre les Zetas.

Si Nazario pouvait faire le tri entre ses émotions et son intérêt, songe Adán, il se joindrait aux Zetas, jusqu'à ce qu'ils aient sucé toute la moelle de mes os, et il reprendrait ensuite sa vendetta. Mais il en est incapable ; il pense mener une sorte de guerre sainte contre les Zetas, alors il se rangera de mon côté encore une fois.

El Más Loco, en effet.

Après avoir convaincu Nacho de se rendre à Morelia, Adán monte à l'étage pour parler à Eva. Sa jeune épouse ne sait pas trop quels sentiments doit lui inspirer la mort du fils de la maîtresse de son père, mais elle pleure sans honte le meurtre de Salvador.

Elle connaît les activités de son père, pourtant c'est la première fois que cela la touche directement. Adán doit lui annoncer qu'il faut quitter la *finca,* la deuxième maison seulement qu'elle a connue dans sa vie, pour aller dans une autre demeure, dans une autre partie de l'État.

Évidemment, Diego sait où se trouve la *finca,* il connaît le système de surveillance et il a engagé la moitié des gardes, même si Adán les a déjà remplacés par la Gente Nueva. Ce n'est plus un endroit sûr et il entre dans leur chambre pour lui parler. Eva a les yeux rouges et gonflés.

– Pour combien de temps ? demande-t-elle.

– Je ne sais pas.

– Plusieurs jours ? Plusieurs semaines ?

– Je ne sais pas, je t'ai dit, répond sèchement Adán, et il regrette aussitôt ce ton en voyant l'expression peinée d'Eva.

Jamais il n'a haussé la voix avec elle et il doit se rappeler qu'elle n'a que dix-huit ans, tout cela est nouveau pour elle.

– Je veux juste m'assurer que tu es en sécurité.

Il est fatigué. Il a envie de prendre une douche, boire un scotch léger et aller se coucher car ils doivent se lever et partir très tôt le lendemain. Un cortège de la police d'État les escortera jusqu'à la prochaine *finca,* dont Diego ignore l'existence. Il n'a aucune envie d'expliquer à sa jeune épouse les réalités du milieu dans lequel elle est née.

Adán se sert un verre, se déshabille, entre dans la douche et s'assoit sur le banc carrelé. Il sirote son scotch en savourant la vapeur qui détend ses muscles contractés.

Son verre terminé, il se place sous le jet.

De retour dans la chambre, il découvre qu'Eva s'est totalement méprise sur son humeur, et ses besoins : elle est couchée, en déshabillé bleu, prête à lui apporter un réconfort sexuel.

Il songe, malgré lui, que Magda aurait été plus perspicace.

Elle m'aurait servi mon verre de scotch et aurait fait semblant de dormir quand je serais sorti de la douche. Mais Magda n'est plus là, elle s'est installée à Mexico. Riche, indépendante et obstinée – elle insiste pour lui verser le *piso* afin de faire transiter des tonnes de cocaïne à travers Laredo –, la fille traumatisée qu'il a connue à Puente Grande est bien loin. Elle est venue deux fois à Culiacán et ils se sont retrouvés dans une maison pour des rendez-vous galants, mais elle lui manque.

Eva va se sentir vexée et se croire incompétente s'il ne lui fait pas l'amour, et il doit avouer que depuis quelque temps, ça ressemble à une corvée. Son désir de tomber enceinte est tel que c'est comme une tâche de plus dans l'agenda d'Adán.

– Eva, ma chérie, nous devons nous lever avant l'aube.

– Je croyais que tu étais stressé…

Je le suis. Oh, mon Dieu, oui.

– … et que ça te détendrait.

– Je suis triste, dit-il. Et en deuil.

C'était idiot et cruel de dire ça, pense-t-il, car du coup elle n'est pas seulement gênée, mais honteuse.

Elle lui tourne le dos.

Adán éteint la lumière et se glisse dans le lit.

– Ce n'est rien, dit-il en la prenant dans ses bras. Je t'aime. Tout va s'arranger.

Il n'est pas certain d'y croire.

Maudit soit Salvador.

Trahir les Tapia en échange de la liberté de son neveu était une erreur colossale et inutile en définitive. Maintenant, Salvador est mort et mon plus vieil ami est devenu mon pire ennemi, je suis en guerre contre le monde entier et je risque fort de perdre. Tout ne tient qu'à un fil. Si Mexico se met contre moi…

Ai-je été abusé ? se demande-t-il. Nacho s'est-il servi de moi pour se débarrasser de ceux qu'il considérait comme des rivaux ? Et qui a informé les Tapia de cet accord ? Qui les a renseignés ?

Aguilar ?

Vera ?

Soudain, la vérité le frappe comme un direct à l'estomac.

Évidemment.

Adán peste contre sa bêtise, son manque de lucidité.

Je lui ai offert cette victoire.

J'ai offert cette victoire à Keller sur un plateau.

Keller observe la garde d'honneur qui flanque les trois cercueils des officiers de police assassinés, recouverts d'un drapeau.

Les hommes de l'AFI portent leurs uniformes bleus et des gilets pare-balles sur lesquels est écrit, en blanc,

POLICÍA FEDERAL, des casquettes de base-ball bleu marine et des rangers noirs, comme s'ils étaient prêts au combat.

Derrière eux se tiennent le président, le ministre de l'Intérieur, les ministres de la Marine et de la Défense, le procureur général et Gerardo Vera, en tenue de cérémonie.

Les trois officiers tués étaient ses amis, des hommes qu'il avait nommés à leur poste, et il a personnellement dirigé l'enquête sur leur assassinat, avec l'aide du SEIDO, en liaison avec Keller.

Aguilar, lui, poursuit l'enquête sur Adán Barrera. Il se tient à côté de Keller. Sans détacher son regard des cercueils, il murmure :

– Celui qui a livré l'information aux Tapia a du sang sur les mains.

– Où voulez-vous en venir ? demande Keller.

Il sait très bien où veut en venir Aguilar, et il a raison. La fuite vient de moi, c'est une chose avec laquelle je dois vivre.

Trois flics assassinés.

Sal Barrera, il n'en a rien à foutre.

Les médias ne sont pas remontés jusqu'à l'accord qui a tout déclenché ; ils pensent qu'Adán Barrera et Diego Tapia se sont brouillés à la suite de l'assassinat de quatre policiers pour venger la mort de son frère.

Ça pourrait presque être comique, songe Keller. Adán Barrera dans le rôle du défenseur de l'ordre et de la justice, outré, dont le pauvre neveu a payé de sa vie l'attachement de son oncle à certains principes.

La guerre civile a éclaté au sein du cartel de Sinaloa. Nacho Esparza s'est rangé du côté de son gendre, Adán. Les Tapia vont chercher à conclure des alliances, mais avec qui ? Les Zetas et le Golfe ? Les Fuentes à Juárez ? La Familia ? Teo Solorzano ?

Barrera va se mettre en quête d'alliés lui aussi. Solorzano est hors jeu, mais les Zetas, le cartel du Golfe et Juárez pourraient faire l'affaire, tout comme La Familia.

Certains tabloïds donnent des cotes comme s'il s'agissait d'une course hippique, et de l'avis général, si toutes les autres organisations se rangent du côté des Tapia, ou restent neutres simplement, on pourrait enfin assister à la chute d'Adán Barrera.

Ce serait super, se dit Keller, mais ce n'est pas le pari qu'il a fait, ce n'est même pas le jeu auquel il joue.

Il livre une partie beaucoup plus complexe.

– C'est ce que vous vouliez, n'est-ce pas ? demande Aguilar. Comme vous ne pouviez pas atteindre Barrera, vous avez poussé les Tapia à le faire à votre place.

Keller ne répond pas. Laissons-le venir, laissons-le insister, laissons-le commettre une erreur.

Aguilar l'interroge sans détour :

– C'est vous qui avez informé les Tapia de notre arrangement ?

– C'est une question ou une accusation ?

Keller sait maintenant qu'Aguilar n'est pas à la solde des Tapia.

De Barrera peut-être ?

– Les deux, dit Aguilar.

Des ordres retentissent, les soldats de la garde d'honneur portent leur arme à l'épaule.

– Dans ce cas, je crois que nous nous soupçonnons mutuellement, dit Keller.

La colère empourpre le visage de l'avocat.

– C'est ce que vous pensiez quand vous étiez assis à table avec ma famille ?

Parfait, se dit Keller. On y est.

– À vrai dire, oui.

Les coups de feu claquent.

Calderón fait un discours.

– Aujourd'hui, je réitère ma promesse de ne pas reculer dans ce combat pour créer un Mexique où l'ordre prévaut. Nous tous, hommes et femmes de ce pays, nous devons crier ensemble : assez ! Nous nous sommes rassemblés pour affronter ce fléau. Nous ne pouvons pas accepter cette situation. Nous menons un combat frontal. Toutes les ressources de l'État mexicain sont unies pour briser la structure de chaque cartel. Nous sommes déterminés à reprendre possession des rues qui n'auraient jamais dû cesser de nous appartenir.

Gerardo Vera se lève et dit simplement :

– Nous ne nous laisserons pas intimider.

– Vous êtes corrompu, glisse Aguilar à Keller, alors qu'ils s'éloignent. Vous êtes un homme corrompu et un policier corrompu, et je vous détruirai.

C'est réciproque, se dit Keller.

NOËL 2007
SINALOA, MEXIQUE

Les Barrera rentrent chez eux pour Noël.

Avec la Gente Nueva, Adán a instauré de nouvelles mesures de sécurité. Le gouvernement a frappé fort sur les Tapia et s'il continue à mener cette guerre contre eux, ce sont avant tout les Tapia qui fuient.

Les meurtres de trois officiers de police de premier plan ont choqué la nation. La campagne de relations publiques menée par Adán a porté ses fruits : des gens de milieux sociaux très différents s'accordent à dire que les Tapia doivent être traqués comme des chiens enragés.

Les Tapia ont rendu un énorme service au gouvernement, se dit Adán. Ils ont changé la donne. Jusqu'alors, l'opinion publique était assez réservée face à la guerre de Calderón contre la drogue, certaines personnes avaient même manifesté dans les rues pour s'y opposer. Mais le dégoût provoqué par ces assassinats avait déclenché une vague de patriotisme et de soutien au gouvernement qu'on n'avait pas vue depuis longtemps.

Les Tapia ont remis un pouvoir à Calderón.

Et à moi aussi, se dit Adán.

Eva se réjouit d'être de retour à La Tuna.

Elle décore la *finca* avec les traditionnels poinsettias, sans savoir que ces plantes symbolisent une nouvelle vie pour les guerriers morts. Le Sinaloa a subi une forte influence germanique ; c'est pourquoi Adán et elle installent un gigantesque sapin de Noël à l'extérieur, pour les enfants, car Eva veut instaurer un nouveau rituel.

Alors, ils sponsorisent une *posada,* un défilé d'enfants entre le village et la *finca,* où Eva a dépensé une fortune pour orner le sapin de décorations en bois sculpté et installer une crèche avec des personnages en céramique, venant de Tlaquepaque.

Les enfants, dont deux incarnent Marie et Joseph assis sur un âne, marchent jusqu'à la crèche devant laquelle Eva a suspendu à une branche de ficus une énorme *piñata* en forme d'étoile, remplie de bonbons et de jouets.

Adán et Eva donnent ensuite une grande fête pour tout le village, avec des *buñuelos,* des *atole,* des *tamales* et du *ponche* chaud à la cannelle et à la vanille.

Après quoi, tout le monde chante des *villancicos,* les chants de Noël.

Adán est un peu étonné, mais ravi, de découvrir chez Eva un tel attachement aux traditions. Le soir du réveillon, elle insiste pour qu'ils se rendent à l'église du village où est célébrée la messe du coq, et elle s'émerveille devant le feu d'artifice tiré après l'office.

Puis vient le repas de minuit où l'on sert cette fois le traditionnel *bacalao,* morue séchée avec une sauce à la tomate et aux oignons, qu'Adán ne supporte pas, mais qu'il tolère car ce plat rappelle son enfance à Eva, et des *revoltijo de romeritos* avec des crevettes à la sauce *pepito,* qu'il aime bien en revanche.

Ils passent un Noël très calme : après avoir fait la grasse matinée, ils finissent les restes.

Trois jours plus tard, la fête de Los Santos Inocentes commémore le massacre par Hérode des garçons lors de sa traque de l'enfant Jésus. Selon la tradition, ce que l'on emprunte ce jour-là n'a pas besoin d'être rendu, et Nacho appelle Adán pour lui « emprunter » la *plaza* Laredo. Adán refuse. Ils bavardent encore quelques minutes, puis raccrochent après avoir échangé leurs vœux.

Los Santos Inocentes est également l'équivalent du 1er avril au Mexique, avec son lot de blagues, y compris les fausses nouvelles dans les journaux, comme celle qui affirme qu'Adán Barrera, bien qu'on le dise mort ou employé comme second dans les cuisines de Los Pinos, va devenir l'animateur de l'émission *Atínale al Precio, Le Juste Prix*. Eva a caché le journal, mais quand Adán le découvre, il éclate de rire et, pour le plus grand plaisir de sa femme, il se livre à une imitation fort correcte de Héctor Sandarti, avec l'accent guatémaltèque.

Adán n'en a pas très envie, mais Eva tient à sortir pour le réveillon du jour de l'An. Il ne veut pas qu'elle pense avoir épousé un vieux ronchon, alors ils prennent l'avion pour Puerto Vallarta. Là, ses hommes entrent dans un club ; en s'excusant poliment ils rassemblent tous les téléphones portables des clients et leur annoncent qu'ils ne pourront pas sortir avant le départ du Patrón. Adán et Eva entrent alors pour participer aux festivités. Elle est splendide dans une minirobe rouge, coiffée d'une tiare du jour de l'An ridicule ; elle a même convaincu Adán d'enfiler un smoking, en promettant de tout faire pour qu'il l'enlève ensuite.

Eva danse comme une folle et Adán fait de son mieux pour l'imiter, même s'il a hâte que minuit arrive pour que, conformément à la coutume, ils se fassent manger mutuellement douze grains de raisin, pendant que sonnent les douze coups de minuit, afin de se porter chance pour cette nouvelle année qui commence.

Ils partent peu de temps après et les portables sont rendus à leurs propriétaires, qui ont maintenant une sacrée histoire à raconter.

L'Épiphanie, El Día de los Tres Reyes Magos, « Le jour des trois rois mages », est la fête suivante sur le calendrier liturgique. Ce soir-là, le 5 janvier, comme elle le faisait enfant, Eva laisse une chaussure devant la porte par laquelle les mages entreront pour accueillir le petit Jésus. Dans l'après-midi, les enfants du village glissent dans des ballons gonflés à l'hélium, fournis par Adán et Eva, des messages expliquant pourquoi ils ont été gentils ou méchants cette année, et ce qu'ils voudraient comme cadeau, puis ils les envoient dans le ciel, pleins d'espoir.

Ce même soir, cinq Nueva Gente, armés de fusils de fort calibre munis d'un système de vision nocturne, abattent cinq hommes clés de Vicente Fuentes à Juárez.

Les fêtes sont une période cruelle pour un homme seul. Pour les célibataires, les veufs et peut-être plus encore pour les divorcés, car la solitude s'accompagne de l'épice amère des regrets.

Marisol a invité Keller à Valverde pour Noël, mais il a décliné sa proposition.

Même si les menaces qui pèsent sur lui ont diminué – aucun des deux camps ne prendra le risque de faire pencher la balance en assassinant un agent de la DEA –, il préfère rester seul, en compagnie de ses angoisses existentielles. Recommencer une histoire avec Marisol ne réglera aucun des problèmes sous-jacents et il ne sert à rien, ni pour l'un ni pour l'autre, de prolonger cette situation.

Ces six derniers mois ont été épouvantables.

Luis Aguilar mène sa propre guerre bureaucratique contre lui, en faisant tout son possible pour qu'il soit renvoyé aux États-Unis.

– Vous avez déconné avec l'accord de coopération, Art ? lui a demandé Taylor au téléphone, il y a quelques semaines. Vous avez agi dans le dos d'Aguilar pour recruter vos propres informateurs ? L'histoire se répète ? Dites-moi que vous n'entretenez pas la moindre relation, quelle qu'elle soit, avec les Tapia.

– J'ai été un vrai boy-scout.

– Aguilar affirme que vous touchez de l'argent. Que vous êtes à la solde des Tapia.

– Bon sang, Tim.

– Pourriez-vous passer au détecteur de mensonges ?

– Et lui ?

– Quoi ? Vous avez des preuves ?

– Non.

Pas encore, mais ça va venir.

– Si vous me faites passer un test, je me barre.

– Ce n'est pas une très lourde menace à ce stade.

– Vous avez la mémoire courte.

Keller a énuméré son palmarès : Osiel Contreras enfermé dans un établissement de très haute sécurité à Houston, Alberto Tapia à la morgue et le cartel de Sinaloa éparpillé.

– Je ne devrais pas être obligé de vous demander grâce. Nom de Dieu, Tim ! Vous pensez que je suis un ripou ?

Il a entendu le soupir de Taylor au téléphone.

– Non, bien sûr que non. Vous êtes un tas de choses – déplaisantes pour la plupart –, mais vous n'êtes pas corrompu. Simplement, vous évoluez toujours à la limite, et ça n'aide pas à vous maintenir en place. Sans le plan Mérida, je n'aurais aucun moyen de pression. Jouez le jeu, Art, OK ? Si votre déconomètre est réglé sur 10, disons, essayez de redescendre à… 5, d'accord ?

Pas facile, avec Aguilar qui le met systématiquement sur la touche et Vera tellement obsédé par les Tapia qu'il ne remarque rien. De plus, Aguilar le fait surveiller. Des agents du SEIDO le suivent en permanence. En outre, il suppose que son téléphone est sur écoute.

Conscient de se complaire dans l'auto-apitoiement, Keller se fait réchauffer au micro-ondes un plat de dinde avec son petit pot de sauce aux cranberries, parodie d'un repas de Noël. Son assiette posée sur les genoux, un verre de scotch à portée de main, il regarde les chaînes de télé mexicaines, et il repense à d'autres Noëls, à une époque plus heureuse, quand ses enfants étaient jeunes et la famille réunie.

Il est sur le point de les appeler, mais il se ravise : il ne veut pas gâcher leur journée avec sa mélancolie. Ils sont peut-être avec leur mère, ou avec des amis. Althea les a peut-être emmenés quelque part : dans l'Utah pour faire du ski ou à Hawaï pour se prélasser au soleil. Ou bien ils sont dans la famille d'Althie, en Californie.

Et moi, je suis ici, se dit Keller. Don Quichotte se battant contre les moulins. Achab pourchassant la grande baleine blanche. Seul avec mon obsession. Aussi accro qu'un junkie dans une salle de shoot, une pute camée au crack qui fait le trottoir.

Ma guerre personnelle contre la drogue, mon addiction personnelle.

Deux scotchs plus tard, il appelle Marisol.

– *Feliz Navidad.*

– *Feliz Navidad* à toi aussi. Tu passes une belle journée ?

– Pas vraiment.

– Tu es ivre ?

– Non… Peut-être un peu.

Elle reste muette une seconde, puis :
– Je t'avais invité à venir ici.
– Je sais.
– Tu me manques.
– Toi aussi, dit Keller. Et puis, en sachant qu'il commet une erreur, il demande : Tu veux venir ici pour le nouvel An ?
– J'aimerais bien. Mais je suis débordée. Les fêtes, c'est également la saison des violences conjugales, hélas. Tu pourrais venir, toi ?
Il sait qu'il se comporte comme un connard, mais il répond :
– Pour la « saison des violences conjugales » ? Non merci.
Si son but était de la mettre en rogne, il a réussi.
– Très bien.
– Bon… On se rappelle, alors.
– C'est ça. Au revoir, Arturo.
Au revoir, Marisol, se dit-il.
Ce soir-là, Keller se soûle pour de bon, ça ne lui est pas arrivé depuis des années. Le lendemain matin, il prend sa douche, se rase et s'oblige à aller au bureau. L'ambassade est quasi déserte pendant les fêtes et il règne un calme étrange.
Il parcourt les fiches de renseignements, les statistiques et les analyses.
La guerre civile au Sinaloa (la guerre que tu as toi-même déclenchée, se rappelle-t-il) a répandu des cadavres dans toute la région, tandis que les combats se poursuivent au Michoacán, sans aucune trêve en vue. Le piège qu'il a tendu ne s'est toujours pas refermé.
Mais la pression intense exercée sur les Tapia va accélérer les choses, pense-t-il. Il le faut car le temps joue contre moi.
Il épluche les données en essayant de prévoir le prochain coup de Barrera.

Adán possède déjà Laredo.

Il aura bientôt récupéré Tijuana.

Il ne reste qu'une seule cible, le plus gros joyau de la couronne.

Juárez.

2

Journalistes

C'était vraiment l'âge d'or, d'après mon oncle Tommy,
Mais tout a viré au cauchemar depuis que Sinatra a chanté à Juárez.

Tom Russell,
« When Sinatra Played Juárez »

CIUDAD JUÁREZ, CHIHUAHA
2008

Pablo Mora a une terrible gueule de bois, du genre de celles où vous vous regardez dans la glace en songeant que ce visage vous dit quelque chose.

Ce matin, le miroir n'est pas son ami. Son visage pas rasé est bouffi, ses cheveux ébouriffés ont besoin d'être coupés et ses yeux sont injectés de sang. Il se brosse les dents – même ça, c'est douloureux –, déniche un tube d'aspirine dans l'armoire à pharmacie et en avale deux, puis il retourne dans la chambre d'un pas traînant, trouve sa chemise la plus propre sur le lit, passe un jean avec difficulté, et s'assoit pour enfiler chaussettes et chaussures. Il renifle ses chaussettes – tout juste acceptables – et remarque que ses chaussures mériteraient un bon coup de cirage, auquel elles n'auront pas droit.

Le lit l'appelle, mais il a des articles à rendre et Óscar ne sera pas content s'il laisse passer le délai encore une fois.

Et Ana, qui a bu autant que lui hier soir, le traiterait de mauviette.

Faire du café lui apparaît insurmontable, de toute façon il n'est pas sûr qu'il en reste, et l'idée d'avaler un petit déjeuner lui donne la nausée, alors il décide de se rendre dans le centre pour aller au troquet situé en face du journal.

Le patron, Ricardo, est *simpatico* avec les journalistes qui ont la gueule de bois.

Il a intérêt, se dit Pablo. Ils constituent la moitié de sa clientèle.

Il sort de son appartement situé au premier étage et aborde l'escalier d'un pas prudent. Il y a un ascenseur, mais Pablo s'en méfie et ce matin il n'est pas sûr de supporter le bruit de la porte qui claque.

Maudit bar, peste-t-il en sortant dans la fraîcheur vivifiante de ce matin de janvier. Il s'était laissé convaincre par Ana d'aller boire une bière au Jaime's après le boulot, mais ils savaient très bien, l'un et l'autre, comment cela allait se terminer. Il avait commencé par une Modelo, puis il était passé à l'Indio brune, et quand ils se dirent que ce serait amusant d'aller chez Fred, ils en étaient à boire un scotch plus vieux que sa grand-mère.

Un luxe qu'ils ne pouvaient pas se permettre, ni physiquement ni financièrement, pense-t-il.

Au Mexique, les journalistes gagnent une misère et les reporters de Juárez sont encore plus mal payés – environ cent dollars par semaine, versés chaque vendredi –, et même si son loyer est raisonnable, Pablo doit verser une pension alimentaire. D'ailleurs, a-t-il la garde de Mateo ce week-end ?

Peu importe, en fait : il voit son fils presque tous les jours. Mateo aura bientôt quatre ans, et ses plaisanteries commencent à être drôles. Victoria ne l'a jamais empêché de voir leur enfant et ces temps-ci, c'est généralement lui qui va le chercher à l'école.

Son ex-femme est cool à ce niveau-là.

Pour le reste ? Beaucoup moins.

Il faut dire qu'elle est journaliste économique.

Un tout autre monde.

Il monte dans sa Toyota Camry de 1996, dotée de toutes les options indispensables à un journaliste : deux gobelets de café presque vides, plusieurs emballages de burrito El Puerco Loco (le logo représentant un petit cochon souriant le regarde avec ironie), un guide des rues de la ville, dont il n'a pas vraiment besoin, un téléphone Nextel (fourni par le journal), dont il a besoin, et un scanner branché sur la fréquence de la police qui fournit la bande-son de sa vie professionnelle.

La Camry n'est pas en meilleure forme que lui. Elle n'a pas la gueule de bois, mais elle aurait besoin d'un coup de peinture pour masquer les accrocs sur les quatre ailes, souvenirs de quelques épisodes délicats où il a frôlé le drame. Une des vitres arrière est fendue, à cause d'une pierre lancée par un clochard mécontent. Les balais des essuie-glaces ont depuis longtemps fondu au soleil et une fine couche de poussière kaki ternit le bleu d'origine de la carrosserie.

– Pourquoi tu n'achètes pas une plus belle voiture ? lui a demandé Victoria la semaine passée.

– Je ne veux pas d'une plus belle voiture, a-t-il répondu, mais il aurait pu tout aussi bien dire qu'il n'avait pas les moyens de se l'offrir.

En outre, ce serait un handicap dans son travail. Les habitants des quartiers pauvres dans lesquels il se rend sont jaloux et méfiants quand ils voient une chouette bagnole, et il risque moins de se faire faucher sa vieille *fronterizo,* même si le vol de véhicules est endémique à Juárez.

La particularité du vol de véhicules à Juárez, c'est qu'ils réapparaissent tout seuls, le même jour généralement. Un mystère pour la police, jusqu'à ce que des journalistes comme Pablo découvrent que des narcos à la petite semaine volaient des voitures pour franchir la frontière avec de la drogue à bord, puis revenaient et les abandonnaient n'importe où.

Quoi qu'il en soit, la vieille Camry démarre et Pablo se rend au journal.

Il adore Juárez.

Il est né dans cette ville, il y a fait ses études ; pour rien au monde il n'irait vivre ailleurs. Certes, il y fait étonnamment froid en hiver et affreusement chaud en été ; et chacun espère que le printemps et l'automne tomberont un week-end pour pouvoir en profiter. En outre, la ville est connue plus pour ses tempêtes de poussière que pour son panorama, plus pour ses bars que pour son architecture, et sa plus célèbre invention est la margarita, mais Pablo aime cette ville comme un mari aime la femme qu'il a épousée depuis longtemps, autant pour ses défauts que pour ses qualités.

Et il n'hésite jamais à prendre sa défense.

Peut-être parce que Juárez a toujours été regardée de haut, comme une ville que l'on traverse pour aller ailleurs. Même son nom d'origine, Paseo del Norte, indiquait que c'était juste un endroit où l'on franchissait le Río Bravo au nord, mais Pablo aime rappeler aux gens, particulièrement aux Américains, que la mission de Notre-Dame de Guadalupe a été fondée en 1659, date à laquelle Washington DC n'était encore qu'un vaste marécage envahi par la malaria.

Le nom fut finalement changé en Ciudad Juárez en l'honneur du vieux démocrate qui chassa les Français du Mexique, et la ville connut son essor à la fin des années 1880 sous la houlette des Cinq Familles – les Ochoa, Cuarón, Provencio, Samaniego et Daguerre, dont les descendants continuent à régner sur la cité. Elles créèrent le quartier des affaires : l'ancienne Calle del Comercio (rebaptisée Vicente Ochoa) et l'avenue du 16 septembre, date de l'Indépendance.

De fait, et Pablo en est fier, Juárez a toujours été un noyau révolutionnaire. Pancho Villa y séjourna, après être arrivé en ville avec huit hommes, un kilo de café et cinq cents cartouches, puis il devint gouverneur du Chihuahua, en battant Díaz, et il alla jusqu'à envahir les États-Unis. Hélas, les combats détruisirent Juárez. En 1913, ce n'était plus qu'un champ de ruines calcinées, et les Cinq Familles durent tout reconstruire, ce qui explique l'aspect très début XXe siècle de la ville.

La cathédrale elle-même, de style néoclassique, fut érigée dans les années 1950.

Les années 1950 qui furent l'âge d'or de Juárez. L'ancienne zone touristique, qui porte aujourd'hui l'horrible nom de Pronaf (Programa Nacional de Frontera), accueillait les célébrités qui voulaient prendre du bon temps.

Les gens deviennent sentimentaux, et un peu bêtes, pense Pablo, quand ils parlent d'*el Juárez de ayer,* le Juárez d'autrefois, la ville des corridas, des bordels et des boîtes de nuit où Sinatra et Ava Gardner faisaient la bringue. Âgé de trente-quatre ans, Pablo n'est pas certain d'avoir connu le « Vieux Juárez », mais la ville dans laquelle il a grandi lui suffit.

Même si elle a changé.

Énormément. En deux grandes vagues, tout d'abord dans les années 1970 quand les *maquiladoras* vinrent s'installer là pour profiter d'une main-d'œuvre bon marché, puis dans les années 1990, quand ces mêmes *maquiladoras* se délocalisèrent, attirées par des marges bénéficiaires plus importantes en recourant à une main-d'œuvre encore moins chère en Chine.

La première vague créa de gigantesques bidonvilles pour accueillir les travailleurs qui affluaient de tout le Mexique, et surtout du Sud rural et pauvre. La ville ne pouvait pas espérer suivre le boom de la population et les *colonias* possédaient peu, voire pas du tout, d'infrastructures : logements décents, eau courante… Et comme les directeurs des *maquiladoras* préféraient engager des femmes, des milliers d'hommes, honteux et amers, restèrent dans les bidonvilles, n'ayant rien d'autre à faire que boire de la bière bon marché et, de plus en plus, se droguer.

La vie dans les *colonias* était difficile, et après le départ des *maquiladoras*, la situation empira.

Aujourd'hui, la plupart de ces gens, hommes et femmes, sont au chômage.

Et des *colonias* extrêmement pauvres – Anapra, Chihuahuita et d'autres – entourent la ville comme un collier de perles usées et longent la frontière face à El Paso, de l'autre côté du fleuve.

Juárez compte environ un million et demi d'habitants. El Paso, trois fois moins, mais El Paso possède presque toute la richesse, à moins de compter les « associés » mexicains qui se sont enrichis grâce aux *maquiladoras* (et même eux vivent majoritairement à El Paso) ou bien évidemment les narcos de Campestre avec leurs grandes maisons préfabriquées toutes neuves, presque une parodie du rêve américain de l'ascension sociale.

Et cela, que ça plaise ou non à Pablo (ça ne lui plaît pas, en l'occurrence), constitue la réalité première de sa ville : Juárez et El Paso sont inextricablement liées, et sur bien des plans elles forment une seule et même communauté divisée par une ligne arbitraire.

Un bras puissant pourrait lancer une pierre du centre de Juárez – El Centro – au centre d'El Paso, et posté sur une des deux rives du fleuve, on peut observer l'autre ville, l'autre pays, l'autre culture. Un grand nombre d'habitants des deux villes possèdent la double nationalité et tout le monde, ou presque, a de la famille ou des amis de l'autre côté (El Paso est à 80 % hispanique), et bien entendu, tous ces gens vont et viennent.

Les structures les plus importantes de la ville ne sont donc pas les bars ni les clubs, ni les boutiques, ni les immeubles de bureaux, ni même l'ancienne arène ou le stade de *fútbol* (le cher stade de *fútbol* de Pablo, antre de sa chère équipe de Los Indios), les structures essentielles, ce sont les ponts.

Au nombre de quatre.

Plus de deux mille camions et trente-quatre mille voitures les empruntent chaque jour, transportant quarante milliards de dollars de marchandises légales par an. Et entre un million et demi et dix millions de dollars de drogue (Pablo estime que l'ampleur de la fourchette en dit long) franchissent ces ponts *quotidiennement.*

L'argent effectue le trajet en sens inverse.

L'argent et les armes, se dit Pablo, mais c'est une autre histoire. Des milliards de dollars en liquide, appelés « l'argent neuf » à Juárez, reviennent par ces ponts ; une grosse partie est ensuite investie dans les entreprises et l'immobilier au niveau local.

Pablo ne vient pas d'une famille riche, ni d'une famille pauvre. Ses parents, des professeurs d'université, l'ont élevé dignement dans le confort très modeste des classes moyennes, et ils ont toujours regretté qu'il n'ait pas choisi une carrière universitaire.

Il est vaguement « gauchiste », comme la plupart des journalistes (sauf Victoria qui, en tant que journaliste économique, défend farouchement le libéralisme et pense que le PAN incarne le salut du pays : leurs divergences politiques symbolisaient les autres problèmes de leur mariage).

Ana est de gauche elle aussi, mais beaucoup moins que Giorgio avec ses cheveux longs et sa barbe hirsute, qui est un communiste pur et dur et qui se présente comme un Che d'aujourd'hui, même si, comme se plaît à le souligner Pablo, le photographe ne possède pas le sérieux et la détermination de Guevara. Giorgio ne peut s'empêcher de finir une bouteille entamée ou de baiser une jolie femme, deux activités qui ont tendance à se dresser sur le chemin de la révolution.

Pablo espère que Giorgio n'a pas baisé Ana, mais il craint que ce ne soit le cas car elle demeure étrangement muette sur ce sujet, alors que, d'habitude, elle parle de sa vie amoureuse sans retenue.

Ana aime les hommes beaux.

Et moi, se dit Pablo en traversant la Plaza del Periodista – la place des Journalistes –, je ne suis vraiment pas beau.

Encore moins ce matin.

Plusieurs fois, dans des moments d'ébriété, l'éventualité d'une relation sexuelle entre Ana et lui a été évoquée ; ils ont même chancelé à un pas du précipice à deux ou trois reprises, mais ils se sont éloignés du bord, finalement, en se disant qu'ils étaient trop proches, trop bons amis pour prendre ce risque ; néanmoins, l'attirance est réciproque et permanente (Pablo comprend la sienne, beaucoup moins celle d'Ana).

Et visible, apparemment, car Victoria l'a utilisée comme argument massue au cours de diverses disputes, faisant remarquer à Pablo que ce n'était pas elle, mais Ana, son véritable amour.

Ana et l'alcool, disait-elle. Et aussi traquer les histoires sordides qui décrivaient la vie dégénérée dans les rues et ne pouvaient séduire que des lecteurs eux-mêmes dégénérés. Pourquoi ne couvrait-il pas des sujets importants (elle entendait par là les questions d'économie et de politique internationale, deux domaines qui le font chier) ? Pablo aime parler du vieil homme qui vend des fleurs au milieu des embouteillages, des gamins qui taguent les murs, des mères qui se battent pour élever leur famille dans les *colonias*.

Il travaille essentiellement sur le crime, mais quand il réussit à convaincre Óscar, il écrit des portraits pittoresques, pris sur le vif, des récits de voyages, des critiques de films et parfois une critique gastronomique (synonyme de repas gratuit, généralement bon). Tous ces articles supplémentaires lui rapportent quelques pesos. S'il est vraiment dans les bonnes grâces d'Óscar, le rédacteur en chef l'envoie couvrir les matches de ses très chers Indios au stade Benito.

Pablo écrit également des articles sur les États-Unis ; il doit alors se taper la lente et pénible traversée de la frontière pour aller chercher des informations à El Paso, et il revend ensuite des sujets, qui sont pour l'essentiel des rumeurs recyclées sur le monde des narcos, à des journaux américains, qui semblent dotés d'un appétit insatiable pour les descriptions effrayantes de cette menace toute proche appelée Mexique. Adán Barrera sert généralement à payer une facture d'eau ou d'électricité en retard. (À notre façon, songe-t-il ce matin, on profite tous de la *pista secreta.*)

Pablo passe devant la statue représentant un jeune vendeur de journaux (il est toujours ému en la regardant), se gare sur le parking d'*El Periódico* et traverse la place en sens inverse pour se rendre au café, où il trouve Ana penchée au-dessus du comptoir, près de la vitre, en train de soigner sa gueule de bois à coups d'expresso.

Il se laisse tomber sur un tabouret voisin et elle grommelle un bonjour. Son visage trahit un certain abattement, mais à part ça, elle a l'air bien. Comme d'habitude. Ana est très attentive à sa façon de s'habiller, ses vêtements sont toujours élégants et impeccables.

Elle est petite et svelte et se compare parfois à un oiseau. Personne ne la qualifierait de belle, son nez ressemble à un bec, en effet, sa bouche est trop grande, mais ses lèvres sont fines, et elle n'a pas de « silhouette » à proprement parler (« si tu veux du nichon, il faut chercher ailleurs », dit-elle à ses amants potentiels), mais ses cheveux noirs et courts sont épais, brillants, superbes pour Pablo, et ses yeux marron sont chaleureux (enfin, ce matin ils semblent plutôt douloureux) et ardents.

Pablo ne se lasse jamais de la regarder, même si parfois il se lasse de l'écouter car elle peut être fatigante et *trop* ardente, surtout dès qu'il est question de politique, un domaine qu'elle couvre avec une énergie et une dévotion que Pablo trouve à la fois incompréhensibles et quelque peu démoniaques.

Mais là, leurs deux mondes professionnels se mélangent, car couvrir les crimes au Mexique, c'est souvent parler de politique, hélas ; c'est pourquoi ils s'appuient sur leurs compétences mutuelles et partagent fréquemment leurs sources. Avec Giorgio qui met des images sur leurs mots, ils forment ce qu'Oscar appelle « Los Tres Amigos ».

Ricardo dépose en douceur une tasse de *café con leche* devant Pablo, puis se retire tout aussi discrètement.

– Tu es un saint, dit Pablo.

Il prend le sucrier en verre posé sur le comptoir et se sert généreusement.

– Ça ne va pas arranger ton tour de taille, commente Ana.

Pablo sait qu'il devrait perdre dix kilos – bon, d'accord, quinze – et que ses muscles ont la consistance du flan, mais il ne va pas commencer aujourd'hui. Il faudrait qu'il reprenne ses trois séances de *fútbol* hebdomadaire, le soir dans le parc.

Oui, c'est ce qu'il *devrait* faire.

– Je te tiens pour responsable, d'ailleurs, dit-il.

– Tu es un grand garçon, fait remarquer Ana, les yeux plongés au fond de sa tasse. Tu aurais pu dire non.

– Je partage l'avis d'Oscar Wilde au sujet de la tentation.

Pourtant, tu sembles capable de me résister, pense Ana, acerbe, puis elle s'empresse de mettre cette poussée d'amertume sur le compte de la gueule de bois. Hier soir, elle avait incité Pablo à sortir avec la ferme intention de l'entraîner enfin dans son lit, puis l'alcool avait pris le dessus.

C'était sans doute délibéré.

Sérieusement, se demande-t-elle, l'aurais-je fait ? Même s'il s'était laissé… convaincre, serais-je allée jusqu'au bout ou me serais-je dégonflée, comme c'est déjà arrivé ?

Je me serais dégonflée, conclut-elle. N'empêche, ça aurait été sympa de sa part de me laisser le choix. Mais, tout compte fait, c'était mieux ainsi. Des amants, on en trouve treize à la douzaine, les vraies amitiés sont rares. Inutile de foutre en l'air celle-ci.

En outre, Pablo a un faible pour les jolies femmes, il suffit de voir son ex, une grande blonde du Sinaloa, svelte, avec un corps tonifié dans les salles de sport. Il admire la discipline qu'elle s'impose. Pablo s'était entiché d'elle, il l'avait poursuivie avec l'acharnement qu'il consacrait généralement à un bon sujet. Tous ses amis auraient pu lui dire (ils se le disaient certainement entre eux) que ça ne marcherait pas, que Victoria voulait juste s'encanailler, qu'elle essayait de trouver en lui la chaleur qu'il n'y avait pas en elle et que, de son côté, il ne possédait pas l'ambition qu'elle attendait d'un compagnon.

Ana aime bien Victoria, néanmoins. C'est une sacrément bonne journaliste et une femme très gentille, drôle même, une fois que vous avez traversé la couche de glace. En outre, c'est une mère formidable pour Mateo et elle s'est montrée généreuse envers Pablo au sujet du droit de visite.

Ils n'étaient pas faits l'un pour l'autre, voilà tout.

La carrière de Victoria monte en flèche, celle de Pablo…

Il écrit sur les poètes itinérants qui laissent leurs vers sous les pare-brise des voitures. Il écrit sur les *ambulantes,* les vendeurs des rues. C'est ce qui le rend si adorable, comme un gros et vilain chien que vous ne pouvez pas empêcher de sauter sur le canapé.

– Tu veux venir à la maison, ce soir ? propose-t-elle. Je fais une paella et j'invite quelques personnes.

– Il se peut que je garde Mateo.

– Amène-le. Jimena sera contente de le voir. Elle sera là, avec Tomás. Et sans doute Giorgio. Avant, on va tous au Cafebrería pour la lecture de Tomás.

Le Cafebrería est un des lieux de prédilection de Pablo, une librairie-café où se retrouvent les artistes et les intellectuels de la ville. Pablo avait l'intention d'assister à la lecture de Tomás de toute façon. Et la paella d'Ana est célèbre, et peut-être que Jimena viendra avec des *polvorones* de sa boulangerie à Valverde.

– J'apporterai une bouteille de vin, dit-il.

– Apporte juste Mateo. (Elle boit une dernière gorgée d'expresso et consulte sa montre.) Ne faisons pas attendre El Búho.

Pablo avale son café d'un trait, en regrettant de ne pas avoir le temps de grignoter quelque chose. Il dépose de l'argent sur le comptoir et, à la suite d'Ana, il traverse la rue pour entrer dans les locaux d'*El Periódico*.

Óscar Herrera est le doyen du journalisme mexicain.

Le dernier rédacteur en chef de l'ancienne école. El Búho, la Chouette, scrute la salle de rédaction à la recherche de sa proie : la chair fraîche d'une erreur factuelle, une faute stylistique, les effluves d'une prétention littéraire.

Son *aporto* lui va à merveille, a toujours pensé Pablo. Les grosses et épaisses lunettes d'El Búho lui font des yeux énormes, qu'il cligne à intervalles réguliers, lentement, et les cheveux qui se dressent au-dessus de ses oreilles lui donnent l'apparence… d'une chouette, en effet.

En dix ans, Pablo est passé de la pure terreur face à El Búho à une vague angoisse, simplement. Teintée d'une immense admiration, pleine de respect. Óscar Herrera, le *professeur* Óscar Herrera pour être précis, est un symbole de courage et de probité qui a tenu tête à des présidents, des généraux et des barons de la drogue qui ont tous tenté d'influer sur la manière dont il rendait compte de leurs activités respectives et, malheureusement, parfois liées.

Neuf ans plus tôt, ils ont tenté de l'assassiner.

Des narcos (mais Pablo a toujours suspecté que l'armée avait agi au nom du PRI, et les confrères d'Óscar plaisantaient en affirmant que c'était un coup de ses propres journalistes) lui avaient tendu une embuscade dans sa voiture à un feu rouge, ils avaient tué son chauffeur et tiré trois balles dans la jambe et la hanche gauches d'Óscar.

Depuis, il marchait avec une canne, qu'il avait brandie devant les caméras de télévision à sa sortie d'hôpital, en pestant contre l'incompétence des tueurs, incapables de viser correctement. Après quoi il avait regagné son bureau pour vérifier sans pitié les articles consacrés à cette tentative d'assassinat, corrigeant les erreurs les plus insignifiantes et les fautes de syntaxe.

Mais Óscar n'est pas seulement un irréductible.

Il a écrit trois recueils de poèmes, publiés, ainsi qu'une analyse critique des romans d'Élmer Mendoza, et Pablo sait que son rituel du samedi matin consiste à sortir prendre son petit déjeuner, puis à s'installer dans son salon pour écouter des enregistrements des symphonies de Mahler, en vinyle.

Assis dans son fauteuil, sa jambe raide posée sur le bureau, à côté de sa canne, il demande à Pablo :

– Et qu'est-ce qui vous fait croire que cette histoire de musiciens qui jouent aux arrêts de bus peut intéresser nos lecteurs ?

– *Moi,* ça m'intéresse, répond Pablo en toute franchise.

Óscar cligne des yeux. Il y a une certaine logique dans cette réponse : quand un journaliste s'intéresse à son sujet, ses recherches sont plus poussées, son écriture plus passionnée.

– Mais vous allez parler d'une musique que nos lecteurs ne peuvent pas entendre.

Giorgio intervient :

– Ils peuvent l'entendre en version numérique. On pourrait enregistrer un morceau et le diffuser en MP3.

Óscar fronce les sourcils ; il comprend cette technologie, elle fait partie de son travail désormais, mais cela ne veut pas dire qu'il l'apprécie. Il n'a accepté qu'à contrecœur l'introduction de vidéoclips dans l'édition en ligne de son quotidien, convaincu que si les gens avaient envie de regarder la télé, ils le feraient. Mais les responsables financiers ont insisté.

Óscar préfère les mots écrits sur du papier.

Et les belles photos qui aident à raconter une histoire.

Des images mémorables et non pas fugitives.

Il demande à Giorgio :

– Vous pourriez photographier ça ?

Pablo est soulagé de l'entendre répondre :

– Je pourrais faire un reportage génial. Je peux vous fournir des photos et des vidéos d'enfer, si vous voulez.

Giorgio est un spécimen, se dit Pablo en l'observant. Sa voix est ferme et il semble en forme, bien qu'il ait bu plus que tout le monde la veille, et avec ses joues rouges, on dirait qu'il est parti faire du ski de bon matin. Il déborde d'énergie (Pablo soupçonne qu'il y a une femme derrière tout ça) et c'est révoltant.

Óscar cligne des yeux et dit :

– Huit heures, pas une minute de plus. Mais parlons de sujets plus sérieux : le problème de la drogue.

Pablo pousse un grognement.

Il n'a pas de loyer ni de pension alimentaire en retard, alors un nouvel article sur les narcos, c'est synonyme d'ennui. La vérité, c'est que les trafiquants sont généralement de vulgaires gangsters, stupides et brutaux ; une fois que vous avez écrit sur l'un d'eux, vous avez écrit sur tous les autres.

Et puis, qui ça intéresse ?

Óscar, apparemment.

– Une objection, Pablo ?

– À quoi bon gâcher de l'encre pour ces salopards ?

– Cinq officiers de police de Juárez assassinés ? Je trouve que c'est une raison suffisante. Je veux savoir ce qu'en dit « la rue ».

Pablo a couvert ces meurtres.

Il y a un peu plus de quinze jours, des snipers armés de fusils de fort calibre ont abattu cinq hommes dans divers quartiers de la ville. Deux d'entre eux, Miguel Romo et David Baca, étaient des flics de Juárez.

Avant-hier, un capitaine de la police de Juárez, Julián Chairez, a été tué de vingt-deux balles, alors qu'il patrouillait au coin de l'Avenida Hermanos Escobar et de la Calle Plutarco Elías.

Et puis, hier matin, le commandant Francisco Ledesma, le troisième flic de la ville par ordre d'importance, sortait de son allée au volant de sa voiture, pour aller travailler. Une Chevrolet blanche s'est arrêtée à sa hauteur, un homme en est descendu et s'est approché calmement de la voiture de Ledesma, puis il a tiré quatre balles de 9 mm à travers la serrure de la portière.

Ledesma est mort avant l'arrivée des secours.

Son assassinat a ébranlé la ville. Âgé de trente-quatre ans seulement, c'était un homme charismatique et populaire qui dirigeait une brigade antigang baptisée Los Pumas.

Il existe environ huit cents gangs à Juárez – essentiellement dans les *colonias* pauvres –, composés d'environ quatorze mille membres. Ces gangs servent de vivier pour les « grands » gangs qui gèrent le trafic de drogue sous l'égide du cartel de Juárez : Loz Aztecas, Los Mexicles, Los Aristos Asesinos et La Línea.

Ledesma faisait la guerre à ces gangs et Pablo suppose qu'il en est mort.

Mais les détails l'ennuient.

Les gangs ont la sale manie de canarder dans tous les sens, mais en l'occurrence il s'agissait d'un assassinat ciblé : les *sicarios* expérimentés tirent à travers la serrure des portières car ainsi les balles restent groupées, ce qui fait la fierté des tueurs professionnels.

Cinq flics de la ville : Chairez, Baca, Romo, Gómez et Ledesma.

Pablo ne peut pas reprocher à Óscar de réclamer un papier.

El Búho se tourne alors vers Ana.

– Essayez de savoir ce qu'en pensent nos officiels. Le gouverneur est en ville aujourd'hui, il doit rencontrer le maire. Je veux des déclarations.

– Et des images ? demande Giorgio.

– Si Ana obtient une interview du gouverneur…

– *Quand* j'aurai obtenu une interview du gouverneur, rectifie Ana.

Pablo se rend dans le quartier ouvrier de Galeana pour retrouver Victor Abrego, un flic de Juárez qu'il a connu jadis, en des temps difficiles.

Pablo a eu le plus grand mal à expliquer à ses rédacteurs en chef américains (parce que c'est inexplicable, se dit-il) la structure byzantine de la police au Mexique.

Comme aux États-Unis, il existe grosso modo trois polices différentes : la police municipale, la police d'État et la police fédérale. Mais la ressemblance s'arrête là. Au Mexique, la police municipale n'enquête pas sur les crimes. Son rôle est surtout préventif : patrouilles, circulation, relations de proximité. Elle est la première à intervenir quand un crime est commis, pour aider les victimes et sécuriser les lieux, mais son rôle s'arrête là.

L'enquête est confiée à la police d'État et aux procureurs.

À moins qu'il ne s'agisse d'un crime fédéral.

En cas de soupçons de crime organisé ou de trafic de drogue à grande échelle, l'enquête revient à la police et aux procureurs fédéraux.

Par conséquent, le meurtre d'un narco à Juárez est géré, successivement ou simultanément, par un ensemble de forces de police et de procureurs agissant au niveau local, régional et fédéral, auquel vient s'ajouter un mélange hétéroclite d'agences de renseignements aux compétences diverses.

Pas étonnant, songe Pablo en cherchant une place de stationnement, que si peu de crimes soient résolus.

Le Mexique est un endroit rêvé pour un criminel.

À Juárez, un autre facteur entre en ligne de compte, et tout le monde le sait.

La plupart des habitants ont une peur bleue des policiers municipaux.

Non sans raison. Ils peuvent faire preuve d'arbitraire et se montrer violents, mais la vérité, c'est que la plupart ont deux patrons : le chef de la police et La Línea.

La Línea, « la Ligne », était, jusqu'à récemment du moins, le principal outil de répression du cartel de Juárez. Composée exclusivement d'officiers de police, à la retraite ou encore en exercice, La Línea veille au respect des règles du trafic de drogue. Quelqu'un veut expédier un chargement sans verser le *piso* ? La Línea vient encaisser. Quelqu'un perd une cargaison et affirme qu'elle a été saisie par les douaniers ? La Línea découvre la vérité et rend la justice. Quelqu'un est un problème récurrent ou un concurrent non autorisé ? La Línea le fait disparaître.

Et auprès de qui allez-vous chercher de l'aide ?

La police ?

Pablo n'irait pas jusqu'à dire que la totalité, ou même la majorité, des mille cinq cents policiers de Juárez appartient à La Línea, mais il est convaincu que leur nombre a atteint un stade critique, et les corrompus intimident les autres, obligés de marcher au pas s'ils veulent conserver leur boulot, voire rester en vie.

Supposons que deux commandants de district – il y en a six à Juárez – appartiennent à La Línea. Ils contrôlent les affectations, ils peuvent donc envoyer des flics corrompus là où on a besoin d'eux et muter ou virer les flics honnêtes. Supposons qu'un inspecteur de la brigade criminelle fasse partie de La Línea. Va-t-il se donner beaucoup de mal pour enquêter sur le meurtre d'un narco qui a eu des démêlés avec le cartel de Juárez, un meurtre sans doute commis par La Línea ? Va-t-il transmettre des indices compromettants aux *federales,* ou les égarer au cours de l'enquête ?

À Juárez, tout le monde sait que la police transmet directement au cartel tous les appels passés au 066 : la ligne des dénonciations anonymes. Et donc, si un citoyen tente d'apporter son aide à une enquête, il risque fort d'être au cœur de la suivante.

Mais cette fois les victimes sont des policiers.

Après avoir garé sa voiture, Pablo donne une pièce de cinq pesos au *parquero* posté au coin pour qu'il ne vole pas les pneus, et marche jusqu'à ce qu'il tombe sur Abrego. Celui-ci porte son uniforme bleu pastel et un gilet pare-balles bleu foncé sur lequel est écrit, en blanc : POLICÍA MUNICIPAL.

Pablo ne lui reproche pas ce gilet ; il regrette presque de ne pas en avoir un, lui aussi.

– Je suis occupé, Pablo, dit Abrego en voyant approcher le journaliste.

– Toutes mes condoléances pour tes collègues.

– Aucun commentaire.

– Allons, dit Pablo. Le truc habituel : source bien informée et anonyme. Qu'est-ce qui se passe ?

C'est toujours délicat d'interroger un flic après l'assassinat d'un de ses frères d'armes. Ils sont en colère, chatouilleux, facilement indignés, et Abrego ne fait pas exception.

– Qu'est-ce qui se passe ? répète-t-il. Une ordure de narco a tué un commandant de police.

– Avec quel mobile ? Vous avez des pistes ?

– À mon avis, Ledesma frappait trop fort et ça n'a pas plu à quelqu'un.

– Vicente Fuentes ?

Abrego secoue la tête.

– C'étaient pas des gars d'ici.

– Comment tu le sais ?

Cette question énerve le flic.

– Parce que j'en aurais entendu parler.

Pablo ne sait pas si Abrego appartient à La Línea ou pas. Il suppose que non, mais il ne va pas le lui demander.

– Si ce n'étaient pas des gars d'ici, ce serait qui ?

– Va poser la question dans le Sinaloa.

– Adán Barrera ?

Après une hésitation, Abrego dit :

– Des flics ont reçu des coups de téléphone. Sur leurs portables personnels. Ou bien ils ont été approchés par d'autres flics…

– À quel sujet ?

– Des « Nouveaux » s'installent. Les gens du Sinaloa. Et on a intérêt à prendre le train en marche.

Si Abrego a raison, se dit Pablo, cinq gars au moins ont loupé le bus.

– Fiche le camp, Pablo. J'ai du travail, et ensuite je dois assister à un enterrement.

Pablo invite à déjeuner un inspecteur de la criminelle de Chihuaha.

Le commandant Sánchez n'est pas dupe. Au Mexique, comme partout ailleurs dans le monde, un repas gratuit, ça n'existe pas. Alors, après avoir fini une assiette d'excellentes crevettes, il regarde le journaliste assis face à lui :

– Eh bien ?

– Qu'est-ce qui se passe à Juárez ?

– Pourquoi me demandez-vous ça ?

– Vous avez reçu un coup de téléphone, vous aussi ?

– De qui ?

– Des « Nouveaux ».

– Qui vous a parlé de ça ?

Pablo ne répond pas.

Finalement, Sánchez dit :

– Il se trouve que oui. Sur mon portable personnel. Comment ils ont eu le numéro ? D'après ce qu'on raconte, ils ont contacté des commandants de division pour leur proposer de l'argent. J'en déduis que Ledesma a refusé.

– Vous voulez une autre bière ? Moi, je crois que je vais en prendre une. (Pablo fait signe au serveur, puis reporte son attention sur Sánchez.) Sommes-nous face à une invasion ?

– Dites-le-moi, vous qui êtes si bien informé.

– D'accord, répond Pablo, que ce petit jeu commence à agacer. Adán Barrera est-il en train de reconstruire son empire ?

– Vous n'étiez encore qu'un gamin.

– J'ai entendu un tas d'histoires.

Le serveur dépose deux *cervezas* glacées sur la table et, captant le regard de Sánchez, il repart aussitôt.

– Faites-vous une fleur, dit le commandant. Arrêtez d'écouter les histoires.

– C'est-à-dire ?

– Vous le savez bien.

– Oh, allons.

Ce repas a remis Pablo légèrement d'aplomb, la bière aussi, mais il a encore la migraine et tous ces faux-semblants stupides n'arrangent rien. Le monde entier connaît Adán Barrera, des documents, des romans, des films, des documentaires lui ont été consacrés. Les narcos sont devenus une franchise, la nouvelle Mafia pour cette génération.

– Tout ça, c'est du passé, non ? demande-t-il. Les cartels, les *patrones*… ils sont tous morts ou enfermés. Osiel Contreras lui-même est en prison.

– Adán Barrera est dehors.

Pablo est impatient de mettre fin à cette entrevue.

– Qu'est-ce que vous voulez dire ? Il va y avoir une guerre ? Barrera veut s'emparer de Juárez ?

– Je veux dire que vous feriez mieux de ne plus écouter ces histoires, dit Sánchez.

Et il tend la main pour prendre l'addition sur la table.

Une première.

Pablo n'a jamais vu un flic régler la note.

Il met trois heures à localiser Ramón, mais il retrouve enfin son vieux camarade d'école au Kentucky, près du pont de Santa Fe qui rejoint El Paso.

Pablo se laisse tomber sur un tabouret à côté de Ramón.

– *Qué pasa ?*

– *Nada.*

Rien, mon cul, se dit Pablo. Si Ramón traîne près de la frontière, il y a une raison : il a expédié un chargement. Autre réalité de Juárez : tout le monde connaît quelqu'un qui trempe dans le trafic de drogue.

Le Kentucky est typique du Vieux Juárez. Il a vu le jour quelques semaines seulement après l'instauration de la prohibition aux États-Unis ; c'était alors un endroit décontracté où des gringos pouvaient venir boire un verre. Sinatra a fréquenté ce bar, tout comme Marilyn Monroe, et d'après la légende, mais Pablo n'y croit pas, Al Capone y serait venu une fois après avoir conclu un accord pour vendre du whisky de contrebande.

Mais ce bar est surtout connu pour être le lieu de naissance de la margarita.

C'est nous, ça, se dit Pablo, nous sommes connus pour la contrebande, les stars de cinéma étrangères et les boissons corsées.

Il commande une Indio.

– Ça fait un bail, *'mano,* dit Ramón avec une pointe de rancœur dans la voix.

C'est vrai, pense Pablo. Au lycée, ils étaient copains, ils traînaient tout le temps ensemble, puis leurs vies ont suivi des chemins différents. J'ai été accaparé par le travail, de nouveaux amis, et Ramón est allé en prison.

Surpris en train de voler des voitures, il a purgé une peine de trois ans dans le tristement célèbre Cereso de Juárez.

Là-bas, si vous vouliez survivre, il fallait rejoindre Los Aztecas.

Ramón voulait survivre.

De fait, ce gang était né dans les prisons américaines, sous le nom de Barrio Azteca, mais quand les États-Unis avaient commencé à expulser des condamnés qui étaient également des immigrés illégaux, le gang s'était vite propagé dans les prisons mexicaines.

Puis dans la communauté.

Il existe environ six cents Aztecas à Juárez, mais ils utilisent des gamins appartenant à une multitude de petits gangs, et on raconte qu'ils assurent de plus en plus les tâches de « police » pour le cartel de Juárez. Avec La Línea, ils contrôlent le trafic de drogue dans le nord-est de la ville, tandis que Los Mexicles et Los Aristos Asesinos s'occupent du sud-ouest.

Pablo a entendu raconter de quelle manière ils exercent ce contrôle. Ils organisent de grandes fêtes où tout le monde s'amuse pendant qu'ils tabassent un prisonnier. Ensuite, ils creusent un trou, ils le remplissent de branches d'acacia, jettent leur victime à l'intérieur et grattent une allumette. Pablo ne croit pas à ces histoires, et il ne croit pas que Ramón puisse faire une chose pareille, mais il est exact que le cartel de Juárez offre à Los Aztecas un rabais sur la cocaïne qu'ils expédient de l'autre côté de la frontière.

Le gang gagne énormément d'argent.

Il possède une structure militaire, avec des généraux, des capitaines et des lieutenants. Aux dernières nouvelles, Ramón était un lieutenant sur la pente ascendante. Il a tout d'un Azteca : cheveux coupés en brosse, bandana bleu, débardeur blanc et tatouages jusqu'au cou.

Ramón observe Pablo de la tête aux pieds.

– Tu as mauvaise mine, *'mano.*

– La nuit a été dure.

– C'est plutôt le *mois* qui a été dur. Tu as besoin d'argent ?

– Non merci.

– Comment va Mateo ?

– Bien, merci. Et tes gamins ?

– Isobel est une petite emmerdeuse sur pattes, mais tu le sais déjà. Dolores marche presque et Javier joue au *fútbol* maintenant.

– Sans blague ?

– Tu devrais venir à la maison un de ces jours, dit Ramón.

– Je viendrai.

– On regardera un match à la télé, on fera des grillades…

– Avec plaisir.

Ramón fait signe au barman de lui remplir son verre de whisky.

– Alors, qu'est-ce qui t'amène, *'mano* ?

– Un lieutenant de police qui s'est fait dessouder.

– Dessouder ? Tu parles comme un caïd.

Pablo rit de lui-même, puis demande :

– Qui a fait ça ?

Ramón vide son verre d'un trait.

– Tu veux sniffer un peu de coke ?

– Il faut que j'aille chercher Mateo.

C'est la vérité, mais l'autre vérité, c'est qu'il n'a pas touché à la drogue depuis des années. Bon, d'accord, peut-être un peu de *yerba* de temps en temps, mais même ça, c'est devenu rare.

– Viens quand même derrière avec moi, dit Ramón. *Narizazo !* lance-t-il au barman.

C'est l'heure de sniffer.

Pablo franchit à sa suite la porte du fond, ils se retrouvent dans une ruelle. Ramón sort de sa poche de jean un flacon de coke, en verse un peu sur son ongle et l'inspire.

– On dit que c'est mauvais quand tu commences à consommer ta propre marchandise. Mais je suis complètement crevé ces temps-ci et j'ai besoin d'un petit remontant dans l'après-midi. Alors, qu'est-ce que tu voulais savoir ?

Pablo comprend. Ils sont sortis pour que Ramón puisse sniffer, mais aussi pour s'éloigner des oreilles du barman.

– Les meurtres de flics. Ledesma.

– C'est pas nous, *'mano.*

Pablo pousse le bouchon un peu plus loin.

– Ledesma faisait partie de La Línea ? Et les autres ?

– Peu importe, dit Ramón. Le Sinaloa veut cette *plaza,* alors ils doivent neutraliser les flics. Honnêtes ou ripous, s'ils ne font pas équipe avec le Sinaloa, le Sinaloa les expédie sur la touche.

Je tiens mon article, se dit Pablo. Le cartel du Sinaloa a lancé une invasion systématique et une campagne stratégique contre la force centrale du cartel de Juárez : La Línea.

Cette opération devait être en préparation depuis des mois. La collecte de renseignements, les infiltrations, pour connaître les numéros de téléphone personnels des officiers, leurs adresses, leurs habitudes. Il y avait eu des surveillances, des écoutes, des indics…

Ramón verse encore un peu de coke sur son ongle et demande :

– Tu es sûr ?

– Oui, dit Pablo. Donc, ça va être la guerre.

– À ton avis, c'est quoi tous ces cadavres ? La guerre a déjà commencé.

– Los Aztecas sont dans le coup ?

– C'est le prix à payer, mec. Ils ne nous filent pas de la coke bon marché pour nos beaux yeux. Jusqu'à présent, il fallait juste s'occuper de quelques *malandros,* maintenant, on va se colleter avec les pros de Barrera. Des joueurs de première division. Mais bon, quand faut y aller, faut y aller.

Après quelques secondes de silence, Ramón ajoute :

– Je suis toujours fier de toi, *'mano,* chaque fois que je vois ton nom dans le journal. Tu as fait ton chemin.

Pablo ne sait pas quoi répondre.

Ramón l'attrape par le coude.

– T'approche pas trop de ce monde, c'est pas pour toi. Si tu veux des infos, viens me voir. Pose pas de questions à droite et à gauche. Les gens n'aiment pas ça.

Ils se disent au revoir et parlent de se voir bientôt, peut-être le dimanche suivant, mais ils savent bien l'un et l'autre que ça ne se fera pas. Pablo rentre au journal, il rédige son article, puis va chercher Mateo.

Pablo attend devant la maternelle.

Il estimait que Mateo était trop jeune pour entrer à l'école, même à la maternelle, mais Victoria avait réussi à le convaincre (évidemment, les arguments de Victoria l'emportaient toujours) qu'il n'était jamais trop tôt pour commencer, surtout s'ils voulaient qu'il aille dans une bonne école primaire.

Pablo la soupçonnait d'avoir surtout voulu s'offrir plus de temps libre pour travailler. Comme elle gagne plus d'argent que lui, il avait failli proposer de démissionner du journal, pour devenir free-lance et jouer les pères au foyer pendant un an environ, mais des vestiges de machisme l'en avaient empêché.

De toute façon, Victoria n'aurait pas accepté, sous le prétexte que les journées de Mateo n'auraient pas été assez organisées. Ce n'était peut-être pas faux, pense Pablo en regardant les enfants se ruer hors de l'école. Leurs journées auraient été merveilleusement désorganisées.

Mateo est le mélange parfait de leur union.

Il a ses cheveux noir de jais, les yeux bleus perçants (ouille) de sa mère et aussi sa vivacité d'esprit. La chaleur humaine de son père. Son inlassable curiosité, il la doit à tous les deux.

Pablo manque d'objectivité, bien sûr, mais il ne fait aucun doute que Mateo est le plus bel enfant de l'école. Le plus intelligent également, le plus charmant et, assurément, le meilleur joueur de *fútbol*. Mais son avenir est indéniablement condamné s'il n'entre pas dans la bonne école primaire, selon Victoria.

Mateo se précipite vers Pablo, qui le serre dans ses bras. C'est incroyable, pense-t-il, je ne me lasse pas de cette sensation.

– Comment ça va, *papi* ?

– Très bien, *m'ijo*. Et toi ?

– On a colorié des zèbres.

– Ah bon ? Et ils n'ont pas bougé ?

Mateo éclate de rire.

– *Papi !*

– Quoi ?

– C'étaient des zèbres en papier !

– Des zèbres en papier ? Je n'ai jamais entendu parler de ça.

– Des *images* de zèbres !
– Ah, je comprends maintenant.
– Tu es bête, *papi* !
Pablo lui prend la main et ils se dirigent vers l'arrêt de bus. Cette activité simple, normale, lui procure un immense soulagement après la folie du « monde des narcos », comme il l'appelle.
– Je vais chez toi ce soir ? demande Mateo.
– Oui.
– Combien de dodos ?
– Hein ? Oh, deux dodos.
– Ouais ! (Il accentue la pression de sa main. Puis il ajoute :) Qu'est-ce qu'on fait ?
– Si tu veux, j'ai pensé qu'on pourrait aller au parc taper dans un ballon. Ensuite *tío* Tomás fait une lecture. Ça te dirait ?
– Je pourrai apporter des coloriages ?
– Bien sûr. Après, *tía* Ana organise une petite fête chez elle. *Tía* Jimena sera là. Tu veux y aller ?
– *Tío* Giorgio sera là ?
– Sans doute.
Tout le monde aime Giorgio, pense Pablo.
Moi aussi.
– Peut-être qu'il me laissera prendre une photo, dit Mateo.
– J'en suis sûr. Et si tu es fatigué, tu pourras dormir sur le grand lit de *tía* Ana.
– On peut aller au zoo ?
– Samedi ?
– Non, aujourd'hui.
– D'accord.
– Super.
– Comment tu as colorié tes zèbres ?
– En orange et bleu.
Très bien, se dit Pablo.

Les histoires de narcos ne sont que des conneries. Ce qui compte, c'est que son fils décide de colorier des zèbres en orange et bleu.

Les deux structures rectangulaires, l'une jaune, l'autre ocre, du Cafebrería sont posées dans José Reyes Estrada Circle, juste à côté de la Plaza de las Américas, près de l'université, et elles constituent l'épicentre de la vie intellectuelle de la ville.

Le Cafebrería représente tout ce que Pablo apprécie à Juárez.

Un café, une librairie, une galerie d'art, une salle de spectacles, un lieu de rassemblement pour tous ceux qui s'intéressent aux idées, à l'art et à leur communauté. Le Cafebrería incarne l'âme de cette ville à ses yeux.

Il y va pour voir des amis, faire des rencontres, participer à des discussions et des débats (qui se transforment parfois en disputes, mais jamais en bagarres), écouter de la musique ou des lectures, acheter des livres qu'il n'a pas les moyens de s'offrir mais auxquels il ne peut résister, ou simplement pour boire une tasse de bon café qui ne provient pas d'une multinationale, et s'installer dans un coin tranquille pour lire.

Aujourd'hui, il est assis sur une chaise métallique pliante, pendant qu'à ses pieds Mateo colorie joyeusement (un tigre rouge violacé et turquoise), et il écoute Tomás lire des extraits de son dernier roman. C'est un livre magnifique et une lecture splendide, comme on pouvait s'y attendre avec Tomás Silva, que Pablo considère comme un trésor national.

Entre autres choses, il aime l'absence d'autodérision dans les lectures de Tomás. L'écrivain prend son travail au sérieux et il le lit sérieusement, ses yeux tristes brillent derrière ses lunettes, sa mâchoire puissante est crispée comme s'il réfléchissait à chaque mot au moment où il le prononçait.

Ana est assise un peu plus loin dans la même rangée, les yeux fermés pour se concentrer sur la sonorité des mots. Giorgio s'est placé sur le côté pour prendre discrètement des photos de Tomás sans le déranger avec l'éclat de son flash.

Óscar a posé sa jambe raide sur la chaise à côté de lui et accroché sa canne au dossier du siège de devant. Tomás et lui se connaissent depuis l'université, ils sont restés très proches, et Pablo savait qu'El Búho ne voudrait pas manquer cette lecture.

En fait, la majeure partie de l'intelligentsia de Juárez assiste à cet événement : auteurs, poètes, éditorialistes et un aréopage de fervents lecteurs toujours présents dans ces occasions. Pablo reconnaît également quelques politiciens locaux qui sont là pour montrer qu'ils ont un cerveau et, prétendument, une âme, mais il a des doutes dans les deux cas.

Victoria n'est pas venue, bien qu'elle adore Tomás, à la fois professionnellement et personnellement.

Elle doit être en train de travailler, pense Pablo.

Victoria est toujours en train de travailler.

La lecture s'achève et Tomás répond aux questions. Elles sont nombreuses, certaines témoignent d'une réelle curiosité et attendent une réponse, d'autres sont plus des commentaires destinés à étaler les connaissances de l'intervenant ou à exprimer un dogme. Tomás répond avec patience et rigueur, mais il ne peut cacher son soulagement quand cet exercice s'achève.

C'est le moment du café et du vin, des habituels bavardages et ronds de jambe, mais Pablo songe qu'il a sans doute épuisé le stock de patience de son fils de quatre ans, alors il l'emmène dans le parc, de l'autre côté de la rue, pour courir et jouer un peu avant d'aller chez Ana.

Quatre heures plus tard, Pablo est installé sur les marches de la cuisine qui mènent au petit jardin clôturé derrière la maison d'Ana, située dans Mariano Escobedo. Il a passé de nombreuses soirées agréables assis sur ces marches ou une chaise en bois, ou à aider Ana à cuisiner sur le barbecue.

Ce soir, la maison est pleine.

Car, évidemment, Ana a fini par inviter toutes les personnes présentes à la lecture, et la plupart sont venues. Peu importe, elle a préparé assez de paella pour nourrir un bataillon, et d'ailleurs, plusieurs d'entre eux avaient dîné avant de venir à la fête.

Beaucoup, comme Pablo, ont apporté du vin et de la bière afin de ne pas peser sur les finances de la maîtresse de maison. C'était l'usage dans les soirées à Juárez, surtout celles qui réunissaient principalement des communistes, ou du moins des socialistes.

Pablo sirote une bière et écoute Tomás et El Búho, très légèrement ivre, discuter avec passion du lyrisme romantique d'Efrain Huerta, tandis que Giorgio parle de la Banque mondiale avec une jolie femme que Pablo ne connaît pas.

– La politique économique en guise de préliminaires, ironise Jimena en venant s'asseoir à côté de Pablo, qui se pousse pour lui faire un peu de place.

Jimena est une grande femme mince, tout en angles ingrats et en arêtes vives. Née dans une tribu de neuf enfants (sa famille tient une boulangerie dans la vallée de Juárez depuis des générations), c'est également une militante. Âgée d'une petite cinquantaine d'années et mère de deux grands fils, elle consacre de plus en plus de temps à des causes sociales, ce qui l'amène souvent à Juárez.

Ils se sont connus quand Pablo couvrait le *feminicidio,* nom donné aux disparitions et aux meurtres de centaines de jeunes femmes.

Trois cent quatre-vingt-dix pour être précis.

Il avait suivi au moins cent affaires. Il avait vu les corps, quand on les retrouvait, interviewé les familles, assisté aux offices religieux et aux enterrements. Le phénomène semblait avoir pris fin sans que l'on ait plus de réponses qu'au début. Mais Jimena, qui a perdu une nièce, a participé à la création d'une organisation – Nos filles rentrent à la maison – pour faire pression sur la police et les politiciens afin que ces affaires criminelles soient résolues.

Ce soir, elle observe d'un œil moqueur la technique d'approche de Giorgio.

– Il possède un certain charme, dit-elle. Et toi, Pablo ? Tu es amoureux ?

– Pas en ce moment. Entre le boulot et mon gamin…

– Mateo devient grand.

– Oui.

– C'est un garçon adorable.

Et il adore sa *tía* Jimena, songe Pablo. Mateo s'est précipité vers elle dès qu'ils sont entrés dans la maison, il a grimpé sur ses genoux et ils ont eu une conversation sérieuse sur les zèbres, les tigres et d'autres animaux.

Elle lui a servi un bol de riz de la paella, et quelques *polvorones de canela,* avec l'autorisation de Pablo, puis elle l'a couché sur le grand lit d'Ana et lui a lu une histoire jusqu'à ce qu'il s'endorme.

– Comment va Victoria ? demande Jimena.

– C'est Victoria. Elle veut conquérir le monde.

– Pauvre monde. (Elle lui ébouriffe les cheveux.) Pauvre Pablo. Notre gros toutou hirsute. Qui est cette fille qui se fait draguer par Giorgio ?

– Une avocate, je crois.

– Il va arriver à ses fins, à ton avis ?

– C'est juste une question de temps.

Mais, contre toute attente, Giorgio termine sa conversation pour venir s'asseoir avec eux et l'avocate rentre dans la maison.

– Gouine néofasciste, lâche-t-il.

– Oh là, oh là, fait Jimena.

– Les lesbiennes de gauche, c'est parfaitement normal, dit Giorgio, mais chez une lesbienne de droite, il y a quelque chose de… presque américain. Dans le style Fox News.

Ils reçoivent les chaînes de télévision d'El Paso, et Giorgio est victime d'une addiction masochiste à Fox News, qui le consterne et l'excite tout à la fois.

– Dis-moi que tu n'as pas envie de te taper toutes ces journalistes de Fox News, plaisante Jimena.

– Parle pour toi, rétorque Giorgio. Mais bien sûr que oui. Je veux les convertir grâce au pouvoir subversif de l'orgasme.

– Donc, ce serait un geste politique.

– Je suis prêt à me sacrifier pour la cause.

– Comment a-t-elle atterri dans cette soirée ? demande Pablo.

– C'est une disciple de Tomás. Elle le trouve « important ».

– Elle a raison, dit Jimena. Et le fait qu'elle soutienne la Banque mondiale ne fait pas nécessairement d'elle une fasciste, pas plus qu'elle n'est lesbienne parce qu'elle résiste à ton charme indéniable.

– Je ne pouvais pas m'imaginer me réveillant à côté d'elle. De quoi on parlerait ?

– De tes prouesses au lit ? suggère Jimena.

– Oui, certainement, mais ça devient lassant à force.

– *Pobrecito.* Que de problèmes.

– Tu devrais tenter ta chance, Pablo. C'est ton genre.

– Mais je ne suis pas le sien.

– Pablo a renoncé à l'amour, dit Jimena.

– Qui te parle d'amour ?

– L'amour ? intervient Ana en sortant dans le jardin.

Elle vient s'asseoir sur les genoux de Jimena.

– Pourquoi les femmes aiment-elles parler d'amour ? demande Giorgio.

– La question, c'est plutôt : Pourquoi les hommes n'aiment pas ça ? dit Ana.

– Tu peux aimer, ou tu peux en parler, souligne Pablo. Tu ne peux pas faire les deux.

Ana s'exclame :

– Óscar, vous saviez que vous aviez un jeune Hemingway dans votre équipe ?

Óscar cligne des yeux d'un air absent, absorbé par sa discussion sur la poésie, mais il sourit poliment, avant de reporter toute son attention sur Tomás.

– Je suis un peu ivre, avoue Pablo.

– Mais tu as dit ce que tu avais à dire, souligne Giorgio.

– Ah oui ? s'étonne Ana. Parce que toi, Giorgio, tu peux faire l'amour ou le photographier, mais pas les deux ?

Son ton cinglant convainc Pablo qu'ils ont couché ensemble.

– Vous auriez dû voir Ana avec notre cher gouverneur aujourd'hui, dit Giorgio pour changer de sujet. Il en bafouillait !

Ana rit et se livre à une imitation assez réussie du gouverneur du Chihuahua : « Concernant ce prétendu cartel de Juárez, il n'existe pas et n'a jamais existé. En outre, mon administration a obtenu d'excellents résultats dans la lutte contre ce cartel, s'il existe ou a existé, ce qui n'est pas et n'a jamais été le cas, à moins que vous ne puissiez me montrer des preuves, faute de quoi, je suis déjà en retard à un rendez-vous capital. » Notre gouverneur est un imbécile, mais très bien élevé. Il m'a fait le baisemain.

– Non ! dit Jimena.

– Si. Et j'ai rougi.

– Ce n'est pas vrai !

– Non, avoue Ana. Mais ça ne m'a pas déplu, bizarrement. Il y avait longtemps qu'un homme ne m'avait pas fait un baisemain.

Pablo se penche vers elle pour déposer un baiser sur le bout de ses doigts.

– Oh, adorable Pablo, dit Jimena.

Ana le regarde d'un drôle d'air, puis se ressaisit, et reprend :

– Bref, il y a des sujets plus importants à couvrir, avec le PAN qui nous conduit dans le joli monde enchanté de l'économie de marché, alors que tous les emplois fichent le camp en Chine. Et Bush qui tue tous les musulmans qui bougent.

– Tu sais que Bush parle espagnol ? dit Giorgio.

– C'est son frère, rectifie Ana. Celui de Floride.

La conversation glisse des frères Bush vers la guerre en Irak, puis l'émergence des droits des musulmanes, le post-féminisme et le cinéma actuel – mexicain, américain, européen (Giorgio s'emballe quand il parle de Buñuel), puis mexicain de nouveau –, avant d'évoquer la supériorité relative des tacos aux crevettes sur tous les autres tacos, l'excellente paella d'Ana, l'enfance d'Ana, celle de Jimena, le nouveau rôle de la mère dans un monde postindustriel, la sculpture, la peinture, la poésie, le baseball, puis l'inexplicable (aux yeux de Pablo) penchant de Jimena pour le football américain (c'est une supportrice des Dallas Cowboys) plutôt que pour le « vrai » *fútbol,* la passion de Pablo, puérile il le reconnaît, pour ce sport, les épreuves de l'adolescence, les révélations qui accompagnent la perte de la virginité, et pourquoi nous parlons de « perte », tandis que Tomás et Óscar, se tenant par l'épaule, déclament de la poésie et que Giorgio se met à jouer de la guitare. Pablo aime ce Juárez-là, c'est sa ville de cœur et d'âme : la poésie, les discussions enflammées (Ana ponctue ses affirmations en fendant l'air avec sa cigarette à la manière d'une épée, les paroles de Jimena se répandent comme une vague qui s'étale sur une plage de sable, effaçant les paroles précédentes, la voix de Giorgio lance des trilles de saxophone, alors que Pablo joue de la basse : ils forment un petit jazz band), les idées qui coulent en même temps que le vin et la bière, une musique mélodieuse dans la nuit noire, c'est le rythme doux du Mexique qu'il adore, les rires, le parfum discret des fleurs du désert qui poussent dans les ruelles, à côté des ordures, et maintenant, tout le monde chante…

Mexico está muy contento,
Dando gracias a millares…

… Et c'est sa vie… c'est sa ville, et ces gens sont ses amis, ses amis chers, et même s'il n'y a que ça, s'il n'y aura jamais rien d'autre, ça lui suffit, son monde, sa vie, sa ville, son peuple, sa belle et triste Juárez…

... empezaré de Durango, Torreón y Ciudad de Juárez...

Pablo chante dans la douce nuit.

Le pire, c'est les dimanches.

Encore plus quand il doit ramener Mateo à sa mère. Le garçon est triste, lui aussi. Est-ce réellement de la tristesse, ou réagit-il à ma propre mélancolie ? s'interroge Pablo.

Il leur prépare un petit déjeuner simple – croissants, jambon et beurre – et Mateo boit du lait pendant qu'il avale un café au lait, puis ils se rendent au parc pour jouer au ballon. Ils essaient de plaisanter et de rire, mais ils ont conscience de simplement tuer le temps pour retarder l'heure fatidique. Finalement, Pablo demande à son fils s'il est prêt à rentrer « à la maison », et celui-ci répond oui.

Alors, Pablo appelle Victoria pour lui annoncer qu'ils arrivent, ils prennent le bus et il accompagne Mateo jusqu'à la résidence. Le lotissement est sécurisé, mais Pablo possède le code d'entrée, et de toute façon le gardien les reconnaît et les laisse passer.

Victoria attend à la porte.

Elle étreint et embrasse Mateo. Et dit :

– Dépêche-toi de te déshabiller pour prendre ton bain, mon chéri. *Mami* veut parler à *papi.*

Mateo serre son père dans ses bras et entre en traînant les pieds.

– Il est fatigué, dit Victoria. Tu l'as laissé se coucher tard ?

– Il s'est couché chez Ana, répond Pablo, sur la défensive. À l'heure habituelle.

– Heureusement, Ana a un peu de bon sens.

Elle aussi semble fatiguée et elle est en tenue de bureau, curieusement. Pablo est persuadé qu'elle a profité de ce dimanche sans enfant pour aller travailler. Mais fatiguée ou pas, elle reste belle, et Pablo a honte d'éprouver toujours un vieux frisson de désir.

Victoria dit soudain :

– Pablo, on m'a proposé un nouveau poste. Une promotion.

– C'est super. Félicitations.

– *El Nacional*. À Mexico.

Pablo sent son cœur s'arrêter.

– Tu vas refuser.

– Non. Un quotidien national ? Responsable du service financier ?

– Et Mateo ?

Elle a la décence de prendre un air penaud.

– Il vient avec moi. Évidemment.

– C'est mon fils.

– J'en suis consciente, oui.

Pablo sent la colère monter en lui.

– Dans ce cas, tu es également *consciente* que j'ai certains droits en tant que père.

– J'espérais que tu te montrerais raisonnable.

– Que je serais raisonnable ? Tu parles d'emmener mon fils vivre à mille kilomètres d'ici !

– Moins fort, s'il te plaît.

– Je crie si je veux !

– Sois un peu adulte.

– Tu ne m'enlèveras pas Mateo.

– Je refuse de rester dans cette… ville frontière, crache-t-elle. Alors que j'ai la possibilité d'aller vivre ailleurs. Et pense un peu à Mateo. De meilleures écoles, de meilleurs amis…

– Son école et ses amis sont très bien.

– Le problème avec toi…

– Oh, il n'y a qu'un seul problème aujourd'hui ?

– Un des problèmes avec toi, corrige-t-elle, c'est que tu ne vois pas au-delà de ce trou paumé. Il ne se passe rien ici, Pablo. Les gens qui vivent ici ne peuvent rien décider car les gens qui ont le pouvoir vivent ailleurs. C'est une colonie et tu es un pauvre colon. Je ne veux pas ça pour Mateo, ni pour moi.

C'est un sacré discours et Pablo est certain qu'elle l'a préparé.

– En revanche, ça ne te gêne pas qu'il grandisse sans père.

– Tu es un père merveilleux. Mais…

– En général, ce n'est pas une phrase suivie d'un « mais ».

– … tu n'as aucune ambition. Et Mateo s'en aperçoit. (Elle baisse les yeux, puis s'oblige à relever la tête.) Tu pourras venir le week-end…

– Je n'ai pas les moyens.

– … ou je l'amènerai ici. Et quand il sera un peu plus grand, il pourra voyager seul…

– Il a quatre ans !

– Les hôtesses s'occupent très bien des enfants, dit Victoria. J'en vois tout le temps.

– C'est hors de question.

– J'ai déjà accepté ce poste.

– Sans me consulter.

– Tu vois ce qui arrive quand on essaye de parler. Tu refuses d'entendre raison, les émotions prennent le dessus…

– Oui, exactement ! À l'idée de perdre mon fils !

– Tu ne le perds pas.

– Alors, laisse-le vivre ici, avec moi. Il ne connaît rien d'autre.

– C'est une partie du problème, dit Victoria. Il ne peut pas vivre avec toi. Tu es dehors la moitié de la nuit. Pour couvrir des affaires, boire, faire Dieu sait quoi…

– Quand il est avec moi, je ne sors pas et je ne bois pas !

– Oui, je sais.

– C'est toi qui pars, pas moi. Ce n'est pas juste.

– On croirait entendre un enfant.

– On verra si j'aurai l'air d'un enfant au tribunal.

– Je pense que oui, répond-elle, car elle ne peut s'en empêcher. J'espérais ne pas en arriver là. Mais j'ai parlé à une avocate…

– Forcément.

– Elle m'affirme que je n'aurai aucun mal à conserver la garde de Mateo quand j'expliquerai de quelle manière cette mutation va améliorer sa qualité de vie…

– Salope !

– Tu peux toujours venir vivre à Mexico. Trouver un travail là-bas. Comme ça, tu seras tout près. J'en parlerai à des gens…

– Il y a des milliers de journalistes à Mexico. Nés là-bas. Moi, je connais Juárez. Je couvre ce qui se passe à Juárez.

– Et ça te suffit.

– Je n'ai jamais rien voulu d'autre.

– Et voilà où nous en sommes.

Sur ce, elle lui tourne le dos et le plante devant la porte.

Victoria s'autorise à pleurer une minute, avant d'appeler Mateo pour qu'il prenne son bain.

Pauvre Pablo, pense-t-elle.

Pauvre Pablo, perdu, à la dérive dans l'océan de son chagrin.

Il n'a plus jamais été le même après le *feminicidio*. Jour après jour, nuit après nuit le plus souvent, ou aube après aube, il rentrait déprimé, furieux, fatigué et triste.

C'était l'époque où des jeunes femmes disparaissaient, l'une après l'autre, et où sa ville adorée devenait un abattoir. Il ne l'a jamais compris, il n'a jamais pu l'expliquer, ni à lui-même ni à ses lecteurs, et ensuite, quand les meurtres ont commencé à diminuer, il s'est mis à dépérir.

Il avait perdu son entrain, son ambition, son amour féroce de la vie.

Tout cela s'était éteint.

Elle avait essayé d'aborder le sujet avec lui, mais il refusait d'en parler, il se mettait en colère. Il s'absentait sans cesse, pour chercher des réponses, et quand elle se plaignait, il l'accusait d'être une salope sans cœur.

Le *feminicidio* avait tué leur mariage.

Et tué, dans une certaine mesure, la femme qui était en elle.

Car elle n'avait jamais compris, et elle ne comprend toujours pas, comment Pablo pouvait aimer une ville où se produisait ce genre de choses.

Mais il y a pire que les dimanches, les samedis soir parviennent à atteindre un niveau encore inférieur, une « qualité de vie » négative, surtout quand votre ex-femme vous annonce qu'elle vous vole votre enfant, et que vous décidez de prendre un avocat pour vous battre, en sachant que vous n'avez pas les moyens d'engager un as du barreau, et que votre ex-femme va gagner, quoi qu'il arrive.

Vous savez qu'un combat devant les tribunaux va déchirer votre enfant.

Et qu'il n'y a pas de bonne solution.

Il envisage d'aller voir Giorgio pour solliciter sa compassion, ou Ana, ou même Ramón. Il devrait se soûler ce soir avec Ramón, car celui-ci n'intellectualiserait pas la situation, il dirait : « Qu'elle aille se faire voir, cette *segundera* » et « Personne n'a le droit de priver un père de son fils », et d'autres choses que Pablo a envie d'entendre.

Mais il n'appelle pas Giorgio ni Ana (finiraient-ils dans le même lit en cette triste nuit, lui ayant besoin d'être consolé, et elle de consoler ?) ni Ramón. Il erre de bar en bar, seul, dans le centre du Vieux Juárez, et il boit un whisky dans chacun d'eux, même s'il sait que cela ne va pas améliorer sa situation financière. Il finit lamentablement ivre, mais au moins il se retient d'appeler Victoria pour la supplier.

Il rentre chez lui, s'écroule sur son lit et sanglote.

– Tu as une sale tête, dit Ana le lendemain matin au café.

– À ce point ? dit Pablo.

– Puis-je te demander…

Il lui parle de Victoria et de Mateo.

– C'est affreux, Pablo. Je suis désolée.

Il opine.

– Écoute, reprend Ana. Óscar a des relations haut placées dans les médias. Je suis sûr qu'il pourrait passer quelques coups de fil. Il ne veut sans doute pas te perdre, mais…

– Arrêtons de nous raconter des histoires, d'accord ? Au moins, évitons ça.

Une semaine plus tard, Pablo se tient devant le monument dédié aux officiers de police morts dans l'exercice de leur devoir, à l'intersection de Juan Gabriel et de l'Avenida Sanders.

Le policier de bronze a les yeux fermés, comme en prière ; à ses pieds repose la casquette d'un collègue. Près de la casquette, une affichette en carton est maintenue par une pierre ; dessus, en grosses lettres tracées au feutre noir, on peut lire : « Pour ceux qui n'y croyaient pas – Chairez, Romo, Baca, Gomez et Ledesma. »

Les cinq flics de Juárez abattus quelque temps plus tôt.

Une autre pancarte proclame : « Pour ceux qui continuent à ne pas y croire. » Avec les noms de dix-sept autres policiers de Juárez.

– C'est bon, tu as bien tout ? demande Pablo.

Giorgio est trop occupé à prendre des photos pour répondre, mais sans décoller les yeux du viseur, il dit :

– Qui a mis ça là, à ton avis ?

– « Les Nouveaux », dit Pablo. Pour faire comprendre aux flics de Juárez, et à dix-sept d'entre eux plus précisément, qu'ils ont intérêt à monter à bord du bus du cartel de Sinaloa, s'ils ne veulent pas se retrouver sous les roues.

– C'est la confirmation de ton article.

En effet, pense Pablo. Son article sur les meurtres de policiers et le cartel de Sinaloa a fait du bruit. Certains y ont cru, d'autres ont estimé que c'était un pur délire paranoïaque, une histoire inventée par Pablo Mora.

Preuve que non, se dit celui-ci en copiant les noms dans son carnet.

Le sixième policier sur la liste est son vieil informateur, Victor Abrego, celui-là même qui, il y a quelques jours, l'a envoyé se faire voir.

Merde.

Les pancartes, apparues dans la nuit, ont attiré une foule de curieux, ainsi que des équipes de télévision ou de radio. Óscar va lui réclamer un article illico.

Mais El Búho va se retrouver face à un casse-tête éthique. Doit-il publier les noms des officiers de police qui ont le choix entre la collusion ou la mort ? Le vieux dilemme *plato o plomo,* « l'argent ou le plomb ».

D'une certaine façon, se dit Pablo, « Les Nouveaux » ont déjà publié les noms, n'est-ce pas ? C'est le nouveau visage de la guerre des narcos. Ils savent utiliser les médias. Autrefois, ils dissimulaient leurs crimes, aujourd'hui, ils les rendent publics. Je me demande s'ils n'ont pas pris exemple sur al-Qaida : À quoi bon commettre une atrocité si personne ne le sait ?

C'est peut-être ça le fond de mon article ? « Les crimes qui restaient tapis dans l'ombre cherchent à présent l'éclat du soleil. » Ça ne fait pas trop « sensationnel » ?

Óscar tranchera.

Pablo retourne à Galeana pour voir Abrego. Mais que vais-je bien pouvoir lui demander ? Es-tu inquiet à cause des menaces qui pèsent sur ta vie ? Le cartel de Sinaloa te menace-t-il parce que tu es un flic honnête qui leur pose des problèmes, ou parce que tu fais partie de La Línea ? Questions stupides auxquelles il ne répondra pas. Mais peut-être qu'il me fournira des infos.

Sauf que Pablo n'arrive pas à mettre la main sur Abrego. Ni à l'endroit habituel au coin de la rue, ni dans une autre, ni dans aucun des restaurants, cafés et bars habituellement fréquentés par le flic.

Abrego est dans la nature.

Par habitude, Pablo jette un coup d'œil à sa montre pour voir si c'est l'heure d'aller chercher Mateo, puis il se souvient que son fils n'est plus ici, mais à Mexico avec sa mère.

Un mois s'est écoulé, et le souvenir du jour où Victoria a emmené Mateo reste aussi douloureux qu'une entaille au rasoir.

– Tu viendras me chercher à l'école, *papi* ? a demandé le garçonnet.

– Non *m'ijo*, a répondu Pablo en s'agenouillant devant lui. Pas tous les jours.

– Qui va venir me chercher ?

– Tu auras une très gentille nounou, a dit Victoria.

– Je veux pas de nounou. Je veux mon *papi*.

Pablo l'a serré fort dans ses bras. Quand il l'a reposé, il a glissé à l'oreille de son ex-femme :

– Je te hais. Tu entends ? Je te hais et j'espère que tu vas crever.

– Reste élégant, Pablo.

Elle a installé Mateo sur le siège enfant de sa Jetta et elle est partie.

Mateo lui a fait signe de la main.

Ce geste lui a brisé le cœur.

Son putain de cœur.

Depuis, Mateo est revenu une fois à Juárez : un petit garçon effrayé qui descend d'un avion en donnant la main à une hôtesse. Ce week-end avec Mateo a été merveilleux, mais Pablo est obligé de se demander si ça en vaut la peine ou s'il fait preuve d'égoïsme car la séparation, le dimanche, avait été très dure pour Mateo qui avait commencé à s'angoisser dès le matin, au point d'avoir mal au ventre et de refuser son petit déjeuner. Et dans l'après-midi, il avait pleuré.

Pablo en est venu à haïr les mots : « *Papi* te verra bientôt. »

Il a rendu son appartement. L'argent sert à payer l'avocat et les séjours à Mexico. Il dort sur le canapé de Giorgio ou, quand le photographe « reçoit » chez lui, sur le canapé d'Ana, dans le salon, à quinze mètres et des milliers de kilomètres de sa chambre.

Le scanner de la police crache :

« Motivo 59. »

– Merde, dit Pablo.

59 est le code qui correspond à un meurtre. Il écoute et entend le régulateur ajouter :

« Deux 92. »

Deux hommes.

Il fonce à l'adresse en question.

Les deux corps sont dans la Colonia Córdoba Américas, au milieu de la Vía Río Champotón, les mains attachées dans le dos par du ruban adhésif.

– Je commence à regretter l'époque où je photographiais des gens vivants, commente Giorgio.

– On connaît leurs noms ? demande Pablo.

Óscar exige toujours des noms. « Pas question de céder à cette mode grotesque de "la victime anonyme" », dit-il.

– Je ne suis que le photographe.

Pablo obtient l'identité des victimes auprès des policiers qui ont récupéré leurs portefeuilles. Jesús Durán et Fernando González, respectivement âgés de vingt-quatre et trente-deux ans.

– Des Sinaloans, dit-il à Giorgio. Des « Nouveaux ».

– Plus maintenant, répond le photographe.

Ça devient difficile de trouver des angles originaux, se lamente-t-il.

Ne m'en parle pas, songe Pablo en écoutant la radio de la police :

« Motivo 59. Un 92. »

Ce corps se trouve à l'arrière d'un pick-up à Galeana. C'est celui d'Abrego.

Ses mains sont attachées par un bracelet en plastique, on lui a enfoncé un chiffon sale dans la bouche et il a reçu deux balles dans le crâne.

Un journaliste moins talentueux que Pablo parlerait d'« un style qui évoque une exécution ».

Deux jours plus tard, Pablo couvre un raid de l'armée sur une maison du quartier de Pradera Dorada dans laquelle les soldats ont saisi 25 fusils d'assaut, 5 pistolets, 7 grenades à fragmentation, 3 494 munitions, des gilets pare-balles, 8 radios et 5 véhicules immatriculés dans le Sinaloa.

Le lendemain, l'armée investit une autre maison, arrête 21 hommes et saisit 10 AK-47, 13 000 doses de cocaïne, 2,1 kilos de pâte de coca, 760 grammes de marijuana, 401 munitions, des uniformes de l'armée mexicaine et de l'AFI et 3 véhicules.

Plus un hélicoptère.

Pablo est dans la salle de rédaction le lendemain matin quand Óscar annonce qu'ils ont reçu un communiqué de presse émanant de la police municipale de Juárez.

– Les policiers ne répondront plus aux appels désormais, explique El Búho. Ils resteront dans leurs postes.

– Autrement dit, commente Ana, les gens payés pour nous protéger ne sont pas capables de se protéger eux-mêmes.

Mais ce repli à l'intérieur des postes de police ne change rien. Le lendemain de la publication de ce communiqué, deux policiers de Juárez sont kidnappés, dans deux endroits différents. Deux jours plus tard, un *comandante* de la police de Juárez est tué d'une balle dans la tête à Chihuahua City.

Le jour suivant, Óscar envoie Pablo et Giorgio à Coyote Street.

Cette maison du quartier de Cuernavaca a été saisie trois semaines plus tôt, après que l'armée y avait découvert presque deux tonnes de marijuana. Puis un coup de téléphone anonyme leur a conseillé de creuser sous le patio.

Quand Pablo arrive sur place, il se retient pour ne pas vomir.

Trois torses humains, privés de leurs bras et de leurs jambes, sont alignés sur la pelouse.

À côté se trouvent deux têtes coupées.

À la fin d'une longue journée, les soldats ont découvert sous le béton neuf corps démembrés.

– Je commence à avoir l'impression d'être un pornographe, dit Giorgio en photographiant les corps mutilés.

Du porno ultra-violent, alors, se dit Pablo. Óscar va-t-il publier ces images dans son journal ?

De nombreux quotidiens le font. C'est même devenu une nouvelle industrie, *la nota roja,* des tabloïds montrant des photos de cadavres – plus c'est sanglant, mieux c'est – vendus à la criée par des gamins, au coin des rues et sur les terre-pleins centraux. Vous pouvez gagner beaucoup d'argent en prenant des photos pour *la nota roja,* et Pablo se demande si Giorgio est tenté.

Pour le moment, Pablo tente d'obtenir les identités des victimes, mais les soldats le regardent comme s'il était fou. Ils n'ont même pas encore associé les têtes et les corps, une tâche macabre à laquelle se livrera le légiste, en essayant de « recoller » les traces de couteau sur les troncs et les cous.

– Des décapitations ! dit Pablo à Ana, ce soir-là, autour d'un verre (bon, d'accord, *plusieurs* verres) au San Martín. Quand est-ce qu'on a commencé à faire ça, à couper des têtes ?

– Ce n'est pas nouveau, répond Ana. Tu te souviens de cette histoire au Michoacán l'an dernier ? Les cinq têtes balancées à l'intérieur d'un night-club ?

– Oui, mais c'est le Michoacán. Un truc de tarés mystiques.

– Ils n'ont pas la tête sur les épaules.

– Ce n'est pas drôle.

– Désolée.

Non, ce n'est pas drôle, se dit-elle. C'est terrifiant, écœurant et traumatisant, et elle se fait du souci pour Pablo. Depuis que Victoria a emmené Mateo, il se comporte comme un réfugié : il passe ses nuits dehors, il boit trop, il dort sur des canapés.

Y compris le tien, se rappelle Ana. Elle a pensé l'inviter dans son lit, mais c'est une mauvaise idée. Pablo est un accident ferroviaire en puissance ; ce serait un suicide de monter à bord du Mora Express. Malgré tout, elle a de la peine pour lui, elle s'inquiète, comme elle s'inquiète pour sa ville… et pour elle.

Avoue-le.

Tu as peur.

Des journalistes ont été tués à Nuevo Laredo et la guerre s'est transportée jusqu'ici. Elle éprouve une sensation de menace dont elle n'arrive pas à se débarrasser. Ça l'énerve. C'est une journaliste endurcie, de la vieille école, qui en a vu des vertes et des pas mûres.

Mais là, ça semble différent.

Des flics qui se planquent dans les postes de police…

Des corps démembrés et décapités, découverts sous des patios…

C'est irréel, comme ces cauchemars causés par l'abus d'alcool et de cuisine épicée.

Sauf que le réveil ne sonne pas.

Pourtant, le lendemain matin, Pablo éclate de rire.

Dans le même communiqué de presse, les services de la mairie de Juárez qui annoncent que quatre-vingt-quinze personnes ont été tuées au cours des deux premiers mois de 2008 se félicitent d'une baisse importante du nombre de personnes qui traversent en dehors des clous.

Puis l'armée intervient. Le maire de Juárez n'en voulait pas, mais il a senti qu'il n'avait pas le choix. La police étant désorganisée, il manquait d'hommes et, parallèlement aux meurtres qui s'accumulaient, les crimes « ordinaires » échappaient désormais à tout contrôle.

Alors, il a passé un accord avec le gouvernement fédéral : Los Pinos expédieraient des troupes en échange d'une totale réorganisation des services de police de la ville. Le gouvernement lance l'Opération Chihuahua et envoie quatre mille soldats, cent quatre-vingts véhicules blindés et un soutien aérien incluant un hélicoptère de combat.

Au début, ça ne sert pas à grand-chose.

Une policière municipale est abattue de trente-deux balles en sortant de chez elle. Dans la petite ville d'El Carrizo, à la frontière du Texas, un chef de la police est assassiné au volant de sa voiture au moment où il s'engageait sur l'autoroute. L'armée doit prendre possession de la ville, car tous les policiers ont démissionné ou se sont enfuis.

Le jour où la police conduit quatre narcos dans un hôpital de Juárez, d'autres narcos font irruption et les exécutent sur leurs civières. Des employés de l'hôpital appellent la police pendant trois heures, mais personne ne se déplace.

La situation ne cesse d'empirer.

Une femme de vingt-quatre ans est prise dans des tirs croisés et tuée dans la station de lavage où elle travaille. Deux flics de Juárez sont abattus alors qu'ils déposent leurs enfants à l'école. Une fillette de douze ans est tuée au cours d'une fusillade où des narcos l'utilisent comme bouclier humain.

Interviewé par Ana, le maire de Juárez déclare qu'il savait que « la saison des meurtres » allait venir, il avait été informé qu'elle débuterait en janvier, mais il ne devait s'agir que d'un conflit entre gangs rivaux.

Le gouverneur précise que sur les cinq cents – cinq cents ! – victimes tuées au Chihuahua depuis le début de l'année, « cinq seulement » étaient des « personnes innocentes ».

Seulement cinq, pense Pablo.

En comptant le bébé dans le ventre de la jeune femme ?

Ça le rend furieux, ces meurtres, ces morts.

C'est insupportable de se dire que nous ne sommes connus que pour cela maintenant : les cartels de la drogue et les massacres. Dans ma ville. La ville qui abrite l'Avenida 16 Septembre, le Théâtre Victoria, les rues pavées, les arènes, La Central, La Fogata, plus de librairies qu'à El Paso, l'université, le ballet, les *garapiñados,* du *pan dulce,* la mission, la plaza, le Kentucky Bar, Chez Fred… Devenue célèbre à cause de ces gangsters débiles.

Et mon pays, le Mexique, patrie d'écrivains et de poètes – Octavio Paz, Juan Rulfo, Carlos Fuentes, Elena Garro, Jorge Volpi, Rosario Castellanos, Luis Urrea, Élmer Mendoza, Alfonso Reyes –, patrie de peintres et de sculpteurs – Diego Rivera, Frida Kahlo, Gabriel Orozco, Pablo O'Higgins, Juan Soriano, Francisco Goitia –, de danseuses comme Guillermina Bravo, Gloria et Nellie Campobello, Josefina Lavalle, Ana Mérida –, de compositeurs – Carlos Chávez, Silvestre Revueltas, Agustin Lara, Blas Galindo –, d'architectes – Luis Barragán, Juan O'Gorman, Tatiana Bilbao, Michel Rojkind, Pedro Vásquez –, de merveilleux cinéastes – Fernando de Fuentes, Alejandro Iñarritu, Luis Buñuel, Alfonso Cuarón, Guillermo del Toro –, d'acteurs et actrices comme Dolores del Rio, « La Doña » Maria Félix, Pedro Infante, Jorge Negrete, Salma Hayek. Aujourd'hui, les « célébrités » sont des narcos, des tueurs psychopathes dont l'unique contribution à la culture sont les *narcocorridas* chantées par des flagorneurs sans talent.

Le Mexique, patrie des pyramides et des palais, des déserts et des jungles, des montagnes et des plages, des marchés et des jardins, des boulevards et des rues pavées, des immenses esplanades et des cours cachées, est devenu un gigantesque abattoir.

Et tout ça pour quoi ?

Pour que les Nord-Américains puissent se défoncer.

De l'autre côté du pont se trouve le marché gigantesque, l'insatiable machine à consommer qui fait naître la violence *ici*. Les Américains fument de l'herbe, sniffent de la coke, s'injectent de l'héroïne, s'enfilent de la meth, et ensuite ils ont le culot de pointer le doigt vers le sud, avec mépris, en parlant du « problème de la drogue et de la corruption au Mexique ».

Mais la drogue n'est plus le problème du Mexique, se dit Pablo, c'est devenu le problème de l'Amérique du Nord.

Quant à la corruption, qui est le plus corrompu ? Le vendeur ou l'acheteur ? Et quel degré de corruption doit atteindre une société pour que sa population éprouve le besoin de se défoncer afin d'échapper à la réalité, au sang versé et aux souffrances endurées par ses voisins ?

Corrompue jusqu'à l'âme.

Voilà le grand sujet.

L'histoire que quelqu'un devrait écrire.

Et peut-être que je le ferai.

Mais personne ne la lira.

Malgré la pression, Pablo tient à peu près le coup, jusqu'au meurtre de Casas.

Le nom du capitaine de la police Alejandro Casas figurait sur la pancarte. Il sort de chez lui pour déposer son fils de huit ans à l'école, en allant travailler, quand cinq hommes armés d'AK attaquent sa Nissan dans son allée.

Casas est tué sur le coup.

Une douzaine de balles de calibre 7,62 pulvérisent le bras gauche du garçon.

Les secours interviennent rapidement, mais il se vide de son sang et meurt dans l'ambulance.

De retour des urgences, Pablo rédige consciencieusement son article, puis il quitte le journal avec la ferme intention de se soûler. Sur le trottoir, un homme qu'il ne connaît pas vient vers lui et glisse une enveloppe dans la poche intérieure de sa veste kaki froissée.

– Qu'est-ce que vous faites ? s'alarme Pablo, pris au dépourvu. Qui êtes-vous et qu'est-ce que vous faites ?

– Prends, dit l'homme.

Il a une tête de flic et la corpulence qui va avec. Torse puissant et épaules larges qui tendent le tissu de sa veste sport grise. Pablo a rencontré des dizaines de flics, mais il ne connaît pas celui-ci.

– C'est quoi ?

– *El sobre.*

Le pot-de-vin.

– Je n'en veux pas.

Le sourire de l'homme se fait menaçant.

– Je te demande pas si tu le veux, *m'ijo*. Je te dis de le prendre.

Pablo tente de lui rendre l'enveloppe, mais l'homme lui saisit le poignet avant qu'il puisse la sortir de sa poche.

– Prends. Tu recevras la même chose tous les lundis.

– De la part de qui ?

– Quelle importance ?

L'homme s'en va.

Pablo déchire l'enveloppe.

Elle contient trois fois son salaire hebdomadaire.

En liquide.

De quoi engager un bon avocat. De quoi, en économisant chaque semaine, prendre un avion pour Mexico deux fois par mois et louer une chambre modeste. De quoi…

Il se souvient d'un vieux *dicho*…

Quand le diable vient, c'est sur les ailes d'un ange.

3

Jolly Coppers on Parade

Oh, they look so nice
Looks like the angels have come down
from Paradise

Randy Newman,
« Jolly Coppers on Parade »

MEXICO
2008

Keller descend l'allée centrale, jusqu'à l'Autel du Pardon.

Tu parles, pense-t-il.

On dit que cet autel doit son nom au fait que les victimes de l'Inquisition y étaient conduites pour obtenir l'absolution, avant d'être emmenées et exécutées.

Yvette Tapia est agenouillée devant, la tête couverte d'un voile.

Keller s'agenouille à côté d'elle.

Elle l'a appelé une heure plus tôt.

Elle a perdu sa belle assurance. Elle est stressée, sous pression. Pas étonnant, si l'on considère qu'elle fuit à la fois Barrera et la police.

– On peut se rencontrer ? a-t-elle demandé.

La cathédrale de la Asunción de Cuernavaca date d'il y a plusieurs siècles ; sa construction a commencé en 1529, soit presque cent ans avant que les Pères pèlerins débarquent à Plymouth Rock, songe Keller. Les pierres provenaient du temple, détruit, dédié au dieu aztèque Huitzilopochtli, on peut donc dire que cette cathédrale est plus ancienne. Elle n'a été achevée qu'en 1713 et depuis, elle a survécu aux inondations, aux incendies et aux tremblements de terre.

Ils ne parlent pas. Keller sent simplement le contact de la main d'Yvette qui dépose un objet dans la sienne. Il le fourre dans sa poche.

Yvette se signe, se lève et sort.

Keller s'oblige à rester encore un peu, le temps de marmonner une prière convenable, puis il se livre à une parodie de confession avec un prêtre mexicain.

Pardonnez-moi, mon père, car j'ai péché, songe-t-il. J'ai menti, j'ai été déloyal, j'ai déclenché une guerre qui a coûté des vies et va en coûter d'autres. Bref, j'ai poussé des hommes à tuer et j'ai nourri de la haine dans mon cœur.

Il ne dit pas cela, mais il confesse avoir eu des pensées impures envers les femmes et reçoit en guise de pénitence une demi-douzaine de « Je vous salue Marie », qu'il récite devant l'autel, avant de quitter la cathédrale.

De retour dans Madero, il résiste à la tentation de glisser la main dans la poche de sa veste pour prendre ce que lui a donné Yvette. Il a vu ça cent fois chez des dealers de rue ou leurs clients : ce geste coupable. Au lieu de cela, il s'arrête devant le stand d'un vendeur ambulant et achète des *papas* dans un sac en papier, avec de la sauce épicée, qu'il mange en scrutant la rue au cas où un suiveur aurait abandonné Yvette pour s'accrocher à lui. Les chips grasses sont bonnes. Il froisse le sac, le jette dans une poubelle, et rentre à Mexico.

C'est une cassette audio.

Keller l'introduit dans un lecteur et met un casque.

« Surtout, poursuivez votre campagne au Michoacán. La Familia représente une grave menace pour la sécurité

du public – ce sont des fous, véritablement... sans compter qu'ils inondent ce pays de méthamphétamine. »

Keller reconnaît cette voix : Martín Tapia.

« Et les Zetas ? »

Keller croit reconnaître celle-ci également.

Gerardo Vera.

À la porte du domicile d'Aguilar, les gardes s'interposent devant Keller.

Il est tard, 22 heures passées, et les gardes sont méfiants. Ils lui demandent ce qu'il vient faire là, quand Lucinda paraît sur le seuil.

– Arturo ?

– Désolé de vous déranger, dit Keller. Luis est là ?

– Entrez, je vous en prie.

Au même moment, Aguilar sort de son bureau et regarde le visiteur d'un air interrogateur.

– Vous avez un instant ?

– Vous avez vu l'heure qu'il est ? répond Aguilar.

– Je voulais attendre que les enfants soient couchés.

Aguilar l'observe, puis il dit :

– Dix minutes. Allons dans mon bureau.

– Voulez-vous un café ? propose Lucinda. Un verre de vin ?

– Non, répond Aguilar, sèchement.

Keller le suit. Aguilar s'assoit dans son fauteuil et regarde son visiteur, l'air de dire : Eh bien ?

– Je suis venu m'excuser, dit Keller. Mes soupçons à votre égard n'étaient pas fondés.

Aguilar semble surpris, mais pas convaincu.

– Merci. Mais cela ne change pas mon opinion à votre sujet. Autre chose ?

Keller sort la cassette de sa poche et la pose sur la table.

– De quoi s'agit-il ?

– Écoutez-la.

Aguilar se lève pour prendre la cassette et l'introduire dans un lecteur. Il se rassoit et écoute. *« Surtout, poursuivez votre campagne au Michoacán. La Familia représente une grave menace pour la sécurité du public – ce sont des fous, véritablement... sans compter qu'ils inondent ce pays de méthamphétamine. »*

– Martín Tapia, dit Keller.

– Vous le savez mieux que moi. Et vous ne m'avez rien dit car vous me soupçonniez d'être complice.

C'est une affirmation, pas une question, alors Keller ne répond pas.

– En avez-vous parlé à Vera ? demande Aguilar.

Aguilar relance l'enregistrement.

« Et les Zetas ? »

Keller voit son visage blêmir et sa mâchoire se crisper, pendant qu'il rembobine et réécoute la bande.

– Non, ce n'est pas possible, lâche-t-il en arrêtant l'appareil.

Keller ne dit rien.

– Où avez-vous eu ça ?

Keller secoue la tête et se penche pour appuyer sur PLAY.

« Et les Zetas ?

– Ils sont sous notre protection maintenant.

– Notre protection, ça veut dire...

– Nous et Adán.

– Il l'a dit spécifiquement ?

– Adán nous a chargés de vous en informer spécifiquement, oui.

– Il y a un problème ? »

Keller met sur PAUSE.

– Je n'en suis pas sûr, mais je pense que c'est Diego.

Aguilar hoche la tête et écoute la suite :

« Inverser la politique du gouvernement de cette façon... ça va coûter plus cher.

– On vous verse déjà un demi-million par mois. »

Keller a l'impression que la mâchoire d'Aguilar va se décrocher.

« Ce n'est pas pour nous. »

Après un moment de silence, Martín Tapia poursuit :

« Nous sommes disposés à verser un bonus raisonnable, en plus du paiement habituel, si cela peut permettre d'aplanir les difficultés.

– Je suis sûr que ça aiderait.

– J'aurais pensé qu'ils seraient ravis de s'attaquer à La Familia. On ne peut pas traiter avec des fanatiques religieux. »

Aguilar interrompt l'enregistrement une fois de plus.

– De qui parlent-ils ? Jusqu'où ça remonte ?

Le moment est venu, se dit Keller.

De décider s'il fait confiance à cet homme ou pas. Si Aguilar est réglo, il coopérera avec moi. Si c'est un ripou, cette cassette disparaîtra et je suis un homme mort.

Il inspire à fond, puis il évoque sa surveillance d'Yvette Tapia, qui l'a conduit aux Amaro, et de là, par déduction, à Los Pinos.

Aguilar encaisse, il découvre sans ciller que son plus proche collègue est corrompu. Keller l'observe pendant qu'il analyse tout cela : un homme face à un échiquier.

C'est extrêmement complexe. Aguilar ne peut pas savoir jusqu'où s'étend la corruption. Son supérieur, le procureur de la République, a été nommé par le président. Sa propre organisation, le SEIDO, est-elle au-dessus de tout soupçon ? Il ne sait plus s'il peut faire confiance aux gens pour qui il travaille, ou aux gens qui travaillent pour lui. Ce n'est pas juste un coup de poignard dans le dos qui pourrait lui coûter son poste ou sa carrière.

C'est une question de vie ou de mort.

Ils pourraient le tuer.

– Luis, dit Keller, vous avez une femme et des enfants. Si vous voulez vous retirer, personne ne songera à vous le reprocher.

– Moi, si.

Aguilar se lève, Keller l'entend dire à Lucinda qu'il sort et ne sait pas quand il va rentrer.

Assis dans une pièce fermée à clé, dans les profondeurs du bâtiment du SEIDO, ils réécoutent la cassette, encore et encore.

Ils dénombrent sept voix différentes au cours de cette réunion.

Martín Tapia, c'est facile, mais ils utilisent un logiciel d'identification vocale pour comparer sa voix avec l'enregistrement des appels téléphoniques en provenance de Cuernavaca. C'est la même.

Aguilar récupère une vieille bande de surveillance de Diego. Les voix concordent là aussi.

Puis ils font de même avec la voix que ni l'un ni l'autre n'ose identifier.

« Inverser la politique du gouvernement de cette façon… ça va coûter plus cher. Ce n'est pas pour nous… Je suis sûr que ça aiderait. »

Aguilar compare avec un autre enregistrement : *« Ils se rendent ou ils meurent. C'est leur seul choix.* Los malosos, *les bandits, ne régneront pas sur le Mexique. »*

Keller regarde les lignes superposées former des pics et des creux identiques sur l'écran de l'ordinateur.

C'est bien la même voix.

Gerardo Vera.

Sans faire de pause, Aguilar s'attaque aux voix suivantes. Cela prend des heures, mais il déniche un enregistrement de Bravo menant un interrogatoire, un autre d'Aristeo donnant une conférence de presse lors de sa nomination, et de Galvén faisant un discours devant une association de bénévoles.

Bravo, Aristeo et Galvén. Leurs voix se font entendre à un moment ou à un autre pendant la réunion.

– Conclusion, déclare Aguilar calmement – comme s'il évoquait un problème théorique devant des étudiants en droit –, nous pouvons bâtir une hypothèse : les Tapia étaient les trésoriers du cartel de Sinaloa. Ils versaient des pots-de-vin à Vera et aux autres, et à de hauts fonctionnaires de cette administration. Puis Barrera a conclu cet arrangement avec nous pour trahir les Tapia, en échange de la liberté de son neveu. Mais, d'une manière ou d'une autre… (En disant cela, Aguilar regarde Keller avec insistance.) les Tapia l'ont su et ils ont provoqué une rupture au sein du cartel. Ils ont assassiné trois officiers de police, ainsi que Salvador Barrera, pour venger Alfredo et améliorer leur position dans la guerre contre Adán Barrera. Ils n'ont pas voulu, ou pas pu, s'en prendre à Vera, et ils n'ont pas prévu que la réaction enflammée de l'opinion publique renforcerait le gouvernement, qu'ils considèrent comme l'allié de Barrera. Alors ils ont fait circuler un enregistrement qui accuse les officiers morts et Vera.

Oui, c'est à peu près ça, se dit Keller.

La question est : Que faire ?

Le premier réflexe est d'arrêter Vera, mais c'est une mesure risquée, et l'imprudence ne fait pas partie du mode de fonctionnement d'Aguilar. Gerardo s'est entouré d'un service de sécurité après la vague d'assassinats visant les policiers, et une fusillade pourrait éclater entre les hommes de l'AFI et ceux d'Aguilar.

En outre, Gerardo a l'oreille du président.

L'avocat qui est en Aguilar reprend le dessus. Cette cassette ne suffit pas pour épingler Gerardo. Il pourrait nier que cette voix est la sienne, il pourrait aussi affirmer qu'il a assisté à cette réunion afin de piéger les Tapia. La preuve : il avait ordonné des raids contre Alfredo et Diego. Pourquoi ferait-il une chose pareille s'ils lui versaient des pots-de-vin ?

– Ce ne sont pas eux qui le paient, dit Keller. C'est Barrera.

– Prouvez-le, réplique Aguilar.

Ils ont besoin de témoins, de quelqu'un qui porte un micro, ils ont besoin d'une enquête complète sur les finances de Gerardo.

– Mais cela ne nous mènera que jusqu'à Vera, dit Aguilar. Et le cabinet du président ?

Ils détiennent des informations qui pourraient provoquer la chute d'un gouvernement. Et ce gouvernement n'enquêtera pas sur lui-même.

Ce qui pose une autre question.

– Avez-vous l'intention d'informer la DEA ? demande Aguilar.

– Je suis censé le faire.

– Ce n'est pas ce que je voulais dire.

Délicat, pense Keller. Il travaille pour la DEA, pas pour le SEIDO. Pour les États-Unis, pas pour le Mexique. Il a en sa possession des documents cruciaux qui ont un impact direct sur des opérations et des enquêtes menées par la DEA, peut-être même sur la sécurité d'agents infiltrés si la DEA communique à Vera des informations qu'il pourrait transmettre ensuite à Barrera.

Nul doute qu'il a transmis des informations sur moi, se dit Keller.

En outre, contrairement au SEIDO, la DEA pourrait mener une enquête indépendante sur le gouvernement mexicain. Elle possède les outils de surveillance nécessaires, le pouvoir de pirater des ordinateurs et de déchiffrer des codes, d'intercepter des communications. Le SEIDO peut en faire autant, dans une certaine mesure, mais le peut-il sans se faire prendre ? Des mouchards ont peut-être été installés.

Donc, la DEA peut agir, et ce qu'elle ne peut pas faire, la CIA ou la NSA le peuvent, mais s'y risqueront-elles ?

Toutes ces agences sont amoureuses de Vera. Si c'était une femme, elles l'épouseraient, et ses supporters à Washington – ils sont légion – feront valoir qu'il obtient des résultats. Peut-être même qu'ils se ficheront de savoir qu'il obtient ces résultats pour le compte de Barrera, du moment qu'il démantèle le cartel de Tijuana, le cartel de Juárez, et maintenant celui du Golfe, les Zetas et La Familia. Keller entend déjà Taylor : Vera palpe un demi-million par mois pour éliminer des narcos ? Tant mieux. On ne pourrait pas le payer autant.

Je deviens trop cynique, se dit Keller.

Un des deux hommes responsables de la lutte contre la drogue est corrompu ? Évidemment que la DEA voudra le savoir. Le cabinet du président est impliqué ? Ça concerne la Maison-Blanche. Les États-Unis envisagent de créer un programme d'aide de plusieurs milliards de dollars. Pour lutter contre le trafic.

Mais il comprend ce que lui demande Aguilar, et pourquoi. Le chef du SEIDO est un patriote, un farouche défenseur de son pays, et aujourd'hui, il a honte. Et il aura encore plus honte si le Grand Frère *yanqui* intervient pour régler le problème, en montrant du doigt la corruption mexicaine. Pour Aguilar, il n'y a pas de pire cauchemar.

– Ça va s'ébruiter, Luis, dit Keller. Vous le savez. Si on n'agit pas, les Tapia trouveront quelqu'un d'autre pour s'en charger à notre place.

Le meilleur des mondes, se dit Keller. En vérité, en me remettant cette cassette, les Tapia réclament l'aide des Américains.

– Accordez-moi juste quelques semaines, dit Aguilar. Laissez-moi faire tout ce que je peux pour achever l'enquête. Si j'obtiens les preuves dont j'ai besoin, c'est moi qui irai trouver vos supérieurs. Nous irons ensemble.

Marché conclu.

Trois des hommes présents à cette réunion sont morts.

Mais on entend une autre voix sur l'enregistrement.

Une voix qui n'a pas été identifiée.

Qui ne se manifeste pas beaucoup. À plusieurs reprises, après que Martín Tapia a affirmé son point de vue, on l'entend approuver : *Chido. Chido.*

Cool, cool.

Ils épluchent tous les dossiers des personnes engagées par Vera pour l'AFI et, depuis sa promotion, au sein de la police fédérale. Ils découvrent ainsi que ces hommes ont autre chose en commun : ils ont tous été flics de terrain dans la difficile *colonia* d'Iztapalapa, au cours des années 1990.

Galvén a travaillé dans ce secteur.

Tout comme Bravo et Aristeo.

Ils débusquent trois autres haut gradés : Igor Barragán, Luis Labastida, Javier Palacios. Tous ont servi avec Vera à Iztapalapa, et tous ont été engagés par lui quand il a créé l'AFI.

Aujourd'hui, Barragán est le coordinateur responsable de la sécurité régionale.

Labastida est le directeur du renseignement.

Palacios dirige les opérations spéciales de l'AFI.

Tous sous l'égide de Vera. Tous ont passé avec succès l'épreuve du détecteur de mensonges pour certifier qu'ils étaient honnêtes.

Vera a fait grimper tout le monde dans la hiérarchie, en même temps que lui, mais qui l'accompagnait à cette réunion avec les Tapia ? Selon toute probabilité, un de ces trois hommes, qui doit sentir la pression maintenant que trois autres ont été assassinés.

Ou a-t-il tourné casaque pour rejoindre les Tapia ?

Quoi qu'il en soit, il pourrait être le témoin dont on a besoin.

Ils cherchent des enregistrements vocaux de ces trois hommes, en vain.

Keller a appris une chose au fil des ans : si la réponse n'est pas dans le présent, on la trouve généralement dans le passé.

Un bidonville, vous le sentez avant de le voir.

À l'université, Keller avait un professeur qui affirmait que la civilisation se résumait à une question de plomberie. Grosso modo, les infrastructures permettant d'apporter de l'eau propre et d'évacuer les eaux usées étaient ce qui permettait aux individus de se rassembler massivement dans des habitations permanentes et de créer des villes et des cultures. Sinon, les gens étaient obligés de vivre en nomades pour échapper à leur merde.

De telles infrastructures n'existent pas à La Polvorilla, le pire bidonville d'Iztapalapa. L'odeur de l'eau stagnante est le moindre des désagréments ; la puanteur de l'urine et des excréments – de chiens, d'ânes, de chèvres, de poulets et d'humains – est une agression contre les sens. Les rues de terre sont des égouts à ciel ouvert qui charrient la merde et *l'agua de tamarindo,* « l'eau de tamarin », appelée ainsi à cause de sa couleur brune.

L'absence d'eau courante implique des corvées quotidiennes qui maintiennent les femmes dans la pauvreté. Chaque jour, elles attendent pendant des heures l'arrivée des camions d'eau, mais parfois les camions n'arrivent pas car ils ont été détournés dans d'autres quartiers d'Iztapalapa avant d'atteindre leur destination.

La plupart des habitations sont des taudis, des cabanes et des baraques aux murs en contreplaqué et aux toits en carton ou en tôle. La nuit, des meutes de chiens sauvages sortent du parc, en quête de nourriture. La plupart du temps, ce sont des ordures ou un poulet imprudent, mais certains ont déjà vu des chiens emporter des enfants.

Le *barrio* est surtout connu pour la drogue, ses pickpockets et ses prostituées, et pour un mystère de la Passion qui attire chaque année des dizaines de milliers de personnes. Il faut croire, se dit Keller, que les gens se déplaceront toujours pour voir quelqu'un se faire crucifier.

Les rues sont encombrées.

Dealers à la petite semaine, putes, gangs de gamins. Ils regardent Keller d'un œil méfiant : il n'est pas d'ici, il n'est pas à sa place ; s'il s'est aventuré à La Polvorilla, c'est pour trouver une femme, acheter de l'héroïne ou de la coke.

Ou alors, c'est un flic.

Keller s'enfonce dans une rue en ignorant les interpellations des tapineuses et des gamins qui vendent de la *mota,* il longe les interminables rangées de cabanes aux toits de tôle ou constitués de vieux panneaux publicitaires.

Il s'arrête devant l'une d'elles. La porte est une ancienne pancarte Coca-Cola, il la pousse pour entrer.

L'unique pièce abrite un matelas nu et une chaise en rotin récupérée dans une décharge. Une plaque chauffante est branchée sur une multiprise d'une autre époque, reliée de manière illégale à une alimentation électrique extérieure, comme l'ampoule nue qui pend au plafond.

C'est là qu'habite une créature rare : une vieille *jaladora.*

Une pute droguée au crack.

La plupart ne vivent pas aussi longtemps, songe Keller, bien qu'il soit difficile de déterminer l'âge d'un camé au crack. À vingt ans, ils semblent en avoir quarante, à trente, on leur en donne soixante, et à quarante ans, s'ils vivent jusque-là, on dirait des vieillards. Le menton ratatiné, l'absence de dents et le regard vide, comme celui qui est posé sur lui à cet instant.

– Ester ? demande Keller.

Il a entendu des histoires sur elle. Il lui a fallu plusieurs jours pour la localiser.

Ester tapote le matelas : c'est une invitation. Elle lui propose un moitié-moitié, puis la totale et finalement une branlette, en voyant qu'il n'est pas attiré par les options plus coûteuses.

– Ester, dit-il, vous racontez une histoire, il paraît. Sur un policier. Du temps où vous étiez jeune et très belle.

– J'étais belle.

– J'en suis sûr. Et vous l'êtes encore. Vous voulez bien me raconter cette histoire ?

– Un *diabolito,* réclame-t-elle.

Une cigarette saupoudrée de crack.

– Quand vous m'aurez raconté cette histoire.

Ester pousse un soupir.

Elle était jolie à cette époque, et pas encore une pute.

De longs cheveux noirs, des yeux sombres, de grands cils.

(Une rose avait fleuri à La Polvorilla, pense Keller en l'écoutant.)

Quinze ans et vierge quand ce policier l'aperçut. Elle marchait dans la rue avec son cousin, ils allaient chez le boucher acheter de la viande de chèvre pour sa mère car c'était la première communion de son petit frère et ils allaient organiser un grand repas. Elle portait sa robe blanche, ses jambes étaient bronzées, ses chevilles salies par la poussière de la rue.

– *Ven aquí, chola !* lança-t-il de sa voiture.

– Je ne suis pas une *chola,* répondit Ester, et elle continua à marcher.

À La Polvorilla, beaucoup de filles appartenaient à des gangs, mais Ester n'était pas du genre à offrir son amour et son corps à un garçon qui serait bientôt mort.

Sa mère l'avait mise en garde : « Ils te refileront une maladie ou un bébé. Ils te drogueront pour te mettre sur le trottoir. »

Sa mère savait de quoi elle parlait, pensait Ester, sans méchanceté.

Elle avait mené cette vie.

Ça ne serait pas la sienne.

Elle était jolie et elle le savait. Elle voyait la façon dont les garçons et les hommes la lorgnaient, et le soir quand tout le monde dormait dans la cabane familiale, elle s'admirait dans le miroir sale et brisé. Elle regardait ses seins, son ventre, son visage et elle savait que les hommes la désiraient. Un soir où elle se mirait ainsi, elle vit que son frère aîné la reluquait, en faisant semblant de dormir, et elle comprit que lui aussi la désirait.

Vivant à La Polvorilla, elle n'était pas une oie blanche.

Ester était vierge, mais pas idiote ; elle savait tout du sexe. Allongée sur son matelas, elle entendait sa mère avec les hommes qu'elle ramenait à la maison. Elle entendait ses gémissements et leurs grognements, les mots murmurés. Elle s'était caressée et elle avait connu ce plaisir, elle avait parlé avec des filles qui l'avaient fait, elle avait échangé des plaisanteries et des moqueries avec des garçons, mais elle savait qu'elle ne voulait pas d'un garçon, elle voulait un homme.

– Où tu vas, petite *mamacita* ? lui demanda le policier en roulant lentement à sa hauteur.

Ester savait que c'était un policier car ils étaient les seuls à conduire ce genre de voitures à La Polvorilla.

– Chercher de la chèvre, répondit-elle, et son cousin pouffa car en espagnol, ce mot veut également dire « cocu ».

Le policier rit lui aussi, et c'est à ce moment-là qu'il commença à lui plaire.

– Chez ce voleur de boucher, là-bas ?

– C'est pas un voleur.

– Tous les bouchers sont des voleurs. Tu ferais bien de me laisser venir avec toi si tu ne veux pas te faire avoir.

– Faites ce que vous voulez, répondit Ester, car une jolie fille peut dire ce genre de choses aux hommes sans avoir de problèmes.

– Tu veux que je t'emmène ?

– Dans une voiture de flics ? Que vont penser les gens ?

– Que tu es une veinarde !

– Non, je ne crois pas. Ils vont croire que j'ai des ennuis ou que j'ai raconté des histoires.

– Quel genre d'histoires tu pourrais bien raconter ?

– Vous seriez surpris.

Ils étaient arrivés devant la boucherie. Le policier descendit de voiture pendant que son équipier prenait le volant et allait se garer. Il entra dans la boutique avec Ester et resta dans un coin pendant qu'elle commandait un kilo de *cabra.* Quand le boucher déposa la viande sur la balance, le policier dit :

– N'appuie pas ton pouce sur le plateau, *'mano.*

Le boucher, le *señor* Padilla, qu'Ester connaissait depuis toujours, fronça les sourcils, mais ne fit aucun commentaire. Il se contenta d'annoncer le prix.

– Emballe la viande et fais-lui *mon* prix, dit le policier.

Le *señor* Padilla grimaça de nouveau. Il emballa la viande dans un papier marron et la donna à Ester. Gênée, elle lui tendit l'argent que lui avait confié sa mère, mais le boucher fit non de la tête. Il n'en voulait pas.

Le policier s'approcha du comptoir.

– Une fois par semaine, tous les vendredis, tu lui feras le même prix qu'à moi. Compris ?

– Compris.

– *Chido.*

Dehors, dans la rue, le policier demanda :

– Eh bien, tu ne dis pas merci ?

– Merci.

– C'est tout ?

– Qu'est-ce que vous voulez ?

– *Un besito.*

Elle l'embrassa rapidement sur la joue.

Dans la voiture, son équipier éclata de rire et klaxonna.

– Hé, joli cœur, on a du boulot !

– Comment tu t'appelles ? demanda le policier.

– Ester.

– Tu ne veux pas connaître mon nom ?

– Si vous voulez. C'est quoi ?

– On m'appelle Chido, « cool », parce que je le dis souvent. Bon appétit. J'espère bien te revoir, Ester.

Alors qu'elle s'éloignait avec son cousin, celui-ci s'exclama :

– Ester, il a au moins trente ans !

Ester le savait.

Elle rentra à la maison et quand elle rendit l'argent à sa mère, celle-ci lui demanda pourquoi Padilla ne l'avait pas fait payer. Elle répondit que c'était un cadeau pour la communion d'Ernesto. Sa mère la regarda d'un drôle d'air, mais n'insista pas. Cette nuit-là, quand Ester se caressa, elle pensa à Chido.

Il l'emmena dîner, il l'emmena dans des bars, il l'emmena danser. Il lui présenta ses amis policiers et ils sortirent avec les autres flics et leurs petites amies.

Chido lui acheta des vêtements pour la mettre en valeur (« Tes robes doivent être aussi belles que toi ») et une des autres petites amies l'emmena acheter du maquillage, lui apprit à l'utiliser et à se coiffer.

Tous les vendredis, elle se rendait à la boucherie et Padilla lui remettait de la viande emballée dans un papier marron. Elle rapportait à la maison de la chèvre, du poulet, du porc, et même un jour, un steak. Et, trois fois par semaine, un homme leur livrait de grosses bouteilles bleues contenant de l'eau potable.

Gratuitement.

– Tu as baisé avec lui ? demanda sa mère.

– Non, maman !

– Ce jour-là, fais bien attention qu'il mette quelque chose ou qu'il jouisse sur ton ventre. Il ne voudra plus de toi si tu te retrouves grosse.

Un mois après leur rencontre, Chido la conduisit dans ce qu'il appelait « sa piaule », un studio qu'il partageait avec ses collègues.

– On vient ici dans la journée pour échapper à la chaleur, expliqua-t-il. On ne peut pas travailler du matin au soir, et on a besoin de se détendre.

Il la fit entrer dans la chambre.

Elle était propre, il y avait de jolis draps sur le lit.

Il l'allongea, déboutonna son chemisier, et elle se laissa embrasser ; il fit glisser sa main vers l'endroit qu'elle seule avait touché jusqu'alors, il effleura ses seins avec sa bouche, puis son ventre, et bientôt, elle se mit à murmurer son nom, *Chido Chido*. Il remonta et entra en elle.

C'était bon, c'était si bon qu'elle noua ses jambes autour de lui pour le garder là éternellement, mais quand il fut sur le point de jouir, il se retira. Quelques instants plus tard, il se rendit dans la salle de bains et réapparut avec un gant de toilette humide. Il lui essuya le ventre, c'était frais et agréable.

– On va te faire prendre la pilule, dit-il. Je déteste les capotes.

– J'ai mis du sang sur tes draps.

Chido haussa les épaules.

– On les changera.

Une femme venait faire le ménage une fois par semaine.

Il se leva de nouveau et revint avec deux bouteilles de bière. Allongés sur le lit, ils contemplèrent par la fenêtre, en buvant, la rue brûlée par le soleil, puis ils s'endormirent, se réveillèrent et refirent l'amour.

Quand elle rentra chez elle ce soir-là, sa mère la regarda, sans rien dire. Mais elle savait, car les femmes savent.

Ester participait à une petite fête dans « la piaule » quand elle apprit, au bout d'un an, que Chido était marié. Elle partageait le miroir de la salle de bains avec la petite amie de Gerardo pour se maquiller quand Silvia évoqua, en passant, l'épouse et les enfants de Chido. Voyant l'expression d'Ester dans la glace, elle dit :

– Tu ne savais pas, hein ?

Ester secoua la tête.

– *Sobrina,* dit Silvia, ils sont *tous* mariés.

Ester rejoignit les autres en faisant comme si de rien n'était, mais plus tard, dans la voiture de Chido, alors qu'il la ramenait chez elle, elle aborda le sujet.

– Et alors ? répondit-il. Tu as la belle vie, hein ? Est-ce que je ne prends pas soin de toi ? De ta famille ? Je t'offre de jolies choses, non ? Je t'emmène dans de beaux endroits.

Elle était forcée de le reconnaître, mais elle dit :

– Je croyais qu'on se marierait un jour.

– Eh bien non, dit Chido. Tu veux retourner faire la queue pour avoir de l'eau et recommencer à bouffer du pozole, vas-y, tu pourras épouser un balayeur. Je t'enverrai un beau cadeau pour ton mariage.

Ester entra et s'allongea sur son matelas, en réalisant qu'elle n'était donc pas une petite amie, mais une *segundera,* une maîtresse.

– Tu me traites comme une pute, dit-elle à Chido, un jour.

Il la gifla, agrippa ses longs cheveux noirs dans son poing, l'arracha du canapé et l'obligea à lever les yeux vers lui. Il dit :

– Tu veux que je te traite comme une pute ? Très bien. Je vais te mettre sur le trottoir, et tu verras ce que c'est. Alors, habille-toi et essaye d'avoir l'air convenable pour une fois. On sort et je ne veux pas que tu me fasses honte.

Ce soir-là, Ester s'endormit – s'évanouit, plus exactement – dans la piaule, et Chido la laissa là car il travaillait de nuit. Il lui avait dit de rentrer chez elle, mais après son départ, elle s'était allongée et s'était endormie. Elle se réveilla en entendant quelqu'un pleurer. Entrouvrant la porte de la chambre, elle vit Chido, Gerardo, Luis et un quatrième homme qu'elle connaissait vaguement, un voleur de voitures.

C'était lui qui pleurait, ses vêtements étaient déchirés, son visage tuméfié et ensanglanté, et quand Luis l'assit brutalement dans un fauteuil, elle entendit Gerardo qui demandait :

– Pourquoi vous l'avez amené ici ?

– C'est cool, répondit Chido. Personne nous a vus.

– Mais du coup, on va devoir trouver une nouvelle piaule, dit Luis.

– Tant mieux, répondit Chido. J'en ai marre de celle-ci.

L'homme assis dans le fauteuil continuait à pleurer et Ester vit de l'urine couler le long de sa jambe, jusque sur le sol.

– Là, on va vraiment avoir besoin d'une nouvelle piaule.

Gerardo s'adressa à l'homme :

– Combien de fois il va falloir te répéter que tu dois nous payer ?

Ester avait envie de refermer la porte, mais elle craignait de faire du bruit.

– Je suis désolé, gémit l'homme. Je paierai, je paierai.

– Trop tard.

Ester vit Gerardo agripper le poignet de l'homme pour l'obliger à garder la main à plat sur la table, puis il prit un marteau et l'abattit sur ses doigts. L'homme hurla et Ester crut qu'elle allait vomir en voyant les os traverser la peau.

– Essaye de voler des voitures maintenant, dit Gerardo.

L'homme hurla de nouveau.

– Ferme-la, bordel, dit Chido.

Mais l'autre ne pouvait plus s'arrêter de brailler. Chido regarda Gerardo, qui hocha la tête. Chido prit alors le marteau et l'abattit sur le crâne de l'homme.

Plusieurs fois.

Ils le saisirent par les bras et les jambes pour l'emmener. C'est alors que Chido tourna la tête et vit Ester.

– Je vous rejoins, dit-il aux autres.

Il poussa Ester à l'intérieur de la chambre, ferma la porte et demanda :

– Qu'est-ce que tu as vu ?

– Rien.

– Parfait. Tu n'as rien vu.

Après cela, elle resta sans nouvelles de lui pendant trois semaines.

Le premier vendredi, quand elle alla chercher sa viande chez Padilla, celui-ci lui annonça le prix, et lorsqu'elle dit « Je n'ai pas autant d'argent », il haussa les épaules et reprit le paquet. Et quand personne n'apporta l'eau potable dans les grandes bouteilles bleues, sa mère dit :

– Pas étonnant qu'il t'ait larguée. Tu as vu ta tête ? Va attendre les camions, on a besoin d'eau pour vivre.

Elle lui tendit un seau en plastique.

Trois semaines plus tard, Ester se mit en quête de Chido. Elle savait dans quel restaurant le trouver le vendredi soir, et après s'être soûlée au *viesca* et au vin, elle entra dans le restaurant et le vit, installé à une table avec Gerardo et Silvia.

Et une autre femme.

Elle marcha jusqu'à la table et s'adressa à Chido :

– Je peux te parler ?

Chido parut à la fois surpris et furieux.

– Fiche le camp. Tout de suite.

– Je veux juste te parler. (Elle éclata en sanglots.) Je suis désolée. Je t'aime, je t'aime. Je suis désolée.

– Tu es ivre. Défoncée.

Silvia se leva de table, prit Ester par l'épaule et tenta de l'emmener.

– Ne te fais pas honte, *sobrina.*

Folle de rage, Ester libéra son bras d'un mouvement brusque et regarda la jolie fille assise à côté de Chido.

– C'est qui, cette connasse ?

– Stop, dit Chido.

– Tu sais qu'ils tuent des gens ? lança-t-elle à la fille qui était assise là, avec sa bouche rouge qui dessinait un O de stupeur. Je les ai vus…

Chido et Gerardo l'attrapèrent chacun par un bras et, cette fois, elle ne put se libérer. Ils l'entraînèrent dans la ruelle. Là, elle vit le visage de Chido, rouge et furieux, elle vit ses yeux et comprit qu'il était défoncé à la coke. Brutalement dégrisée, elle prit peur. Ils la poussèrent contre le mur.

– Qu'est-ce que tu as vu ? l'interrogea Gerardo.

– Rien.

– Qu'est-ce que tu as vu ?

Comme Ester restait muette, Gerardo dit à Chido :

– Tu sais ce qu'il faut faire.

Ester tenta de fuir, mais Chido la rattrapa et la colla de nouveau contre le mur. Puis il vit la bouteille à ses pieds. Une bouteille verte qui avait contenu du mauvais vin. Il la brisa et approcha le tesson du visage d'Ester.

– On t'a dit que tu n'avais rien vu.

– J'ai rien vu.

– Sale menteuse. Maintenant, tu ne verras plus rien.

Il fit glisser le tesson de bouteille sur ses yeux sombres, en plaquant son autre main sur sa bouche pendant qu'elle hurlait et hurlait.

Quand il la lâcha, Ester s'écroula le long du mur ; elle porta ses mains à ses yeux et ne sentit que du sang. Puis elle entendit Chido qui disait :

– Elle ne peut pas identifier ce qu'elle ne peut pas voir. Cool.

Elle les entendit s'éloigner.

Sans doute avaient-ils appelé la police car, quelques minutes plus tard, deux flics arrivèrent, la soulevèrent, l'installèrent à l'arrière de leur voiture de patrouille et la conduisirent à l'hôpital. Là, les médecins firent leur possible, mais Ester ne verrait plus jamais et elle devint la première pute aveugle de La Polvorilla. Comme disait sa mère : Tu n'as pas besoin de voir la bite d'un homme pour la mettre en toi, et les hommes étaient attirés par ce frisson supplémentaire : baiser une femme qui ne les voyait pas. Et quand elle allait chercher de l'eau, certaines personnes, des garçons principalement, s'amusaient à la faire trébucher pour que le contenu de son seau se renverse, mais la plupart des gens étaient bons avec elle et l'aidaient.

Elle n'entendit plus jamais parler de Chido Palacios.

Javier « Chido » Palacios prend son café au même endroit, à quelques rues du siège de l'AFI, tous les jours à 4 heures.

Quand il fait beau, comme en cet après-midi de mai, il s'assoit à une table dehors et boit tranquillement son expresso en regardant défiler le monde sur le boulevard. Ses trois gardes du corps sont postés à proximité.

Keller assiste à cette scène pendant trois jours.

Après une longue discussion avec Aguilar, il a été décidé qu'il effectuerait la première approche.

– Vous ne pouvez pas prendre ce risque, a-t-il expliqué à l'avocat. S'il vous envoie balader, il grille notre couverture. En outre, vous n'avez rien à lui offrir. Vous n'êtes pas en mesure de le protéger au Mexique.

Aguilar l'a reconnu à contrecœur et Keller a commencé à surveiller Palacios, essayant de trouver un moment et un endroit où il serait suffisamment isolé.

Le troisième après-midi, Keller s'assoit à une table à côté de sa cible. Les gardes du corps l'ont remarqué, ils l'observent, puis semblent décider qu'il ne représente aucune menace.

Si la situation rend Palacios nerveux, il ne laisse rien paraître. Son costume sur mesure est impeccable, ses cheveux noirs – à part quelques mèches argentées sur les tempes – sont soigneusement peignés. Il a l'air détendu, sophistiqué : un homme à l'aise dans la vie.

Keller le regarde.

Palacios craque en premier.

– Je vous connais ?

– Vous devriez, Chido.

Palacios tressaille en entendant ce vieil *aporto*.

– Et pourquoi ça ?

– Parce que je peux vous sauver la vie, dit Keller. Vous permettez que je me joigne à vous ?

Palacios hésite une seconde, puis hoche la tête. Quand Keller se lève, les gardes du corps se rapprochent, mais Palacios les repousse d'un geste.

– Je parie que vous pensiez pouvoir laisser Chido derrière vous, à La Polvorilla, dit Keller en s'asseyant.

– Je n'ai pas entendu ce nom depuis des années. Vous êtes qui ?

– Je travaille pour la DEA.

Palacios secoue la tête.

– Je connais tous les gars de la DEA.

– Apparemment non.

– Vous parliez de me sauver la vie. J'ignorais qu'elle était menacée.

– Sérieusement ? Vous venez d'enterrer trois de vos copains. Les Tapia veulent vous tuer. Et s'ils ne le font pas, Adán Barrera s'en chargera. Vous savez forcément que vous figurez sur la liste des espèces menacées.

– Vos collègues de la DEA diraient que vous déconnez à plein tube.

Il faut absolument que je le ferre maintenant, car sinon il filera voir Vera. Alors, il dit :

– Au printemps dernier, vous avez participé à une réunion avec Diego et Martín Tapia. Lors de cette réunion, vous avez accepté d'offrir une protection aux Zetas et d'attaquer La Familia à la place. Participaient également à cette réunion Gerardo Vera, Roberto Bravo et José Aristeo.

Palacios retrouve très brièvement son attitude de La Polvorilla :

– Arrêtez votre baratin.

– J'ai un enregistrement, enfoiré.

Palacios se met à transpirer. Keller voit les gouttes de sueur perler sur son front, juste sous ses cheveux à la coupe parfaite. Il enfonce le clou.

– Réfléchissez. Vous avez un pied sur le quai des Tapia et l'autre sur le bateau de Barrera, et ils s'éloignent l'un de l'autre. Il va falloir choisir, et vos gardes du corps ne pourront rien pour vous quand vous serez à Puente Grande. La seule question est de savoir si les autres détenus vous enculeront avant de vous trancher la gorge.

– Si j'assistais à cette réunion, dit Palacios, c'était pour rassembler des preuves contre…

– Gardez votre salive. Vous pensez que Vera va vous protéger ? Je sais que vous êtes potes depuis l'époque du *barrio,* mais si vous croyez qu'il va risquer sa nouvelle vie au nom du bon vieux temps, c'est que vous ne connaissez pas votre vieil ami.

– Peut-être qu'il est sur cet enregistrement, lui aussi.

– Peut-être, répond Keller. Dans ce cas, ça va être la course entre vous deux car le premier qui conclut un arrangement décroche un visa pour les États-Unis en tant qu'indic, et l'autre se fait défoncer le cul. Qu'est-ce que vous préférez ?

Palacios le foudroie du regard.

Keller se lève.

– Je suis venu vous voir en premier parce que vous pouvez m'offrir ce que je veux : Vera. J'irai le trouver dans exactement vingt-quatre heures, sauf si j'ai de vos nouvelles d'ici là.

Il dépose sur la table un morceau de papier portant son numéro de téléphone.

– C'est une belle journée pour mater les femmes, hein ? Au fait, Ester Almanza vous salue bien, espèce d'ordure.

Keller mime un téléphone avec son pouce et son index – *Appelez-moi* –, sourit et s'en va.

Il n'y a plus qu'à attendre.

Et se préparer au pire : Palacios court alerter Vera et ils lancent une contre-offensive qui pourrait prendre plusieurs formes, la plus probable étant un raid contre le SEIDO pour récupérer l'enregistrement compromettant, le renvoi d'Aguilar sous la pression de Los Pinos, et même une inculpation.

Keller ne rejette pas totalement une autre option : une tentative d'assassinat visant Aguilar.

– Ne soyez pas ridicule, dit celui-ci quand Keller lui fait part de cette possibilité devant un verre de brandy.

Fidèle à son habitude, Lucinda avait préparé un excellent repas, un plat de crevettes épicées avec du riz, et les filles avaient été charmantes comme toujours, parlant spontanément de leurs cours de danse et d'équitation, et plus timidement des garçons qu'elles avaient rencontrés dans une soirée dansante à l'école. Keller avait oublié combien la vie de famille pouvait être agréable, tout simplement.

Puis les deux hommes s'étaient retirés dans le bureau pour parler boulot. Sur son fauteuil, Keller prie pour que son portable sonne enfin. Il l'a acheté uniquement pour recevoir l'appel de Palacios et l'appareil attend dans sa poche, telle une bombe à retardement que l'on souhaite voir exploser. Chaque seconde qui passe augmente la probabilité que Palacios soit allé trouver Vera, ou pire : les Tapia.

– Ce n'est pas ridicule, Luis. En fait, je pense même que vous devriez envisager d'envoyer votre famille à l'abri pendant quelque temps.

– Quelle explication pourrais-je leur donner, Art ? Sans les effrayer ?

– Des vacances. On vous installe aux États-Unis, la DEA se charge de la sécurité.

– Je ne pense pas que Gerardo irait jusqu'à s'en prendre aux familles.

– Mais Barrera, si, dit Keller. Il l'a déjà fait.

– Ils commenceraient par des menaces, non ? Pour m'inciter à coopérer.

– Sans doute. Mais ça ne coûte rien d'être prudent. Les filles n'aimeraient pas passer quinze jours dans un ranch de l'Arizona ? Elles pourraient monter à cheval…

– Avec des selles de cow-boy ? Pour s'abîmer les fesses ?

– Luis, dit Keller, Galvén, Aristeo et Bravo ont été assassinés devant leur domicile. Voulez-vous exposer votre famille à un tel risque ?

– Non, évidemment.

– Alors…

– Je vais y réfléchir.

Ils passent en revue les autres possibilités. Si le supérieur d'Aguilar, le procureur de la République, le convoque pour le renvoyer ou pour mettre fin à l'enquête, ou les deux, cela voudra dire qu'il est corrompu lui aussi, auquel cas Keller quittera très vite le pays avec un double de l'enregistrement.

Le portable vibre.

Aguilar regarde Keller le sortir de sa poche. Celui-ci écoute pendant deux secondes. Puis il dit :

– Parque Mexico. Foro Lindbergh. Dans une heure.

Ils se retrouvent sous la pergola, près des grosses colonnes du Forum Lindbergh.

Un choix intelligent car l'endroit est bien protégé des regards. Mais dangereux, car les arbres derrière les colonnes peuvent masquer des tireurs, surtout de nuit.

Keller sait qu'il va peut-être se jeter dans la gueule du loup. Mais de toute manière il est déjà pris au piège, alors qu'est-ce que ça change ? Néanmoins, il garde la main sur la crosse de son pistolet sous sa veste.

Palacios attend à l'extrémité de la pergola.

Seul, apparemment.

– Je veux partir dès ce soir, dit-il.

– Impossible.

Dès que Palacios aura franchi la frontière, il sera deux fois moins motivé pour parler. Keller a déjà connu ça : après son transfert, un informateur s'assoit sur une chaise dans un bureau et il débite des conneries sans intérêt, jusqu'à ce que tout le monde se lasse et passe à autre chose. Alors, non. Ils doivent soutirer tout ce qu'ils peuvent à Palacios avant de l'exfiltrer.

Mais il faut faire vite.

– Voici comment ça va se dérouler, explique Keller. Vous nous donnez des informations et nous on vérifie si vous dites la vérité. Quand on aura de quoi épingler Vera, vous aurez votre billet d'avion.

Palacios le regarde d'un œil noir.

– Je veux des visas pour moi, ma femme et mes deux enfants adultes. Plus l'immunité. Et je veux conserver mes comptes en banque.

Ce salopard ne veut pas bénéficier du programme de protection des témoins et finir à l'accueil d'un magasin de bricolage à Tucson. Il veut franchir la frontière et mener la belle vie grâce aux millions qu'il a extorqués au cartel de Sinaloa.

– Ça dépend de votre proc, répond Keller.

Il doit courir ce risque, et le plus tôt sera le mieux. Palacios pourrait se dérober face à l'implication du gouvernement mexicain car il croyait traiter exclusivement avec la DEA.

– On n'a plus rien à se dire, lâche-t-il.

– Si vous partez maintenant, vous n'irez pas loin. Vous vous ferez descendre avant de quitter le parc. Vous croyez que vos vieux amis vont attendre de voir si vous retournez votre veste ?

Keller connaît son métier. Il sait qu'il y a un moment pour mettre la pression et un moment pour lever le pied. Il prend un ton plus doux pour ajouter :

– Écoutez. Vous n'avez commis aucun crime aux États-Unis. Vera non plus. La justice américaine ne peut donc vous accueillir qu'à la demande du procureur de la République du Mexique. Tout se fera par l'intermédiaire du SEIDO, en secret.

– Luis Aguilar ? Ce connard qui donne des leçons de morale ?

– C'est votre bouée de sauvetage, Chido.

Palacios rit.

– Où il est ?

– Dans une voiture, Calle Chiapas.

– Allons-y.

Au début, ils se rencontrent dans des voitures, la nuit sur des parkings, puis Aguilar invente une nouvelle *segundera* pour Palacios, une agente du SEIDO prénommée Gabriela, une vraie bombe, une *guapa* avec des jambes interminables, un CV encore plus long – diplôme de droit, maîtrise de sociologie – et une ambition sans limites. Aguilar fournit même des photos de Gabriela à Palacios afin qu'il puisse frimer devant ses copains (« Regardez qui je me tape, les gars ! »), et il s'arrange pour qu'ils s'affichent ensemble dans des bars situés à proximité du QG de l'AFI. Il procure un appartement à Gabriela et veille à ce qu'on la voie sortir le matin pour partir travailler dans une banque du quartier, et rentrer le soir.

L'après-midi, c'est dans cet appartement qu'ils rencontrent Palacios.

Celui-ci joue son propre petit jeu. Il leur fournit quelques informations banales, afin de protéger des renseignements plus compromettants, et ils doivent le bousculer, le dorloter, le menacer. Il laisse échapper les informations comme un pêcheur laisse filer sa ligne, et ils en font autant de leur côté en lui rappelant, sans prendre de gants, que c'est *lui* qui a l'hameçon dans la gueule.

– Vous savez bien que nous allons vous soumettre au détecteur de mensonges, dit Aguilar.

– Ouais, j'y suis déjà passé, répond Palacios avec un sourire satisfait. J'ai réussi le test haut la main.

– Celui-ci ne sera pas truqué. Et au moindre mensonge, notre accord est caduc. Alors, reprenons encore une fois. L'évasion de Barrera…

– Qui était responsable des prisons ? demande Palacios.

– Arrêtez de faire le malin.

– Galvén, dit Palacios. Nacho Esparza a remis cinq cent mille dollars à Galvén et on a partagé.

– Vera a touché sa part ?

– À votre avis ?

– C'est moi qui pose les questions.

– C'est une question débile.

Aguilar soupire.

– Faites-moi plaisir.

– Vera a touché la plus grosse part, comme toujours. Ma devise c'est « Manger comme un cheval, pas comme un porc ». Ce n'est pas celle de Gerardo.

Il est malin, se dit Keller. Il sait qu'il y a des micros dans l'appartement et qu'il se produit devant un public qui inclura tôt ou tard le procureur de la République du Mexique et un tas de *yanquis* de la DEA et de la Justice.

Quand ils abordent le sujet des raids manqués contre Barrera après son évasion, Palacios éclate de rire. Ils sont obligés de revenir sur le sujet des dizaines de fois avant qu'ils estiment détenir enfin toute la vérité. Mais Palacios s'esclaffe de nouveau.

– Vous vous foutez de ma gueule ou quoi ? On le tenait !

– Quand ? Où ?

– Au Nayarit. Quand il a foutu le camp en hélico. Nacho et lui nous ont filé quatre millions pour assurer l'étape suivante.

– Est-ce que Vera…

– A touché sa part ? Évidemment. Vous avez failli l'avoir à Apatzingán, leur confie Palacios. Mais on l'a emmené ce soir-là et on a mis le sosie à la place. Après cela, Barrera est retourné dans le Sinaloa.

– Où ça ? demande Keller.

– Notre accord concerne Vera, pas Barrera.

De toute façon, il n'en sait pas plus, affirme-t-il. El Patrón se déplace de *finca* en *finca,* dans les montagnes du Sinaloa et du Durango. La police le protège, les habitants aussi, et il possède sa propre armée désormais : Gente Nueva.

– Ce sont eux qui se battent à Juárez ? demande Aguilar.

– Vous le savez déjà.

Les rencontres se poursuivent. Parfois, Palacios rejoint Gabriela chez elle, parfois il lui offre une suite dans un hôtel cinq étoiles : le Habita, le St. Regis, Las Alcobas, le Four Seasons, mais jamais le Marriott. Ils prennent une suite afin que Gabriela puisse attendre dans le salon, où elle n'entend rien, et partir juste avant ou juste après Palacios.

– Essayez d'avoir l'air bien baisée, lui dit-il un jour à l'hôtel Habita. J'ai une réputation à défendre.

Gabriela est trop disciplinée pour réagir.

À chaque séance, Palacios joue à cache-cache, mais Aguilar et Keller le travaillent au corps, comme un boxeur qui accule son adversaire dans un coin du ring. Dans sa jeunesse, Keller avait été un bon poids moyen amateur. Il savait être patient, comme aujourd'hui : il laisse Palacios danser et se déplacer, mais il coupe le ring et le force à reculer contre les cordes, là où surgit la vérité.

Palacios leur explique comment fonctionnait la combine.

De simples flics, conduits par Gerardo Vera, avaient constitué à Iztapalapa un réseau de trafic de drogue, de racket, d'enlèvements et de vols de voitures, devenu un petit empire qui dealait de la drogue pour le compte de Nacho Esparza et des Tapia.

Ils détenaient un monopole dans les quartiers Est de Mexico, qu'ils avaient renforcé à coups de menaces et d'arrestations sélectives et – quand ça ne suffisait pas – d'agressions, de kidnappings et de meurtres.

Le cartel d'Izta.

Les Tapia décidèrent alors d'utiliser leur influence politique pour faire muter Vera dans la vieille police fédérale d'avant le PRI. Là, il suivit les règles pendant des années : l'incarnation parfaite du flic incorruptible. Un vrai Eliot Ness. Discrètement, il fit venir ses copains – les mêmes enfants de chœur – jusqu'à ce que tout ce joli monde grimpe suffisamment haut dans la hiérarchie pour pouvoir rendre service au cartel du Sinaloa.

Quand la nouvelle administration décida de réorganiser l'ancienne police fédérale « corrompue », les Sinaloans décrochèrent le jackpot. Vera noyauta totalement l'organisation en renvoyant ceux qu'il ne pouvait pas contrôler et en engageant des personnes loyales. Et il nomma à des postes importants des types de son ancien cartel d'Izta.

Un coup de génie, Keller doit le reconnaître. Vera s'était servi des détecteurs de mensonges pour éliminer les indésirables et blanchir les autres, afin de parvenir au résultat souhaité. Vous pouviez mentir, mais pas à Gerardo Vera. Vous pouviez piquer du fric aux narcos, à condition de choisir les bons. Vera avait transformé l'ensemble de l'AFI en une organisation efficace qui servait aveuglément les intérêts du cartel de Sinaloa.

En faisant sortir Barrera de prison.

En veillant à ce qu'il échappe aux raids.

En menant la guerre contre les flics à la solde du cartel du Golfe à Nuevo Laredo.

Vera n'avait pas à craindre la moindre enquête, qu'elle vienne d'en bas – ses propres hommes – ou d'en haut, grâce aux mallettes qu'Yvette Tapia remettait aux Amaro.

C'était un superbe système, aussi fluide qu'un chemin de fer allemand, en dépit des élections et de la nouvelle administration, qui avait installé Vera à un poste plus élevé encore. Cela aurait dû continuer éternellement.

L'argent transitait par les Tapia et, d'après ce que savait Palacios, il provenait d'un fonds commun alimenté par Esparza, Barrera et les Tapia eux-mêmes. Pour nommer dans telle ou telle région un chef de l'AFI docile, il en coûtait un million, et entre cinquante mille et cent mille dollars de salaire mensuel, dont 20 % étaient reversés au cartel d'Izta.

Cinq cent mille dollars revenaient à Vera chaque mois. Les autres – Galvén, Aristeo, Bravo et Palacios – recevaient des sommes dégressives, en fonction de leur grade.

– Combien vous empochiez ? demande Aguilar un après-midi, au Four Seasons, sans parvenir à masquer son dégoût.

– Deux millions par an, répond Palacios, en toute décontraction.

Les services particuliers – l'évasion de Puente Grande, la fuite après le raid au Nayarit, l'élimination de Contreras, les descentes visant les Tapia – exigeaient des suppléments, explique Palacios.

Dans ces cas-là, c'était généralement Esparza qui se chargeait des versements.

– D'où venait l'argent ? interroge Keller.

– Du Patrón, je suppose. Je n'ai pas posé la question.

– Jusqu'où ça monte ? veut savoir Aguilar.

Palacios hausse les épaules.

– Moi, je m'arrête à Vera. Ce qu'il fait de son fric ensuite…

– Los Pinos ? demande Aguilar. Nous savons que de l'argent a été remis à Benjamin Amaro.

– Alors, vous en savez plus que moi.

Aguilar insiste, d'une voix crispée :

– Le procureur de la République ?
– J'en sais rien.

Au cours de la rencontre suivante, au St. Regis cette fois, Aguilar demande :
– Parlez-nous de la réunion avec Martín Tapia.
– Dites-moi quand je pars pour *el Norte*.
– Quand on le décidera, répond Keller.
Mais il comprend l'angoisse de Palacios. Chaque jour, la situation devient plus dangereuse pour lui, chaque jour, il court le risque d'être abattu par les Tapia, ou par Gerardo Vera lui-même. Keller se fiche qu'il se fasse tuer – bon débarras –, mais pas avant que ce salopard ait craché tout ce qu'il sait et témoigné.
– Je veux aller dans l'Arizona, déclare Palacios. Pas au Texas. J'aime bien Scottsdale.
– Ça pourrait aussi être Akron, dit Keller.
– Et je veux une voiture. Une Land Rover ou une Range Rover.
– Vous vous croyez où, bordel ? Au *Juste Prix* ?
– Parlez-nous de la réunion avec les Tapia, insiste Aguilar.
– On pourrait se faire livrer un déjeuner ? Je n'ai pas mangé.
Gabriela appelle la réception pour faire monter des sandwiches.
Tout en mâchant une *torta*, Palacios dit :
– Vous voulez savoir quoi, en fait ? On s'est retrouvés…
– Vera était-il là ?
– Vous le savez bien.
– Je répète : Était-il là ?
– Il était assis à côté de moi.
– Et…
– Martín nous a annoncé qu'ils avaient fait la paix avec le Golfe et les Zetas. Et qu'on devait taper sur La

Familia à la place. Qu'est-ce que ça pouvait nous foutre ? Un narco, c'est un narco.

– Vera a dit que certaines personnes auraient besoin de plus d'argent, dit Aguilar. Quelles personnes ?

– Je ne sais pas.

– Vraiment ?

– Demandez à Gerardo.

Lors de l'entrevue suivante, Aguilar commence par :

– Parlez-moi des raids contre les Tapia.

– C'est plutôt à vous de m'en parler.

– Comment ça ?

– Tout ce que je sais, c'est que Gerardo voulait qu'on se voie. En dehors du bureau. On va se balader. Il était dans tous ses états, je ne l'avais jamais vu comme ça. Vous connaissez Gerardo : toujours froid.

– Et ?

– Il m'annonce qu'on doit s'en prendre aux Tapia. J'ai failli chier dans mon froc. Les Tapia, tu te fous de moi ? je lui réponds. Tu sais combien de pognon ils nous ont refilé ? Là, il me sort que ça vient d'en haut.

Keller l'interrompt :

– Vous lui avez demandé ce que ça voulait dire ?

– Il a levé la main au-dessus de sa tête, genre « très haut ». Barrera va pas apprécier, je lui réponds. Et là, Gerardo me regarde, sans rien dire, et je comprends : ça vient de Barrera. Je m'en fous, je lui dis, je refuse, c'est du suicide de s'en prendre aux Tapia. Et lui, il me lâche : C'est pour ça qu'on n'a pas intérêt à merder.

– Il vous a précisé pourquoi Barrera voulait éliminer les Tapia ?

Palacios se lance alors dans un grand numéro, comme quoi Gerardo ne lui a rien dit précisément, mais apparemment Diego prenait trop de pouvoir et Alberto était trop voyant, et ils étaient tous à fond dans cette connerie de

Santa Muerte. Adán trouvait qu'ils devenaient un handicap, un risque.

Tout cela est vrai, se dit Keller, cependant il sent que Palacios ment, il est sûr que Vera lui a parlé du scandale provoqué par le double meurtre de Salvador Barrera, mais Palacios ne veut pas qu'Aguilar sache qu'il est au courant de l'accord « Tapia contre Sal ».

C'est une information très dangereuse, en effet.

– Mais vous avez merdé, dit Keller.

Palacios proteste en levant les mains.

– Pas moi ! Galvén a joué au con et il a buté Alberto. Et ensuite, on n'a pas réussi à mettre la main sur Diego.

– Pas réussi ou pas voulu ? demande Aguilar. C'est toujours lui qui vous paie ? Vous êtes encore en vie, après tout.

– Putain ! Vous croyez que les Tapia vont nous reprendre alors qu'on a flingué le petit frère ? Vous croyez qu'on va doubler Barrera ? On joue notre peau.

– Vous buvez votre café au même endroit tous les jours, souligne Keller.

– Quand je ne suis pas ici en train de vous tailler une pipe. Vous croyez que je ferais ça si j'avais conclu une paix séparée avec Diego ? Ah, bordel de merde, cette connasse ne peut pas penser à la moutarde pour une fois ? C'est quand même pas compliqué.

Le jeu se poursuit.

Aguilar exige des noms, des numéros de téléphone, il veut voir les relevés de compte de Palacios, la liste de ses appels, ses mails. Pendant ce temps, Keller joue à un autre jeu de son côté. Il se force à déjeuner avec Gerardo Vera, à aller boire des verres avec lui, à l'écouter parler de ses problèmes.

Une véritable guerre a éclaté au Sinaloa et au Durango entre les fidèles de Barrera et les Tapia.

Huit morts dans une fusillade le mardi.

Quatre autres le mercredi…

Deux cent soixante victimes à la fin du mois de juin.

Et puis, hier, sept agents de l'AFI ont été tués à Culiacán en attaquant une planque qui abritait des tueurs de Diego.

Ce matin même, une banderole est apparue sur un pont de Culiacán. On pouvait y lire : « C'est pour vous, gouverneur Villa. Soit vous concluez un arrangement avec nous, soit on s'occupe de vous. Ce gouvernement qui travaille pour le compte de Barrera et d'Esparza va mourir. »

D'autres banderoles commencent à apparaître dans toute la ville, avec ce message : « Petits soldats de plomb et policiers de pacotille, ce territoire appartient à Diego Tapia. »

– Il faut agir, dit Keller à Aguilar après une nouvelle rencontre avec Palacios. Cette histoire va nous exploser à la gueule.

– Vous êtes ami avec les Tapia, répond Aguilar d'un ton cassant. Demandez-leur de nous laisser un peu de temps.

Puis Palacios regimbe. Déterminé, il déclare qu'il ne livrera plus aucune information tant qu'on ne lui garantira pas le droit d'asile aux États-Unis.

– Vous m'embobinez depuis des semaines, dit-il. Ça suffit.

Et il s'en va.

Ça fait bizarre d'être de retour aux États-Unis, se dit Keller. Après combien de temps ? Trois ans ?

Bizarre d'entendre cette langue, de voir ces horribles billets verts.

Il fait chaud et humide à Washington en juin, et Keller transpire déjà avant de monter dans un taxi pour se rendre à la DEA. Au moins a-t-il réussi à prendre un avion qui atterrissait à National et il n'est pas obligé d'affronter l'odyssée entre Dulles et la capitale.

Quand la secrétaire annonce à Tim Taylor qu'un certain Art Keller souhaite le voir, la nouvelle provoque l'enthousiasme réservé généralement à une coloscopie. Taylor glisse la tête hors de son bureau, constate la triste réalité, et fait signe à Keller d'entrer.

– Ne me transmettez aucun appel, dit-il à sa secrétaire.

Keller s'assoit devant le bureau de Taylor.

– Alors, demande celui-ci, comment se passe la traque de Barrera ? Pas très bien, hein ?

Keller sort la copie de la cassette des Tapia, l'introduit dans le dictaphone de Taylor et appuie sur PLAY.

– Une des voix est celle de Martín Tapia, l'autre est celle de Gerardo Vera, précise-t-il.

Taylor blêmit.

– Putain de merde ! Comment avez-vous eu ça ?

Keller ne répond pas.

– Toujours le même, hein ? Comment savez-vous que c'est Vera, d'abord ?

– Logiciel de reconnaissance vocale.

– Irrecevable devant la justice.

– Plus un témoin.

– Qui ?

Taylor n'est pas content. Il l'est encore moins quand Keller lui annonce que ce témoin est Palacios.

– C'est le flic numéro trois au Mexique.

Keller lui parle de la mafia d'Izta, des meurtres des trois policiers et lui livre les morceaux choisis du témoignage potentiel de Palacios.

– Et vous avez tout ça sur des bandes ?

– Aguilar.

Taylor se lève et regarde par la fenêtre.

– C'est la quille dans dix-huit mois. J'ai acheté un de ces camping-cars où il manque juste le jacuzzi à l'arrière. Ma femme et moi, on va faire le tour du pays. Je n'ai pas besoin de ça maintenant.

– Il me faut un visa d'indic pour Palacios. Des papiers. La totale.

– Sans blague ?

– Idem pour Aguilar, éventuellement, si ça part en vrille.

– Oh, c'est déjà le cas, répond Taylor. Savez-vous quelle quantité d'informations nous avons partagées avec Vera ?

– J'ai une petite idée.

– Non, pas la moindre. Car on lui a expressément demandé de ne pas vous tenir au courant de tout. Si ce que vous affirmez est vrai, toutes nos opérations en cours là-bas et un paquet d'opérations ici sont compromises. On va devoir extraire des agents…

– Si ce que j'affirme est vrai, dit Keller, et ça l'est, l'ensemble du système judiciaire du Mexique est corrompu.

– Palacios peut très bien inventer cette histoire pour obtenir son billet d'avion, fait remarquer Taylor.

– Oui, possible. Mais dans ce cas, pourquoi aurait-il besoin de ce billet ? Si tout ça est bidon, si sa vie n'est pas menacée ?

Taylor réfléchit une seconde, puis il explose :

– Votre mission était claire, précise. Contribuer à la traque de Barrera. Vous n'étiez pas autorisé à mener une enquête sur la corruption au sein des forces de police d'une nation étrangère…

– Vous préférez ne pas savoir ? rétorque Keller. Vous vouliez que je garde ça pour moi jusqu'à ce que Vera livre un de vos agents infiltrés à Barrera pour qu'il le torture ?

– Bien sûr que non. (Taylor soupire, il est fatigué.) Il faut que j'en réfère en haut lieu. Vous allez devoir intervenir et débiter tout votre baratin. Putain. *Putain !* Je croyais qu'on avait enfin… Bon, laissez-moi appeler le directeur, ça va le rendre fou de joie. Arrangez-vous pour que je puisse vous joindre rapidement. Vous voulez autre chose ou est-ce que ça vous suffit d'avoir gâché ma vie ?

– Des réservations dans un ranch pour touristes en Arizona.

Taylor le foudroie du regard.

– Pour la famille d'Aguilar, précise Keller.

– Voyez ça avec Brittany dehors.

– Vous pouvez mettre la note sur le compte...

– Oui. Sortez.

Les batailles bureaucratiques sont sanglantes.

D'autant plus que c'est généralement le sang des autres qui coule, alors merde.

Voilà ce que se dit Keller, assis à une grande table en compagnie de Taylor, du directeur de la DEA, de représentants de la Justice, du Département d'État, des Services d'immigration et de naturalisation et de la Maison-Blanche. Il y a certainement un type de la Compagnie quelque part dans un coin.

Le directeur de la DEA préside la réunion.

– Si les informations de l'agent Keller sont exactes, nous sommes face à une crise.

– L'agent Keller, intervient le représentant de la Justice, un avocat d'un certain âge nommé McDonough, nous présente un enregistrement douteux et un témoin qui l'est encore plus. Personnellement, je ne mettrais pas en danger nos relations avec le Mexique à cause des racontars d'un policier véreux.

Keller connaît McDonough, un ancien procureur de l'Eastern District de l'État de New York. Il a grossi, son visage est encore plus rouge, ses bajoues plus tombantes, et au prochain beignet à la confiture, c'est le triple pontage assuré.

– Je suis d'accord, dit la représentante du Département d'État.

Susan Carling a des cheveux roux bouclés, une peau blanche comme la craie et un doctorat de Yale.

– D'où vient cet enregistrement ? demande McDonough.

– Cette cassette m'a été remise par un informateur au sein de l'organisation des Tapia, mais je ne vous en dirai pas plus.

– Agent Keller, répond McDonough, vous ne pouvez pas cacher l'origine de vos informations. Ce n'est pas possible.

– Dans ce cas, virez-moi, dit Keller.

– *Ça,* en revanche, c'est possible.

– Vous disposez d'une source à l'intérieur de l'organisation des Tapia ? intervient le directeur de la DEA. Sauf erreur, vous n'avez pas ouvert de dossier.

– Non, je n'ai pas d'indic chez les Tapia, répond Keller. Quelqu'un m'a remis cette cassette et…

– Entretenez-vous des relations avec eux ? insiste McDonough. Car si vous n'avez pas ouvert de dossier, c'est une faute et cela vous expose à des soupçons de…

Taylor le coupe :

– Pourrions-nous aborder le véritable sujet, Ed ? Si un indicateur venait vous dire que le numéro trois du FBI était à la solde de la famille Gambino, vous ne seriez pas en train de lui chercher des poux dans la tête pour des questions de procédure. J'ai des gens là-bas, et ils courent maintenant un risque épouvantable.

– Potentiellement, souligne McDonough.

– Allez donc au Tamaulipas en courant un risque « potentiel » et dites-moi ensuite que vous avez du temps à perdre avec ces chicaneries à la con, poursuit Taylor. Keller protège sa source. C'est un emmerdeur, mais il est comme ça. Continuons.

Le représentant de la Maison-Blanche intervient :

– Le gouvernement mexicain est extrêmement sensible aux accusations de corruption, surtout venant de nous. Si nous mettons le doigt là où ça fait mal, nous risquons de saboter des années de diplomatie qui commencent enfin à porter leurs fruits. Cela pourrait faire capoter toutes les mesures antidrogue que la DEA a eu tellement de mal à instaurer. Sans compter que cela pourrait nous mettre dans l'embarras au Congrès.

– Je ne voudrais surtout pas embarrasser qui que ce soit, dit Keller.

– Ironisez tant que vous voulez, mais sachez qu'il n'a pas été facile de faire adopter le plan Mérida par le Congrès. C'est bien ce que vous réclamiez, non ?

Keller connaît les détails de ce plan d'aide : treize hélicoptères Bell 412EP, onze Black Hawk, quatre avions de transport CN-235, plus des scanners dernier cri, des machines à rayons X et du matériel de communications. Sans oublier la formation des policiers et des militaires mexicains.

La même formation que nous avons dispensée aux Zetas, se dit-il.

– Que voulez-vous qu'on fasse ? reprend l'envoyé de la Maison-Blanche. Qu'on retourne au Congrès en disant « Oups ! Laissez tomber, les gars. En fait, on allait verser un milliard et demi de matériel militaire sophistiqué à une bande de flics corrompus. On allait livrer des Black Hawk au cartel de Sinaloa. » Non, pas question.

– Impossible de revenir sur le plan Mérida à ce stade, ajoute Carling. La loi va être promulguée dans trois jours. Les dégâts au niveau de nos relations avec le Mexique seraient inestimables.

– Quelle est l'option, alors ? demande le directeur. Continuer à laisser croire à nos alliés que leur flic numéro un est un type intègre, en sachant pertinemment…

– Prétendument, le coupe McDonough.

– … qu'il est prétendument à la solde des cartels ?

– S'ils ne le savent pas déjà, ajoute Keller.

– Nous ne voulons pas déclencher un incident international, insiste le directeur. Nous voulons juste un visa Q pour Palacios.

McDonough se penche en avant.

– Il s'agit d'un problème intérieur. Le ministère de la Justice autorisera une action seulement si le procureur de la République du Mexique nous adresse une requête. Quant à M. Palacios, nous ne pouvons prendre ses affirmations pour argent comptant.

– Vous avez l'enregistrement de Vera, fait remarquer Keller.

– Il n'y a aucune traçabilité sur cette bande, dit McDonough. Nous ne connaissons pas son origine, elle a très bien pu être bidouillée par les Tapia afin de neutraliser leur adversaire le plus dangereux. N'ayant pas réussi à éliminer Vera, ils veulent nous pousser à le faire à leur place.

Carling intervient :

– Ils ont pu vous envoyer Palacios dans le but de saborder le plan Mérida.

– Un projet qui doit inquiéter au plus haut point les cartels, ajoute le représentant de la Maison-Blanche.

– Oui, ils tremblent de peur, dit Taylor. (Il se tourne vers McDonough.) De quoi avez-vous besoin pour retourner Palacios ?

– Faites-lui porter un micro. Je veux entendre Vera en train de s'accuser lui-même, sur un enregistrement que nous pouvons authentifier, et peut-être que nous pourrons commencer à discuter alors.

Taylor s'adresse à Keller :

– Vous pouvez convaincre Palacios de porter un micro ?

– Je ne sais pas. Vera est malin et il commence à flipper…

– Nous parlons d'une opération unique, dit le directeur, pas d'une surveillance à long terme.

– Tentez le coup, dit McDonough. Si vous nous apportez un enregistrement de Vera, on vous accordera le visa.

Il se tourne vers Carling, qui opine.

– Et Aguilar ? demande Keller. La protection pour lui et sa famille ?

– Le chef du SEIDO, répond McDonough, a de bonnes raisons de s'entretenir avec ses homologues aux États-Unis. S'il décide de ne pas retourner au Mexique, je suis certain que nous pourrons trouver une solution.

– Nous ne pouvons pas accorder la citoyenneté à un officier de renseignements qui lance des accusations de l'autre côté de la frontière, dit Carling.

– Nous pourrions malgré tout trouver une solution, n'est-ce pas, Susan ? demande McDonough avec lassitude.

– L'autre possibilité, suggère Keller, c'est que je conduise moi-même Luis Aguilar de l'autre côté de la frontière, en partant de Juárez, et que je le dépose à l'entrée du *Washington Post,* qui se fera un plaisir de publier un long article pour raconter que cette administration n'a pas levé le petit doigt afin de protéger un honnête procureur et sa famille. Et je veillerai à ce que vos noms soient correctement orthographiés.

McDonough se tourne vers Taylor.

– Vous avez raison… c'est un emmerdeur.

Taylor hausse les épaules.

Carling dit :

– Je suis sûre que personne ici ne souhaite étaler la politique étrangère de ce pays dans les médias. Je n'ai pas voulu dire que M. Aguilar ne serait pas le bienvenu chez nous, mais simplement qu'il devrait se montrer discret.

– Parfait, dit le directeur. Il reste une dernière question : Doit-on informer nos homologues mexicains de cette opération ?

– Si nous lançons une opération sur le sol mexicain contre un de leurs hauts fonctionnaires sans leur accord, les conséquences diplomatiques seront lourdes.

– Ah bon ? Ils vont refuser l'argent ? ironise McDonough.

– Ce n'est pas impossible, répond Carling. Ce serait faire insulte à leur fierté, et ils penseraient que nous n'avons pas confiance en eux…

– C'est le cas, dit Taylor.

– Voilà exactement le genre d'attitude…

Keller l'interrompt :

– Si nous les informons maintenant, cela pourrait compromettre toute l'opération.

– C'est un risque à prendre.

– Ce n'est pas vous qui le prenez, rétorque Keller. Ce sont Palacios et Aguilar. Ils peuvent se faire tuer, et leurs familles aussi.

– Vous n'exagérez pas un peu ? demande le représentant de la Maison-Blanche.

– Non. Je refuse d'envoyer Palacios dans la gueule du loup avec un micro si vous informez les Mexicains, et à plus forte raison si vous attendez leur permission.

McDonough se tourne de nouveau vers le directeur.

– C'est vous qui dirigez cette agence ou c'est Keller ?

– En tant qu'agent sur le terrain, répond Taylor, c'est lui qui connaît le mieux la situation et les personnes impliquées. Et j'ai confiance dans son jugement et dans sa discrétion.

– Envoyez un autre agent, dit Carling.

– Palacios refusera de coopérer. De toute façon, nous discutons dans le vide. Les Mexicains sont sûrement déjà informés. Le chef du SEIDO mène l'enquête, nous nous contentons de coopérer, comme de bons voisins. C'est à lui qu'il incombe d'informer ses supérieurs. Voilà votre échappatoire. Si les Mexicains poussent de grands cris effarouchés, vous pourrez montrer Aguilar du doigt, en jouant les innocents.

Le silence autour de la table indique qu'un compromis a été trouvé. McDonough regarde sa montre, puis Keller, et dit :

– Vous avez votre feuille de route. Placez Palacios dans une pièce avec Vera et un micro.

– Mais pas avant trois jours, précise l'homme de la Maison-Blanche.

Keller comprend : dans trois jours, le plan Mérida sera devenu une loi.

Le Département d'État sera content.

La DEA sera contente.

Les Mexicains seront contents.

Adán Barrera sera content car il disposera de nouvelles armes dans sa guerre contre… contre presque tout le monde désormais.

Keller quitte la salle.

– Quand tout ça sera terminé, dit McDonough, virez-moi ce type.

– Allez vous faire foutre, Ed, répond le directeur.

Keller prend le vol de nuit pour Mexico.

Il est aussi reconnaissant que surpris du soutien que le directeur et Taylor lui ont apporté. Mais je ne devrais pas m'en étonner, pense-t-il, ces deux hommes ont foi en ce qu'ils font, ils sont soucieux de la sécurité de leurs agents. Et ils prendront la défense de leur organisation en cas d'escarmouche bureaucratique à la frontière.

Cela ne les a pas empêchés de lui passer un savon après la réunion, mais ils sont totalement investis dans l'opération et ils dressent des plans logistiques pour faire franchir la frontière à Palacios, ils travaillent avec l'Immigration pour obtenir des papiers, ils établissent une liaison satellite afin de photographier la rencontre entre Vera et Palacios.

– On va commencer à éplucher les finances de Vera, a annoncé le directeur.

– Ils vont piquer une crise, à la Justice, a répondu Keller.

Car cela veut dire pirater des ordinateurs, des comptes bancaires, des ordres de virement, des dossiers immobiliers.

– Qu'ils piquent une crise. Je passerai par la NSA.

Ils envisagent également de prendre des mesures préventives : rappeler des agents infiltrés, expurger tous les rapports sur le point d'être transmis à l'AFI, suspendre ou du moins ralentir les opérations visant le cartel de Sinaloa.

– Avez-vous besoin d'hommes supplémentaires sur le terrain ? a demandé Taylor. Surveillance, assistance, communications ?

– Communications, peut-être, a répondu Keller. Mais je ne veux pas qu'une activité inhabituelle mette la puce à l'oreille de Vera.

– Soyez prudent, lui a répété Taylor en le déposant au terminal des départs de l'aéroport National. N'oubliez pas que votre tête vaut cinq millions de dollars.

– Je croyais que c'était deux.

– Barrera a augmenté la mise. Dès qu'on accentue la pression sur lui, il la répercute sur vous. On reste en contact.

Une fois n'est pas coutume, Keller a bu un scotch pour essayer de dormir, mais sans succès. Il a juste somnolé et il était parfaitement réveillé bien avant que l'avion n'entame sa descente sur Mexico.

Il s'y sent plus chez lui qu'à Washington DC désormais, même s'il sait que les flics de l'aéroport ont certainement repéré son aller-retour et vont alerter les Tapia ou Nacho Esparza, en fonction du camp qu'ils ont choisi.

À l'aéroport, il retrouve Aguilar venu accompagner sa famille.

– Je vous rejoins dans une semaine. Peut-être moins, dit-il à ses filles qui semblent tristes et un peu intriguées par ce voyage.

– Pourquoi tu ne viens pas avec nous maintenant ?

– J'ai un travail à terminer. J'arriverai ensuite. À votre avis, j'aurai l'air de quoi avec un chapeau de cow-boy ?

– Pourquoi on va dans un ranch ?

– En fait, c'est plutôt un spa, répond Lucinda. Ils ont des jacuzzis, des massages, du yoga… Vous allez adorer.

Son ton évoquant davantage un ordre qu'une promesse, les filles mettent fin à leurs objections et embrassent leur père.

– Dans quelques jours, glisse-t-il à Lucinda. Une semaine au maximum.

– Sois prudent.

– Bien sûr.

Il dépose un baiser sur les lèvres de sa femme, puis regarde sa famille franchir les contrôles de sécurité.

Keller attend sur le côté. Dans la voiture qui les ramène en ville, il dit :

– Mes chefs veulent que Palacios porte un micro.

– Pour enregistrer Gerardo ?

– Oui.

– C'est risqué.

En effet, se dit Keller.

Palacios pète les plombs.

Il hurle, se lève, menace de s'en aller.

Aguilar demeure parfaitement calme.

– Dites à Gerardo que vous voulez le rencontrer. Expliquez-lui que vous craignez pour votre sécurité et demandez-lui ce qu'il compte faire.

– Il n'est pas idiot. Il va se douter de quelque chose.

– À la seconde même où vous aurez enregistré ses paroles compromettantes, nous organiserons votre transfert aux États-Unis, pour vous et votre famille.

– Je refuse.

– Laissez-le partir, dit Keller à Aguilar. On n'a pas besoin de lui.

– Vous ne pouvez pas me lâcher maintenant.

– Alors, portez un micro.

– Allez vous faire foutre.

– Non, c'est vous qui allez vous faire foutre ! s'emporte Keller. Ça fait des semaines qu'on se retrouve ici ou ailleurs et que vous nous dites le strict minimum. Eh bien, ça ne suffit pas. Je vais aller boire une bière avec Vera pour lui annoncer que nous avons un nouvel indic.

– Vous ne ferez pas ça.

– On parie ? Si vous ne portez pas ce putain de micro, vous ne m'êtes d'aucune utilité. Et vous savez ce que ça veut dire ? Ça veut dire que vous ne méritez pas un visa Q, vous ne méritez pas une nouvelle identité, vous ne méritez pas d'avoir une maison, une voiture, vous ne méritez même pas ces putains de sandwiches !

Il arrache celui que Palacios tient dans la main et le balance à travers la pièce.

– Je crois que nous ne pourrons pas revenir au Four Seasons, commente Aguilar en contemplant les dégâts.

– Deux jours, dit Keller, après avoir retrouvé son calme. Vous organisez la rencontre avec Vera et j'organise votre entrée aux États-Unis. Vous portez le micro, vous nous donnez ce qu'on vous demande et vous disparaissez jusqu'au moment de témoigner.

– Il n'a jamais été question que je témoigne !

– L'enregistrement ne vaut rien sans votre témoignage. Qu'est-ce que vous imaginiez ? Que Vera et vous alliez rester potes après ça ? Que vous alliez courir les filles ensemble comme au bon vieux temps ? Vous rêvez !

Palacios accepte de porter un micro.

– Surtout, vous ne changez rien à vos habitudes, lui dit Keller. Appelez-moi quand vous serez convenus d'un rendez-vous.

Le restant de la journée s'écoule comme un fleuve boueux et lent. La nuit est tombée depuis longtemps quand Palacios appelle.

– Demain à 6 heures et demie.

– Où ?

– Gerardo a un petit nid d'amour à Polanco.

Palacios dicte l'adresse à Keller.

– Rendez-vous à 5 heures. Las Alcobas. On vous équipera là-bas.

– Vous croyez que Gabriela serait partante pour une petite baise d'adieu ?

– Ça m'étonnerait.

Ils ont du pain sur la planche. Aguilar organise la surveillance de l'appartement de Vera pour photographier le directeur de l'AFI au moment où il entrera et sortira. Puis il prépare le plan d'exfiltration : un Learjet 25 du SEIDO attendra sur la 1re base aérienne de l'armée à l'aéroport international de Mexico. Le plan de vol sera transmis à la 18e base aérienne d'Hermosillo, au Sonora, pour qu'Aguilar puisse s'entretenir avec le personnel du SEIDO sur place. À Hermosillo, ils prendront un avion de la DEA jusqu'à la base de Biggs, à El Paso. La DEA aura pris les mesures nécessaires pour que l'avion traverse l'espace aérien américain et soit accueilli dans un hangar secret.

Palacios sera alors conduit à l'EPIC pour être interrogé, puis hébergé à Fort Bliss sous haute surveillance.

Aguilar, quant à lui, rejoindra sa famille en vacances dans l'Arizona pour attendre la suite des événements. Si Vera est arrêté, il retournera au Mexique pour diriger l'instruction. Dans le cas contraire, il envisagera de rester aux États-Unis, où l'attend un poste dans un cabinet de consultants de Washington.

Durant l'opération, Keller restera en planque dans une voiture garée à deux rues de la résidence de Vera, avec un équipement audio lui permettant d'écouter la conversation à distance.

Dès que Palacios sortira, il contactera Taylor à l'EPIC.

Palacios repartira à pied et, si tout se passe bien, il montera à bord d'un véhicule du SEIDO banalisé, un peu plus loin, pour se rendre à l'aéroport. S'il est suivi, il regagnera sa propre voiture, une vieille Cadillac, où l'attendront son chauffeur et son garde du corps.

Tout cela dans l'hypothèse où il obtient ce qu'ils attendent de lui.

Sinon, il rentrera chez lui et conviendra d'un nouveau rendez-vous avec Vera.

Pour Keller, la journée, qui promet d'être interminable, commence par un petit déjeuner tardif.

En compagnie de Gerardo Vera.

Cela fait partie du plan : laisser croire à Vera que tout est normal, afin de ne pas l'alerter. C'est pourquoi Keller, mal à l'aise, s'installe avec lui à la terrasse d'un café à Coyoacán. La nervosité lui coupe l'appétit, il se force malgré tout à avaler une grande assiette de *pollo machaca.* Vera prend des œufs Bénédicte et un Bloody Mary. Il se laisse aller contre le dossier de sa chaise, sourit à Keller, et dit :

– Ce soir, c'est le grand soir.

Keller sent son estomac se nouer. Gerardo sait-il quelque chose ? Essaye-t-il d'en savoir plus ?

– Ah bon ?

– Cette femme… Une beauté célèbre que je fréquente. Je crois que je vais « conclure » comme vous dites chez vous.

– Célèbre comment ?

– Un gentleman ne donne pas de noms. (Vera sourit.) Très célèbre, à vrai dire. Pour sa beauté et sa… sensualité.

Il se réjouit comme un gamin. Keller songe à ce vieil adage : toute opération réussie s'achève par une trahison. Et, de manière totalement irrationnelle, il éprouve presque un sentiment de culpabilité en regardant le visage large et souriant de cet homme qui a contrecarré toutes les tentatives pour capturer Barrera, qui a touché des dizaines de millions de *cañonazos,* qui n'est qu'un *matón,* une brute qui a immobilisé une jeune fille pendant que son partenaire lui crevait les yeux.

Alors, pourquoi est-ce que je me sens coupable, nom de Dieu ? s'interroge-t-il.

– Et vous ? demande Vera.

– Quoi, moi ?

– Vous êtes avec une femme ?

Keller secoue la tête.

– Mais vous en avez eu une, non ? Elle était médecin ou quelque chose comme ça, hein ?

S'agit-il d'une menace ?

– Comment le savez-vous ?

Il essaye de conserver un ton neutre.

– C'est mon métier de tout savoir. N'y voyez rien de personnel, Arturo.

– De toute façon, c'est terminé.

– Elle a quitté la ville, n'est-ce pas ?

Il sait où est Marisol, se dit Keller. C'est donc une menace. Il se retient de tirer une balle dans le front large de ce type.

– C'est bien vous, hein ? demande Vera avec un certain détachement.

– Quoi donc ?

– Qui avez informé les Tapia de l'accord conclu avec Barrera. Je sais que ce n'est pas moi, et Luis est incapable de se livrer à ce genre de manipulation. Alors, il ne reste que vous.

Keller ne répond pas.

– Félicitations. Si vous voulez mettre le grappin sur Barrera, c'était très bien joué. Scinder son organisation en deux, obliger les gens à choisir leur camp… Bravo, *mi amigo*.

À quoi joue-t-il ? s'inquiète Keller. Où veut-il en venir ? Il menace, il teste, il prend la température de l'eau ? Putain, peut-être qu'il veut se livrer, conclure un arrangement ?

– Je ne sais pas de quoi vous parlez.

– Non, bien sûr, dit Vera, sans cesser de sourire. (Il lève un doigt pour attirer l'attention du serveur et montre son verre vide.) Où sont-ils ?

– Là, je ne vous suis plus.

– Les Tapia. Si vous êtes en contact avec eux, si vous savez où ils sont, c'est le moment de me le dire.

Il se comporte avec moi comme avec un indic. Putain, il se comporte comme *moi* avec un indic.

– Je ne suis pas en contact avec eux et je ne sais pas où ils sont.

Le serveur apporte un nouveau Bloody Mary. Vera n'y prête pas attention.

– Je pense que le moment est venu de repartir chez vous. Il est temps de quitter le Mexique et de rentrer au pays.

Keller secoue la tête.

– Pas avant d'avoir eu Barrera.

Le sourire quitte le visage de Vera et il dit, le plus sérieusement du monde :

– Ça n'arrivera jamais. Écoutez-moi, Arturo... ça n'arrivera jamais.

Nom de Dieu, c'est tout juste s'il ne m'avoue pas qu'il est à la solde de Barrera !

Pourquoi ?

Soudain, Vera se penche en avant et pose ses mains sur celles de Keller. Dans d'autres cultures, cela serait interprété comme un signe d'homosexualité. Ici, c'est une marque d'amitié profonde entre deux hommes.

– Je vous respecte, dit Vera. Je vous admire. Mais vous n'arriverez jamais à éliminer Barrera, et vous êtes en danger. Les choses bougent et je vous demande... non, je vous supplie de quitter le pays le plus vite possible. Dès ce soir. J'essaye de vous sauver la vie, Arturo.

Et moi, j'essaye de détruire la tienne, se dit Keller, assailli de nouveau par la culpabilité.

– Buvez un vrai verre avec moi, ajoute Vera. Nous porterons un toast à notre combat pour la bonne cause. Et puis, si vous êtes encore là demain, je vous ferai arrêter et expulser. Pour votre bien.

Il commande deux whiskys et ils trinquent à la bonne cause.

Keller retourne à l'ambassade et attend.

Il déjeune sans appétit à son bureau, part tôt, fait un tour dans Parque Mexico et se rend au bar de Las Alcobas, où il fait durer une bière, avant de monter dans la chambre 417.

Aguilar est déjà là, avec un micro modèle G1416 et un rouleau de sparadrap.

Palacios doit arriver dans vingt minutes.

Assis à sa place habituelle, Chido Palacios déguste son expresso en regardant passer les femmes en robes courtes et légères.

Elles sont belles, sveltes et élégantes, avec de longues jambes bronzées et il songe avec tristesse que c'est la dernière fois qu'il s'offre ce plaisir particulier, mais il sait qu'il y a également des terrasses à Scottsdale, et sinon, il y en aura à Paris, et il y a des jolies femmes partout.

Il admire une petite brune particulièrement désirable quand un homme s'approche du café et, avant que les gardes du corps aient le temps de réagir, vide le chargeur d'un Cobra .380 sur son visage, puis s'enfuit.

L'expresso se renverse sur les genoux de Palacios qui s'affale sur son siège ; ses yeux morts sont levés vers le ciel, sans le voir.

Aguilar repose son portable.

– C'était Vera, dit-il. Palacios est mort. Ils l'ont tué.

Les choses bougent, pense Keller.

Ils avaient commencé à s'inquiéter en ne voyant pas arriver Palacios à l'hôtel. Il ne répondait pas à son téléphone. Keller supposait qu'il avait changé d'avis ou décidé de fuir seul, mais…

Gabriela n'est pas venue non plus.

Ils essayaient de la localiser quand Vera a appelé.

– Ils accusent déjà les Tapia, ajoute Aguilar. Même mode opératoire, même arme.

Il range soigneusement le matériel d'enregistrement dans la valise.

– Et voilà, dit-il. C'est fini.

– Gabriela…

– Était la taupe, conclut Aguilar.

– Elle est morte ou déjà en route pour un pays avec lequel nous n'avons aucun accord d'extradition. Il faut voir les choses en face, Arturo, ils nous ont battus. C'est fini.

Il a raison, se dit Keller.

C'est fini.

Pour le moment.

– Qu'allez-vous faire ? demande-t-il.

– Du cheval avec mes filles. Discuter avec ma femme et décider d'un choix de carrière. Je sais que ça ne sera pas celle-ci.

Il prend la valise et quitte la chambre.

Keller marche dans l'Avenida Presidente Masaryk quand son téléphone sonne.

– Ce n'est pas nous.

La voix d'Yvette est presque hystérique.

– Je vous en supplie, Arturo, retrouvons-nous quelque part.

Gerardo Vera ouvre la porte de son appartement et découvre Aguilar sur le seuil.

– Comment vous m'avez déniché ?

– Vous ne m'invitez pas à entrer ?

Ils se retrouvent devant le Palacio de Cortés à Cuernavaca, une des plus anciennes constructions du monde occidental.

Cortés l'a bâti sur les ruines d'un temple aztèque.

– Je vous croyais à l'étranger, dit Keller.

– Je l'étais. Martín y est toujours. Nous n'avons pas tué Palacios.

– Je sais. C'est Vera.

– Je vous ai donné la cassette il y a plusieurs semaines. Vous n'en avez rien fait.

– Sans Palacios, elle n'a aucune valeur.

– Comment est-ce possible ? (Elle est nerveuse, effrayée.) Plus rien ne va pouvoir les arrêter. Ils vont nous retrouver et nous tuer.

– Si Martín veut se livrer et témoigner, dit Keller, je peux garantir sa sécurité. Et la vôtre.

– Et combien d'années de prison ? demande Yvette.

– Très peu. Aucune, peut-être.

– Il devra témoigner contre son frère. Il n'acceptera jamais.

– Il n'y a qu'une seule autre issue, et vous le savez. Je peux vous mettre dans un avion pour les États-Unis dès ce soir, Yvette. Il n'existe aucune charge contre vous là-bas. Dites-nous juste ce qu'on veut savoir et…

– Vous me renverrez au Mexique. Je ne veux pas aller à Puente Grande, Arturo. J'espérais que vous nous aideriez.

– J'essaye.

Elle lui adresse un sourire amer.

– Ils gagnent à tous les coups, hein ?

– Qui ça ?

– Les gens du polo.

– Oui, généralement.

– Laura Amaro ne me connaît plus. Pareil pour les autres. On croyait être comme eux. Mais non, ils ne nous accepteront jamais.

– Amenez-nous Martín.

Yvette le foudroie du regard.

– Vous avez eu ce que vous vouliez, hein ? Vous avez divisé l'organisation d'Adán pour pouvoir la détruire morceau par morceau. Et peu importe le nombre de victimes, du moment que vous mettez la main sur Adán. Que Dieu nous protège des hommes intègres.

Elle s'en va.

Son portable sonne.

– Je l'ai.

C'est Aguilar.

– Comment ça ? De quoi parlez-vous ?

La voix du procureur est tendue, chargée d'excitation.

– L'enregistrement compromettant pour Gerardo.

– Luis, qu'avez-vous fait ? Qu'avez-vous fait ?

– Où êtes-vous ?

– À Cuernavaca, je rentre.

– Venez à l'aéroport. Vite !

– Luis, qu'avez-vous fait ?

– Venez. Le temps presse.

– Fuyez, Luis ! Ne m'attendez pas. Fuyez !

Keller roule sur la 95 Nord pour revenir à Mexico.

La route de montagne sinueuse le fait traverser le Parc national d'El Tepozteco et passer devant des lacs et des prairies aux reflets métalliques sous l'éclat de la lune.

Qu'avez-vous fait, Luis ? se répète-t-il. Et soudain, il comprend : après avoir quitté la chambre d'hôtel, Aguilar s'est équipé du micro et est allé trouver Vera lui-même. Il l'a fait parler et il l'a enregistré.

Il peut témoigner de l'authenticité de l'enregistrement.

Mais Vera est trop malin pour tomber dans le panneau. Il a joué le jeu d'Aguilar pour gagner du temps.

Il va réagir.

Des phares éclairent son rétroviseur et Keller voit une voiture arriver derrière lui.

À toute allure.

Elle lui colle au train. C'est très dangereux sur cette route sinueuse. Le conducteur lui fait un appel de phares : il veut doubler.

– Attends un peu, grommelle Keller.

Il trouve un endroit pour se ranger et la voiture le dépasse dans un rugissement.

– Connard.

Mais la voiture qui vient de le doubler ralentit. Keller croit tout d'abord que le type veut lui donner une leçon, se venger, mais d'autres phares apparaissent derrière lui.

La deuxième voiture le rejoint en quelques secondes et se colle à son pare-chocs.

Ils l'ont coincé.

Keller tente de doubler la voiture de devant, mais elle se déporte sur la voie de gauche pour lui bloquer le passage. Le petit cortège franchit ensuite une chicane, entre deux parois abruptes, avant de déboucher dans une ligne droite.

La première voiture ralentit encore.

Celle de derrière, une Jeep Wrangler, déboîte et se porte à la hauteur de Keller. Celui-ci se jette sur le siège au moment où un éclair jaillit du canon d'une arme à feu. La vitre vole en éclats.

Keller donne un grand coup de volant et percute la Jeep, qui quitte la route et bascule dans le ravin.

La voiture de devant exécute un dérapage contrôlé et s'arrête en travers de la route.

L'instinct ordonne à Keller de freiner, mais cet instinct va le faire tuer. Il voit déjà les armes pointées sur lui.

Alors, il accélère.

En visant la portière du conducteur.

Le choc est terrible.

Le visage de Keller s'enfonce dans l'airbag et sa nuque est projetée en arrière.

Sonné, il ouvre la boîte à gants pour prendre son Sig Sauer. Son bras droit pend mollement et il a du mal à refermer ses doigts autour de la crosse. Avec sa main gauche, il détache sa ceinture et abaisse la poignée.

À son grand soulagement, la portière s'ouvre et il descend de voiture.

Le sang coule à flots de son nez cassé.

Il constate que le conducteur de l'autre voiture est mort, la nuque brisée. Le passager sort de son côté. Voyant Keller, il appuie le canon de son fusil sur le toit de la voiture et vise.

Erreur, il a perdu du temps.

Keller lui tire deux balles dans la tête.

Puis il regagne sa voiture en titubant. Sa jambe gauche flageole et il s'aperçoit qu'elle saigne.

Il s'écroule sur le capot.

Aguilar raccroche.

Keller ne répond pas.

Où êtes-vous, Keller ?

La voix du pilote résonne dans la cabine.

– Monsieur ? Nous avons l'autorisation de décoller mais pas pour longtemps.

Aguilar voudrait qu'il attende encore un peu. Avec un peu de chance, Keller va arriver d'un instant à l'autre. Mais le document qu'il transporte dans sa mallette est trop précieux, et Vera est peut-être en chemin.

– Allez-y, dit-il en s'enfonçant dans le siège bien rembourré.

Ça fait bizarre, d'être seul dans cette cabine qui peut accueillir dix passagers. Il regarde par le hublot tandis que l'avion roule sur la piste, puis accélère et décolle. En contemplant les lumières de l'imposante métropole de Mexico, Aguilar ne peut s'empêcher de se demander s'il la reverra un jour.

Adán regarde sa montre.

Il n'a pas reçu le coup de téléphone qu'il attendait, lui annonçant qu'il allait bientôt pouvoir admirer un cadavre. Il a pris un risque en venant à Mexico, plus à cause des *sicarios* des Tapia que de la police, mais le jeu en vaut la chandelle s'il peut se régaler du spectacle de Keller mort.

Art Keller.

Le donneur de leçons.

Monsieur Propre.

L'Incorruptible.

Il faut lui reconnaître ce mérite, se dit Adán en regardant Magda de l'autre côté de la table basse, il n'était pas loin de m'avoir, il a failli percer mes défenses. Depuis, Adán s'efforce de rattraper son erreur, sans ménager ses efforts.

C'est presque fait.

Chido Palacios, le dernier représentant des Izta, est mort. Toutes les télés en parlent et les soupçons se portent déjà sur Diego Tapia.

Les autres problèmes seront bientôt réglés.

D'ici là, Keller devrait être en enfer.

Adán jette un coup d'œil à sa montre, encore une fois, et Magda s'en aperçoit. Elle remarque tout, c'est une chose qu'il admire chez elle. Elle a été une partenaire formidable, elle a su entretenir les relations avec les Colombiens, lui assurer un approvisionnement constant en cocaïne, devenir riche et bâtir seule sa fortune.

– Quoi ? demande-t-elle en voyant qu'Adán la regarde.

– Rien.

À part Magda, il n'a pas vraiment d'amis.

Nacho est un conseiller, un beau-père, un associé et un rival potentiel. Adán ne craint pas qu'il tente d'assassiner son gendre, mais Nacho poursuit son propre objectif.

Adán ne peut donc pas se détendre avec lui, il ne peut jamais baisser sa garde.

Il ne peut se laisser aller qu'avec Magda et, à la vérité, à cet instant, il aimerait mieux parler avec elle que la baiser, même si rien ne l'empêche de faire les deux. Autrefois, il se moquait du vieux cliché sur « la solitude du pouvoir ». Il ne rit plus, il a pris conscience de cette réalité. Seuls ceux qui ont à prendre de lourdes décisions peuvent le comprendre.

Ordonner la mort de dizaines de personnes.

La bataille de Juárez s'est révélée bien plus sanglante que prévu.

Vicente Fuentes n'est qu'un chef symbolique qui se cache dans ses tanières, peut-être même au Texas, mais La Línea a livré un combat farouche, tout comme Los Aztecas. Les gens de Juárez défendent âprement leur territoire.

Et puis, il y a la guerre contre Diego.

Cette guerre, Adán, tu en es responsable, songe-t-il. Tu as géré ce problème trop brutalement et failli faire basculer toute la machine entre les mains de Keller. Comment as-tu pu ignorer que Martín Tapia enregistrait ses conversations avec la mafia des Izta ? Comment as-tu pu ignorer que Keller travaillait avec les Tapia et qu'il « fricotait » avec Yvette, peut-être même au sens propre ?

Cesse de te chercher des excuses, tu aurais dû le savoir. C'est ton métier, de savoir.

Tu t'es réveillé juste à temps. Espérons-le.

Il regarde sa montre encore une fois.

Tous ces meurtres des deux côtés étaient non seulement inutiles mais vraiment absurdes au moment où il s'apprêtait à se lancer à la conquête de Juárez : une distraction superflue qui mine les énergies et les détourne du vrai combat. Certes, il possède des ressources suffisantes pour livrer bataille simultanément contre les Fuentes, les Tapia, le Golfe et ses mercenaires Zetas, mais cela l'affaiblit de tous les côtés.

En outre, il a des projets plus importants pour Juárez, des plans qui dépassent la ville elle-même.

Les Zetas posent un problème.

Ils vont même devenir le problème majeur. De tous ses ennemis, Heriberto Ochoa est le « meilleur » : le plus intelligent, le plus impitoyable, le plus discipliné. Il a fait le bon choix en s'alliant avec les Zetas. Et il a raison de demeurer en dehors de la bataille de Juárez. Adán voit bien sa stratégie : il nous laisse nous entre-tuer, Fuentes et moi, et ensuite il passera à l'action.

Au bout du compte, se dit Adán, ce sera Ochoa contre moi.

Magda se verse un verre de Moët – il veille toujours à en mettre au frais quand il la retrouve.

– Tu penses à Keller, dit-elle.

Il hausse les épaules. Il pense à un tas de choses.

– Ils vont appeler, dit-elle afin de le rassurer.

Pour lui changer les idées, elle parle business : prix au kilo, problèmes de transport… Leurs relations, si elles restent sexuelles, ressemblent de plus en plus à celles de deux collègues ou amis. Adán tient compte de ses conseils et elle a de nouvelles idées pour développer leur commerce.

Quant à ses relations amoureuses, Magda a eu quelques amants, mais moins qu'elle n'aurait pu le supposer. Car si sa richesse et son pouvoir agissent comme un aphrodisiaque auprès de certains hommes, c'est le contraire chez l'immense majorité d'entre eux, et elle n'a plus envie de supporter des nuits de câlineries et de queues molles, obligée de répéter que « c'est pas grave, c'est bien d'être tout près l'un de l'autre ».

Non.

Et elle n'est pas prête à aller vers ces beaux et jeunes hommes qui voient en elle une source de cadeaux, de vacances et de repas dans des restaurants chic. Ils sont plus qu'enthousiastes et compétents, et elle s'est laissé tenter une ou deux fois, mais elle sait que son ego l'empêche d'accepter le rôle de cougar.

Je ne suis pas davantage une MILF, se dit-elle, car même si je suis bonne à baiser, je ne suis pas mère. Cette pensée la surprend et la rend morose. Elle sait qu'elle approche du « maintenant ou jamais », et elle a de moins de moins d'espoir de rencontrer le père idéal pour son enfant.

Premier problème : ses journées sont très chargées.

– Il ne devrait pas déjà être là ? lui demande Adán.

– Il va arriver, répond-elle avec un sourire serein. Je lui ai dit que c'était pour parler affaires, mais il croit sûrement qu'il y a autre chose derrière.

Sans aucun doute, se dit Adán, connaissant cet individu.

Il est toujours bon de connaître les forces d'un homme.

Mais c'est encore mieux de connaître ses faiblesses.

Le son de la télé augmente : le générique agressif des flashs d'informations. Adán et Magda tournent la tête vers l'écran.

Un Learjet 25 en feu s'est écrasé dans le quartier financier très animé de Las Lomas, au coin du Paseo de la Reforma et de l'Anillo Periférico, à moins d'un kilomètre de Los Pinos. Il a percuté un immeuble de bureaux, tuant six personnes, en plus du pilote et de l'unique passager.

Adán n'en éprouve aucune joie.

De l'avis général, Luis Aguilar était un homme bien.

Il laisse une femme et des enfants.

Des voix lui parviennent d'en bas : les gardes ont intercepté quelqu'un et ils l'escortent jusqu'à l'appartement du premier étage.

– Qu'est-ce que je te disais, souligne Magda.

Le garde laisse entrer Gerardo Vera qui adresse un grand sourire à Magda, puis la peur apparaît sur son visage quand il découvre Adán assis dans la bergère.

– Je ne m'attendais pas…

– Non, le coupe Adán, d'un ton aimable, tu t'attendais à un rendez-vous avec ma femme, sans moi.

– C'était un rendez-vous d'affaires.

Adán secoue la tête.

– Peu importe. Ce n'est pas pour ça que je voulais te voir. Palacios est mort. Aguilar est mort et, à l'heure qu'il est, Keller doit être mort.

– Dans ce cas, on est tranquilles, dit Vera.

– Pas tout à fait.

Vera semble perplexe tout d'abord, puis Adán lit dans son regard qu'il a compris.

– Tu as laissé la situation vous échapper, Gerardo. Tu es compromis désormais.

– Je vois. (Il montre la bouteille de champagne.) Je peux ?

Il s'en sert un verre et boit une longue gorgée.

– Il est bon. Très bon même. Je ne supplierai pas pour avoir la vie sauve.

– Je le savais.

– Tu sais aussi que j'ai des hommes à l'extérieur.

– En fait, ils viennent de partir.

– Toi et moi, on se connaît depuis longtemps, dit Vera. Tu n'étais qu'un petit merdeux qui vendait des jeans au cul d'un camion à Tijuana. Et moi, j'étais un jeune flic qui patrouillait dans les bidonvilles. On s'est bien débrouillés tous les deux.

– Exact.

– Alors, pourquoi s'arrêter maintenant ?

– Tu viens de faire tuer ton plus vieil ami et tu as organisé la mort de ton plus proche collègue. Pour être franc avec toi, Gerardo : je ne te fais plus confiance.

Magda se lève.

– M'accorderiez-vous une faveur ? demande Vera.

Il se penche vers elle et approche son visage de son cou.

– Quelle délicieuse odeur. Les hommes divergent sur la question de savoir ce qu'il y a de plus beau chez une femme. Moi, j'affirme que c'est le cou. Là où il rejoint l'épaule. Juste là. Merci.

Magda hoche la tête et sort.

Vera tend la main vers le pistolet glissé dans son holster.

Le garde lui fait sauter l'arrière du crâne.

Adán se lève pour partir.

Le ménage a été fait. Aucune « arme encore fumante » ne viendra ternir l'image du PAN, dans l'administration précédente ou l'actuelle.

Une seule chose le tracasse : il n'a pas reçu le coup de téléphone lui annonçant la mort de Keller.

Keller revient à lui à l'arrière d'un Suburban noir aux vitres teintées.

Un médecin en civil, mais un militaire sans aucun doute, à en juger par sa coupe de cheveux et sa réserve, s'active efficacement et en silence pour désinfecter et panser ses plaies.

– Qui êtes-vous ? demande Keller.

L'homme ne répond pas, il se contente de bavarder de choses et d'autres pour l'empêcher de s'endormir. Keller en déduit qu'il souffre d'une commotion cérébrale. Ils ne veulent pas qu'il perde connaissance. La scène se poursuit jusqu'à Mexico, où la voiture s'engage dans le Paseo de la Reforma. Keller suppose qu'ils se rendent à l'ambassade, mais la voiture s'arrête avant, dans un quartier de banques et d'immeubles de bureaux. Au numéro 265, elle descend une rampe menant à une porte en acier. Le chauffeur montre patte blanche à un garde, la porte s'ouvre et le Suburban s'enfonce dans le parking.

Là, ils déposent Keller sur une civière et le conduisent dans une pièce qui ressemble à une petite infirmerie. Un autre médecin, américain celui-ci, mais semblable au précédent, prend le relais. Après un examen préliminaire, il effectue une série de radios.

– Où suis-je ? demande Keller.

– Commotion, nez cassé, épaule démise, deux côtes fêlées, et quelques plombs de fusil, annonce le médecin. Vous êtes une cible coriace.

– Où suis-je ?

– Vous avez des douleurs internes ?

– Où suis-je, nom de Dieu ?

– Quelqu'un va bientôt venir vous voir.

En effet. Il s'agit de Tim Taylor.

– Aguilar nous a appelés car il n'arrivait pas à vous joindre, explique-t-il. Nous avons envoyé des hommes à votre recherche. Qu'est-ce que vous foutiez à Cuernavaca ?

– Luis va bien, alors ? Il est à El Paso ?

– Il est mort.

Taylor lui apprend la nouvelle de l'accident d'avion. Et ajoute :

– Vous n'avez pas répondu à ma question.

– Et je n'y répondrai pas. C'est Vera qui a fait abattre cet avion.

– Vera a été assassiné, déclare Taylor. Même mode opératoire que pour les autres flics. Il avait un rendez-vous. Comme dans le cas d'Aguilar, son élimination est attribuée aux Tapia.

– Ce n'est pas eux, dans un cas comme dans l'autre. C'est Barrera.

– Nous le savons.

Donc, c'est terminé, songe Keller.

Aguilar est mort, la cassette a été détruite dans l'accident d'avion.

Palacios est mort.

Vera également.

– Vous êtes venu pour me ramener au pays ? demande-t-il.

– Vous pouvez marcher ?

– Je crois.

Keller se lève lentement de la civière et une douleur brûlante irradie dans ses côtes. Ses jambes flageolent, mais il parvient à suivre Taylor jusqu'à un ascenseur qui les conduit au cinquième étage. Quand ils en sortent, Keller découvre d'autres militaires, en civil, et des individus qui ressemblent à des geeks et à des comptables.

Tous les bureaux sont fermés.

Il n'y a aucune indication sur les portes.

– Tout ce que vous voyez ici n'existe pas, dit Taylor. Officiellement, il s'agit d'un service de comptabilité destiné à vérifier que l'argent des contribuables qui finance le plan Mérida est correctement utilisé. En réalité, les portemanteaux de ce bâtiment sont pleins : FBI, CIA, ATF – bureau des alcools, tabac et armes à feu –, Trésor, Sécurité intérieure, National Reconnaissance Office, NSA, Defense Intelligence Agence... Vous voyez le genre.

Taylor ouvre la porte d'une pièce dans laquelle une dizaine de techniciens sont assis devant des ordinateurs.

– Ici, tout est du dernier cri, explique Taylor. Matériel de codage et de décryptage, surveillance par satellite, systèmes d'écoutes, sécurisation des communications. Venez...

Ils s'arrêtent devant une porte fermée au bout du couloir. Taylor colle son œil à un scanner rétinien et la porte s'ouvre en coulissant sur une sorte de salon, avec des meubles confortables, un bar.

Un homme qui semble un peu plus jeune que Keller boit une bière, assis sur un des canapés. Ses cheveux noirs sont coupés court. Il mesure environ un mètre quatre-vingts, il a un large torse et se tient droit comme un piquet. Il se lève quand ils entrent et tend la main à Keller en se présentant.

– Roberto Orduña.

– L'amiral Orduña, explique Taylor, commande les FES, les forces spéciales des marines mexicains. L'équivalent de nos SEALs, grosso modo.

– Tout d'abord, laissez-moi vous dire combien je suis désolé pour Luis Aguilar, déclare Orduña. C'était un homme bien. Voulez-vous boire quelque chose ? Un café ? Ce bâtiment est à vous, mais nous sommes dans mon pays, et je tiens à être un hôte parfait.

Message reçu, songe Keller. Qu'est-ce que vous voulez ?

Les trois hommes s'assoient.

– Nous sommes en train de perdre la guerre, déclare Orduña sans préambule. Les drogues sont plus répandues, plus puissantes et moins chères que jamais. Les cartels jouissent d'une puissance inégalée, ils ont mis la main sur les principaux instruments du pouvoir et menacent de devenir une sorte de gouvernement parallèle. La guerre qu'ils se livrent génère une violence terrifiante. Rien de ce que nous avons entrepris ne fonctionne.

Keller le sait.

La stratégie qui consiste à prohiber la drogue revient à prendre un balai pour repousser l'océan. Chaque trafiquant arrêté est immédiatement remplacé par un autre tout aussi motivé.

– Nous devons agir différemment, déclare Orduña. Le modèle police-justice ne marche pas. Nous devons passer au modèle militaire.

– Sauf votre respect, dit Keller, votre président a déjà militarisé la lutte contre le trafic. Cela n'a fait qu'aggraver la situation

– Parce qu'il a adopté le mauvais modèle. Êtes-vous au courant du débat entre les doctrines de la contre-insurrection et de l'antiterrorisme ?

– Vaguement.

– La contre-insurrection, reprend Orduña, modèle qui a servi à combattre le terrorisme durant ces trente dernières années, se concentrait sur la défense, tout en évitant les attentats et en établissant des relations politiques avec les populations locales pour les dissuader de soutenir les terroristes. En schématisant, c'est l'attitude que nous avons adoptée, vous comme nous, vis-à-vis du trafic de drogue, si l'on part du principe qu'il existe une analogie entre les trafiquants de drogue et les terroristes.

– Ils ressemblent de plus en plus à des terroristes, souligne Keller.

– Al-Qaida a tué trois mille Américains, dit Taylor. Je vais vous paraître insensible, mais c'est infime comparé au mal causé par la drogue chaque année. Pourtant, nous dépensons des dizaines de milliards pour la répression.

– Exactement, confirme Orduña. La contre-insurrection coûte de l'argent, du temps et, en définitive, ne donne aucun résultat, c'est pourquoi vos militaires ont récemment évolué vers la doctrine de l'antiterrorisme, qui met l'accent sur l'offensive : des attaques ciblées sur des objectifs de premier plan. Dans l'état actuel des choses, si nous arrêtons le chef d'un cartel… Contreras, par exemple… un autre prend aussitôt sa place. Les motivations pour briguer ce poste sont fortes, les effets dissuasifs trop faibles.

Taylor ajoute :

– Nous constatons que de moins en moins de leaders djihadistes veulent accéder aux positions suprêmes car nous avons transformé la promotion en condamnation à mort. Vous montez sur le trône, on vous balance un missile sur la tronche ou les forces spéciales vous liquident.

– Je me demande, reprend Orduña, qui voudrait devenir le chef… du cartel de Sinaloa, disons, si ses prédécesseurs avaient été tués. Le message est le suivant : « Allez-y, gagnez des millions, mais vous ne vivrez pas assez longtemps pour les dépenser. »

– Vous parlez d'un programme d'assassinats ciblés, résume Keller.

– On les arrête si on doit les arrêter. On les tue si on le peut.

Keller affiche un sourire narquois.

– Je sais ce que vous pensez, dit Orduña. Vous avez déjà entendu ce discours, et tous les renseignements que vous avez fournis à Vera ont été transmis illico au cartel de Sinaloa. L'AFI était corrompue, mais pas mon unité.

– Vera disait la même chose.

– Pas mon unité, répète Orduña.

Ses hommes, explique-t-il, ne peuvent pas postuler pour faire partie de sa brigade, ils doivent être choisis, repérés, sélectionnés.

Ensuite, ils sont entraînés.

D'abord dans un camp secret, dans les montagnes de Huasteca Veracruzana, pendant un an et demi. Ils apprennent le maniement des armes et les tactiques de combat – embuscades et contre-embuscades –, manœuvres d'évitement, surveillance, descente en rappel, utilisation des explosifs, techniques de survie.

S'ils résistent à cette formation, on les envoie dans un autre camp, en Colombie, pour subir un entraînement axé spécifiquement sur la lutte contre le trafic de drogue. Comment infiltrer les armées privées des cartels, identifier un laboratoire de stupéfiants, dénicher des planques, sauter d'un hélicoptère, combattre dans la jungle et les montagnes.

Les hommes qui réussissent ces épreuves vont ensuite dans une troisième école, en Arizona cette fois, pour apprendre à « neutraliser et annihiler » les menaces terroristes, à assimiler les méthodes d'espionnage et de contre-espionnage, à survivre à des interrogatoires en cas de capture. Ils subissent une pression physique et psychologique intense, et s'ils survivent, on leur apprend à utiliser, à leur tour, des techniques d'interrogatoire, douces ou plus brutales.

Finalement, ils retournent au Mexique, où ils perçoivent un salaire de trente mille pesos par mois, plus une prime de vingt mille pesos pour chaque opération à risque, ce qui les rend beaucoup moins sensibles aux tentatives de corruption de la part des narcos.

Autre motivation, disons-le clairement : le pillage.

Les marines des FES peuvent garder une partie de ce qu'ils saisissent : montres, bijoux, cash. Évidemment, les flics font ça depuis toujours. Le coup de génie d'Orduña, c'est d'avoir rendu ce procédé légal et de l'encourager.

Ses hommes ne touchent pas de pots-de-vin, ils se servent.

– Celui de mes hommes qui accepte un pot-de-vin, dit Orduña, sait qu'il ne sera pas arrêté, jugé et envoyé en prison. Il disparaîtra dans le désert, tout simplement.

Orduña a créé une unité de « ripous » destinée à mener une sale guerre, se dit Keller. Qu'il en ait conscience ou non, il a créé ses propres Zetas.

– Nous avons une liste de trente-sept cibles, annonce-t-il.

– Barrera y figure ?

– En deuxième position.

– Qui est le numéro un ?

– Diego Tapia. Vous comprendrez, je suis sûr, que l'opinion publique qui ignore tout du scandale du « cartel Izta » n'attend pas autre chose. Notre honneur l'exige. Mais je vous jure que si vous m'aidez, je vous aiderai à éliminer Adán Barrera.

Orduña sourit et ajoute :

– Avant qu'il réussisse à vous tuer, espérons-le.

– C'est une opération annexe, précise Taylor. Aucun lien avec les activités habituelles de la DEA. Celles-ci se poursuivront normalement, en coopération avec le gouvernement mexicain. Cette unité opérera à partir d'ici et exclusivement avec les marines mexicains. L'argent a été prélevé sur les fonds du plan Mérida, donc aucune trace dans le budget, aucun comité de surveillance. Pas de Département d'État, pas de Justice… uniquement la

Maison-Blanche, qui niera son existence en cas de problème.

– Quel est mon rôle là-dedans ? demande Keller.

– Vous serez responsable des opérations du côté américain. Vous vous installerez ici et à l'EPIC. Les allers et retours ne s'effectueront qu'avec des avions militaires. Marines en civil pour assurer votre sécurité. Accréditation maximale, accès illimité.

– Je veux avoir les mains libres, dit Keller. Je travaillerai seul. Pas d'agent de liaison, pas de mouchards.

– Vous ne disposerez que du soutien logistique que vous réclamerez, dit Taylor.

– Et si jamais l'existence de ce programme éclate au grand jour, je me fais crucifier.

– J'ai déjà les clous dans la bouche.

Nom de Dieu, pense Keller, il me propose de diriger un programme d'assassinats.

Comme au bon vieux temps du Vietnam.

Opération Phoenix.

Sauf que cette fois, c'est moi qui commande.

– Pourquoi m'avoir choisi ? Vous n'êtes pas vraiment le président de mon fan-club.

– Vous êtes un homme solitaire et amer, répond Taylor. Le seul type assez motivé, enragé et doué dont je dispose pour ce travail.

Il est honnête, se dit Keller.

Et il a raison.

Keller accepte.

En repensant à ce qu'il a entendu un jour dans la bouche d'un prêtre : « Satan ne peut vous tenter qu'avec ce que vous avez déjà. »

4
La vallée

C'est pourquoi les jours viennent, dit l'Éternel, où l'on ne dira plus Topheth et la vallée de Ben-Hinnom, Mais où l'on dira la vallée du carnage.

Jérémie 7,32

VALLÉE DE JUÁREZ
PRINTEMPS 2009

Ils roulent vers l'est sur la Carretera Federal 2, en tournant le dos à Juárez.

Cette route à deux voies longe la I-10, à quelques kilomètres seulement de l'autre côté de la frontière.

Ana a insisté pour conduire sa Toyota, car elle ne fait pas confiance à Pablo pour tenir le volant (surtout celui de son tas de ferraille) et cela permettra à Giorgio de prendre autant de photos qu'il le souhaite. Óscar les a envoyés dans la vallée de Juárez afin de réaliser un reportage sur la flambée de violence.

Deux mois plus tôt, le président Calderón a expédié l'armée sur place : une colonne de soldats avec des véhicules blindés et des hélicoptères, pour tenter de mettre fin aux combats entre les cartels du Sinaloa et de Juárez qui ont transformé cette zone rurale en champ de bataille.

Pablo regarde par la vitre la ceinture verte qui borde le Río Bravo. Autrefois, il y avait là principalement des champs de coton, et un peu de blé, mais les *maquiladoras* avaient provoqué l'exode de la main-d'œuvre et les champs sont abandonnés depuis longtemps.

C'est un repaire de brigands, et ça l'a toujours été, songe Pablo en contemplant la sierra brune au sud, au-delà de la grande bande verdoyante. Contrôlée pendant des années par la famille Escajeda qui avait migré vers le sud lors de l'indépendance du Texas. La plupart des vieilles familles de la vallée étaient des réfugiés ayant fui l'envahissement des États-Unis.

Les Escajeda firent comme la plupart des familles vivant à la frontière : ils élevèrent et volèrent du bétail, participant à cette tradition immémoriale des raids menés de part et d'autre de la ligne. Ils repoussèrent d'abord les Comanches, les Apaches ensuite, puis se tournèrent vers le coton quand la fin de l'esclavage dans le Nord offrit de nouveaux débouchés.

Au début du XXe siècle, ils se livrèrent au trafic de marijuana et d'opium, puis de whisky et de rhum lors de la Prohibition. Les Escajeda devinrent riches grâce à l'alcool de contrebande, et plus riches encore quand la guerre contre la drogue menée par Nixon rendit la *pista secreta* si rentable. Des bourgades de la vallée, vous pouvez atteindre le Texas en voiture et même à pied, et si la drogue continue à transiter majoritairement par Juárez, la valeur de ce petit territoire ne doit pas être négligée.

Récemment encore, deux frères Escajeda, José « El Rikin » et Oscar « La Gata », contrôlaient le trafic de drogue dans ce coin et maintenaient une paix fragile entre le Sinaloa et Juárez en permettant, moyennant finances, aux deux cartels d'utiliser cette région.

Et donc, alors même que Juárez était à feu et à sang, c'était « la paix dans la vallée », jusqu'à deux mois plus tôt, quand l'armée arrêta La Gata. Pour le cartel du Sinaloa, ce fut comme un feu vert. L'invasion des

Sinaloans obligea El Rikin à choisir son camp, et il opta pour l'équipe locale : le cartel de Juárez.

Désormais, c'est une zone de guerre.

– Je n'ai pas signé pour être correspondant de guerre, dit Pablo. On mérite une prime.

Giorgio, lui, est tout excité. Il aurait adoré être correspondant de guerre, et d'ailleurs il en a adopté la tenue : chemise verte, pantalon à poches couleur kaki et gilet assorti. Il mitraille de son appareil trois véhicules blindés roulant en sens inverse.

Pablo remarque la main crispée d'Ana sur le volant. Elle est tendue. Elle partage la route avec des camions de fermiers et des convois militaires, et ils peuvent croiser à tout moment un groupe de *sicarios,* d'un camp ou de l'autre, ou se retrouver au cœur d'une fusillade entre deux adversaires, voire trois.

Pablo est soulagé quand ils atteignent le check-point de l'armée, à la sortie de Valverde : un simple poste constitué de sacs de sable, de fils barbelés et de plaques de contreplaqué. Il fait une chaleur infernale à l'écart de l'ombre protectrice de la ceinture verte, et il transpire à grosses gouttes quand Ana arrête la voiture et qu'un soldat s'approche.

Pedro ne sue pas qu'à cause de la canicule : il a peur. Les militaires, gradés ou non, l'ont toujours rendu nerveux, encore plus quand eux-mêmes sont sur les nerfs. Celui-ci porte une tenue de camouflage, un casque de combat et un épais gilet pare-balles. Avec cette chaleur, il ne peut pas être de bonne humeur.

Ana baisse sa vitre.

– Qu'est-ce que vous venez faire par ici ? demande le soldat.

– Presse, répond Ana.

– Dites à votre collègue de ne pas me photographier.

– Giorgio, pour l'amour du ciel, grommelle Pablo.

Giorgio pose son appareil sur ses genoux.

– Papiers.

Ils lui tendent leurs cartes de presse et il les examine attentivement, même si Pablo doute qu'il sache lire. La plupart de ces soldats sont des gars de la campagne généralement illettrés qui se sont engagés pour échapper à la famine.

– Descendez de voiture, ordonne le soldat.

Oh, noooon, se dit Pablo qui connaît bien un des principes de base quand vous êtes confronté à des policiers ou à des soldats : ne jamais descendre de voiture. Car à partir de là, il y a danger. Une fois que vous êtes sorti, vous leur appartenez. Ils peuvent vous entraîner dans un fossé et vous tabasser, vous dépouiller. Ils peuvent vous faire entrer à l'intérieur du poste, ils peuvent vous faire monter à l'arrière d'un camion pour vous conduire à la caserne, et Pablo a entendu nombre d'histoires dramatiques sur ce qu'il peut vous y arriver. Il voit deux autres soldats, intrigués, se lever et marcher vers eux. Un des deux épaule son fusil d'assaut et vient se placer du côté passager.

– Descendez ! hurle le premier soldat.

Il pointe son arme sur Ana.

– Non ! Non ! Non ! s'écrie Pablo. On n'est que des journalistes !

Giorgio glisse un billet de dix dollars à Ana.

– Donne-le-lui.

D'une main tremblante, Ana tend le billet au soldat. Celui-ci abaisse son arme, fourre le billet dans sa poche de pantalon, examine de nouveau les cartes de presse, puis les leur rend. Il fait un signe de la main et un autre soldat déplace la barrière.

– Allez-y.

– Nom de Dieu, soupire Pablo.

Valverde compte environ cinq mille âmes et se compose d'une vingtaine de pâtés de maisons disposés en damier dans l'étendue plate du désert. Les habitations sont modestes, en parpaings pour la plupart, avec quelques constructions en adobe ; beaucoup sont peintes de couleurs vives : bleues, rouges et jaunes.

La boulangerie de la famille Abarca se trouve au centre de l'Avenida Valverde, un prolongement de la Route 2. C'est également la rue principale.

La boulangerie n'est pas seulement le cœur géographique de la ville : depuis plus de trois générations, ce bâtiment peint en rose est un lieu où viennent les gens quand ils ont un problème.

« Ir a ver a los panderos », dit-on en ville.

Va voir les boulangers.

Si votre propriétaire vous réclame de l'argent que vous n'avez pas, un Abarca ira lui parler. Si vous devez remplir un document mais que vous ne savez pas écrire, un Abarca le remplira pour vous. Si votre enfant à des difficultés à l'école, un Abarca ira trouver le professeur. Si les soldats ont emmené votre fils, un Abarca ira se renseigner à la caserne.

Cela arrive trop souvent ces derniers temps.

Jimena les attend devant la boulangerie.

– Vous avez eu des problèmes pour arriver ? leur demande-t-elle quand ils descendent de voiture.

Elle porte une blouse jaune sur un jean délavé, maculés de farine.

– Non, ment Ana.

Pablo espère qu'ils vont entrer dans la maison. Malgré la chaleur et sa nervosité, il est attiré par l'odeur qui s'échappe de la boulangerie. Il sent le *pan dulce,* le gingembre caractéristique des *marranitos,* l'anis des *semitas,* et il croit reconnaître le doux fumet des *empenadas*.

C'est presque l'heure du déjeuner, mais il rêve surtout d'une *cerveza* glacée.

Jimena douche ses espoirs.

– Marisol nous attend, annonce-t-elle.

Ils suivent Jimena jusqu'au plus grand bâtiment de la ville, une construction d'un étage qui abrite la mairie. C'est là qu'ils rencontrent, au premier, la conseillère municipale Marisol Salazar Cisneros, le *docteur* Marisol Salazar Cisneros, plus précisément. Quand Jimena les a informés qu'ils allaient pouvoir l'interviewer, Pablo s'est renseigné sur Internet. Marisol Cisneros est née dans une famille de planteurs de la classe moyenne, en dehors de Valverde ; elle a fait ses études puis ouvert un cabinet dans la capitale, avant de revenir au pays pour diriger un dispensaire.

Impressionnant, s'est dit Pablo, prêt à détester cette belle âme surdouée.

En revanche, il ne s'attendait pas à une telle beauté. Car Marisol Cisneros est belle, tout simplement, et Pablo se sent presque intimidé quand il lui serre la main. Elle les invite à s'asseoir autour de la table. Giorgio commence aussitôt à prendre des photos et Pablo éprouve une soudaine jalousie.

– Vous êtes donc des amis de Jimena, dit Marisol.

– On se connaît depuis le *feminicidio,* répond Ana. Pablo travaillait en étroite collaboration avec Jimena à cette époque.

– J'ai peut-être lu vos articles, dit Marisol.

– Merci, répond Pablo.

Il se sent bête et regrette de ne pas être allé chez le coiffeur, il aurait au moins pu se raser.

– Merci d'avoir accepté de nous recevoir, dit Ana. Le maire, lui, a refusé.

– C'est un homme bien, dit Marisol, mais il…

– Il a peur ?

– Disons qu'il est réticent.

– Il a été menacé ? s'enquiert Pablo, qui a retrouvé sa voix.

– Je ne sais pas.

– Mais vous, oui.

Un mois plus tôt, leur raconte-t-elle, elle revenait de Práxedis G. Guerrero, un peu plus à l'est dans la vallée, où elle était allée examiner des femmes enceintes, quand un SUV avait envoyé sa voiture dans le décor. Elle était terrorisée, et encore plus quand trois hommes aux visages dissimulés par des cagoules avaient tiré des rafales d'AR-15 au-dessus de sa tête.

– Vous êtes sûre que c'étaient des AR-15 ? s'étonne Pablo.

– Certaine. Nous sommes tous devenus experts en armement par ici, hélas.

Les hommes cagoulés lui ont promis qu'elle aurait moins de chance la prochaine fois, alors elle avait « intérêt à ouvrir ses cuisses de salope plutôt que sa grande gueule ».

– Qu'aviez-vous dit ? demande Ana.

– Quand vous voyez défiler dans votre dispensaire, les unes après les autres, des personnes qui présentent des hématomes, des fractures du crâne dues à des coups de crosse de fusil, des traces de tortures à l'électricité, vous posez des questions. J'ai exigé des réponses de la part des officiers.

– Que vous ont-ils répondu ? intervient Pablo.

– De m'occuper de mes affaires. Je leur ai rétorqué que les personnes blessées, c'était mes affaires, justement.

– Et ils ont rétorqué…

– Que leur métier à eux, c'était de faire respecter l'ordre. Par conséquent, ils me seraient très reconnaissants de ne pas m'immiscer dans leur travail.

À son tour, elle leur a répondu que si leur métier consistait à brutaliser des innocents, il était de son devoir, en tant que médecin et de conseillère municipale, de protester.

Jimena poursuit :

– La théorie de l'armée, c'est qu'il n'existe pas d'innocents par ici. Ils nous accusent de tous travailler pour les Escajeda et le cartel de Juárez.

Elle raconte que les soldats s'introduisent dans les maisons pour chercher des narcos, de la drogue, des armes, de l'argent. Ils volent tout ce qui leur tombe sous la main, et si vous protestez, vous vous retrouvez dans son dispensaire.

– Si vous avez de la chance, ajoute-t-elle. Sinon, ils vous bandent les yeux, vous jettent à l'arrière d'un camion et vous conduisent à la caserne de Práxedis. Huit jeunes hommes de Valverde se trouvent là-bas actuellement, mais pas moyen de savoir avec quel statut.

– Vous êtes allée voir un juge ? demande Ana.

– Évidemment, répond Marisol, mais la loi ordinaire ne s'applique pas durant l'état d'urgence. La loi martiale a été instaurée dans toute la vallée et l'armée peut faire ce qu'elle veut.

Voilà ce qu'on appelle être pris entre trois feux, se dit Pablo. Les habitants de la vallée sont victimes d'un triangle meurtrier ; le cartel de Juárez exige leur loyauté, le cartel de Sinaloa exige qu'ils changent de camp et l'armée constitue une force à part entière. Alors, quand les gens ne sont pas décimés par les tirs croisés des narcos qui s'entre-tuent, ils sont coincés de tous les côtés.

Jimena réfute cette analyse.

– Il n'y a pas trois côtés, dit-elle. Il n'y en a que deux. L'armée et les Sinaloans, c'est la même chose.

– C'est une accusation grave, dit Ana, tout en griffonnant des notes.

– Laissez-moi vous expliquer comment ça marche. L'armée investit une maison sous prétexte qu'elle abrite de la drogue ou des armes. Ils cassent tout et parfois ils arrêtent certains occupants. Le soir même, « Les Nouveaux » débarquent dans la maison et tuent ceux qui sont encore là.

– Autrement dit, résume Pablo, les soldats sont les chiens d'arrêt du cartel de Sinaloa. Ils flairent les « ennemis », puis les narcos tuent les proies qu'ils ont levées.

– Il arrive que les tueurs portent des masques noirs, comme les *federales* et l'armée, ajoute Marisol.

– L'armée traque les partisans du cartel de Juárez, dit Jimena. Los Escajedos, Los Aztecas, ce qui reste de La Línea. Et elle les extermine. Je ne vois jamais les soldats traquer les Sinaloans.

– C'est à sens unique, dit Marisol.

Ils vont faire un tour en ville.

Les rues, même en pleine journée, sont presque vides. Quelques personnes âgées et des gamins sont assis à l'ombre d'un kiosque, une poignée de soldats surveille les environs derrière une barricade de sacs de sable. Pablo a le sentiment d'être observé derrière les volets fermés. Certaines maisons sont grêlées d'impacts de balles, des éclats de grenades ont écaillé la peinture.

Pablo s'étonne du nombre de maisons inoccupées. Certaines ne sont plus que des coquilles vides, d'autres abritent encore quelques meubles.

– Ils ne reviendront pas, dit Jimena. Ils ont été menacés par l'un ou l'autre des cartels, ou plus vraisemblablement par l'armée.

– Pourquoi l'armée les menacerait-elle ? s'étonne Ana.

– Pour voler leurs maisons, justement. Et leurs terres.

Voyant l'air sceptique de Pablo, elle ajoute :

– Venez.

Ils roulent vers l'est jusqu'à Práxedis.

Marisol est restée à Valverde pour travailler au dispensaire. C'est une belle journée, le ciel est d'un bleu presque irréel, rehaussé par la blancheur des cumulus.

Malgré cela, le trajet se déroule dans une atmosphère de plus en plus tendue alors qu'ils s'enfoncent dans le désert, dans le territoire hors la loi. Ils franchissent un autre check-point (cela leur coûte encore dix dollars, mais au moins on ne les menace pas avec un fusil cette fois) avant de pénétrer dans une ville encore plus petite que Valverde.

Mais l'aspect est similaire : soldats dans les rues, maisons mitraillées, abandonnées.

– Les narcos ont abattu quelqu'un ici, dans cette boutique, indique Jimena. Le propriétaire a eu peur, il a fermé.

– Où vont les gens pour faire leurs courses ? demande Ana.

– À Valverde.

La caserne est installée dans un ancien gymnase, entouré de fils barbelés, de sacs de sable et protégé par un portail métallique devant lequel se dresse une guérite.

– N'approchez pas, prévient Jimena.

Ils se garent à bonne distance et continuent à pied.

– Je viens voir le colonel Alvarado, annonce Jimena.

Le garde posté à l'entrée la connaît. Elle vient presque chaque jour pour formuler la même requête.

– Il est occupé.

– On va attendre. Dites-lui que je suis avec trois reporters d'un journal de Juárez. Sérieusement, *m'ijo,* il sera furieux après vous si vous ne le prévenez pas.

Le gardien téléphone.

Quelques minutes plus tard, un sergent sort de la caserne et les conduit dans un bureau de fortune qui contient une table et quelques chaises pliantes. Le colonel Alvarado pose sa cigarette dans un cendrier, lève les yeux des documents posés devant lui et leur fait signe de s'asseoir.

– *Señora* Abarca, que puis-je pour vous, aujourd'hui ?

Difficile de faire plus mielleux, se dit Pablo. Tiré à quatre épingles, uniforme à la coupe impeccable. Des cheveux blond-roux et des yeux bleu pâle qui vous transpercent : le genre d'individus que Pablo a toujours détesté… et craint, il faut l'avouer.

– Vous détenez encore huit jeunes hommes de ma ville, répond Jimena, et elle entreprend d'énumérer leurs noms : Velázquez, Ahumada, Blanco…

– Je vous ai dit et redit que cette affaire concernait l'armée et que vous n'étiez pas en position de…

Ana se présente et demande :

– Ces hommes sont-ils accusés et si oui, de quoi ?

– Ils sont en cours d'interrogatoire.

– Quel genre d'interrogatoire ? intervient Pablo.

– Et vous, qui êtes-vous ?

– Pablo Mora. Je travaille pour le même journal.

– Vous êtes venus à trois ?

– C'est plus sûr. Selon certaines de nos informations, des gens sont torturés dans cette caserne.

– C'est totalement faux, répond Alvarado. C'est de la propagande diffusée par les trafiquants, que certains journalistes stupides se font un plaisir de relayer.

– Dans ce cas, dit Ana, vous ne voyez aucun inconvénient à ce qu'on s'entretienne avec ces hommes ?

– J'ai dit « stupides » ? Peut-être aurais-je dû ajouter « corrompus ».

– Qu'est-ce que ça signifie ?

– Que certains journalistes sont à la solde des cartels.

Pablo sent son visage s'enflammer et il espère que les autres ne vont pas s'en apercevoir, ou qu'ils mettront ça sur le compte de la chaleur.

Jimena dit :

– Le médecin de Valverde…

– Le docteur Cisneros ?

– Oui. Elle a demandé quinze fois l'autorisation de pouvoir examiner ces hommes. Sans jamais obtenir de réponse.

– Nous disposons d'un personnel médical qualifié.

– C'est elle qui les soigne.

– Le docteur Cisneros est une femme ? s'étonne Alvarado.

– Vous l'avez rencontrée au moins dix fois.

– Alors, peut-on voir les prisonniers de Valverde, oui ou non ? s'impatiente Pablo.

– Non.

– Pourquoi ?

– Certains de leurs propos risqueraient de compromettre une enquête en cours si vous les publiez.

– Ce n'est pas la police qui mène les enquêtes habituellement ? s'étonne Ana.

– Les temps ont changé.

– Craignez-vous que la police locale soit à la solde des cartels, elle aussi ? réplique Pablo. Et dans ce cas, lequel ?

Alvarado ne répond pas.

– On pourrait peut-être voir les prisonniers sans les questionner ? suggère Ana.

– Que pourrez-vous écrire, alors ?

– Qu'ils n'ont pas été torturés.

– Vous avez ma parole, ça ne vous suffit pas ?

– Non.

Le colonel la foudroie d'un regard chargé de haine et de mépris.

Pablo rassemble tout son courage pour intervenir avec un feu nourri de questions : Avez-vous l'intention d'inculper ces hommes ? Et si oui, pour quel motif ? Quand ? Dans le cas contraire, quand envisagez-vous de les libérer ? Pourquoi ne peut-on pas les voir ? Avez-vous des preuves contre eux, et lesquelles ? Pourquoi n'ont-ils pas pu voir un avocat ? Qui êtes-vous, au juste ? Quels sont vos antécédents ? Où avez-vous servi avant d'être muté dans la 11e zone militaire ?

Alvarado l'arrête d'un geste.

– Je n'ai pas l'intention de subir un interrogatoire.

– C'est une torture pour vous ?

– Je n'ai aucun commentaire à faire pour votre journal.

– On peut donc écrire que vous avez refusé de répondre, dit Ana.

– Écrivez ce que vous voulez. (Alvarado se lève.) Maintenant, si vous le permettez, j'ai du travail, moi.

– J'ai contacté la Croix-Rouge et Amnesty International, dit Jimena.

– Nous sommes dans un pays libre.

– Vraiment ?

– Oui, sauf pour les criminels. Et vous n'êtes pas une criminelle, n'est-ce pas, *señora* Abarca ?

La menace est claire.

Il griffonne un laissez-passer qu'il tend à Ana.

– Cela devrait vous permettre de retourner à Juárez sans encombre. Puis-je vous suggérer d'y rester ? Ces routes peuvent se révéler très dangereuses ces temps-ci.

– Ah bon ? répond Ana. Pourtant, nous avons croisé un tas de patrouilles en venant.

– Ces deux femmes sont courageuses, dit Ana dans la voiture, sur le trajet qui les ramène à Juárez.

– Exact, confirme Pablo.

– Et tu te taperais bien la toubib.

– Comme tout le monde, dit Giorgio à l'arrière.

– Non, pas moi, dit Ana.

– Sauf si tu étais de l'autre bord, souligne Giorgio. Mais ce n'est pas le cas, hein ? Tu n'es pas à voile et à vapeur, si ?

– Je ne voudrais pas détruire tes fantasmes d'adolescent.

– Ils m'aident à oublier.

– Oublier quoi ?

– Tout, dit Giorgio. Les meurtres, la corruption, l'oppression… le fait que rien ne change jamais. C'est exaspérant. On a fait je ne sais combien de révolutions et on se retrouve toujours dans la même merde. Mais regardez un peu ça…

Il se penche vers l'avant pour leur montrer l'écran de son appareil photo.

Un superbe gros plan du colonel Alvarado.

– Comment tu l'as pris ? s'étonne Pablo.

– Pendant que tu le bombardais de questions, moi je le mitraillais.

– Vous croyez qu'Óscar va le publier ?

– Pour illustrer quoi ? demande Ana. Qu'est-ce qu'on va écrire ? « Le colonel nie torturer les prisonniers » ? Ce n'est pas une info, c'est le contraire d'une info. Le scoop, ce serait : « Le colonel avoue torturer les prisonniers. »

– Oui, mais on a un autre sujet d'article, dit Pablo. Énorme. Si on accorde foi aux affirmations d'Abarca et de Cisneros, l'armée s'est alliée au cartel de Sinaloa pour liquider le cartel de Juárez, et ce n'est pas tout, ils veulent chasser tous les honnêtes gens de la vallée.

Si c'est vrai, le cartel de Sinaloa et l'armée sont un seul et même monstre.

Ce soir-là, Ana sort sur le perron de son jardin, s'assoit à côté de Pablo et allume une cigarette.

– Tu as recommencé depuis quand ? demande-t-il.

– Quand j'ai recommencé à visiter les morgues, je crois.

Pablo comprend ce qu'elle veut dire : le tabac atténue l'odeur de la mort.

– Qu'est-ce que tu as pensé de cette journée ?

– C'est une sacrée histoire, répond Ana.

– Óscar va la publier ?

– Oui, mais sans les spéculations. Il soulignera le fait que l'armée retient des prisonniers à Práxedis sans se soucier de leurs droits.

Ils restent silencieux un moment, savourant la douceur de la nuit et les échos lointains d'une musique *norteña* provenant d'une radio, quelque part dans la rue. Finalement, Ana reprend :

– Pablo, je peux te parler d'un truc ?

– Évidemment.

– C'est très délicat. Tu ne dois le répéter ni à Giorgio ni à Óscar.

– *Dios mío,* tu es enceinte ?

– Non, dit-elle en pouffant. Non… C'est juste que… pendant ton absence… un homme m'a abordée à la sortie du journal et m'a remis une enveloppe.

Pablo sent son estomac se soulever.

– Une enveloppe ?

– Il a appelé ça *el sobre.*

– Un pot-de-vin ? (Pablo s'étrangle avec sa propre duplicité.) Qu'est-ce que tu as fait ?

– Je ne savais pas qui était ce type. Un flic, le larbin d'un politicard, un narco…

– Alors, qu'est-ce que tu as fait ?

– Que voulais-tu que je fasse ? Je lui ai rendu son enveloppe en expliquant que ça ne m'intéressait pas.

Pablo essaye de lui dire la vérité, mais la honte l'en empêche. Ana lui a toujours été supérieure. Chaque lundi, conformément à sa promesse (sa « menace », plus exactement), l'homme apparaît devant le journal et remet à Pablo (de force ?) le *sobre*. Ne sachant que faire de cet argent, il le conserve dans une enveloppe de papier kraft de plus en plus grosse, dans son sac à dos.

Tu pourrais en faire don à des œuvres de bienfaisance, se dit-il. Aux pauvres, aux sans-abri. (Merde alors, c'est *moi* le sans-abri.) À l'Église, même.

Alors, pourquoi tu ne le fais pas ?

Parce que j'aurais bien besoin de cet argent. Pour payer les billets d'avion, les honoraires d'avocat, les frais de justice.

Il ne s'en est pas encore servi, mais il est là, à portée de main : une cagnotte qui grossit.

Le plus étrange, c'est qu'on ne lui a toujours rien demandé. Ni d'écrire un article, ni d'en supprimer un autre, ni de dénoncer une source, rien. L'homme revient tous les lundis, comme la gueule de bois post-Mateo, et lui remet l'enveloppe.

Il ne sait toujours pas à qui il a affaire. Cartel de Juárez ? Sinaloa ? Quelqu'un d'autre ?

Il a été tenté de se confier à Óscar, mais il craint son mépris, peut-être même un renvoi immédiat, et il ne peut pas se permettre de perdre son travail.

Alors, il n'a rien dit.

Et l'argent s'accumule.

Les trahisons débutent de cette façon, par des mensonges cachés dans les ombres du silence.

– Tu dors sur mon canapé cette nuit ? demande Ana.

– Si ça ne t'ennuie pas.

– Je parie que Giorgio va retourner à Valverde pour coucher avec cette femme médecin.

– Il n'est pas son genre.

– Oh, fait Ana, à la fois amusée et agacée par cette affirmation.

Elle songe : Désolée, Pablo, mais Giorgio est le genre de presque toutes les femmes.

Elle se lève, boit la dernière gorgée de bière et écrase sa cigarette sur une marche.

– À demain.

Pablo reste assis là un instant, pour profiter du silence. Puis il s'écroule sur le canapé et s'offre un bref et futile fantasme avec Marisol. Pardon, le *docteur* Marisol Cisneros. Nom de Dieu, même mon imagination sait que cette femme est trop bien pour moi.

Le lendemain matin, Ana et Pablo se rendent au journal et confient leur sujet à Óscar. Après les avoir écoutés avec attention, il leur demande de tracer à quatre mains un portrait de la vallée : son aspect, son atmosphère, les patrouilles militaires, les postes de contrôle, les maisons criblées de balles.

– Ana, dit-il, vous rédigerez l'article sur ces hommes détenus à Práxedis. Vous citez le « pas de commentaire » du colonel et vous appelez des fonctionnaires dans les villes voisines pour savoir si eux aussi détiennent des prisonniers.

– Et au sujet des affirmations de Jimena et de Marisol ?

– Ne citez pas leurs noms, contentez-vous d'écrire que « certains habitants de la vallée » sont convaincus que l'armée favorise le cartel de Sinaloa dans la lutte contre la drogue, quelque chose dans ce goût-là.

Les trois articles sont publiés dans la semaine.

Juárez est un spectacle d'horreur.

Le cartel de Juárez et ses alliés des Zetas ont accroché des banderoles promettant de tuer un policier toutes les quarante-huit heures jusqu'à ce que le nouveau chef de la police, un ancien officier de l'armée, démissionne.

Après le meurtre des deux premiers policiers, le chef a démissionné. Les Zetas ont alors envoyé un message au maire de Juárez : « Si vous nommez un autre salopard au service de Barrera, on vous tuera vous aussi. » Des pancartes sont apparues un peu partout en ville, promettant de décapiter le maire et sa famille. Alors, il a expédié sa femme et ses enfants à El Paso, mais, contrairement à la rumeur, il est resté à Juárez, sous haute surveillance, vingt-quatre heures sur vingt-quatre.

Le gouvernement a envoyé cinq mille soldats supplémentaires sur place.

Le nouveau chef de la police était lui aussi un ancien de l'armée, un général, et le maire a démantelé toutes les forces de police municipales, avant d'annoncer que l'armée se chargerait désormais d'assurer le maintien de l'ordre.

Concrètement, la loi martiale règne à Juárez.

L'été calcine le printemps.

La chaleur, déjà écrasante, devient torride.

Et la violence se poursuit à Juárez et aux alentours.

Le premier jour de l'été, dix-huit personnes sont assassinées. Pablo, Ana et Giorgio se déplacent d'un point à l'autre à travers la ville comme des gouttes de graisse dans une poêle chaude. Un des cadavres, découvert dans la *colonia* extrêmement pauvre d'Anapra, a été décapité et démembré, il ne reste qu'un tronc dans un T-shirt ensanglanté.

Pablo est soulagé d'avoir reçu cet appel à la place d'Ana.

À la fin de la semaine, trois autres personnes sont assassinées, mais l'article de une est consacré à l'entrée en vigueur du plan Mérida et son milliard six cent mille d'aide.

En juillet, le commandant de police responsable de la lutte contre les enlèvements est kidnappé, puis le directeur de l'administration pénitentiaire de Juárez est abattu dans sa voiture, ainsi que son garde du corps et trois autres personnes.

En août, Pablo croit avoir tout vu lorsqu'il reçoit un coup de téléphone lui demandant de se rendre à la *colonia* connue sous le nom de Premier Septembre, un quartier du sud-ouest de la ville, dans un endroit baptisé CIAD n° 8.

Centre pour l'intégration des alcooliques et drogués.

Un centre de désintoxication.

Il est environ 19 h 30 et il fait encore suffisamment jour pour qu'on voie les taches de sang sur le trottoir, devant le petit bâtiment récemment blanchi à la chaux. La porte métallique qui donne sur un patio est ouverte. Il y a des policiers partout.

Pablo dénombre sept cadavres à l'intérieur et il possède assez d'expérience pour savoir que ces hommes – des drogués et des alcooliques en sevrage – ont été conduits de force jusqu'ici, placés contre le mur et exécutés. Une balle derrière la tête.

Il lève les yeux.

Un corps inanimé, le dos criblé de balles, agrippe encore les barreaux d'une échelle d'incendie.

Les voisins, scandalisés, ont envie de raconter ce qui s'est passé. Un camion militaire s'est arrêté au bout de la rue, puis un deuxième véhicule – un Humvee pour certains, un Suburban pour d'autres – est arrivé dans un rugissement d'enfer et s'est mis à tirer dans tous les coins.

Les gens ont hurlé et appelé à l'aide, ils ont téléphoné aux services d'urgences, ils ont couru jusqu'au camion de l'armée pour réclamer de l'aide. Le camion n'a pas bougé, les soldats ne sont pas intervenus et les secours ne sont jamais arrivés. Les survivants ont transporté les vingt-trois blessés dans la vieille camionnette du centre, par petits groupes, jusqu'à ce qu'une ambulance de la Croix-Rouge arrive enfin pour emmener une partie de ceux qui restaient.

Pablo examine les douilles avant que la police les ramasse. Il ne craint pas de contaminer les preuves car il sait qu'il n'y aura aucune arrestation, et encore moins de procès.

Comme la plupart des journalistes de Juárez, il est devenu un véritable expert en balistique. Les douilles correspondent à du 9 mm, du .7,62 et du .5,56. Les balles de .7,62 peuvent avoir été tirées par des AK, l'arme de prédilection des narcos, ou des armes de type militaire. Les balles de .5,56 peuvent provenir de plusieurs armes de l'OTAN utilisées par l'armée mexicaine. Les balles de 9 mm ont été tirées par des armes de poing, Glock ou Smith & Wesson.

Pablo avise un policier qu'il a rencontré récemment sur les lieux d'un meurtre quelconque.

– Vous avez des suspects ?

– À votre avis ?

– Il y avait des soldats à cinquante mètres de là. Ils n'ont rien fait !

– Vous êtes sûr ?

Il a raison, se dit Pablo. Ils ont bloqué la rue, peut-être même qu'ils ont servi de guetteurs, peut-être qu'ils ont intimidé la police et les secours pour les empêcher d'intervenir.

– Pourquoi tuer les patients d'un centre de désintoxication ?

– Parce que les cartels se servent de ces centres pour cacher des tueurs, répond le flic. Ou peut-être qu'ils ont peur des aveux que pourrait faire un ex-tueur désintoxiqué. Je ne sais pas. Et si vous n'avez pas de réponse à me donner, foutez-moi le camp. Je dois rassembler des indices qui ne seront jamais utilisés.

– C'étaient peut-être des armes militaires.

– Allez boire une bière, Pablo.

Pablo suit son conseil, et même plus. Il en est à la neuvième bière quand il reçoit un appel d'Ana.

L'armée a enlevé le fils aîné de Jimena Abarca.

Le sergent posté à l'entrée ne les autorise pas à voir le colonel Alvarado.

Mais quand ils déclarent qu'ils ne partiront pas avant d'avoir été reçus, et précisent que des camions de la télé vont bientôt arriver, le colonel apparaît à la porte de la caserne.

Tout d'abord, il nie connaître l'existence de Miguel Abarca.

– Dix personnes au moins ont vu des soldats le jeter à bord d'un camion de l'armée, dit Jimena.

– Malheureusement, répond le colonel, les narcos utilisent parfois des camions et des uniformes de l'armée volés.

– Vous êtes en train de nous dire, intervient Ana, que vous êtes négligents au point de vous faire voler votre matériel par les personnes que vous êtes censés contrôler ? Avez-vous la liste des véhicules manquants ?

Alvarado refuse de confirmer que son unité détient Miguel.

– Mais vous pouvez vous renseigner, dit Pablo. J'espère que vous faites plus attention aux gens qu'au matériel.

Après avoir foudroyé Pablo du regard, Alvarado envoie un lieutenant consulter le registre du jour. Le subordonné revient en déclarant qu'ils détiennent effectivement un certain « Abarca, Miguel », vingt-trois ans.

– Pour quel motif ? demande Jimena.

– On le soupçonne, répond le colonel.

– D'être mon fils ?

– De complicité avec des trafiquants de drogue.

Marisol intervient :

– C'est ridicule, Miguel est boulanger.

– Osiel Contreras était vendeur de voitures. Adán Barrera était comptable.

– Je veux le voir, dit Jimena.

– Impossible.

– En tant que membre du conseil municipal de Valverde, j'exige d'avoir accès à Miguel Abarca, dit Marisol.

– Vous n'avez aucune autorité ici.

– En tant que médecin, alors.

– Peut-être que si sa mère passait plus de temps à surveiller ses enfants, au lieu de participer à des manifestations, son fils ne se retrouverait pas dans cette situation.

– C'est donc ça, le problème ? demande Jimena.

– Non ? rétorque Alvarado. Est-ce que vous ne cherchez pas la publicité ? Je remarque que vous avez amené des journalistes avec vous.

– Ce sont mes amis.

– Oui, justement.

Pablo regarde autour de lui et remarque que cette discussion animée a attiré des curieux. En quelques minutes, la nouvelle se répand, des gens descendent la rue poussiéreuse en direction de la caserne et un attroupement se forme autour de l'entrée. Les habitants de Práxedis connaissent les Abarca, et Marisol Cisneros est leur médecin.

Quelqu'un lance une insulte aux soldats.

Quelqu'un d'autre jette une pierre.

Puis une bouteille vient se briser contre la grille.

– Non, ne faites pas ça ! crie Jimena.

– Vous voyez ? dit Alvarado. Vous provoquez un incident.

Pablo constate que les soldats deviennent nerveux. Ils ont ôté leurs fusils de leurs épaules et fixé une baïonnette au bout du canon.

– Je vous en supplie, ne jetez rien ! hurle Marisol.

Les projectiles cessent, mais un des habitants se met à scander :

– Miguel ! Miguel ! Miguel !...

Et les autres reprennent en chœur :

Miguel ! Miguel ! Miguel ! Miguel !...

– Ces gens ne rendent pas service à votre fils, dit Alvarado.

La clameur enfle – Miguel ! Miguel ! Miguel ! – et d'autres personnes affluent. Des téléphones portables apparaissent, pour passer des appels et prendre des photos, des vidéos. Bientôt, toute la vallée sera informée.

– Je vais faire évacuer la rue, dit le colonel, et je vous tiendrai personnellement pour responsable en cas de troubles à l'ordre public.

– Nous *vous* tiendrons pour responsable, réplique Marisol.

Quand Giorgio commence à photographier la foule, Alvarado crie à Ana :

– Ordonnez-lui d'arrêter !

– Je n'ai jamais pu le contrôler.

– Relâchez mon fils ! exige Jimena.

– Je ne cède pas aux menaces.

– Moi non plus.

Bras tendus en avant, Jimena et Marisol font reculer la foule à une vingtaine de mètres de la porte, mais de nouvelles personnes affluent encore. Environ deux cents manifestants sont rassemblés dans la lumière rasante de cette soirée d'été.

Deux camionnettes de chaînes de télé arrivent à leur tour.

– Vous passerez aux infos régionales ce soir, dit Marisol à Alvarado. Et au journal télévisé d'El Paso demain matin. Pourquoi ne voulez-vous pas le relâcher ? Je connais Miguel, il ne s'intéresse pas à la politique.

– Si la *señora* Abarca acceptait de s'occuper de ses affaires, nous pourrions peut-être trouver une solution.

– Autrement dit, Miguel est un otage.

– C'est vous qui le dites.

– Je vais appeler le gouverneur, dit Marisol. J'appellerai même le président, s'il le faut. J'ai une certaine influence.

– Assurément. Vous n'êtes pas dans votre milieu social, docteur Cisneros.

– Vous insinuez que je ne suis pas une *indio* ?

– Là encore, c'est vous qui le dites. Mais je vous imagine plus facilement dans un salon de thé de Mexico que dans une rue poussiéreuse du Chihuahua, voilà tout.

– Ma famille vit ici depuis plusieurs générations.

– Ce sont des propriétaires terriens. Des *patrones*. Et peut-être que vous devriez vous comporter comme telle.

– C'est ce que je fais, colonel.

Sur le côté, à l'écart de la foule, Jimena craque dans les bras d'Ana.

– Ils vont lui faire du mal. Ils vont le tuer, je le sais.

– Non, dit Ana. Il y a trop de monde qui les regarde.

Pablo reçoit un appel d'Óscar.

– Tout va bien ? Vous êtes sains et saufs ?

– Oui, ça va.
– Jimena tient le coup ?
– Autant que faire se peut.
– Dites à Giorgio que j'ai besoin de ses photos.
– Entendu.
– Vous croyez qu'ils vont le relâcher ?
– Non, répond Pablo en toute franchise. Le colonel Alvarado perdrait la face.

Un siège s'installe.

Quand tombe l'obscurité, des bougies s'allument et la veillée commence.

Marisol appelle le gouverneur et on lui répond qu'il « ne manquera pas de s'occuper de cette affaire ». Alors, elle surmonte son humiliation pour appeler son ex-mari à la rescousse. Celui-ci contacte un ami, qui contacte un ami, qui s'entretient avec quelqu'un à Los Pinos, qui promet de « s'en occuper ».

Malgré cela, ils ne relâchent pas Miguel cette nuit-là, ni le lendemain matin.

La foule se disperse, mais il est convenu que plusieurs personnes se relaieront en permanence devant la caserne, avec des pancartes exigeant la libération de Miguel.

Et Jimena Abarca entame une grève de la faim.

La grève de la faim de Jimena Abarca n'intéresse pas la presse internationale.

Ni même la presse nationale.

En revanche, Óscar y consacre un gros titre en une, chaque jour, et il explique à son équipe :

– Si nous ne servons pas à couvrir ce genre d'histoires, nous ne servons à rien.

Pendant trois jours de suite, il publie en première page des articles signés Ana et Pablo sur les injustices dans la vallée, les violations des droits de l'homme et les exactions de l'armée.

Pablo se trouve sur place quand arrivent les premières réactions. Officielles, tout d'abord. Le général en chef appelle Óscar et exige de savoir pourquoi il prend parti dans cette affaire.

– Nous ne prenons pas parti, répond El Búho, avec peut-être une pointe de fourberie. Nous publions des informations.

– Vous ne publiez pas notre point de vue.

– Si vous me le donnez, ce sera avec plaisir. Vous m'en faites part par téléphone ou je vous envoie Ana ? Vous la connaissez, n'est-ce pas ?

– Nous n'accordons pas d'interview à ce stade.

– Si c'est votre commentaire, je le publierai, répond Óscar.

Un attaché de presse du bureau du gouverneur appelle ensuite pour poser les mêmes questions et faire remarquer que les autres journaux ne traitent pas cette affaire à la une.

– Je ne suis pas le rédacteur en chef des autres journaux, répond Óscar. Je dirige ce journal, depuis pas mal de temps, et d'après mon expérience, cette info mérite la une.

Il raccroche, frappe sur le côté de son bureau avec sa canne, plusieurs fois, et annonce :

– Le prochain qui va appeler, c'est le directeur de la publication. Mais après le déjeuner seulement, quand il croira qu'un verre de vin et un bon repas m'auront ramolli.

L'appel a lieu à 14 h 5, dix minutes après le retour d'Óscar au journal. El Búho écoute les lamentations du directeur de la publication, il compatit en apprenant que celui-ci a dû subir les coups de téléphone rageurs de la Défense, du bureau du gouverneur et même de Los Pinos, puis il répond qu'il ne changera rien à sa façon de faire, si ce n'est en publiant un éditorial enflammé dans l'édition du lendemain.

Il met le téléphone sur haut-parleur pour que Pablo et Ana puissent entendre la suite de la conversation :

– Publier des articles, c'est une chose, dit le directeur. Des éditoriaux, c'est très différent.

– Exactement. J'ai bâti ma carrière professionnelle sur ce principe, répond Óscar en adressant un sourire à Pablo. Je me réjouis que nous soyons du même avis.

– Vous êtes donc décidé à utiliser ce journal pour affirmer que l'armée commet des exactions à Práxedis ?

– Non. Dans toute la vallée de Juárez.

– Je ne suis pas certain que le conseil d'administration puisse l'accepter.

– Dans ce cas, le conseil d'administration ferait mieux de me renvoyer.

– Allons, Óscar, personne n'a parlé de…

– Tant que je serai le rédacteur en chef de ce journal, je resterai le rédacteur en chef de ce journal, et par définition, c'est moi qui rédige les éditoriaux.

Du pur Óscar : ferme, déterminé, autoritaire. Néanmoins, Pablo remarque qu'il a vieilli. La lueur espiègle dans son regard s'est un peu ternie, il cligne des yeux plus fréquemment, ses hanches semblent le faire davantage souffrir, et Pablo sait que les événements de Juárez pèsent sur son patron. Comme sur nous tous, je suppose, se dit-il.

Deux jours se sont écoulés depuis le début de la grève de la faim de Jimena et l'éditorial incendiaire d'Óscar, et les premières menaces arrivent.

Des appels anonymes.

« Arrêtez ça si vous savez où est votre intérêt », dit l'un.

« Ne vous croyez pas intouchables », dit l'autre.

Óscar leur répond qu'il sait ce qu'il risque. Qu'il a même reçu trois balles dans le corps.

« Vous auriez dû retenir la leçon », dit un troisième.

Le rédacteur en chef lui rétorque qu'il est lent à la détente et que d'ailleurs il faisait le désespoir de ses professeurs à l'école.

– D'où viennent ces appels ? demande Pablo, honteux en songeant aux *sobres,* aux enveloppes.

– Les narcos ? répond Óscar. Le gouvernement ?

– Il y a une différence ? ironise Ana.

– Jusqu'à preuve du contraire, oui.

Óscar leur conseille d'être prudents, de surveiller leurs arrières, et il augmente les mesures de sécurité autour du journal. Mais il continue à publier des articles consacrés à Jimena Abarca.

Les trois premiers jours, explique Marisol, le corps puise l'énergie dans les stocks de glucose. C'est douloureux, évidemment, comme le sait toute personne qui a souffert de la faim, mais pas mortel.

Après trois jours, la graisse du corps commence à fondre. Quand la grève de la faim entre dans sa troisième semaine, le corps consomme ses protéines – ses muscles et ses organes vitaux –, ce qui peut provoquer des dommages irréversibles.

On parle alors d'inanition.

Marisol leur explique ensuite la règle du « 4-4-40 » appliquée à la survie de l'être humain : quatre minutes sans air, quatre jours sans boire et quarante jours sans manger.

Jimena en est au septième jour.

Heureusement, elle a accepté de boire de l'eau, mais elle refuse d'avaler des vitamines ou des compléments alimentaires. Elle est allongée sur un lit de camp dans la maison d'un ami à Práxedis, près de la caserne, et s'affaiblit de jour en jour. Elle était déjà mince, elle est carrément émaciée.

De son côté, l'armée ne semble pas décidée à relâcher Miguel. Au contraire, elle exige que Jimena soit arrêtée et nourrie de force si nécessaire.

– Va-t-on la laisser se suicider à petit feu ? s'inquiète Ana.

Avec d'autres femmes du « mouvement », elles se relaient pour rester au chevet de Jimena. D'autres personnes montent la garde au-dehors pour que, en cas d'intervention de l'armée, l'opération ne se déroule pas sans résistance et soit filmée.

– Vous êtes médecin, dit Ana à Marisol. N'avez-vous pas l'obligation d'intervenir ? Vous ne pouvez certainement pas prendre part à un suicide.

– Je ne la nourrirai pas de force, répond Marisol. C'est une torture.

– Contrairement à l'inanition ? demande Pablo.

Marisol ne cesse de faire l'aller-retour entre Jimena et Alvarado pour tenter de trouver un compromis. Jimena arrêtera-t-elle sa grève de la faim si le colonel l'autorise à voir Miguel ? Ils refusent l'un et l'autre. Et si l'armée remet Miguel à la police de l'État du Chihuahua ? Jimena accepte, Alvarado refuse. Et s'il est remis à l'AFI ? Alvarado accepte, Jimena refuse.

Tous les deux campent sur leurs positions.

Jimena poursuivra sa grève tant que Miguel n'aura pas été libéré sans conditions, et Alvarado refuse de le relâcher.

La situation vire au rapport de force.

Et à l'affrontement tactique : le huitième jour, Jimena reçoit une lettre de Miguel la suppliant d'arrêter sa grève de la faim.

– Je n'y crois pas, dit-elle.

– C'est son écriture, dit Ana.

– Ils l'ont forcé.

– Il ne veut pas que sa mère meure.

– Sa mère non plus, répond Jimena, et elle repose la tête sur son oreiller, en souriant. Sa mère non plus.

Le même jour, elle reçoit un coup de téléphone de Miguel.

– Je vais bien, *mama*.

– Ils t'ont fait du mal ?

– *Mama,* mange, s'il te plaît.

– Ils t'ont forcé à appeler ?

– Non, *mama.*

La communication est interrompue. Julio, le fils cadet de Jimena, demande :

– Tu es satisfaite, *mama* ? Je t'en supplie, arrête.

– Pas avant qu'ils l'aient libéré.

– Miguel t'a dit qu'ils ne lui avaient fait aucun mal.

– Que voulais-tu qu'il dise ? Si j'arrête maintenant, ils auront gagné.

– Ce n'est pas un jeu, dit Ana.

– Non, c'est une guerre, répond Jimena. La même guerre depuis toujours.

Pablo comprend ce qu'elle veut dire. C'est la guerre entre les possédants et les démunis, entre les puissants et les faibles. Ceux qui ont le pouvoir d'infliger la souffrance, ceux qui peuvent seulement la subir.

Leur seule arme est de provoquer la honte chez les puissants, si tant est qu'ils soient capables d'éprouver ce sentiment.

Les militants du « mouvement » font tout leur possible : des manifestations sont organisées quotidiennement devant la caserne et le bureau du gouverneur ; quelques sympathisants manifestent à Mexico devant Los Pinos. Dans les villages de la vallée, les habitants rejettent les soldats, qui ne peuvent même plus acheter une sucrerie, une bière ou un timbre-poste.

Pablo a eu vent de rumeurs selon lesquelles certains militants envisageraient des mesures plus radicales. Si l'armée se range du côté du cartel de Sinaloa, pourquoi ne pas rejoindre le camp de Juárez ? La Familia Michoacana a attaqué des casernes, les Zetas ont pris des prisons d'assaut et libéré des détenus. Puisque l'armée nous considère comme des êtres maléfiques de toute façon, faisons-leur vivre un véritable enfer. Les discours abandonnent la résistance passive pour parler de révolution : une ancienne tradition au Chihuahua.

Ces propos parviennent aux oreilles de Jimena, qui s'y oppose.

– On ne les vaincra pas en devenant comme eux, dit-elle.

Tous n'en sont pas convaincus.

Marisol, quant à elle, utilise les armes à sa disposition – sa beauté et son charme – pour attirer les médias. Elle séduit la caméra, comme on dit, et elle en profite pour se présenter vêtue de sa blouse blanche afin de décrire, avec son sérieux de médecin, en termes cliniques, mais médiatiques, ce que subit le corps de Jimena Abarca.

Elle sait parfaitement ce qu'elle fait : elle transforme l'épreuve de Jimena en feuilleton télévisé, en espérant que ce sera une courte *telenovela* au dénouement heureux.

Marisol devient « la Médica Hermosa », la belle doctoresse. Les gens regardent les infos uniquement pour la voir, et le cas de Jimena commence à éveiller l'intérêt dans tout le pays. C'est honteux, confie Marisol à Pablo et à Ana en privé, vulgaire et dégradant, mais cela permettra peut-être de sauver Jimena.

Et puis, il y a les photos de Giorgio.

Une idée de génie, se dit Pablo. Publier chaque jour un nouveau portrait de Jimena, pour que les lecteurs assistent à la dégradation de son état.

Jour après jour, les gens qui achètent leur journal voient cette femme mourir de faim. Et les photos de Giorgio sont de superbes compositions artistiques, réalisées dans la semi-pénombre de la petite maison : des pietà d'une mère pleurant son enfant.

Le tirage du quotidien augmente.

C'est le sujet principal à la machine à café – *Avez-vous vu Jimena aujourd'hui ?* – Les vendeurs de journaux crient cette phrase au milieu de la circulation : *Avez-vous vu Jimena aujourd'hui ?* Les femmes au foyer en parlent au déjeuner : *Avez-vous vu Jimena aujourd'hui ?*

Un donateur anonyme loue un grand panneau d'affichage au pied du pont international Lincoln pour que les gens venant d'El Paso se trouvent face à cette question : *Avez-vous vu Jimena aujourd'hui ?*

Le fait que personne n'ait besoin de demander de qui il s'agit en dit long sur l'efficacité des photos.

L'armée riposte par une campagne de relations publiques. Le commandant de la 11e zone militaire tient une conférence de presse et déclare :

– Cette femme n'est pas Mère Teresa. Elle n'est qu'un outil des cartels.

Ana est présente et intervient :

– Possédez-vous des informations permettant de rattacher Jimena Abarca au trafic de drogue ? Si oui, pourquoi ne pas les avoir publiées ?

– Cela pourrait compromettre l'enquête en cours.

– Si vous détenez de telles informations, insiste Ana, pourquoi ne les avez-vous pas transmises aux autorités judiciaires afin qu'elles puissent ouvrir une instruction ?

– Nous le ferons en temps voulu.

– C'est-à-dire ?

– Quand nous serons prêts.

– Avant ou après la mort de Jimena Abarca ?

– Ce n'est pas nous qui la privons de nourriture, réplique le général. Elle s'affame elle-même. Nous ne nous laisserons pas harceler et intimider par ces tactiques.

Le lendemain, une photo du général bien nourri apparaît à côté de celle d'une Jimena de plus en plus émaciée, avec cette légende : « Harcelés et intimidés ? »

Le jour suivant, un important quotidien du Texas publie un édito ayant pour titre : « Est-ce à cela que servent les milliards de Mérida ? » Un membre démocrate du Congrès prend la parole en pleine séance pour poser la même question. Ce qui provoque un appel de la Maison-Blanche au siège de la DEA pour savoir ce que signifie ce bordel et exiger que l'agence reprenne les choses en main.

Des élections approchent, elles promettent d'être serrées, et le candidat du parti au pouvoir vient d'un État frontalier à forte population hispanique. McCain était à Mexico un mois plus tôt pour vanter le plan Mérida, présenté comme un pas en avant majeur, et il ne veut surtout pas que l'opinion ait l'impression que cette aide sert à torturer des mères de famille mexicaines.

Le directeur de la DEA appelle un homologue au ministère mexicain de la Défense. Celui-ci l'écoute et répond :

– Nous ne pouvons pas céder devant une femme seule. Quel message enverrions-nous ?

– Que vous êtes des gens intelligents ? répond le directeur. Si vous voulez que les hélicoptères et les avions continuent à arriver, je vous suggère de trouver un moyen de faire marche arrière dans cette affaire.

Dans tous les conflits, vient un moment où les deux camps ont le sentiment de perdre. C'est vrai pour les guerres et les batailles, les procès et les grèves. Et c'est vrai dans ce cas précis. Les partisans de Jimena ignorent tout des appels en provenance de Washington et ils n'ont pas conscience de l'énorme pression qui pèse sur l'armée.

Ils ne voient que son inaction.

Et la grande faiblesse de Jimena.

Un soir, Ana craque.

– Je n'en peux plus, sanglote-t-elle dans les bras de Pablo qui la serre contre lui et la berce. Je ne supporte pas l'idée de la voir mourir.

– Elle ne mourra pas, répond Pablo, pourtant loin d'éprouver une telle confiance. Ils céderont les premiers.

– Et s'ils ne cèdent pas ?

Pablo n'a pas la réponse.

Adán regarde la Médica Hermosa à la télé.

– Elle est très belle, commente Magda.

– Oui, sans doute.

Adán connaît suffisamment bien les femmes pour éviter le piège. Mais il est vrai que cette femme est d'une beauté saisissante. Et efficace. Pas étonnant qu'elle soit devenue la coqueluche des médias.

– Et efficace, ajoute Magda.

Ils sont au lit dans l'appartement de Badiraguato, où elle le rejoint quand elle éprouve le besoin d'être avec lui, ce qui arrive moins souvent, a-t-il constaté.

– Tu trouves ? demande-t-il.

– Il faut voir les choses en face, *cariño*. Le monde a changé. Aujourd'hui, les guerres se mènent sur trois plans en même temps : militaire, politique et médiatique. Et tu ne peux pas remporter l'une sans remporter les autres.

Elle a raison, se dit Adán.

Elle a parfaitement raison.

Il se lève et appelle Nacho.

– Qui est ce Miguel Abarca ? Je n'ai jamais entendu parler de lui. Il est avec Fuentes ? Los Aztecas ? La Línea ?

– C'est personne, répond Nacho. C'est le gamin d'une boulangère.

– Non, ce n'est plus « personne ». Sa mère non plus. L'armée en a fait des vedettes.

Il en a assez de toute cette bêtise, incessante et inutile. Comment les militaires ont-ils pu laisser un simple incident prendre de telles proportions ?

Adán a des projets pour la vallée de Juárez, et créer une martyre n'en fait pas partie. Il est en train de gagner la guerre contre le cartel de Juárez et voilà qu'une bande de crétins en uniforme trouve le moyen de tout foutre en l'air.

– Je ne veux plus lire un seul article sur ce sujet, dit-il. Je ne veux plus voir cette femme médecin à la télé. Cette affaire doit connaître un dénouement rapide et heureux.

– Je suis d'accord.

– Et nous devons mieux contrôler les médias. Vu ce que ça nous coûte, on pourrait penser…

– On s'en occupe.

Comme tout le reste, non ? se dit Adán après avoir raccroché. Les médias ? On s'en occupe. La traque de Diego ? On s'en occupe. La lutte contre les Zetas ? On s'en occupe. Tuer Keller ? On s'en occupe. Je ne veux pas qu'on « s'occupe » d'un problème, je veux qu'on le règle.

Le téléphone de Marisol la réveille à l'aube.

Elle panique car elle s'attend à l'annonce de la mort de Jimena.

Mais c'est le colonel Alvarado qui est au bout du fil.

– J'ai une proposition à vous faire, dit-il.

Óscar entre dans la salle de rédaction.

– Je viens d'apprendre qu'ils ont relâché Miguel Abarca.

Le temps que Pablo, Ana et Giorgio se rendent dans la vallée, Miguel et Jimena sont déjà rentrés chez eux à Valverde, et Marisol guide prudemment Jimena vers un retour à une alimentation solide.

– Je suis désolée de ne pas vous avoir informés, leur dit-elle, mais c'étaient les termes de l'accord : pas de couverture médiatique. Ils ne voulaient pas que quelqu'un filme sa libération, face à une foule triomphante.

– On comprend, dit Ana.

– J'espère que vous comprendrez également que nous ne pouvons pas vous laisser interviewer Miguel, ni prendre de photos.

– Pourquoi donc ? demande Giorgio.

– Il est allongé sur une civière dans mon dispensaire. Il a le nez cassé, deux côtes fracturées et ses plantes de pied présentent des plaies caractéristiques de *la chicharra,* des brûlures faites avec des fils électriques. Mais il est vivant, mes amis, et Jimena aussi.

Ils rentrent à Juárez et rédigent un article simple pour expliquer que Miguel Abarca a été libéré, sans qu'aucune charge ne soit retenue contre lui, et Jimena Abarca a arrêté sa grève de la faim. L'article n'évoque pas les blessures de Miguel. L'édition du lendemain publie une photo de Jimena buvant à la paille un milk-shake protéiné et la Médica Hermosa apparaît aux infos du soir, pour la dernière fois, assure-t-elle aux journalistes. Elle qualifie de stationnaire l'état de sa patiente.

L'histoire des Abarca disparaît de l'actualité car les Zetas ont lancé des grenades au cours d'une célébration du jour de l'Indépendance, à Morelian dans le Michoacán, et tué huit personnes.

À Juárez, la guerre d'usure se poursuit.

Pablo couvre les meurtres d'un commandant de police tué sur le parking d'un hôtel, de onze personnes abattues dans un bar, de six autres assassinées lors d'une fête familiale, et de six autres encore alignées devant une *tienda* et fusillées contre le mur.

Il écrit un article sur les trois cent trente-quatre policiers municipaux renvoyés après être passés au détecteur de mensonges et avoir subi un dépistage antidrogue.

Tout cela satisfait l'homme qui vient lui remettre discrètement le *sobre.*

– Je vous ai dit que je ne voulais pas de cet argent, dit Pablo.

– Et moi, je t'ai déjà dit que personne ne te demandait ton avis, répond l'homme. File ce fric à des bonnes œuvres si tu veux, mais prends-le.

Pablo est appelé ensuite pour un corps sans tête, pendu par les pieds au pont des Rêves, et accompagné de ce *narcomensaje* : « Moi, Lorenzo Flores, j'ai servi mon patron Barrera, le baiseur de chiens. »

– Baiseur de chiens ? demande Giorgio en cherchant un angle de prise de vue. C'est nouveau, ça.

– Les Zetas, dit Pablo.

– Comment tu le sais ?

– La décapitation. C'est leur truc.

La tête surgit un peu plus tard, sur la Plaza del Periodista.

MEXICO
DÉCEMBRE 2009

Seul Keller connaît l'identité de l'informateur dont le nom de code est « María Fernanda ».

Au cours de cette sinistre année 2009, alors que la violence et le bain de sang se propageaient dans tout le Mexique à la vitesse d'un virus, Keller est resté dans le bunker de Mexico et, fidèle à sa parole, il s'est concentré sur les moyens d'éliminer Diego Tapia.

Mais vous ne pouvez pas tuer ce que vous ne trouvez pas.

Ce n'était pas faute d'essayer, pourtant.

Avec les FES, les « missions d'évitement » n'existent pas. Orduña dispose même de son propre système de surveillance par satellite, acheté aux Français et géré par l'Agence spatiale européenne.

Malgré cela, il n'a pas réussi à repérer Tapia.

Le matériel d'espionnage fourni par les Américains n'a pas donné plus de résultats.

Sur le plan des moyens, Keller obtient tout ce qu'il désire.

Taylor y a veillé.

– Que tout le monde sache dès maintenant, a-t-il déclaré, qu'aucune unité secrète n'opère à Mexico. Tout ce dont il a besoin, vous le lui fournirez. Si Keller vous réclame quelque chose, vous ne demandez pas « pourquoi ? », vous demandez « pour quand ? ». S'il veut une pizza à la glace au chocolat, avec des frites et une cerise dessus, vous la lui livrez plus vite que Domino's, sans poser de questions. Si vous avez des questions, vous me les posez à moi, mais évitez d'en avoir. Des questions ?

Non, aucune.

Keller savait qu'il devait tout cela au fait que la nouvelle administration en place à Washington était axée sur la lutte antiterroriste. D'après la rumeur, la Maison-Blanche avait dressé une liste de « personnes à liquider » concernant les principaux djihadistes, et cette stratégie avait été transposée dans le domaine de la guerre contre la drogue.

Non pas que nous considérions les narcos comme des terroristes, songe Keller, mais un glissement psychologique s'est produit. La lutte contre al-Qaida a redéfini ce qui est envisageable, autorisé et faisable. De même que la guerre contre la terreur a fait évoluer les fonctions des agences de renseignements vers l'action militaire, la guerre contre la drogue a militarisé la police. La CIA dirige un programme d'assassinats par drones en Asie du Sud-Est et la DEA aide l'armée mexicaine à localiser les principaux narcos pour procéder à des « arrestations » qui sont souvent des exécutions.

Le Mexique a officialisé la militarisation de la guerre contre la drogue, et les États-Unis évoluent dans cette même direction.

Assurément, se dit Keller, ma propre guerre contre la drogue a changé au fil des ans. Autrefois, il était question de descentes et de saisies, le perpétuel jeu du chat et de la souris pour chasser la came des rues, mais aujourd'hui, les drogues passent au second plan.

Le trafic est devenu hors sujet.

Je ne suis plus un agent antidrogue. Je suis un chasseur.

Il est sorti de sa retraite pour traquer Barrera, et s'il doit liquider d'autres narcos en chemin, il le fera. Avant tout pour demeurer, même indirectement, sur la piste de sa cible. L'autre raison, c'est qu'il apprécie et fait confiance à Roberto Orduña. Il porte encore le deuil de Luis Aguilar, et la trahison de Gerardo Vera continue à le faire enrager. Lui qui ne voulait plus de relations de travail trop personnelles.

C'est pourtant ce qui le lie désormais à Orduña : une sorte d'amitié, fondée sur une compréhension mutuelle.

Et la vengeance.

Elle a montré son visage lors d'une soirée bien arrosée, après une longue journée de traque infructueuse. Le whisky single malt, très bon et très cher, a levé les inhibitions et provoqué des révélations.

Keller a ainsi appris qu'Orduña venait d'une famille immensément riche (« Voilà pourquoi je suis insensible à la corruption ») et qu'ils avaient un point commun.

Un compte à régler.

Felipa Muñoz.

Dix-neuf ans, mannequin et pom-pom girl pour l'équipe de *fútbol* de Tijuana, Felipa fréquentait un jeune homme proche des Tapia.

On l'avait retrouvée décapitée sur le terrain de football : le corps dans deux sacs plastique noirs, la tête dans un autre. Ses pieds avaient été broyés et ses doigts coupés : les sévices réservés à un *dedo,* un mouchard. Mais l'aspect maladroit des mutilations trahissait un travail d'amateur. Les deux coupables – l'« ami » de Felipa, âgé de vingt-deux ans, et un associé de quarante-neuf ans – avaient été arrêtés pour excès de vitesse et la police avait découvert les images des sévices sur leur téléphone portable. Ayant entendu dire qu'elle transmettait des informations à un policier, ils avaient décidé de la tuer pour gagner les faveurs de leurs patrons.

Felipa Muñoz était la filleule d'Orduña.
Il l'avait tenue dans ses bras quand elle était bébé.
– Je hais les narcos, avait-il avoué à Keller ce soir-là. Tapia, Contreras, Ochoa, Barrera, tous.
Ils avaient trinqué.
C'était une affaire personnelle, Keller comprenait cela.
Alors, il avait choisi de faire confiance à Orduña.
Il travaillait dur à ses côtés pour éliminer Diego Tapia.
En définitive, cela se résuma à un seul mot : mouchard.

La relation entre un indicateur et son « contact », songe Keller en allant retrouver María Fernanda dans un cinéma de Mexico, repose sur une séduction mutuelle, ne serait-ce qu'au niveau le plus élémentaire car chacun essaye de niquer l'autre.
Mais ça va plus loin que ça.
Il faut draguer l'informateur, le convaincre que votre lit est plus chaud, plus sûr que celui dans lequel il couche habituellement. Vous devez être un ami, mais pas trop, vous devez faire des promesses, mais uniquement celles que vous pouvez tenir. Vous devez protéger votre informateur, mais ne pas hésiter à lui faire courir un danger mortel. Vous devez lui montrer qu'il existe un avenir au-delà de tout ça, en sachant que c'est certainement faux.
De son côté, l'informateur vous excite ; il vous laisse voir un bout de cuisse, un bout de sein sous un chemisier déboutonné, en vous promettant plus. Un informateur est le roi des allumeurs, et il sait qu'il perdra de la valeur dès qu'il aura donné tout ce qu'il possède. Alors, il joue les timides, les insaisissables.
Keller s'assoit derrière son indic dans la salle de cinéma presque vide pour cette séance de matinée. Il n'y va pas par quatre chemins :
– Noël approche. Je veux trouver Diego sur ma table, à côté de la dinde.

– Plus facile à dire qu'à faire.

– Je ne vous ai pas demandé si c'était facile. Et je m'en fous. Vous m'avez donné des amuse-gueules, des en-cas, maintenant, je veux un vrai repas.

– Je vous ai donné plus de cinquante arrestations.

C'est exact, pense Keller. Grâce aux renseignements fournis par María Fernanda, les FES ont capturé de nombreux soldats de Tapia, ainsi que des armes, du cash et de la drogue. Mais il devient d'autant plus urgent de mettre la main sur Diego car chaque arrestation raccourcit la durée de vie de l'indicateur. Et Keller ne se prive pas de le faire remarquer.

– Je n'aimerais pas être à votre place quand Diego comprendra qui vous êtes. Vous avez tout intérêt à ce qu'il disparaisse.

– Je ne sais pas où il est.

– Je veux Diego.

Sur ce, Keller sort du cinéma et retourne au bureau, en songeant que le meilleur moment pour choper Diego approche.

Les narcos prennent les fêtes de fin d'année très au sérieux. Les *peces gordos* doivent organiser des soirées somptueuses s'ils ne veulent pas perdre la face. Et aucun d'eux ne peut se permettre de perdre la face cette année, alors que les loyautés et les alliances sont indécises et peuvent basculer d'un côté comme de l'autre. Diego va organiser une grande fête et je compte sur « María Fernanda » pour me faire inviter.

Elle appelle quinze jours plus tard.

– Ahuatepec. 1158 Avenida Artista. Ce soir.

Keller fait apparaître sur son ordinateur l'image correspondant à cette adresse : une grande maison à l'intérieur d'une résidence protégée, à la sortie de Cuernavaca.

– C'est un sale fils de pute arrogant ! crache Orduña lorsque Keller lui rapporte l'info.

Diego a invité des dizaines de personnes, il a engagé vingt des call-girls les plus chères de Mexico et un des plus célèbres musiciens *norteños* pour sa soirée.

– Surtout, pas de bain de sang, dit Orduña.

L'un et l'autre connaissent les réalités politiques. Canarder une banlieue chic et une pauvre *colonia,* ce n'est pas du tout la même chose. D'ailleurs, c'est peut-être pour cette raison que Diego se sent à l'abri.

– On sait où il se trouve, dit Keller. On ne peut pas se permettre de le perdre.

Keller rappelle María Fernanda.

Puis il s'installe pour participer à la fête, de loin.

Eddie espère que c'était de la chèvre, nom de Dieu.

Diego a exigé qu'il assiste à sa soirée de Noël et Eddie a répondu « Je suis occupé », mais Diego a insisté : « On s'en fout, *m'ijo.* Ramène-toi. » Alors, Eddie est venu, et tous les habitués étaient là eux aussi : les gardes du corps, quelques Zetas et l'escadron de putes. Ils se sont tous enfilé de la coke et on a servi le dîner.

Assis autour de la table, ils ont mangé du *chili verde,* et Diego a commencé à parler de Manuel Esposito, ce vieux *sicario* du cartel du Sinaloa – un vrai dur, un tueur au sang froid – qui s'est rangé du côté des Barrera. Un des invités a alors demandé : « Qu'est devenu ce vieux Manuel ? » et Diego a répondu, avec son étrange sourire :

– Peut-être que tu es en train de le manger.

Tout le monde a ri, du genre « Ah, ah, très drôle », mais Diego est resté très sérieux.

– Si, si. Peut-être que vous êtes en train de le manger.

Eddie a reposé sa cuillère.

Diego a ajouté :

– On dit toujours qu'il faut manger ce qu'on tue, pas vrai ? De plus, la chair d'un ennemi puissant vous rend plus fort.

Eddie a cru qu'il allait vomir. Il n'a plus touché au chili, et sans doute que Diego plaisantait. Mais ces temps-ci, avec Diego, comment savoir ? Et Eddie était furax car, bordel de merde, peut-être que Diego avait fait de lui un putain de *cannibale*.

Ça ne se fait pas.

Il y a de quoi vous rendre dingue.

Et vous faire devenir végétarien.

Quoi qu'il en soit, Eddie n'a pas de temps à perdre avec ces conneries.

Il a une affaire à gérer et il s'est remarié.

Oui, bon, d'accord, *presque* remarié, vu qu'il n'a jamais divorcé. Mais il s'est trouvé une autre beauté Tex-Mex, la fille d'un de ses gros passeurs de coke, et ils ont été « mariés » à Acapulco, par un prêtre qui n'était pas pointilleux au niveau de la paperasse, peut-être même qu'il n'était pas vraiment prêtre.

Ils ont passé leur lune de miel là-bas, et elle s'est retrouvée en cloque, style grossesse micro-ondes. Un gamin est en route, alors qui a du temps à perdre avec ces histoires de sectes sataniques à la con et Diego qui fait son numéro « Peut-être que je suis un cannibale peut-être que non » ?

Sans parler de ces prestations qu'il doit assurer quand Diego exige sa présence dans une des nombreuses planques qu'il possède dans l'agglomération de Mexico, et qu'il refuse de quitter.

Ces visites sont risquées car les *federales* bandent sévère pour Diego, et c'est la plaie car El Jefe n'arrête pas de lui casser les couilles pour savoir pourquoi il ne tue pas plus d'hommes de Barrera, pourquoi il ne « s'investit pas plus » dans cette guerre.

Pour commencer, mon pote, c'est pas à moi de m'investir, estime Eddie. C'est pas moi qui ai déclenché cette guerre contre El Señor, je me suis contenté de faire ce qu'on m'a demandé en liquidant le neveu, et maintenant, c'est moi qui dois risquer ma peau ? C'est *mon* problème ?

Eddie ne veut pas participer à cette guerre, ni au Sinaloa ni à Juárez, car c'est quoi, Juárez, pour lui ? Il n'aura jamais droit à une part du gâteau, même s'ils gagnent, alors merde ! C'est pour ça qu'il ne s'est pas trop mouillé dans cette bataille, il a laissé ses gars intervenir ici et là, s'ils avaient envie de prendre du galon, mais c'est tout.

Et chaque fois qu'il va voir Diego, ça revient sur le tapis.

Surtout, Diego est complètement cinglé quand il prend de la coke, ce qui lui arrive de plus en plus souvent. La coke, l'alcool, les putes et la Décharnée : ça devient encore plus bizarre que bizarre.

D'ailleurs, toute cette histoire est devenue complètement dingue. Tuer des flics. On ne faisait pas ça dans le temps, ce n'était pas de cette façon qu'on dirigeait les affaires. Et tous ces nouveaux trucs : les extorsions, les enlèvements… nom de Dieu, et cette passion de Diego pour ces conneries à la Zetas.

Ce n'est pas bien.

Et ça va nous foutre dans la merde. Or Eddie ne peut pas se permettre de se retrouver dans la merde. Il se fait plus de cent millions par an en vendant de la coke au nord de la frontière, plus vingt à Monterrey. Ce n'est pas qu'une question de fric, c'est une question de qualité de vie.

La DEA a mis deux millions sur sa tête, le gouvernement mexicain en a fait autant, et comment savoir quel flic est à la solde de qui de nos jours ? Dehors, c'est le chaos, sans oublier que la faction de Barrera l'a placé en bonne position sur la liste des personnes à buter pour avoir fait avaler son bulletin de naissance au jeune Sal.

Alors, il va et il vient, il partage son temps entre ses résidences et ses appartements à Acapulco et à Monterrey. Non seulement il doit s'occuper de ses affaires dans ces deux endroits, mais il est obligé de bouger en permanence pour ne pas se faire dézinguer.

N'empêche, c'est une sacrée fête, il faut le reconnaître, se dit-il en regardant la tête blonde à mille dollars qui s'agite entre ses cuisses. Il n'a jamais été fan de musique *norteño* – il aime mieux Pearl Jam, mais c'est quand même cool d'écouter un putain de gagnant des Grammy Awards chanter « Chaparra de mi amor ». C'est un peu comme quand Johnny Fontane chante au mariage de Connie dans *Le Parrain*, mais encore mieux, car ça s'accompagne d'une pipe.

Même Diego est de bonne humeur ; il déambule au milieu des invités en jouant au père Noël : il distribue des montres de luxe, des bijoux et des enveloppes contenant du liquide. Les *aguinaldos,* les primes annuelles. Il offre également des billets de tombola dont le tirage aura lieu plus tard, pour gagner des voitures et des maisons. Voilà comment on fait plaisir à ses employés. Et les femmes qu'il a fait venir sont fantastiques, tout droit sorties du *Playboy* mexicain. Rien à voir avec les fêtes de Barrera où seules les épouses étaient invitées. Ici, les épouses sont interdites.

Ce qui se passe à Ahuatepec, reste à Ahuatepec.

Et c'est tant mieux, se dit Eddie, car autour de lui des types se tapent des nanas devant tout le monde, l'alcool coule comme de l'eau, il y a de la coke partout, les tables croulent sous la bouffe (Eddie espère seulement que les *fajitas* sont bien au poulet).

C'est un peu le Disneyland des narcos.

La Mexicaine dix sur dix le finit, il remonte sa braguette et rejoint la fête. Diego vient vers lui et lui tend une boîte emballée dans du papier cadeau.

C'est une Audemars Piguet incrustée de diamants.

Eddie devine que cette montre vaut environ un demimillion.

– J'ai honte, dit Eddie.

Pour Noël, il s'est contenté d'offrir à Diego une paire de bottes Lucchese en alligator, faites sur mesure. Certes, elles lui ont coûté huit mille dollars, et Diego les porte fièrement ce soir, mais quand même.

– Tu m'as offert Salvador Barrera, répond Diego.

Il serre Eddie dans ses bras, affectueusement, et lui murmure à l'oreille :

– Je t'aime, *m'ijo.*

Là, Eddie a vraiment honte de son cadeau.

Ils ne quittent pas Diego pendant cinq longues journées.

Tandis que l'effervescence des fêtes fait vibrer tout Mexico, Keller et Orduña se terrent pour suivre les moindres faits et gestes de Diego, attendant le moment propice pour lui mettre le grappin dessus. Ils doivent se montrer prudents car le gouvernement ne tolérera pas une victime civile de plus, et eux-mêmes ne se le pardonneraient pas.

Le système de surveillance se focalise sur Diego, mais Keller donne quelques coups de fil à María Fernanda, sur son portable placé sur écoute.

Pendant tout ce temps, Diego ne va pas très loin, il se contente de passer d'une planque à l'autre, dans le secteur de Cuernavaca. L'une d'elles se trouve près d'une école : mauvais. Une autre près d'une rue commerçante très fréquentée : idem. Finalement, il s'installe pendant deux jours dans un appartement situé dans une des cinq tours de quatorze étages du quartier de Lomas de Selva.

– Résidence Elbus, immeuble Altitude, dit Orduña. Mais on ne connaît pas l'étage.

Une demi-heure plus tard, María appelle.

– Où étiez-vous ? demande Keller. Si vous jouez une sorte de double jeu…

– Personne ne joue.

– Il est dans l'immeuble Altitude. À Lomas de Selva. Quel étage ?

– Au deuxième. Appartement 201.

Ce soir-là, Diego a prévu un dîner avec un général et trois officiers de la 24e zone militaire.

– Peut-être que cette fois vous ne vous dégonflerez pas, dit María.

Ils n'ont pas l'intention de se dégonfler.

Les FES sont l'unité d'élite dont Keller rêvait au tout début de la traque de Barrera. Cette fois, il ne s'agit pas d'un assaut frontal mal conçu mené par l'AFI, mais d'une opération hautement planifiée, professionnelle.

Des agents des FES en civil prennent position dans la rue, devant les tours, et signalent que les quarante *sicarios* de Tapia sont disposés en trois cercles concentriques : deux autour de l'immeuble, un plus rapproché dans le hall. Six hommes supplémentaires sont dans l'appartement, et des micros ultrasensibles placés à l'extérieur de l'immeuble confirment la présence de sept voix différentes, en plus de celle de Diego Tapia.

Les meilleurs tireurs d'élite des FES se sont postés sur les toits des immeubles environnants. Ils ont toutes les issues en ligne de mire, et l'autorisation de tirer si Diego apparaît.

Orduña ne veut prendre aucun risque. Pendant cinq heures, à partir de midi, les agents en civil évacuent discrètement les habitants des autres immeubles et les font descendre au sous-sol.

Simultanément, d'autres agents commencent à éliminer les hommes de Diego dans la rue. Ils s'approchent d'eux avec des couteaux et des pistolets, les neutralisent en douceur, enfilent leurs vêtements, récupèrent leurs portables et prennent leur place. Le cordon de sécurité de Diego est devenu celui d'Orduña.

Les trois officiers de la 24e zone militaire invités à dîner sont interceptés à bord de leur voiture et arrêtés.

Deux cents hommes des FES attendent à un kilomètre de là, dans des véhicules blindés. D'autres se trouvent à bord d'hélicoptères Mi-17. Deux chars Abrams M1A2, faisant partie du colis Mérida, sont en stand-by.

Orduña ne plaisante pas.

Diego enrage : ses invités ne sont toujours pas arrivés.

Peut-être, se dit Eddie, qu'ils ont entendu parler du menu servi par El Jefe à Noël. Le couvert a été mis et il attend autour de la table avec Diego. Cinq *sicarios* montent la garde dans l'appartement, d'autres dans le hall.

– À mon avis, ils ne viendront pas, dit Eddie.

– Pourquoi ?

Diego est stressé et Eddie le sent. L'armée le protège, si elle s'est rangée du côté de Barrera, il est dans une merde noire. Et voilà que les militaires lui posent un lapin, ils ne répondent même pas au téléphone.

– Fait chier, dit Eddie. Je me tire.

– Tu t'en vas ?

– Je la sens pas, cette soirée.

– Relax. J'ai quarante types dehors. Qu'est-ce qui t'inquiète ?

– J'ai des trucs à faire, Diego. La *waifa* me casse les burnes pour que j'achète un couffin, des fringues de bébé… J'ai deux dealers à Monterrey qui ont besoin d'être recadrés…

– Vas-y. Tire-toi.

– Diego…

– Et la montre que je t'ai filée ? Elle te plaît ?

– Oui, elle est superbe. Et toi, tu portes encore tes bottes ? (Il embrasse Diego sur la joue et se lève.) À plus tard, *tío*.

– À plus.

Eddie prend l'ascenseur et sort sur l'esplanade.

Keller entend l'appel radio provenant de l'hélicoptère.

– Cible repérée.

– On attend, dit Orduña. Je répète : On attend. Laissez-le partir.

Cinq longues minutes plus tard, Keller l'entend dire : « Go ! »

L'hélicoptère décolle, survole le quartier de Lomas de Selva et se pose sur le toit de l'immeuble Altitude. Le toit a été sécurisé, quelques agents des FES évacuent les habitants des étages supérieurs, pendant que Keller et les autres descendent l'escalier jusqu'au deuxième étage.

Puis les véhicules blindés se positionnent devant l'immeuble et arrosent le hall avec des mitrailleuses 7.62 et des M-16, fauchant les *sicarios* de Tapia avant qu'ils puissent réagir. Les marines s'engouffrent ensuite dans le hall, neutralisent les blessés et montent au deuxième.

Au moment où les commandos envahissent le couloir, un des hommes qui se trouvent dans l'appartement 201 balance une grenade par la porte. D'autres *sicarios* tirent par les fenêtres de l'appartement sur les soldats massés devant l'immeuble, tandis que leurs compagnons livrent bataille dans l'escalier.

Keller dévale les marches derrière un lieutenant des marines lorsqu'une grenade rebondit bruyamment devant eux. Le lieutenant subit le plus gros de la déflagration et des éclats de la grenade à fragmentation l'atteignent au cou, juste au-dessus de son gilet en kevlar. Keller s'agenouille : le pouls de l'homme ne bat plus et il se vide de son sang à toute vitesse.

Keller dégaine son pistolet et ouvre le feu dans la cage d'escalier, tandis que d'autres FES arrivent derrière lui. Bien entraînés, ils alternent progression et couverture et parviennent à repousser les *sicarios* à l'intérieur.

Diego et ses cinq hommes transforment l'appartement en camp retranché. Dans son casque, qui lui transmet les liaisons téléphoniques, Keller entend Diego appeler Eddie Ruiz le Dingue.

« Où tu es, *m'ijo* ? On s'en prend plein la gueule ici ! Ils vont nous mettre le grappin dessus.

– Rends-toi, Diego ! Je ne peux rien faire.

– Pas question ! Je me battrai. Rapplique ici avec des hommes !

– C'est inutile, *tío*. Ils ont des centaines de gars dehors. Des hélicos. Des chars. Rends-toi. »

Après un moment de silence, Keller entend Diego dire :

« OK, *m'ijo*. Tu prendras soin de mes gamins, hein ? Je vais emporter quelques-uns de ces *pendejos* avec moi. La dernière balle, je me la réserve. »

Ils résistent pendant plus de trois heures.

Après avoir renversé les tables et les canapés pour se protéger, ils utilisent toutes les munitions des AK et des AR-15 jusqu'à ce qu'il ne leur reste plus que des grenades. Les FES, furieux d'avoir perdu leur lieutenant, ne sont pas pressés de compter de nouvelles victimes dans leurs rangs. Ils se contentent de maintenir la pression, de resserrer le nœud coulant, et d'obliger les narcos à dilapider leurs munitions.

À 21 heures, alors que règne un calme relatif, Orduña donne l'ordre d'en finir.

Une petite charge de C-4 fait sauter la porte de l'appartement.

Trois agents des FES entrent, M-16 à l'épaule. Chacun tue un *sicario* de deux balles dans la poitrine. Keller voit un des autres hommes de Diego introduire le canon de son pistolet dans sa bouche et presser la détente. Le dernier saute par la fenêtre. Une rafale tirée par un sniper sur un des toits le fauche en l'air.

Keller voit soudain Diego sortir dans le couloir par une deuxième porte et courir vers un monte-charge.

Il a décidé de ne pas se battre jusqu'à la mort, finalement, pense-t-il en s'élançant à sa poursuite.

La porte du monte-charge s'ouvre.

Les deux FES qui se trouvent à l'intérieur tirent cinq balles de 5,56 à tête creuse dans la poitrine de Diego, qui recule en titubant dans l'appartement, et s'écroule.

Mais il respire encore.

Orduña se plante devant Diego, puis regarde Keller.

Ce dernier lui tourne le dos et entend deux coups de feu. Quand il se retourne, il voit deux impacts de balles bien nets dans le front de Diego. El Jefe de los Jefes est mort.

Avec ses cheveux longs et sa barbe, la grande carcasse, jadis musclée, appartient à une époque révolue ; ce n'est plus qu'une loque émaciée.

Orduña ressort.

Keller s'agenouille et déchausse Diego.

Il retire le mouchard glissé dans la botte gauche et le glisse dans sa poche.

Ce qui se produit ensuite n'aurait pas dû se produire.

À l'intérieur de l'appartement, la discipline des FES vole en éclats. Par désir de vengeance, sous l'effet de l'adrénaline ou simplement soulagés, ivres d'avoir survécu, certains agents abaissent le jean noir de Diego sur ses chevilles et remontent sa chemise jusqu'au cou pour exposer ses blessures. Puis ils rassemblent l'argent trouvé dans l'appartement, des pesos et des dollars, et lancent les billets sur le cadavre. Ils le photographient, ils le filment, avant d'envoyer des textos et des tweets.

Le temps qu'Orduña, fou de rage, intervienne pour arrêter ça, le mal est fait.

Les images circulent sur le net.

Keller quitte le quartier de Lomas de Selva pour retrouver « María Fernanda ».

Eddie le Dingue attend sur le Zócalo, à l'ombre des *fresno*. Vêtu d'un polo couleur prune et d'un jean blanc, chaussé de mocassins, il semble frais et dispos, détendu.

Narco Polo, se dit Keller. Il s'approche d'Eddie et déclare :

– Il est mort.

Eddie hoche la tête.

– Diego n'était pas un mauvais bougre, vous savez. Mais la came l'a détraqué. Et la Décharnée. Je ne voulais pas sombrer avec le navire.

– J'ai une dette envers vous. Pourquoi ne pas en profiter ? Je peux vous mettre en sécurité.

– Non. Je n'ai pas encore fini mon tour de piste.

– Vous êtes sur la liste.

En fait, il vient de gagner une place.

– Oui, je sais, dit Eddie. C'est votre nouveau truc, hein ? Vous vous contentez de tuer les gens.

– Ce n'est pas obligé de se terminer comme ça.

– Les Zetas, c'est eux que vous devriez liquider. Ils incarnent le mal absolu.

– Merci du conseil.

– Allez vous faire foutre !

Eddie balaie du regard le Zócalo, puis ajoute :

– Vous savez quoi ? Il y aura toujours quelqu'un pour vendre cette merde. Alors, autant que ce quelqu'un ne tue pas des femmes et des enfants. Et puisque quelqu'un doit le faire, vos copains et vous, vous devriez laisser quelqu'un comme moi s'en charger.

Keller le regarde partir. Il aurait pu l'arrêter, mais cela ne faisait pas partie de leur arrangement.

Adán passe en revue les photos du corps criblé de balles de son ancien *primo* et il dit à Nacho :

– On aurait pu croire que ça me rendrait plus heureux.

– Vous étiez tous amis à une époque.

– Je pense à Chele et aux enfants.

Nacho ne sait pas quoi répondre. Il aime beaucoup Chele, comme tout le monde.

– Le message est clair, dit Adán.

Ils parlent affaires pendant encore quelques minutes. Martín Tapia poursuivra peut-être le combat, mais ce ne sera qu'un simple désagrément. Eddie Ruiz ne reprendra pas le flambeau de Diego. Il montera sa propre organisation, et tant qu'il lui fichera la paix, Adán est disposé à le laisser faire. La vengeance pour le meurtre de Sal attendra la fin du conflit.

Une fois Nacho parti, Adán se rend dans sa chambre. Eva dort déjà, ou fait semblant.

C'est étrange, songe-t-il, de voir combien la solitude s'installe peu à peu dans la vie.

Le lendemain matin, les cadavres de deux *sicarios* de Tapia, ligotés et roués de coups, sont retrouvés pendus à un pont de Culiacán, accompagnés d'une banderole qui proclame : « Ce territoire appartient déjà à quelqu'un : Adán Barrera. »

En regardant les photos du corps de Diego, Heriberto Ochoa, le chef des Zetas, est furieux.

Et inquiet.

Le gouvernement a fini par comprendre que pour combattre des forces spéciales, il fallait des forces spéciales. Nul ne l'a vu venir et personne, ni Diego ni Martín, ni même Barrera, n'a réussi à découvrir l'existence de cette nouvelle unité, et encore moins à l'infiltrer et à la corrompre.

Ces FES sont très très efficaces.

Un défi de choix pour les Zetas.

En tant que vétéran des opérations spéciales, Ochoa sait reconnaître le raid de Lomas de Selva pour ce qu'il est : non pas une opération de maintien de l'ordre, mais une exécution.

Bien joué.

Mais *ça,* pense-t-il en regardant les photos qui circulent partout sur la toile, ce n'était pas nécessaire. Déshabiller

Diego et l'humilier, se vanter de l'avoir assassiné, puis diffuser des photos ensuite ?

Les FES méritent une bonne leçon.

Pour apprendre à ne pas se comporter de cette façon.

Pour apprendre qu'on ne se laisse pas intimider.

Il donne des ordres.

Keller se tient légèrement à l'écart tandis que six FES, en treillis de camouflage et gilets bleus frappés du mot MARINA en blanc, transportent le cercueil, couvert d'un drapeau, du lieutenant Angulo Córdova à la sortie du salon funéraire de sa petite ville natale d'Ojinaga, sur la rive sud du Río Bravo au Chihuahua.

Les trompettes et les tambours d'un orchestre militaire accompagnent le cercueil au milieu de la foule composée de la famille, des amis et des habitants, qui applaudissent discrètement. Aisés ou pauvres, constate Keller, tous ont mis leurs plus belles tenues : les femmes en robes sobres, les hommes en jeans et chemises blanches. Ils sont silencieux et respectueux, certains pleurent, et Keller est frappé une fois de plus par la différence entre les Américains et les Mexicains. Si les Américains puisent leur force dans la victoire, celle des Mexicains réside dans leur capacité à supporter le malheur.

Parmi les personnes présentes figure Marisol.

Keller et elle se regardent au-dessus du cercueil.

Il distingue ses yeux sous le voile noir.

Keller emboîte le pas à Orduña, alors que la foule suit le cortège jusqu'au cimetière situé à la sortie de la ville.

Une garde d'honneur constituée de marines en blanc marche derrière le corbillard et l'orchestre joue une marche funèbre.

Au moins, il ne laisse ni femme ni enfants, se dit Keller. Mais une mère effondrée, soutenue par la sœur, le frère et la tante de Córdova.

Marisol avance derrière eux.

Les décorations de Noël dans les rues rendent encore plus poignant ce cortège funéraire.

Orduña fait un discours devant la tombe. Il évoque la personnalité de Córdova, son courage, son dévouement, son sacrifice. Quand il a fini, un homme vêtu d'une veste déchirée et coiffé d'un bonnet lève la main pour demander la parole.

– Je connais cet homme depuis qu'il est gamin, dit le *viejo*. C'était un bon garçon et un homme bon. Il envoyait de l'argent à sa famille. Il est mort pour notre République. Notre *République*. On ne peut pas la laisser à des trafiquants de drogue et à des criminels. Je regrette que cet homme soit mort, mais il est mort en combattant ces animaux. Il n'y a rien à ajouter.

Orduña le remercie et fait signe à la garde d'honneur. Les soldats épaulent leurs M-16 et tirent trois coups en l'air. Puis, sur un ordre de leur chef, ils fixent leurs baïonnettes et se mettent au garde-à-vous. Deux marines soulèvent le drapeau qui orne le cercueil, le plient et le tendent à la mère de Córdova.

Une trompette joue pendant que l'on descend le cercueil en terre.

Après la cérémonie, Keller ne sait pas s'il doit aborder Marisol. C'est délicat… ils ne se sont pas parlé depuis longtemps.

Elle résout le dilemme en venant à lui.

– Ça me fait plaisir de te voir, dit-elle.

– Oui, moi aussi. J'en conclus que tu connais la famille.

– Depuis que je suis toute petite. Je suis leur médecin maintenant. Et toi, que fais-tu ici ?

Keller hésite avant de répondre. Finalement, il dit :

– Je travaillais avec lui.

– Oh.

La question évidente est juste là, dans ses yeux, mais Keller n'y répond pas. Heureusement pour lui, la jeune sœur de Córdova les rejoint.

– Ma mère aimerait que vous veniez à la maison, tous les deux.

– Je ne veux pas jouer les intrus, dit Keller.

Une veillée funèbre a eu lieu le soir précédent, pour permettre aux amis de venir se recueillir sur le corps. Généralement, seuls les membres de la famille se réunissent après l'enterrement.

– Venez, s'il vous plaît, insiste la sœur.

La maison est modeste, propre et bien tenue. Les tantes ont déposé des plats sur la table et la mère du défunt est assise dans un fauteuil recouvert de tissu, dans un coin. Irma Córdova est encore une belle femme, d'une élégance discrète avec sa tunique noire sur un pantalon assorti. Ses cheveux argentés sont noués en chignon. Keller comprend d'où Angulo tirait sa force. Elle lui fait signe d'approcher.

– Vous étiez avec mon fils quand il est mort, dit Irma.

– Oui. Ça s'est passé très vite. Il n'a pas souffert.

La vieille femme lui prend la main et ferme les yeux.

– Votre fils était un homme courageux, ajoute Keller. Vous devriez être très fière de lui.

– Je le suis. (Elle ouvre les yeux.) Mais dites-moi une chose : Est-ce que ça en valait la peine ?

Keller serre sa main dans la sienne.

Il reste environ deux heures à bavarder avec la famille de Córdova. Quelques cousins sont là, Orduña également, et au bout d'un moment, ils en viennent à parler d'Angulo enfant, puis adolescent, et les anecdotes amusantes provoquent quelques rires, suivis de nouvelles larmes. La nuit est tombée quand Orduña se lève pour effectuer le long trajet jusqu'à l'aéroport et prendre l'avion qui le ramènera à Mexico.

Marisol regarde Keller et dit :

– Je m'en vais aussi.

– Tu rentres à Valverde en voiture ?

Ça fait beaucoup de route. En pleine nuit, dans une région dangereuse.

– Oui.

– Seule ?

Elle réfléchit avant de répondre :

– Je ne suis pas contre un peu de compagnie.

Keller va trouver Orduña pour lui annoncer qu'il ne rentre pas avec lui.

L'amiral sourit.

– La Médica Hermosa ? Je ne peux pas vous en vouloir.

– On se connaît depuis longtemps.

– Je suis au courant, Arturo.

– Ça vous pose un problème ?

– Non, je suis juste jaloux. Que Dieu vous accompagne.

Quand Marisol et Keller s'en vont, Irma insiste pour les accompagner jusqu'à la porte.

– Merci d'être venus, dit-elle.

– C'était un honneur, répond Keller.

Elle lui prend la main.

– Arturo, on ne venge pas un meurtre en tuant. On le venge en vivant.

Il y a cent cinquante kilomètres jusqu'à Valverde, en prenant la Carretera 2. Toutes les voitures, toutes les camionnettes sont potentiellement pleines de narcos, potentiellement mortelles, et les postes de contrôle de l'armée sont tout aussi dangereux. Les soldats connaissent Marisol et ne rêvent que de lui en faire baver, mais la présence du gringo au volant les trouble, surtout quand il leur montre son insigne de la DEA.

– Ils ont peur de toi, dit Marisol alors qu'ils repartent en direction de Práxedis.

Keller hausse les épaules.

– On n'aime pas beaucoup l'armée par ici, dans la vallée, dit Marisol.

Elle lui raconte toute l'histoire : les terres confisquées, les arrestations, la torture. Si ce récit n'émanait pas de Marisol, il le qualifierait d'exagéré, de paranoïa de gauchiste. Mais il la croit, même quand elle conclut :

– L'armée ne combat pas les cartels, l'armée *est* un cartel.

Keller essaie de tout enregistrer.

Soudain, Marisol demande :

– Qu'est-ce que tu faisais avec les FES ? Je croyais que tu étais une sorte de conseiller politique.

– Non, tu ne l'as jamais cru.

– Non, en effet, avoue Marisol. Je l'espérais.

– Je ne peux pas faire ça avec toi, Marisol.

– Faire quoi ?

– Jouer la scène du flic qui ne peut pas parler de son métier à la femme qui est avec lui. Je l'ai déjà fait une fois, ça n'a pas marché.

– Alors, parle-moi. Dis-moi tout.

Il sait que le moment est décisif. Soit il ne répond pas, il trouve une échappatoire plus ou moins convaincante qui ne la trompera pas et leur relation sera terminée pour de bon. Soit il lui dit la vérité, et leur relation sera… quoi donc ?

– Je traque les narcos. Je les tue.

– Je vois.

Réaction froide.

– Et je n'arrêterai pas avant d'avoir eu Barrera.

– Pourquoi lui particulièrement ?

Keller commence à lui expliquer et il ne peut plus s'arrêter. Il lui raconte tout. Son amitié avec le jeune Adán Barrera, comment celui-ci a torturé à mort son collègue Ernie Hidalgo. Il lui raconte que Barrera a tué deux enfants en les jetant du haut d'un pont, qu'il a commandité le massacre de dix-neuf innocents, des hommes, des femmes et des enfants, afin de punir un pseudo-informateur que Keller avait inventé afin de protéger le vrai.

– Alors, tu te tiens pour responsable, dit Marisol.

– Et lui aussi. Nous sommes responsables tous les deux.

– C'est pour cette raison que tu fais tout ça.

– Il a tué des gens que j'aimais. Il incarne le mal. Je sais que c'est un concept démodé, mais je suis un type démodé. La vérité, c'est que lui aussi veut me tuer, c'est pour ça que je ne peux pas vivre avec toi.

Ils gardent le silence jusqu'à ce qu'ils atteignent Valverde. Keller a un choc en découvrant cette petite ville : les maisons et les commerces condamnés par des planches, les murs de stuc criblés de balles, les patrouilles de l'armée qui circulent dans des camions kaki dotés de projecteurs qui balaient les façades.

Marisol lui indique la direction de chez elle, une vieille maison en adobe à la périphérie. Il s'engage dans l'allée de gravier. Il descend de voiture, lui ouvre la portière et demande :

– Où est l'hôtel ?

– Tu préfères le Hilton ou le Four Seasons ? Désolée, encore une blague nulle. Il n'y a pas d'hôtel… Je pensais que tu passerais la nuit ici.

– Je ne veux pas que tu croies que c'était prémédité.

– Pour l'amour du ciel, Arturo ! Entre. Et si tu proposes de dormir sur le canapé, je t'étrangle.

Keller la suit dans la maison, puis dans la chambre, où Marisol entreprend de déboutonner sa robe noire.

– La mort, j'en ai eu ma dose aujourd'hui, je suis fatiguée de la mort, dit-elle. La *señora* Córdova avait raison : on se venge en vivant.

Elle ôte sa robe et la suspend dans le placard.

– Je te veux en moi, dit-elle. À chaque jour suffit sa peine.

Plus tard cette nuit-là, des Zetas s'introduisent dans la maison de Córdova.

Sa tante, son frère et sa sœur dorment dans le salon. Les Zetas les tuent en premier. Puis ils font irruption dans la chambre et abattent à bout portant Irma Córdova dans son lit.

Avant de repartir, ils prennent des photos des corps et les postent sur Internet avec ce message : « Pour vous apprendre à manquer de respect à notre ami Diego, enfoirés de FES. Sincères salutations – La compagnie Z. »

Alors qu'ils s'efforcent d'absorber la tragique nouvelle le lendemain matin, Keller et Marisol tombent d'accord sans avoir besoin de parler, ils savent que le mal existe et que l'humanité est capable de commettre des horreurs qui dépassent tout ce qu'ils avaient pu imaginer.

Ils prennent une résolution muette.

Désormais, ils affronteront ces horreurs ensemble.

Et ils vivront.

QUATRIÈME PARTIE

Le valet de pique et la compagnie Z

Rassemble tes larmes,
garde-les dans ta poche

The Band Perry,
« If I Die Young »

1
Une affaire de femmes

> *Si c'est là ce qui te gêne, prends ce voile, mets-le sur ta tête et tais-toi. Prends aussi ce panier, file la laine, mets une ceinture et mange des fèves : la guerre sera l'affaire des femmes.*
>
> Aristophane, *Lysistrata*

CIUDAD JUÁREZ
JANVIER 2010

Keller aspire la cocaïne dans la seringue, à travers le coton. Il a trois cents petites ampoules de cocaïne, appelées *colmillos,* à sa disposition.

Il montre la seringue à « Mikey-Mike » Wagner, un dealer de meth affilié aux Zetas, opérant à Horizon City, au sud-est d'El Paso, au Texas.

Mikey-Mike est terrorisé.

Le lendemain du massacre de la famille Córdova, Orduña a créé une nouvelle unité au sein des FES, inconnue même de la marine, et composée de la crème de la crème. Baptisés « Matazetas », ces hommes seraient tout de noir vêtus.

Leur nom reflète leur unique mission.

Matazetas : Tuer les Zetas.

Keller s'est engagé immédiatement.

Mission numéro un : retrouver les responsables de ces meurtres.

Alors, Keller a pris la route pour Juárez et il a traversé le pont en empruntant l'Express Line avec son passe SENTRI – Secure Electronic Network for Travelers Rapid Inspection –, puis il a rencontré un agent infiltré de la DEA grâce à Taylor. Le type ressemblait à un camé à la meth – cheveux longs et sales, barbu, maigre comme un clou –, mais Keller l'a reconnu sous sa casquette de base-ball rouge crasseuse : c'était lui qui accompagnait Taylor, des années plus tôt, quand ils étaient venus le mettre en garde contre Barrera.

– Jiménez, c'est bien ça ?

– Oui.

– Vous savez ce que j'ai l'intention de faire ?

– Oui.

– Et vous êtes partant ?

– À fond.

– Vous êtes conscient que cela peut foutre en l'air votre couverture.

– Non seulement je le sais, mais je compte dessus. J'ai hâte de me débarrasser de ces frusques dégueu.

Ils sont partis dans la brousse pour acheter un kilo de meth à « Mikey-Mike » Wagner. Jiménez transportait un sac de toile contenant cinquante mille dollars et ils ont retrouvé Wagner devant un drive-in abandonné qui n'abritait plus que des lièvres.

Quelques vieux poteaux penchés sortaient du sol telles des barricades sur une tête de pont. Le snack-bar décoloré par le vent et le soleil était toujours là. Le toit s'était écroulé, mais sur une vieille enseigne figurait encore un énorme gobelet de pop-corn.

Wagner est arrivé à bord d'une camionnette Dodge.

Une camionnette, évidemment, a pensé Keller.

Comme tous ces camés.

Au départ, la meth était une production locale, fabriquée dans des baignoires et vendue principalement par des gangs de bikers. Puis les cartels ont compris que cela pouvait engendrer d'énormes bénéfices et ils ont installé des super-labos au Mexique, expédiant leur production vers le Nord et prenant la main sur le commerce de détail. Il existait encore quelques indépendants, mais le commerce de la meth était désormais dominé par les cartels, et Wagner avait conclu un chouette petit arrangement avec les Zetas, à qui il vendait des armes en échange d'une ristourne sur la came.

Est-ce ce type grassouillet qui a vendu les armes qui ont servi à assassiner les Córdova ? s'interroge Keller.

Wagner ne semblait pas content de voir un deuxième homme.

– C'est qui, lui ?

– Mon associé, dit Jiménez.

– Tu m'as pas parlé d'un associé.

– Je ne pouvais pas me trimbaler seul avec les cinquante mille dollars.

– Tu veux faire affaire ou pas ? demanda Keller.

– Je veux pas vendre de la came à un mec des stups, répliqua Wagner en l'observant.

Il portait une vieille chemise noire et un jean qui laissait voir la raie de ses fesses.

– Alors, va te faire foutre, dit Keller. On en achètera à quelqu'un d'autre.

– Allons, Mikey, insista Jiménez. J'ai cinquante mille en liquide, dans ce sac. Tu crois que c'était facile de rassembler tout ce fric ? Tu nous as fait venir jusqu'ici pour rien ?

– Et qu'est-ce qui nous prouve que ta came est bonne, d'abord ? ajouta Keller.

– Vous voulez voir ?

– Putain, oui.

Wagner regagna sa camionnette et revint avec un paquet d'un demi-kilo environ, enveloppé de film plastique. Il sortit un canif de sa poche et entailla le paquet.

La meth était d'une jolie couleur bleue, transparente, avec de beaux éclats irréguliers.

– Si vous voulez faire le test à l'eau de Javel, allez-y, dit Wagner.

– Non, je veux la goûter, répondit Keller.

– Sors ta pipe, alors, dit Wagner en piochant un caillou dans le paquet.

Keller glissa la main dans sa poche, comme pour prendre sa pipe en verre, mais il en sortit une seringue, qu'il planta dans la carotide de Wagner. Celui-ci s'écroula aussitôt. Keller et Jiménez le retinrent et le transportèrent jusqu'à leur voiture pour le balancer dans le coffre. Wagner se débattait, mais il ne put que marmonner :

– J'ai des droits.

Keller referma le coffre.

Il déposa Jiménez à El Paso.

– Il y a une peine de trente ans minimum dans ce coffre, dit-il quand Jiménez descendit de voiture. Si jamais ça tourne mal.

– Je ne m'inquiète pas, répondit l'agent infiltré. Je ne survivrais pas plus d'une semaine dans une prison américaine.

Keller traversa la frontière dans l'autre sens – « Rien à déclarer » – et se rendit dans un entrepôt situé à la périphérie de Juárez, où les FES avaient déjà monté des opérations. Les agents ligotèrent Wagner sur un fauteuil et attendirent qu'il revienne à lui.

Keller lui explique qu'en fait il n'a aucun droit ; il est au Mexique désormais et ces hommes aux visages dissimulés par des masques noirs sont des commandos des FES, très remontés depuis que les Zetas ont assassiné la famille Córdova.

– Si je te livre à eux, dit Keller, ils vont t'écorcher vif, et ce n'est pas une image, Mikey-Mike. Ils vont te dépecer vivant.

– Vous bluffez. Vous êtes un flic. Vous pouvez pas tuer les gens.

– Je peux faire tout ce que je veux ici.

La vérité, c'est qu'il ne sait pas ce qu'il fera si Wagner n'y croit pas. Une partie de lui-même ne bluffe pas, il sait qu'il ira jusqu'au bout. Il n'a pas éprouvé une telle fureur, une telle haine, depuis le meurtre d'Ernie Hidalgo. Une fureur et une haine suffisantes pour kidnapper un citoyen américain et lui faire franchir la frontière.

– Assassiner une famille en deuil, le jour même de l'enterrement. Difficile de tomber plus bas, hein ?

– J'ai rien à voir là-dedans !

Wagner secoue la tête, encore un peu groggy à cause de la cocaïne.

– Mais tu leur as vendu des armes, pas vrai ? Ou tu connais quelqu'un qui connaît quelqu'un qui l'a fait, et tu vas me dire qui c'est.

– Mon cul, oui, répond Wagner, les yeux fixés sur la seringue.

– Voilà comment ça va se passer, dit Keller. D'abord, on va faire la fête comme si on était en 1999. Je vais t'injecter des *colmillos*. Avec les deux premières, tu vas te sentir super-bien, jamais tu ne te seras senti aussi bien. Avec les suivantes, tu vas commencer à être malade. Très malade. Tu vas te mettre à délirer, tu verras des choses qui n'existent pas. Et ça, c'est le bon côté parce que ensuite tu vas te mettre à transpirer et tu vas ressentir une putain d'angoisse. Tu vas paniquer.

« Et tu auras raison car avec les doses suivantes, tes vaisseaux sanguins vont se resserrer, ton cœur va commencer à cogner très fort, son rythme va s'accélérer, et tu auras l'impression qu'il est sur le point d'exploser dans ta poitrine. Ce qui n'est pas entièrement faux car il va exploser pour de bon, mais à l'intérieur. Et là, tu seras mort.

« Après ça, j'irai balancer ton corps de l'autre côté de la frontière. La police pensera que tu as voulu entuber les Zetas et qu'ils t'ont offert ce méga-trip pour se venger, mais ils n'en auront rien à foutre car ça fera un dealer de meth en moins.

Keller lui plante la première aiguille dans le bras.

– À toi de décider à quel moment tu veux sauter du train fou.

Il lui injecte deux autres doses.

– C'est de la coke pure. De la « Rolex ». Je l'ai fauchée à Diego Tapia. C'est bon, hein ?

Wagner rejette la tête en arrière sous l'effet du plaisir fulgurant.

– Tu veux parler maintenant, pendant que tout le monde est encore de bonne humeur ?

Wagner ricane.

– Les Zetas me tueront.

– C'est moi qui vais te tuer, fils de pute !

– Vous me tuerez de toute façon, dit Wagner, pendant que Keller lui injecte deux autres doses.

– Oui, mais tu peux partir heureux.

Wagner rigole.

– Pas faux.

– Écoute-moi. Si tu me donnes ce que je veux, on te balance quelque part, défoncé mais vivant.

– Vous me liquiderez pour m'empêcher de parler.

– Qu'est-ce que tu pourras dire ? Que des types t'ont drogué et t'ont emmené au Mexique pour te faire planer ? Les gens ne te croiront pas, et même s'ils te croient, ils s'en foutront.

Encore deux doses.

– Putain, c'est bon.

– Oui, pour l'instant.

Wagner tient le coup, Keller doit lui reconnaître ce mérite. Il fonce droit vers le bord de la falaise, au petit jeu de qui cédera le premier. Il tient le coup même quand il se met à trembler. Puis il commence à voir des choses qui n'existent pas.

– Arrêtez ! hurle-t-il.

Dieu sait ce qu'il peut bien voir, se dit Keller.

– C'est toi qui peux tout arrêter, dit-il. Donne-moi un nom.

Mikey s'accroche. Littéralement. Ses mains attachées agrippent les accoudoirs du fauteuil, ses jointures sont blanches, il secoue la tête dans tous les sens.

Keller lui injecte trois doses de plus. Pour se motiver, il s'oblige à imaginer Irma Córdova déchiquetée par une rafale de fusil-mitrailleur, et cela l'aide à enfoncer l'aiguille dans le bras de ce salopard.

Tu veux voir ce que moi, je vois, Mikey ?

C'est du vécu.

Wagner se met à transpirer. La sueur perle à son front, puis ruisselle, et Mikey a des fourmis dans les jambes, il fait des claquettes sur le sol en béton, ses cuisses tressautent. Très vite, il se met à trembler comme une vieille bagnole sur une route défoncée, et il supplie Keller d'arrêter.

– Ça ne va pas aller en s'arrangeant, Mikey.

Nouvelle injection.

– Oh, putain de merde !

Le visage de Wagner devient cramoisi, sa poitrine se soulève violemment et, l'espace d'une seconde, Keller craint de perdre son informateur potentiel. Il palpe sa carotide et dit :

– C'est inquiétant. Au moins cent dix. Ça s'emballe.

– Arrête ça, enfoiré.

– Donne-moi un nom.

– Je peux pas.

– Cent quarante maintenant, Mikey. Et comme tu n'étais qu'à un Big Mac de l'infarctus avant d'arriver ici, alors je ne sais pas…

Keller lui administre une autre dose.

Plus de cent ampoules déjà.

Wagner ne tiendra plus très longtemps.

Mais irai-je jusqu'au bout ? se demande Keller. En suis-je capable ?

Allez, trois de plus : *pop pop pop*.

Le visage du dealer est violacé, les veines saillent, sa poitrine se soulève et retombe comme dans un mauvais film de science-fiction.

– La tachycardie approche, dit Keller en brandissant une ampoule devant le visage de Wagner. Celle-ci peut être fatale.

– Tu le… feras pas.

– Ne me mets pas au défi.

– Tu… le…

Keller hausse les épaules et s'apprête à enfoncer l'aiguille dans la veine de Wagner.

– Carrejos ! hurle le dealer. José Carrejos ! Ils l'appellent El Chavo !

– Tu lui vends des armes ? demande Keller en continuant d'appuyer l'aiguille sur le bras de Wagner. Tu lui as vendu des armes, enfoiré ?

– Oui !

Keller éloigne l'aiguille.

– Où on peut trouver ce Carrejos ?

– Je sais pas ! Par pitié, donne-moi un truc…

Keller détache la main gauche de Wagner et lui tend le portable qu'il lui a confisqué. Tous ses contacts ont déjà été téléchargés.

– Appelle-le.

– Et… je lui dis quoi ?

– Je m'en fous. Garde-le en ligne, c'est tout.

Wagner fait apparaître le numéro dans le répertoire et l'appelle.

– Chavo, c'est moi, Mikey… Non, ça va, je suis défoncé, c'est tout… complètement parti, *'mano*. Hé, dis-moi, vous avez encore besoin de marchandise ? Je viens de fourguer le… le kilo et… je… je…

Le technicien des FES fait signe à Keller, pouce dressé.

Ils ont localisé Carrejos.

Keller récupère le portable et coupe la communication. Il se tourne vers le médecin.

– Occupez-vous de lui. Faites-le redescendre en douceur.

Le médecin regarde Keller avec l'air de dire : Pour quoi faire ? Mais il s'exécute. Une demi-heure plus tard, Mikey-Mike est assis à l'avant dans la voiture de Keller. Il dort à poings fermés quand ils franchissent la frontière. Keller le conduit à la gare routière d'El Paso et le secoue.

– Réveille-toi.

Wagner est vaseux.

Keller lui tend un billet de car.

– Chicago. C'est le territoire du cartel de Sinaloa, les Zetas ne peuvent pas t'atteindre là-bas. Mais si tu reviens ici un jour, la Compagnie Z te tuera. Et si ce n'est pas eux, ce sera moi. Maintenant, fous le camp.

– Merci.

– Va te faire voir ! Crève !

Alors qu'il redémarre, son portable sonne. C'est un des gars des FES. Ils ont arrêté Carrejos et celui-ci a déjà commencé à se mettre à table.

Keller n'en doute pas. Ils détiennent un citoyen mexicain sur le sol mexicain et rien ne pourra les empêcher de faire ce qu'ils vont faire : traquer les hommes qui ont assassiné la famille de leur camarade.

Ils feront cracher à Carrejos tout ce qu'il sait, et ensuite, s'il a de la chance, ils lui colleront une balle dans la nuque et balanceront son cadavre dans le désert.

Keller s'en fout, il veut juste obtenir cette information, même s'il sait que la chasse aux tueurs l'éloigne encore un peu plus de la piste de Barrera. C'est le principe du fleuve : une déviation d'un centimètre à la source l'emporte dans une nouvelle direction, de plus en plus loin de sa destination d'origine.

Il est en route pour rejoindre Marisol.

Ils sont invités à un réveillon de fin d'année.

Cela ne se déroule ni dans un bar ni dans un restaurant, mais dans une librairie-café. Et Marisol avait raison, le Cafebrería est un véritable lieu de rencontres, un centre culturel, un havre protégé de la folie qui s'est emparée d'une grande partie de la ville.

Marisol présente Keller à tout le monde. Ses amis sont sympathiques, mais il ne se sent pas à sa place ; c'est clairement un étranger, un gringo, un représentant officiel du gouvernement nord-américain, et donc une curiosité, une sorte de menace diffuse également pour ces écrivains, poètes, militants et intellectuels autoproclamés.

Mais il émane de ce cercle une chaleur humaine qu'il n'a pas perçue depuis très longtemps. L'affection est palpable, authentique, et l'humour plus léger que celui qu'il a rencontré à Cuernavaca. Ces personnes n'ont pas d'autre objectif, semble-t-il, que l'amitié et le partage d'une cause commune, même si, selon lui, cette cause est trop vague et irréaliste.

Après cette réunion, une amie journaliste de Marisol les invite chez elle. Marisol semblant avoir envie d'y aller, Keller accepte.

Il y a là les « suspects habituels » – intellectuels, militants, écrivains, poètes –, du mauvais vin, de la bière pire encore, et Keller devine que des joints circuleraient s'il n'était pas là. Il a envie de leur dire qu'il s'en fout, mais il ne sait pas comment aborder le sujet.

Il boit une bière dans le jardin quand un homme un peu enveloppé avec de longs cheveux noirs et une barbe de quelques jours l'aborde :

– Pablo Mora.

– Art Keller.

– Je travaille pour *El Periódico.* (De toute évidence, Pablo n'a pas bu qu'une seule bière.) On a discuté entre nous, et un consensus se dégage pour dire que vous êtes une sorte d'espion. Si c'est le cas, vous êtes quel genre d'espion ?

– Je travaille pour le gouvernement, mais je ne suis pas un espion.

– Ah, quelle déception. Ce serait plus amusant si vous en étiez un. Alors, pourquoi êtes-vous ici ?

– Marisol m'a demandé de venir.

– On aime tous Marisol. Tous. J'aime Marisol. Je *l'aime.*

– Je ne peux pas vous en vouloir.

– Mais moi, je vous en veux. Comment peut-elle aimer un gringo ?

– Je ne suis qu'à moitié gringo. Moitié gringo, moitié *pocho.*

– Un *pochingo.*

– Oui, on peut dire ça.

– Je viens d'inventer ce mot. Moi, je suis un pur habitant de Juárez. De naissance.

Marisol vole au secours de Keller.

– Ah, Pablo, je vois que tu as fait la connaissance d'Arturo.

– L'espion *pochingo.*

– Pardon ?

– Je t'expliquerai, dit Keller.

– OK, *pochingo,* dit Pablo. Je vais me chercher une autre bière. Tu en veux une ?

– Non, merci.

– Bon.

Pablo s'éloigne.

– Il est un peu ivre, commente Keller.

– Pablo n'a pas une vie très drôle.

– Il me plaît bien. Il a le béguin pour toi.

– Un tout petit béguin. Il serait amoureux d'Ana, s'il avait un peu de cervelle. Tu passes un bon moment ?

– Oui.

– Menteur.

– Si, je t'assure.

– Allons bavarder avec Ana. J'aimerais beaucoup que vous soyez amis.

Ils rejoignent une femme menue aux cheveux noirs qui est plongée dans une conversation animée avec un homme d'un certain âge avec des lunettes et une canne. Keller devine qu'il s'agit du célèbre Óscar Herrera, l'éminent journaliste que les Barrera ont tenté de faire assassiner jadis.

– Expliquez-moi en quoi c'est différent, Óscar, dit Ana. Qu'est-ce qui la différencie d'une armée d'occupation ?

– C'est notre armée nationale, voilà pourquoi.

– N'empêche, ils ont instauré la loi martiale.

– Je ne dis pas le contraire. Mais je m'oppose à votre idée d'armée d'occupation. Et je vous le demande : Quelles autres options s'offrent à nous ? Nous avons une police qui ne peut, ni ne veut, faire appliquer la loi, qui a peur de se faire tuer en montrant le bout de son nez. Alors, qu'est censée faire la municipalité ? Céder à l'anarchie ?

– *C'est* l'anarchie.

– Désolée de vous interrompre, dit Marisol. Je voulais vous présenter mon ami. Óscar Herrera, voici Arturo Keller.

– *Mucho gusto.*

– Tout le plaisir est pour moi.

– Nous parlions du triste état de notre ville, dit Óscar, mais personnellement, je suis content d'être interrompu. Vous êtes américain, *señor* Keller ?

– Oui, mais appelez-moi Art.

– Vous parlez très bien l'espagnol. Vous le lisez également ?

– Oui.

– Qui lisez-vous ?

Keller cite Roberto Bolaño, Luis Alberto Urrea, Élmer Mendoza et d'autres.

– Docteur Cisneros, vous avez réussi ! s'exclame le rédacteur en chef. Vous avez trouvé un Américain civilisé ! Asseyez-vous près de moi, Arturo.

Keller se glisse à côté d'Óscar, qui pousse sa canne pour lui faire un peu de place, et ils parlent des *Détectives sauvages*, de *La Fille du Colibri* et de *Balles d'argent*, jusqu'à ce qu'Óscar se lève en annonçant qu'il laisse la fin de la nuit aux jeunes.

Marisol l'accompagne et l'aide à trouver un taxi.

Ana ne perd pas de temps.

– Elle est amoureuse de vous.

– J'espère, répond Keller.

– Je ne suis pas sûre que vous soyez l'homme que j'aurais choisi pour elle. Un Américain et… On plaisante en disant que vous êtes un espion, mais ce n'est pas très loin de la réalité, hein ?

Keller ne répond pas.

– Soyez gentil avec elle.

– Promis. Et si on parlait de Pablo et vous ?

Ana regarde le journaliste en train de rire avec Giorgio.

– Je ne crois pas qu'on puisse parler de « Pablo et moi ».

– Il a l'air d'un chic type.

– C'est peut-être ça son problème. C'est un chic type au cœur tendre qui en pince pour son ex-femme, son fils… et Marisol.

– Ce n'est qu'un fantasme.

– Elle est tellement inaccessible pour lui que ce n'est même pas drôle. Non, le problème entre Pablo et moi, c'est qu'on travaille ensemble, et peut-être qu'on se connaît trop bien.

– C'est un bon point de départ pour une relation.

Ana devient grave tout à coup.

– Si vous avez un tant soit peu d'influence sur Mari, persuadez-la de laisser tomber la politique. C'est trop dangereux.

– J'allais vous demander la même chose.

– Elle ne m'écoute pas.

– On pourrait essayer tous les deux.

– Marché conclu.

Ils se serrent la main. Au même moment, Marisol revient et les voit :

– C'est quoi, cette poignée de main ?

– Nous scellons une amitié nouvelle, dit Keller.

– Tant mieux. C'est ce que j'espérais.

Elle rentre avec lui au Candlewood Suites à El Paso, où la DEA lui loue une chambre, plutôt que de courir le risque de retourner à Valverde dans la nuit. C'est un hôtel de long séjour, pas vraiment luxueux, sans être trop déprimant. Au moment où ils entrent dans la chambre, Marisol demande :

– Au fait, c'est quoi, un *pochingo* ?

– Moitié *pocho,* moitié gringo.

– Je vois. Quelle moitié a envie de me faire l'amour ?

Les deux, finalement.

Le jour de l'An 2010 est la journée la plus sanglante de toute l'histoire de Juárez.

Vingt-six personnes sont assassinées en vingt-quatre heures.

Soixante-neuf dans tout le Mexique.

Keller embrasse Marisol et se rend à Nuevo Laredo.

Pour traquer les Zetas.

Carrejos a tout avoué.

– Oui, c'est moi qui ai acheté les armes à Wagner et qui les ai remises à l'équipe chargée d'assassiner les Córdova. Oui, Heriberto Ochoa, Z-1, El Verdugo, a donné l'ordre personnellement, pour faire un exemple. Oui, j'étais au volant, mais je ne suis pas entré dans la maison, je le jure sur les yeux de ma mère. Je n'ai pas participé aux meurtres. Je conduisais, c'est tout. Arrêtez, je vous en supplie ! Ne recommencez pas…

Il a même livré les noms des membres du commando.

José Silva.

Manuel Torres.

Et le commandant, le responsable : Braulio Rodríguez, alias Z-20. On le surnomme El Gigante.

Keller sait ce que signifie Z-20. Rodríguez a été un des premiers Zetas recrutés par Ochoa parmi les forces spéciales. Son ancienneté révèle que le meurtre des Córdova était donc une mission prioritaire.

Rodríguez figurait sur le vaste fichier des FES. Il avait servi avec Ochoa au Chiapas et il avait l'habitude d'assassiner des femmes.

Carrejos était allé jusqu'à indiquer où on pouvait trouver les membres du commando.

Silva et Torres vivaient à Nuevo Laredo.

Rodríguez à Veracruz.

Que fait-il à Veracruz ? se demande Keller. Cette ville portuaire est loin de l'action, sur un territoire qui a longtemps été une forteresse des Tapia avant d'être repris, suppose-t-on, par Eddie Ruiz le Dingue.

Il a fait poser la question par les gars des FES qui bouclaient leur interrogatoire de Carrejos, et celui-ci leur a fourni la meilleure réponse qu'il connaissait. C'était une promotion, une récompense après la mission Córdova. Veracruz appartiendrait à Rodríguez s'il parvenait à l'arracher à Ruiz.

L'importance des ports pour les cartels ne tient pas tant à ce qu'ils leur permettent d'expédier des marchandises qu'à la possibilité d'en recevoir, notamment les précurseurs chimiques nécessaires pour alimenter leurs super-usines de méthamphétamine, les nouvelles *maquiladoras*. Mazatlán est tenu d'une main de fer par le cartel de Sinaloa, Lázaro Cárdenas est l'objet d'une bataille entre les Zetas et La Familia Michoacana, et Matamoros est dirigé par le cartel du Golfe. Autant de portes d'entrée capitales pour les produits chimiques en provenance de Chine principalement. Et maintenant Veracruz, utilisé par Eddie pour alimenter ses opérations sur place mais aussi à Monterrey et à Acapulco, alors qu'il essaye de rassembler sous son égide toutes les activités des Tapia.

Mais la Compagnie Z a d'autres projets : elle veut s'emparer du port. Et Rodríguez, Z-20, El Gigante, mène la charge.

Mais chaque chose en son temps, se dit Keller.

José Silva a été repéré à Nuevo Laredo, l'ancien repaire d'Eddie Ruiz, avant que les Zetas s'en emparent pour le compte de leurs chefs du Golfe. C'est un proxénète qui alimente Boy's Town avec des filles venues d'Amérique centrale. Son petit bordel occupe le premier étage d'un immeuble situé au coin de Front Street et de la Calle Cleopatra.

Keller a tout du gringo d'un certain âge, ivre, qui franchit la frontière pour tirer un coup. Polo jaune, jean, casquette de golf blanche, empestant l'alcool. Il passe devant les piaules des prostituées indépendantes et trouve la Casa Las Nalgas qui dispose d'un bar miteux où il boit une bière en attendant que les femmes viennent se présenter, en rang.

Elles sont quatre en ce début d'après-midi. Keller choisit une fille qui a peut-être dix-sept ans, vêtue d'un déshabillé noir trop grand couvrant à peine ses seins maigres. Visiblement droguée, elle l'entraîne dans un escalier étroit et grinçant, jusqu'à une chambre sale, à peine plus large qu'un placard. Un matelas est posé sur un vieux sommier à ressorts et recouvert d'un simple drap.

Un bouton est installé dans le mur, au-dessus du lit.

Keller a remarqué le regard que la fille a échangé avec Silva au bar. Il ferme la porte derrière lui, sans tirer le verrou.

– L'argent, s'il vous plaît, dit la fille.

– Non.

Elle paraît surprise et effrayée.

– S'il vous plaît.

– Je n'ai jamais payé pour baiser, marmonne Keller. (Il prend dans sa poche de jean un gant en latex et l'enfile.) Approche.

La fille recule et appuie sur le bouton.

Keller sort de sous sa chemise le Beretta non enregistré et muni d'un silencieux que lui ont fourni les FES. Il entend les pas dans l'escalier. La porte s'ouvre et Silva entre, très énervé.

– Écoute, *pendejo*…

Keller lui tire deux balles dans la poitrine.

La fille hurle.

Keller s'approche de Silva et lui tire une autre balle dans l'arrière du crâne, puis sort de sa poche un valet de pique, la carte de visite des Matazetas, qu'il dépose sur le cadavre. Il lâche le Beretta, descend l'escalier et sort dans Front Street, où l'attend une voiture des FES.

Manuel Torres se terre.

Sans doute sait-il que Silva a été abattu et que le corps mutilé de Carrejos a été retrouvé dans un fossé à la sortie de la ville, avec un valet de pique épinglé sur sa chemise. Les FES le traquent. Ils savent qu'il est à Nuevo Laredo, mais ils ignorent où. Il n'utilise ni son téléphone ni son ordinateur. Il ne cherche pas à contacter ses potes. Donc, ils ne peuvent pas le trouver.

En revanche, ils ont trouvé sa mère.

Dolores Torres, quatre-vingt-sept ans, n'est pas en bonne santé. Elle vit dans le quartier d'El Carrizo, en plein centre, et chaque jour, elle se rend au petit marché au bout de la rue, appuyée sur sa canne.

Ce matin-là, elle marche sur le trottoir quand une ambulance s'arrête à sa hauteur, gyrophare allumé. Deux hommes en blouse blanche en descendent, prennent la vieille femme par les coudes et l'entraînent délicatement vers l'arrière du véhicule.

– Tout va bien se passer, lui dit l'un des deux ambulanciers. On s'occupe de vous.

– Mais je n'ai rien… je…

– Calmez-vous. On va prendre soin de vous.

Ils l'aident à monter dans l'ambulance et l'allongent sur la civière. Au moins cinquante personnes dans la rue sont témoins de cette scène. Et au moins trois d'entre elles appellent Manuel Torres pour lui annoncer que sa mère bien-aimée a fait un malaise sur le trottoir et a été conduite à l'hôpital.

Keller attend à bord d'une fourgonnette garée dans la Calle Maclovio Herrera, face à l'entrée des urgences. Vingt minutes plus tard, un Chevrolet Suburban arrive à toute allure. Un Zeta est au volant, un garde du corps sur le siège passager.

Torres est à l'arrière.

La voiture est à peine arrêtée que Torres ouvre la portière et jaillit.

Les deux snipers des FES l'ont en ligne de mire. Deux M-4 munis de silencieux réalisent un tir groupé dans la tête et la poitrine.

Un valet de pique s'envole par la vitre de la fourgonnette alors qu'elle démarre en trombe.

Le vent, froid et tourbillonnant, projette des détritus contre les roues de la voiture de Pablo qui attend sur le parking du S-Mart en prenant son petit déjeuner.

Il capte l'appel sur le scanner de la police. *« Motivo 59. »*

Encore un meurtre.

« Un 91. »

Une femme.

Pablo démarre, froisse l'emballage du burrito, le jette sur le plancher et fonce à l'adresse en question, un restaurant près de l'université où il a pris quelques repas. Giorgio l'a devancé, mais il ne photographie pas la scène ; il se tient à côté de la voiture de la victime, les yeux baissés.

Le corps de Jimena Abarca est étendu dans une flaque de sang sur le sol, près de la portière du conducteur, elle serre encore ses clés de voiture dans sa main droite.

Elle a reçu neuf balles au visage et dans la poitrine.

Deux autres photographes arrivent pour prendre des clichés destinés à la *nota roja.* Giorgio s'interpose entre eux et le corps de Jimena.

– Non.

– Nom de Dieu, Giorgio !

Il les repousse.

– Pas de photos, j'ai dit ! *Pintate !* Foutez le camp !

Ils battent en retraite.

Pablo regagne sa voiture, inspire à fond et appelle Ana.

Ils enterrent Jimena à Valverde.

Des centaines de personnes sont présentes, venues de Juárez et de toute la vallée. Marisol estime qu'elles auraient été des milliers si un grand nombre n'avait émigré de l'autre côté du fleuve. Beaucoup ont eu peur d'être vus et de devenir les prochaines victimes.

Les militaires sont là, en force, au cas où il y aurait des manifestations violentes. Et pour photographier tous ceux qui assistent à l'enterrement.

– C'est normal qu'ils soient là, crache Marisol, alors qu'ils accompagnent le cercueil jusqu'au cimetière. Ils l'ont tuée.

– Tu n'en sais rien, répond Keller.

– Si, je le sais.

Des clients du restaurant ont raconté que quatre hommes s'étaient approchés de Jimena au moment où elle marchait vers sa voiture. Ils connaissaient ses habitudes et savaient qu'elle prenait son petit déjeuner dans cet endroit tous les matins. Une femme, qui s'était baissée à l'intérieur de sa voiture, avait entendu un des hommes dire à Jimena : « Tu te crois super-cool, hein ? »

Jimena avait riposté en essayant de les griffer avec ses clés de voiture.

– Évidemment, avait dit Marisol en écoutant ce récit. Évidemment qu'elle s'est battue.

Une femme avec des clés de voiture face à quatre hommes avec des armes à feu. Son visage était tellement défiguré qu'il avait fallu fermer le cercueil pour la veillée funèbre.

– L'armée l'a tuée parce qu'elle refusait de se taire, insiste Marisol.

Elle non plus ne se taira jamais.

– Jimena Abarca était mon amie, dit-elle devant la tombe. Et l'amie de tous les habitants de cette vallée. Jamais elle n'a renvoyé une personne qui venait demander de l'aide, de l'affection ou un soutien. Elle vivait de manière digne, avec courage et détermination… et *eux*…

Keller, horrifié, la voit pointer les soldats du doigt.

– … ils l'ont tuée pour cette raison.

Elle s'arrête pour les foudroyer du regard, en s'attardant sur le colonel Alvarado, qui blêmit devant tant de fureur.

– Jimena est morte comme elle a vécu, reprend Marisol. En se battant. Faites que l'on puisse en dire autant de nous tous. J'espère que l'on dira la même chose de moi. Adieu, Jimena. Je t'aime. Je t'aimerai toujours. Que Dieu t'accueille dans ses bras.

Le prêtre semble furieux, lui aussi.

Marisol réussit à exaspérer tout le monde, se dit Keller.

Ce soir-là, il reste avec elle à Valverde pour tenter de la persuader de partir.

Cette ville n'est plus qu'une coquille vide, lui fait-il remarquer. La moitié des maisons sont condamnées par des planches, une seule *tiendita* reste ouverte, et encore. Il n'y a plus de municipalité, le maire et les conseillers ont fui, et personne ne veut prendre leur place. Les policiers ont déserté eux aussi, et Keller ne peut pas leur en vouloir. Cette situation ne se limite pas à Valverde, toutes les petites villes frontalières sont dans le même état.

– Tu n'es plus en sécurité ici, dit Keller. Tu viens de te désigner comme la prochaine cible.

– Mon dispensaire est ici, et ce sont les militaires qui m'ont choisie comme cible.

Ils échangent un regard noir, puis Keller dit :

– Viens vivre avec moi

– Je ne m'enfuirai pas à El Paso. Pas question.

– Ravale ta fichue fierté, Mari... Bon, d'accord. Retourne à Mexico, au moins. Tu pourras ouvrir un cabinet...

– On a besoin de moi ici.

– À Iztapalapa, alors, si ça peut t'aider à te sentir bien.

– Il ne s'agit pas de se *sentir bien,* Arturo ! s'emporte-t-elle. C'est une question de réalités. Réalité numéro un : je suis le seul médecin de la vallée. Réalité numéro deux : je suis chez moi ici. Réalité...

– Tu risques de te faire tuer. Ça aussi, c'est une réalité.

– Je refuse de fuir.

Elle fait même tout le contraire.

Le lendemain soir, Marisol organise une réunion dans son dispensaire. Une trentaine d'habitants de la vallée sont présents, des femmes en majorité. Logique : la plupart des hommes sont morts, en prison ou en exil.

C'est justement là où elle veut en venir.

– Ce que les hommes ne peuvent ou ne veulent pas faire, dit-elle, les femmes doivent s'en charger. Créer et préserver le foyer a toujours été le rôle de la femme. Aujourd'hui, nos foyers sont menacés. L'armée et les narcos veulent nous chasser de chez nous. Si nous ne résistons pas, personne ne le fera à notre place.

La réunion dure trois heures.

À la fin, deux habitantes de Valverde se portent volontaires pour être conseillères municipales. Trois autres deviennent maire et conseillères d'autres villes-frontière. Une étudiante en droit de vingt-huit ans accepte de devenir la seule représentante des forces de l'ordre à Práxedis ; une autre femme occupera les mêmes fonctions à Esperanza.

Et Marisol prend la charge de maire de Valverde.

Elle tient une conférence de presse. La Médica Hermosa n'a aucun mal à attirer l'attention des médias et, face à la caméra, elle dit : « Voici notre déclaration, adressée aux politiciens, à l'armée, aux cartels. Vous, les criminels qui avez assassiné Jimena Abarca, vous les lâches qui avez massacré la famille Córdova dans son lit, je viens vous dire que tout cela n'a servi à rien. Nous sommes ici. Et nous y resterons. Nous continuerons à aider les pauvres de cette vallée qui suent sang et âme chaque jour pour nourrir leurs enfants. Nous n'avons pas peur de vous, mais vous devriez avoir peur de nous. Nous sommes des femmes, nous nous battons pour nos familles et nos foyers. C'est ce qui nous donne notre force ! »

La « Révolution des femmes », déclenchée par le meurtre de Jimena Abarca, s'est emparée de la vallée de Juárez.

Il ne reste qu'un seul poste à pourvoir.

Valverde n'a pas d'officier de police.

Après les meurtres de deux policiers, les autres ont fui aux États-Unis.

Keller est avec Marisol dans son bureau à l'hôtel de ville quand elle évoque ce problème.

Il est furieux contre elle.

Non seulement elle a refusé de quitter Valverde, mais elle s'est placée en plein milieu de la mire et a allumé un projecteur. Il doit partir dans la matinée et il essaye de la convaincre de porter une arme, au moins ça.

– Je t'en trouverai une, dit-il. Un petit Beretta qui tiendra dans ton sac.

– Je ne sais pas tirer.

– Je t'apprendrai.

– Si je porte une arme, cela leur fournira un prétexte pour m'abattre, non ?

Il cherche un argument contraire quand on frappe à la porte.

– Entrez ! crie Marisol.

La porte s'ouvre sur une jeune femme. Elle est grande et mince, avec de longs cheveux noirs, des hanches larges et une forte ossature.

– Erika, c'est bien ça ? demande Marisol.

La jeune femme acquiesce.

– Erika Valles.

– Vous travaillez pour votre oncle, Tomás.

Son oncle est agent immobilier dans la vallée.

– Il n'y a plus de maisons à vendre, dit Erika, les yeux fixés au sol.

– Que puis-je faire pour vous ?

Erika lève la tête.

– Je viens pour le poste.

– Quel poste ? s'étonne Marisol.

– Chef de la police.

Keller est effaré.

Marisol sourit.
– Quel âge avez-vous, Erika ?
– Dix-neuf ans.
– Vous avez des diplômes ?
– Je suis allée à l'Institut technologique de Ciudad Juárez pendant un semestre, répond la jeune femme.
– Et qu'avez-vous étudié ?
– La programmation informatique.
Keller n'en croit pas ses oreilles. Une fille de dix-neuf ans sans aucune formation veut devenir chef de la police. On rêve.
Marisol demande :
– Pourquoi voulez-vous devenir chef de la police, Erika ?
– C'est un métier comme un autre. Et personne n'en veut. Je pense que je serai efficace.
– Pourquoi ça ?
– Je suis coriace. Je me suis déjà battue plusieurs fois. Et je joue au *fútbol* avec les garçons.
– C'est tout ?
Erika regarde ses pieds.
– Et je suis intelligente.
– J'en suis sûre.
La jeune fille relève la tête.
– Alors, je suis engagée ?
– Vous avez un casier judiciaire ?
– Non.
– Vous consommez de la drogue ?
– J'ai fumé un peu de *mota,* quand j'étais jeune.
Quand tu étais *jeune* ? se dit Keller.
– Mais c'est fini, ajoute-t-elle.
– Erika, vous savez que des gens ont été tués dans l'exercice de ces fonctions.
– Je sais.
– Et vous voulez quand même ce poste ?
Erika hausse les épaules.

– Il faut bien que quelqu'un fasse le boulot.

– Et vous savez qu'il n'y a plus personne dans la police. Pour l'instant, du moins. Vous seriez votre propre chef.

– Ça me va.

– Parfait. Je vais vous faire prêter serment.

Tu es cinglée ou quoi ? songe Keller en adressant à Marisol un regard furibond.

Elle répond par un coup d'œil irrité, puis elle fouille dans les tiroirs de son bureau pour trouver le texte du serment du chef de la police.

Dûment assermentée, Erika demande :

– J'ai droit à une arme ?

– Normalement, c'est un… AR-15, mais est-ce que vous savez vous en servir ?

– Comme tout le monde.

Nom de Dieu, se dit Keller.

– Bon. D'accord. Quand pouvez-vous commencer ? poursuit Marisol.

– Cet après-midi ? Le temps de prévenir ma mère.

– Elle doit aller prévenir sa mère ! s'exclame Keller, une fois Erika partie. C'est de la démence, Mari !

– Tout est de la démence, Art. Et puis, ce n'est pas comme si elle allait enquêter sur des meurtres ou arrêter des narcos. Elle va mettre des PV, effectuer des rondes pour empêcher les cambriolages… Qu'est-ce qui l'empêche de faire tout ça ?

– Les narcos ne veulent aucune forme de police ici. Ni de gouvernement.

– Pourtant tu le vois, nous sommes là quand même.

Keller est abasourdi.

– Mais je veux bien une arme, ajoute Marisol.

Quelques semaines plus tard, les messages commencent à apparaître dans la vallée.

Des draps blancs sont cloués sur les murs, sur lesquels figurent, peints en noir à la bombe, les noms de ceux qui doivent être exécutés. Sur des banderoles suspendues aux fils du téléphone on peut lire : « Vous avez quarante-huit heures pour partir. »

Des tracts menacent de tuer des policiers et des fonctionnaires municipaux.

Le nom de Marisol figure sur la liste.

Celui d'Erika également.

Ainsi que ceux des conseillères municipales de Valverde et des officiers de police des autres villes.

Durant la *Semana Santa*, la Semaine sainte, des tracts lancés de l'arrière de camions mettent en garde les populations de Porvenir et d'Esperanza : « Vous n'avez que quelques heures pour décamper. »

Le Vendredi saint, une grenade incendiaire est lancée sur l'église de Porvenir.

L'exode débute.

Les gens quittent leurs maisons pour aller vivre à Juárez ou pour rejoindre de la famille dans le Sud, ou tentent de franchir la frontière.

Keller presse Marisol de les imiter. Arrivant directement de l'EPIC, il débarque dans son bureau et lui brandit les menaces sous le nez.

– Comment es-tu au courant ? demande-t-elle.

– Je sais tout.

Il n'exagère pas. Chaque jour, il reçoit des notes émanant de diverses sources et il ne peut s'empêcher de s'intéresser à ce qui se passe dans la vallée.

– Puisque tu sais tout, rétorque Marisol, dis-moi donc si ça vient de l'armée ou du cartel de Sinaloa. À moins qu'il n'y ait pas de différence.

Keller connaît la réponse.

Le Golfe et les Zetas veulent s'étendre vers l'ouest, le long de la Highway 2, à travers le Coahuila, puis le Chihuahua.

Des signes indiquent que le processus a déjà commencé et Adán Barrera ne veut prendre aucun risque sur cette partie de la frontière. Il a déjà envoyé des Sinaloans occuper les terres abandonnées par les personnes qu'il a obligées à fuir.

Il ne se contente pas de dépeupler la vallée de Juárez.

Il la colonise.

On assiste à une curieuse répétition de l'histoire qui a conduit un grand nombre de ces familles à peupler la vallée, à l'origine, en tant que « colons militaires » chargés de repousser les Apaches. Sauf que cette fois les Apaches ont été remplacés par les Zetas. Mais les Zetas et le cartel du Golfe font de même dans le nord rural du Tamaulipas, en chassant de leurs terres toutes les personnes suspectes pour les remplacer par des partisans.

– C'est le cartel de Sinaloa, répond Keller, mais l'armée ne lèvera pas le petit doigt pour les empêcher d'agir.

– C'est le moins qu'on puisse dire.

– Il faut partir d'ici, Mari. J'admire ce que tu essaies de faire, sincèrement, mais ce n'est pas possible. Une demi-douzaine de femmes ne peut pas se dresser contre le cartel du Sinaloa !

– Parce que ceux qui sont censés me protéger sont ceux qui vont me tuer.

– Oui. D'accord.

– Non, pas d'accord, justement. Si on cède à l'intimidation…

– Vous n'avez pas le choix !

– On a toujours le choix ! Et je choisis de rester.

Keller s'approche de la fenêtre et regarde la ville saccagée et déserte. Quelques tables pliantes dressées sous une tente dans le parc font office d'épicerie, le vent fait voltiger des ordures dans la rue. Pourquoi Marisol veut-elle se battre et mourir pour ce terrain vague ?

– Mari, il faut que je rentre à Mexico lundi. Je t'en supplie… viens avec moi.

Erika choisit cet instant pour entrer dans le bureau. Elle porte un jean, un sweat-shirt à capuche et son AR-15 à l'épaule.

– Erika, dit Marisol, Arturo pense que nous devrions fuir.

– Il n'y aurait rien de honteux, dit Keller. Personne ne vous le reprocherait.

– Moi, si, répond Erika.

Marisol adresse à Keller un sourire qui semble proclamer : Je te l'avais dit !

– On n'est pas dans un film hollywoodien où des femmes courageuses se rassemblent pour chanter « Kumbaya » et où tout se termine bien. C'est…

En voyant l'expression de Marisol, il regrette ses paroles.

Elle répond calmement :

– Je sais que ce n'est pas du cinéma, Art. J'ai vu ma meilleure amie se faire tuer, j'ai vu la ville où j'ai grandi être dévastée, les gens avec qui j'ai grandi rassembler le peu de choses qu'ils possèdent et partir à pied sur les routes comme des réfugiés.

– Je suis désolé. C'était stupide de dire ça.

La lumière du crépuscule filtrée par la poussière, mélange d'or et de rouge profond, est magnifique. Alors qu'ils regagnent à pied le domicile de Marisol, ils passent devant la boulangerie Abarca, fermée et condamnée par des planches, devant la *tiendita,* fermée également – les propriétaires vivant désormais de l'autre côté de la frontière, à Fabens.

Trois soldats postés derrière des sacs de sable et des barbelés les suivent du regard.

– Ils savent qui tu es, glisse Marisol à Keller. Le grand gringo de la DEA.

Keller ne se réjouit pas d'avoir été repéré, mais il est prêt à en payer le prix si cela peut offrir un peu de protection à Marisol quand il est avec elle. Erika marche cinq pas derrière eux, son fusil à la main.

Elle est dévouée à Marisol.

Dévouée à son travail.

– Merci, Erika, ça va aller, dit Marisol quand ils arrivent devant chez elle.

Les deux femmes se font la bise et Erika rebrousse chemin.

Marisol vit dans une vieille maison en adobe restaurée, avec un toit en tôle rouge tout neuf. C'est petit, mais confortable, et les murs épais isolent du froid comme de la chaleur. À la demande de Keller, des barreaux et des vitres blindées ont été installés devant les fenêtres.

Elle ôte sa veste blanche, dévoilant l'étui qui contient le Beretta Nanon, sert deux verres de vin et en tend un à Keller. Il est soulagé qu'elle porte cette arme. C'est lui qui l'a achetée et il a emmené Marisol dans le désert pour lui apprendre à s'en servir.

Elle s'est révélée fort douée.

Elle se laisse tomber dans son vieux fauteuil, se débarrasse de ses chaussures et étend les jambes sur un tabouret rembourré.

– La vache, soupire-t-elle. Quelle journée.

– C'est le Vendredi saint, souligne-t-il.

– J'avais oublié. Il n'y a pas eu de procession. Il n'y a plus personne.

C'est douloureux, se dit Keller. La traditionnelle reconstitution du chemin de croix du Christ a été remplacée dans toute la vallée par les processions de réfugiés fuyant leurs maisons.

– Tu as envie d'aller à l'église ce soir ? propose-t-il.

Marisol secoue la tête.

– Je suis fatiguée. Et tu sais quoi ? Franchement, je perds la foi.

– Je n'y crois pas.

– Drôle de réponse, quand on y réfléchit. Mais je ne voudrais pas t'empêcher d'y aller, surtout. Moi, ce que je veux, c'est un autre verre de vin, un dîner tranquille à la maison et dormir tôt.

Keller trouve du poulet dans le réfrigérateur et il prépare de l'*arroz con pollo*, avec une salade verte, pendant que Marisol prend une longue douche. Ils mangent en regardant une émission de télé américaine et vont se coucher.

Marisol fait la grasse matinée le lendemain, samedi, et Keller lui apporte son café au lit.

– Tu es un ange, dit-elle en saisissant la tasse.

– C'est bien la première fois que j'entends ça.

Marisol prend son temps pour se préparer, puis Keller l'escorte à son bureau afin qu'elle profite du calme relatif de la *Semana Santa* pour s'occuper de la paperasse en retard. Il a emporté son ordinateur et il passe en revue les notes confidentielles.

Un rapport top secret émanant d'analystes de la DEA et de la CIA estime que le cartel de Sinaloa a remporté la guerre de Juárez et contrôle à présent toute la zone. La Línea a été quasi anéantie et Los Aztecas, même s'ils continuent à se battre, ont vu leur direction décimée et sont totalement désorganisés.

Keller éprouve des sentiments mélangés. Il ne supporte pas l'idée que Barrera ait gagné, mais sa victoire mettra peut-être fin à cette effroyable violence. Voilà où nous en sommes, songe-t-il tristement. On ne peut rien espérer de plus désormais : la victoire d'une bande d'assassins sur une autre.

Le mémo qui accompagne le rapport réclame un commentaire de sa part. Il écrit que si le cartel de Juárez semble anéanti dans cette ville, ses alliés, les Zetas, ont l'air très actifs le long de la frontière du Chihuahua et que le cartel de Sinaloa adopte des mesures défensives.

Il lit ensuite un échange de mails entre la DEA et le SEIDO : des spéculations sur l'endroit où pourrait se trouver Eddie Ruiz. Est-il à San Pedro, Monterrey, Acapulco ? Selon un autre rapport, il aurait été vu à Veracruz. Tout le monde s'accorde à dire qu'il fait profil bas car il se sait traqué par les Zetas et Martín Tapia.

De retour au pays, Tapia tente de rassembler les restes épars de l'organisation de ses frères, au sein d'une nouvelle unité baptisée « cartel du Pacifique Sud ». La plupart des analystes estiment qu'il y a des difficultés car la majorité des lieutenants des Tapia se sont rangés du côté de Ruiz, dont on dit par ailleurs qu'il a recruté les meilleurs tueurs. D'autres rapports affirment que Martín, sous l'effet du chagrin peut-être, est devenu, comme Diego, un adepte du culte de la Santa Muerte, et qu'il s'adonne à des rites macabres, ce qui n'enchante pas sa femme.

D'après la rumeur, Martín se trouverait à Cuernavaca et Yvette vivrait quelque part à Sonora.

Keller lit d'autres rapports.

La CIA indique que la présence des Zetas en Amérique centrale s'intensifie, surtout au Guatemala, dans les provinces du Nord comme le Petén et la ville de Cobán. En lisant le même document, il apprend que les Zetas recrutent ouvertement de nouveaux Kaibiles, mais aussi des membres du gang des MS-13 dans les bidonvilles du Salvador.

Logique, se dit Keller. Obligés de se battre sur cinq fronts, les Zetas ont besoin de renforts.

Le front qui intéresse Keller s'enlise. Ils savent que Rodríguez, alias Z-20, se trouve quelque part dans le secteur de Veracruz car il a refait surface à la tête de l'équipe de Zetas qui a lancé des grenades incendiaires dans la maison d'un directeur des opérations de police à Veracruz.

La structure en bois a pris feu. Pour ne rien laisser au hasard, Rodríguez et ses hommes attendaient à l'extérieur pour abattre ceux qui réussiraient à sortir de la maison.

Personne n'en est sorti.

Le commandant de la police, son épouse et leurs quatre jeunes enfants sont morts dans l'incendie.

Keller et Marisol se rendent à la messe ce soir-là, ne serait-ce que parce que les habitants de Valverde s'attendent à ce que leur maire assiste à l'office du Samedi saint. Néanmoins, l'église est à moitié vide en raison de l'exode. Conformément à la tradition, la statue de la Vierge Marie est drapée de noir en signe de deuil et ce symbole est d'autant plus fort.

Toute la vallée est crucifiée, se dit Keller.

Marisol ne communie pas, lui non plus. Ils sont assis sur un banc quand il sent son portable vibrer dans sa poche. Il s'éloigne pour prendre l'appel. C'est un informaticien de l'EPIC.

Ils ont capté une conversation téléphonique entre Rodríguez et son cousin, à Veracruz. Ils ont une adresse.

Keller appelle aussitôt Orduña. S'ils agissent vite, ils peuvent mettre la main sur Z-20.

Keller avait prévu de passer la nuit à Valverde, puis de se rendre à Juárez avec Marisol pour Pâques, et de dîner en compagnie d'Ana et de toute la bande. Ensuite, il serait rentré à Mexico et Marisol à Valverde pour assister à une réunion aves les maires et les conseillers municipaux de la vallée. Quand elle sort de l'église, il lui annonce qu'il doit partir. Ils retournent chez elle afin qu'il récupère ses affaires.

– Va à El Paso, dit-il.

– Je ne peux pas. J'ai des choses à faire. Ne t'inquiète pas. J'irai en ville pour fêter Pâques avec toute la bande.

– *Te quiero, Mari.*

– *Te quiero también, Arturo.*

Marisol et Ana quittent les festivités pascales dans deux voitures séparées afin de rentrer à Valverde pour la réunion du lendemain matin. Il est prévu qu'Ana passe la nuit chez Marisol et retourne à Juárez après la réunion. Elle suit Marisol sur la Carretera 2.

Ana a l'intention d'écrire un article sur la « révolte des femmes » au Chihuahua. Dans la vallée, à Juárez, mais aussi dans des petites villes d'un bout à l'autre de l'État, des femmes se rebellent, occupent des postes dans la police et les conseils municipaux, pour réclamer des comptes, de la transparence, des réponses.

Marisol est fatiguée, elle aurait préféré dormir à Juárez, mais la réunion a lieu à 8 heures du matin et elle ne veut pas laisser Erika seule trop longtemps. Car si la jeune femme fait un excellent travail, elle n'a que dix-neuf ans.

Elle a passé une très bonne soirée – bonne nourriture, bonne compagnie –, même si Arturo lui a manqué. Elle se réjouit qu'il apprécie ses amis, et que ses amis l'apprécient. Autrement, cela aurait nui à leur relation.

C'est une nuit fraîche typique de Juárez, et elle porte un pull épais avec une écharpe. Le pistolet se trouve dans son sac, sur le siège passager, à portée de main. Elle s'interroge sur ses rapports avec Arturo. Elle est amoureuse de lui, elle le sait, elle l'aime plus qu'elle n'a jamais aimé son mari, sans doute plus que n'importe qui d'autre. C'est un homme merveilleux – intelligent, drôle, gentil et bon amant –, mais leur relation doit affronter des défis redoutables.

Il faut qu'il comprenne – non, il comprend déjà, mais il faut qu'il accepte – que je m'investis dans mon travail autant qu'il s'investit dans le sien. Je ne suis pas la seule à être menacée, lui aussi son travail le met en danger. Arturo est très vieux jeu à cet égard : être en danger, c'est le rôle d'un homme, estime-t-il, pas celui d'une femme.

En outre, il est beaucoup plus nord-américain qu'il ne le pense. Il est habité par cette croyance que tout problème a une solution, alors qu'un Mexicain sait que ce n'est pas forcément vrai.

Elle allume la radio, réglée sur une station d'El Paso qui passe de la musique country, son petit plaisir secret.

Bien qu'il ait reçu quatre balles, Rodríguez vit encore, grâce à une assistance respiratoire. Il est allongé sur une civière à l'arrière d'une ambulance qui traverse Veracruz à toute allure en direction de l'hôpital.

Keller pense qu'il va s'en tirer. Ils ont attaqué sa planque juste avant l'aube. Le raid surprise a permis de mettre la main sur Z-20 mais aussi sur cinq voitures blindées, du matériel radio et un pistolet M-1911 plaqué or et incrusté de diamants.

Un des Matazetas, le visage dissimulé par un passe-montagne noir, regarde Keller et demande :

– C'est un des *pendejos* qui ont assassiné la famille du lieutenant Córdova ?

Keller hoche la tête.

Le Matazeta s'adresse alors au secouriste qui contrôle le ballon d'oxygène.

– Tourne-toi, l'ami.

– Hein ?

– Tourne-toi, répète le Matazeta.

Le secouriste hésite, puis obéit. Le Matazeta regarde Keller, qui se contente de lui rendre son regard. Il se penche pour arracher le masque à oxygène plaqué sur le visage de Rodríguez. La poitrine de Z-20 se soulève plus rapidement. Pris de panique, il se met à haleter.

– Je veux un prêtre.

– Va au diable.

Le Matazeta dépose un valet de pique sur son cœur.

Marisol voit les phares se rapprocher dans son rétroviseur et se demande pourquoi Ana veut la doubler sur cette route à deux voies, en pleine nuit.

Elle tourne la tête au moment où le véhicule arrive à sa hauteur. La vitre se baisse, le canon d'une arme apparaît.

L'éclair rouge l'aveugle, elle a l'impression de recevoir un coup de poing dans la poitrine, et elle fonce dans le décor.

Une voiture banalisée prend Keller devant l'hôpital où Rodríguez a été déposé, mort, et le conduit à l'aérodrome de La Boticaria. Sa présence à Veracruz est secrète, comme sa participation à ce raid, ou à n'importe quel autre. Il monte à bord d'un Learjet 25, gracieusement fourni par Mérida, pour regagner Mexico.

Orduña se trouve déjà à bord.

– J'ai appris que Rodríguez n'avait pas survécu.

– Il a succombé à des complications dans l'ambulance, dit Keller.

Ce n'est pas faux, pense-t-il. C'est un accord tacite. Aucun de ceux qui ont participé au massacre de la famille de Córdova ne franchira vivant les portes d'un poste de police ou d'un hôpital. Rodríguez le savait, c'est pour cela qu'il avait dégainé son pistolet plaqué or afin de vendre chèrement sa peau.

Voilà, ils ont tué tous les Zetas impliqués dans ces meurtres.

Mission accomplie.

Non, pas tout à fait.

Ils doivent encore parvenir au commanditaire.

Keller s'installe et commande du whisky. Alors que l'avion décolle, Orduña lui tend le magazine *Forbes* en disant :

– Vous allez adorer.

Keller lui jette un regard interrogateur.

– Page huit.

Keller ouvre le magazine. Adán Barrera apparaît à la soixante-septième position dans le classement annuel des personnes les plus puissantes au monde.

Keller jette le magazine.

– Ne vous en faites pas, on l'aura, dit Orduña.

Keller a des doutes.

Il verse deux doigts de scotch sur des glaçons et se détend pendant le vol. À l'arrivée, son téléphone sonne.

– Keller, c'est Pablo Mora.

Le journaliste est bouleversé et pleure.

– C'est Marisol.

Marisol ne survivra pas.

C'est ce que le médecin annonce à Keller.

Elle a reçu des balles dans l'estomac, la poitrine et la jambe ; elle a par ailleurs un fémur cassé, deux côtes fêlées et une vertèbre fendue, conséquences de l'accident de voiture provoqué par la fusillade. Ils ont déjà failli la perdre trois fois dans l'ambulance, puis encore deux fois sur la table d'opération, où ils ont dû lui retirer une partie de l'intestin grêle. Le docteur Cisneros a une forte fièvre, elle est très faible et, « sincèrement, *señor,* il est peu probable qu'elle sorte du coma un jour ».

Et même si elle reprend connaissance, il y a un risque de lésions cérébrales.

Keller s'est rendu directement à Juárez à bord d'un avion militaire. À son arrivée à l'hôpital, Pablo Mora était dans la salle d'attente avec Erika, qui pleurait à chaudes larmes.

– Je ne l'ai pas protégée… Je ne l'ai pas protégée…

Mora a raconté à Keller ce qu'il savait.

Les deux femmes venaient de franchir un poste de contrôle de l'armée quand une voiture s'est pointée à vive allure, a doublé Ana et s'est portée à la hauteur de Marisol. Ana se souvient d'avoir vu des éclairs jaillir par la vitre du passager. La voiture de Marisol a roulé dans le fossé. Les agresseurs se sont arrêtés pour faire marche arrière.

Ana a pilé net et s'est couchée sur le siège.

Les agresseurs sont repartis en trombe.

Ana a les bras lacérés, mais elle a réussi à sortir Marisol de la voiture et elle a repris la direction de Juárez. Une ambulance de la Croix-Rouge les a rejointes en chemin et les secouristes ont pris la relève.

Mais Marisol a perdu énormément de sang.

On fait venir un prêtre pour l'extrême-onction.

Après le départ de celui-ci, Keller entre dans la chambre. Marisol a le teint blafard, verdâtre. Elle transpire. On l'a intubée pour l'aider à respirer, une myriade d'autres tubes reliés à ses bras lui injectent des antalgiques et des antibiotiques. La plaie au ventre – un trou rouge béant, obscène – a été laissée ouverte pour éviter l'infection.

La croix tracée à l'huile sainte brille sur son front.

Marisol survit encore une journée et la nuit suivante.

Son cœur s'arrête de nouveau cette nuit-là, mais les médecins parviennent à le faire repartir et ils la ramènent en salle d'opération pour soigner l'hémorragie interne. À l'aube, ils sont surpris qu'elle soit encore en vie. Elle s'accroche jusqu'au soir, toute la nuit et le lendemain.

Une garde s'improvise dans le vestibule devant sa chambre. Keller reste en permanence, Ana et Pablo Mora vont et viennent. Óscar Herrera passe plusieurs heures dans cet espace exigu. Des femmes de Juárez et de toute la vallée veillent.

On a vu des tueurs s'introduire dans des hôpitaux de Juárez pour achever des blessés et ils empêcheront que cela se produise.

Orduña partage la même détermination.

Deux agents des FES en civil se présentent dès le premier soir. Ils seront ensuite relayés par d'autres, vingt-quatre heures sur vingt-quatre.

Personne n'approchera de Marisol Cisneros.

Malgré cela, Erika refuse de s'éloigner.

Le troisième matin, ils apprennent que Cristina Antonia, une des conseillères municipales de Valverde, a été abattue dans sa boutique, sous les yeux de sa fille de onze ans. Marisol survit encore toute la journée, et la suivante, mais l'autre conseillère municipale, Patricia Ávila, est tuée à son tour devant son domicile.

Keller s'entretient avec Erika.

– Vous devez démissionner. Je vous obtiendrai un visa pour les États-Unis.

– Je refuse de partir.

– Erika…

– Que penserait Marisol ?

Marisol est dans le coma ! a-t-il envie de répliquer.

– Elle voudrait que vous restiez en vie. Elle vous demanderait de partir.

Erika est entêtée.

– Je refuse de fuir.

Le colonel Alvarado vient présenter ses respects. Le commandant militaire du district de la vallée a apporté des fleurs.

Keller l'empêche d'entrer dans la chambre.

– Marisol était à moins de deux kilomètres d'un poste militaire quand elle a été attaquée, dit-il.

– Qu'insinuez-vous ?

– Je n'insinue rien. J'affirme que vos soldats ont laissé passer et repartir ensuite une voiture remplie d'hommes armés. Et vous n'avez rien fait pour empêcher l'assassinat de deux autres femmes à Valverde.

Alvarado devient livide de rage.

– Je connais votre réputation, *señor* Keller.

– Tant mieux.

– Nous n'en resterons pas là.

– Vous pouvez en être sûr. Maintenant, fichez le camp.

Le troisième jour, Ana convainc Keller de rentrer chez lui pour prendre une douche, se changer et dormir un peu. Il remarque que deux agents des FES le suivent jusqu'à son domicile et prennent position devant sa résidence à El Paso.

Le téléphone sonne au moment où il sort de la douche.

– Ne raccrochez pas, dit Minimum Ben Tompkins.

– Qu'est-ce que vous voulez ?

– Quelqu'un tient à vous faire savoir que ce ne sont pas des gens à lui qui ont attaqué votre amie.

– Dites à ce quelqu'un que je vais le tuer.

– Réfléchissez, dit Tompkins. Il a déjà tout ce qu'il veut là-bas. Pourquoi prendrait-il le risque de tout perdre en tuant un groupe de femmes ?

Ça se tient, pense Keller. Barrera a déjà remporté la bataille de Juárez, il a la mainmise sur presque toute la vallée. Mais il répond :

– Marisol Cisneros l'a défié à la télévision.

– Elle a défié les Zetas également, souligne l'avocat. Notre ami me charge de vous dire que rien n'a changé entre lui et vous, mais qu'il ne s'en est pas pris à votre compagne.

Tompkins raccroche.

Barrera se contrefout de ce que je pense, se dit Keller. Mais il a toujours été très soucieux de son image. Le meurtre de ces femmes et d'une célébrité comme la Médica Hermosa nuirait à sa réputation.

D'un autre côté, les Zetas ont envahi la vallée pour donner une leçon en massacrant la famille Córdova. Pour eux, une bonne réputation passe par l'intimidation et la terreur. Alors, si forte soit son envie d'ajouter l'agression de Marisol sur l'ardoise de Barrera, l'hypothèse Zetas se défend.

Il est de retour dans la chambre d'hôpital de Marisol quand elle ouvre les yeux.

– Arturo ? demande-t-elle, tout bas. Je suis morte ?

– Non. Tu es vivante.

Dieu soit loué, Dieu soit loué, Dieu soit loué, tu es vivante.

La convalescence de Marisol est longue, douloureuse et incertaine.

Elle subit une nouvelle opération pour fermer la plaie à l'abdomen, puis encore une autre pour pratiquer une colostomie.

Des semaines passent avant que Keller puisse lui faire franchir les portes de l'hôpital en fauteuil roulant, et il l'installe dans une ambulance pour parcourir le court trajet jusqu'à El Paso, de l'autre côté du pont.

– Je ne veux pas aller à El Paso, dit Marisol. Je ne peux pas.

– Tous les papiers sont en ordre.

Il lui a obtenu un visa. Il a rencontré quelques résistances tout d'abord, jusqu'à ce qu'il explique à Tim Taylor et aux pouvoirs en place que si Cisneros n'obtenait pas de visa, le programme d'assassinats des FES ferait les gros titres de CNN le lendemain matin.

Taylor l'a mis en garde :

– Vous ne vous faites pas que des amis avec cette histoire.

– Je ne veux pas d'amis.

Marisol a donc obtenu un visa.

– C'est très bien tout ça, dit-elle, mais je ne t'ai rien demandé. Je retourne à Valverde.

– Marisol…

– Je veux rentrer chez moi, Arturo. Je t'en supplie, j'ai envie d'être chez moi.

À contrecœur, il annonce au chauffeur de l'ambulance qu'ils vont finalement à Valverde. Le chauffeur est tout aussi réticent que lui.

– Vous voyez la voiture derrière nous ? dit Keller. Ce sont les FES. Des marines. Alors, direction Valverde.

Ils s'installent chez elle.

Keller devient son infirmier, son cuisinier, son rééducateur, son garde du corps, même si des hommes des FES se relaient à l'extérieur de la maison. Il fait le ménage, lui prépare une nourriture adaptée à son état et l'aide à se sevrer des antalgiques.

Elle souffre en permanence, et les médecins ont été clairs : il n'y aura pas de rétablissement complet. Mais peu à peu, elle parvient à quitter son lit, à marcher avec des béquilles, puis avec une canne. Le premier jour où elle réussit à sortir dans son jardin et à rentrer seule à l'intérieur ressemble à une victoire et elle est ravie.

Keller découvre avec un mélange d'amusement et d'amertume que les Zetas, vilipendés dans presque toute la presse à la suite de cette agression, se lancent dans une campagne médiatique pour s'en défendre. Ils organisent une grande « Journée des enfants » dans un stade de football avec des groupes de musiciens, des clowns, des châteaux gonflables et distribuent des centaines de cadeaux coûteux. Une banderole fixée sur le toit proclame : « Les cadeaux ne suffisent pas. Les parents doivent aimer leurs enfants. Ochoa l'Exécuteur et la Compagnie Z. »

Ils organisent ensuite une gigantesque fête des Mères à Ciudad Victoria, où ils distribuent des réfrigérateurs et des machines à laver, sous des banderoles où on peut lire : « On aime et on respecte les femmes – Quarante et l'Exécuteur. »

Parallèlement, les journalistes à leur solde ont commencé à écrire des articles pour expliquer que la Médica Hermosa avait été victime d'un accident de voiture alors qu'elle roulait en état d'ivresse après une fête et que la gravité de ses blessures avait été exagérée par ses amis journalistes.

Deux semaines plus tard, Marisol annonce à Keller qu'elle est prête à reprendre le travail.

– Quoi ?

– Je retourne travailler.

– Au dispensaire ?

– Et à la mairie.

– C'est de la folie !

– Peut-être

– Ils ont manqué te tuer ! Tu as de la chance d'être en vie.

– Dans ce cas, je ne dois pas gâcher ce cadeau qui m'est fait, n'est-ce pas ?

– C'est une question d'ego ? Ou le complexe du martyr ?

– C'est toi qui dis ça ?

– Tu n'es pas Jeanne d'Arc.

– Et toi, tu n'es pas mon patron.

Impossible de lui faire entendre raison. Ce soir-là, au lit, elle lui demande :

– Arturo ? Tu peux m'aimer comme ça ?

– Que veux-tu dire ?

– Je comprendrais que tu ne puisses pas. Les cicatrices, mon ventre, cette horrible poche. La claudication. Je ne suis plus la femme dont tu es tombé amoureux. Tu as été formidable, loyal et fidèle, mais je comprendrais que tu aies envie de partir.

Il lui caresse la joue.

– Tu es belle.

– Aie la décence de ne pas me mentir.

– Tu veux la vérité ?

– S'il te plaît.

– Je ne veux pas vivre sans toi.

Deux jours plus tard, elle lui demande de l'aider à enfiler sa plus belle tenue. Elle consacre un long moment à se coiffer et à se maquiller. L'effet est saisissant. Dans sa petite robe noire, elle est superbe malgré la canne et la claudication.

Elle donne une conférence de presse. Devant les caméras, elle abaisse la fermeture Éclair de sa robe et expose ses blessures. Elle dévoile les cicatrices irrégulières, encore rouges, sous son bras et sur le côté de la poitrine, la plaie livide sur son ventre.

– Je voulais vous montrer mon corps meurtri, mutilé et « humilié », car je n'en ai pas honte, déclare-t-elle. Il est la preuve vivante que je suis une femme entière et forte qui, malgré ses blessures physiques et mentales, reste debout.

Marisol referme sa robe et poursuit :

– Vous qui m'avez fait ça, vous qui avez assassiné mes sœurs, sachez que vous avez perdu. D'autres femmes courageuses veilleront avec moi à ce que leurs sacrifices ne soient pas vains. D'autres ont déjà pris leur place. Et si vous me tuez, d'autres se présenteront pour prendre la mienne. Jamais vous ne nous vaincrez.

Sur ce, elle annonce qu'elle va retourner à la mairie pour travailler. Tout le monde sait où la trouver.

Keller la regarde s'éloigner en boitant, accompagnée d'Erika, dans la rue poussiéreuse. Elle traverse ce village de fantômes.

Il songe que c'est peut-être le geste le plus courageux qu'il ait vu de sa vie.

2

Qu'est-ce que vous attendez de nous ?

Taisez-vous ! On n'entend pas les mimes !

Jacques Prévert,
Les Enfants du paradis

CIUDAD JUÁREZ
JANVIER 2010

Pablo réagit avec lassitude à un nouveau « *Motivo 59* ».

Il est presque minuit et le meurtre a eu lieu loin d'ici à Villas de Salvárcar, un quartier d'ouvriers, coincé entre des usines, dans la partie sud-ouest de la ville.

Il fait froid, et le chauffage de la *fronterizo* de Pablo ne sert à rien, si bien qu'il grelotte en roulant vers la Villa del Portal, une des deux rues qui mènent à Salvárcar. Il est fatigué et il espérait passer un samedi soir tranquille. La veille, quatorze personnes ont été tuées, et il n'a pas cessé de sillonner la ville, même si ces assassinats ne sont désormais plus des scoops.

Le scoop, ce serait l'absence de cadavres dans les rues.

Le dispatcher de la police n'a pas indiqué si la victime était un homme ou une femme, ni même s'il y en avait plusieurs, il a juste dit qu'un meurtre avait été commis. Pablo s'arrête devant le 3010 Villa del Portal, s'attendant à découvrir le triste spectacle habituel.

La rue est envahie de personnes qui hurlent, pleurent ou s'enlacent pour se réconforter. D'autres journalistes sont déjà là, avec des photographes. Il y a même des équipes de télévision.

Ce doit être important.

Des ambulances se garent derrière Pablo, ainsi qu'une voiture pleine de *federales,* que les gens se mettent à invectiver. *Ça fait quarante minutes ! Où étiez-vous ? Lâches !* Pendejos !

Pablo descend de voiture et glisse sur une petite flaque de sang sur le trottoir. Il retrouve Giorgio qui mitraille l'extérieur de la maison.

– Qu'est-ce qui s'est passé ? interroge-t-il.

– Des ados du coin fêtaient un anniversaire dans la maison inoccupée, raconte Giorgio. Apparemment, des voitures remplies d'hommes armés sont arrivées, les types sont entrés et ils ont ouvert le feu. Certains des gamins se sont précipités vers la maison d'à côté, mais les *sicarios* les ont pourchassés. Les voisins criaient à l'aide, mais personne n'est venu.

Pablo se souvient qu'il y a un hôpital à deux minutes de là.

– Les tueurs sont remontés en voiture et ils sont repartis, ajoute le photographe. Et, évidemment, les *federales* ne se sont pointés qu'ensuite.

– Combien de morts ?

Giorgio hausse les épaules.

On dénombrera quinze victimes.

Quatre adultes et onze enfants.

Plus quinze blessés.

Au cours des deux jours suivants, Pablo en apprend un peu plus. Ces gamins faisaient la fête, simplement, avec l'accord des parents et l'autorisation des propriétaires de la maison inoccupée.

Les *sicarios* ont débarqué. Les survivants ont entendu des ordres qui disaient : « Tuez-les tous ! » La plupart sont morts dans le salon, entassés les uns sur les autres. D'autres ont sauté par la fenêtre pour courir vers la maison voisine, où les tueurs les ont rattrapés.

En un quart d'heure, c'était terminé.

La question est : Qui a fait ça ?

Et pourquoi ?

Pablo trouve Ramón dans un bar de Galeana.

Le lieutenant des Aztecas est affalé dans un box, complètement ivre, et il regarde avec ses yeux rougis Pablo se glisser sur la banquette d'en face.

– Qu'est-ce que tu veux, *'mano* ?

– Villas de Salvárcar.

– Va au diable.

– On y est déjà tous, plus ou moins, non ? rétorque Pablo. (Il pose son verre sur la table.) C'est quoi, ce bordel, Ramón ? Qui a fait ça ?

Ramón secoue la tête.

– Tu as envie de mourir, Pablo ? Pas moi. Enfin, si. Mais j'ai des gamins. Tu vois.

– Gente Nueva ? La Línea ?

Ramón regarde autour de lui, se penche en avant et dit :

– C'est une erreur, *'mano*. Ils avaient de mauvaises informations.

– Qui ça ?

Ramón se frappe la poitrine.

– Nous. Los Aztecas.

– Nom de Dieu, tu…

– Non, *m'ano*. J'irai en enfer, mais pas pour ça.

Sa tête s'affaisse, puis il se ressaisit, se redresse et ajoute :

– D'autres gars. Ils avaient des ordres. On leur a dit que c'était une fête des AA.

– Des alcooliques ?

– Nooon. AA comme Aristos Asesinos. Le gang qui se bat pour Barrera. Ils ont cru que ces gamins étaient des AA.

– Absolument pas.

– On le sait maintenant.

– Qui a donné l'ordre ?

Ramón hausse les épaules.

– Comment savoir ? Plus personne ne commande. Personne ne sait… rien. Quelqu'un au-dessus de toi te dit de tuer quelqu'un, tu tues quelqu'un. Tu ne sais pas pourquoi, tu ne sais pas pour qui. Puis le type au-dessus de toi meurt et un autre le remplace.

– Ça venait de Fuentes ?

– Cette tafiotte ? Il a foutu le camp. Il s'est tiré. Il n'en a plus rien à foutre. Et moi non plus, bordel de merde. Plus personne n'en a rien à branler.

Ramón se met à pleurer.

– Tu ferais mieux de filer, Pablo. Ce n'est pas un endroit sûr. Ils nous butent tous, mon pote. La Línea. Los Aztecas, ils nous butent tous.

– Qui donc ?

– La Gente Nueva. C'est eux « Les Nouveaux », non ?

Pablo vide son verre d'un trait et s'extirpe du box.

– Hé, passe à la maison, un de ces jours, dit Ramón. On boira une bière en regardant le *fútbol*.

– Bonne idée.

Pablo sort du bar.

Le lendemain, Pablo se trouve dans la salle de rédaction avec Ana et Óscar quand le président donne une conférence de presse, depuis la Suisse, au sujet du massacre de Villas de Salvárcar.

– Selon l'hypothèse la plus probable, déclare Calderón, cette attaque est une conséquence de la rivalité entre trafiquants de drogue, et on peut penser que ces jeunes gens avaient des liens avec les cartels.

– J'ai bien entendu ? demande Ana.

– Oui, répond Óscar. Allez, on publie.

La déclaration du président provoque la fureur des habitants de Juárez et de milliers d'autres Mexicains. Des appels à la démission viennent de tous les côtés, et notamment des familles de ceux et celles qui ont été tués.

Óscar Herrera rédige un édito enflammé pour exiger que le président se retire.

Celui-ci, accompagné des membres de son cabinet, rend visite aux familles, offre des excuses, ses condoléances et annonce un nouveau programme d'aide de deux cent soixante millions de dollars pour la ville.

Ça ne change pas grand-chose.

En tout cas, cela ne suffit pas à calmer la population de Juárez.

Le lendemain de la visite de Calderón, un *narcomanta* est tendu en travers d'une grande rue de la ville. On peut y lire : « Les citoyens doivent savoir que le gouvernement fédéral protège Adán Barrera, le responsable de massacres d'innocents… Adán Barrera est protégé par le PAN depuis qu'ils l'ont fait libérer. Leur arrangement tient toujours. Pourquoi massacrent-ils des innocents ? Pourquoi ne nous affrontent-ils pas face à face ? Quelle est cette mentalité ? Nous invitons le gouvernement à combattre tous les cartels. »

Le lendemain, des centaines de personnes se rassemblent au pied du pont de la Liberté pour protester contre la violence due à la drogue.

Villas de Salvárcar devient le symbole de l'opposition à la politique du gouvernement en matière de lutte contre la drogue, le symbole de la confusion et de l'inanité.

C'est un tournant décisif dans cette lutte.

Un autre suit peu de temps après.

La Tuna, Sinaloa
Février 2010

Le cartel du Golfe et les Zetas se sont séparés.

La guerre se poursuit.

Les cartes des alliances vont être rebattues.

Adán savait que ça ne pouvait pas durer – que les serviteurs zetas finiraient par se révolter contre leurs maîtres du Golfe –, mais pas si vite, et de manière aussi spectaculaire.

Il descend à la cuisine pour se préparer un petit déjeuner. C'est devenu un de ses plaisirs ; il aime la solitude du matin et ces gestes simples : cuire un œuf et se faire du café.

Un moment de calme, idéal pour réfléchir avant une journée de sollicitations incessantes.

Il fait chauffer de l'huile et casse un seul œuf dans la poêle car il a pris quelques kilos et son taux de cholestérol est un peu trop élevé. En regardant l'œuf crépiter, il songe à Gordo Contreras, chef putatif du Golfe.

Gordo a commis une grave erreur.

Certains de ses hommes à Reynosa ont enlevé et assassiné un Zeta haut placé, un ami proche de Quarante.

Fou de rage, Quarante a laissé une semaine à Gordo pour lui livrer les coupables.

Gordo s'est retrouvé dans une situation délicate. S'il livrait ses hommes, il était fini en tant que chef du cartel et il devenait l'esclave de Quarante ; dans le cas contraire, il entrait en guerre contre les Zetas. Certes, il possède sa propre armée, Los Escorpiones, mais ils ne peuvent rivaliser avec les Zetas.

Adán fait glisser l'œuf dans une assiette. Il verse un peu de sauce Tabasco pour remplacer le sel, banni de la maison par Eva, et s'installe pour manger.

Gordo n'a pas livré les meurtriers.

Résultat, Quarante a enlevé seize *sicarios* du cartel du Golfe et les a torturés à mort dans un sous-sol.

Adán parie avec lui-même pour savoir qui va l'appeler en premier. Les Zetas seraient bien avisés de proposer de se retirer de Juárez en échange de son aide contre le Golfe.

Mais Ochoa et les Zetas enchaînent les décisions stupides ces derniers temps.

Ils ont changé.

L'encadrement initial, composé de vétérans des forces spéciales, a été décimé par les arrestations et la guerre d'usure et ils recrutent désormais des hommes ayant peu ou pas du tout d'expérience, pour les entraîner ensuite. Certains de ceux qui roulent des mécaniques en se qualifiant de Zetas n'appartiennent pas à l'organisation ; ce nom est devenu une sorte de marque, comme « al-Qaida ».

Adán se demande si Ochoa perd lui aussi les pédales. La décision de massacrer la famille de ce marine après son enterrement était une bêtise phénoménale. Comme on pouvait s'y attendre, l'opinion publique a exprimé son indignation et les forces spéciales ont lancé une vendetta tout aussi prévisible pour détruire les Zetas.

Avec l'aide des services de renseignements nord-américains.

Évidemment, Keller a réussi à s'infiltrer dans cette unité d'élite de tueurs. C'est l'évolution naturelle : qui se ressemble s'assemble. Mais comme les FES traquent sans relâche les Zetas, Adán ne va pas attirer leur attention en tuant Art Keller, uniquement pour se faire plaisir.

Non. Laissons-le tuer les autres à ma place.

J'aurai le temps de m'occuper de lui plus tard. N'empêche, c'est frustrant. La patience est une vertu, et comme la plupart des vertus, c'est aussi un fardeau.

Comment Ochoa a-t-il pu croire qu'il gagnerait les cœurs en massacrant la famille d'un héros ? Il peut peut-être intimider l'opinion, mais il n'intimidera pas Orduña et ses hommes, plus que jamais motivés pour mener un combat à mort.

En outre, les Zetas continuent à commettre des actes qui révoltent les gens, principalement les enlèvements et le racket. Aujourd'hui, ces activités leur rapportent autant d'argent que la drogue, mais si la population ne prête guère attention au trafic, elle n'apprécie pas d'être retenue en otage contre une rançon.

Ça m'arrange, se dit Adán en rangeant son assiette dans le lave-vaisselle. Les Zetas revalorisent notre image ou, du moins, ils nous font apparaître comme un moindre mal. Après les meurtres des Córdova, nul ne reproche au gouvernement de faire des Zetas une priorité.

Désormais, Ochoa et ses gars se battent contre moi à Juárez et au Sinaloa, contre Eddie Ruiz à Monterrey, Veracruz et Acapulco, contre La Familia au Michoacán, contre les marines partout, et contre le cartel du Golfe au Tamaulipas.

Malgré cela, ils continuent à s'étendre, et c'est inquiétant.

Et surtout parce que cette expansion n'a pas lieu au Mexique, mais au Guatemala.

Il y a trois ans, les Zetas sont passés à l'action dans ce pays. Ils ont gagné les faveurs de la famille Lorenzana en tuant le chef rival, Juancho Léon, et dix autres personnes, au cours d'une embuscade présentée comme une réunion de paix.

Ces derniers mois, ils ont livré avec succès des batailles contre des soldats des forces spéciales guatémaltèques afin de défendre des pistes d'atterrissage utilisées pour le transport de cocaïne, et Adán a entendu dire qu'il y avait plus de quatre cents Zetas qui opéraient dans le pays, essentiellement à Guatemala City et au Petén, la province frontalière avec le Mexique. Ils recrutent d'anciens soldats en diffusant des messages sur des radios pirates.

Ce n'est pas anodin : 70 % de la cocaïne qui transite par le Mexique provient du Guatemala.

Tous les cartels se sont servis de ce pays pendant des années.

Cela date de l'époque du « Trampoline mexicain », dans les années 1980, quand les avions venant de Colombie avaient besoin d'un endroit où faire le plein avant de se poser à Guadalajara. Du fait de la guerre actuelle entre les cartels, le Guatemala est devenu encore plus important, en tant que marché, mais également comme point de transbordement. La cocaïne du Petén peut facilement être transportée au Mexique, et de là jusqu'à la frontière. Alors, les Zetas chassent des paysans de leurs terres pour pouvoir transformer celles-ci en une succession de bases aériennes.

Le gouvernement du Guatemala a envoyé un millier de soldats dans le Petén, avec des véhicules blindés, des hélicoptères et du matériel de surveillance. Le Petén a toujours été un territoire neutre – un endroit sûr et calme –, mais, en voulant le contrôler, Ochoa a attiré l'attention du gouvernement et de la DEA.

Adán ne peut pas tolérer cela. Ses importations de cocaïne dépendent du Salvador et du Guatemala, et il ne peut pas non plus céder devant les Zetas.

Il sort de la cuisine, sur la vaste pelouse, et descend vers un bosquet de *fresnos*. C'est un matin frais et calme, les oiseaux commencent tout juste à chanter, alors que le soleil se lève.

Prêtant à peine attention aux *sicarios* qui le suivent discrètement à distance, Adán pénètre dans le bosquet. Si paisible, si éloigné des conflits et des luttes qui peuplent le reste de son existence.

Eva est une bonne épouse, mais Eva n'est pas enceinte.

Cela tourne à l'obsession.

Faire l'amour à une jolie femme de vingt ans ne devrait pas être une corvée, et pourtant ça le devient. Eva se balade avec un thermomètre dans la bouche, elle consulte les calendriers, elle le somme d'œuvrer quand c'est le bon moment, et quand elle suggère de nouvelles positions, ce n'est que pour une question d'efficacité physiologique.

Eva est frustrée et elle craint, bien qu'il l'assure du contraire, qu'Adán la quitte.

Elle s'inquiète.

Il en est conscient.

La vie dans une *finca* isolée n'est pas l'idéal pour une jeune femme enjouée comme elle. Adán comprend qu'elle se sente prisonnière, malgré la piscine, la salle de gym, les chevaux, l'antenne satellite et Netflix. Elle va faire du shopping à Badiraguato et Culiacán, mais il sait qu'elle a envie de fréquenter les clubs de Mazatlán et de Cabo. Il essaye de lui organiser des distractions, mais c'est compliqué, et elle supporte mal toute l'organisation qu'implique une simple et brève excursion en dehors de la propriété.

Comme ses amis lui manquent, Adán les fait venir de temps en temps, mais chaque visiteur représente un danger potentiel pour sa sécurité, et avec la double guerre qui fait rage et les FES qui causent des ravages dans les rangs des narcos, il ne peut pas se permettre de prendre des risques inutiles.

Par faiblesse, il s'est arrangé pour qu'elle aille passer quelques jours à Mexico toutes les deux semaines environ. Mais il sait que c'est un répit temporaire, au mieux.

Le problème, c'est qu'elle s'ennuie et refuse de grandir. Certaines femmes laissent les vicissitudes de la vie les endurcir et les aigrir, mais Eva a suivi la direction opposée : elle reste volontairement naïve, consciemment ignorante, presque enfantine par défi. Toujours enjouée et pétillante, toujours la jeune épouse vierge au lit : enthousiaste, énergique, maladroite.

La cruelle vérité est qu'Eva n'a pas réussi l'unique chose que l'on attendait d'elle : produire un héritier.

– Elle t'a quand même donné un enfant, lui a dit Magda lors d'un de leurs rendez-vous secrets à Badiraguato. Elle.

– Très drôle.

– Sérieusement, que comptes-tu faire ?

– Que suggères-tu ?

– Prends une nouvelle femme.

Elle laisse cette idée faire son chemin, puis ajoute :

– Oh, allons, tu ne l'aimes pas. Ne me dis pas que tu l'aimes.

– Je m'y suis attaché.

– Comme je suis attachée à mon golden retriever. Eva est une enfant, et elle rajeunit de jour en jour. C'en est presque effrayant. Franchement, je m'interroge sur sa santé mentale. Pas toi ?

– C'est une vie difficile pour une femme.

– Merci de me le dire, je l'ignorais.

Comment réagirait Nacho si je divorçais de sa fille ? se demande Adán. L'accepterait-il ou s'en servirait-il comme prétexte pour briser l'alliance ? En fait, il ferait semblant de l'accepter, mais il se servirait du pouvoir que je lui ai donné à Tijuana pour m'affronter. Il irait rejoindre ses vieux alliés à Juárez et il fomenterait une rébellion, tout en niant.

Une pensée fugace traverse l'esprit d'Adán : il devrait le tuer. Il serait facile de faire porter le chapeau aux Zetas. Une fois Nacho six pieds sous terre, après une période de deuil convenable, il ficherait Eva à la porte, avec assez d'argent, évidemment, pour vivre dans le luxe auquel elle s'est habituée.

Il remonte vers la maison.

Eva n'est pas encore levée, et sans qu'il puisse dire pourquoi, cela le contrarie. Il aimerait la réveiller, en prétextant qu'elle va louper son avion, mais étant donné qu'ils possèdent deux Learjet, et les équipages qui vont avec, ça ne marcherait pas.

Il la regarde dormir.

Magda a raison, pense-t-il.

C'est une enfant.

À l'instar de toute guerre civile, le conflit entre le cartel du Golfe et les Zetas a été d'une violence extraordinaire.

Et il s'agit bel et bien d'une guerre.

Alors qu'autrefois les gangs de *sicarios* agissaient dans l'ombre, des camions transportant des centaines d'hommes armés roulent à présent ouvertement sur les routes du nord du Tamaulipas, et des attaques à la mitrailleuse et à la grenade se produisent à Nuevo Laredo, Reynosa et Matamoros, ou dans les petites villes-frontière le long de La Frontera Chica.

« La Petite Frontière » revêt une importance stratégique pour trois raisons.

Premièrement, elle s'étend entre les deux bastions du Golfe et des Zetas, respectivement Matamoros et Nuevo Laredo.

Deuxièmement, elle jouxte la lucrative frontière par laquelle la drogue entre aux États-Unis.

La troisième raison n'a rien à voir avec le trafic de drogue, mais avec cette autre marchandise précieuse du XXIe siècle : l'énergie.

La Frontera Chica englobe Burgos Basin, une zone riche en gaz naturel. Le groupe énergétique national mexicain Pernex explore et exploite ces gisements depuis des années. Actuellement, presque cent trente stations pompent du gaz naturel, et mille autres gisements seront un jour ou l'autre mis en chantier. Les compagnies pétrolières américaines sont impatientes de commencer à forer. Cela fait longtemps que les cartels veulent investir dans le secteur de l'énergie, et La Frontera Chica est l'endroit idéal pour cela.

Voilà pourquoi des petites villes comme Ciudad Mier, Camargo et Miguel Alemán deviennent des champs de bataille.

Tout a commencé à Mier quand quinze camions portant le logo du cartel du Golfe ont débarqué en ville. Des *sicarios* en sont descendus et ont mitraillé le poste de police. Puis ils ont emmené six policiers, que personne n'a jamais revus.

Le cartel a installé des barrages sur les routes, isolé entièrement la ville et entrepris d'exécuter les soutiens des Zetas en les alignant contre un mur sur la place centrale. Les corps ont ensuite été décapités et leurs têtes empilées dans un coin de la place. Un jeune homme accusé de servir de guetteur aux Zetas a hurlé quand on lui a scié le bras avant de le pendre à un arbre.

Les combats ont duré six jours.

Les Zetas ont riposté et l'affrontement est devenu une bataille de snipers, à Mier, Camargo et Miguel Alemán. Dans les faits, le nord du Tamaulipas pourrait être comparé à l'Irak, à Gaza ou au Liban, quand les factions rivales s'affrontaient dans les rues, brûlaient les boutiques et les maisons et chassaient les gens de chez eux.

Des barricades sont apparues.

Les villes sont devenues des villes fantômes.

Ochoa n'appelle pas.

Mais Gordo Contreras, si.

Adán dit à Magda, avec qui il a parié aussi :

– Tu me dois cent dollars.

– J'aurais pourtant juré que ce serait Ochoa.

– Il est trop fier.

– Tu sais que le Golfe va perdre, et tu t'en fiches. Tu vas leur apporter juste l'aide nécessaire pour que la guerre continue, jusqu'à ce que les deux adversaires se vident de leur sang. Et à ce moment-là, tu t'empareras du Tamaulipas, de Matamoros, Reynosa, Laredo… la totale.

Adán hausse les épaules. Comme toujours, Magda a parfaitement analysé la situation et ses plans.

– As-tu réfléchi au prix que tu vas demander ? dit-elle. Gordo pensera que tu vas te contenter d'avoir un allié contre Ochoa, mais à mon avis, on pourrait obtenir plus. Le droit d'utiliser leurs ports gratuitement. Ce serait un meilleur chemin vers le marché européen.

– Tu es toujours sur le coup ?

– Oui, et tu devrais en faire autant.

C'est logique, se dit Magda. Un kilo de cocaïne se vend environ vingt-quatre mille dollars aux États-Unis, et plus du double en Europe. Même après avoir payé les associés européens et versé les habituels pots-de-vin, les bénéfices sont colossaux. Si Adán ne veut pas se lancer, elle le fera sans lui, mais sa protection lui serait bien utile.

– Tu parles de la 'Ndrangheta, dit Adán en évoquant la mafia italienne qui règne sur le trafic de drogue dans presque toute l'Europe. Le cartel du Golfe les a déjà mis dans sa poche.

– Parce que nous n'avons pas fait l'effort nécessaire, réplique Magda. Si j'allais là-bas, je suis certaine que je pourrais les persuader de travailler avec nous.

Non pas à cause de son sex-appeal indéniable, mais parce que la 'Ndrangheta a intérêt à diversifier ses sources d'approvisionnement. Et le marché européen est en pleine expansion, surtout pour la cocaïne. La majeure partie de l'héroïne provient encore d'Afghanistan et du Pakistan, via la Turquie, et la marijuana d'Afrique du Nord, via le Maroc, mais le monopole du cartel du Golfe sur la cocaïne risque d'être entamé. Si Magda peut acheter à cinq mille cinq cents dollars et vendre à cinquante-cinq mille, faites le calcul.

En outre, elle aimerait revoir l'Europe, avec des yeux différents de ceux d'une jeune fille naïve et subjuguée, sous la tutelle de Jorge. Elle pourrait en profiter pour visiter quelques musées et galeries, et peut-être même faire un peu de shopping. À vrai dire, des vacances lui feraient du bien. Elle comprend à présent les longues journées de travail et de discipline auxquelles s'astreignait Adán à Puente Grande : la gestion d'une entreprise de plusieurs millions de dollars repose sur mille et un détails.

La Reina Amante, en effet.

– Mais si tu n'es pas chaud, je le ferai toute seule. Je te demande juste d'écarter le Golfe de mon chemin. Au fait, tu as engrossé ta reine ?

– Sois gentille.

– Je suis gentille.

– Non, pas encore.

– On dit qu'en levrette…

– Bon sang, Magda !

– Je ne me souviens pas que tu étais aussi prude à Puente Grande. Allons baiser. Je te donnerai tes cent dollars en nature.

– Sous son toit ?

– Il y a certainement d'autres lits, si vraiment ça te chagrine. Oh, et puis zut. Continue à jouer les maris modèles.

Il lui saute dessus.

Ce soir-là, Gordo accepte de laisser Adán utiliser gratuitement ses ports de Matamoros et de Reynosa et de l'introduire dans son réseau en Europe.

De son côté, Adán accepte de faire ce qu'il avait décidé de faire de toute façon : continuer à combattre les Zetas.

Eva entre dans l'appartement de Bosques de las Lomas et se laisse tomber sur le lit.

Miguel, son garde du corps, lui apporte son sac de voyage.

– Je le pose où ?

– Sur le lit. Avec toi.

Miguel sourit. Il pose le sac au pied du lit et s'allonge sur Eva.

Elle abaisse la fermeture Éclair du jean moulant.

– Voilà ce que je veux, juste là. Dépêche-toi. J'ai cru que ce vol n'en finirait jamais.

Elle le fait durcir avec sa main, mais ce n'est guère nécessaire. Avec son autre main, elle ouvre son propre jean et se trémousse pour l'enlever. Elle est déjà mouillée et il pénètre en elle sans peine.

– C'est bon, soupire-t-elle. C'est très bon.

Miguel a vingt-cinq ans, il est fort, svelte, musclé et impatient de prendre son plaisir, mais elle aime ça. Elle a envie d'être possédée, et quand elle sent qu'il approche de l'orgasme et s'apprête à se retirer, elle le retient par les épaules pour le garder en elle, et dit :

– Tu peux jouir en moi.

– Tu es sûre ?

– Je prends la pilule.

Ensuite, allongée à côté de son jeune amant, elle rit.

– Quoi ? demande Miguel.

– Tu sais ce que te ferait mon mari, ce qu'il ferait à ta jolie queue, s'il apprenait où tu l'as fourrée ?

– Je ne veux pas y penser.

– Pourtant, c'est toi qui es censé l'informer de ces choses-là. Tu es son espion, non ? Alors, tu vas le lui dire ?

– Non.

– Tant mieux, dit Eva, parce que je veux que cette jolie queue reste où elle est.

Elle roule sur le côté et le prend dans sa bouche.

– Tu peux recommencer ? demande-t-elle en se redressant.

– Si tu continues comme ça, oui.

Eva continue.

Elle veut un bébé.

Ciudad Juárez
Septembre 2010

Pablo avale le restant de *torta* et efface les traces d'avocat sur ses lèvres du revers de la main.

La *torta* – poulet, ananas et avocat dans un petit pain – faisait partie jusqu'alors des choses qu'il préférait à Juárez, un de ces plaisirs locaux qui font d'une ville ce qu'elle est. Désormais, il en remarque à peine le goût, ce n'est plus qu'un aliment bon marché pour nourrir son organisme.

Il en a besoin, il est fatigué.

Épuisé, même.

Si quelqu'un lui demandait comment il se sent ces temps-ci – personne ne lui pose la question –, il répondrait qu'il est physiquement, mentalement et émotionnellement vidé.

Moralement aussi, peut-être, si l'épuisement moral existe.

Oui, ça existe, décrète-t-il.

Au début, vous êtes idéaliste, moralement fort si vous préférez, puis la pierre de votre force morale s'érode, peu à peu, jusqu'à ce que vous soyez… épuisé, oui, et vous vous mettez à faire des choses que vous n'auriez jamais pensé faire. Ou des choses que vous avez toujours eu peur de faire.

Un truc dans ce goût-là.

On pourrait croire qu'il y a un point de rupture, un moment décisif, mais vous ne pouvez pas mettre le doigt dessus. Non, ce n'est pas aussi spectaculaire, c'est le processus monotone de l'érosion.

Ça avait peut-être commencé le jour où vingt-cinq personnes avaient été tuées dans le même après-midi. Un de ces sinistres *narcomantas,* devenus lassants, était suspendu près des corps : « Adán Barrera, tu tues nos fils, alors on va tuer tes familles. »

Ou alors c'était un nouveau massacre pendant un anniversaire : quatorze personnes mitraillées. Ou les cadavres décapités des deux tueurs retrouvés le lendemain.

Ou peut-être que la répétition prévisible des horreurs faisait que plus rien ne paraissait bizarre, à voir la façon dont les habitants de Juárez enjambaient inconsciemment les cadavres dans la rue en allant travailler.

Ou bien les appels radio incessants, qui prennent une dimension carrément perverse depuis que les cartels s'amusent à diffuser des *narcorridos* sur la fréquence de la police pour fêter l'assassinat d'un flic du camp ennemi. Pour que tout le monde sache qui a commis ce meurtre.

Et puis, avec une régularité qui était devenue étrangement la norme, les cartels avaient pris l'habitude de passer les chansons avant les meurtres, afin de répandre la terreur dans les rangs des cibles potentielles.

Sans parler des rituels qui accompagnaient la couverture des meurtres dorénavant. Les journalistes arrivaient toujours les premiers sur place, mais si les narcos attendaient que leur victime meure, les journalistes devaient rester en retrait. Si la victime était morte, les narcos autorisaient les journalistes à prendre des photos, ou leur ordonnaient de *pintate,* de foutre le camp. Parfois, les assassins laissaient un mot sur le cadavre, à l'attention des journalistes, pour leur indiquer ce qu'ils pouvaient écrire et ne pas écrire.

Ceux qui rappliquaient ensuite sur les lieux du meurtre étaient les directeurs des entreprises de pompes funèbres, qui venaient racoler, vêtus de noir, semblables à des corbeaux autour d'un animal écrasé.

Puis la police arrivait à son tour, éventuellement, cela dépendait de l'identité de la victime, suivie des secouristes, qui s'étaient assurés au préalable que la police était présente. Plus d'une fois, Pablo avait attendu avec les secours, tenus en respect par les tueurs pendant que la victime se vidait de son sang. Les narcos leur faisaient signe d'approcher ensuite, en criant : « Venez le chercher ! » D'autres fois, les narcos se branchaient sur la fréquence des secours pour leur interdire de porter assistance à certaines victimes, tout simplement.

Ou bien, c'était la tristesse de constater qu'il ne ressentait plus rien quand il voyait une épouse, une mère, une sœur ou un enfant hurler et pleurer. Qu'il n'était plus choqué ni dégoûté devant des corps en bouillie, démembrés ou décapités. Devant des têtes et des membres éparpillés à travers sa ville, comme des abats, et, dans les plus dures des *colonias,* des chiens qui s'enfuyaient avec les babines sanglantes et la queue basse.

Six cadavres…

Quatre cadavres…

Dix cadavres…

Quatre membres de La Línea arrêtés par l'armée avaient avoué un total de deux cent onze meurtres.

Les membres de la « Nouvelle Police », soigneusement contrôlés, puis adoubés par le détecteur de mensonges, ont débarqué à Juárez avec tambours et trompettes. Une policière a été abattue dans un bus en se rendant à son premier jour de travail.

Le lendemain, onze autres personnes ont été tuées.

Huit, le jour suivant.

Apparemment, tout se passait si bien au Chihuahua que le procureur général de l'État a été nommé nouveau M. Antidrogue du Mexique.

L'érosion, se dit Pablo.

L'érosion de la morale.

L'érosion de l'âme.

Ce qui pose une question : Pourquoi ?

Non pas dans un sens existentiel – Pablo n'espère plus obtenir de réponses à ces interrogations –, mais sur un plan pratique.

Après tout, la guerre est censée avoir pris fin.

D'après les politiciens. Leurs opérations ont été si efficaces qu'ils ont retiré l'armée pour confier la ville à la « Nouvelle Police ». Alors, si la guerre est finie, pourquoi les meurtres continuent-ils ?

Même en admettant l'explication la plus réaliste à cette fin des combats – le cartel de Sinaloa a gagné et il contrôle désormais la *plaza* Juárez –, pourquoi le massacre se poursuit-il ? Pourquoi la paix n'accouche-t-elle pas d'un jour sans meurtres ?

Et pourquoi, une fois encore, les victimes sont-elles principalement les plus faibles : les pauvres, les vendeurs de rue, les mendiants, les épaves ?

Pablo connaît la réponse.

Il la déteste.

Ce n'est pas à cause du trafic de drogue transfrontalier, mais du marché interne. Rejeter la faute sur le marché américain ne suffit plus. Certes, la vente de drogue à Juárez reste limitée comparée aux quantités qui franchissent la frontière, mais elle n'est pas négligeable.

La plupart des meurtres sont commis pour contrôler le marché intérieur, surtout d'héroïne et de cocaïne. Non pas que Barrera ait besoin de cet argent (pour lui, c'est de la menue monnaie), mais il ne peut pas le laisser à ce qui reste du cartel de Juárez. S'ils contrôlaient la vente de drogue à El Centro, La Cima et dans d'autres *colonias,* cet argent constituerait une source de pouvoir susceptible d'alimenter un come-back.

Barrera ne le permettra pas.

Une fois qu'il a posé son pied sur votre gorge, il l'y laisse.

Tous ces meurtres font donc partie d'une opération de nettoyage.

Et le *puchador* qui vend des doses de marijuana de cinq dollars dans la rue se trouve pris en tenaille entre Los Aztecas et le Sinaloa : s'il vend pour l'un, l'autre le tue.

Les petites fumeries, les *picadores,* sont prisonnières du même étau. Les drogués eux-mêmes sont pris au piège : ils achètent à un Sinaloan, les types de Juárez les tuent, ils achètent à un dealer de Juárez, la Gente Nueva les élimine. Les gamins qui font le guet aux coins des rues, les poivrots et les sans-abri, les mendiants et les musiciens sont tous susceptibles de se faire descendre, si jamais ils aident le camp d'en face.

Et les flics ? Ils n'en ont rien à foutre, se dit Pablo. Depuis quand se soucie-t-on des paumés ? Au contraire, la police, les politiciens et les hommes d'affaires y voient un moyen de nettoyer les rues, en mettant cela sur le compte de « la guerre des cartels ».

Les médias adorent ça. Ils publient des schémas précis, avec des zones de différentes couleurs pour indiquer quel cartel contrôle quelle *plaza,* quelle *colonia.* C'est simple, clair et précis, facile à suivre. Vous pouvez même soutenir un camp ou l'autre… mais en réalité, ce sont des conneries, à Juárez du moins.

La vérité, c'est qu'il n'y a plus de frontières nettes.

Quand Barrera, les fédéraux et l'armée ont détruit La Línea et Los Aztecas, ils ont détruit en même temps tout moyen de contrôle sur les centaines de *cartelitos,* les gangs de rue, qui vont continuer à s'affronter pour vendre de la drogue et pratiquer le racket à la petite semaine en soutirant la *cuota* aux commerçants, aux chauffeurs de bus, aux taxis, ou même aux femmes, aux enfants et aux vieux, simplement pour avoir le droit de marcher en ville.

La moitié des meurtres sont commis par des gamins simples d'esprit qui ne savent même pas pour quel cartel ils tuent. Ils reçoivent un ordre du type placé juste au-dessus et s'ils veulent rester en vie, ils obéissent. L'ordre peut venir de Juárez, des Aztecas, du Sinaloa ou même des Zetas. Et ça peut changer du jour au lendemain.

Les meurtres ne sont pas forcément liés à la drogue, d'ailleurs ; cette débauche de violence masque des règlements de comptes divers : vieilles querelles, jalousie, triangle amoureux, racket, n'importe quoi.

Alors, ils tuent, puis ils se font tuer, les autres se vengent et les meurtres possèdent leur dynamique propre. La sinistre vérité, c'est qu'il n'y a pas de généraux, quelque part dans un poste de commandement, qui déplacent des drapeaux de différentes couleurs sur une carte en fonction d'une stratégie d'ensemble.

La vérité, c'est que *los chacalosos,* les grands patrons, ont perdu le contrôle.

Ils ne pourraient plus rien arrêter, même s'ils le voulaient, et Barrera s'en fout. Il possède enfin ses ponts et la violence éradique les gangs dans les rues. Alors, au diable cette putain de ville ; il serait tout aussi heureux s'il n'en restait rien, à part ses foutus ponts.

Elle peut crever.

Et c'est le cas.

Le chaos règne en maître et ceux qui en paient le prix sont toujours les mêmes, les pauvres, les faibles, qui ne peuvent pas se barricader dans des résidences surveillées, ou partir vivre à El Paso.

Plus personne ne commande.

Les meurtres entraînent les meurtres car nul ne sait quoi faire d'autre. Voilà la vérité que Pablo voudrait clamer. Qu'il voudrait hurler à son pays, aux États-Unis, au monde entier.

Mais il ne peut pas.

Ils ne le laisseront pas faire.

Hier matin, l'homme qui lui a remis son enveloppe lui a donné un ordre.

– L'agression contre la Médica Hermosa, a-t-il dit.

– C'était il y a plusieurs mois déjà.

Pablo a senti monter la peur.

– Tu vas écrire que c'étaient les Zetas.

– Je n'en sais rien.

Il entendait sa voix trembler.

– Si, tu le sais. Je viens de te le dire.

Il sait pourquoi cela les inquiète. Les photos de Giorgio montrant les blessures de Marisol Cisneros ont provoqué un énorme tollé dans tout le pays, peut-être même plus que la tentative d'assassinat elle-même. Et il sait d'où vient l'argent : les Sinaloans, la Gente Nueva.

Il a dû rassembler tout son courage pour demander :

– Vous avez des preuves ?

– L'argent sur ton compte en banque, c'est la seule preuve dont tu aies besoin.

– Je ne l'ai pas dépensé. Je vous le rendrai.

– Tu te crois où ? Dans la cour de récré ? Ce n'est pas un jeu. Tu as accepté l'argent, tu ne peux pas le rendre. Tu peux te le fourrer dans le cul, je m'en fous. Ou dans le cul de ta copine, je m'en fous. C'est un coup des Zetas, voilà la vérité. Et tu veux écrire la vérité, hein ?

– Oui.

Il a poussé Pablo contre le mur.

– Laisse-moi te poser une question. Tes amis, les gens avec qui tu travailles… Tu les aimes ?

– Oui.

– Alors, fais ce qu'on te dit.

Sur ce, l'homme est reparti.

Pablo est resté là, tremblant. Il avait l'impression que ses jambes allaient se dérober sous lui. Il s'est dirigé vers le bar le plus proche pour boire un whisky, puis un deuxième, il avait la tête qui tournait.

Qu'est-ce que je vais faire ? se demandait-il.

Après que Pablo est rentré au journal pour rédiger l'article dans lequel il expliquait qu'il savait, par des sources anonymes, que les Zetas étaient responsables des agressions visant les femmes du Chihuahua, Óscar l'a appelé dans son bureau.

– Des sources anonymes ? s'est étonné El Búho.

Pablo a hoché la tête.

– C'est qui ? Vos relations chez les Aztecas ?

– Oui.

Óscar a tapoté le sol avec sa canne.

– Ce n'est pas suffisant. Allez à la pêche aux infos.

Ce soir-là, c'est Ramón qui est venu le trouver, alors qu'il buvait des bières Chez Fred. L'Azteca s'est glissé au bar à côté de lui.

– J'ai pas beaucoup de temps, alors j'irai droit au but. Tu prépares un article sur les meurtres dans la vallée ?

– Possible.

– Joue pas au malin avec moi. Je viens t'informer que si tu écris quoi que ce soit, tu dois expliquer que c'est un coup de ces salopards du Sinaloa.

– Ce n'est pas ce que j'ai entendu.

– Ah oui ? Qu'est-ce que tu as entendu, *'mano* ?

– Que ce sont les Zetas.

– Qui t'a raconté ça ?

Pablo a secoué la tête.

– Tu palpes le fric du Sinaloa, a dit Ramón. Tout le monde s'en foutait jusqu'alors. Maintenant, on s'en fout plus.

– On ? Parce que tu travailles pour les Zetas ?

– Les Z ont repris le contrôle. On fait tous partie de la Compagnie Z désormais. Toi aussi.

Ramón l'a pris par l'épaule.

– C'est eux qui m'envoient, *'mano*. Tu dois écrire ce qu'ils veulent. Si je dois revenir te voir, ce sera pas pour parler. M'oblige pas à faire ça. S'il te plaît, Pablo.

Ramón a jeté quelques billets sur le comptoir et il est ressorti.

Pablo a cru qu'il allait se pisser dessus.

Il était pris au piège, coincé entre le cartel du Sinaloa et les Zetas. Il est allé rejoindre Ana et Giorgio au Kentucky.

Pour un homme qui venait de connaître un triomphe professionnel, Giorgio était étonnamment sombre. Il faut dire que la vision des blessures de Marisol avait de quoi vous briser le cœur. Une si jolie femme, une si belle personne, mutilée et rongée par la douleur. Giorgio faisait preuve de bon goût en ne fêtant pas son succès, songeait Pablo.

Peut-être qu'il n'était pas totalement insensible, finalement.

– Tu es bien silencieux ce soir, Pablo, a fait remarquer Ana.

– Je suis fatigué.

– C'est tout ?

– C'est tout.

Ils ont bu quelques verres, puis Giorgio est parti à El Paso pour passer la nuit avec sa copine du moment, une sociologue américaine qui préparait une thèse de doctorat sur « le phénomène de la violence à Ciudad Juárez ».

– C'est ce que nous sommes ? a demandé Ana. Un phénomène ?

– Apparemment.

– On peut mettre des photos dans une thèse ?

– Je suis une sorte d'informateur. À demain.

Cette nuit-là, Pablo n'a pas dormi. Le piège dans lequel il se débattait semblait n'avoir aucune issue. Quand il est arrivé au journal, Óscar voulait savoir s'il avait du nouveau pour son article. Pablo s'est montré évasif, et en reprenant sa voiture, il a trouvé un mot sur le siège : « Où est l'article ? Ne te fous pas de notre gueule, *cabrón.* »

Je dépéris en même temps que ma ville, se dit Pablo en froissant l'emballage de la *torta* et en le jetant sur le plancher de la voiture. Le *mercado,* autrefois grouillant d'activité, est devenu désert car les touristes ne viennent plus ; les bars et les clubs célèbres ferment l'un après l'autre ; même le Mariscal, le quartier chaud, près du pont de Santa Fe, a été abandonné car les hommes ne veulent plus prendre le risque d'y aller, pas même pour les putes.

Il s'oblige à descendre de voiture pour aller voir un cadavre, encore un. Un *malandro* de plus, un déchet emporté par *la limpieza.*

Le nettoyage.

Habituellement, Giorgio arrive toujours avant lui, mais sans doute est-il encore au lit avec son Américaine.

C'est alors qu'il l'aperçoit.

C'est Pablo qui annonce la nouvelle à Ana.

Il entre dans la salle de rédaction, la prend dans ses bras et lui raconte. Elle hurle, ses genoux flanchent et elle tombe contre lui. Il est sur le point de lui avouer : *C'est ma faute, c'est ma faute, si j'avais parlé, si je lui avais dit, peut-être...*

Mais tu n'as rien dit.

Et tu continues à ne rien dire.

Parce que tu es un lâche.

Parce que tu as trop honte.

Óscar rédige un éditorial sur le meurtre de Giorgio, dans le plus pur style d'El Búho, pétri d'indignation morale et de chagrin, saupoudrés d'érudition.

L'enterrement de Giorgio va virer au spectacle d'horreur.

Toute la communauté des journalistes de Juárez est présente, ainsi que Cisneros et Keller. La cérémonie au cimetière se déroule à la manière habituelle, puis Pablo remarque une voiture garée derrière les grilles.

Il s'en approche.

Une tête coupée, la bouche figée dans un grand sourire macabre, est posée sur le capot.

L'éditorial d'Óscar a été épinglé dans le cou.

Tout le monde se rassemble chez Ana ce soir-là, dans une ambiance lugubre. Pablo, Óscar, Marisol, son Américain. Plus quelques autres. Un groupe rétréci, songe Pablo, comme nos âmes.

Les gens boivent d'un air triste, maussade.

Les quelques tentatives pour raconter des anecdotes amusantes sur Giorgio tombent à plat.

La soirée s'achève tôt. Marisol, qui semble épuisée par la douleur, annonce qu'elle doit rentrer à Valverde et les autres sautent sur l'occasion pour filer.

Après leur départ, Ana, ivre, dit à Pablo :

– Fais-moi l'amour. Emmène-moi au lit.

– Ana…

– Baise-moi, Pablo.

Après leur étreinte empreinte de colère, elle pleure.

Le lendemain, Óscar lit à Pablo et à Ana l'éditorial qu'il compte publier :

– « *Señores* des organisations qui se disputent Ciudad Juárez, nous aimerions vous faire remarquer que nous sommes des journalistes, nous ne prédisons pas l'avenir. Alors, pourriez-vous nous expliquer ce que vous attendez de nous ? Que voulez-vous que l'on publie ou qu'on ne publie pas ? Vous êtes devenus, de fait, les autorités de cette ville, étant donné que les dirigeants légitimement en place n'ont rien pu faire pour éviter la mort de nos collègues, en dépit de nos demandes répétées. Voilà pourquoi, face à cette réalité indéniable, nous sommes contraints de vous poser cette question car nous ne voulons surtout pas voir encore tomber un des nôtres.

« Il ne s'agit pas d'une reddition de notre part, mais d'une offre de paix. Nous avons besoin de connaître les règles car, même dans une guerre, il y a des règles. »

Cet éditorial est repris dans des journaux du monde entier. Il reçoit un vif écho dans la communauté journalistique du Mexique car beaucoup de reporters ont été assassinés au Chihuahua, au Tamaulipas, au Nuevo León et au Michoacán.

Les Zetas, plus particulièrement, ont imposé le silence dans les zones qu'ils contrôlent, et les médias de Nuevo Laredo et de Reynosa ont cessé de publier des articles sur le trafic de drogue. Dans les rues, les gens ont même peur de prononcer leur nom ; pour parler d'eux, ils préfèrent dire « la dernière lettre ».

El Periódico reçoit des centaines de courriers et de mails.

Aucune réponse des cartels, en revanche.

Mais Pablo sait ce qu'ils attendent. Il n'a pas besoin d'un manuel pour connaître les règles : Écris ce qu'on te dit, et uniquement ce qu'on te dit, sinon on te tue. Prends le *sobre,* sinon on te tue. Vends-nous ton âme, sinon on te tue.

La leçon est amère : vous croyez que vous pouvez louer votre âme, mais c'est toujours une vente, et on ne revient pas sur une vente.

Ce soir-là, l'homme à l'enveloppe aborde Pablo dans la rue.

– Demain, *pendejo,* on veut voir l'article ou…

Il sourit, mime un pistolet avec deux doigts et presse la détente.

Ana est couchée quand Pablo rentre. Pour ne pas la réveiller, il dort sur le canapé. Ou plutôt il essaye de dormir, sans succès. Il songe à écrire une lettre d'adieu à Mateo, mais décide que c'est trop mélodramatique.

À la place, il décide d'écrire l'article exigé par le Sinaloa.

Puis celui des Zetas.

Puis aucun.

Demain matin, décrète-t-il finalement, j'irai voir Óscar dans son bureau et je lui remettrai ma démission.

Et je traverserai le pont.

Le matin venu, Pablo cherche un moyen d'annoncer à Ana ce qu'il a l'intention de faire.

Mais il ne trouve pas les mots.

Ni le courage, avoue-le, mon pauvre Pablo.

Peut-être est-ce la solution. Dis-lui que tu as peur, tout simplement, que tu ne veux pas finir comme Giorgio.

Tu baisseras dans son estime, mais elle te haïra moins qu'en apprenant que tu as touché de l'argent.

Oui, c'est ça, dis-lui que tu as peur.

Elle le croira.

À cinq reprises il ouvre la bouche pour parler, mais rien ne sort. Il essaie de nouveau dans la voiture, alors qu'ils se rendent au journal. Il a l'impression d'avancer sur un tapis roulant qui l'entraîne inexorablement vers les lames d'un abattoir, mais il ne peut pas hurler pour l'arrêter.

Ils se garent sur le parking du journal et traversent la rue pour aller boire un café.

Pablo imagine la déception, la consternation, sur le visage d'El Búho.

Il a envisagé de rédiger une lettre de démission et de l'envoyer par mail, mais ce serait trop lâche. Óscar mérite une explication franche, en tête à tête, des excuses également, et Pablo sent qu'il le « mérite » lui aussi. Il mérite de regarder Óscar droit dans les yeux, dans ses yeux meurtris, et de garder cette expression gravée en lui. Il mérite d'entendre les paroles amères d'Óscar, pour se les repasser mentalement, encore et encore. Il mérite de ressortir du bureau honteux, de rassembler ses affaires en sentant les regards accusateurs dans son dos, et d'expliquer (essayer du moins) les choses à Ana.

Et ensuite ? se dit-il en sirotant son *café con leche* tout en regardant, de l'autre côté de la rue, l'immeuble qui a été son unique foyer professionnel. Je suis foutu pour ce métier, aucun journal sérieux ne voudra m'engager. Au mieux, je pourrai travailler en free-lance pour *la nota roja,* et je ferai le tour de la ville comme un vautour afin de ronger des os.

Une créature qui se nourrit de cadavres.

Non, je ne peux pas, se dit-il.

Je ne peux pas faire ça et je ne le ferai pas.

Mais tu n'auras peut-être pas le choix, lui chuchote une petite voix, car tu pourrais très bien figurer parmi ces cadavres si les narcos s'énervent, s'ils sont furieux d'avoir dilapidé leur argent.

Il faut voir les choses en face : tu n'as aucun avenir dans le journalisme, et tu n'as aucun avenir à Juárez.

Ni même au Mexique.

Tu vas devoir traverser le pont.

Devenir un *pocho.*

– Tu es particulièrement peu expansif ce matin, dit Ana.

– Humm.

– Ah, j'aime mieux ça.

Il pose sa tasse et se lève.

– J'y vais.

– Je t'accompagne.

Il traverse la rue et montre son badge à l'agent de sécurité posté à l'entrée du journal, qui le connaît de toute façon. En montant dans l'ascenseur, il songe que c'est peut-être la dernière fois et il est sur le point de changer d'avis, mais il sait qu'il ne peut pas.

Il doit dire quelque chose maintenant, avant d'entrer dans le bureau d'Óscar.

– Ana…

– Oui ?

– Je…

Óscar apparaît sur le seuil de son bureau et convoque tout le service reportage en salle de réunion, immédiatement.

– Je ne veux plus mettre en danger la vie des personnes dont je suis professionnellement et personnellement responsable, annonce-t-il. Uniquement pour rendre compte d'une situation que même les meilleurs journalistes, et c'est ce que vous êtes, ne peuvent modifier. C'est pourquoi nous n'aborderons plus les questions de drogue.

Ana proteste. Le rouge aux joues, les larmes aux yeux, elle demande :

– On va céder devant eux ? On va se coucher ? On va se laisser intimider ?

Óscar a les yeux brillants, lui aussi. Sa canne tapote le sol et sa voix tremble quand il répond :

– J'estime ne pas avoir le choix, Ana.

– Concrètement, comment ça va se passer ? intervient Pablo. Supposons qu'un meurtre soit commis. On n'en parlera pas ?

– Vous rapporterez qu'un homicide a eu lieu, mais c'est tout. Vous n'établirez pas de rapprochement avec les problèmes de drogue.

– C'est absurde, dit Ana.

– Je suis d'accord, dit Óscar. Mais notre vie de citoyens est devenue une absurdité. Ce n'est pas une suggestion, ce sont des consignes. Je prendrai une plume acérée pour supprimer de vos articles tout ce qui risque de mettre en danger la vie de mes employés.

– Je comprends surtout que c'est la mort d'un grand journal, répond Ana.

– Et je l'enterrerai joyeusement, plutôt que d'enterrer encore l'un de vous. J'annoncerai notre nouvelle politique dans l'édition de demain pour informer les narcos.

– Et Giorgio ? insiste Ana.

El Búho hausse un sourcil.

– On ne va pas enquêter ? On laisse tomber ?

La police de Juárez, elle, a déjà laissé tomber, songe Pablo. Sur plus de cinq mille meurtres à Juárez depuis que la guerre des cartels a éclaté, pas un seul n'a donné lieu à une inculpation. Ils connaissent tous la réalité : personne n'a enquêté sur le meurtre de Giorgio, et personne ne le fera. Et Óscar leur annonce qu'ils ne le feront pas non plus.

Cet homme, ce héros qui s'est fait tirer dessus par les narcos, sans que cela l'arrête, semble fatigué et vieux, et son silence à cet instant est un symbole : ils ont tous été bâillonnés.

Sauf Ana.

Ce soir-là, ils vont boire à l'Oxido, un des rares clubs encore ouverts dans la zone PRONAF, et Ana dépasse la dose habituelle.

– J'aurais mieux fait de prendre le fric, dit-elle.

– De quoi tu parles ? demande Pablo.

– Quand les narcos m'ont proposé un pot-de-vin, j'aurais dû le prendre. Après tout, ce sont eux, nos nouveaux patrons, non ? Alors, c'est normal qu'ils nous paient.

Pablo vide son verre de bière d'un trait.

– Je refuse de laisser tomber, ajoute Ana. Ils ont tué notre ami et collègue, je ne capitulerai pas.

– Tu as entendu Óscar. Que vas-tu faire ?

– Pression. Je vais harceler les autorités jusqu'à ce qu'elles agissent.

– Comme elles ont agi après le meurtre de Jimena ? Comme elles ont agi après l'attaque contre toi et Marisol ? Et ces deux femmes dans la vallée ? Et les dizaines de meurtres que l'on voit chaque semaine ? C'est sur ces autorités que tu comptes ?

– Je leur ferai honte.

– Elles ne connaissent pas la honte.

Il a peur pour Ana. Si elle s'entête, elle pourrait être la prochaine victime.

– Óscar ne publiera pas ce que tu écriras.

– Je sais.

Un peu plus tard, Pablo met Ana dans un taxi et la ramène chez elle. Il la couche, puis ressort.

Il n'est pas d'une nature héroïque.

Il le sait, et ça ne le gêne pas. Mais ce soir, il ressort car il doit faire quelque chose pour empêcher qu'Ana se jette dans le vide du haut de la falaise. Si j'arrive à découvrir qui a tué Giorgio, et pourquoi, se dit-il, je pourrai peut-être faire publier l'article dans un journal américain en le signant d'un pseudonyme. Peut-être que cela satisfera Ana, ou incitera la police à agir.

Pablo n'a pas non plus l'air particulièrement héroïque, et il le sait aussi. Il porte un T-shirt noir, un peu taché, sous une chemise noire, pas très propre non plus, et un coupe-vent léger, avec une casquette de base-ball de Los Indios. Et il a conscience que son ventre pend par-dessus sa ceinture.

Il sonne à la porte de chez Ramón. Il doit patienter quelques minutes, puis des lumières s'allument et la porte s'entrouvre, bloquée par la chaîne de sécurité.

– Ramón, c'est moi.

La porte s'ouvre. Ramón pointe un pistolet sur le visage de Pablo.

– *Mierdito, 'mano,* c'est quoi, ce bordel ?

– Faut que je te parle.

Ramón le fait entrer.

– Réveille pas les gosses, OK ?

Ils se dirigent vers la cuisine. La maison, construite dans une banlieue nouvelle, est l'archétype d'un pavillon de cadre moyen.

– J'ai toujours pas vu le putain d'article qu'on t'a demandé, Pablo.

Celui-ci l'informe de la décision d'Óscar.

– Ça veut dire que tu es tiré d'affaire, je suppose. Tant mieux, ça nous évitera beaucoup de souffrances à tous les deux.

– Pourquoi Giorgio Valencia a-t-il été tué ?

– Nom de Dieu, tu viens juste de sortir de la merde…

– Pourquoi ?

– Il a pris les photos qu'il ne fallait pas.

– Quelles photos ?

– Cette *chocha* de Cisneros. Tu la connais, hein ? Ah, putain, je me la ferais bien. Je veux dire, avant qu'elle se fasse… arranger le portrait. Estime-toi heureux, Pablo, ça aurait pu être toi.

– Pourquoi ça n'a pas été moi ?
– Tu n'émargeais pas chez les Z.
Pablo a la tête qui tourne.
– Qu'est-ce que tu veux dire ?
– Ton pote Giorgio était *sucio,* dit Ramón. Il palpait. Comme toi. Sauf que lui, il prenait le fric des Z et il les a entubés en photographiant cette salope qui montrait ses cicatrices. Tu veux voir les miennes, *'mano* ? J'en ai des belles.
– Tu as des noms ? Qui a fait ça ?
– Va te faire foutre. Tu veux que je me fasse buter avec toi ?
Ramón se tait brusquement car il entend Karla qui descend l'escalier. Sa femme entre dans la cuisine et regarde Pablo d'un air endormi.
– Salut, Pablo.
– Salut, Karla. Content de te voir.
– Moi aussi.
Elle lance un regard interrogateur à son mari.
– Retourne te coucher, trésor. Je monte dans cinq minutes.
– Viens donc dîner un de ces soirs, dit Karla à Pablo.
– Promis.
Elle remonte.
– Tu veux des noms ? dit Ramón. *Des noms ?* Grandis, mon pote. Qu'est-ce que ça change ? C'est bonnet blanc et blanc bonnet. Crois-moi, Pablo, laisse tomber toute cette merde. Moi, j'ai décidé de foutre le camp. Karla est encore enceinte, j'ai un peu de fric de côté. Le temps de régler deux ou trois choses et je me barre. Tu devrais en faire autant.
– Je suis né à Juárez.
– Ouais, c'est super. Sauf que Juárez n'existe plus. Le Juárez qu'on a connu.

Quand Pablo rentre chez Ana, elle l'attend.
– Où étais-tu ? demande-t-elle.
– On n'est pas mariés.
– C'était juste une question.
– Ana… laisse tomber cette histoire avec Giorgio, OK ?
– Tu sais quelque chose ?
– Laisse tomber.
Ça va te briser le cœur, si ça ne te tue pas d'abord.
– Qu'est-ce que tu sais, Pablo ?
– Je sais que Sinatra ne reviendra pas.
– Qu'est-ce que ça veut dire ?
Il ne répond pas.
Il n'y a pas de réponse.

VICTORIA, TAMAULIPAS
OCTOBRE 2010

Don Pedro Alejo de Castillo entend du vacarme à l'extérieur de son hacienda et va voir ce qui se passe.

Sa cuisinière, Lupe, semble terrorisée, et Don Pedro n'aime pas que l'on perturbe Lupe. Elle travaille pour lui depuis plus de trente ans, et elle est la femme la plus importante de cette maison depuis que son épouse, Dorotea, est décédée il y a six ans.

Âgé de soixante-dix-sept ans, Don Pedro se tient encore bien droit, malgré sa grande taille. Arrivé à la porte, il voit des hommes tourner en rond devant la maison à bord de pick-up et de SUV, et tirer en l'air avec des AK-47 et des AR-15, tout en klaxonnant et en criant des obscénités.

Don Pedro n'aime pas ça non plus.

Seul un *malandro* prononce des obscénités devant une femme.

Trois types descendent d'un SUV et se dirigent vers la galerie. Ils sont habillés comme des *vaqueros,* mais ils n'ont jamais dû travailler dans un ranch de leur vie.

Don Pedro possède deux cent cinquante hectares, ce qui n'est pas beaucoup pour la région, mais ça lui suffit. En outre, son domaine jouxte un superbe lac qui accueille des canards, des oies et du poisson en abondance. Il s'y rend presque chaque matin, avant l'aube.

– Vous êtes Alejo de Castillo ? l'apostrophe un des hommes avec brutalité.

– Je suis Don Pedro Alejo de Castillo, oui.

– C'est votre ranch ?

– Oui.

– On est les Zetas, dit l'homme, comme si cela était censé lui faire peur.

Eh bien, non.

Don Pedro sait vaguement que les Zetas sont une sorte de gang, impliqué dans le trafic de drogue, qui sème le chaos dans les villes, mais il n'est pas effrayé. Il ne s'occupe pas de ce qui se passe dans les villes, et encore moins de la drogue.

– Que voulez-vous ? demande-t-il.

– On confisque cette propriété.

– Non, je ne crois pas.

– On n'a pas besoin de ta permission, vieillard. On t'informe. Tu as jusqu'à ce soir pour décamper, sinon on te tue.

– Fichez le camp de mes terres.

– On reviendra.

– Je vous attendrai.

Don Pedro possède un maintien aristocratique, mais ce n'est pas un aristocrate. Son père dirigeait une usine et Pedro a été élevé à la dure. Puis Don Pedro a créé une deuxième usine, puis cinq, puis douze, et il est devenu riche. Il n'a pas hérité de ce ranch, il l'a gagné, de la même manière qu'il a gagné son titre de « Don », par son travail.

Pas question de donner tout ça à qui que ce soit.

Il a construit lui-même cette hacienda, avec l'aide des gens du coin, et il a supervisé amoureusement chaque détail. Les murs épais sont en adobe, couleur terre, percés de profondes fenêtres. La porte d'entrée, en bois massif, est surmontée d'un long auvent soutenu par des *zapatas* taillés à la main, provenant de ses propres scieries.

À l'intérieur, d'épaisses poutres, des *vigas,* s'étendent sur toute la longueur du salon blanchi à la chaux, soutenues par des consoles elles aussi taillées à la main. De fines *latillas* s'entrecroisent au plafond. Les sols sont couverts de dalles de terre cuite vernies, sur lesquelles on a disposé des tapis indiens. Dans un coin se dresse une cheminée en argile.

Cette maison est magnifique, sobre et digne.

Don Pedro est tiré à quatre épingles, comme à son habitude. Dorotea était toujours très élégante, à la manière d'une vraie dame, et jamais il ne lui aurait fait honte en ne s'habillant pas comme un gentleman. Quand il va fleurir sa tombe, sur une parcelle de terre consacrée, au sommet du petit tertre qui domine le lac qu'elle adorait, il met un costume et une cravate.

Il porte une veste de chasse en tweed, une cravate en tricot, un pantalon de toile beige et des bottes de cheval. Don Pedro est le membre fondateur du Club de chasse et de pêche Manuel Silva, et après sa mort, son ranch reviendra au club, à la condition que Lupe et Tomás, qui travaille pour lui depuis vingt-huit ans, puissent finir leur vie sur la propriété.

Il n'a pas d'enfant à qui léguer ses terres. Le jour où Dorotea a voulu s'excuser de ne pas lui avoir donné d'héritier, il l'a fait taire en posant un doigt sur sa bouche et il a répondu : « Tu es le soleil de ma vie. »

Lupe pleure.

Sans doute a-t-elle entendu cet échange, et Don Pedro est désolé car il n'aime pas voir une femme pleurer. Cela ne fait qu'attiser le mépris que lui inspirent ces « Zetas » : des gentlemen ne discutent pas de leurs affaires devant des femmes.

– Je pense, lui dit-il, que vous devriez aller en ville pour passer le week-end avec vos petits-enfants.

– Don Pedro…

– Ne pleurez pas. Tout ira bien.

– Mais…

– Il reste de ce délicieux canard que vous m'avez cuisiné hier soir. Je le ferai réchauffer pour le dîner. Allez chercher quelques affaires.

Il trouve Tomás dans la grange, occupé à nettoyer le moteur du nouveau tracteur John Deere dont ils sont très fiers tous les deux.

– C'était qui, ces hommes ? demande Tomás.

– Des *malandros*. Des idiots.

Il charge son homme à tout faire de conduire Lupe à Vitoria et de s'y installer lui aussi, en prenant une chambre dans l'hôtel où Don Pedro a un compte.

– Non, je reste avec vous, dit Tomás. (Ses cheveux ont grisonné et ses mains sont déformées par l'arthrite.) Je sais tirer.

– Je suis au courant.

Lui aussi a dû tout entendre, se dit Don Pedro. Mais les pigeons et les canards, ce n'est pas comme des hommes. Les cerfs non plus.

– J'ai besoin de toi pour veiller sur les autres. Je les envoie en ville eux aussi.

– Vous allez vous retrouver seul, Don Pedro.

C'est le but.

– Un vieil homme a besoin d'un peu de solitude de temps en temps.

– Je ne vous abandonnerai pas. Je vous ai servi pendant vingt-huit ans…

– Alors ce n'est pas le moment de me désobéir. (Mais Don Pedro sait que ce brave homme doit sauver la face, préserver sa fierté.) Tu prendras mon fusil. Le Beretta. Je compte sur toi pour que tout le monde arrive sain et sauf en ville. Allez, va te laver. Ce n'est pas un trajet que l'on fait de nuit.

Il se rend dans son bureau, se cale au fond de son vieux fauteuil en cuir craquelé et prend un livre, comme tous les après-midi. Aujourd'hui, c'est *El Buscón* de Quevedo : « Je viens de Ségovie, mon père s'appelait Clemente Pablo… »

Il s'endort en lisant.

Il se réveille quand Tomás entre pour lui annoncer qu'ils sont prêts à partir. Don Pedro sort et voit Lupe assise à l'avant de la vieille International Harvester, serrant sa petite valise sur ses genoux. Paola et Esteban sont à l'arrière.

Ils pleurent tous.

Esteban est un jeune imbécile de dix-neuf ans, paresseux comme tous les garçons de son âge, mais il vaut quand même mieux que cent Zetas. Il sait s'occuper des chevaux et il deviendra un homme bien, un jour.

Paola est une jeune et jolie créature, une domestique désespérément nulle, qui devrait se marier à un jeune homme fou d'amour et faire de beaux enfants.

Aucune de ces personnes qui lui sont chères ne doit rester ici ce soir.

– Passez un bon week-end et soyez sages, leur dit-il. Je vous attends lundi matin à la première heure, ne soyez pas en retard.

– Don Pedro… dit Paola.

– Partez maintenant. À très vite.

Il regarde la voiture s'éloigner en cahotant.

Dès qu'ils ont franchi le premier virage, il descend au lac. Combien Dorotea aimait ce lac. Il se revoit allongé à côté d'elle sur un tapis de lilas sauvages, il se souvient du parfum dégagé par les fleurs écrasées.

Le prêtre qui les a mariés avait traversé le Río Bravo à dos d'âne, il était tombé à l'eau et arrivé avec une heure de retard, trempé et grognon comme une vieille poule, mais ça n'avait pas d'importance.

Don Pedro regarde le soleil se coucher sur le lac.

Il regarde les canards nager au milieu des buissons épais près du bord.

Puis il rentre chez lui.

Il déverrouille l'armurerie et choisit avec soin un Krag, une Mannlicher-Schönauer, la Winchester 70, la Winchester 74 et la Savage 99.

Chacune de ces armes magnifiques renferme des souvenirs.

La Savage lui rappelle un joli voyage dans le Montana avec Julio et Teddy, de vieux amis décédés depuis, et le whisky ambré autour du feu de camp pour combattre la froideur de la nuit.

Les Winchester évoquent les longs périples au Durango.

La Mannlicher, c'était le voyage au Kenya et au Tanganyika, les après-midi d'oisiveté sous la tente avec Dorotea, quand elle n'était pas dehors en train de lire ou de peindre, et leur vieille cuisinière africaine qui préparait la chèvre encore mieux qu'on ne le fait au Mexique.

Le Krag était un cadeau d'anniversaire de Dorotea. Elle était si heureuse de le voir heureux...

Don Pedro installe chaque arme devant une des fenêtres découpées dans les épais murs d'adobe. Puis il pose une boîte de munitions à côté de chacune.

Il réchauffe le canard et s'assoit à table avec son assiette et une bouteille de vin rouge corsé. Il se régale. Il a tué lui-même ce canard, tout comme il tue les pigeons que Lupe cuisine si délicieusement avec du riz sauvage.

Après le dîner, il monte et prend un long bain, il se frotte la peau à en devenir cramoisi, puis se rase avec soin, il taille sa fine moustache car il doit être impeccable pour se présenter devant Dorotea.

Il enfile une chemise blanche à poignets mousquetaire et choisit les boutons de manchette que lui a offerts sa femme pour leur dixième anniversaire de mariage, puis il enfile une veste de chasse en tweed, un pantalon de laine, et noue la cravate en soie couleur bordeaux qu'elle aimait beaucoup.

Satisfait de son apparence, il redescend et se verse deux doigts de scotch single malt, qu'il sirote en reprenant le Quevedo, et il s'endort de nouveau dans son fauteuil.

Des coups de klaxon, des cris et des rires le réveillent. Il regarde la pendule sur la cheminée. Il est 4 heures du matin, à peine plus tôt que l'heure à laquelle il se réveille habituellement. Il s'approche de la fenêtre où se trouve la Savage et regarde dehors. Ces imbéciles tournent en rond avec leurs véhicules comme des Indiens dans un mauvais western américain, en poussant des braillements et en tirant des coups de feu en l'air, toujours accompagnés d'obscénités.

Ils s'arrêtent enfin, et l'homme qui est venu le trouver précédemment sort la tête par le toit ouvrant de son pick-up et hurle :

– Alejo de Castillo, sale fils de…

Don Pedro lui tire une balle en plein front.

Et passe à la fenêtre suivante.

Les voitures et les pick-up se sont immobilisés, des hommes en descendent. Don Pedro vise l'un d'eux, qui détale, en pensant qu'il doit moins anticiper qu'avec un cerf, et il l'abat d'une seule balle, avec le Krag. Alors qu'il se déplace vers la fenêtre suivante, il se retourne pour voir les balles entrer par la fenêtre qu'il vient de quitter.

Apparemment, ces imbéciles croient que tout le monde est aussi idiot qu'eux.

Il épaule la Mannlicher et cible le Zeta qui semble être le commandant en second. Il lui tire une balle entre les deux yeux, avant de gagner la fenêtre suivante.

Un de ces abrutis a quand même la présence d'esprit de s'approcher de la porte d'entrée, en rampant sur le sol comme un serpent. Don Pedro n'a jamais tué un serpent avec un fusil, mais il a tué de nombreux serpents à sonnette avec un pistolet, et le principe est le même : il le liquide d'une balle de Winchester 70, tandis que deux autres Zetas se précipitent vers la maison.

Sans poser la Winchester 70, il prend la 74 et se poste à trois mètres de la porte, une carabine dans chaque main.

Une petite détonation se produit et la porte s'ouvre. Don Pedro fait feu simultanément avec les deux armes et atteint les deux hommes à l'estomac.

Ils se tordent en hurlant de douleur sur la galerie et se vident de leur sang sur les lattes de bois que ce paresseux d'Esteban va devoir poncer.

De retour devant la première fenêtre, Don Pedro voit les Zetas battre en retraite pour se protéger derrière leurs véhicules.

Il les entend parler, puis il voit apparaître des tubes métalliques et comprend que ce sont des lance-grenades, ce qui le contrarie car il se dit que Lupe n'aura plus de toit. Heureusement, il a laissé un testament à Armando Sifuentes en ville, avec pour instructions de faire le nécessaire en cas d'incendie, et il sait que l'avocat réglera le problème.

Il sait aussi qu'il ne sera plus là pour assister à la reconstruction de l'hacienda, et cela le rend un peu triste, mais surtout il éprouve une immense joie car il va bientôt retrouver Dorotea, et il se réjouit d'être bien rasé.

Quand le feu éclate, ce n'est pas une odeur de brûlé qu'il sent, mais celle des lilas sauvages.

Lorsque Keller et l'unité des FES arrivent sur place, l'hacienda de Don Pedro n'est plus qu'une ruine fumante, quatre cadavres gisent devant la maison et deux Zetas blessés se contorsionnent en position fœtale sur la galerie.

L'homme à tout faire de Don Pedro, Tomás, a appelé le poste des marines à Monterrey, et ils se sont rendus sur place le plus vite possible, en hélicoptère. Keller se désole en constatant qu'ils arrivent trop tard.

Tomás découvre le corps de Don Pedro et s'agenouille à côté en pleurant.

Après y avoir été « encouragés », les deux Zetas racontent ce qui s'est passé. Keller apprend par ailleurs que ni l'un ni l'autre n'ont participé à l'agression contre Marisol, contrairement à l'un des hommes abattus.

Merci, Don Pedro, se dit Keller.

Ce devait être un individu hors du commun. Les Zetas avaient tellement peur de lui qu'ils ont abandonné leurs morts et n'ont pas osé approcher de la carcasse de la maison pour récupérer leurs blessés.

Keller sait qu'ils ne reviendront jamais.

– Où sont-ils maintenant ? demande un des marines.

Les blessés refusent de parler.

– J'ai prêté serment, répond l'un des deux.

– Vous jurez également de ne jamais abandonner un camarade blessé, fait remarquer Keller. Où est passé ce serment ? Vous croyez que les autres vont s'occuper de vos familles, comme promis ? Cette époque est révolue. Dites-nous où ils sont allés et on vous conduira à l'hôpital. Je ne prétends pas que vous survivrez, mais au moins, vous ne mourrez pas dans d'atroces souffrances.

– On a de la morphine, ajoute un des FES.

Le deuxième blessé émet un grognement et dit :

– Ils sont dans un camp. À une heure d'ici, vers le nord. À la sortie de San Fernando.

Le marine prend une des Winchester de Don Pedro et tire deux balles dans la tête du Zeta.

La morphine.

– Don Pedro en a tué six, dit-il à Keller.

– C'était un homme bien, dit Tomás. Dommage que vous ne l'ayez pas connu.

Je le regrette, songe Keller.

Le Mexique est un pays qui produit des légendes plus grandes que la vie, et Keller sait que l'on chantera des chansons sur Don Pedro Alejo de Castillo, non pas des *narcocorridas* merdiques, mais une véritable *corrida.*

Une chanson pour un héros.

Keller se réveille en sueur.

Près de Marisol qui le regarde.

Il sait qu'elle n'est pas idiote. Elle lit les journaux, elle regarde les infos, elle devine ce qu'il fait et où il va quand il n'est pas avec elle. Ils n'en parlent pas, mais il sait qu'elle sait.

Il est revenu dans un triste état, sale, épuisé, tendu.

Et muet.

Que dire ?

Elle a ses propres peines, pense-t-il. La douleur permanente, la peur constante, même si elle ne veut pas le reconnaître. Alors, elle n'a pas besoin de jouer les infirmières auprès d'un cinglé.

C'est pourquoi il garde tout pour lui.

Marisol l'observe et dit :

– Je peux mettre la clim.

– Non, ça va aller.

Il se lève et prend une douche.

Ces cauchemars ne vont pas s'arrêter, se dit-il. C'est comme ça. Il revoit encore les meurtres d'El Sauzal, et c'était il y a treize ans. Dix-neuf personnes alignées et abattues à la mitrailleuse.

Le tournant de sa vie.

Une horreur inimaginable.

Aujourd'hui, un tel massacre serait à peine mentionné aux infos, c'est devenu courant. Même la Chaîne 44 de Juárez, « La chaîne de la souffrance », a mis fin à ses reportages macabres. Vous pouvez éteindre la télé, se dit Keller, mais pas votre cerveau, surtout quand vous dormez. Alors, les rêves vont continuer, pour toujours sans doute, et il faudra l'accepter.

Quand il sort de la salle de bains, Marisol a préparé le petit déjeuner.

Il préférerait qu'elle s'abstienne, il ne veut pas qu'elle se fatigue, mais elle lui reproche de la materner.

– Tu ne crois pas que tu devrais aller voir quelqu'un ?

– Comment ça ?

– Tu m'as comprise, dit-elle en s'asseyant lentement, avant d'appuyer sa canne contre la table. Je ne veux pas être ta mère ni ta psy, alors tu devrais aller voir quelqu'un.

– Je vais très bien.

– Non, c'est faux.

– Ne commence pas.

– Stress post-traumatique…

– Ça commence.

– Désolée.

Il s'attaque au pamplemousse, renonce et l'emporte dans l'évier.

Un psychologue ? Un thérapeute ? Un psy ? Que pourrais-je lui dire ? Tout ce qui est dans ma tête est top secret. Et si je pouvais parler, qu'est-ce que je dirais ?

Hé, figurez-vous que j'ai torturé quelqu'un l'autre jour. Je l'ai relié à une batterie jusqu'à ce qu'il m'avoue toutes les horreurs qu'il avait faites. Oh, et la fois où j'ai détourné le regard pour que mon collègue puisse exécuter un prisonnier, ça m'embête un peu. Et puis il y a ce type que j'ai buté dans un bordel, et l'autre devant un hôpital, après avoir enlevé sa vieille mère. Sans oublier ce charnier…

Après le meurtre de Don Pedro, un drone américain a localisé le camp des Zetas.

Nul ne doit savoir que les États-Unis envoient des drones au-dessus du Mexique pour traquer les narcos. La Maison-Blanche le sait, Keller le sait, Taylor le sait, Orduña le sait.

Les FES ont attaqué le camp, installé dans un vieux ranch, juste avant l'aube.

Ils découvrirent une fosse commune creusée au bulldozer dans la terre rouge et les corps, vieux de plusieurs semaines d'après l'estimation de Keller, y avaient été jetés négligemment.

Un Zeta fait prisonnier a tout raconté.

Ils avaient arrêté un car sur la Route 1, à la sortie de San Fernando. La plupart des passagers étaient des immigrants d'Amérique centrale qui se rendaient aux États-Unis. Les Zetas sont montés à bord et ont consulté tous les téléphones des voyageurs pour voir s'ils avaient appelé des numéros à Matamoros. Ils suspectaient ce car de transporter des recrues pour le cartel du Golfe.

Pour plus de sûreté, ils ont tué tout le monde.

Ochoa a donné l'ordre. Quarante l'a exécuté.

Il a fallu plus de deux jours aux autorités pour récupérer tous les corps et décompter les squelettes.

Malgré cela, ils n'ont obtenu qu'un total approximatif.

Cinquante-huit hommes et quatorze femmes.

Les marines n'ont pas attendu la fin du comptage pour remonter la piste. Au cours des trois jours qui ont suivi, ils ont attaqué cinq ranchs désignés par les prisonniers et tué vingt-sept Zetas.

Les trois Zetas capturés ont succombé à leurs blessures.

Stress post-traumatique ? songe Keller.

Le préfixe « post » ne convient pas. Rien n'est terminé, rien n'appartient au passé.

On vit avec ce putain de stress tous les jours.

Marisol est médecin, pas psychologue, grommelle-t-il intérieurement.

D'accord, je pique des suées.

Je ne parle pas beaucoup.

Je bois un peu trop.

Je regarde par-dessus mon épaule de temps en temps.

Ce n'est pas une marque de folie ; au contraire, compte tenu du contexte.

C'est incroyable, se dit-il, cette capacité qu'a l'être humain, ce besoin peut-être, d'instaurer un sentiment de normalité dans les conditions les plus anormales. Des gens vivent dans une zone de guerre, dans un état de menace permanente, et pourtant, ils continuent à faire les petits gestes quotidiens qui constituent une vie normale.

Ils font la cuisine, avec un pistolet à la ceinture ou à portée de main. Ils s'assoient à table pour évoquer les événements de la journée, même si cela signifie parler du nombre de morts à Juárez. Ils regardent la télé et parfois ils s'endorment, avec des vitres blindées aux fenêtres et la porte fermée à triple tour.

Erika passe les voir presque chaque soir ; et ni Keller ni Marisol n'ont besoin de formuler l'évidence : Erika est la fille qu'elle n'aura jamais. Elle ne vient pas sans cadeau : des boîtes de soupe, des fruits, un DVD. Récemment, elle a pris l'habitude de dormir dans la chambre d'amis, elle est donc souvent là quand Keller se lève le matin.

Ce soir, Marisol fait cuire des steaks avec du riz, Erika prépare une salade et Keller s'est arrêté sur le chemin du retour pour acheter deux bouteilles de bon vin. Ils dînent, boivent, puis s'installent pour regarder *Modern Family* sur une chaîne d'El Paso.

Erika est captivée par cette série et Keller prend conscience qu'elle a presque cinq ans de moins que sa propre fille. Cinq ans de moins que Cassie et elle a déjà risqué sa vie aussi souvent que si elle avait combattu en Irak ou en Afghanistan.

Non, plus souvent, bien plus.

Ici, elle manque d'armes et de soutien. Affalée sur le canapé, en jean et sweat-shirt, elle a appuyé son AR-15 contre le mur, près de la porte. Elle regarde la télé, elle rit et se tourne vers Marisol pour avoir la confirmation que c'est vraiment drôle.

Aucun doute, Erika l'idolâtre.

Marisol en a conscience.

– Tu crois que je devrais lui offrir un relooking ? a-t-elle demandé à Keller, il y a quelques semaines.

– Un quoi ?

– Un relooking ! Tu sais bien, comme à la télé. Coiffure, maquillage, garde-robe…

– Pourquoi pas ? a répondu Keller, sans trop comprendre de quoi il était question.

– En même temps, je ne voudrais pas la vexer, C'est une jolie fille, mais ses vêtements, ses cheveux… une vraie *cejona,* un garçon manqué. Avec le bon maquillage, et si elle pouvait perdre cinq kilos… les garçons accourraient.

Keller avait supposé qu'Erika était lesbienne.

– Non, a rectifié Marisol. En fait, elle a le béguin pour le secouriste de Juárez. Un très beau garçon. Sympathique. Gentil.

– Je suis sûr que, venant de toi, toute suggestion serait la bienvenue.

– Oui, peut-être. Je pensais qu'on pourrait aller à El Paso un de ces jours, elle et moi, pour faire des trucs de filles. Coiffeur, spa… déjeuner.

– Pourquoi les femmes aiment-elles tellement les déjeuners ?

Ce soir, il remarque que, à défaut de relooking, Marisol a déjà eu une certaine influence sur Erika. Ses longs cheveux sont coiffés et il croit repérer une trace d'eye-liner.

C'est une chouette gamine, et si au départ les gens considéraient son engagement dans la police comme une plaisanterie, ce n'est plus le cas. Dans une ville dont la moitié des maisons ont été abandonnées, on pouvait redouter des pillages, mais Erika a su les contenir, et l'obsession avec laquelle elle fait respecter les règles de stationnement est presque devenue une source de fierté saugrenue en ville.

« Pensez ce que vous voulez d'Erika, peut-on entendre ici et là, elle fait son boulot. »

Les soldats eux-mêmes se sont mis à la traiter avec un certain respect, encore réticent. Au moins, ils ne la sifflent plus dans la rue depuis ce jour où un soldat, comme l'a raconté Marisol, l'a traitée de *marimacha*. Elle s'est arrêtée, s'est retournée et lui a décoché un coup de poing au visage, avec une telle force qu'il est tombé. Ses copains se sont moqués de lui, et depuis plus personne ne la traite de lesbienne ou de quoi que ce soit d'autre.

Une fois l'épisode terminé, Erika se lève du canapé.

– Faut que j'y aille.

– Reste pour regarder un autre épisode, propose Marisol.

– Non. Je commence tôt demain. Par contre, je peux t'aider à ranger.

– Non. J'ai Keller pour ça.

Erika embrasse Marisol.

– Merci pour le dîner.

– Merci pour la salade.

– Tu rentres seule à pied ? s'inquiète Keller.

– Pas de problème.

Erika met son fusil sur l'épaule, les salue d'un geste de la main et sort.

– Est-ce que le relooking inclut un changement d'arme aussi ? demande Keller.

– Il y a des hommes qui aiment ça.

Plus tard, au lit, Marisol dit :

– On n'a pas fait l'amour depuis…

– Je ne voulais pas te faire mal.

– J'ai cru que tu étais… dégoûté.
– Oh, non. Mon Dieu, non.
– Si je m'allonge sur le côté, en te tournant le dos…
Elle gigote pour coller ses fesses contre lui. Il la tient par les épaules, lui caresse les cheveux et remue lentement en elle, même quand elle projette son bassin en arrière comme pour en réclamer davantage. Quand il s'arrête, elle dit :
– C'est bon.
– Et toi ?
– La prochaine fois. Tu vas réussir à dormir ?
– Je crois. (Il n'est pas certain de le vouloir.) Et toi ?
– Oh, oui.
Keller s'endort.
Ses cauchemars sont violents et sanglants.

CIUDAD JUÁREZ
AUTOMNE 2010

Le blog apparaît pour la première fois juste avant le jour de la fête des Morts.
C'est un événement dans tout le pays.
Pablo découvre *Esta Vida* un matin, au bureau, en se connectant, et il appelle aussitôt Ana.
– Tu as vu ça ?
L'auteur de *Cette vie* a réussi à se procurer des photos d'un massacre commis à San Fernando. Elles sont horribles, brutales, accompagnées de cette question, en gros caractères rouges : « Qui sont ces Zetas et pourquoi tuent-ils des innocents ? »
– *Dios mío,* dit Ana. C'est choquant.
Aucun journal ne pourrait ni ne voudrait publier cela, même s'ils couvraient encore les guerres entre narcos. L'article donne des détails sur le massacre que seule la police peut connaître, et il est signé « El Niño Salvaje ».

– L'Enfant sauvage ? dit Pablo.

Un autre article apparaît le lendemain. Intitulé « Terreur au Tamaulipas », c'est une analyse approfondie de la guerre que se livrent le cartel du Golfe et les Zetas.

– J'ignore qui est cet Enfant sauvage, mais il connaît son affaire, commente Pablo.

– C'est ça, le nouveau journalisme, dit Óscar penché vers l'écran par-dessus leurs épaules, en grimaçant devant les images crues. Certains parlent de démocratisation de l'information, d'autres d'anarchie. Le problème, c'est l'absence de transparence. Non seulement les articles sont anonymes, mais il n'y a aucun travail éditorial pour séparer les faits des simples rumeurs. Je prêche pour ma paroisse, mais je continue à penser que les rédacteurs ont encore un rôle à jouer dans les médias.

L'article suivant, posté le lendemain, est encore plus précis.

« Qui a tué Giorgio Valencia ? » est du pur journalisme d'enquête. Il y a des photos de Giorgio en plein travail, en train de mitrailler avec son appareil, d'autres montrent son cadavre sur le lieu du crime. Il y a même une image du crâne souriant posé sur le capot de la voiture devant le cimetière, le jour de son enterrement.

– C'est offensant, estime Pablo.

– Son meurtre était offensant, réplique Ana.

– Nom de Dieu… Ana…

– Ne me regarde pas comme ça. Je ne suis pas l'Enfant sauvage.

Le long article s'étonne qu'il n'y ait pas eu d'enquête sur le meurtre de Valencia, il taxe les autorités locales et nationales « de négligence et de lâcheté » au sujet du problème des journalistes assassinés et accuse ouvertement les Zetas du meurtre de Valencia, affirmant par ailleurs qu'ils avaient tenté d'imposer une censure médiatique après l'agression de Marisol Cisneros.

La violence du post suivant dépasse tout ce qu'on a pu voir, même dans *la nota roja,* en montrant un corps démembré et découpé dans une rue de Juárez. L'article intitulé « Le nettoyage » parle du chaos meurtrier qui règne dans cette ville et qui semble n'affecter que les pauvres. L'auteur se demande si le gouvernement s'en soucie réellement, ou s'il préfère demeurer à l'écart pendant que « les exclus et les indésirables » se font éliminer, comme on nettoie les ordures dans les rues à grands coups de jet d'eau.

Curieusement, ces propos font écho aux pensées de Pablo, des pensées qu'il ne peut plus exprimer dans son journal, mais qu'il a confiées à Ana. D'ailleurs, après avoir lu le blog, celle-ci lui pose la question, sans ambages :

– C'est toi, l'Enfant sauvage ?

– Je suis tout sauf un enfant sauvage.

Pour lui l'automne a été sinistre. Il a effectué un seul voyage à Mexico pour voir Mateo, une visite qui n'a fait que souligner leur éloignement grandissant, et il s'est comme d'habitude disputé avec Victoria, d'autant qu'elle lui a annoncé qu'elle fréquentait quelqu'un « pour de bon ».

– Qui ça ?

– Un rédacteur du journal.

– Mateo l'a rencontré ?

– Je ne vais pas lui cacher son existence, Pablo.

– Il vit avec vous ?

– Bien sûr que non.

– Je ne veux pas que Mateo le voie en se réveillant.

– On est discrets.

Victoria a conclu la discussion par cette expression – front plissé et lèvres pincées – dans laquelle il voyait autrefois une provocation sexuelle, et qu'il déteste maintenant.

À Juárez, la violence se poursuit. Les attaques commises durant des soirées semblent être le thème récurrent de l'automne 2010. Six personnes tuées au cours d'une fête, puis quatre, puis encore cinq. Pablo a consciencieusement couvert tous ces meurtres pour rédiger des articles atteignant péniblement un paragraphe : le nombre de victimes, l'heure approximative de l'agression et le quartier où elle a eu lieu. Pas de noms, pas d'adresse précise, et surtout pas d'allusion à l'identité ni aux mobiles des meurtriers car cela pourrait déplaire aux narcos.

Il voit Óscar dépérir devant ses yeux.

El Búho semble rapetisser et il est plus lent, plus dépendant de sa canne. Il reste de plus en plus dans sa maison de Chaveña, il boude les fêtes et même les lectures.

Son journal continue à débiter des articles insipides et obéissants.

Ce n'est pas le cas d'*Esta Vida.*

Le post suivant s'intitule « Notre nouveau vocabulaire ». Il s'agit d'un glossaire, accompagné de photos, qui recense les mots utilisés pour décrire les victimes d'assassinats :

Encajuelados : corps fourrés dans les coffres de voiture.

Encobijados : corps enroulés dans des couvertures.

Entambados : corps plongés dans des barils, souvent avec de l'acide ou du ciment.

Enteipados : corps emballés dans du ruban adhésif industriel.

« Voilà le nouveau vocabulaire utilisé par notre journalisme, notre nation, poursuit l'auteur de l'article. Nous avons besoin de nouveaux mots pour décrire toutes les variétés de sévices car notre langue, nos anciens concepts sont devenus insuffisants. La peste noire nous a légué une comptine, “Ring Around a Rosie” ; la guerre des trafiquants de drogue nous offre une nouvelle chanson pour les enfants de nos *colonias* : « *Encajuelados, encobijados, entambados, enteipados*… Nous tombons tous ! »

Mais *Esta Vida* ne se cantonne pas à Juárez, ni même au Chihuahua ; le blog parle également de La Familia au Michoacán, des Zetas, il s'attaque au cartel de Sinaloa, à la police, aux *federales,* à l'armée, aux marines, aux municipalités, aux États et au gouvernement.

Le post intitulé « Qui choisit le vainqueur ? » provoque un scandale et un débat au niveau national, si tant est qu'il existe encore des débats dans la presse muselée. Accusant presque ouvertement le gouvernement de soutenir le cartel de Sinaloa afin d'instaurer une *« pax narcotica »,* l'auteur publie une analyse statistique : sur 97 516 arrestations effectuées par les autorités fédérales, 1 512 seulement concernaient le cartel de Sinaloa, et la plupart visaient des individus qui n'étaient plus dans les bonnes grâces d'Adán Barrera et de Nacho Esparza.

Le gouvernement réagit avec fureur et indignation au cours d'une conférence de presse diffusée dans tout le pays. Le président apparaît à la télé pour défendre sa police, évoquer les sacrifices sanglants et accuser « ce sniper verbal anonyme et lâche » de se moquer des martyrs.

Résultat, des milliers de personnes se connectent sur *Esta Vida,* et le *susurro* affirme que c'est le seul endroit où on peut trouver « les vraies infos sur la guerre des narcos ».

Le lendemain de la conférence de presse, *Esta Vida* évoque le cas d'une femme de Nuevo Laredo exécutée par les Zetas pour avoir dénoncé leur activité de racket aux autorités. Une photo montre la tête de cette femme posée entre ses cuisses, jupe relevée. Une image aussi obscène qu'un *snuff movie* pornographique ; impression renforcée par le *narcomensaje* déposé à côté du corps : « On a tué cette vieille bonne femme parce qu'elle nous a dénoncés à la police. Tous les connards imprudents subiront le même sort. Cordialement, la Compagnie Z. »

Un nouveau développement survient le lendemain. Ana appelle Pablo.

– Regarde ça.

Esta Vida a posté une lettre des Zetas adressée à l'Enfant sauvage. « Merci de faire notre travail de relations publiques à notre place. Vous nous aidez à diffuser notre message. »

Mais la Compagnie Z n'a pas dû apprécier le post suivant, intitulé « Huit Zetas décapités », qui montre les corps sans tête de huit hommes à l'arrière d'un pick-up, avec ce message : « Voilà ce qui arrive quand on soutient les Zetas. Reprenez vos *halcones,* infâmes salopards. Cordialement, le cartel du Golfe. »

Le blog provoque un débat acharné en salle de rédaction.

– On est obligés de se demander, dit Óscar d'un ton sentencieux, si *Esta Vida* rapporte les meurtres ou s'il les provoque. Les narcos ne commettent-ils pas ces atrocités précisément pour qu'elles soient médiatisées ? Avons-nous atteint un stade où les meurtres n'ont aucune réalité s'ils n'apparaissent pas sur les réseaux sociaux ? Allons-nous avoir des meurtres Facebook ? Des meurtres Twitter ?

Une fois de plus, les paroles d'Óscar se révèlent prophétiques. *Esta Vida* est devenu la star du net, il alimente les potins autour de la machine à café. Les journalistes de télé et les followers des réseaux sociaux posent tous la même question : « Qui est l'Enfant sauvage ? », et cela devient un jeu national.

Pendant ce temps, l'Enfant sauvage continue.

Chaque post est choquant, provocant.

« Les marines exécutent-ils les prisonniers ? » « Les familles quittent Ciudad Meir. » « Don Alejo de Castillo : un héros du troisième âge. » « Les femmes de la vallée de Juárez s'opposent aux cartels. » « Qu'est devenu Eddie le Dingue ? »

Bientôt, de nouveau *narcomensajes* apparaissent sur les ponts, les monuments, aux coins des rues, dans tout le pays. « Enfant sauvage, si tu montres encore nos morts tu seras le prochain. Cordialement, la Compagnie Z. Tu ne sais pas à quoi tu joues. Dompte-toi, Enfant sauvage. On te cherche et on te trouvera. »

L'Enfant sauvage ne renonce pas.

Il rapporte que cent quatre-vingt-onze Zetas « ont disparu comme autant de Houdini » d'une prison de Nuevo Laredo et que quarante-deux gardiens accusés d'avoir « facilité cette évasion » ont été arrêtés. Il publie aussi la photo de deux hommes aux visages dépecés, déposés devant un bar d'Acapulco. Il raconte l'histoire survenue à Monterrey le soir de Noël : quatre hommes armés ont fait irruption dans une fête et emmené quatre étudiants que personne n'a revus depuis.

Une réception est organisée au Cafebrería pour le jour de l'An. Mais Pablo ne peut s'empêcher de remarquer à quel point leur groupe s'est réduit. Jimena n'est plus là, Giorgio n'est plus là, Óscar est diminué, Marisol souffre, Ana est accablée de chagrin, et lui-même ressent… un mal-être ? Du spleen ? De la déprime ?

Cette réunion entre amis est symbolique de ce qui se passe en ville.

Dans un article qu'Óscar l'a autorisé à écrire, Pablo a indiqué qu'à la fin de l'année 2010, on comptait sept mille personnes tuées à Juárez, dix mille commerces ayant fermé leurs portes, cent trente mille emplois perdus et deux cent cinquante mille personnes « déplacées ».

Ma ville, se dit Pablo.

Ma ville en ruine.

Et mon pays qui saigne.

On a peine à croire que 2010, l'*annus horribilis* de la guerre contre la drogue au Mexique, est de l'histoire ancienne.

Au Mexique, le total des décès liés au trafic s'élève, pour cette seule année, à 15 273.

Voilà ce que nous comptons désormais, songe Pablo, au lieu de compter les secondes jusqu'à minuit.

Les morts.

3
Chaque matin

... chaque matin
Hurlent de nouvelles veuves, pleurent de nouveaux orphelins, de nouvelles douleurs
Frappent la face du ciel.

Shakespeare, *Macbeth*,
acte IV, scène III

ACAPULCO, GUERRERO
2011

Eddie est fatigué.

Fatigué de bouger, fatigué de courir, fatigué de se battre.

Et peu importe qu'il soit en train de gagner.

Gagner quoi ? Le droit de continuer à bouger, à courir et à se battre ?

Je suis multimillionnaire, se dit-il en s'installant dans une nouvelle planque, à Acapulco cette fois, et je vis comme un clochard.

Un sans-abri qui possède vingt maisons somptueuses.

Pas plus tard que la semaine dernière, quatre de ses hommes ont été retrouvés décapités et pendus à un pont de Cuernavaca, avec ce message : « Voilà ce qui arrive à ceux qui soutiennent ce traître d'Eddie le Dingue. »

Signé par Martín Tapia et le cartel du Pacifique Sud. Ce pauvre connard ne peut pas s'acheter une carte du Mexique ? peste Eddie. Est-ce que Cuernavaca est à côté de l'océan Pacifique ?

Eddie est contrarié que Martín puisse penser que c'est lui l'indic qui a trahi Diego. C'est la vérité, certes, mais Martín n'a aucune raison de le penser, c'est injuste. Tapia a une dent contre lui.

Les Zetas aussi, mais eux ont une raison.

Toujours la même, depuis le début.

Ils veulent ce que j'ai.

D'abord, c'était Laredo, aujourd'hui, c'est Monterrey, Veracruz et Acapulco. Ils veulent également voir ma tête au bout d'une pique, mais ils ne l'auront pas davantage.

Il repense à ce jour, il y a de cela… putain, cinq ans déjà, quand il s'est retrouvé assis dans une bagnole, à Nuevo Laredo, avec ces enculés. J'aurais dû leur coller une balle dans la tête, sauf que je ne portais pas d'arme.

En parlant d'enculé, il est certain qu'Ochoa joue dans l'autre équipe. Moi, j'aime être impeccable, mais ce type… les cheveux, les produits pour la peau, les tenues militaires. Si un jour l'Exécuteur se pointait habillé en ouvrier du bâtiment, en chef indien, en motard ou en flic, je ne serais pas étonné.

Mais tu peux toujours courir, Heriberto.

Je peux tenir Acapulco, sans mal.

Veracruz aussi, probablement.

Monterrey, c'est un problème, à cause de la politique innovante de Diego qui a invité les Zetas à prendre leurs aises là-bas. Ce qu'ils ont fait. On peut parier qu'ils ont des centaines de porte-flingues en ville et dans les environs.

Et les marines des FES ne rigolent pas, eux non plus. Ils se sont améliorés depuis qu'ils ont flingué Diego. Ils sont même allés au Matamoros pour éliminer Gordo Contreras. La plus grosse bataille au Mexique depuis la Révolution : on entendait les coups de feu jusqu'au Texas. Mille mercis aux marines d'avoir buté ce gros porc de Gordo. Du coup, les Zetas peuvent envoyer plus d'hommes ici.

Et ce sale fils de pute de Keller est le pire de tous.

Voilà un type qui n'en a rien à foutre de rien.

Le coup du valet de pique, c'était excellent. J'aurais aimé trouver une idée pareille. Une carte de visite. Mais avec ma gueule à la place des valets de pique.

Eddie se rend dans la cuisine et verse des fraises, des myrtilles, des protéines en poudre et de l'eau dans un mixeur. Les myrtilles, c'est plein d'anti-machin-chose, et les protéines, c'est bon pour prendre de la masse musculaire.

Les fédéraux ne le lâchent plus depuis des mois, ils arrêtent ses hommes, ils saisissent sa came, ils le traquent. L'heure est grave car les *federales* ne veulent surtout pas prendre Eddie Ruiz vivant.

J'ai trop de choses à raconter.

Même la DEA s'est jointe à la grande chasse à Eddie Ruiz. La semaine passée, ils lui ont saisi pour quarante-neuf millions de coke de l'autre côté de la frontière, et le mois dernier, ils ont inculpé soixante-neuf agents des douanes pour corruption, dont la moitié travaillaient pour lui.

C'est énervant.

En guise de réponse, il s'est adressé au gouvernement, une fois de plus, en publiant une lettre dans les journaux. « Il y aura toujours quelqu'un qui vendra cette marchandise, alors autant que ce soit moi. Je ne tue pas les femmes, les enfants ni les innocents. Cordialement, Narco Polo. »

Il signe toute sa correspondance « Narco Polo », pour essayer de leur faire oublier Eddie le Dingue.

Je ne suis pas dingue.

Je suis peut-être même le type le plus sain d'esprit que je connaisse.

Il boit le smoothie d'un coup. Pas la peine de prendre le temps de savourer cette saloperie car il n'y a rien à savourer.

Il possède quatre boîtes de nuit dans trois villes, et il les ferme au public de temps en temps pour pouvoir faire la fête. Il poste ses gars tout autour, il invite les nanas les plus canon, il en choisit une ou deux, il prend un peu d'ecsta et il s'éclate. Il est sorti pendant un moment avec la vedette d'un feuilleton télé jusqu'à ce qu'elle se lasse de toute cette sécurité autour de lui et que « les siens » commencent à s'inquiéter pour « son image ». Tant pis, il avait passé de bons moments.

Eddie se rend dans sa salle de gym et commence à soulever de la fonte. Ça serait bien d'avoir quelqu'un pour surveiller les parages pendant qu'il s'entraîne, mais ce serait trop facile, pas vrai, pour le gars de dire « Oh, zut » au-dessus du banc de muscu en lui laissant tomber la barre sur la gorge.

Dans son monde, on ne pouvait avoir confiance qu'en soi et seulement en soi.

Il est heureux d'entendre la sonnette de la porte d'entrée. Après avoir franchi les contrôles, Julio le rejoint dans la salle de gym.

– Vous voulez de l'eau ? lui propose Eddie.

– Volontiers.

Ils prennent chacun une petite bouteille et sortent sur la terrasse qui domine l'océan. C'est *nous* qui devrions nous appeler « le cartel du Pacifique », pas ce yuppie qui vit à l'intérieur des terres. Il regarde Julio, assis de l'autre côté de la table, et demande :

– Alors, on est prêts à passer au scénar ?

– Vous avez lu l'adaptation ?

– C'était une adaptation ou une ébauche ?

En vérité, il a lu jusqu'à la page trois, et il a feuilleté le reste. Ce truc faisait vingt-sept pages !

– C'est une sorte d'ébauche d'adaptation, répond Julio. Si ça vous convient, on fera ensuite l'adaptation proprement dite.

– Et ensuite, le scénar ?

– Une ébauche de scénario.

Eddie adore le cinéma. *Le Parrain,* évidemment, et *Les Affranchis,* mais aussi les films sur la drogue. *Scarface, Miami Vice*… Il aimerait apporter sa contribution au genre. Sa propre histoire : le parcours d'un authentique baron de la drogue. Sa vraie vie. Un truc que personne n'a jamais vu.

Ils envisagent d'appeler ça *Narco Polo* et tenez-vous bien, le personnage principal, le baron de la drogue, jouera au polo pour de bon. Eddie a investi cent mille dollars, sur sa cagnotte personnelle, en espérant que le scénario attirera des investisseurs.

À condition que ce type lui ponde un scénario.

Ah, les écrivains.

– L'ébauche vous a plu ? demande Julio.

– Oui, répond Eddie. Je trouve qu'il y a des bonnes choses, de très bonnes choses. Mais je peux pas me marier deux fois sans divorcer. Je vais passer pour un connard.

– Je trouve que ça vous rend intéressant.

– Ouais. Priscilla, elle, trouverait que c'est un peu *trop* intéressant. Vous connaissez les femmes enceintes, les hormones et toutes ces conneries. Et la scène où j'échappe à la descente des marines… Je trouve que je disparais trop vite. Je devrais m'enfuir en tirant dans le tas.

– Oui, bonne idée.

– Et à la fin… Je me fais buter.

– C'est une convention du genre.

Julio porte un jean noir moulant et des chaussures en cuir noir, à Acapulco, un jour de grand soleil. C'est parce qu'il a fait une école de cinéma, se dit Eddie, et c'est pour ça que j'ai engagé ce type, parce qu'il sort des trucs du style « une convention du genre ».

– Pacino, il se faisait pas buter, lui.

– Si. Dans le trois.

– Le trois, ça compte pas. Liotta se faisait pas buter dans *Les Affranchis*. De Niro se faisait pas buter dans *Casino*.

– Mais ça ne pouvait pas bien se terminer pour eux. Il fallait qu'ils soient punis.

– Qu'est-ce que vous voulez dire ? Il faut que je sois puni ?

Julio blêmit, si cela est possible, et marmonne :

– Pour vos crimes.

– Mes quoi ?

– Vos crimes.

– Mes crimes ! Si vous voulez parler de crimes, allez voir cet enfoiré de Diego, allez voir Ochoa, allez voir Barrera. Moi, je suis le gentil dans cette histoire, l'anti…

– Héros.

– Hein ?

– Vous êtes l'antihéros.

– Exact.

Eddie boude pendant une minute, puis il dit :

– Le casting ?

– On reste sur Leo ?

– Leo, ce serait super, dit Eddie. Mais peut-être trop évident, vous voyez ce que je veux dire ?

– Plus ou moins. Vous pensez à quoi ?

– J'aimerais partir dans une autre direction, dit Eddie en contemplant l'océan. Et si je me jouais moi-même ?

– Vous voulez dire…

– Je pourrais tenir mon propre rôle. Sacrée accroche, hein ? Personne n'a jamais vu ça. Narco Polo : l'histoire vraie d'un baron de la drogue, avec dans le rôle principal Eddie Ruiz, un authentique baron de la drogue.

Julio boit une longue gorgée d'eau et demande :

– Comment vous voyez la chose, concrètement ? Je veux dire… vous êtes recherché. Comment pourrez-vous venir sur un plateau ? Et assurer la promo ensuite ?

– Il faut penser différemment. Je pourrais donner des interviews à la télé, enregistrées dans des endroits secrets. Super-idée, non ? *Today… Late Night Show…*

– Vous savez jouer la comédie ?

Si je sais jouer la comédie ? Je me suis assis à une table en faisant croire que j'aimais Heriberto Ochoa !

– Ça doit pas être très compliqué, dit Eddie. Il suffit de réciter le texte, en y mettant du sentiment. Je prendrai des cours. J'engagerai un putain de prof ou je sais pas quoi.

Ils décident de mettre de côté la question du casting tant qu'ils n'ont pas de scénario. De toute façon, Leo ne s'engagera pas sur une simple adaptation, ce qui leur laisse un peu de temps. Eddie émet encore quelques suggestions et Julio repart pour revoir la fin.

Eddie monte dans la pièce qu'il a fait insonoriser. Il a trouvé que c'était pratique d'en avoir une comme ça dans toutes ses maisons. Vous pouvez écouter de la musique aussi fort que vous le souhaitez sans attirer l'attention des voisins, et si vous devez vous occuper d'un « invité », vous pouvez le faire à loisir, sans que ses cris alertent ces mêmes voisins ou vous empêchent de dormir la nuit.

Justement, il a un invité.

En représailles des quatre têtes coupées apparues sur un trottoir d'Acapulco, avec cet écriteau : « Voilà ce qui attend tous ceux qui sont assez stupides pour se ranger du côté d'Eddie Ruiz l'homosexuel. »

J'aimerais qu'ils arrêtent de me traiter de pédé, peste Eddie.

J'en suis pas un.

Ochoa oui, mais pas moi.

Ce doit être… comment Julio appelle ça, déjà ? Une projection.

Ces quatre anciens associés assassinés sont les dernières victimes d'une longue série de meurtres commis à Acapulco, et ce sont les chauffeurs de taxi qui morflent le plus. Ça aussi, c'est énervant, car le fait d'utiliser des chauffeurs de taxi comme *halcones,* c'était une idée à lui, et une sacrément bonne idée. Qui est mieux placé qu'un chauffeur de taxi pour savoir qui débarque en ville et qui en part, que ce soit à l'aéroport, à la gare ferroviaire ou à la gare routière ? Et puis ils passent leurs journées dans les rues, ils connaissent les clubs, les bars, les bordels. Rien ne leur échappe.

Les Zetas ont pigé le coup ; ils ont commencé à engager leurs propres chauffeurs de taxi et à buter ceux d'Eddie.

Alors, il a été obligé de tuer les leurs, et ainsi de suite. De toute façon, il ne fait pas bon être chauffeur de taxi à Acapulco par les temps qui courent, avec Eddie et les Zetas qui essaient de se liquider mutuellement. Vous avez vite fait de retrouver quatre des vôtres décapités.

Il y en a un qui aimait couper les têtes, se dit Eddie en montant l'escalier, c'était ce petit enfoiré de Chuy. Ce maboul maigre comme un clou, il s'y connaissait en décapitations. Il coupait les têtes comme vous vous coupez les ongles.

Il faut lui reconnaître ce talent.

Ce *pocho* savait se battre.

Si vous aviez besoin de quelqu'un pour franchir une porte en premier, Chuy n'hésitait pas. Vous aviez besoin de quelqu'un pour assurer vos arrières, vous pouviez compter sur lui. Ah, putain, on en a fait des dégâts tous les deux.

Je me demande ce qu'il est devenu.

Sans doute est-il toujours avec La Familia, s'il n'est pas mort.

Dans ce cas, il doit être en train de couper des têtes pour Dieu.

Quoi qu'il en soit, il faut que je m'éloigne de Martín Tapia et de ces tapettes de Zetas pendant quelque temps. Se battre pour un territoire, c'est une chose, ça fait partie des règles du jeu, mais ras le bol de ces messages qui me traitent de « dingue » et d'« homosexuel ».

Osvaldo est assis devant la porte de la pièce insonorisée. Osvaldo est le nouveau second d'Eddie, et le chef des gardes du corps. Ancien marine, il a été formé avec les Kaibiles au Guatemala, alors il n'hésitera pas lui non plus à couper une tête, et même deux, si ça s'impose. Il prétend avoir tué plus de trois cents personnes, mais Eddie pense qu'il en rajoute.

– Tout se passe bien à l'intérieur ? demande-t-il. Pas d'anicroche ?

– Non.

Osvaldo ne connaît certainement pas le sens du mot anicroche. Il sait faire beaucoup de choses, mais les mots croisés ne doivent pas être du nombre.

Eddie entre dans la pièce.

Même ligotée, elle reste canon.

Peut-être parce qu'elle est ligotée, justement, se dit Eddie. Les mains et les pieds attachés, avec ce chemisier noir, le soutien-gorge et la culotte noirs, les bas, allongée sur un matelas en position fœtale, bâillonnée – ça, c'est sexy –, il faudra qu'il pense à dire à Julio de mettre cette scène dans le scénario.

Il toise Yvette Tapia.

– Madame, qu'est-ce que je vais faire de vous ?

La Fille de glace.

Il l'a enlevée pour protéger sa famille.

Ou plutôt, « ses familles ».

Les Zetas ont la réputation, non usurpée, de tuer des femmes et des enfants. Priscilla est à Mexico avec sa mère, en sécurité, mais Eddie a estimé que le fait de détenir la *señora* Tapia en otage serait une assurance supplémentaire. Et elle lui a facilité la tâche en se promenant tranquillement dans une rue d'Almeda, seule, apparemment séparée de son mari.

Il a ensuite envoyé un message à Martín. « Je détiens la belle et charmante Mme Tapia. Si tu ne veux pas la recevoir par petits morceaux, dans de la glace, un peu chaque semaine, laisse ma famille tranquille. Pour info, sache que je ne suis pas homosexuel. Sincèrement, Narco Polo. »

Il a reçu cette réponse : « Ne lui fais pas de mal. On s'est compris. »

Oui, Martín et moi, on se comprend. En revanche, avec les Zetas, on ne voit pas les choses de la même manière. En effet, il a reçu ce message de son copain Quarante : « On se fout pas mal de ce que tu peux lui faire. C'est pas notre femme. De toute façon, on pense que tu n'as pas *los ping-pongs* de la tuer, pédé. »

Encore cette injure, « pédé ».

C'est une mauvaise nouvelle pour Martín car s'ils sont prêts à sacrifier son épouse, cela signifie qu'il compte pour des prunes. Et c'est une mauvaise nouvelle pour elle également car si je ne leur montre pas que j'ai les couilles nécessaires… ils pourraient s'en prendre à ma famille. Par contre, *« los ping-pongs »,* c'est une bonne expression, il faudra que je demande à Julio de l'introduire quelque part dans le scénario.

Eddie se penche vers Yvette Tapia pour ôter le bâillon.

– Je ferai ce que vous voulez, dit-elle. Martín vous enverra des millions.

– Vous savez, j'ai assez d'argent.

– Ce que vous voulez, répète-t-elle. Je vous sucerai, je vous baiserai. Je vous laisserai m'enculer. Ça vous plairait ? Ça vous plairait de m'enculer ?

Nom de Dieu, pense-t-il. La totale.

– Vous pourrez filmer, même. Vous pourrez enregistrer une *sex tape* et la montrer à tout le monde, la mettre sur Internet…

– Vous vous humiliez, et ça me fait de la peine car vous êtes une dame classieuse.

– Je suis une cougar. Mais je n'ai jamais eu d'enfant, alors c'est encore bien serré.

– Stop.

– Je sais faire des choses dont ces jeunes nanas n'ont jamais entendu parler. Je peux vous montrer des trucs… Vous savez ce que c'est, « un annilingus » ? Je vous le ferai. J'aimerais bien vous le faire. Et quand vous en aurez assez de moi, vous pourrez me jeter. S'il vous plaît.

C'est pathétique, se dit Eddie.

Ça suffit.

– Écoutez. Il faut que vous sachiez que Martín n'y est pour rien. Votre mari vous aime. C'est à cause d'Ochoa et de cette bande de types. Ils s'en foutent. Et ça me met dans une situation très compliquée.

Son portable sonne.

C'est sa femme, Priscilla. Elle pleure. Eddie sort dans le couloir.

– Qu'est-ce qui se passe ? C'est le bébé ? Vous allez bien, Brittany et toi ?

Elle est au bord de l'hystérie.

– La police est venue. Ils te cherchaient.

– Quelle police ?

Il y a une différence. Il lui a expliqué cent fois.

– Les *federales.*

Qu'ils aillent au diable.

– Tout va bien ? répète-t-il. Ils t'ont fait du mal ?

– Ils m'ont un peu bousculée, mais ça va, dit-elle en retrouvant son calme. Ils disaient que je savais où tu étais, qu'ils allaient m'envoyer en prison… Ils ont presque détruit l'appartement. Et ils ont promis de revenir.

– Ta mère est près de toi ?

Quand la mère de Priscilla répond, Eddie lui dit :

– Allez vous installer dans la maison de Palacio. Je vais envoyer des gens. Ils vous mettront dans un avion pour Laredo.

Priscilla reprend la communication.

– Ne t'inquiète pas, trésor, dit Eddie. Ça va aller.

Sauf que non, se dit-il en raccrochant.

Ça ne va pas aller. Les *federales* ont certainement embarqué un des gars et il leur a indiqué l'endroit de la planque.

Et ensuite, tout ira à vau-l'eau.

Il prend Osvaldo par le bras et retourne dans la chambre avec Yvette Tapia. Elle tente de ramper sur le sol, comme un serpent, pour leur échapper, mais ils la rattrapent. Quand ils en ont fini avec elle, ils l'embarquent et la balancent sur un terrain vague.

– J'ai envie d'une glace, dit Eddie.

– Quoi ? fait Osvaldo.

– J'ai envie d'un cornet de glace. C'est dur à comprendre ? J'ai envie de bouffer une putain de glace !

Alors, ils se rendent au Tradicional, sur l'ancienne promenade, où John Wayne possédait un hôtel dans le temps, et Eddie peut manger sa glace.

À la fraise.

Assis sur un banc, il mate les touristes, les nanas qui débarquent des bateaux de croisière, les vieux bonshommes qui lèvent le visage vers le soleil, les jeunes mères avec leurs gamins.

Il contemple les falaises, l'océan.

Il a la trentaine et un gros coup de blues. Il s'aperçoit que certaines choses qu'il désirait ne se produiront jamais. Il ne jouera jamais dans le championnat de foot, il ne fera jamais le tour de Tahiti à la voile, il ne tiendra jamais le premier rôle dans son propre film.

Il ne pourra même jamais tuer Quarante et Ochoa.

Désolé, Chacho, mon vieux pote.

– On devrait pas rester là, dit Osvaldo, nerveux.

– Sans blague.

Les hommes de Tapia, les Zetas, les *federales,* ils savent probablement tous déjà qu'il est ici. Il y a des *halcones* partout. Il se lève, s'éloigne sur la promenade de planches, sort son portable et compose un numéro.

La vérité, c'est qu'il est fatigué de tout ça.

Il a beaucoup donné.

– Je veux encaisser mes jetons, dit Eddie. Je me rends.

– D'accord, répond Keller.

– Pas au Mexique.

Il ne tiendrait pas dix minutes dans une prison mexicaine. Si les hommes de Diego ne lui font pas la peau, les Zetas s'en chargeront. Et s'ils loupent leur coup, Barrera, lui, ne le ratera pas. À supposer que j'atteigne la prison, pense-t-il, ce qui n'est pas certain.

– Il faut me sortir de là.

– Avez-vous déjà tué un citoyen américain ? demande Keller.

– Pas depuis mes dix-sept ans, et c'était un accident.

– Vous savez où est le service consulaire américain ?

– À l'hôtel Continental.

– Allez-y tout de suite. Vous êtes armé ?

– À votre avis ?

– Balancez votre arme quelque part. La came aussi, tout. Présentez-vous sous le nom de Hernán Valenzuela. Faites tout ce que le consul vous dira. On se verra ce soir.

– Keller ? Il faut que je vous dise un truc d'abord.

– Merde. Quoi donc ?

La police d'Acapulco retrouve Yvette Tapia sur un terrain vague, pieds et poings liés, avec un bandeau sur les yeux et un bâillon dans la bouche, mais vivante.

Elle a une pancarte en carton autour du cou, sur laquelle on peut lire : « Pour vous apprendre à être des hommes et à respecter les familles. Je vous rends votre femme saine et sauve. Moi je ne tue pas les femmes et les enfants. Eduardo Ruiz – Narco Polo. »

Adieu Eddie le Dingue.

San Fernando, Tamaulipas
2011

Assis dans le car bondé qui roule sur la Highway 101, surnommée « la route de l'enfer », Chuy regarde défiler derrière la vitre le décor plat et poussiéreux du Tamaulipas, si différent des collines verdoyantes du Michoacán.

Dans lesquelles il a aidé à enterrer Nazario.

Avec d'autres, ils ont emmené discrètement le corps du Leader dans les collines pour l'inhumer en secret, et au cours des semaines qui ont suivi, des sanctuaires ont fleuri un peu partout dans le Michoacán. On dit que Nazario est un saint, dont l'esprit a déjà accompli des miracles.

Un nouveau chef a pris sa place, mais pour Chuy, c'est terminé.

Il rentre chez lui.

À Laredo.

Il y a eu tellement de batailles, et Chuy était presque toujours présent.

Il était là quand ils ont attaqué le convoi de *federales*. Son unité a tué huit policiers, mais le convoi a réussi à passer. Et quand l'armée a capturé Hugo Salazar, « l'animateur », c'est Chuy qui a rassemblé cinquante hommes pour attaquer le poste de police avec des lance-roquettes et des mitrailleuses. Ils ont tendu des embuscades aux convois de flics et de l'armée, et mené l'assaut contre onze villes en huit jours.

Sans réussir à le libérer.

Au cours de ces opérations, ils ont capturé douze *federales,* ils les ont torturés à mort et ont balancé les corps sur la route, à la sortie de La Huacana.

L'armée a alors envoyé cinq mille hommes de plus, avec des hélicoptères, des avions et des véhicules blindés, et la guerre s'est poursuivie. Parfois, La Familia l'emportait ; parfois c'était l'armée, et elle capturait d'autres chefs de La Familia, mais de nouveaux leaders prenaient leur place.

Parfois, ils combattaient les *federales,* parfois l'armée, parfois les Zetas, et au bout d'un moment, Chuy ne savait plus contre qui ils se battaient, mais ça n'avait pas d'importance car il le faisait pour Nazario, pour Dieu. Il avait vaguement conscience qu'un ordre était venu d'en haut pour qu'ils continuent à affronter les Zetas, et il n'y voyait aucun inconvénient, il n'avait jamais cessé de combattre les Zetas.

Il n'avait jamais cessé de couper des têtes.

Il a perdu le compte.

Six ? Huit ? Douze ?

Il les laissait au bord de la route, ou il les suspendait à un pont, et il recommençait, encore et encore, comme dans un rêve.

Il se souvient de certaines choses.

D'autres, non.

Il se souvient de l'embuscade contre le convoi de *federales,* quand il avait conduit un groupe de douze hommes sur une passerelle de l'autoroute, près de Maravatío, et attendu que les véhicules aient fini de faire le plein dans une station-service. Puis ils avaient jailli de derrière les rails de sécurité et ouvert le feu, tuant sept policiers, en blessant sept autres.

Ils avaient utilisé la même ruse un mois plus tard, et cette fois, ils en avaient tué douze. Puis les *federales* avaient compris et ils avaient envoyé des hélicoptères en reconnaissance, mais Nazario en personne avait félicité Chuy pour ces attaques.

Il se rappelle le jour où ils avaient fait défiler six voleurs autour d'un rond-point à Zamora, en les fouettant avec des fils barbelés et les obligeant à porter des pancartes qui proclamaient : « Je suis un criminel et La Familia me punit. » Ils avaient accroché une banderole : « On fait ça pour vous tous. Ne nous jugez pas. La Familia nettoie votre ville. »

Chuy se souvient également du jour où Nazario avait annoncé « La fusión de los Antizetas » et conclu une alliance officielle avec le Sinaloa et le Golfe pour débarrasser le pays de la menace des Zetas. Il avait été très heureux ce jour-là car les Zetas avaient violé et assassiné Flor.

Cette même semaine, il avait décapité quatre Zetas à Apatzingán.

Et Nazario avait fait de lui un des douze Apôtres, son garde du corps personnel. Chuy suivait le Leader partout, il le protégeait pendant qu'il prêtait de l'argent à des fermiers dans le besoin, construisait des cliniques et des écoles, creusait des puits et des fossés d'irrigation.

Les gens adoraient Nazario.

Ils adoraient La Familia.

Jusqu'au jour où…

Nazario avait organisé une fête de Noël pour les enfants d'El Alcate, près d'Apatzingán. C'était une journée de liesse, et Chuy montait la garde pendant que Nazario distribuait des jouets, des vêtements, des bonbons. Chuy entendit les hélicoptères avant de les voir, le grondement sourd déchirait le ciel. Il prit Nazario par le coude pour l'entraîner vers une maison, tandis que des *federales* et des soldats débarquaient à bord de fourgons et de véhicules blindés.

Réfugiés avec Nazario dans la maison, Chuy et quelques autres ouvrirent le feu sur les véhicules et tentèrent de bloquer la route, mais d'autres soldats arrivèrent en hélicoptère. Les projectiles fendaient l'air et frappaient les membres de La Familia, mais aussi les parents et les enfants qui se trouvaient dehors, pour la fête.

Chuy vit une adolescente tomber et la fumée s'élever du dos de son chemisier, là où la balle l'avait atteinte. Il vit un bébé se faire tuer dans les bras de sa mère.

Il retourna dans la maison, il brisa une fenêtre et riposta avec son *erre*. Un des gars appela des camarades à Morelia pour qu'ils bloquent les routes et attaquent des casernes afin d'empêcher l'armée et la *policía* d'envoyer des renforts.

Tout l'après-midi, toute la nuit et le lendemain, ils se battirent. Chuy dirigeait les tirs de couverture pendant qu'ils déplaçaient Nazario d'une maison à l'autre, et que les soldats ripostaient avec des grenades, des roquettes et des gaz lacrymogènes, incendiant les maisons et les cabanes. Les habitants qui le pouvaient s'enfuyaient, d'autres restaient blottis dans leurs baignoires ou couchés par terre.

Les camarades de Morelia les informèrent que deux mille soldats encerclaient le village. Des mégaphones ordonnaient à Nazario de se rendre, mais il refusa, répondant que s'ils étaient dans le jardin de Gethsémani, seul Dieu pouvait lui prendre la coupe des mains.

L'après-midi du deuxième jour, les troupes de La Familia n'ayant plus de munitions, les six Apôtres encore en vie décidèrent de tenter une percée dans les rangs des soldats et d'exfiltrer Nazario au coucher du soleil.

Ils se préparèrent pour le siège, tandis que l'affrontement s'était réduit à un duel de snipers. Ayant rassemblé leurs dernières munitions, deux lance-roquettes et quelques grenades, les six Apôtres se réunirent avec Nazario dans une maison située à l'extrémité ouest du village, près de la lisière des arbres, et ils attendirent l'obscurité.

Deux d'entre eux étaient blessés, ils avaient bandé leurs plaies avec des lambeaux de chemises.

Au crépuscule, Nazario dirigea la prière.

Notre Père qui es aux cieux
que ton nom soit sanctifié
que ton règne vienne
et que ta volonté...

Deux camarades qui s'étaient portés volontaires pour rester les couvrirent pendant que Chuy jaillissait hors de la maison en servant de bouclier à Nazario. Deux autres camarades le tenaient chacun par un bras.

Une roquette pulvérisa les soldats et Chuy fonça vers cet espace. Des balles traçantes éclairèrent la nuit. L'homme qui se trouvait à droite de Nazario s'écroula, Chuy revint sur ses pas pour le remplacer, en tirant de la main gauche, sans cesser de courir, et ils se retrouvèrent au milieu des arbres, puis ils débouchèrent de l'autre côté, mais Chuy sentit que Nazario ralentissait, son corps devenait plus lourd. Quand il se retourna, il découvrit le trou béant. Il était trop petit pour soutenir le Leader, qui tituba et s'écroula. Ils le soulevèrent et l'emportèrent, mais il mourut avant d'avoir parcouru cent mètres.

Ils se cachèrent sous les arbres jusqu'à ce que des camarades de Morelia les rejoignent ; ils chargèrent alors le Leader à l'arrière d'un pick-up et montèrent dans les collines, où ils l'enterrèrent, dans un endroit secret pour que personne ne puisse profaner sa tombe.

Mais trois jours plus tard, des gens affirmèrent qu'ils avaient vu Nazario, il était venu vers eux pour leur dire que tout irait bien, qu'il ne les abandonnerait jamais. Chuy, lui, n'avait jamais revu Nazario, il ne l'avait jamais entendu dire que tout irait bien.

Il se rendit à Morelia.

Il trouva une chambre bon marché dans un bidonville et dormit pendant deux jours. À son réveil, il comprit que c'était terminé.

Flor était morte.

Et le Leader n'était plus là.

Il décida de rentrer chez lui. Il rassembla son argent et acheta un billet de car pour Uruapan, et de là, il continua jusqu'à Guadalajara, puis Nuevo Laredo. Il avait l'intention de traverser le pont encore une fois pour rentrer chez lui.

Il n'y est pas revenu depuis cinq ans.

C'est un ancien combattant, âgé de seulement seize ans.

Il contemple les mesquites, ces acacias mexicains, les figuiers de Barbarie et, au loin, les champs de sorgho d'un brun rougeâtre.

Le car est bondé, il fait une chaleur étouffante.

Il y a peut-être soixante-dix personnes à bord, dont trois quarts d'hommes, essentiellement des immigrants venus du Salvador et du Guatemala pour essayer de trouver du travail dans *el Norte*. Chuy est assis à côté d'une femme et de son petit garçon. Il devine qu'elle est guatémaltèque, mais comme elle ne parle pas, lui non plus.

Il ressemble à n'importe quel adolescent.

Jean, T-shirt noir, vieille casquette sale des LA Dodgers.

Le car s'arrête dans la ville de San Fernando. Chuy achète un soda à l'orange et un burrito avant de remonter à bord. Après avoir mangé et bu, il s'endort.

Le sifflement des freins le réveille, il est désorienté. Ils ne peuvent pas être déjà arrivés à Valle Hermoso. Il aperçoit quatre pick-up garés en travers de la route. Des hommes armés d'AR-15 sont postés à côté et Chuy comprend qu'ils appartiennent au cartel du Golfe ou aux Zetas.

Ils s'approchent du car et l'un d'eux crie au chauffeur :

– Ouvre, connard ! Si tu veux pas que je te bute !

Il porte un uniforme noir, un gilet pare-balles et une ceinture tactique.

C'est Quarante.

Chuy abaisse lentement la visière de sa casquette sur son visage.

Si Quarante le reconnaît, il est mort.

Tremblant, le chauffeur ouvre la portière et les hommes montent à bord. Ils pointent leurs armes sur les passagers en braillant :

– Vous êtes tous morts !

Quarante ordonne au chauffeur de s'engager sur un chemin de terre et le car cahote pendant une quinzaine de kilomètres, jusqu'à un plateau désertique au milieu de nulle part. Chuy remarque de vieux camions de l'armée bâchés et quelques autocars aux vitres brisées et aux pneus crevés.

Les Zetas ordonnent à tous les hommes de descendre.

Chuy obéit, en regardant le sol. Dehors, il fait encore plus chaud. Il n'y a pas un seul coin d'ombre sous le soleil brûlant.

Les Zetas alignent les hommes et commencent à les trier en fonction de l'âge et du physique. Les plus âgés et les plus faibles sont écartés, attachés les uns aux autres par les pieds, puis poussés à bord d'un des pick-up. Les Zetas obligent ensuite les jeunes femmes les plus jolies à descendre du car et à monter dans un autre pick-up, en les séparant de leurs enfants.

La femme qui était assise à côté de Chuy hurle quand un Zeta lui plaque une main sur la bouche et l'arrache à son petit garçon. Chuy sait qu'ils vont la violer, et si elle a la chance de survivre, elle se retrouvera sur le trottoir. D'autres Zetas font monter dans un troisième pick-up les femmes plus âgées ou moins jolies.

Chuy connaît leur destin également.

Quarante se plante devant les hommes qui restent et demande :

– Qui veut rester en vie ?

Un adolescent se pisse dessus. Quarante voit la tache d'urine se répandre sur le jean délavé du garçon. Il s'approche de lui, sort son pistolet et lui tire une balle dans la tête.

– Bon, je repose la question ! Qui parmi vous veut rester en vie ? Levez la main !

Tous les hommes lèvent la main.

Chuy fixe l'horizon et lève la sienne.

– Bien ! s'exclame Quarante. Alors, voilà ce qu'on va faire ! On va vous tester pour savoir si vous avez des couilles !

Il siffle et les autres Zetas apportent des battes de base-ball et des gourdins hérissés de clous, qu'ils jettent devant les hommes.

– Prenez une arme ! ordonne Quarante. Et battez-vous avec celui qui est à côté de vous. Si vous gagnez, vous devenez un Zeta. Sinon… vous êtes mort.

Un homme d'un certain âge se met à pleurer à côté de Chuy. Il est bien habillé – chemise blanche et pantalon de toile beige – et s'exprime avec l'accent du Salvador.

– Je vous en supplie, monsieur. Ne m'obligez pas à faire ça. Je vous donnerai tout mon argent. J'ai une maison, je vous donnerai l'acte de propriété, mais ne m'obligez pas à faire ça, par pitié.

– Tu veux t'en aller ? demande Quarante.

– Oui, s'il vous plaît.

– Alors, va-t'en.

Quarante lui prend la batte des mains. L'homme s'éloigne. À peine a-t-il fait deux pas que Quarante lui assène un coup de batte derrière le crâne. L'homme chancelle et s'écroule, dans un petit nuage de poussière. Quarante continue à frapper jusqu'à ce que la tête de l'homme ne soit plus qu'une tache sur le sol. Puis il se retourne vers les autres :

– Quelqu'un d'autre a envie de partir ?

Personne ne bouge.

– Alors, battez-vous !

L'adversaire de Chuy est visiblement un *campesino* – grand, des mains calleuses, des jointures épaisses, mais il ne sait pas se battre – et il semble terrifié. Néanmoins, il a quinze centimètres et vingt-cinq kilos de plus que Chuy et il s'avance vers lui en faisant tournoyer la batte.

Chuy esquive le coup, frappe avec son gourdin clouté et brise la rotule du *campesino.* Celui-ci bascule vers l'avant, puis tente de se relever, mais Chuy l'achève de deux coups sur la nuque.

– Ce maigrichon sait se battre ! commente Quarante.

Saisi d'effroi, Chuy se dit que Quarante l'a reconnu, mais le Zeta reporte son attention sur d'autres duels. La plupart s'éternisent : ces hommes n'ont jamais appris à se battre et leurs affrontements sont longs, lents, brutaux.

Enfin, c'est terminé.

La moitié des hommes reste debout, certains salement amochés : plaies, os brisés, crânes fendus.

Les Zetas raccompagnent vers le car ceux qui peuvent encore marcher.

Ils abattent les autres.

Le car conduit les survivants encore plus loin dans la campagne, jusqu'à un camp, dont Chuy se souviendra toute sa vie.

La fête dure toute la nuit.

Assis par terre avec les autres « recrues », en ligne, Chuy entend les hurlements de femmes qui proviennent d'une construction en tôle ondulée. Des barils de deux cents litres sont installés dehors, et régulièrement, toutes les deux ou trois minutes, un corps – mort ou moribond – est jeté dans un de ces fûts, puis incendié.

Il entend les hurlements.

Et les rires.

Chuy n'oubliera jamais ces bruits.

Cette odeur ne quittera jamais ses narines.

Quarante s'approche des onze survivants et dit :

– Félicitations. Bienvenue dans la Compagnie Z.

Chuy est redevenu un Zeta.

Ils ne l'envoient pas à Nuevo Laredo ou à Monterrey.

Ils l'envoient dans la vallée de Juárez.

VALVERDE, CHIHUAHUA

Un coup de téléphone cauchemardesque.

Keller roule dans le lit pour prendre son portable et il entend Taylor :

– Un des nôtres a été tué.

Il sent son cœur tomber en chute libre.

Ça recommence, c'est comme avec Ernie Hidalgo.

– Qui ? demande-t-il.

– Vous le connaissez. Richard Jiménez. Un gars bien.

Oui, c'est vrai, se dit Keller.

– Qu'est-ce qui s'est passé ?

Jiménez et un autre agent roulaient sur l'autoroute qui relie Monterrey à Mexico. On ignore ce qu'ils faisaient là, dans une voiture portant des plaques diplomatiques. On sait juste qu'ils ont été pris en chasse, obligés de s'arrêter sur le bas-côté et qu'ils se sont retrouvés encerclés par une quinzaine de Zetas armés qui leur ont ordonné de descendre de voiture.

Jiménez et son collègue ont refusé, en criant qu'ils étaient des agents américains.

– *Me vale madre,* a répondu le chef des Zetas.

J'en ai rien à foutre.

Les agents ont appelé le consulat américain à Monterrey, puis l'ambassade américaine à Mexico. On leur a répondu qu'un hélicoptère serait là dans quarante minutes.

Les Zetas ne leur ont pas accordé ce délai.

Ils ont vidé leurs chargeurs à travers les vitres de la voiture. Quand l'hélicoptère est arrivé, Jiménez était mort et son collègue, grièvement blessé, était en état de choc. On l'avait évacué à l'hôpital de Laredo.

– Filez à Monterrey, dit Taylor. Immédiatement.

– Que se passe-t-il ? s'inquiète Marisol.

– Je dois partir, dit Keller.

Elle s'abstient de demander où.
– Tout va bien ?
– Non.
Tout en s'habillant, Keller contacte Orduña sur la ligne spéciale. Le commandant des FES répond dès la première sonnerie.
– Je suis au courant. J'arrive. Un avion vous attend à Juárez.
Marisol s'est levée ; elle enfile son peignoir. Elle jette un regard interrogateur à Keller.
– Un de nos gars a été tué, explique-t-il.
– Je suis désolée.
Elle a la bonté, se dit Keller, de ne pas faire remarquer que des Mexicains se font tuer tous les jours, sans que cela soit considéré comme exceptionnel.
– Oui, moi aussi.

Assise à son bureau, Marisol s'attaque à une pile de paperasse.
La gestion d'une petite ville entraîne une quantité astronomique de formalités administratives et elle est pressée de s'en débarrasser pour aller travailler au dispensaire. Elle décide de déjeuner à la mairie et appelle Erika pour lui proposer de se joindre à elle, mais la jeune femme est en pleine campagne pour enquêter sur un vol de poules.
Un vol de poules.
Un peu de normalité, se réjouit Marisol.
Peut-être qu'Erika viendra dîner ce soir.

– Quel était le mobile ? demande Keller à Orduña, alors que les deux hommes se trouvent sur le lieu de la fusillade.
La voiture a été poussée sur le bord de la route, elle est criblée de balles comme dans un film hollywoodien. Mais à l'intérieur, le sang est bien réel.
– Pourquoi les Zetas tueraient-ils un Américain ?

C'est alors qu'il aperçoit la réponse.

Sur le plancher, près de l'accélérateur, taché du sang de Jiménez : un valet de pique.

Les Zetas savent que les renseignements américains collaborent avec les FES, et ils se vengent.

Comme ils ne pouvaient pas m'atteindre, se dit Keller, ils s'en sont pris aux premiers agents qui leur tombaient sous la main. Mais que faisaient Jiménez et son collègue sur la Highway 57, une route dangereuse, en pleine guerre entre le Golfe et les Zetas ?

Il est vrai que la guerre des cartels est devenue une triste réalité pour les Américains. Au Honduras, une équipe du Foreign-Deployed Advisory and Support Team, le FAST, s'est trouvée prise dans une fusillade avec des trafiquants de cocaïne affiliés aux Zetas, et plusieurs citoyens des États-Unis ont récemment été assassinés dans la région de Juárez. Mais aucun agent américain n'avait été tué au Mexique depuis Ernie, et Keller sait que la riposte va être massive.

Peut-être que les Zetas s'en fichent.

Une semaine plus tôt, un autre charnier a été découvert près de San Fernando et on raconte que les Zetas ont détourné un car, une fois de plus, sur la 101, et massacré la plupart des passagers.

Des histoires de tortures atroces et de combats dans le style gladiateur circulent. Difficile de savoir si elles sont vraies, mais une chose est sûre : les Zetas font régner la terreur dans des zones entières du Mexique, et les Américains ne bénéficient d'aucune immunité.

Plus tard ce jour-là, alors que Keller, Orduña et les agents des FES passent les environs au peigne fin pour essayer de retrouver les agresseurs des deux agents, les Zetas affichent clairement leur position. Heriberto Ochoa publie un communiqué de presse qui défie les gouvernements du Mexique et des États-Unis :

« Ni l'armée, ni les marines, ni les agences de sécurité et de lutte contre la drogue des États-Unis ne peuvent nous résister. Le Mexique vit et continuera à vivre sous le régime des Zetas. »

L'*estaca* de Chuy est arrivée comme la brume du matin.

Ils sont venus de l'est, par la Carretera 2, sont descendus du véhicule avant le barrage de l'armée à Práxedis et ont continué à pied, à travers champs, en suivant la rive du fleuve pour se cacher, jusqu'à ce qu'ils atteignent les abords de Valverde.

Maintenant, ils attendent.

Chuy fait une sieste.

Un coup de coude dans les côtes le réveille et il voit sortir du bâtiment une femme qui s'appuie sur une canne.

Aucun signe, en revanche, de la femme flic dont ils lui ont parlé.

Ni de l'Américain, l'agent de la DEA.

Quarante lui a promis de l'écarter de son chemin et il a tenu parole.

Debout devant le plan de travail de la cuisine, Marisol émince des oignons pour son ragoût. Erika doit venir dîner, mais elle est en retard.

Elle fait fondre du beurre et de l'huile dans une poêle, ajoute une gousse d'ail hachée, et pousse le feu pour saisir le poulet avant de le mettre dans la marmite. C'est un des plats préférés d'Arturo et elle regrette qu'il ne soit pas là pour se régaler. Mais il est parti faire ce qu'il doit faire.

Marisol entend un bruit au-dehors.

Une voiture. Ce doit être Erika.

En jetant un coup d'œil par la fenêtre, elle voit des phares. Sans qu'elle sache pourquoi, cela l'inquiète. Elle repousse ces craintes idiotes, mais s'assure malgré tout que le Beretta est posé sur la planche à découper, à portée de main.

Voilà comment on vit maintenant, se dit-elle.

Et que fait Erika ? Où est-elle ?

Elle l'appelle sur son portable et tombe sur la boîte vocale.

Keller s'engage sur la Carretera 2.

Après une chasse vaine, il a repris l'avion pour Juárez. Une réunion de crise va avoir lieu à l'EPIC demain, Taylor vient exprès de Washington, et Keller se dit qu'il peut s'offrir une soirée avec Marisol avant de repartir. Tous les membres de la DEA et de l'ICE au Mexique ont été rappelés ou placés sous haute surveillance, mais Keller a choisi de s'exempter de ces mesures.

Il vit sous la menace depuis son arrivée dans ce pays, alors qu'est-ce que ça change ? Rien que pour cette dernière mission, il a passé plus de temps au Mexique que les États-Unis n'en ont consacré à la Seconde Guerre mondiale. À la question : « Quelle est la plus longue guerre livrée par les Américains ? » les gens répondent généralement « le Vietnam », puis rectifient : « l'Afghanistan », mais ils se trompent.

La plus longue guerre de l'Amérique, c'est celle menée contre la drogue.

Quarante ans déjà, et ça continue, se dit Keller. J'étais tout jeune quand elle a été déclarée, et je suis toujours là. Et les drogues sont plus nombreuses, plus puissantes et moins chères que jamais.

Mais ce n'est plus un problème de drogue, n'est-ce pas ?

Il appelle Marisol pour lui annoncer qu'il arrive pour le dîner. C'est occupé. Il lui a pourtant demandé d'installer un signal d'appel, mais elle trouve que c'est « malpoli ».

Il appelle Erika.

Boîte vocale.

Magda aime sa nouvelle voiture, une Volkswagen Jetta bleu ciel, parfaite pour naviguer dans les embouteillages de Mexico et de ses environs, et elle a facilement rejoint le centre commercial Centro Las Américas, dans la banlieue d'Ecatepec.

Même si elle a beaucoup apprécié l'Europe, et si son voyage a été un succès, elle se réjouit de se retrouver chez elle. Et le fait que le cabinet de son gynécologue se trouve dans un centre commercial flambant neuf, au milieu des enseignes de mode chic, est symbolique du « nouveau Mexique ».

Elle se demande comment Adán va réagir à ce qu'elle vient d'apprendre.

D'ailleurs, doit-elle le lui dire ?

Nombreuses sont les femmes qui ont des bébés toutes seules, et elle a les moyens d'élever un enfant. Elle n'en revient toujours pas de se dire qu'elle est multimillionnaire, mais le fait est qu'elle n'a pas besoin d'un homme pour acheter le lait maternisé, les couches et tout le reste. Elle pourra engager des bataillons de nounous si elle le souhaite, et elle ne sera pas obligée de demander un congé maternité à son patron.

Après sa mission diplomatique en Europe, elle va être encore plus riche.

Les Italiens, ceux de la 'Ndrangheta, sont tombés sous son charme. Mais surtout ils l'ont respectée, et elle est convaincue qu'ils vont lui procurer de nouveaux clients, non seulement en Italie, mais aussi en France, en Espagne et en Allemagne.

Alors, quelle bonne nouvelle vais-je annoncer à Adán en premier ? songe-t-elle en s'asseyant au volant. Qu'il va gagner des milliards de dollars grâce à de nouveaux marchés en Europe, ou qu'il va enfin devenir père ?

Et quelle sera sa réaction ?

Va-t-il divorcer de sa jeune reine pour m'épouser ?

En ai-je envie ?

Elle a pris goût à sa liberté et à son indépendance ; elle n'est pas certaine de vouloir s'encombrer d'un mari. En même temps, le fils d'Adán Barrera – si c'est un garçon qu'elle attend – héritera d'une fortune et d'un pouvoir immenses. Mais si c'est une fille ? Eh bien, elle héritera elle aussi d'un joli paquet de fric et d'influence.

Sa mère est une *buchona.*

Magda sort du parking du centre commercial. À peine a-t-elle parcouru quelques pâtés de maisons qu'elle aperçoit les lumières clignotantes derrière elle.

– Merde.

Depuis l'arrestation qui l'a envoyée à Puente Grande, elle craint la police. C'est irrationnel, elle n'a aucune raison d'avoir peur, car Mexico est le fief de Nacho Esparza, et elle est protégée.

Elle se gare sur le côté, regarde dans le rétroviseur et voit deux policiers descendre de leur voiture. L'un des deux s'avance, elle baisse sa vitre. Il porte un foulard sur le bas de son visage, mais cela ne l'inquiète pas outre mesure. La plupart des policiers se cachent désormais. Elle lui adresse son plus beau sourire de jolie femme.

– Qu'est-ce que j'ai fait ?

– Vous savez qu'un de vos feux ne marche pas ?

– Non, je…

Le deuxième flic monte à l'arrière et lui colle le canon d'une arme sur la nuque.

– Restez calme et tout ira bien.

Le premier flic se glisse à côté de Magda et ordonne :

– Roule.

Alors qu'elle redémarre, elle dit :

– Vous commettez une grave erreur. Vous savez qui je suis ?

Le flic abaisse son foulard.

C'est Heriberto Ochoa. Z-1.

Magda a vraiment peur, surtout quand Ochoa l'oblige à s'arrêter dans un terrain vague, à côté d'un chantier.

– C'était comment, l'Europe ? demande Ochoa. Ça a été un beau voyage ?

Nom de Dieu, il est au courant, pense-t-elle.

– C'était bien.

– À qui tu as parlé ?

– Vous le savez déjà.

– Exact. Et tu ne leur parleras plus jamais.

– D'accord. Je ne leur parlerai plus.

– Je sais. Enlève ton chemisier.

D'une main tremblante, elle commence par le premier bouton de son chemisier en soie noire. Neuf. Très cher.

– Lentement, dit Ochoa. Excite-moi.

Elle s'exécute.

– Le soutien-gorge.

Magda l'enlève.

Ochoa reluque ses seins.

– Jolis. Barrera aime les sucer ?... Je t'ai posé une question. Il aime ça ?

– Oui.

– La jupe.

Magda baisse la fermeture Éclair sur le côté et fait glisser sa jupe. Ce n'est pas facile en étant assise au volant, mais elle y parvient et la jupe s'étale à ses pieds. Sous la terreur, elle enrage. Elle enrage que les hommes puissent faire une chose pareille. Elle est surtout furieuse de se sentir aussi humiliée. Puis elle découvre le couteau dans la main d'Ochoa.

– Non. Par pitié. Je ferai tout ce que vous voulez.

– Tout ? Qu'est-ce que tu fais avec Barrera ?

– Tout.

– Je veux pas me taper les restes de Barrera.

L'homme assis à l'arrière la saisit par les épaules et l'immobilise pendant qu'Ochoa lui enfile un sac en plastique sur la tête. Magda ne peut plus respirer, elle tente d'avaler de l'air, mais le plastique se plaque contre sa bouche. Ses jambes s'agitent, elle se cambre, ses mains essaient d'arracher le sac.

Elle est presque morte quand Ochoa retire le sac. Elle halète. Quand elle retrouve son souffle, elle dit, d'une voix rauque :

– Pitié… je suis enceinte…

– De Barrera ? demande Ochoa.

Magda hoche la tête.

Il remet le sac.

La douleur est atroce. Son corps convulse. Il retire le sac de nouveau.

– Le monde n'a pas besoin d'un autre Barrera, dit Ochoa.

Il s'écarte et l'homme assis à l'arrière appuie sur la détente.

Deux heures plus tard, alertée par un appel anonyme, la police se rend au coin de la 16e Rue et de Maravillas pour découvrir un cadavre de femme dans le coffre d'une Jetta bleu ciel.

On lui a ouvert le ventre et gravé un grand Z sur la poitrine.

Marisol entend un bruit.

Elle se sent seule, et gênée d'avoir un peu peur. Ce n'est rien, se dit-elle. Juste le vent qui souffle dans les arbres.

Mais elle sursaute quand son téléphone sonne.

C'est Arturo.

– Je suis là dans vingt minutes, dit-il.

– Oh… tant mieux.

– Tout va bien ?

– Oui, oui. (Marisol s'approche de la fenêtre pour regarder dehors.) Erika doit venir dîner, mais elle n'est toujours pas là.

– Elle n'a pas appelé ?

Marisol perçoit l'inquiétude dans sa voix.
– Non.
– Ne sors pas de la maison avant que j'arrive. Tu as le Beretta ?
– Je suis sûre que ce n'est…
– Tu as le Beretta ? Enferme-toi dans la salle de bains.
– Ne sois pas bête, Arturo…
– Nom de Dieu, Mari, fais ce que je te dis ! Je te rappelle dans deux minutes.
Marisol croit voir des gens entre les arbres. Sans doute mon imagination. Arturo m'a rendue nerveuse.
– Qu'y a-t-il ? demande Keller, qui sent son angoisse dans le silence.
– Rien. J'ai cru voir des gens dehors, c'est tout.
– Fonce dans la salle de bains.
Elle se rend dans la salle de bains et s'enferme.

Chuy regarde la voiture de police passer lentement.
C'est l'heure.
Il soupèse son *erre.*
Il n'a jamais tué de femme.
Fut un temps où cela aurait fait une différence, mais plus maintenant. Il ne fait même pas la distinction, il ne lui vient pas à l'esprit qu'il a prêté serment, en entrant dans La Familia, de chérir et de protéger les femmes.
Il en a vu tellement se faire tuer depuis. Elles meurent comme tout le monde.
Ils veulent que celle-ci souffre d'abord.
Enlevée, torturée et découpée.
En guise de leçon.

Erika se gare devant la mairie et fonce au premier pour chercher un sweat-shirt. Puis elle remonte en voiture pour faire le court trajet jusque chez Marisol. Elle rechargera son téléphone là-bas.

Keller appelle Erika.

Toujours pas de réponse.

Il appelle Taylor.

– Envoyez quelqu'un au domicile de Marisol Cisneros à Valverde, immédiatement.

– Keller…

– On en parlera plus tard. Faites ce que je vous demande.

– Je n'ai personne qui…

– Faites-le !

Il contacte ensuite Orduña.

– Il faut de toute urgence envoyer des hommes à Valverde.

– Les plus proches sont à Juárez.

– Qu'ils sautent dans un hélico. Vite !

Il rappelle Marisol.

– Reste en ligne avec moi, dit-il. Tout va bien se passer. Ne raccroche pas. Je suis là dans cinq minutes.

– J'entends des bruits dehors.

– Ce n'est sûrement rien. (Keller sent son cœur battre à toute allure.) Mais s'ils entrent, tire à travers la porte de la salle de bains. Vise au niveau du ventre, près de la poignée. Tu as compris ? Au niveau du ventre.

– Près de la poignée, oui, d'accord. Arturo… j'ai peur.

– Je suis là dans cinq minutes.

Chuy voit la femme flic descendre de voiture.

Au moment où elle se penche pour prendre son fusil à l'arrière, les hommes se jettent sur elle. Elle se débat, mais ils lui arrachent le fusil des mains, ouvrent la portière arrière de sa voiture et la poussent à l'intérieur.

Elle hurle et distribue des coups de poing.

Marisol entend Erika à l'extérieur.

Elle l'entend hurler, pousser des jurons. Elle se bouche les oreilles, ferme les yeux. Mais elle ne peut pas rester comme ça. Elle se relève en prenant appui sur sa canne, et sort. Elle entend la voix d'Arturo au téléphone :

– Ça va ? Je suis presque arrivé. Tu ne crains rien…

Et elle répond :

– Tout va bien.

Elle ouvre la porte de la maison, au moment où les hommes poussent Erika à bord de sa voiture. Tremblante, elle lève le pistolet et presse la détente.

Chuy sent la balle passer au-dessus de sa tête. Il lève les yeux et découvre sur le seuil de la maison une femme qui leur tire dessus avec un petit pistolet. Il épaule son fusil pour l'abattre, puis se souvient que Quarante la veut vivante. C'est alors qu'il entend un bruit de moteur et, se retournant, il voit des phares braqués sur lui. Des coups de feu jaillissent de la voiture qui fonce sur eux.

Il abaisse son fusil, saute sur le siège du passager et crie :

– *Vamonos !*

Keller voit Marisol dans l'encadrement de la porte, pistolet à la main. Montrant la route, elle hurle :

– Ils ont enlevé Erika !

Il continue sans s'arrêter.

Il roule en pleine campagne.

Sur une route de terre.

Le long de la rive sud du fleuve, sous les peupliers. Il entend la voiture devant lui, mais elle le distance, le bruit du moteur faiblit.

Une balle frappe le pare-brise, qui s'étoile.

Keller continue malgré tout, mais cette fois le projectile fait éclater le pneu avant droit. La voiture dérape et finit dans le fossé. Keller ouvre la portière du passager, mais il ne commet pas l'erreur de s'en servir comme bouclier car il sait que les *sicarios* professionnels tirent à travers les portières. Alors il se jette à plat ventre, et rampe pour atteindre le bord du fossé.

Il entend la voiture qui s'éloigne et comprend : ils ont largué un tireur pour arrêter leur poursuivant.

Une balle frôle son visage.

Le tireur doit être muni d'une lunette à visée nocturne.

Et d'un fusil de forte puissance.

Keller n'a que son pistolet.

Et pas de temps à perdre s'il veut voler au secours d'Erika.

Il se déplace en faisant volontairement du bruit, puis il attend le tir suivant et il hurle de douleur, en redescendant dans le fossé. Cela prend trente secondes, mais il entend le tireur venir vers lui.

Il attend.

Le coup de feu fatal peut retentir à tout moment, mais il attend encore, jusqu'à ce que les pieds du tireur fassent craquer des feuilles mortes. À cet instant, il le saisit aux chevilles. Il sent la brûlure de l'éclair du canon sur sa joue, mais il parvient à déséquilibrer le tireur et il lui saute dessus. Il l'immobilise en appuyant le fusil contre sa poitrine.

Avec la crosse de son pistolet, il le frappe au visage, encore et encore, jusqu'à ce que le corps se relâche sous lui. Il décroche le téléphone satellitaire fixé à la ceinture du tireur, appuie sur le bouton et dit :

– J'ai un de vos hommes. Ramenez la fille ou je le tue.

Une voix fluette, juvénile, lui répond nonchalamment :

– Tue-le.

Fin de la communication.

Keller regagne sa voiture mais pas moyen de la dégager du fossé. Il retourne vers le blessé.

L'homme est groggy, mais conscient.

Tant mieux. C'est ce que Keller veut.

– Où l'ont-ils emmenée ? crie-t-il.

– Je sais pas.

Je n'ai pas de temps à perdre, se dit Keller. Erika non plus. Il ramasse le fusil et abat la crosse sur la jambe gauche de l'homme. L'os éclate et l'homme hurle.

– Je sais pas !

Keller lui prend le pied gauche et le pousse vers la poitrine. L'os brisé pénètre dans la chair.

L'homme hurle de plus belle.

– Écoute-moi, dit Keller. Je vais te faire très mal. Tu vas me supplier de te tuer. Mais avant ça, tu vas me dire où ils l'emmènent.

– Je sais pas !

Keller appuie sur l'os brisé avec la crosse du fusil.

– Je sais paaaaaaaas !!!

Keller saisit alors un morceau de peau déchirée, à deux mains, et tire vers le bas, dépeçant la jambe de l'homme.

Celui-ci bafouille.

C'est un Zeta… Il ne sait pas où ils ont emmené la femme flic… Quelque part dans la campagne… Ils l'appellent Jésus le Kid… ils étaient censés enlever la femme flic et la Médica Hermosa…

– Où ça ? Où est-elle ?

Keller arrache encore un peu de peau.

L'homme vomit.

Il pleure, il gémit, tente de s'enfuir en rampant, ses doigts griffent la terre, il laisse une traînée de sang derrière lui.

Ils mènent des recherches toute la nuit.

Des hélicoptères de l'armée et des marines balaient le lit du fleuve avec des projecteurs. Des véhicules militaires sillonnent toutes les routes, tous les chemins. Des citoyens ordinaires – si un tel courage peut être qualifié d'ordinaire – descendent de leurs pick-up pour chercher eux aussi Erika Valles.

Ils ne la trouvent pas.

En revanche, ils découvrent sa voiture, au bord de l'eau.

Allongé dans un arroyo, Chuy est témoin de toute cette agitation.

Après avoir abandonné la voiture sur la rive du fleuve, ils ont entraîné la femme flic vers le sud, à travers les anciens champs de coton, jusque dans le désert.

Elle est allongée à côté de lui.

Il a coupé une manche de sa chemise pour la bâillonner et l'empêcher de crier, pas trop fort en tout cas.

C'est le moment de repartir, pendant que les soldats inspectent les abords du fleuve.

Profitant de l'abri offert par l'arroyo, il emmène son équipe.

Ils la trouvent peu après l'aube.

Guidés par les vautours.

Keller s'accroupit près d'elle et rassemble les restes d'Erika Valles qu'il dépose délicatement dans un sac mortuaire.

Il glisse dans sa poche le valet de pique qu'il a trouvé sur sa poitrine.

Les marines le conduisent chez Marisol.

Des soldats montent la garde devant son domicile, les *federales* et la police du Chihuahua sont là eux aussi, maintenant.

Maintenant.

Le colonel Alvarado se tient à proximité de la maison, avec un groupe de soldats. Voyant Keller marcher vers lui, il dit :

– Je suis navré d'apprendre que…

Keller serre son poing et lui décoche un uppercut à la mâchoire. Alvarado est projeté contre un de ses hommes. Alors que les soldats s'élancent vers Keller, il dégaine son pistolet.

Keller sort son Sig Sauer et le pointe sur son visage.

Une douzaine de fusils se lèvent, tous braqués sur lui.

– Allez-y, dit-il au colonel. Donnez-leur l'ordre de tirer. Sinon, je vous jure que je vous bute sur place. Je n'en ai plus rien à foutre.

Alvarado essuie le filet de sang qui coule de sa bouche.

– Fichez le camp ! Quittez mon pays !

– Ce n'est pas votre pays ! réplique Keller. Vous ne le méritez pas.

Une main lui agrippe le coude, il se retourne, prêt à frapper.

C'est Orduña.

– Ces ordures n'en valent pas la peine.

Il entraîne Keller dans la maison.

Marisol est assise à la table de la cuisine, devant une tasse de thé à laquelle elle n'a pas touché.

Elle lève la tête quand Keller entre.

Et son regard semble le supplier de lui rendre son monde d'avant.

Il aimerait en être capable. Il lui donnerait tout s'il le pouvait.

Mais il secoue la tête.

Elle vieillit alors de plusieurs années en une seconde. Puis elle se lève.

– Je veux la voir.

– Non, Mari.

– Il faut que je la voie !

Keller lui prend les bras et la tient fermement.

– Non. Je t'en supplie, dit-il. Ce n'est pas une chose que tu as envie de voir.

– Je veux prendre soin d'elle.

– Je le ferai. Je prendrai bien soin d'elle.

Marisol éclate en sanglots. Keller réussit à la convaincre d'avaler un calmant, et quand elle dort enfin, il ressort.

Les soldats sont partis, remplacés par des hommes des FES.

– Il me faut un véhicule, dit-il à Orduña. Une jeep.

– On peut ramener le corps.

– Non, je dois le faire moi-même.

Orduña ordonne à un de ses hommes de venir avec une jeep et les marines aident Keller à hisser et à attacher la housse mortuaire à l'arrière.

Il n'y a plus de croque-mort à Valverde, ce qui constitue le summum de l'ironie. Keller doit transporter le corps à Juárez où les entreprises de pompes funèbres sont l'unique industrie florissante de la ville. Il dit à Orduña :

– Veillez sur elle.

– Elle sera en sécurité.

Keller monte dans la jeep et prend la direction de l'ouest.

Les soldats, respectueux, le laissent franchir le poste de contrôle et il dépose le corps chez un entrepreneur de pompes funèbres recommandé par Pablo Mora, qui les connaît tous. C'est là que le journaliste, accompagné d'Ana, le rejoint.

– Comment va Marisol ? demande Ana.

– Mal.

– Je vais aller la voir.

– Ce serait bien.

Le directeur des pompes funèbres n'est pas choqué par l'état du corps d'Erika. Il en a trop vu. Il sort à Keller cette réplique qui serait du plus mauvais goût si elle n'était pas sincère :

– Nous allons la remettre en état.

– D'accord.

– Elle sera belle, vous verrez.

Elle était belle avant, songe Keller.

Très belle.

Une jeune femme de vingt ans assez courageuse pour assumer une fonction qui avait coûté la vie à tous ceux qui l'avaient précédée. Et ils l'ont assassinée pour cette raison, ils l'ont découpée en morceaux, uniquement pour montrer à tout le monde qui commande réellement.

Non, rectifie Keller. Pour *te* montrer qui commande réellement.

Il ressort pour regagner la jeep.

Il entend des pas dans son dos, mais avant qu'il puisse dégainer son pistolet, quelqu'un lui enfonce le canon d'une arme dans les reins ; ce sont des pros, ils le poussent à l'intérieur d'une camionnette, le plaquent au sol et lui enfilent une cagoule sur la tête, alors que le véhicule démarre déjà, tout cela en quelques secondes.

Les sons urbains s'estompent. Ils sont dans la campagne.

Ils roulent pendant des heures. Enfin, la camionnette s'arrête, et Keller tente de se préparer, tout en sachant qu'on n'est jamais vraiment prêt pour ça. Il entend la portière coulisser, puis sent des mains le relever, le faire descendre et guider ses pas.

L'air lui fait du bien.

Il entend quelqu'un lancer un ordre et reconnaît la voix du colonel Alvarado.

Alvarado est à la solde d'Adán Barrera, et Keller se demande combien de temps il lui reste avant qu'ils l'obligent à s'agenouiller pour lui tirer une balle derrière la tête.

On lui ôte sa cagoule. Il voit Alvarado.

Il s'y attendait.

En revanche, il ne s'attendait pas à voir Tim Taylor.

Adán a entendu un gargouillis, puis il s'est aperçu qu'il sortait de sa propre gorge.

Nacho lui apprenait ce qui était arrivé à Magda.

Nacho, le messager, le corbeau, avec son allure discrète et sa voix feutrée, son ton déférent de croque-mort. Et en même temps, il y avait cette petite intonation salace, ce frisson de plaisir en décrivant ce que lui avaient fait subir les Zetas.

– Je te rappelle, a dit Adán.

Il a monté l'escalier en titubant.

Étaient-ils obligés de lui faire ça ? De la déshabiller, de la torturer, de la mutiler, de graver leur infâme carte de visite sur sa peau ? Étaient-ils obligés de faire *ça* ?

Il est allé dans les toilettes, s'est agenouillé devant la cuvette. Il a vomi, encore et encore, jusqu'à ce que les muscles de son ventre lui fassent mal, jusqu'à avoir la gorge en feu, puis il a posé son visage sur ses avant-bras.

– C'est moi qui suis censée avoir des nausées matinales.

Eva.

Il s'est retourné et a découvert sa femme, souriante.

– J'ai mangé un truc qui ne m'a pas réussi, je crois.

– Je n'arrête pas de dire à la cuisinière de mettre moins d'épices, mais elle ne m'écoute pas. Il faut la renvoyer.

– Comme tu veux.

Eva a appliqué un gant mouillé d'eau froide sur le front d'Adán. Une illustration de sa nouvelle personnalité : maternelle, attentionnée, béate. Elle la perfectionnait depuis qu'elle était revenue de chez le médecin, en sachant qu'elle était enceinte. Deux mois de grossesse seulement et elle affichait déjà ce teint radieux, mais Adán y voyait surtout l'effet du maquillage.

Jugeant qu'elle s'était suffisamment occupée de lui, Eva est retournée se coucher. Après s'être brossé les dents, Adán est redescendu.

C'est terminé, décide-t-il.

Cet excès de précautions, cette obsession du bon moment et du bon contexte. Il est temps de s'occuper des ennemis, de régler les problèmes, une fois pour toutes.

Il est temps de régler la question d'Ochoa.

Et de Keller.

Il a rappelé Nacho pour lui donner les ordres nécessaires.

Maintenant, il est assis et il attend.

– Depuis combien de temps travaillez-vous pour Barrera ? demande Keller. Depuis le début ?

– Non, répond Taylor.

Ils sont devant un bâtiment en préfabriqué, en pleine campagne. Ils pourraient être n'importe où dans le Nord, mais Keller sait, d'après la durée du trajet, qu'ils se trouvent encore certainement dans la vallée de Juárez.

– Juste sur ce coup-là, alors ? dit Keller.

– Les Zetas ont tué un des nôtres ! braille Taylor. Et *rien* ne m'arrêtera... Plus que n'importe qui, vous devriez le comprendre. Vous croyez que ça me plaît ? Toute ma vie j'ai combattu des ordures comme Adán Barrera, mais désormais, c'est lui ou les Zetas, et j'ai choisi.

– Alors, vous avez conclu un arrangement. Et moi, je suis quoi dans tout ça ? Le bonus ?

– Ce n'est pas ce que vous croyez.

– Allez vous faire foutre !

Alvarado intervient.

– Vous autres, Américains, vous avez les mains propres parce que vous pouvez vous le permettre. Nous, on n'a jamais eu le choix, ni en tant qu'individus ni en tant que nation. Vous avez suffisamment d'expérience, Keller, pour savoir qu'on est obligés de choisir un camp, alors on fait le meilleur choix possible et on vit avec. Il n'y avait pas d'autre solution. Le pays se désagrégeait, la violence empirait de jour en jour. Le seul moyen de mettre fin au chaos, c'était de miser sur le gagnant potentiel, et de l'aider. Vous autres, Américains, vous nous méprisez pour cette raison, et en même temps vous envoyez des milliards de dollars et des armes qui alimentent cette violence. Vous nous reprochez de vendre la marchandise que vous achetez. C'est absurde.

Et pratique, se dit Keller.

– Vous vous êtes rangé du côté de Barrera, dit-il, et vous vous êtes servi, à pleines mains : le fric, les terres, le pouvoir.

– Écoutez ce qu'on vous dit ! s'emporte Taylor. Pour une fois dans votre putain de vie, Keller, écoutez donc, bordel !

Ils le conduisent à l'intérieur.

Il a vieilli.

Adán Barrera a toujours eu un visage juvénile, mais celui-ci a disparu, en même temps que la tignasse de cheveux noirs qui lui tombaient sur le front. Les cheveux sont courts désormais, avec quelques touches de gris, et les yeux cernés de rides.

Oui, il a vieilli, se dit Keller. Comme moi.

Il remarque les gardes du corps, assez proches pour intervenir, mais pas pour entendre. Ils vont me buter devant lui. Ou il va le faire lui-même, s'il s'est acheté une paire de couilles.

Dans un cas comme dans l'autre, Adán en retirera une satisfaction personnelle.

À moins qu'il n'ait choisi la torture.

Plus lente, plus satisfaisante.

Keller ressent malgré lui une décharge de terreur pure.

Adán porte toujours son costume noir et sa chemise blanche d'homme d'affaires, constate-t-il, alors que le narco s'assoit en face de lui. C'est étrange, pour ne pas dire plus, de se retrouver si près du type qu'il traque depuis plus de six ans. Mais il est bien là, en chair et en os : Adán Barrera.

– Il faut qu'on parle, Arturo. On n'a que trop tardé.

– Je t'écoute.

– Ma fille est morte étouffée, dit Adán. Tu le savais ?

– Si tu veux me tuer, tue-moi. Mais ne m'oblige pas à écouter tes justifications.

– Si je voulais te tuer, tu serais déjà mort. Je ne suis pas un sadique comme Ochoa. Je n'ai pas besoin de voir, de participer, de prolonger ton agonie. J'ai demandé à Taylor de venir pour que tu saches que je n'ai pas l'intention de te faire du mal aujourd'hui.

– Afin que les choses soient claires, répond Keller, sache que *moi* je veux te faire du mal. Aujourd'hui et tous les jours.

– Les Zetas ont assassiné un des vôtres. Mieux que quiconque, tu devrais savoir que ça modifie la donne. Tes supérieurs feront tout pour le venger, comme tu feras tout pour venger ton camarade. Crois-moi, je respecte ça.

– Tu ne respectes rien.

– Je sais ce que tu penses de moi. Je sais que tu vois en moi le mal incarné – et je pense la même chose de toi –, mais nous savons tous les deux qu'il y a des démons plus dangereux en liberté.

– Les Zetas ?

– Tu étais à San Fernando. Tu as vu de quoi ils sont capables. Et apparemment, ils ont recommencé.

– Tu es en train de me dire que ça te gêne ?

– Ils ont tué une personne qui m'était chère. Et ils ont tué l'un des vôtres.

– Qu'est-ce que tu veux ? demande Keller.

Tout ce bavardage lui donne la nausée.

– Je t'ai fait venir ici pour te proposer une trêve.

Keller n'en croit pas ses oreilles. Une *trêve* ? Ils se font la guerre depuis plus de trente ans.

– Faisons la paix pour combattre les Zetas, reprend Adán.

– J'ai suffisamment de haine pour toi *et* pour les Zetas.

– Je suis d'accord : tu possèdes un réservoir de haine inépuisable. D'ailleurs, je compte dessus. Tu as suffisamment de haine, oui, mais ce qui te manque, ce sont les ressources. Et moi aussi.

– De quoi tu parles ?

– Les Zetas sont en train de l'emporter. Bientôt, ils régneront sur tout le Tamaulipas, le Nuevo León et le Michoacán. Ils s'installent à Acapulco, au Guerrero, au Durango, et même au Sinaloa. Dans le Sud, ils ont envoyé des forces au Quintana Roo et au Chiapas, pour protéger la frontière avec le Guatemala. S'ils parviennent à s'emparer du Guatemala, c'est fini. Ni toi ni moi ne pourrons les arrêter. Ils contrôleront le commerce de la cocaïne, aux États-Unis, mais aussi en Europe. Et si tu as besoin d'une motivation plus personnelle, sache qu'ils s'installent dans la vallée de Juárez également. Ce n'est pas moi qui ai massacré Erika Valles, qui ai essayé de tuer le docteur Cisneros. Ils recommenceront. Et ils finiront par réussir.

Taylor intervient :

– Le gouvernement mexicain fera tout pour empêcher les Zetas de devenir la force dominante. Une sorte de gouvernement fantôme. Mais les FES alliées aux services de renseignements américains constituent de loin la force la plus puissante qui s'oppose aux Zetas. Nous pouvons les décimer.

– Pourquoi as-tu besoin de moi ? demande Keller à Adán. Tu as déjà le gouvernement avec toi, des deux côtés de la frontière apparemment.

– Orduña et les FES te sont fidèles, répond Adán. L'opération que tu as montée est terriblement efficace. Je ne veux pas qu'elle soit interrompue. En outre…

– Quoi ?

Adán sourit d'un air triste.

– Tu es ce qu'ils ont de mieux en rayon, non ? Taylor peut te mettre au rancart et envoyer quelqu'un d'autre à ta place, mais ce ne sera qu'un pis-aller, et je ne peux pas me contenter d'un pis-aller. Toi non plus. Et je suis, de loin, ce que tu peux trouver de mieux, ton meilleur allié. Tu me hais, mais tu as besoin de moi. Et réciproquement.

– Et si je refuse ? J'aurai droit à une balle dans la nuque ?

– Si tu rejettes ma proposition, dit Adán, tu repars d'ici, tes supérieurs te mettent dans un placard, et entre nous, ça continue comme avant.

– Je ne t'aiderai pas à redevenir le roi du trafic de drogue.

– Tu crois vraiment que quelqu'un prend au sérieux cette prétendue guerre contre la drogue ? Quelques flics de terrain, peut-être, quelques croisés comme toi, mais dans les hautes sphères ? Au niveau du gouvernement et du monde des affaires ?

« Les gens sérieux ne peuvent pas se permettre de prendre ça au sérieux. Surtout pas après 2008. Après le krach, alors que la seule source de liquidités était l'argent de la drogue. S'ils nous avaient obligés à mettre la clé sous la porte, l'économie aurait définitivement plongé. Ils ont dû renflouer General Motors, pas nous. Et maintenant ? Pense aux milliards de dollars investis dans l'économie, les actions, les start-up. Sans parler des milliards générés par cette "guerre" : les armes, les avions, la surveillance. La construction de prisons. Tu crois que toutes ces entreprises accepteront que ça s'arrête ?

« Je vais même aller plus loin. Je vais t'expliquer pourquoi les États-Unis ne laisseront pas les Zetas l'emporter, parce que les Zetas veulent le pétrole, parce qu'ils fourrent leur nez dans les nouveaux forages, et les compagnies pétrolières ne l'accepteront jamais. Exxon, Mobil, BP… ils sont de mon côté, car ils savent que je ne m'occuperai pas de leurs affaires. En échange, ils ne s'occuperont pas des miennes. Tout ça pour dire que quelqu'un continuera à vendre de la drogue. Mais ce sera moi ou Ochoa, et je suis le meilleur choix. J'apporte la paix et la stabilité. Ochoa apportera plus de souffrances encore. Et tu sais que tu dois faire tout ton possible pour l'éliminer, ou sinon tu ne pourras plus jamais te regarder en face.

– Je suis prêt à essayer.

Adán l'observe pendant plusieurs longues secondes.

– Je vais avoir un enfant. Des jumeaux même, et je veux les élever sans être traqué. Je ne veux pas que leur vie ressemble à la mienne. Si tu renonces à ta vendetta, j'en ferai autant.

Renoncer à la vendetta, se dit Keller.

Après toutes ces années.

Après Tío et Ernie.

Les enfants sur le pont, le massacre d'El Sauzal.

Impossible.

Mais il y a la famille de Córdova assassinée, Don Pedro Alejo de Castillo, les cadavres découverts dans le charnier de San Fernando.

Keller revoit le corps affreusement mutilé d'Erika.

Le visage dévasté de Marisol.

Barrera a raison : les Zetas n'ont pas réussi à tuer Marisol, alors ils vont recommencer. Jusqu'à ce qu'ils réussissent. Mais ce n'est pas tout. Là encore, Barrera a raison : ma réserve de haine est inépuisable.

Je veux me venger.

Et je vendrais mon âme pour assouvir cette vengeance.

– Je veux qu'ils meurent tous, déclare Keller. Jusqu'au dernier.

– Très bien.

– Vous devez me donner votre parole, dit Taylor. Votre vendetta contre Adán est terminée. Définitivement.

– Vous avez ma parole, dit Keller.

– Sur nos âmes immortelles, sur la vie de nos enfants.

Adán tend sa main.

Keller la prend.

Pourquoi pas ? se dit-il.

Nous faisons tous partie du cartel maintenant.

– Un jour nouveau se lève, commente Taylor.

On dit que l'amour est plus fort que tout.
C'est faux, songe Keller.
La *haine* est plus forte que tout.
Plus forte même que la haine.

CINQUIÈME PARTIE

Le nettoyage

Généralement, les gens ne se décapitent pas mutuellement et ne commettent pas des massacres juste parce qu'ils haïssent les membres d'un autre groupe. Ces choses-là se produisent quand des chefs politiques sans âme s'affrontent pour le pouvoir et utilisent la violence ethnique comme outil.

David Brooks,
« Au pays des charniers »,
The New York Times, 19 juin 2014

1

Djihad

Depuis quelques années, le gouvernement américain livre ce qu'il nomme des guerres contre le sida, la toxicomanie, la pauvreté, l'illettrisme et le terrorisme. Chacune de ces guerres dispose d'un budget, d'une législation, de bureaux, de fonctionnaires, de papier à en-tête... tout ce qui est nécessaire dans une bureaucratie pour vous faire comprendre qu'une chose existe.

Bruce Jackson, Discours d'ouverture,
Symposium « Médias et guerre »,
université de Buffalo, 17 et
18 novembre 2003

NUEVO LAREDO
AVRIL 2012

Les cadavres écorchés de quatorze Zetas gisent à l'arrière de plusieurs pick-up.

Le symbole est habile, songe Keller.

Il contemple les corps dépiautés – manière choisie par Adán Barrera pour annoncer son retour à Nuevo Laredo – en songeant qu'il devrait être plus affecté. Des années plus tôt, son cœur s'était brisé devant le spectacle de dix-neuf corps, et aujourd'hui, il ne ressent rien. Des années plus tôt, il pensait ne jamais voir un spectacle plus atroce que le massacre à la mitrailleuse de dix-neuf hommes, femmes et enfants. Eh bien, il avait tort.

Un *narcomensaje* accompagne les corps mutilés : « On a commencé à nettoyer Nuevo Laredo des Zetas car on veut une ville libre où vous pourrez vivre en paix. On est des narcotrafiquants et on ne touche pas aux travailleurs et aux commerçants honnêtes. Je vais apprendre à ces ordures les méthodes de travail du Sinaloa – sans enlèvements, sans racket. Quant à vous deux, Ochoa et Quarante, vous ne me faites pas peur. N'oubliez pas que je suis votre vrai père. Cordialement, Adán Barrera. »

Keller trouve ce langage paternel très intéressant.

Adán est de nouveau père. L'an dernier, Eva Barrera s'est rendue à Los Angeles pour donner naissance à des jumeaux. Ni la DEA ni le ministère de la Justice ne pouvaient l'empêcher de pénétrer sur le territoire des États-Unis. Citoyenne américaine n'ayant commis aucun crime, elle était libre d'aller et venir à sa guise. Elle a accouché dans la meilleure maternité et, après quelques jours de repos, elle est retournée au Mexique, où elle a « disparu », dans les collines du Sinaloa ou du Durango, à moins que ce ne soit au Guatemala ou en Argentine, selon les rumeurs.

On raconte que la naissance des jumeaux a revigoré Adán ; elle serait peut-être même à l'origine de cette invasion en règle du Tamaulipas. Car il a besoin d'une *plaza* pour chacun de ses fils : Nuevo Laredo pour l'un, Juárez pour l'autre, et Tijuana pour faire plaisir à Nacho Esparza. En tout cas, l'homme qui ne parvenait pas à produire un héritier en a maintenant deux, prénommés comme son oncle et son frère défunts.

Ce n'est pas la première fois que Barrera se lance dans la « communication par cadavres interposés ».

Quelques mois plus tôt, des hommes armés et masqués ont bloqué la circulation à une grande intersection, dans le quartier de Boca del Río à Veracruz, et y ont déversé vingt-cinq cadavres nus et démembrés, dont douze femmes, avec ce *narcomensaje* : « Non au racket, assez de meurtres d'innocents ! Vous les Zetas de Veracruz et les politiciens qui les aidez, voilà ce qui vous attend. Habitants de Veracruz, ne vous laissez plus racketter. Ne payez plus pour être protégés. Voilà ce qui va arriver à tous ces enfoirés de Zetas qui continuent à agir à Veracruz. Cette *plaza* a un nouveau protecteur. Cordialement, Adan Barrera. »

Alors que la plupart des grands quotidiens et des chaînes de télé ont renoncé à couvrir ces événements, *Esta Vida* continue, et le blogueur a posté des photos très explicites des corps nus, déposés sur la chaussée comme… un tas d'ordures. Les Zetas, presque aussi choqués par cette exposition médiatique que par le massacre, ont promis d'horribles représailles le jour où ils mettraient la main sur l'Enfant sauvage.

Le lendemain, on a découvert que ces trente-cinq victimes n'avaient probablement aucun lien avec les Zetas. Des membres d'un groupe d'autodéfense, masqués, ont tenu une conférence de presse pour s'excuser de cette erreur, et déclarer qu'ils poursuivaient malgré tout leur guerre contre les Zetas.

Au cours des trois semaines suivantes, ce groupe d'autodéfense a tué soixante-quinze Zetas à Veracruz et à Acapulco, deux villes laissées vacantes depuis la chute de l'organisation des Tapia et la « disparition » d'Eddie Ruiz le Dingue. À en croire le *susurro,* les Sinaloans veulent faire de Veracruz leur port d'entrée pour les précurseurs chimiques dont ils ont besoin afin d'assurer leur expansion dans le domaine de la méthamphétamine. Toujours selon la rumeur, Adán Barrera lui-même aurait été vu en ville.

Des cadavres des deux camps s'empilent au Durango. Onze ici, huit là, puis soixante-huit dans un charnier… Le nombre total finit par dépasser les trois cents.

Des Zetas qui voulaient envahir Nayarit sont tombés dans une embuscade tendue sur l'autoroute par des *sicarios* de Barrera qui ont abattu vingt-sept d'entre eux. À croire que les Sinaloans ont été avertis, se dit Keller, qu'ils ont obtenu des images prises par des satellites américains montrant les camions des Zetas en mouvement.

Le dispositif du renseignement américain au Mexique s'est considérablement développé depuis le meurtre de Jiménez. On dénombre plus de soixante agents de la DEA en poste dans le pays, vingt US marshals, des dizaines d'agents du FBI, des Douanes et de l'Immigration, des Services secrets et de la Transport Security Administration, sans oublier les soixante-dix personnes de la Section de la lutte antidrogue du Département d'État.

Une grande partie de leurs ressources « ISR » – renseignements, surveillance et reconnaissance – sont transmises aux FES par l'intermédiaire de Keller.

L'unité d'Orduña a tué des Zetas elle aussi : dix-huit lors d'un affrontement de trois jours à Valle Hermoso, au Tamaulipas, où des convois comptant jusqu'à cinquante véhicules avaient amené en renfort des Zetas armés.

Une patrouille des FES a frappé un camp d'entraînement situé à Falcon Lake, à la frontière avec le Texas, et tué douze Zetas. Une bataille rangée a eu lieu à Zacatecas, où plus de deux cent cinquante Zetas ont affronté les FES durant cinq heures de fusillades ininterrompues. Les FES en ont tué quinze et arrêté dix-sept autres. Dans le cadre d'une opération différente, des hommes des FES, descendus en rappel de leurs hélicoptères, ont attaqué un camp et capturé encore dix-neuf personnes.

Avec l'aide du renseignement américain, les FES pilonnaient les dirigeants des Zetas, arrêtaient des tueurs, des chefs de *plazas* et des cadres financiers. Plus de quatre-vingts Zetas ont été interpellés dans l'enquête sur le premier massacre du car de San Fernando. Six autres, dont un individu surnommé « Oiseau gazouilleur », ont été arrêtés pour avoir participé au meurtre de l'agent Jiménez, mais si Keller avait eu son mot à dire, aucun des six n'aurait vu l'intérieur d'une cellule.

Une opération d'une semaine des FES menée contre les Zetas à Veracruz a débouché sur vingt et une arrestations supplémentaires et la découverte d'une liste de dix-huit officiers de police locaux qui touchaient des pots-de-vin – entre cent quarante-cinq et sept cents dollars par mois en fonction de leur grade.

Deux anciens amiraux de la marine ont repris la direction des polices de Veracruz et de Boca del Río.

Grâce à un « informateur anonyme » – un euphémisme désignant les services de renseignements américains –, les FES ont capturé le chef de la *plaza* Veracruz, affilié aux Zetas. Celui-ci a confirmé qu'Ochoa avait donné personnellement l'ordre de tuer Erika Valles.

– Pourquoi n'ont-ils pas tué le docteur Cisneros ? a demandé Keller.

– Z-1 a dit qu'il voulait la garder pour la bonne bouche. Il voulait que la *Médica,* avec sa grande gueule, voie mourir son amie d'abord. Mais ils ont merdé.

– Où est Z-1 ?

L'homme a affirmé qu'il ne savait pas. De fait, des techniques d'interrogatoire poussées ont confirmé qu'il ne savait vraiment pas. Il ne savait pas non plus où se trouvait Quarante.

À Monterrey peut-être.

Jadis joyau du renouveau économique insufflé par le PAN, symbole du Mexique moderne, celui des entreprises, des gratte-ciel étincelants et des avenues bordées de boutiques de luxe et de restaurants à la mode fréquentés par des *regios* – les jeunes gens pleins d'avenir –, Monterrey est devenu un cauchemar.

La police étant quasi paralysée, la criminalité échappe désormais à tout contrôle.

Les commerces et les restaurants du centre sont régulièrement cambriolés. Des fusillades éclatent en pleine rue. Un homme a été pourchassé, abattu, puis pendu à un pont sous les yeux d'une foule horrifiée.

Dans un restaurant chic qui avait commis l'erreur de servir la cuisine du Sinaloa, une centaine de *regios* savouraient des bières et de l'*aguachile* vers minuit quand sept Zetas armés ont fait irruption, obligé tout le monde à s'allonger sur le sol, confisqué les portefeuilles et les portables, puis, après avoir séparé les hommes des femmes, ils ont systématiquement violé ces dernières dans les toilettes.

Elles n'ont pas osé porter plainte car leurs agresseurs avaient conservé leurs cartes d'identité pour pouvoir se venger.

Et depuis, cela n'a fait qu'empirer.

Un groupe de Zetas a tenté de racketter un casino connu pour blanchir l'argent des narcos. Les patrons ont refusé de payer. Keller a vu les images de surveillance d'une station-service Pemex montrant des hommes descendant de deux pick-up pour remplir des bidons en plastique avec de l'essence. D'autres caméras ont enregistré les pick-up au moment où ils s'arrêtaient devant le Casino Royale, un samedi, vers 14 heures. Sept hommes sont entrés dans le hall et ont commencé à tirer. Ils sont ressortis et les autres Zetas ont fait rouler les bidons à l'intérieur avant d'y mettre le feu.

Les issues de secours avaient au préalable été cadenassées et bloquées par des chaînes.

Cinquante-trois personnes ont péri brûlées vives ou intoxiquées.

Cinq des meurtriers, arrêtés moins d'une semaine plus tard, ont déclaré qu'ils n'avaient pas l'intention de tuer qui que ce soit, ils voulaient juste faire peur aux directeurs du casino pour les obliger à payer cent trente mille pesos par semaine.

Plus inquiétant encore, les Zetas s'installent au Guatemala, surtout dans le Nord, au Petén, département frontalier avec le Mexique. L'an dernier, ils ont massacré vingt-sept *campesinos* et terrorisé beaucoup d'autres pour les chasser de leurs petites propriétés. Depuis, Ochoa consolide son pouvoir dans cette région. S'il parvient à contrôler le Guatemala, il s'emparera de la principale route de la cocaïne utilisée par Barrera.

Par ailleurs, le cartel du Golfe, affaibli, peine à résister aux Zetas à Matamoros, et Reynosa est de nouveau un objet de dispute entre les Zetas et le cartel, et les villes-frontière sont une jungle.

Malgré la pression exercée par les FES et le cartel de Sinaloa, les Zetas contrôlent – gouvernent, plus exactement – de larges zones du Mexique. Ils dirigent de nombreuses forces de police, municipales ou d'État, ils ont réduit au silence les principaux organes de presse et font régner la terreur.

Et voilà que Barrera a décidé de mener la guerre au cœur même de la forteresse des Zetas, à Nuevo Laredo.

Une fois de plus.

Pauvre Monterrey, songe Keller en s'éloignant de ce spectacle morbide.

D'abord, le Sinaloa affronte le Golfe et les Zetas pour s'en emparer.

Puis le Golfe et les Zetas s'affrontent entre eux.

Aujourd'hui, le Sinaloa affronte les Zetas.

Le Sinaloa et nous, en fait.

Moi.

Moi et mon nouveau meilleur ami : Adán Barrera.

Barrera ayant reporté son attention sur Nuevo Laredo, Keller a fait de même en s'installant dans un banal hôtel « de long séjour », de l'autre côté du pont, à Laredo. Il effectue des allers et retours entre Laredo et Mexico, en s'arrêtant parfois à Valverde pour voir Marisol.

En s'asseyant au volant de sa voiture pour traverser le pont, Keller songe à la dégradation de leur relation. Au poids qui les écrase.

Le poids de la culpabilité, évidemment. Celle de Marisol qui se reproche d'avoir confié ce poste dangereux à Erika, et celle de Keller qui s'en veut de ne pas avoir été là pour la protéger, de ne pas avoir pu la sauver.

Auquel il faut ajouter un sentiment de perte immuable.

– Il faut voir la réalité en face, lui a dit Marisol un soir où elle était d'humeur particulièrement sombre. Nous avions construit une sorte de fausse famille, pas vrai ? Avec un faux mariage, une fausse enfant. Puis la réalité a frappé.

– Marions-nous pour de bon, alors, a suggéré Keller.

Elle l'a regardé d'un air incrédule.

– Tu penses sérieusement que ça va arranger les choses ?

– Pourquoi pas.

– Comment ?

Il n'en savait rien.

Il suppose que la lassitude qu'ils éprouvent l'un et l'autre provient de l'accumulation. Il a lu quelque part que les puritains exécutaient les hérétiques en empilant des pierres sur leurs poitrines, jusqu'à ce qu'ils étouffent ou que leurs cages thoraciques soient broyées. C'est un peu ce qu'il ressent (et Marisol aussi sans doute) : le poids cumulé de tous ces morts, le poids du chagrin qui les écrase, qui asphyxie leurs vies.

Néanmoins, ils ne se séparent pas. Ils sont tous les deux trop entêtés et fiers pour renier leur serment muet, cette conviction, jamais formulée, qu'ils iraient jusqu'au bout de cette histoire, où qu'elle les mène.

Alors, ils restent ensemble.

Plus ou moins.

Keller passe de plus en plus de temps dans le bunker de Mexico, à Laredo, en opération avec les FES ou sur tous les fronts où fait rage la guerre de la drogue. Marisol a la gentillesse de feindre la tristesse quand il repart, mais ils sont l'un et l'autre (honteusement) soulagés d'être libérés du fardeau qu'ils s'imposent.

La douloureuse vérité, c'est qu'ils ne peuvent pas se regarder sans voir Erika.

En dépit de l'insistance de Keller et de ses supplications, Marisol est restée à Valverde, et à son poste. Elle s'est obligée à faire un discours brillant et conquérant lors de l'enterrement d'Erika, elle s'est obligée à donner une conférence de presse, dans laquelle elle a ouvertement défié le gouvernement et les cartels, tout en laissant entendre qu'il existait malgré tout une différence, ténue, entre les deux. Elle s'est transformée en cible une fois de plus, comme si elle ne pouvait pas supporter de vivre alors que tant d'autres étaient morts.

– La culpabilité du survivant, lui a dit Keller un soir.

– Tu n'as pas apprécié ma psychanalyse d'amateur, a-t-elle répondu, je n'apprécie pas la tienne non plus.

– Je me fiche que tu l'apprécies ou pas…

– Merci.

– … tout ce que je veux, c'est que tu ne cèdes pas à ce désir de mort.

– Je n'ai aucun désir de mort.

– Prouve-le. Viens vivre avec moi aux États-Unis.

– Je suis mexicaine.

– Eh bien, viens à Mexico.

– Non.

Il avait déjà vendu son âme au diable, alors un petit bonus permettant d'acheter la sécurité de Marisol ne changeait pas grand-chose. Keller transmit le message à Adán, qui, en retour, fit savoir aux forces armées installées dans la vallée que la Médica Hermosa était dorénavant une amie, la compagne d'un allié important, et devait être protégée à tout prix.

– Tu crois que je suis idiote ? a demandé Marisol quelques jours plus tard. Tu pensais que je ne remarquerais pas les soldats qui patrouillent devant chez moi ? Devant la mairie ? Le dispensaire ? Ils n'étaient jamais là avant. Et quand ils suivaient ma voiture, c'était pour me harceler.

– Ils te harcèlent encore ? s'est inquiété Keller, craignant que sa requête n'ait pas été exaucée.

– Au contraire, ils sont étonnamment polis. Qu'as-tu fait ?

– Ce que j'aurais dû faire plus tôt.

Sauf que je n'en avais pas la possibilité avant cette foutue alliance avec Adán.

– Tu es un homme très puissant. Je ne veux pas de leur protection.

– Je m'en fous.

– Tu te fous de ce que je veux ? a répliqué Marisol, sourcil dressé.

– En l'occurrence, oui.

Il détestait ces disputes, mais c'était toujours mieux que les longs silences, les regards fuyants. Et surtout ces soirs où ils se retrouvaient dans le même lit, avec l'envie de se toucher, mais incapables de seulement se parler.

– J'essaie de te protéger.

– C'est de la condescendance.

Oui, c'est exactement ça, songe Keller.

Je suis un *patrón* désormais.

C'est mon rôle.

Quatorze Zetas écorchés vifs.

Et j'ai fourni les renseignements pour les localiser.

Il dîne au 7-Eleven avant de regagner sa chambre.

Les Zetas ripostent moins de quinze jours plus tard en tuant vingt-trois hommes de Barrera. Quatorze sont retrouvés décapités et neuf pendus à un pont, à côté d'une banderole sur laquelle on peut lire : « Sale pute de Barrera, voilà comment je vais achever tous les salopards que tu envoies pour semer le désordre. Ces types ont pleuré et supplié. Les autres ont fichu le camp mais je les aurai tôt ou tard. À la prochaine, connard. La Compagnie Z. »

La police de Nuevo Laredo s'est rapidement manifestée pour nier la présence du cartel de Sinaloa en ville, incitant Barrera à déposer six têtes coupées, dans des glacières, devant le poste de police de Nuevo Laredo, avec ce message : « Vous voulez la preuve que je suis à NL ? Qu'est-ce qu'il vous faut ? La tête des chefs Zetas ? Continuez et je vous assure que les têtes continueront à tomber. Je ne tue pas des innocents comme toi, Quarante. Tous ces morts sont de vraies ordures… de vrais Zetas autrement dit. Cordialement, ton père, Adán. »

Une fois de plus, les images atroces apparaissent sur *Esta Vida.*

Une fois de plus, les Zetas font le serment de trouver l'Enfant sauvage.

Le problème, se dit Keller, c'est qu'on ne peut pas atteindre ni Quarante ni Ochoa. On peut liquider autant de sous-chefs qu'on veut, tant qu'on n'aura pas éliminé ce serpent à deux têtes, les Zetas continueront sur leur lancée.

Apparemment, Quarante a reçu ordre, une fois de plus, de défendre Nuevo Laredo face à Barrera, mais nul ne l'a aperçu en ville. Les hommes de Barrera le cherchent, les FES le cherchent, les services de renseignements américains le cherchent, mais il demeure invisible. Ils ne trouvent que ses « œuvres », suspendues à des ponts ou jetées sur le bord des routes.

Quant à Ochoa, il est sans doute le chef de cartel le plus insaisissable depuis… Adán Barrera. Il se déplace d'une planque à l'autre, à Valle Hermoso, à Saltillo dans le Coahuila. On dit qu'il rencontre Quarante une fois par mois dans des ranchs à Río Bravo, Sabinas ou Hidalgo. Ou qu'ils vont chasser le zèbre, la gazelle et d'autres animaux exotiques dans des propriétés privées, au Coahuila ou à San Luis Potosi. Ou qu'ils regardent courir leurs chevaux, installés dans des voitures blindées à proximité de l'hippodrome, entourés de gardes du corps.

Dans tous leurs territoires, les Zetas recrutent des *ventanas,* des guetteurs. Des *ambulantes,* des employés de magasin, des gamins du quartier, qui surveillent la police ou les marines, et utilisent des sifflets ou des téléphones portables pour donner l'alerte. Los Tapados, les « cachés », sont des enfants pauvres payés pour installer des banderoles à la gloire des Zetas, scander des slogans et manifester contre la présence des militaires et des *federales.*

Le gouvernement ne parvient pas à débusquer Ochoa, qui ne se prive pas de narguer les autorités. À moins de trois cents mètres d'une base de la 18e zone militaire, il a fait un don à une église, sur laquelle une plaque indique CENTRE D'ÉVANGÉLISATION ET DE CATÉCHISME. DONATION DE HERIBERTO OCHOA. Il utilise un téléphone Nextel une seule fois, puis il s'en débarrasse. Comme Barrera, Z-1 rejette le style tape-à-l'œil des autres narcos. Il ne fréquente pas les clubs ni les restaurants, il n'exhibe pas sa fortune.

Il se contente de tuer.

C'est la traque de Barrera qui se rejoue, à cette différence près que le gouvernement mexicain a sorti les gros moyens. MexSat, le système national de surveillance, gère deux satellites Boeing 702 HP coûtant plus de un milliard de dollars, à partir de stations de contrôle terrestres situées à Mexico et Hermosillo. Ils balaient tout le pays pour repérer des signes de la présence de Quarante et d'Ochoa. En vain.

Des drones américains survolent la frontière tels des faucons traquant des souris.

En vain.

– Et si on surveillait la mauvaise frontière ? suggère un jour Keller à Orduña, à Mexico. S'ils ne se trouvaient pas au Mexique ? S'ils étaient au Guatemala ?

Ochoa possédait quelques connaissances en histoire militaire. Et s'il avait adopté la stratégie classique de la guérilla qui consiste à s'installer dans un repaire extra-territorial, dans un pays neutre, derrière la frontière ?

Là où Barrera est relativement faible et où les FES ne peuvent pas l'atteindre. Orduña lui-même n'osera jamais franchir une frontière internationale. C'est logique : les Zetas sont de plus en plus actifs au Guatemala, et Ochoa a peut-être décidé de mener sa guerre de là-bas.

– On parle quand même de mille deux cents kilomètres de frontière, fait remarquer Orduña. De forêt tropicale, de jungle, de collines.

– Il n'y a pas eu un massacre là-bas, récemment ? demande Keller. Vingt-sept personnes assassinées dans un village ? Où était-ce, précisément ?

Ces drames qui occupaient la une des journaux autrefois ne sont plus que routine. Orduña consulte les archives et retrouve le site en question.

Dos Erres est un petit village du Petén, situé dans une zone de forêt dense, près de la frontière.

Orduña réclame un survol par satellite.

Deux jours plus tard, Keller et lui examinent les photos.

Le village ressemble à beaucoup d'autres : une route de terre traverse un ensemble de maisons et de cabanes, avec une petite église et ce qui est sans doute une école. Mais à l'est, on distingue un rectangle fraîchement déboisé qui semble accueillir des rangées de tentes bien alignées.

– Un camp militaire, commente Orduña. Un bivouac.

– Comme celui que pourraient installer des forces spéciales ? demande Keller.

Ils réclament un autre survol pour obtenir des images plus précises. En scrutant les nouveaux clichés, Keller discerne des hommes en tenue militaire autour des tentes, des jeeps dotées de mitrailleuses, des cuisines de brousse et des latrines.

Le village, lui, semble étrangement désert.

Il n'y a pas d'enfants dans la cour de l'école.

Peu de monde autour de l'église.

On aperçoit quelques civils, des femmes en majorité, mais peu nombreux par rapport à la quantité d'habitations.

– Les Zetas ont pris possession des lieux, dit Orduña. Ils ont chassé la plupart des habitants et n'en ont gardé que quelques-uns pour assurer les tâches quotidiennes.

La cuisine, pense Keller.

Le ménage.

Coucher avec les hommes.

– Regardez, dit-il en montrant les photos de l'église et de l'école.

Des hommes sont postés devant et derrière chaque bâtiment.

– Des sentinelles ? suggère l'amiral des FES. Des gardes ? Quarante et Ochoa vivraient dans l'église et dans l'école ?

La vieille expression militaire, songe Keller. « Privilège du rang. » Les deux plus haut gradés ne vivent pas sous une tente, mais dans les plus grands bâtiments du village. C'est la procédure habituelle.

Le survol suivant vaut son pesant d'or.

Keller contemple la photo.

Et saute dans un avion à destination d'El Paso.

Fort Bliss est le parfait exemple d'un nom mal choisi[1], se dit Keller en pénétrant sur la base située dans les plaines semi-désertiques à l'est d'El Paso.

Il a peu vu Eddie le Dingue depuis qu'il l'a exfiltré d'Acapulco, en hélicoptère, au cours d'une de ces opérations secrètes qui nourrissent les fantasmes de quelques cinglés d'extrême droite. Deux minutes après avoir reçu l'appel d'Eddie, Keller échangea avec Washington, sur une ligne sécurisée, des messages codés auxquels même

1. *Bliss* : joie, bonheur.

ses collègues mexicains ne pouvaient avoir accès. Impossible de prévoir comment Orduña lui-même réagirait en apprenant que les États-Unis avaient « enlevé » un des hommes les plus recherchés du Mexique.

Une heure plus tard, Keller se trouvait à bord d'un hélicoptère appartenant à la CIA, via une société écran, qui le déposa sur le toit de l'hôtel Continental. Puis un agent consulaire très nerveux le conduisit dans une petite salle de réunion où attendait Eddie Ruiz.

Narco Polo, pensa alors Keller. Eddie portait un polo bleu ciel, un pantalon de toile blanc et des sandales.

Il paraissait fatigué, mais calme.

– Un hélicoptère va nous conduire à Ciudad Juárez, expliqua Keller. Un autre appareil nous déposera sur la base militaire de Fort Bliss au Texas. Si au cours de ce transfert vous essayez de fuir, je vous colle une balle dans la tête. C'est compris ?

– Je suis déjà en fuite, répondit Eddie.

Les vols se déroulèrent sans encombre.

Eddie ne dit pas un mot.

Quelques hauts fonctionnaires l'attendaient à Fort Bliss. Un avocat du Département d'État lui lut ses droits (si l'on peut dire) :

– Vous êtes ici en tant que citoyen américain, placé en détention par mesure de protection dans le cadre d'une coopération passée, présente et future relative à des enquêtes en cours. Vous comprenez ?

– Oui.

C'était un match par équipes. Un procureur fédéral adjoint prit le relais.

– Vous avez été inculpé pour trafic de drogue. Mais vous restez libre pour le moment. Si vous essayez de fuir ou si vous cessez de coopérer, vous serez arrêté, envoyé dans un centre de détention fédéral, puis jugé. Cela étant dit, vous avez droit à un avocat. Si vous n'avez pas les moyens de vous offrir un avocat…

Eddie ricana. Il avait des avocats qui lui devaient de l'argent.

– … nous vous en fournirons un. Souhaitez-vous un avocat ?

– Non.

– Selon toute vraisemblance, poursuivit le procureur adjoint, vous serez jugé pour les accusations de trafic. Toutefois, votre coopération passée et future figurera dans votre dossier, à l'attention des procureurs devant établir les charges et du président du tribunal chargé de déterminer la sentence. Avez-vous des questions ?

– Je peux avoir un Coca ?

– Je pense que ça peut se faire.

– Encore une chose. Je veux voir ma famille.

– Laquelle ? demanda Keller.

– Les deux. Connard.

Faire venir les deux familles d'Eddie, l'une après l'autre, ne fut pas une mince affaire.

Dans le monde des narcos mexicains, on ne parlait que de la disparition d'Eddie Ruiz le Dingue. Les communications téléphoniques et sur Internet explosaient et tout le monde, les narcos comme les forces de l'ordre, tentait de les intercepter.

Certains affirmaient qu'Eddie avait été tué en guise de représailles après l'enlèvement de l'épouse de Martin Tapia ; d'autres rétorquaient que c'étaient des conneries, qu'elle avait été relâchée. Mais d'autres soutenaient qu'il avait été tué parce qu'il l'avait relâchée, justement, par ses associés qui craignaient qu'il soit trop faible.

Cependant, tous s'accordaient sur un point : Eddie avait été vu à Acapulco le jour de sa disparition, sur la promenade, en train de manger une glace.

Et tous le recherchaient, lui ou son cadavre. Alors, peut-être surveillaient-ils également ses familles.

Sa seconde femme, citoyenne américaine, avait traversé la frontière, et on disait qu'elle se trouvait dans la région, avec les siens, mais elle était enceinte de neuf mois et elle serait obligée de retourner aux États-Unis pour accoucher, de toute façon.

Keller avait établi personnellement les deux contacts.

Opération délicate.

Les ex-femmes – pas véritablement *ex* en l'occurrence – ont la réputation de faire d'excellents indics, mais Eddie avait envoyé régulièrement de grosses sommes à Teresa, et les parents de celle-ci, jusqu'à ce qu'ils se fassent arrêter, étaient impliqués dans le blanchiment de l'argent de la cocaïne. En conséquence, Keller estimait qu'elle ne poserait pas de problème.

Teresa vivait à Atlanta. Quand elle ouvrit la porte et vit Keller, elle blêmit.

– Oh, mon Dieu.

– Votre mari va bien, madame Ruiz.

Elle prit ses deux enfants de neuf et douze ans avec elle et ils montèrent dans un avion, non pas à destination de l'aéroport d'El Paso qui risquait d'être surveillé, mais de celui de Las Cruces, au Nouveau-Mexique, et de là ils continuèrent en voiture. Keller les conduisit dans les appartements d'Eddie à l'intérieur du fort et revint les chercher le lendemain matin pour les ramener à Las Cruces.

Avec Priscilla, ce fut plus compliqué.

Leur fille, Brittany, avait deux ans et Priscilla devait accoucher d'un jour à l'autre. Keller n'était pas très chaud pour la conduire à El Paso où les *halcones* étaient presque aussi nombreux qu'à Juárez. Alors ils firent enfiler un uniforme de l'armée à Eddie et le conduisirent à Alamogordo, où Priscilla, sa mère et Brittany le retrouvèrent dans un motel. Keller avait fait suivre leur voiture depuis El Paso pour repérer une éventuelle filature.

Il accorda à Eddie un après-midi avec sa seconde famille, puis il le ramena à Bliss, où il était confortablement installé dans un appartement d'officier célibataire, sous la protection constante des US marshals.

Eddie avait d'autres exigences. Il voulait un iPod sur lequel étaient chargés les Eagles, Steve Earle, Robert Earl Keen et du Carrie Underwood. Il voulait plus de droits de visite pour ses familles. Et il voulait regarder le Superbowl sur un écran plat HD, de préférence avec un bon chili et quelques bières fraîches.

– De la Shiner Bock, précisa-t-il.

Et donc, il vit les Packers battre les Steelers sur un écran d'un mètre cinquante, en compagnie de deux marshals, avec du chili et de la bière.

Keller déclina l'invitation d'Eddie de se joindre à eux.

Il étale les clichés de Dos Erres sur la table basse d'Eddie, devant le canapé. Et demande :

– C'est bien eux ? Quarante et Ochoa ?

– Ouais.

Keller examine une fois encore les photos montrant les deux hommes devant l'école. Ils portent des casquettes de base-ball, mais on aperçoit quand même leurs visages : le premier est adipeux, barré d'une épaisse moustache noire ; le second est plus fin, avec un air de rapace. assez beau.

– Vous êtes sûr ? insiste-t-il.

– Ils ont fait cramer Chacho Garcia devant mes yeux, répond Eddie. Vous croyez que je vais oublier leurs tronches ? Je me suis juré de buter ces deux enfoirés.

On a au moins ça en commun, songe Keller.

Il laisse Eddie à Fort Bliss pour se rendre à Washington.

Keller tape du poing sur la table.

– On les a retrouvés, bordel ! On les a identifiés formellement et on sait où ils sont !

Il montre les photos étalées sur la table.

Le représentant du Département d'État, affecté au NAS, la Section de lutte antidrogue, répond sur le même ton :

– C'est justement ça, le problème ! Ils sont sur un territoire étranger !

Keller a fait le déplacement jusqu'à Washington pour réclamer une frappe sur le camp des Zetas à Dos Erres. C'est mal engagé : l'Administration américaine, si elle s'éclate avec ses drones en Asie du Sud, refuse d'autoriser une attaque, terrestre ou non, au Guatemala.

– Nous avons déjà des marines sur place, souligne Keller, dans le cadre d'une mission contre le trafic de drogue.

L'Opération Mantillo Hammer a envoyé trois cents marines américains et membres des commandos FAST au Guatemala.

– Ils sont là-bas uniquement en tant que conseillers, répond le type du NAS. Avec autorisation de ne faire usage de leurs armes qu'en cas de légitime défense. Nous ne pouvons pas franchir les frontières internationales pour éliminer les personnes de notre choix.

– Allez dire à ça à Ben Laden, réplique Keller. Oh, zut, vous ne pouvez pas : il est mort.

Comme la plupart des Américains, Keller avait été captivé par la nouvelle de l'assaut contre Ben Laden et, en souvenir du 11 Septembre, il avait fêté ça tranquillement dans sa chambre, en ouvrant une bière.

Le président était resté cool pendant toute cette opération, avait alors pensé Keller. Il avait blagué pendant le dîner des correspondants de presse à la Maison-Blanche, comme Al Pacino pendant le baptême dans *Le Parrain,* en sachant qu'il avait ordonné des meurtres.

– C'était Ben Laden, rétorque l'homme du NAS.

– Ochoa est aussi dangereux.

– Arrêtez de délirer.

– Vous pensez qu'Ochoa n'est pas un terroriste ? Donnez-moi la définition d'un terroriste. Est-ce quelqu'un qui tue des civils innocents ? Qui commet des massacres ? Qui pose des bombes ? J'ai oublié un critère ?

– Il n'a commis aucun de ces actes aux États-Unis.

– Ochoa vend pour des millions de dollars de drogue aux États-Unis. Il fait du trafic d'êtres humains aux

États-Unis. Il possède des caches d'armes et des cellules d'hommes armés aux États-Unis. Il a ordonné le meurtre d'un agent fédéral des États-Unis. En quoi n'est-il pas une menace terroriste pour les États-Unis ?

– Les Zetas n'ont pas été désignés officiellement comme une organisation terroriste, répond le représentant du Département d'État. De toute façon, c'est plus compliqué que vous ne le croyez. Même dans le cas des djihadistes, pour autoriser une attaque, il faut réunir un « comité d'exécution » afin d'évaluer la nécessité, les ramifications juridiques, la justification éthique…

– Réunissez-le. Je témoignerai.

Je vous fournirai la justification éthique, pense-t-il.

Les horreurs s'enchaînent.

Pas plus tard que la semaine précédente, les Zetas ont tenté de détourner un pipeline pour voler le pétrole de la Pemex et provoqué une explosion qui a tué trente-six innocents. Si cela s'était produit aux États-Unis, les médias en auraient parlé pendant des semaines, le Congrès aurait réclamé une riposte, à cor et à cri. Mais comme ça se passe au Mexique, ça ne compte pas.

– Hors de question ! déclare l'homme du NAS.

– On a travaillé pendant des mois, dit Keller, on a dépensé des millions de dollars pour retrouver ces types, et maintenant qu'on les a repérés, vous n'allez pas lever le petit doigt, c'est ça ?

Oui.

Ochoa s'est trouvé un repaire où les États-Unis n'oseront pas aller le chercher.

Parce que c'est un narcotrafiquant mexicain et non pas un djihadiste.

Keller a soudain une idée.

Mais pour la mettre en œuvre, il a besoin d'un coup de pouce.

Il le trouve dans un ranch de l'Oklahoma.

Le petit frère de Quarante élève des chevaux dans un ranch situé à la sortie d'Ada.

Rolando Morales a réussi dans la vie et il a récemment fait sensation dans le monde des Quarter horses en acquérant un poulain, aux enchères, pour un million de dollars. Quelques personnes s'en étonnent car avant d'acheter ce ranch de plusieurs millions de dollars, les écuries et les pur-sang qui vont avec, Rolando était maçon. D'après le FBI, ses revenus annuels s'élevaient alors, les meilleures années, à quatre-vingt-dix mille dollars.

Parmi les éleveurs, des rumeurs circulent concernant l'origine de l'argent de Rolando, mais pour le FBI, ce sont plus que des rumeurs. Les agents fédéraux savent que cette fortune vient de son grand frère, là-bas à Nuevo Laredo, et les chevaux ne sont que des lessiveuses sur pattes.

La technique est simple.

Les Zetas envoient du cash à Rolando, avec lequel il achète un cheval pour une somme supérieure à sa valeur marchande, puis il le revend aux Zetas, à son vrai prix cette fois.

L'argent est blanchi.

Et il garde le cheval.

En outre, il peut participer à une activité très chic, le sport des rois. C'est presque pathétique, songe Keller, de voir tous ces narcos en quête de reconnaissance sociale : le polo, les courses de chevaux. Et ensuite ? La coupe America ?

Dans l'Oklahoma, la sociologie des amateurs de polo n'est pas la même qu'à Mexico. Ici, il y a beaucoup de chapeaux de cow-boys, de bottes sur mesure à mille dollars la paire, de jeans et de bijoux en turquoise. C'est l'aristocratie de l'Ouest américain, des gens qui ont les moyens et le temps de jouer avec des chevaux coûteux.

Aujourd'hui, le cheval en question est un poulain baptisé, avec un sentiment d'impunité presque incroyable,

Cartel Un, engagé dans le All American Futurity, une course pour Quarter horses.

Keller regarde le jockey le conduire dans les stalles.

– Vous avez misé ? lui demande Miller.

Miller est l'agent du FBI assigné à l'Opération Fury qui enquête sur les magouilles hippiques de Morales. Il a contacté Keller à la suite d'une « alerte » interdépartementale : toute information concernant « Quarante » Morales devait être transmise à Art Keller.

– Je ne suis pas joueur.

– Moi, j'ai mis quelques billets sur Cartel Un.

– Il est à huit contre un.

– C'est du tout cuit.

Le cheval jaillit des stalles. Il démarre lentement et se trouve coincé à la corde. Mais, soudain, un passage s'ouvre miraculeusement, le jockey prend l'extérieur et Cartel Un se retrouve en troisième position à l'entrée de la dernière ligne droite. Les deux chevaux de tête s'effacent et Cartel Un l'emporte d'un cheveu.

Keller reporte son attention sur le paddock où Rolando, son épouse et quelques amis sautent sur place en hurlant et en s'étreignant. Sacrée démonstration de joie pour une course jouée d'avance, songe Keller. Miller a appris que les autres jockeys et entraîneurs ont touché des dizaines de milliers de dollars.

Le prix remis au vainqueur du All American Futurity est de un million de dollars, tout rond.

Une jolie somme.

Mais des clopinettes pour les Zetas qui ont certainement déboursé plus d'un million pour « remporter » la course. Ils veulent avoir le droit de fanfaronner, le standing. Rolando ressemble à son frère aîné : même silhouette trapue, mêmes cheveux noirs bouclés, et même moustache épaisse. Mais le chapeau de cow-boy blanc remplace la casquette de base-ball noire.

– On pensait l'épingler à l'aéroport, dit Miller.

– Vous avez des charges suffisantes ?

– Blanchiment, complicité de trafic de drogue et fraude fiscale.

– Miller, vous voulez bien me faire une fleur ? Attendez un peu.

– Pas trop longtemps, alors. Rolando projette un petit voyage en Italie.

– Hein ?

Keller est parcouru par un frisson d'excitation.

– Il va se rendre en Europe. Il commence par l'Italie, mais ensuite, il s'offre une sorte de Grand Tour : Suisse, Allemagne, France, Espagne. On a piraté sa boîte mail.

– Vacances en famille ? demande Keller en s'efforçant de masquer son excitation.

– Non, lui tout seul.

Oui, lui tout seul. Aucun homme marié ne partirait en « vacances » en Europe sans sa femme. Jamais. Rolando voyage pour affaires, et Keller croit savoir de quelles affaires il s'agit.

Il prie pour que Rolando se rende en Italie en tant qu'ambassadeur des Zetas auprès de la 'Ndrangheta.

L'organisation criminelle la plus riche au monde.

Elle est basée en Calabre, dans le sud de l'Italie, au bout de la botte, et par comparaison, la mafia sicilienne, plus ancienne et plus célèbre pourtant, ressemble à une cousine pauvre, car 80 % de la cocaïne qui pénètre en Europe passe par la 'Ndrangheta dans son port de Gioia Tauro. Les revenus que cette organisation tire de la drogue sont estimés à cinquante milliards de dollars par an, soit 3,5 % du produit intérieur brut de l'Italie.

La 'Ndrangheta est intouchable.

Autrefois, le cartel du Golfe entretenait des relations exclusives avec la 'Ndrangheta, mais aujourd'hui, Barrera est en compétition avec les Zetas pour s'emparer du marché européen. Le mobile probable derrière le meurtre sadique de Magda Beltrán était à rechercher du côté de ses discussions fructueuses avec les mafieux italiens.

Rolando Morales est-il chargé d'une mission diplomatique afin de conclure une alliance avec les Calabrais, pour le compte des Zetas ? se demande Keller.

Les guerres se mènent avec de l'argent, et l'accès au marché européen offrirait à l'un ou l'autre des cartels un avantage financier insurpassable qui lui permettrait d'acheter des armes, du matériel, des protections et, surtout, des hommes.

Si les Zetas deviennent les fournisseurs de la 'Ndrangheta, tout en coupant la route du Guatemala à Barrera, ils disposeront de l'argent et des ressources nécessaires pour le vaincre au Mexique.

Autrement dit, la mission diplomatique de Rolando, s'il s'agit bien de ça, représente une occasion en or pour les Zetas.

Et pour Keller également.

– Laissez-le partir, dit-il à Miller.

– Dans l'Oklahoma ?

– En Europe.

Ils le repèrent au stade San Siro de Milan, où les joueurs en rouge et noir du Milan AC affrontent leurs rivaux en noir et blanc de la Juventus.

Keller regarde les images en direct dans une salle de crise à Quantico, sous la supervision du FBI qui répugne à mettre en danger une opération qui leur a demandé des années de travail et coûté des millions de dollars, et risque de se traduire par des inculpations et des gros titres. De son côté, la DEA était tout aussi réticente à l'idée de permettre à un émissaire des Zetas de quitter le pays et d'échapper éventuellement à une arrestation.

Ce n'est que l'aspect intérieur du problème.

Le plan de Keller exige une coopération internationale complexe faisant intervenir non seulement la Direzione

Antidroga italienne, mais également Interpol, le Service de renseignements suisse, le BND allemand, la Sûreté française, l'Algemene Directie Bestuurlijke Politie belge et le CNP, le Cuerpo Nacional de Policía espagnol.

Les protocoles sont compliqués, les barrières linguistiques difficiles et les négociations ardues, ce qui oblige Keller à revêtir des habits de diplomate qui n'ont pas servi depuis des années. Sans le parapluie commun d'Interpol, l'opération n'aurait pas eu lieu, mais pour finir tout le monde accepte de suivre les faits et gestes de Rolando, sans l'arrêter, chaque pays étant libre de faire ce que bon lui semble sur son territoire une fois l'opération terminée.

La logistique se révèle tout aussi complexe. Des unités d'élite se relaient pour effectuer des missions de surveillance, tout en échangeant des informations – vidéos, enregistrements audio et photos – afin de maintenir une nasse autour de Morales, suffisamment large cependant pour ne pas l'effrayer.

Ils vont se servir de lui comme d'un révélateur en le laissant parcourir tout le système sanguin de l'organisme du trafic de drogue en Europe.

Il se rend tout d'abord à Milan, où la Direzione Antidroga vient de le repérer. Ses agents le surveillent et envoient à Quantico des images de Rolando parlant à l'oreille d'un interprète, qui s'adresse ensuite à Ernesto Giorgi, le *quintino,* le sous-chef, d'une *n'drine* à Milan, l'équivalent d'une *plaza* au Mexique.

Le bruit qui règne dans le stade – les supporters scandent le nom de leur équipe, chantent et tapent sur des tambours – est assourdissant. Impossible de capter quoi que ce soit avec un micro dans cette ambiance survoltée, et c'est probablement pour cette raison que Rolando et Giorgi ont choisi de se retrouver dans ce lieu. Keller ne sait pas lire sur les lèvres, mais le technicien de la DEA assis à côté de lui, si. Giorgi était ami avec Osiel Contreras et

Rolando lui explique pourquoi les Zetas se sont retournés contre leurs anciens chefs, et pourquoi la 'Ndrangheta devrait s'allier avec eux.

Keller sait que Giorgi pardonnera cette trahison : les affaires sont les affaires. Ce qu'il ne supportera pas, c'est de perdre, et le caïd de la 'Ndrangheta a sans doute été informé des récents revers subis par les Zetas à Veracruz.

La foule laisse exploser sa joie.

Giorgi saute en l'air et brandit le poing, tandis qu'un joueur de Milan fait le tour du terrain pour fêter le but qu'il vient de marquer. Quand Giorgi se rassoit, il se penche vers Rolando pour lui parler.

Keller se tourne vers l'homme qui lit sur les lèvres.

– On pensait traiter avec la femme, traduit celui-ci. Magda Beltrán.

Keller n'a pas besoin de traduction pour saisir la réponse de Rolando, en espagnol. Ses lèvres prononcent clairement les mots : *« Es muerta. »*

Elle est morte.

Rolando et Giorgi dînent dans un salon privé du Cracco.

Deux étoiles au Michelin.

Rolando a fait du shopping tout l'après-midi et il arbore un costume Armani gris et des chaussures Bruno Magli marron, une chemise en soie rouge, sans cravate. Giorgi a choisi une tenue plus classique : une veste en cachemire Luciano Natazzi.

Une caméra cachée à l'intérieur d'un spot au plafond transmet des images, et cette fois le son parfait permet d'entendre Rolando répéter à plusieurs reprises que les Zetas contrôlent le Petén et domineront bientôt le marché de la cocaïne. Giorgi ne semble pas convaincu, et il aborde un autre problème.

GIORGI : *Barrera a le gouvernement dans sa poche.*
MORALES : *C'est exagéré.*

GIORGI : *Il possède l'armée et la police fédérale. N'essayez pas de m'enfumer.*

MORALES : *Des élections vont bientôt avoir lieu. Le PAN va perdre. Et le vainqueur ne poursuivra pas cette prétendue guerre contre la drogue pour le compte d'Adán Barrera. Ce sera au plus offrant.*

GIORGI : *Vous avez l'argent nécessaire ?*

MORALES : *Si on traite avec vous, on l'aura.*

Rolando a raison, se dit Keller.

Le candidat du PRI, Peña Nieto, a fait de la fin de cette guerre un thème de sa campagne. L'autre favori, López Obrador, du PRD, ira encore plus loin en refusant les crédits du plan Mérida et en foutant la DEA et la CIA à la porte du Mexique. C'est l'électron libre de cette compétition. Pas étonnant qu'Adán soit pressé de rafler tout ce qu'il peut avant les élections de juillet, et avant que Peña Nieto, ou Obrador, prenne ses fonctions en décembre.

L'ironie, c'est que nous aussi.

Nous devons éliminer les Zetas avant d'être flanqués dehors.

– Qui est-ce ? demande Keller en voyant deux hommes entrer dans le salon privé et s'asseoir à table.

Dans la salle de Quantico, personne n'en sait rien, ni les types du FBI ni ceux de la DEA. Keller téléphone à Alfredo Zumatto, son homologue à la DAI, qui lui aussi regarde les images du restaurant, à Rome. Il fait défiler les portraits dans sa banque de données. Une demi-heure plus tard, la réponse tombe : ces deux hommes sont le *vangelista* et le *quintino,* le numéro deux et le numéro trois de l'organisation à Berlin.

– La 'Ndrangheta possède deux cent trente *n'drine* en Allemagne, explique Zumatto au téléphone. Votre gars est en train d'établir de sérieux contacts.

Rolando essaye également de convaincre Giorgi que les Zetas ne feront pas d'affaires en Allemagne sans passer par la 'Ndrangheta, se dit Keller.

Il regarde les quatre hommes s'apprivoiser. Le reste de la discussion porte essentiellement sur le *fútbol,* les chevaux et les femmes.

De Milan, Rolando rejoint Zurich en train pour y voir des banquiers et des revendeurs potentiels, puis il fait un saut à Munich où il rencontre les membres locaux de la 'Ndrangheta et quelques Allemands.

De Munich, il se rend à Berlin où il reprend contact avec les deux hommes du restaurant, qui viennent le chercher à son hôtel près de la porte de Brandebourg. Le BND les suit jusqu'à Oranienstrasse, une rue du quartier de Kreuzberg, où ils entrent dans un night-club pour retrouver trois hommes que le BND identifie comme des immigrants turcs.

Ensuite, Rolando repart en train jusqu'à la vieille ville portuaire de Rostock, sur la Baltique, où la 'Ndrangheta est fortement implantée. Il monte à bord d'un yacht amarré dans la marina, y reste deux heures, puis rentre à son hôtel de Kröpeliner Strasse. Les agents du BND identifient les propriétaires du yacht : un réseau de trafiquants connu pour ses activités dans toute l'ex-Allemagne de l'Est.

Rolando monte à bord d'un train pour Hambourg. Là, il retrouve le représentant local de la 'Ndrangheta et un habitant de la ville, et ils se rendent dans le Reeperbahn, une version plus haut de gamme du Boy's Town de Nuevo Laredo, avec plus de néons criards, roses, rouges, verts et violets, et après être passés devant des clubs aux noms tels que La Maison de poupée, Le Safari ou le Beach Club, ils entrent au Club Relax, un bordel qui propose des femmes portant des masques et de la lingerie affriolante.

Rolando est un microbe, une bactérie qui se répand dans tout le *corpus narcoticus,* se dit Keller quand le narco ressort du club quelques heures plus tard. Il infecte tout ce qu'il touche, et l'infection se propage comme la peste. Des graphiques en toile d'araignée apparaissent sur les murs de toutes les polices d'Europe, reliant les contacts de Rolando à leurs contacts et aux contacts de ces contacts. La métaphore du bordel fonctionne : Rolando Morales est une maladie vénérienne. Keller se réjouit de voir que son plan est au point, mais ce n'en est qu'une partie.

De Hambourg, Rolando s'envole pour Paris, mais il ne sort pas de l'aéroport ; il a une correspondance pour Lyon, où la Sûreté reprend la filature. Où qu'il aille, le même schéma se reproduit : il entre en contact avec des membres de l'organisation, des dealers et des financiers, à qui il prêche l'évangile selon Heriberto Ochoa : les Zetas vont l'emporter au Guatemala ainsi qu'au Mexique, Barrera sera fichu après les élections, alors mieux vaut arrimer votre destin à l'étoile montante des Zetas. Ces rencontres ont lieu dans des parcs, des stades, des restaurants, des clubs de striptease et des bordels.

C'est Rolando qui régale.

À Lyon, il prend le train pour Montpellier et de là il traverse la frontière espagnole pour gagner Gérone, puis Barcelone.

C'est une bonne chose qu'il se soit rendu en Espagne, se dit Keller.

Car la cocaïne qui n'entre pas en Europe par Gioia Tauro en Italie arrive par l'Espagne, et principalement via les villages de pêcheurs de la côte de Galice, mais aussi, de plus en plus, via l'aéroport de Madrid.

En outre, l'Espagne représente un important marché, avec le taux le plus élevé de consommation de cocaïne sur le vieux continent. Presque toute la drogue vient de Colombie, grâce à un arrangement avec la pègre galicienne, Os Caneos, qui prélève la moitié du chargement pour la vendre sur le marché local, en échange de quoi elle laisse l'autre moitié transiter par son territoire pour inonder le reste de l'Europe.

Par l'intermédiaire de son agent de liaison au sein du CNP espagnol, Rafael Imaz, Keller apprend que Rolando va donner une fête au Top Damas, le bordel le plus chic de la ville.

– C'est un coup de chance, lui dit Imaz au téléphone.

– Vous avez des contacts à l'intérieur du bordel ?

– Il nous appartient.

L'établissement est équipé pour enregistrer des images et du son ; Keller et Imaz peuvent ainsi voir arriver tous les invités. Imaz identifie très vite deux fonctionnaires du port de Barcelone.

Keller est obligé d'écouter des choses qu'il aimerait mieux ne pas entendre pendant que Rolando et ses invités profitent des spécialités maison. Heureusement, une fois les distractions terminées, et à présent détendus, ils s'installent dans une arrière-salle pour parler affaires.

MORALES : *On fait venir des containers par bateau. De petites quantités pour commencer. Huit à dix kilos.*

FONCTIONNAIRE DU PORT : *Combien pour notre rétribution ?*

MORALES : *Cinq mille.*

FONCTIONNAIRE : *Euros ou dollars ?*

MORALES : *Euros.*

FONCTIONNAIRE : *Vous avez parlé à Os Caneos ?*

MORALES : *Pourquoi les mettre dans le coup ? Ils sont loin d'ici.*

FONCTIONNAIRE (rire) : *Vous ne voulez pas partager la coke avec eux.*

MORALES : *Disons que nous cherchons d'autres distributeurs.*

DEUXIÈME FONCTIONNAIRE : *Vous avez réglé la question avec nos amis italiens ? Je ne veux pas me les mettre à dos.*

MORALES : *Ils se fichent de ce qu'on fait ici.*

Keller les écoute parlementer jusqu'à ce qu'ils tombent d'accord sur un chiffre : huit mille euros par cargaison de coke qui entre dans le port.

Un agent du CNP file Rolando lorsqu'il sort du bordel et le suit jusque dans le quartier d'El Raval. Il contacte Keller et Imaz par radio, tandis que l'envoyé des Zetas emprunte une ruelle étroite et sinueuse dans cette vieille partie de la ville.

Barcelone abrite la plus importante population islamique d'Espagne, surtout des Pakistanais, mais aussi des Marocains et des Tunisiens. Keller sait que le consulat américain dans cette ville accueille une section antiterroriste, de crainte que Barcelone ne devienne un nouveau Hambourg, une base pour les djihadistes en Europe.

La mission Ben Laden a eu lieu il y a moins d'un an et tout le monde guette les représailles.

– Il est dans le quartier pakistanais, dit Imaz.

Ça marche, se dit Keller. Pourvu qu'il tombe dans le piège. Il a fallu des semaines de préparation, de discussions avec Imaz, de négociations secrètes avec le CNI, d'échanges d'informations.

Là, c'est quitte ou double.

Toujours suivi par l'agent du CNP, Rolando s'arrête devant un immeuble. Il frappe à la porte et attend quelques secondes avant qu'on le fasse entrer. Le CNI, le Central Nacional de Inteligencia, la branche espagnole de la CIA, surveille cet endroit, identifié comme une planque du groupe Tehrik-i-Taliban, affilié à al-Qaida.

Keller écoute la conversation. En compagnie des agents du FBI soudain attentifs. Ils savent ce qui se joue à cet instant : ils sont sur le point de perdre l'affaire Rolando Morales, et tout leur travail, au profit d'autres agences. Alors, ils jettent des regards mauvais à Keller ou évitent de le regarder.

MORALES : *Comment tu t'appelles ?*

ALI : *Appelle-moi Ali Mansour. Mon nom du djihad.*

MORALES : *OK. Tu parles bien anglais.*

ALI : *Je suis allé à la fac dans l'Ohio. Tu veux qu'on se raconte nos vies ou qu'on cause affaires ?*

MORALES : *C'est toi qui nous as contactés.*

ALI : *Vous pouvez nous vendre de la cocaïne ?*

Autant qu'ils peuvent en acheter, lui assure Rolando. Du premier choix, via le port de Barcelone. Paiement cash à la livraison.

Très bien, pense Keller. Excellent. Mais attendons la suite. Allez, Ali, vas-y.

ALI : *Vous pouvez me procurer des armes ?*

Keller retient son souffle. Puis il entend :

MORALES : *AR-14, lance-roquettes, grenades, vous avez le choix.*

Un des types du FBI pousse un juron.

ALI : *Elles viennent d'où ?*

MORALES : *Qu'est-ce que ça peut faire ?*

ALI : *Je veux des armes de qualité.*

MORALES : *C'est le nec plus ultra.*

Rolando reste une heure dans l'immeuble. L'agent du CNP le photographie alors qu'il ressort et fait signe à un taxi pour regagner le Murmuri, un hôtel quatre étoiles.

– Vous avez une dette envers moi, dit Imaz à Keller sur une ligne sécurisée.

Keller raccroche et commence à ferrer le poisson. Il appelle le chef de l'unité antiterroriste secrète intégrée au consulat de Barcelone.

– Que savez-vous sur un groupe baptisé Tehrik-i-Taliban ? demande-t-il.

– Un tas de choses. (La CIA surveille ce groupe depuis un an et demi dans la capitale catalane.) Pourquoi ? Il y a un lien avec le trafic de drogue ?

– Possible.

Keller lui rapporte la visite de Rolando au dénommé Ali dans la maison du quartier d'El Raval.

– C'est quoi, ces Zetas, une sorte de cartel ?

– Nom de Dieu, où est-ce que vous vivez ? s'emporte Keller.

– Ici.

– Sachez qu'ils vont bientôt débarquer.

– Génial. Toutes les infos seront les bienvenues.

Je vous ai livré tout ce que je voulais vous transmettre, se dit Keller. À commencer par ce mensonge : « Ali » est en très bons termes avec le Tehrik-i-Taliban et non pas un agent provocateur, c'est un des hommes d'Imaz, infiltré au sein du CNI espagnol.

Vous n'avez pas besoin de le savoir, le Département d'État n'a pas besoin de le savoir, la CIA, le FBI et la Sécurité intérieure n'ont pas besoin de le savoir. La seule chose que vous ayez besoin de savoir, vous tous, c'est que les Zetas sont disposés à vendre des armes à des terroristes islamistes.

Quand vous prononcez le mot « narcotrafiquant » à Washington en dehors des couloirs de la DEA, vous n'obtenez plus que des bâillements. Mais si vous dites « narcoterrorisme », vous avez droit à un budget. Et vous avez les mains libres. Le cartel de Sinaloa a toujours pris soin de ne jamais avoir affaire avec ce qui ressemblait de près ou de loin à des terroristes. Si les Zetas décident de traiter avec un groupe affilié à al-Qaida, ils vont avoir toute la structure antiterroriste à leurs trousses.

Keller sait que son coup de téléphone à Barcelone est une dose de poison injectée dans le système sanguin des

Zetas. Des notes circulant à l'intérieur de la CIA vont atterrir à la DEA et un comité de coordination verra le jour.

Puis ce sera l'heure de l'action.

Dans un mois, les Zetas vont livrer vingt kilos de cocaïne et un éventail d'armes à ce qu'ils croient être une cellule terroriste islamiste. La cargaison sera saisie, leurs contacts en Europe tomberont les uns après les autres comme des dominos et la 'Ndrangheta va leur tourner le dos en quatrième vitesse.

Barrera pourra alors mettre la main sur le trafic de cocaïne en Europe.

Sinaloa
Mai 2012

Adán dépose des fleurs et une bouteille de très bon vin rouge sur la tombe de Magda. C'est un geste purement sentimental, il le sait. Il lui avait offert ce même vin pour leur premier « rendez-vous » dans la prison de Puente Grande, il y a mille ans de ça. Il récite une prière pour le salut de son âme, au cas où il existerait un dieu, et où l'âme de Magda aurait besoin de prières.

Il a eu deux grands amours dans sa vie.

Magda.

Et sa fille, Gloria.

Enterrée elle aussi.

Il se lève et époussette son pantalon. Le moment est venu de chasser le passé, et avec lui l'amertume, pour ne penser qu'à l'avenir. Il a des enfants maintenant, deux garçons en parfaite santé, et il doit leur construire un monde.

Il regagne la voiture dans laquelle Nacho l'attend.

– Ne dis rien à Eva, demande-t-il en montant à bord.

– S'il y a une chose que je connais bien, répond Nacho, c'est les maîtresses.

– Je n'en ai plus, au cas où tu te poserais la question.

– Ça ne me regarde pas, du moment que tu traites convenablement ma fille et mes petits-fils.

Nacho est devenu un grand-père poule. Il ne cesse de rendre visite à Raúl et à Miguel Ángel, et il les couvre de cadeaux que de si jeunes enfants ne peuvent pas apprécier. Leur anniversaire approche et Adán redoute cette échéance car Eva et sa famille préparent une fête royale.

Et tu n'y trouveras rien à redire, n'est-ce pas, Adán ?

Avoue-le, tu es un vrai papa poule, toi aussi.

Il ne pensait pas qu'avoir des enfants à son âge changerait sa vie – le but était d'assurer sa succession –, mais il voue à ces deux garçons une passion qui dépasse l'entendement.

Tous les clichés sont vrais.

Il vit pour eux désormais.

Et il serait prêt à mourir pour eux.

Parfois, la nuit, il se lève et se rend dans leur chambre pour les regarder dormir. Ce comportement, il le sait, est celui d'un parent qui a perdu un enfant malade. Mais pas seulement. Il y a également une part de plaisir pur, une véritable joie physique.

– Les élections, dit Nacho. Le PAN va perdre.

– La guerre contre la drogue est très impopulaire. Tu as établi des contacts ?

– Avec les remplaçants ? Certains. Je ne te garantis pas que ce sera suffisant.

– Ce sera nous ou Ochoa. Le nouveau gouvernement devra choisir.

– Ce sera nous ou Ochoa à condition qu'Ochoa soit encore là, rectifie Nacho. Quand les Zetas ne représenteront plus une menace… le gouvernement peut décider de s'en prendre à nous.

– Où veux-tu en venir ?

– Je veux dire par là que la meilleure stratégie n'est peut-être pas de détruire les Zetas, mais de leur infliger des pertes. Le but, c'est qu'ils restent actifs, comme un contrepoids, afin qu'on continue à apparaître comme un moindre mal.

Adán regarde par la vitre de la voiture qui traverse lentement le cimetière. Beaucoup de ses amis sont enterrés là. Beaucoup de ses ennemis aussi. Certains à cause de lui.

– Ils ont tué Magda, dit-il. Tu ne peux pas suggérer sérieusement qu'on fasse la paix avec eux.

Les Zetas sont des bêtes. Ochoa, Quarante et leurs sbires sont des sauvages, des assassins sadiques. Regardez ce qu'ils ont fait aux pauvres passagers de ces cars, ce qu'ils font aux femmes et aux enfants. Le racket, les enlèvements, l'incendie du casino… pas étonnant que le pays se révolte contre les narcos. Les Zetas ont fait de nous des monstres, il faut les détruire.

– Je me fais vieux, dit Nacho. J'aimerais bien pouvoir me poser pour jouer avec mes petits-fils.

– Tu veux un rocking-chair aussi ?

– Non, mais peut-être une canne à pêche. On a des milliards. Plus d'argent que ne pourront jamais en dépenser les enfants des enfants de nos enfants. J'envisage de prendre ma retraite et de confier les rênes à Junior. Peut-être même que je vais me retirer avec toute ma famille.

– Comment tu vois les choses ? demande Adán. On publie un communiqué, on organise une fête, on porte des toasts, on t'offre une montre en or et tous les Ochoa du monde nous laissent vivre en paix ?

– Non, je ne pense pas. Mais si on commence par faire la paix avec eux, si on se répartit les *plazas*…

– On est en train de gagner.

– Pas au Guatemala, souligne Nacho. Et le temps presse. Le nouveau président va flanquer nos amis à la porte et les Américains avec eux.

– On avait de bonnes relations avec le PRI jadis, dit Adán, on peut les rétablir.

– Les temps ont changé, Adánito.

L'usage de ce diminutif agace Adán. Nacho joue le grand-père malin et il n'aime pas ça. D'autant plus que Nacho a raison : les temps ont changé. Avant, on gérait nos affaires entre nous et quand ça tournait au vinaigre, on maintenait les civils à l'écart. Aujourd'hui, le pays n'en peut plus de la violence associée au trafic de drogue. Le chaos qu'il a déclenché (il le reconnaît) s'est révélé catastrophique, et même s'il le voulait, il ne pourrait pas revenir en arrière.

Quant à la guerre contre les Zetas… Pas plus tard que la veille, seize de ses hommes ont été retrouvés sur le bord de la route, à la sortie de Badiraguato, décapités. Alors, oui, on est en train de gagner, mais le coût est effroyable.

En outre, Nacho a raison également au sujet du Guatemala.

On est en train de perdre là-bas, et si on perd le Guatemala…

On ne peut pas le perdre.

Ironie amère : tout dépend d'Art Keller désormais.

– Permettez que je vous pose une question, dit Tim Taylor. Êtes-vous devenu complètement dingue, nom de Dieu ?

Keller le regarde, assis en face de lui, de l'autre côté du bureau, dans la salle de réunion de l'EPIC.

– Non, je ne pense pas être complètement dingue, Tim.

– Je vous pose la question car il me semble que vous venez de demander que l'on autorise une cargaison d'armes à quitter les États-Unis, direction l'Espagne.

– Plus précisément, rectifie Keller, je demande à ce qu'on autorise une cargaison d'armes à transiter par le Mexique, pour ensuite atteindre l'Espagne. Avec un chargement de cocaïne.

– Vous avez déjà entendu parler de Fast and Furious ?

– Oui.

Tout le monde a entendu parler de la désastreuse opération de la DEA. Afin de remonter une filière de trafic d'armes, l'agence a permis que des armes soient envoyées au Mexique, puis elle en a perdu la trace. Ces armes ont été utilisées ensuite par le cartel du Sinaloa et les Zetas pour des meurtres, dont celui de l'agent Jiménez. Selon certaines rumeurs, Jiménez et son équipier se trouvaient sur cette route afin d'aller récupérer un chargement d'armes provenant de l'Opération Fast and Furious.

– Sinon, je peux allumer la télé si vous voulez, ironise Taylor. Je crois que C-Span retransmet justement les auditions du Congrès.

– Inutile.

– Et vous voulez répéter ce fiasco, mais en Europe cette fois. Comme ça, si on perd la trace des armes, on aura droit à une crise internationale.

– Rolando ne livrera pas les armes à des narcos. Il les livrera à vos propres agents.

– Parce que vous avez créé, tout seul, une fausse cellule terroriste…

– Avec l'aide des services de renseignements espagnols…

– … afin de piéger un citoyen américain.

– C'est ce qu'on appelle un coup monté. Enfin quoi, Tim ? Ça vous pose un problème éthique d'entuber les Zetas ? Estimons-nous heureux de les avoir piégés, au contraire, et d'avoir fait en sorte qu'ils nous vendent ces armes, à nous et non à un véritable groupe terroriste affilié à al-Qaida.

– N'empêche, vous auriez dû demander la permission.

– L'aurais-je obtenue ?

– Non.

– L'horloge tourne. Si le PRD emporte les élections, ils vont nous foutre dehors. Si c'est le PRI qui gagne, ils nous toléreront, mais ils ne nous laisseront pas, nous ou les FES, pourchasser Ochoa. Alors, si on veut éliminer les

Zetas, il faut le faire vite. Vous savez aussi bien que moi que s'ils sont surpris en train de vendre des armes à des djihadistes, on va à la Maison-Blanche et on en ressort avec la condamnation à mort d'Ochoa, et cette fois, la Justice et le Département d'État ne pourront rien dire.

– Vous êtes un cas, Art.

– Vous voulez Ochoa, oui ou non ?

– Vous savez bien que oui.

– Alors ?

Taylor se lève.

– Je ne veux absolument rien savoir de cette affaire avant qu'elle réussisse.

– Marché conclu.

– Si jamais ça foire, lance Taylor du seuil de la pièce, rendez-moi un service : restez au Mexique. Mieux encore, filez au Belize. Dans un endroit où vous ne pourrez pas être cité à comparaître. Je vais bientôt prendre ma retraite et j'ai envie de me retirer dans une cabane au bord d'un lac, pas dans une prison fédérale.

Il y a sept mille magasins d'armes à quelques heures de voiture de la frontière mexicaine.

Soit trois tous les deux kilomètres environ.

La plupart de ces armes ne serviront pas à chasser le cerf dans le Minnesota.

Keller est assis dans sa voiture devant un de ces magasins, à Scottsdale, Arizona, et il regarde entrer le faux acheteur.

Le gouvernement mexicain affirme que 90 % des armes utilisées par les cartels viennent des États-Unis. Keller sait que c'est faux. La plupart de ces armes ont été volées dans des armureries militaires d'Amérique centrale, mais les magasins d'armes qui bordent la frontière ainsi que les narcos installés de l'autre côté de la frontière ne sont pas là sans raison.

Dès qu'il a obtenu le feu vert de Taylor, Keller a fait placer sur écoute les portables et la boîte mail de Rolando Morales, ce qui l'a conduit à cinq magasins d'armes situés à Scottsdale, Phoenix, Laredo, El Paso et Columbus, au Nouveau-Mexique.

Il regarde le faux acheteur faire l'acquisition de trois fusils d'assaut AR-15 fabriqués en Roumanie. Au-delà de ce nombre, il risquerait d'attirer l'attention de l'ATF. Il remplit un formulaire 4473 qui fait de lui le véritable acheteur. Mais le vendeur sait très bien à qui sont réellement destinées ces armes.

C'est un acte tellement banal que l'homme ressort au bout d'une demi-heure seulement et dépose ses acquisitions dans le coffre de sa Dodge Charger. Un véhicule le prend en filature jusqu'à son domicile dans la banlieue. L'homme entre chez lui, dîne, regarde un peu la télé, puis, plus tard dans la soirée, il remonte dans sa voiture et se rend dans une maison en plein désert, où il remet les AR-15 à un intermédiaire des Zetas.

Cette transaction se répète plusieurs fois le long de la frontière jusqu'à ce que Morales rassemble les cinquante fusils d'assaut qu'il a promis de livrer aux « djihadistes ».

Pour franchir la frontière, le même procédé est utilisé avec les armes qui voyagent vers le sud qu'avec la drogue qui voyage vers le nord. Les hommes de Keller suivent les chargements jusqu'à Veracruz, où les armes et la cocaïne sont enfermées dans des containers hissés à bord d'un cargo faisant route vers Barcelone.

Rolando s'achète un billet d'avion en première classe.

Face aux images qui lui proviennent de l'intérieur d'un entrepôt situé sur les quais du port franc de Barcelone, Keller donnerait cher pour se trouver sur place plutôt que dans cette salle de crise à Quantico.

Mais Rafael Imaz est dans l'entrepôt, lui, avec vingt hommes du CNP lourdement armés. D'autres agents attendent à quelques rues de là, dans des véhicules banalisés. Sur l'écran de surveillance, Keller voit l'homme connu sous le nom « Ali » et trois des camarades « djihadistes » qui attendent Rolando.

L'atmosphère est tendue.

Keller est persuadé qu'ils ont suivi le chargement de drogue et d'armes, et que Rolando se présentera à son rendez-vous avec Ali. Mais s'ils se trompent, s'il y a eu une fuite, si le réseau de renseignements des Zetas a flairé le piège, Rolando ne viendra pas. Alors la drogue et surtout les armes prendront une autre direction.

Fast and Furious version européenne.

Rolando est à Barcelone depuis deux jours, il profite du soleil, de la gastronomie et des jolies filles sur les Ramblas. Il a invité les deux fonctionnaires du port à une autre soirée au Top Damas, raison supplémentaire pour inciter Keller à penser que l'accord avec Ali reste valable. Mais il pourrait s'agir d'une ruse : Ochoa s'y connaît en matière de renseignement militaire, et Keller le croit capable d'une telle manœuvre.

Le cargo est arrivé la veille, tôt le matin, et les opérations de déchargement ont débuté immédiatement, mais Rolando n'a toujours pas mis les pieds au port. Or, Ali a clairement précisé qu'il traiterait uniquement avec lui, pas d'intermédiaires, pas de transferts d'argent. Morales a une demi-heure de retard. C'est inquiétant, se dit Keller. La livraison a peut-être eu lieu ailleurs pendant qu'on le suivait dans les rues de Barcelone.

Ali a un écouteur dans l'oreille.

Keller entend Imaz :

– Eh bien ?

– Toujours rien.

C'est alors qu'ils reçoivent un appel de l'homme chargé de suivre Rolando. Celui-ci, accompagné de deux hommes, vient de quitter son hôtel, à bord d'une voiture qui a pris la direction du port.

Ils attendent.

Une heure plus tard, un chariot élévateur pénètre dans l'entrepôt avec deux containers. Rolando et ses deux acolytes arrivent juste après.

Rolando semble d'humeur joviale.

– *Allahu akbar !*

Ali joue son rôle.

– Vous êtes en retard.

– On voulait s'assurer que personne d'autre n'avait été invité à la fête.

– La prochaine fois, s'il y a une prochaine fois, soyez à l'heure.

– La prochaine fois, ne me fais pas venir personnellement.

– Vous n'aimez pas Barcelone ? Mes amis semblent penser que vous passez du bon temps, pourtant.

– On a aussi des putes dans l'Oklahoma, rétorque Rolando.

– Montrez-moi la marchandise.

Les sbires de Rolando ouvrent un des containers. Il en sort un gros paquet de cocaïne, qu'il brandit.

Keller assiste à toute la scène sur l'écran. Image et son.

– Tu veux goûter ? propose Rolando.

– Vous êtes trop intelligent pour me rouler sur la came, répond Ali. Je veux voir les armes.

Les sbires ouvrent l'autre container.

Ali s'approche et regarde à l'intérieur.

– Fais comme chez toi, dit Rolando.

Ali prend un des fusils et le soupèse.

– Les munitions ? demande-t-il.

– Un fusil ne sert pas à grand-chose sans munitions. Tout est là.

Suivant fidèlement le scénario, Ali poursuit :

– Vous pouvez me fournir des lance-grenades ?

– Des lance-grenades ? La vache.

– Alors ?

– C'est juste une question de prix, dit Rolando. On peut les faire venir du Guatemala, du Salvador. D'ailleurs, en parlant de prix…

Ali esquisse un hochement de tête et ses hommes apportent quatre mallettes. Ils les ouvrent et Ali montre à Rolando les liasses de dollars soigneusement empilées à l'intérieur.

– Vous voulez compter ?

– Non. J'ai confiance.

Les hommes d'Ali referment les mallettes et les remettent aux hommes de Rolando.

– *Go !* dit Imaz dans son micro.

Les agents du CNP jaillissent du fond de l'entrepôt. Au même moment, les hommes postés à l'extérieur se précipitent pour bloquer la sortie. Ils sont très rapides, très efficaces, et Morales n'a d'autre choix que de lever les mains en l'air.

Keller regarde Imaz marcher vers lui.

– *Sorpresa, hijo de puta !*

Surprise, fils de pute !

« Vous pouvez me fournir des lance-grenades ?

– Des lance-grenades ? La vache.

– Alors ?

– C'est juste une question de prix. On peut les faire venir du Guatemala, du Salvador… »

Le représentant du NAS, la Section de lutte antidrogue, arrête le magnétophone et regarde Keller de l'autre côté de la table.

Celui-ci soutient son regard, l'air de dire : *Eh bien ?*

– Je vois, dit celui-ci. Vous avez arrêté la transaction et démantelé le réseau. Affaire classée. Joli travail.

– Vous ne pensez pas qu'ils vont recommencer ? demande Keller. Je viens de vous apporter la preuve flagrante que les Zetas ont fourni des armes à des terroristes islamistes et par conséquent…

– J'ai compris.

Tous les acteurs habituels sont présents : Keller, Taylor, le chef de la DEA, la CIA, la Sécurité intérieure, la Justice, le Département d'État et la Maison-Blanche.

Un gros merdier, pour résumer, songe Keller.

– Je ne vois toujours pas, dit l'envoyé de la Maison-Blanche, ce qui nous empêche de refiler l'affaire aux Guatémaltèques en leur offrant l'aide des marines déjà sur place.

– Pour la même raison, répond Taylor, que vous ne pouviez pas informer les Pakistanais de la mission visant Ben Laden. Vous ne savez pas qui est à la solde des Zetas au sein du gouvernement mexicain.

– Les Guatémaltèques ne sont pas encore à la hauteur, ajoute le chef de la CIA au Guatemala. Chaque fois qu'ils s'en prennent aux Zetas, ils se font botter le cul. Ils ne voudront pas se mouiller.

Il suggère une frappe par drones.

– En Amérique centrale ? répond l'envoyé de la Sécurité intérieure.

– On dispose des hommes. On a les drones. Il suffit d'installer des missiles dessus.

– Des dommages collatéraux provoqueraient un incident, dit le fonctionnaire du Département d'État.

– Ce qu'il faut éviter avant tout, ajoute l'homme de la Sécurité intérieure, c'est que les Zetas recommencent à vendre de la drogue et des armes aux djihadistes. C'est inenvisageable.

– Il faut donc mettre les mains dans le cambouis, conclut Keller.

– C'est exactement ce que nous ne voulons pas, rétorque l'envoyé de la Maison-Blanche. Je vous rappelle qu'on essaye justement de sortir les mains du cambouis en Irak et en Afghanistan, nom d'un chien !

– Vous l'avez bien fait pour la mission Ben Laden, souligne Taylor.

– L'opinion publique américaine aurait accepté qu'il y ait des pertes pour éliminer Ben Laden. Pas pour deux trafiquants d'armes dont elle n'a jamais entendu parler. Si des gars de chez nous se font tuer au cours d'une opération secrète en Amérique centrale, les Républicains vont réclamer un *impeachment* à cor et à cri.

– On a déjà des hommes sur place, répète Keller.

– Des conseillers, précise l'homme du NAS.

Keller se renverse sur son siège en levant les bras au ciel.

– En fait, dit l'envoyé de la Maison-Blanche, la seule personne ici dont l'opinion compte, c'est moi. À vrai dire, la DEA n'a même aucune raison de participer à ce type de discussion. Alors, la réponse est non. Si ces deux individus apparaissent au Mexique et si vos gars des FES peuvent les buter, parfait. *Salud !* Mais il est hors de question d'effectuer une mission style Rambo dans la jungle du Guatemala. Le sujet est clos. Cette réunion n'a jamais eu lieu.

Il se lève et sort.

Ce soir-là, Keller broie du noir dans sa chambre d'hôtel.

Ochoa et Quarante vont rester tranquillement au Guatemala, sans que personne ne vienne les embêter. Et, de leur refuge, ils continueront à tuer des gens, à semer la terreur et la souffrance. Et nous, on restera bien tranquilles de ce côté-ci de la frontière, repus et contents, et on continuera à acheter leur drogue et à financer d'autres meurtres.

Son téléphone sonne.

Tim Taylor vient lui témoigner sa sympathie. Pour une fois, on est sur la même longueur d'onde, songe Keller pendant que Taylor déblatère sur les politiciens dégonflés et les bureaucrates castrés. Il s'est démené pour mener ce combat perdu d'avance et ça lui reste aussi en travers de la gorge.

– Ça vous dit de boire une bière ? propose Taylor.

– Oui.

– Je vous rejoins dans votre chambre… Et je vous amène du monde.

Cinq minutes plus tard, Taylor débarque avec l'agent de la CIA qui participait à la réunion et un type que Keller n'a jamais vu. Âgé d'une soixantaine d'années, il porte un costume gris sans doute très cher, avec des bottes de cow-boy, pas de cravate, et il ne se présente pas.

Tout le monde s'installe et Keller sort quatre bières du minibar.

L'homme de la CIA prend la parole :

– Mon collègue travaille dans le secteur de l'énergie. Nous sommes d'accord pour dire que cette mission au Guatemala doit avoir lieu.

Le « collègue » en question ajoute :

– Les Zetas fourrent leur nez dans les recherches de gisements de pétrole et de gaz au Tamaulipas, ce qui pourrait coûter des milliards de dollars. Sans oublier les aspects humanitaires, évidemment.

– Évidemment, répète Keller.

Mais il s'en contrefiche.

– Mais nous ne pouvons pas utiliser nos propres hommes, reprend l'agent de la CIA. Nous allons donc devoir faire appel à une société de sécurité privée. La plupart des ces gars sont des anciens des forces spéciales américaines : SEALs, DEVGRU, Delta Force. C'est ce qu'ils ont fait en Afghanistan et en Irak, non ? Ils arrivent, ils liquident le méchant et ils repartent.

– Et le financement ? dit Taylor. Impossible d'utiliser les fonds de la DEA.

– Je peux régler ça, répond le « collègue ». En échange de certaines assurances.

– Lesquelles ? demande Keller.

– Eh bien, nous ne voulons pas débarrasser les gisements de pétrole et de gaz d'un groupe de narcos pour laisser un autre s'installer à leur place.

– Donc, dit Keller, vous voulez qu'Adán Barrera s'engage à ne pas toucher à ces gisements.

– Exact. Pouvez-vous nous apporter ces assurances ? Pouvez-vous parler au nom de Barrera ?

Drôle de putain de monde, songe Keller.

– En fait, oui.

– Vous êtes très proches, tous les deux, hein ?

– On ne fait qu'un.

– Dans ce cas, le financement n'est pas un problème.

C'est donc décidé. Les magnats du pétrole vont engager une société installée en Virginie. Des troupes d'élite privées composées de spécialistes de la contre-insurrection atterriront au Petén pour liquider Heriberto Ochoa et Quarante.

– Comment être sûr qu'ils seront bien là ? demande l'homme de la CIA. Il faut les « fixer » à un endroit et à un moment précis.

– Je m'en occupe, répond Keller. Car je participerai à la mission, bien sûr.

– Pas question, dit Taylor.

– Et si vous vous faites tuer ? ajoute l'homme de la CIA. Comment l'expliquer ?

– Ce ne sera plus mon problème, si ?

– Vous êtes trop impliqué personnellement, souligne Taylor.

Et pas qu'un peu, songe Keller. C'est Ochoa qui a donné l'ordre de s'en prendre à Marisol. Et de tuer Erika.

Alors oui, en effet, c'est devenu une affaire personnelle.

– Si je n'y vais pas, il n'y a pas d'accord.

– Libre à vous de vous suicider, répond Taylor. Mais vous me remettrez votre démission avant. Et ensuite, on fera en sorte que cette société vous engage. Si jamais ça tourne mal, je ne veux surtout pas que l'on puisse remonter jusqu'à cette agence.

– Ça fait sept ans que j'essaye de démissionner, Tim.

– Cette fois, ce sera définitif.

Certes, pense Keller.

– Encore une question, ajoute Taylor. Que fait-on au sujet de la Maison-Blanche ?

L'homme du pétrole frotte le sol avec le bout de sa botte, en souriant.

– Qui nous envoie, à votre avis ?

Keller a remis sa démission et la DEA a fait circuler une rumeur selon laquelle Art Keller avait été fichu dehors à cause de ses relations jugées trop intimes avec l'ancienne organisation des Tapia, mais que l'agence lui avait organisé un atterrissage en douceur dans une société de surveillance basée en Virginie, afin d'éviter un nouveau scandale.

Après Fast and Furious, plus personne ne voulait de scandale.

À Marisol, Keller dit la vérité.

Autant qu'il le peut, du moins.

– Une société de surveillance privée ? s'étonne-t-elle.

Elle n'est pas idiote, elle sait lire entre les lignes.

– Juste pour une mission.

– L'éternelle rengaine.

– C'est toi qui dis ça ? demande Keller. Moi, oui, je me retirerai ensuite.

Ils se sont peu vus au cours de ces derniers mois. Il était avec les FES pour traquer les Zetas, ou à Washington. Même son passage à l'EPIC ne lui a guère laissé de loisirs, et il quitte de moins en moins son appartement d'El Paso.

Marisol a été très occupée, elle aussi. Elle continue à diriger ce qui reste de la municipalité, elle s'efforce de maintenir un semblant d'ordre sans un seul policier, elle réclame des fonds à l'État et au gouvernement fédéral et elle gère son dispensaire. La violence a légèrement reculé dans la vallée et elle sait que l'armée la protège, sur ordre de Keller. Il l'a assurée que ça ne changerait pas.

Esquivant la pique de Keller au sujet de son refus de lever le pied, elle dit :

– En fait, ta « retraite » n'est qu'une farce. Tu restes un acteur clé dans la lutte contre la drogue. C'est quoi, cette mission ?

Il est en train de couper des légumes pour le dîner ; il poursuit sa tâche sans répondre.

– Tu vas encore tuer des gens, hein ? insiste Marisol.

Il ne dit toujours rien, mais elle ne veut pas lâcher prise.

– Tu n'en as pas assez ? Est-ce qu'on n'en a pas tous eu assez ?

– C'est Ochoa, lâche-t-il sans la regarder. Voilà, tu es heureuse ?

– Tu crois que c'est ça qui va me rendre heureuse ?

– Il a tué Erika !

– Je le sais ! (Elle le foudroie du regard.) Mais tu me connais très mal.

– Très bien. N'ayons pas peur des clichés.

– Va te faire foutre.

Elle prend sa canne et sort de la cuisine en boitant. Keller entend claquer la porte de la chambre. Il inspire à fond, pose le couteau et la rejoint. Marisol est en train de se changer et il voit les cicatrices sur son corps, la poche de colostomie, et il se souvient de l'ironie amère avec laquelle elle avait souligné ce symbole : elle se trimballait avec un sac de sa propre merde.

– Oui, dit-elle en faisant passer son chemisier au-dessus de sa tête, consciente du regard de Keller. C'est Ochoa qui m'a fait ça. C'est Ochoa qui a tué Erika. Mais qui a tué Jimena ? Qui a massacré des gens dans la vallée ? C'est ton nouveau meilleur ami, Adán Barrera. Vous travaillez tous main dans la main maintenant, non ? Ton gouvernement, le mien, ils ont toujours coopéré avec lui.

– Qu'est-ce que tu insinues ? Que je fais partie du cartel ?

– Pardonne-moi, mais c'est le cas, non ?

– J'ai conclu un pacte avec le diable pour éliminer les Zetas, dit Keller.

L'amertume est perceptible dans sa voix.

– Pour moi ? grince Marisol d'un ton sarcastique. Tu as vendu ton âme pour me venger ? Je ne t'ai rien demandé. Et je ne te demande rien. Si tu fais ça pour te venger, assume. Ne m'en rends pas responsable.

– Qu'est-ce que tu veux, toi ?

– Je veux que tout ça s'arrête !

– Moi aussi.

– Alors arrête tout. Supposons que tu tues Ochoa. Quelqu'un d'autre, qui sera encore pire, prendra sa place. Et tu le sais bien. Combien de personnes as-tu tuées depuis qu'on se connaît, Arturo ? Peut-être qu'elles le méritaient, je ne veux même pas discuter de ça, mais je sais que toi, tu ne le mérites pas… Et moi non plus.

– C'est la toute dernière fois.

– Alors, vas-y. Je t'en prie, vas-y, fais ce que tu penses devoir faire. Seulement…

– Quoi ?

Elle le regarde droit dans les yeux pendant un temps qui lui semble infini.

– Si tu fais ça, dit Marisol, je ne suis pas certaine de vouloir que tu reviennes.

– D'accord.

– Art…

– Non. Tu as été très claire. Au revoir, Marisol. Je te souhaite d'être heureuse.

Keller s'en va. La bague de fiançailles qu'il a achetée à El Paso est encore dans sa poche tandis qu'il part faire son propre djihad.

2

La Plaza del Periodista

Il n'y a pas d'eau pour éteindre le feu.
Mi canto la esperanza.
Carlos Santana, « Maria Maria »

CIUDAD JUÁREZ
JUIN-JUILLET 2012

Pablo se connecte sur le site d'*Esta Vida* avec mauvaise conscience.

Aujourd'hui, on y voit une vidéo montrant cinq hommes torse nu, agenouillés sur le sol d'un entrepôt. La lettre Z est peinte sur leur poitrine et derrière eux se tiennent des individus cagoulés dont les chemises de style militaire portent le logo du cartel du Golfe.

En guise de bande-son, on entend un des ravisseurs, hors champ, poser des questions aux prisonniers. L'un après l'autre, ceux-ci avouent être des Zetas et avoir commis des crimes.

Puis une tronçonneuse se met en marche.

La caméra continue à filmer la scène, mais Pablo détourne le regard. Quand il revient sur l'écran un peu plus tard, il découvre les têtes coupées sur le sol, tandis que la voix off déclare que c'est ce qui attend « toutes les ordures de Zetas » au Tamaulipas.

Cette vidéo est terrifiante, mais pas seulement pour des raisons évidentes.

Esta Vida provoque les Zetas en montrant l'exécution des leurs. Pour couronner le tout, le post du jour s'accompagne d'un article relatant le rapt d'un journaliste du *Milenio* à Veracruz, enlevé sur le parking du quotidien par trois hommes en fourgonnette. Son cadavre a été retrouvé dans un parc du centre, avec ce message : « Voilà ce qui arrive aux traîtres et aux petits malins. Sincèrement, les Zetas. »

C'est le quatrième journaliste tué à Veracruz au cours des deux derniers mois. Trois photographes spécialisés dans les affaires criminelles ont été jetés dans un canal, enfermés dans des sacs plastique. Une journaliste a été étranglée après avoir été tabassée.

En lisant cet article, Pablo sent ses intestins se liquéfier. Il aimerait mettre ça sur le compte du trop grand nombre de bières et de l'*aguachile* épicé de la veille au soir, mais il sait qu'en réalité, c'est la peur.

Non, pas la peur…

La terreur.

Il se déconnecte quand il entend Ana s'approcher derrière lui.

– Tu sais que le journal surveille tout ce que tu télécharges, dit-elle. Tu pourrais te faire virer pour avoir maté du porno.

– Recherches, répond Pablo.

– Oui, c'est ce qu'on dit toujours.

Pablo passe des journées plus longues au bureau ces derniers temps car il y a moins de crimes dans les rues. Non pas que la violence ait cessé à Juárez, mais un sommet semble avoir été atteint.

Certains attribuent cela au nouveau chef de la police, un militaire à la retraite nommé Leyzaola, arrivé un an plus tôt, après avoir « nettoyé » Tijuana. Le jour de sa prise de fonctions, il a été accueilli par un cadavre ficelé et bâillonné, déposé contre sa porte, un cadeau de bienvenue des narcos, accompagné de la menace habituelle :

un de ses hommes serait tué chaque jour jusqu'à ce qu'il démissionne.

Mais Leyzaola n'a pas cillé quand les cinq premiers policiers ont été abattus. Il a ordonné à ses subordonnés de quitter leur domicile et il leur a trouvé des chambres d'hôtel. Puis il a tenu une conférence de presse : « Au bout du compte, les criminels doivent être écrasés. Il existe une légende, un mythe autour des narcos, qui seraient invincibles, omnipotents. Nous devons détruire cette idée et les traiter comme ce qu'ils sont : des criminels. »

Évidemment, ils ont tenté de le tuer, ils ont tendu une embuscade à son cortège et tué un policier, sans même égratigner Leyzaola. Celui-ci a répondu par une autre conférence de presse, dans laquelle il a annoncé son désir de nettoyer Juárez, quartier par quartier, en commençant par El Centro.

Ce qu'il a fait. Il a « mis des uniformes sur le pavé » et ces policiers ont survécu. Certains affirment que les narcos ont eu peur de Leyzaola (on racontait qu'il avait lui-même torturé des trafiquants et des policiers corrompus à Tijuana, et ces histoires avaient envahi les rues plus vite que ses hommes), mais pour d'autres la violence avait déjà diminué car Adán Barrera avait gagné la guerre. Certains allaient encore plus loin en prétendant que Leyzaola avait conclu une paix séparée avec Barrera pour domestiquer Tijuana et il faisait tout simplement la même chose à Juárez, même s'il avait déclaré publiquement avoir refusé le pot-de-vin de quatre-vingt mille dollars par semaine que lui offrait El Señor.

Pablo avait un point de vue plus cynique. S'il y avait moins de meurtres, estimait-il, c'était parce qu'il n'y avait plus personne à tuer.

Selon une autre théorie, la guerre entre les narcos avait seulement changé de front et se déroulait désormais au Tamaulipas, au Nuevo León et à Veracruz.

Mais pour la plupart des gens, ça n'avait aucune importance.

Les meurtres, s'ils n'avaient pas cessé, diminuaient. Lentement, très lentement. Des commerces rouvraient à El Centro et dans d'autres quartiers. Juárez, « la ville la plus meurtrière au monde », montrait quelques signes de vie.

Et quelques signes d'espoir.

Un général d'Ojinaga avait été arrêté et inculpé pour avoir tué et torturé des civils, une grande victoire pour la « révolte des femmes » dans la vallée de Juárez, même si Pablo regrettait que Jimena Abarca, Erika Valles et les autres ne soient plus là pour la savourer.

Un signe encourageant néanmoins, et les gens commençaient à parler, tout bas, d'un « printemps de Juárez ».

Pablo lui-même, cynique et dépressif, nourrissait ce timide espoir : le pire était passé et sa ville allait renaître. Pas comme autrefois, bien entendu, elle ne serait plus jamais pareille, elle aurait un autre visage, mais au moins elle serait vivante.

– Sur quoi tu travailles ? demande Ana.

– Les vendeurs de DVD pirates. À El Centro. Sous l'angle humain et pittoresque. Et toi ?

– Les élections, répond Ana comme si c'était évident.

Ça l'est.

Les élections occupent tous les esprits.

Victoria est emballée par la candidate du PAN.

– Une femme, conservatrice par-dessus le marché ! s'est-elle exclamée lors de la dernière visite de Pablo à Mexico (un cadeau d'Óscar qui lui avait commandé un article sur un festival littéraire). J'ai toujours essayé de te l'expliquer : le véritable parti progressiste, c'est le PAN, pas le PRI ni le PRD.

– Elle te plaît surtout à cause du titre de son livre, a rétorqué Pablo.

En effet, la candidate du PAN, Josefina Vázquez Mota, a écrit un ouvrage de développement personnel, un best-seller, intitulé : *Dieu, fais de moi une veuve.*

– Au moins, elle écrit, a ironisé Victoria. Ton gars, lui, ne sait même pas lire. Bon sang, Pablo, c'est Rick Perry !

Le candidat du PRI, Enrique Peña Nieto, a bredouillé quand un journaliste lui a demandé quels étaient les trois livres qui l'avaient le plus influencé. Il n'avait pas réussi à en trouver trois, et il avait fini par marmonner quelques banalités sur la Bible. En outre, il arbore en effet la même coiffure soignée que Perry, pas une mèche ne dépasse, et face à un autre journaliste, il n'avait pas été capable de donner le prix d'un paquet de tortillas.

– C'est un séducteur compulsif, a ajouté gaiement Victoria. Il a engendré deux enfants hors mariage. Et tout le monde sait qu'il a eu une liaison avec cette actrice.

– Il l'a épousée, a répliqué Pablo, mollement.

Avec une pointe de jalousie. Peña Nieto avait effectivement épinglé à son tableau de chasse une superbe vedette de feuilleton télé nommée Angélica Rivera.

– D'ailleurs, ce n'est pas « mon gars », a-t-il ajouté.

– Non, évidemment. Toi, tu soutiens le gauchiste. López Obrador se présente uniquement parce qu'il est convaincu que les résultats ont été truqués la dernière fois.

– C'est la réalité.

– Comme Al Gore ?

– Tu es pour qui, toi, Sarah Palin ? Si tu veux jouer au petit jeu des comparaisons.

– Mota est beaucoup plus intelligente que Palin.

– Attention, ne place pas la barre trop haut.

Il aimait bien ses prises de bec avec Victoria sur les questions politiques, c'était un signe du réchauffement de leurs relations. Pablo avait fini par accepter le fait qu'elle se soit remariée, et que Mateo ait donc un beau-père, qui semblait exercer une influence positive sur Victoria, d'ailleurs. Elle était beaucoup plus tolérante concernant les visites, et elle avait même accepté que Mateo aille le voir, peut-être pour des vacances à Cabo ou Puerto Vallarta, voire El Paso.

Cette dernière option correspond davantage aux finances de Pablo et il a déjà commencé à préparer ce voyage. Il ira chercher son fils à El Paso et il l'emmènera au Western Playland Park pour le toboggan aquatique et les montagnes russes, et ensuite ils iront camper à Big Bend.

Il ne sait pas s'il doit demander à Ana de les accompagner.

Victoria, avec son sixième sens infaillible, a évoqué le sujet :

– Alors, il y a quelque chose entre toi et Ana ?

– Je ne sais pas ce que veut dire « quelque chose », a-t-il répondu pour esquiver.

– Coucher ensemble. Faire l'amour. Pas de problème, Pablo, on est divorcés. En fait, j'aime bien Ana.

– Moi aussi.

– J'espère. Si tu te la tapes.

– Bon sang, Victoria !

– Tu as un peu maigri aussi. Les hommes font attention à leur ligne seulement quand ils couchent avec quelqu'un, même si tu ne t'es jamais donné cette peine avec moi.

– J'étais mince quand on s'est rencontrés.

– Oui, c'est vrai.

Victoria le harcelait en permanence pour qu'il mange mieux, boive moins, fasse du sport, mais Pablo avait très vite compris qu'elle sublimait (à peine) son fascisme inné en faisant de l'exercice et des régimes, et depuis quelque temps, elle participait à des séances de *boot camp,* pendant lesquelles elle éprouvait certainement des orgasmes alors qu'un instructeur survolté par les stéroïdes lui hurlait dessus.

Ana ne le critique jamais, pour quoi que ce soit ; cela fait partie de leurs accords tacites. Il sait qu'ils ont en commun une mentalité de survivants, qui ne se partage qu'avec ceux qui ont vécu ensemble dans une zone de guerre. Il en résulte une attitude qui se résume ainsi : « Tout est bon qui te permet de vivre un jour de plus. »

Pour Pablo, c'est généralement la bière et la malbouffe. Pour Ana, c'est le vin, les cigarettes et un joint de temps en temps. Sans oublier le travail. Elle a toujours été une bûcheuse, mais depuis un an, elle consacre une énergie presque démoniaque à son activité professionnelle. Quand elle n'est pas scotchée à son bureau, elle est rivée à son ordinateur portable, et Pablo a de plus en plus de mal à l'entraîner pour boire un verre.

Ils se voient en salle de rédaction et tard le soir, chez elle (bon d'accord, chez eux maintenant), quand il rentre de sa tournée des bars et qu'Ana revient d'un reportage quelconque. Ils vont se coucher quand elle a assez bu et fumé, pour s'offrir ce qu'on ne peut qu'appeler du « sexe désespéré ».

Victoria était une machine au lit. Pas du tout la fille frigide qu'on pouvait imaginer, mais un mécanisme producteur d'orgasmes d'une efficacité stupéfiante, pour lui et pour elle. Rien à voir avec Ana. Au lit avec Ana, c'est le chaos. Elle approche de l'orgasme tel un cheval lancé au galop, incontrôlable, qui aperçoit soudain la falaise devant lui, mais ne peut plus s'arrêter.

Les orgasmes de Victoria s'accompagnaient d'un cri de triomphe, ceux d'Ana s'expriment par un gémissement du style « Oh, non », suivi de larmes, et elle s'accroche désespérément à lui, comme s'il était le seul rempart qui l'empêchait de sombrer dans les abîmes.

Ana ne semble attendre rien d'autre de cette relation. Elle ne veut pas « améliorer » Pablo, elle ne cherche pas à savoir « où ça mène tout ça ». Elle se satisfait de sa présence le soir, de son amitié, de son amour, si on peut appeler ça comme ça.

Pour Pablo, le sexe est davantage un moyen de retarder le sommeil.

Avant, il adorait dormir.

Aujourd'hui, dormir lui fait peur.

Car avec le sommeil viennent les rêves.

Trop angoissants pour un homme qui a couvert des milliers de meurtres. Il ne s'agit pas d'une figure de style ni d'une hyperbole, a-t-il constaté une nuit où il faisait le compte. Il a assisté à des milliers de meurtres. Enfin, pas les meurtres en eux-mêmes (même si certaines fois il s'en est fallu de peu), mais leurs conséquences. Les morts, les mourants, les endeuillés. Les démembrés, les décapités, les écorchés.

Il n'a pas besoin d'un site web pour voir ces images.

Il n'a pas besoin d'*Esta Vida,* car c'est sa vie et il possède ses propres vidéos qui défilent derrière ses paupières quand il s'abandonne au sommeil.

Alors, Pablo semble perpétuellement fatigué, mais il a toujours semblé perpétuellement fatigué. Et il essaye de retrouver la forme, de manger un peu mieux, de boire un peu moins ; il ne mettra jamais les pieds dans une salle de sport, mais il va au parc une ou deux fois par semaine pour taper dans un ballon.

Óscar sort de son bureau en frappant le sol avec sa canne.

– Sur quoi vous travaillez, là ?

– Je pensais aller à Mexico pour écrire un article sur le coiffeur de Peña, répond Pablo. Les heures de travail, le stress…

– C'est une plaisanterie ?

– Oui.

– Pas très drôle.

– En vérité, je pensais faire un micro-trottoir classique. Avec des interviews « tranches de vie » dans différents *barrios*. Ce que pensent les gens, quel candidat ils soutiennent, pour quelles raisons. Histoire de donner le point de vue des habitants de Juárez.

Les élections promettent d'être serrées, au moins entre López Obrador et Peña Nieto. Les sondages donnaient une avance de cinq points à ce dernier, il y a quinze jours, mais les autres partis ont protesté vigoureusement contre ce qu'ils considèrent comme un penchant des médias pour le PRI. Le PAN est loin derrière, dans la zone des 20 %.

– Allez à El Paso également, conseille Óscar. Pour savoir ce qu'en pense *el otro lado.*

– Ils savent qu'il y a des élections chez nous ?

– À vous de nous le dire. C'est un bon sujet, en tout cas.

– D'accord, soupire Pablo.

Il déteste traverser la frontière. Les embouteillages, la queue, l'attente aux postes de contrôle…

– Veillez à garder un ton neutre. Aucune allusion au fait qu'un parti ou l'autre pourrait avoir un faible pour tel ou tel cartel.

– Tous les partis penchent pour le Sinaloa, intervient Ana. Puisque les Zetas ont quasiment proclamé leur propre gouvernement.

– On n'a pas besoin d'imprimer ça, répond Óscar.

– *Esta Vida* le fera.

– Laissons-les faire. C'est le summum du journalisme irresponsable. Rumeurs non vérifiées et sous-entendus qui flattent les instincts les plus vils.

Pablo comprend l'amertume d'El Búho. Cet homme a consacré sa vie à produire des journaux de qualité, convaincu qu'une presse libre constituait le fondement de la démocratie. Et aujourd'hui il est obligé de rester les bras croisés pendant que le public se tourne vers les sites Internet et les blogs pour obtenir de vraies informations sur les narcotrafiquants.

Ce doit être exaspérant.

– J'aimerais bien flanquer une bonne fessée à cet Enfant sauvage, ajoute Óscar avant de regagner son bureau en clopinant.

– Ça, c'est une image sympa, commente Ana.

– Si on savait qui est El Niño Salvaje, répond Pablo.

– Tu as vu ce qu'il a posté ce matin ?

– Horrible.

Oui, horrible.

Pablo sillonne les rues à bord de sa *fronterizo,* qui rendra bientôt l'âme. La climatisation moribonde est plus une protestation asthmatique contre la chaleur qu'une source de fraîcheur, alors il roule vitres baissées et il transpire en allant d'El Centro à Anapra, Chaveña et Anáhuac.

Il pourrait deviner quel est le candidat préféré dans tel ou tel quartier en fonction de sa richesse, toute relative. Les secteurs plus aisés de Campestre et Campos Elíseos miseront leurs portefeuilles sur le PAN. Les ouvriers et les chômeurs des *colonias* voteront PRD, alors que certains quartiers plus anciens, plus « chic », comme Colonia Nogales et Galeana, pencheront certainement pour le PRI.

D'autres quartiers n'existent plus, songe Pablo avec tristesse au cours de son périple. Rivera del Bravo, par exemple, composé autrefois d'immeubles neufs et de centres commerciaux, ressemble à une ville fantôme avec des maisons abandonnées et des murs couverts de graffitis, les habitants ayant fui les violences incessantes. Le vieux quartier chaud de Mariscal a été rasé par les bulldozers, récuré, pourrait-on dire. L'itinéraire de Pablo le fait passer devant le stade Benito Juárez, dans lequel jouaient ses Indios chéris jusqu'à ce que la faillite de la ville oblige les propriétaires à mettre la clé sous la porte.

Encore une victime de la guerre contre la drogue, pense-t-il.

Il retourne dans le centre, achète une *torta* à un vendeur ambulant et déjeune dans le parc Chamizal, en regardant des enfants jouer au *fútbol* dans le lit du canal asséché ou provoquer les agents des douanes de l'autre côté de la clôture.

Bon, faut y aller, se dit Pablo.

Il remonte en voiture et franchit le pont. Il n'y a pas trop de monde dans la file de voie express et il se retrouve aux États-Unis avant de l'avoir voulu.

Un habitant de Juárez parmi tant d'autres qui se rend à El Paso.

Le maire lui-même vit à El Paso, pour des raisons de sécurité. Tout comme le chef de la police et les rédacteurs en chef de deux quotidiens.

Mais pas Óscar, pense Pablo avec fierté.

Même avec un pied-de-biche vous ne pourriez pas arracher El Búho à sa maison de Chaveña, et il considère El Paso comme un trou paumé, rempli de bouseux, dénué de toute vie culturelle. Óscar est *anclado,* ancré dans sa ville. Mais les nombreux habitants qui ont eu les moyens de déménager franchissent le pont matin et soir, dans des voitures modestes qui, espèrent-ils, n'attireront pas l'attention de ravisseurs potentiels. Ils ont ouvert à El Paso des clubs pour expatriés, des restaurants, des country clubs, des écoles privées et fait flamber le prix de l'immobilier.

Pablo ne peut s'empêcher de les considérer comme des traîtres.

Il sait que c'est une réaction stupide : El Paso et Juárez ont toujours été reliées comme les doigts de la main, et beaucoup de gens, dans ces deux villes, ont de la famille de l'autre côté. Les femmes de Juárez vont si possible *al otro lado* pour accoucher, afin que leur enfant bénéficie de la double nationalité et se voie offrir de meilleures opportunités. Si vous éternuez à Juárez, quelqu'un à El Paso dira « à vos souhaits », et la frontière pour de nombreuses personnes est moins une réalité qu'un désagrément, un détail technique.

Pour Pablo, la frontière existe bel et bien.

C'est une réalité et un état d'esprit.

Premièrement, la frontière est la raison d'être des cartels. Pas de frontière, cela signifierait pas de bénéfices, pas de *plazas*. Pas de violence.

Deuxièmement, la frontière est la raison d'être des *maquiladoras*. Le plus grand marché au monde se trouve à un peu plus d'un kilomètre au nord derrière cette frontière, alors peut-on rêver d'un meilleur endroit pour fabriquer des biens de consommation ?

Bon, d'accord, il y a la Chine maintenant… mais la prolifération des *maquiladoras* a modifié à jamais le paysage de Juárez, créant ces immenses *colonias* où les gens qui ont pu trouver un travail se battent afin de survivre avec seulement un tiers de ce qu'ils gagnaient autrefois. Leur pauvreté fait d'eux des cibles idéales pour les recruteurs des narcos, et leur désespoir les transforme en consommateurs des produits de ces mêmes narcos.

Leurs vies ne valent pas cher.

Voilà la réalité.

La réalité, c'est aussi qu'il existe une mentalité différente de l'autre côté de la frontière. Si vous vivez à El Paso, vous êtes un *pocho,* un Mexicain américanisé. Vous faites vos courses dans des centres commerciaux et non dans des *mercados,* vous regardez le football à la place du *fútbol,* vous devenez un consommateur de plus dans une machine gigantesque qui consomme les consommateurs.

Dios mío, se dit Pablo. Óscar foutrait cette phrase à la poubelle. Mais ça n'en demeure pas moins vrai. Aux États-Unis, il y a un autre état d'esprit. Non, plus que ça, c'est une autre « âme ».

Comme il s'y attendait, en dehors des *barrios* d'El Paso, tout le monde se fout de savoir qui sera le prochain président, et quand il pose la question dans les quartiers riches de West El Paso, qui portent des noms comme « Les saules » ou « Coronado Hills », la réponse est généralement : « Romney ».

Je ne pense pas, se dit Pablo, essentiellement parce que le vote latino sera presque aussi déterminant aux États-Unis qu'au Mexique.

Il se sent toujours mal à l'aise quand il est aux États-Unis, tel un invité indésirable dans une soirée. Il sait ce que les Américains pensent des Mexicains, et beaucoup de Mexicains pensent la même chose des habitants de Juárez.

Nous sommes les sous-Mexicains du Mexique.

Qu'ils aillent tous se faire foutre.

Il pénètre dans Barrio El Segundo, terre d'origine des Aztèques, et déniche un bar où règne une obscurité agréable, et où il peut boire une bière sans avoir l'impression d'être un intrus. L'angoisse qui le ronge depuis qu'il a consulté le blog d'*Esta Vida* ce matin ne le lâche pas, et trois bières glacées ne parviennent pas non plus à la chasser.

Au contraire, elle augmente quand il traverse le pont pour retourner à Juárez.

Paranoïa ou inquiétude ? Pablo ne peut se défaire de la sensation d'être suivi. C'est ridicule, se dit-il en regardant dans son rétroviseur. Néanmoins, il ne peut s'empêcher de songer aux autres journalistes qui ont été agressés dans leur voiture, dans l'allée de leur maison, devant leur bureau. Abattus sur place ou emmenés pour être torturés, puis tués, et s'il transpire, ce n'est plus seulement à cause de la chaleur, c'est la peur ; la sueur a une odeur différente. Un détail qu'il devrait utiliser dans un article, un jour.

Pablo se rend à Las Misiones, le nouveau centre commercial construit en face du consulat américain, il marche sur les sols en marbre poli, passe devant le « fitness center » et se plante au pied du multiplexe IMAX de douze écrans pour demander aux gens leur avis sur les prochaines élections. Sans surprise, les clients du centre commercial sont très majoritairement pro-PAN ou PRI.

Voilà le « nouveau Juárez », se dit Pablo, résidentiel, aisé et sans âme, exactement comme son double de l'autre côté de la frontière. Voilà à quoi on aspire désormais. On a pris « l'argent nouveau », celui de la drogue, et on a construit une fausse Amérique.

Il quitte le centre commercial au moment où Ramón vient vers lui.

– *Hola, 'mano !*

– Hé, salut, Ramón. Qu'est-ce que tu fais ici ?

– Je te cherchais. Tu es malade, *'mano* ? Tu transpires comme un porc.

– Non, non, ça va.

– J'ai un boulot pour toi.

– Tu sais bien que je ne peux plus écrire…

– Personne ne te demande d'écrire quoi que ce soit. Certaines personnes, en fin d'alphabet, sont très en colère à cause du blog de ce matin. Alors, tu vas nous dire qui est El Niño Salvaje.

– Je n'en sais rien.

– Renseigne-toi. (Ramón sort son portable et montre à Pablo une photo de Mateo devant son école à Mexico.) Il est mignon, ton *hijo.*

– Espèce de salopard.

– Attention, *'mano*. Surveille ton langage. Leurs spécialistes de l'informatique, les… comment on les appelle ?… les geeks, affirment que le blog vient de Juárez. Du coup, toute la pression est sur moi, *'mano*. Alors, je suis obligé de mettre un max de pression sur toi. C'est pas toi, hein ? Dis-moi que c'est pas toi, Pablo.

– Non.

– Tant mieux. Je suis soulagé. Mais c'est forcément quelqu'un que tu connais. Un putain de journaliste.

– Je t'ai dit que je ne savais pas.

– Je n'ai pas dit que tu savais, réplique Ramón d'un ton cassant. J'ai dit que c'était *quelqu'un* que tu connaissais, c'est pas pareil, alors ouvre tes oreilles. Tu te renseignes, et tu me le dis. Sinon, c'est pas à toi qu'on s'en prendra en premier, tu piges ? Tu recevras les photos sur ton téléphone. Hé, peut-être même qu'El Niño les postera sur son blog.

Pablo est pétrifié.

– Dis-moi que tu comprends, Pablo.

Celui-ci émet une sorte de croassement :

– Je comprends.

– Bien. (Ramón prend Pablo par l'épaule.) *'Mano*, je veux pas faire du mal à ton fils. C'est vraiment la dernière chose que j'aie envie de faire. Alors, m'y oblige pas, OK ? Dans une semaine, dix jours max, je veux une réponse de ta part. Un nom.

Et il s'en va.

La terreur parcourt Pablo de la tête aux pieds tel un torrent glacé.

Il faut qu'il arrête de trembler.

Il boit deux whiskys à San Martín, puis sort du bar pour appeler Victoria.

– Écoute, dit-il, j'ai réfléchi. Au sujet des vacances. Est-ce que tu pourrais amener Mateo à El Paso et je vous retrouverai là-bas ?

– Oui, sans doute, mais pourquoi ?

– Je me disais que tu devrais venir avec Ernesto. On pourrait dîner ensemble. Il serait bon que je fasse sa connaissance, tu ne crois pas ? Puisqu'il est le beau-père de Mateo.

Si les narcos ne peuvent pas mettre la main sur Mateo, songe-t-il, ils s'en prendront à Victoria. Il faut qu'elle quitte le pays, après il lui expliquera qu'elle ne peut pas y retourner.

Pas tout de suite, du moins.

Contrairement à toi.

Toi, tu ne pourras jamais y retourner.

– Tout va bien, Pablo ?

– Oui, oui. Tu m'as toujours reproché de ne pas être assez mature, alors j'essaye de l'être davantage.

– Parfait.

– Je pensais faire ça la semaine prochaine.

– La semaine prochaine ? Tu plaisantes ? Avec les élections ?

– On parle d'une seule journée, Victoria.

– Le plus tôt pour moi, ce serait deux jours après, dit Victoria. Et tu ne peux pas arracher Mateo à son environnement aussi subitement. Il a des activités, des cours…

– Ne nous disputons pas, tu veux bien ? S'il te plaît, Victoria. J'ai besoin que tu arranges ça.

– D'accord, soupire-t-elle.

– Vraiment ?

– Oui.

Après cette conversation, Pablo rentre « chez lui ». Ana est déjà là, assise sur les marches du patio, en train de boire un verre de vin et de fumer une cigarette. Il s'assoit à côté d'elle.

– Je vais faire un petit voyage avec Mateo.

– C'est formidable. Vous allez où ?

– De l'autre côté du fleuve, répond Pablo en s'efforçant de prendre un air détaché. On va se faire quelques parcs de loisirs à El Paso, mais après, on ira camper à Big Bend.

– Chouette.

– Tu veux venir avec nous ?

– C'est quand ?

– La semaine prochaine.

Ana ne peut s'empêcher de rire.

– Tu oublies un détail… les élections.

– Après les élections.

– Je devrai rédiger des commentaires, des analyses…

– Il existe un truc qui s'appelle Internet. Tu pourras écrire tes articles en chemin. Ce serait amusant.

Ana le dévisage, toutes antennes dehors.

– Que se passe-t-il ?

– Rien. J'aimerais que tu sois avec nous, voilà tout.

– Je ne sais pas si…

– Quoi ?

– Tu crois que Mateo est prêt pour ça ?

– Il te connaît depuis qu'il est né.

– Oui, comme sa « *tía* Ana ». Pas comme la petite amie de son père. C'est un gros changement.

– Mateo doit s'adapter à un tas de changements, répond Pablo. À commencer par Ernesto.

Ana demande alors :

– Tu essayes de rendre sa pareille à Victoria ?

– Ce serait puéril.

– Oui, ça élimine donc cette hypothèse. (Elle boit une gorgée de vin et repose son verre.) Pablo, si c'est la méthode que tu as choisie pour essayer de « passer au stade suivant »…

– Je te parle de quelques nuits de camping. Avec des mouches, des moustiques, une bouffe dégueu mal cuite sur un feu merdique, de la fumée dans les yeux, du sable dans le cul…

– Présenté de cette façon, comment refuser ?

– Tu viendras, alors ?

– Je vais réfléchir.

Viens avec moi, supplie Pablo intérieurement.

Je t'en prie, Ana. Traverse le fleuve avec moi.

Le lendemain matin, Pablo met ses plus beaux vêtements – une chemise bleue, un jean relativement propre, et une veste qui était censée ne pas se froisser, mais qui s'est froissée quand même – et il se rend au consulat des États-Unis. Il a le sentiment d'être un traître qui prépare sa fuite, comme tant d'autres l'ont fait avant lui, comme tant d'autres ont été obligés de le faire.

Le fonctionnaire qui le reçoit enfin ne se montre pas particulièrement serviable.

– Vous devez être présent physiquement sur le territoire des États-Unis pour formuler une demande d'asile. De toute façon, vous disposez d'un visa touristique de soixante-douze heures. Une fois là-bas, vous pourrez déposer votre requête. Si elle ne vous est pas accordée, vous pourrez recommencer devant les tribunaux en expliquant pourquoi vous ne pouvez pas être renvoyé chez vous. Si vous avez des motifs légitimes de craindre des persécutions…

– C'est le cas.

– Pour des raisons ethniques, religieuses ou politiques…

– Je suis journaliste, répète Pablo en soupirant. Et je me sens menacé. Vous n'ignorez pas que d'autres journalistes ont été…

– Avez-vous subi des menaces particulières ? Ou s'agit-il de menaces plus générales ?

– « Plus générales » ?

– Avez-vous été menacé précisément ? s'impatiente le fonctionnaire. Une personne précise a-t-elle formulé des menaces précises contre vous ? Ou bien vous sentez-vous menacé de manière plus générale, en tant que journaliste ?

– Il y a une différence ?

– Une très grosse différence. Si vous avez simplement « l'impression » que vous pourriez vous faire tuer, ce n'est pas suffisant pour obtenir l'asile. En revanche, si vous avez subi des menaces précises…

– C'est le cas.

– De la part de qui ?

– Vous avez besoin de le savoir ?

– Pour que nous considérions votre demande, oui. (Le fonctionnaire fait glisser des documents sur son bureau.) Voici le formulaire qu'ils vous remettraient aux États-Unis. Précisez la nature des menaces, la date de ces menaces, l'identité de celui qui les a formulées, et pourquoi vous les prenez au sérieux…

– Il n'y a pas un moyen d'accélérer les choses ?

– Si. En remplissant ce formulaire.

– Il m'en faut aussi un pour une autre personne.

– Un parent proche ?

– Non.

– Dans ce cas, cette personne doit se déplacer elle-même.

– Elle-même, répète Pablo.

– Oui.

– On n'a vraiment pas beaucoup de temps devant nous.

– Alors…

– Est-ce que vous réalisez qu'ils vont nous tuer ?

– Je fais tout ce que je peux, monsieur Mora.

– Merci.

Pablo quitte le consulat et s'assoit dans sa *fronterizo*. La « nature de la menace ». Que suis-je censé mettre ? Ils vont me tuer parce que…

Son portable sonne.

– Tu as l'intention de foutre le camp, sale enfoiré ? braille Ramón.

– Pourquoi ça ?

– Tu es allé au consulat. Tu crois qu'on surveille pas tous ceux qui entrent et qui sortent ? On a des *halcones* partout. Hé, tu veux voir des images de ton gamin, en direct ?

– Non. Putain ! Je prépare un article.

– Un article sur quoi ?

Pablo s'oblige à parler d'une voix calme.

– Tous les deux mois environ, on recense le nombre d'émigrés. Pour savoir combien de personnes quittent Juárez. Alors, je me renseigne auprès du consulat. Voilà tout.

Après un long silence, Ramón reprend :
– Tu progresses ? Pour l'autre truc ?
– Un peu. Pas beaucoup. Je veux dire…
– C'est là-dessus que tu devrais enquêter.

De retour au journal, Pablo rédige son article sur les tendances de l'électorat.

Mais son cerveau et ses doigts sur le clavier sont engourdis.

– Qu'est-ce qui t'arrive ? s'inquiète Ana.
– Rien. Pourquoi ?
– Tu as l'air ailleurs.
– J'ai la gueule de bois.

Ana n'y croit pas. Pablo n'a pas bu tant que ça la veille, et il écrit sans doute plus facilement avec la gueule de bois que sans. En outre, il se comporte bizarrement, comme ce qu'il lui a laissé entendre à propos de leur relation. Dans ce domaine, Pablo n'est pas du genre « plus », d'habitude, il est plutôt adepte du « moins ».

– Tu es sûr que ça va ? insiste-t-elle.
– Oui. Alors, tu as pensé à notre expédition camping ?
– Je continue à réfléchir.
– Tu ne pourrais pas accélérer ? Je dois prendre des dispositions.
– Genre combien de sandwiches ?
– Combien de personnes. Pour les permis de camper.
– Oh. Je te donnerai ma réponse cet après-midi.

Ana regagne son bureau, se connecte à Internet et découvre rapidement que le Parc national de Big Bend n'exige pas de permis individuels pour camper.

Pourquoi ce mensonge ? Peut-être qu'il se trompe. Non, c'est peu probable : Pablo néglige son apparence, mais il est toujours irréprochable sur le plan professionnel. Il vérifie tout. S'il y a une chose qu'on ne peut pas lui reprocher, c'est de commettre des erreurs dans ses papiers.

Ana se rend sur le blog d'*Esta Vida*.

Aujourd'hui, l'article de une s'intitule « Qui a déniché le gagnant à Juárez ? » et se demande si le gouvernement du PAN, par le biais de l'armée et de la police fédérale, a coopéré avec le cartel de Sinaloa pour aider Barrera à prendre le contrôle de Juárez et de la vallée. « Le gouvernement est-il de parti pris ? écrit l'Enfant sauvage. Ou simplement et singulièrement incapable d'arrêter les membres de ce cartel ? »

C'est exactement ce qu'ils pensent tous, et exactement le genre d'articles qu'Óscar ne les autorise plus à écrire.

Le sujet suivant est encore plus provocateur : il évoque les menaces reçues par l'Enfant sauvage pour avoir posté les photos des Zetas morts. Intitulé « Ne faites pas aux autres ce que vous n'aimeriez pas qu'on vous fasse », l'article reprend les mêmes photos, accompagnées d'autres clichés et de vidéos postés par les Zetas sur différents sites.

Ana jette un coup d'œil à Pablo qui continue à taper laborieusement son article.

Que sait-il à ce sujet ?

Chuy contemple le pont des Rêves.

Il lui suffirait de le traverser. Il se retrouverait à El Paso, certes, et non à Laredo, mais il n'aurait qu'à prendre le car ensuite pour rentrer chez lui.

Chez lui.

Ce mot n'a presque plus aucun sens.

Chuy n'est pas rentré chez lui depuis six ans. Il ne sait pas si sa famille vit toujours dans leur vieille maison. Ni même s'ils sont toujours en vie. Et eux, se soucient-ils de lui ?

Après le meurtre de la femme flic, on leur a ordonné de se fondre dans le décor de la ville. Avec son *estaca,* ils logent dans une planque, en plein centre, ce qui leur permet de garder un œil sur le siège du journal. Chuy ne sait pas pourquoi, et il s'en fout. Quarante a une mission pour eux, mais Chuy a la sienne.

C'est la seule chose qui l'empêche de traverser le pont des Rêves.

Eddie Ruiz est déjà de retour au Texas.

Mais il pense au Mexique.

Assis dans son appartement de Fort Bliss, pendant que ses baby-sitters jouent aux cartes à la table de la cuisine, il sirote une Dos Equis bien fraîche en regardant les élections sur Univisión.

Il sait qu'il est directement concerné.

Il faut voir les choses en face, mec, tu as misé tes jetons sur le PAN. Toutes les infos précieuses que tu détiens concernent des politiciens du PAN et leur police. Si le PAN perd, comme le prédisent les analystes de la télé, ta valeur s'effondre. Les gens que tu peux dénoncer ne seront plus là.

Les procureurs bandent pour les politiciens corrompus quand ceux-ci sont en place. Une fois qu'ils ne sont plus au pouvoir, ils perdent de leur attrait, comme une vieille copine que vous n'avez plus envie de baiser. Personne ne fait sa une avec des politiciens finis, or les procureurs aiment les gros titres comme les chèvres les ordures.

Donc, tu ne vas pas les faire bander…

Les négociations avec les procureurs traînent depuis des mois. Eddie est un bon joueur de poker, il avait quelques cartes maîtresses et il les a jouées habilement. Il n'était pas pressé car il savait qu'il risquait de quinze à trente ans de prison, et tout ce temps serait déduit de sa peine.

Alors, il est resté assis, sans bouger.

Et puis merde, non ? Que les costards-cravates se disputent tant qu'ils veulent.

Attendre ici ou ailleurs…

Le ministre de la Justice a proposé quinze ans de prison, la saisie de ses biens personnels (Eddie s'en contrefout car tout est aux noms de ses épouses) et une amende de dix millions de dollars (c'est une somme, mais pas une *sacrée* somme). Ses avocats ont répliqué en proposant douze ans de prison, la saisie et sept millions d'amendes.

Eddie va accepter. Il va passer au moins quatre ans à témoigner, qui seront déduits de sa peine. Il lui en restera six à tirer, quatre en réalité avec les remises de peine. Quand il sera envoyé en prison, les narcos l'auront déjà oublié. Et à sa sortie de taule, le programme de protection des témoins, une nouvelle vie devant lui, vendeur de revêtements de façade en aluminium à Scottsdale, ou quelque chose dans le genre.

Mais cet arrangement doit encore être validé par un juge au moment de la sentence, et le juge ne sera peut-être pas alléché par une collection de politiciens débarqués et de flics à la retraite (ou morts).

Je suis une voiture d'occasion, pense Eddie.

Le scrutin traîne en longueur. C'est comme dans la vieille chanson « Fast Women and Slow Horses ». La poupée Ken du PRI est en tête, suivie de près par le vieux pleurnichard du PRD, et la pouliche du PAN ferme la marche.

Autant déchirer ton ticket tout de suite, mon pote, tu n'iras pas chercher ton fric au guichet.

C'est alors qu'Art Keller entre dans la pièce.

Et fait à Eddie une offre qu'il ne peut pas refuser.

Adán s'éloigne du téléviseur.

C'est fini.

En ce qui concerne le PAN en tout cas.

Ni Peña Nieto ni López Obrador ne l'emportera. Il y aura les habituelles accusations de fraude, les manifestations, puis les responsables du scrutin prendront la seule décision intelligente en déclarant Nieto vainqueur.

Ces élections ne sont pas une déception car il s'attendait à la défaite du PAN. Peña Nieto ne flanquera pas les Américains à la porte, mais il les neutralisera. Cela aurait ressemblé à un rêve quelques mois plus tôt, mais là, ça le contrarie car les Américains sont ses alliés dans la guerre contre les Zetas.

Le nouveau gouvernement ne veut qu'une seule chose, se dit Adán : la paix. La fin de la violence. Le président sera d'accord avec tous les arrangements qu'on lui proposera afin d'atteindre cet objectif. Il acceptera une répartition des *plazas* entre le Sinaloa et les Zetas, il acceptera une victoire du Sinaloa, il acceptera une victoire des Zetas.

Du moment qu'il obtient une *pax narcotica.*

Cinq mois, se dit Adán.

On dispose de cinq mois avant que le nouveau président prenne ses fonctions.

Cent cinquante jours pour détruire Ochoa. Est-ce possible ? Ou Nacho a-t-il raison ? Devrait-on essayer de faire la paix ?

Calcul délicat. C'est si tentant de miser sur la victoire. D'autant que les Zetas sont en train de perdre leur accord avec la 'Ndrangheta, et même toute leur implantation en Europe. Le prince des ténèbres lui-même, Arturo Keller, s'en est chargé, et les Zetas se sont jetés dans ce piège, qui va dresser contre eux tout le dispositif antiterroriste des Américains.

Néanmoins, un tas de choses peuvent encore mal tourner.

Ochoa a toujours l'avantage au Guatemala.

Il dispose de milliers de combattants. Il n'a aucune morale, aucune limite, aucun scrupule… un homme impitoyable.

Et c'est ça le plus rageant, pense Adán.

La vérité, c'est que le Mexique se porterait bien mieux avec toi que sous la domination des Zetas. Tu conduirais tes affaires sans mettre en danger la vie ordinaire des gens ordinaires. Ochoa, lui, fera régner un régime de terreur.

Le gouvernement actuel l'a compris, le futur gouvernement ne sait que bêler : « On veut juste que ça s'arrête. »

– Où vas-tu ? lui demande Eva.

Elle reste scotchée devant les élections. Peut-être pour montrer qu'elle est une personne sérieuse qui s'intéresse à l'actualité, songe Adán. Cela fait partie de sa nouvelle campagne de maturité. Eva a adopté le rôle de « la jeune mère qui a des centres d'intérêt » et a des lectures variées : des articles sur l'éducation des jeunes enfants, l'alimentation bio, le réchauffement de la planète et la montée des eaux.

– Dans quel monde vont grandir nos enfants ? s'est-elle inquiétée plusieurs fois.

Le même que le nôtre, pense Adán, mais plus chaud.

Avec plus de propriétés en bord de mer.

Néanmoins, il est temps que ça change.

Pour le pays.

Pour moi.

Pour ma famille.

Nacho a raison : on possède des milliards et on vit comme des réfugiés. On doit se cacher, regarder en permanence derrière nous, et on passe notre temps à se demander si cette journée est la dernière.

Ce n'est pas la vie que tu veux offrir à ces deux garçons dans leurs berceaux, n'est-ce pas, Adán ?

Tu pourrais redevenir *El Patrón* si tu l'emportes. Mais tu pourrais aussi faire ce qu'aucun *patrón* n'a jamais fait.

Te retirer.

Avec une vie et une famille intactes.

Personne ne l'a jamais fait.

Tous les barons de la drogue qui t'ont précédé ont été tués ou ont fini en prison.

Tu pourrais réinvestir tes milliards dans des entreprises légales et tes fils vivraient comme des géants des affaires.

Tu pourrais vivre assez longtemps pour voir tes petits-enfants.

C'est possible.

Il monte dans la nursery où dort une *abuela* assise sur une chaise à côté des berceaux. Eva a décoré la pièce dans des tons pastel apaisants. Des lettres de l'alphabet sont peintes sur les murs et le plafond, car il n'est jamais trop tôt pour commencer à apprendre…

Les garçons ont des nounous, mais Eva est ce qu'on appelle maintenant « un parent hélicoptère » qui plane au-dessus d'eux en permanence et supervise chaque détail de leur habillement, de leur alimentation et de leur environnement.

Allons, patience, se dit-il. Elle a eu tant de mal à avoir un enfant qu'il est normal qu'elle se montre protectrice à l'excès. Elle finira par passer à une autre phase. Avec un peu de chance, ce sera : « Je suis sexy bien que mère. »

La *abuela* se réveille en sursaut quand Adán entre dans la chambre. Il s'empresse de secouer la tête pour lui faire comprendre qu'il ne lui reproche pas de s'être assoupie. Il contemple les deux nourrissons qui respirent de manière régulière, le front mouillé par une fine pellicule de sueur.

Ils sont beaux.

Il se souvient de Gloria bébé. Elle n'était pas belle avec sa grosse tête déformée, sauf pour lui.

À ses yeux, elle était ravissante.

Adán regarde ses fils et soudain, ce n'est plus eux qu'il voit mais deux autres enfants. Il a un vertige. Il revoit ces deux enfants sur un pont en Colombie, un garçon et une fille, ce ne sont plus des bébés, mais ils sont encore petits. Il a déjà fait assassiner leur mère et la fillette a hurlé *Mi mamá, mi mamá,* et il a donné l'ordre de les balancer dans le vide, elle et son frère. Il les a regardés plonger vers les rochers tout en bas, et là, il voit leurs visages sur les visages de ses fils, et il recule en titubant. Ses enfants sont des enfants morts, tous ses enfants sont morts.

Appuyé contre le mur, il tente de reprendre son souffle.

Puis il s'oblige à se pencher de nouveau au-dessus des berceaux.

Ses fils dorment.

Il les embrasse puis redescend pour passer le coup de téléphone qui va organiser l'entrevue de paix avec Ochoa.

Le scrutin s'achève à 20 heures.

Les résultats sont publiés le lendemain matin :

Peña Nieto obtient 38,15 % des voix.

López Obrador, 31,64 %

Et Vázquez Mota, 25,40 %.

Le PAN est mort, Los Pinos va retomber entre les mains du PRI, qui obtient également une forte majorité à la Chambre des députés.

Victoria est amèrement déçue.

– Tu appelles pour fanfaronner ? lance-t-elle à Pablo.

– Non. Juste pour régler les derniers détails.

– Elle aurait dû gagner. Le pays s'en sortirait beaucoup mieux qu'avec ce… ce…

– J'ai besoin de connaître ton heure de vol.

– C'est à cause des médias, dit Victoria. Ils sont de parti pris.

– C'est toi, les médias.

– Les autres médias, je veux dire.

– Évidemment.

– Toi, par exemple, poursuit Victoria. Et Ana. Et El Niño Salvaje. Comment ce… blogueur ose-t-il poster la veille de l'élection un article accusant le PAN de soutenir le cartel de Sinaloa ?

Peut-être parce que c'est vrai, songe Pablo.

– Je ne sais pas, Victoria. Donne-moi un indice : matin, après-midi ou soir ?

– De quoi tu parles ?

– Je veux savoir à quelle heure vous arrivez, Mateo et toi. Au fait, Ernesto vous accompagne ?

– Je ne sais pas. Je ne sais pas encore. Écoute, Pablo, j'ai des articles à écrire, malheureusement. Pour expliquer comment cette élection va faire du tort au pays. Et si jamais les démocrates sont élus, on ira tous vendre des pommes.

– Ton heure de vol ?

– Je ne sais pas. (Victoria semble ailleurs, impatiente.) Je demanderai à Emilia de t'appeler.

– Qui est Emilia ?

– Ma nouvelle assistante.

– Mais vous venez bien, hein ?

– Oui.

– Demain ?

– Oui !

– Bon. Dis à Emilia de m'appeler.

– Promis.

Elle raccroche.

– Victoria est folle de déception ? demande Ana en faisant rouler sa chaise jusqu'au bureau de Pablo. J'aimerais bien moi aussi qu'on ait une femme présidente, mais pas cette femme. Notre Maggie Thatcher à nous.

– Ana ?

– Oui ?

– Je m'en fiche.

Óscar entre dans la salle de rédaction.

– Ana, vous écrivez un article factuel : les chiffres et les réactions. Et vous enchaînez sur les accusations de fraude inévitables. Vous, Pablo…

– L'homme de la rue.

– Comment le savez-vous ?

– J'ai deviné.

Pablo prend son ordinateur, sort sur le parking et monte dans sa *fronterizo*. Il n'a aucune intention d'aller interroger « l'homme de la rue », car il sait déjà ce que va dire tel homme dans telle rue.

Et ça n'a aucune importance.

Il quitte le journal, il quitte le journalisme, il quitte le Mexique.

Il quitte Juárez.

Il regagne l'appartement d'Ana et fourre ses quelques affaires dans un sac à dos.

Manuel Godoy se qualifie lui-même de geek.

Étudiant de troisième cycle à l'université autonome de Juárez, c'est le meilleur pirate informatique de la ville, peut-être même de tout le Chihuahua.

À cet instant précis, il a le canon d'une arme collé derrière la tête.

Trois hommes lui ont sauté dessus alors qu'il quittait le campus, ils l'ont poussé à bord d'une voiture, lui ont enfilé une cagoule et l'ont conduit dans un immeuble. Là, ils l'ont assis sur une chaise, devant un ordinateur, ils ont enlevé la cagoule et lui ont collé le pistolet derrière la tête.

– Tu veux vivre ? lui a demandé l'homme que les autres appelaient « Quarante ».

– Oui.

– Bonne réponse. Tu connais *Esta Vida* ?

Manuel ne savait pas quoi répondre. Il ne s'agissait pas d'un examen oral à l'université, il n'était pas en train de soutenir sa thèse. Une mauvaise réponse pouvait actionner la détente.

– J'en ai entendu parler.

– On veut que tu nous dises qui se cache derrière, a expliqué Quarante. On sait que ça vient de Juárez. Si tu nous dis qui c'est, on te donne de l'argent, beaucoup d'argent. Sinon, on te tue. C'est aussi simple que ça. Vas-y.

– Je ne peux pas faire ça sur cet ordinateur.

– Pourquoi ?

– C'est une merde.

Quarante a éclaté de rire.

– Qu'est-ce qu'il te faut ?

Manuel a dressé une liste de matériel et de logiciels, et Quarante a envoyé ses gars faire les courses. Quand ils sont revenus, Manuel a assemblé les éléments, chargé les programmes dont il avait besoin et s'est mis au travail.

Maintenant, assis devant l'ordinateur, il joue sa vie.

– Qu'est-ce que tu me racontes ? demande Pablo à Victoria, au téléphone.

– Comment ça, qu'est-ce que je te raconte ? réplique-t-elle, mécontente. J'ai du boulot, Pablo. Des articles à archiver. Je ne peux pas venir avant demain, au mieux. Mateo et toi, vous nous retrouverez à El Paso.

Pablo a l'impression qu'il va vomir.

– Mateo ne peut pas venir à Juárez.

– Pourquoi ?

– C'est risqué.

– Tu vas le chercher à l'aéroport et vous franchissez directement la frontière, dit Victoria. Ernesto et moi, on vous rejoindra là-bas. Je ne vois pas où est le problème.

– Le problème, c'est que Mateo ne peut pas venir à Juárez.

– Il meurt d'envie de te voir. Quand je lui ai annoncé qu'il devait attendre encore un jour ou deux, il a piqué une crise. Et quand il pique une crise, ce n'est pas rien, crois-moi.

– Nom d'un chien, Victoria, dis-lui que ce n'est pas possible.

– Trop tard. Emilia le met dans l'avion à l'heure qu'il est.

– Appelle-la.

– Vol AeroMexico 765. Il atterrit à 20 h 10. Ne sois pas en retard.

Et elle raccroche.

Tout ira bien, tout ira bien, se répète Pablo. Ana ira avec toi chercher Mateo et vous franchirez la frontière. Mais l'aéroport se trouve au sud de la ville, c'est un long trajet sur la 45, aller et retour.

Il se retourne.

Ana n'est pas à son poste.

Pablo quitte la salle de rédaction et traverse la rue pour se rendre au café d'en face. Ana est assise au comptoir, en train de fumer une cigarette et de pianoter sur son ordinateur. Elle le ferme quand il entre.

– Bon, dit-il. Tu viens avec nous ou pas ?

– Si tu penses vraiment que c'est une bonne idée.

– Oui. Rentre chez toi préparer tes affaires. Ensuite, on ira chercher Mateo à González. Il y a eu un changement de plan.

Il lui rapporte sa conversation avec Victoria.

– Écoute, dit Ana. Mateo, ça peut encore aller. Mais je ne suis pas très chaude pour rencontrer Victoria et son nouveau mec. Le genre réunion entre « ex »…

– Tu connais Victoria depuis des années.

– Justement. Écoute. Tu vas faire ce que tu as à faire avec la Vierge de glace, et moi, je vous retrouve, toi et Mateo, quand vous aurez terminé.

– Non.

– Non ?

– Viens avec moi, Ana. Tout de suite. On va chercher Mateo et on file à El Paso dès ce soir.

– Ce soir ? Il y a le feu, ou quoi ?

– Ana.

– Pablo.

Ils se regardent.

– On part ce soir, déclare Pablo. S'il te plaît. Fais ça pour moi.

– Tu sais quoi ? Je suis une femme, au cas où tu l'aurais oublié. J'ai besoin d'un peu de temps pour faire mes bagages. Alors, tu vas chercher Mateo à l'aéroport et tu passes me prendre après. On partira tout de suite.

– OK, mais tiens-toi prête.

– OK, Pablo.

– Il faut que j'aille parler à Óscar. Je te retrouve chez toi et on y va. D'accord ?

– C'est ce qu'on a décidé.

Pablo ressort du café.

Chuy le regarde traverser la rue.

Pablo frappe à la porte d'Óscar.

– Entrez !

El Búho est assis dans son fauteuil, la jambe posée sur un tabouret, sa canne appuyée contre le bureau.

– Óscar, j'ai besoin de prendre quelques jours de congé dès ce soir.

– Ce soir ?

– Une affaire de famille.

– Oh. Mateo va bien ?

– Oui, oui. Il vient à Juárez. Je vais l'emmener en vacances quelques jours.

– J'aurais préféré être prévenu un peu plus tôt.

– Désolé. Sincèrement.

– Ne soyez pas trop désolé, répond Óscar. Un excès de contrition, c'est mauvais pour la digestion… C'est une petite plaisanterie, Pablo. On dirait que vous venez de perdre votre meilleur ami.

Pablo ne bouge pas.

– Autre chose ? demande Óscar.

– Je voulais juste… vous remercier.

– Ce n'est rien.

– Non. Merci pour tout. Pour tout ce que vous m'avez appris et… d'être ce que vous êtes.

El Búho le regarde en clignant des yeux.

– Eh bien, merci, Pablo. C'est très aimable.

Pablo hoche la tête, se retourne et sort.

Manuel se renverse contre le dossier de sa chaise, devant l'ordinateur.

– Je l'ai, annonce-t-il.

Il parle de l'endroit d'où ont été postés les trois quarts des articles d'*Esta Vida*. Les autres l'ont été du siège d'*El Periódico* ou d'un café situé en face.

Quarante appelle Ramón pour lui donner l'adresse.

Pablo roule sur la 45 en direction de l'aéroport international Abraham González.

Le trajet ne lui prend que vingt minutes, mais il lui semble interminable, d'autant qu'il a l'impression d'être suivi. Encore ta paranoïa, mon vieux. Ressaisis-toi. Ils t'ont laissé deux semaines. Je vous en prie, Seigneur, supplie-t-il en se garant sur le parking courte durée et en pénétrant dans le terminal, faites que l'avion d'AeroMexico soit à l'heure pour une fois.

– *Papi !*

Mateo a grandi.

Il semble plus maigre. Non pas sous-alimenté, loin de là, mais il est en train de devenir une grande gigue, comme sa mère. Pablo le prend dans ses bras et le fait tournoyer.

– *M'ijo ! Sonrisa de mi alma !*

Soleil de mon âme.

– On part en vacances ? demande Mateo.

– Oui !

– Je pourrai faire du toboggan dans l'eau ?

– Autant que tu voudras.

– Je suis pas trop petit ?

– Et moi, je ne suis pas trop gros ?

– Tu n'es pas gros, *papi*.

– Tu es adorable, *m'ijo*.

Pablo ramasse le sac de son fils, le balance sur son épaule puis prend Mateo par la main pour se diriger vers la sortie du terminal.

– Le vol s'est bien passé ?
– J'ai bu un Coca. Tu le diras pas à maman, hein ?
– Ne t'inquiète pas.
Ils sortent.
La nuit naissante est douce. Pablo lance le sac à l'arrière de la voiture, ouvre la portière du passager et attache Mateo sur son siège.
– *Papi,* ta voiture est sale ! s'exclame le garçon en riant.
– Tu m'aideras à la nettoyer quand on sera à El Paso.
– On y va quand ?
– Maintenant !
– Maintenant ?
Mateo est aux anges. Les jeunes enfants entendent rarement ce mot. Généralement, c'est « plus tard » ou « on verra ».
– Oui, maintenant tout de suite, confirme Pablo en s'asseyant au volant. Mais avant, on passe chercher *tía* Ana. Elle vient avec nous. J'espère que ça ne t'embête pas.
Mateo prend un air sérieux.
– *Tía* Ana, c'est ta petite amie ?
– C'est une amie en tout cas, répond Pablo. Tu as faim ? Ils t'ont donné à manger dans l'avion ?
– Alors, oui ou non ?
C'est bien le fils d'un journaliste, songe Pablo en quittant le parking.

Le véhicule, un Navigator gris métallisé, déboîte devant Pablo et s'arrête.
Pablo freine.
Il commence à reculer, mais un autre SUV vient se coller derrière lui. Il voit Ramón descendre de la voiture de devant et marcher vers lui. Un adolescent maigrelet le suit. Ramón frappe à la vitre et fait signe à Pablo de la baisser. Quand il s'exécute, Ramón dit :
– Tu en as une belle auto, *'mano.*

– Ce n'est qu'une *fronterizo,* répond Pablo d'une voix tremblante.

– Quand tu as pris la direction de l'aéroport, j'ai cru que tu partais en voyage, mais en fait, tu allais chercher le petit Mateo. *Hola,* je suis ton *tío* Ramón.

– Bonjour.

– Il est mignon, dit Ramón.

Pablo a la gorge qui se serre comme si on l'étranglait de l'intérieur.

– Par pitié, Ramón…

– Tu as dépassé le délai. On veut une réponse. Ce soir. Sinon, on va venir te rendre visite. (Ramón se penche à l'intérieur de la voiture et sourit à Mateo.) Peut-être qu'on se reverra plus tard, d'accord, *mi sobrino* ?

– D'accord.

Ramón sourit, fait un signe à Pablo qui signifie *appelle-moi,* puis s'éloigne. Le Navigator repart et Pablo, les mains tremblantes, redémarre à son tour.

– C'était qui, cet homme, *papi* ?

– Un vieil ami.

– Qu'est-ce qu'il voulait ?

– Juste dire bonjour.

Pablo suffoque pendant le trajet qui le conduit chez Ana. Il n'a plus le choix.

Il doit leur dire ce qu'il sait.

Ana fourre une chemise en flanelle dans son sac à dos.

Même en juillet, il peut faire froid la nuit dans le désert.

Elle continue à avoir des doutes, elle se demande si elle doit effectuer ce voyage. La perspective d'un dîner avec Victoria et son nouveau mec l'effraie, d'autant que Mateo est trop intelligent pour ne pas sentir cette gêne inévitable, pour ne pas réagir, et elle craint que la situation tourne au vinaigre.

Mais Pablo semble beaucoup tenir à ce qu'elle soit là, alors…

Elle entend claquer une portière, puis une autre.
Ça doit être eux, pense-t-elle.

Pablo entre dans la maison.
Ana est en train de boucler sa valise. Elle prend Mateo dans ses bras et le serre longtemps contre elle. Puis elle recule, le regarde et s'exclame :
– Qu'est-ce que tu as grandi !
– Je sais.
– Je suis presque prête, dit-elle à Pablo.
– Très bien. Il faut que je passe un coup de téléphone.
Il sort dans le jardin, où il a vécu tant de soirées agréables. Les fêtes, la musique, les conversations et les disputes… Ana n'aurait pas dû faire ça, se dit-il. Elle nous met tous en danger avec ce foutu blog. Elle savait ce qu'elle faisait, elle savait bien qu'elle prenait des risques, et que ça finirait de cette façon…

Il sort son portable de sa poche de jean et compose le numéro.
C'est sa dernière chance.
Keller ne répond pas. Pablo tombe directement sur la boîte vocale.
Où êtes-vous, nom de Dieu ? Vous êtes ma dernière chance, la dernière chance d'Ana… C'est vous, l'Américain, qui pouvez nous sortir de ce pétrin. Faites-nous franchir la frontière et planquez-nous comme vous planquez les narcos qui changent de camp.
Les narcos obtiennent le droit d'asile. Mais pas les journalistes qui écrivent sur eux.
C'est trop tard, de toute façon.
Tu ne dois penser qu'à Mateo.
Fais ce que tu dois faire pour ton fils.
Mais bon sang, Ana…

Chuy reçoit l'ordre de Quarante.
Quand on aura l'Enfant sauvage…
Il faut que ça dure, longtemps.
Que ça fasse mal.
Il faut envoyer un message.

Pablo retourne dans la maison.
– Où est Mateo ? demande-t-il, affolé.
– Dans la salle de bains.
– Écoute… Il s'est passé quelque chose. Peux-tu me rendre un immense service ? Emmène Mateo à El Paso, et je vous rejoindrai là-bas demain.
– Pourquoi tu ne fais pas ce que tu as à faire, simplement, et on partira tous ensemble demain ?
– Ana…
– Quoi ?
– Vas-y. S'il te plaît.
– Qu'est-ce que tu dois faire ? Je peux t'aider ?
– Oui. Emmène mon fils de l'autre côté de la frontière ce soir.
– Pablo…
– Ça va aller, Ana.
– Viens avec nous.
Il secoue la tête. C'est inutile, de toute façon. Les Américains les renverront au Mexique tôt ou tard, et même s'ils ne le font pas, les narcos la retrouveront et la tueront là-bas.
Il n'y a qu'une seule façon de la sauver.
Et de protéger Mateo.
– J'ai besoin que tu emmènes Pablo à El Paso, répète-t-il. Je vous rejoins demain, promis.
Mateo sort de la salle de bains. Pablo s'agenouille devant lui, prend son visage entre ses mains et dit :
– *M'ijo,* j'ai une belle surprise pour toi. Comme j'ai encore un peu de travail, c'est *tía* Ana qui va t'emmener, et moi, je viendrai vous retrouver demain, OK ?

Mateo semble perplexe.

– Tu aimes *tía* Ana, hein ? demande Pablo.

– Oui.

– Alors, tu vas bien t'amuser. Elle te laissera prendre un Coca au distributeur du motel.

– On va passer un bon moment tous les deux, dit Ana.

– D'accord.

Pablo le serre contre lui.

– Bon, allez-y. Je vous rejoins demain et on ira faire du toboggan dans l'eau. Je t'ai dit que j'étais le champion du monde de toboggan dans l'eau ?

– Pourquoi tu pleures, *papi* ?

– Parce que je t'aime énormément.

Ana prend le garçon par la main et l'entraîne dehors. Pablo sort sur le seuil pour les regarder partir.

Il leur adresse un signe de la main.

Puis il rentre dans la maison et déniche une bouteille de Johnnie Walker Black Label dans le placard de la cuisine. Après s'être servi un verre, il va dans la chambre, et quand il est suffisamment soûl pour que ses mains cessent de trembler, il s'assoit devant l'ordinateur d'Ana et se met à taper.

– Regarde ça, dit Quarante à Ramón.

Il parle du dernier post d'*Esta Vida*.

Un article signé par son auteur.

– Le salopard ! crache Ramón.

Il lui faut moins d'une heure pour trouver Pablo chez Ana. Quand il arrive sur place avec Chuy, Pablo est assis sur les marches du jardin, en train de boire une bière. Une bouteille de whisky vide gît à côté de lui.

Pablo lève les yeux.

– Il faut y aller, dit Ramón.

– En souvenir du bon vieux temps, est-ce que tu ne pourrais pas faire ça ici, simplement ? Tu vois…

Il fait mine de tirer un pistolet.

– Ça marche pas comme ça, répond Ramón. Je comprends pas pourquoi il a fallu que tu fasses ça.
– Moi non plus je ne sais pas.
Pablo attrape la rambarde et se lève lentement. Ses jambes se dérobent sous lui, mais Ramón le saisit par le coude.
– Tu en tiens une sacrée, *'mano.*
– Ça vaut peut-être mieux, non ?
– Peut-être.
– J'ai vraiment peur, Ramón.
– Bah oui…
Ils le font monter dans la voiture et le conduisent dans une des nombreuses *maquiladoras* désaffectées.

Les balayeurs de rue le découvrent juste avant l'aube.
Des emballages, de vieux journaux et d'autres déchets poussés par le vent frôlent Pablo Mora sur la Plaza del Periodista.
Ses assassins se sont donné beaucoup de mal pour disposer les morceaux de son corps autour de la statue du vendeur de journaux : les bras et les jambes amputés encadrent son tronc, éventré et émasculé. Sa tête est soigneusement posée au pied du socle et on a fourré dans sa bouche les doigts qui lui servaient à taper sur son clavier, sa langue sort par une large plaie à la gorge, ses orbites sont ensanglantées et à vif.
Une pancarte est appuyée contre son cou : « Écris tes articles maintenant, Enfant sauvage – la Compagnie Z. »
Mais plus tard dans la matinée, tout le monde au Mexique lit les derniers mots de l'Enfant sauvage :

POUR LES SANS VOIX
par El Niño Salvaje

Je parle pour ceux qui ne peuvent pas parler, les sans voix. J'élève la mienne, j'agite les bras et je crie pour ceux que vous ne voyez pas, que vous ne pouvez peut-être pas voir, pour les invisibles. Pour les pauvres, les faibles, ceux qui sont privés de leurs droits, les victimes de cette prétendue « guerre contre la drogue », pour les quatre-vingt mille personnes assassinées par les narcos, par la police, par l'armée, par le gouvernement, par les acheteurs de drogue, par les marchands d'armes, par les investisseurs dans leurs tours étincelantes qui ont fait fructifier leur « argent nouveau » avec des hôtels, des centres commerciaux et des lotissements.

Je parle pour ceux qui ont été torturés, brûlés et écorchés vifs par les narcos, battus à mort et violés par les soldats, électrocutés et à moitié noyés par la police.

Je parle pour les vingt mille orphelins, pour ces enfants qui ont perdu un ou deux parents, et dont les vies ne seront plus jamais comme avant.

Je parle pour les enfants tués dans des fusillades, abattus à côté de leurs parents, arrachés au ventre de leur mère.

Je parle pour les personnes réduites en esclavage, obligées de travailler dans les ranchs des narcos, obligées de se battre. Je parle pour la masse de tous les autres, broyés par un système économique qui s'intéresse plus aux profits qu'aux individus.

Je parle pour ceux qui ont tenté de dire la vérité, qui ont tenté de raconter l'histoire, de vous montrer ce que vous faites et ce que vous avez fait. Mais vous les avez réduits au silence, vous les avez aveuglés pour qu'ils ne puissent pas vous le dire, ni vous le montrer.

Je parle pour eux, mais je m'adresse à vous : les riches, les puissants, les politiciens, les *comandantes,* les généraux. Je m'adresse à Los Pinos et à la Chambre des députés, je m'adresse à la Maison-Blanche et au Congrès, je m'adresse à l'AFI et à la DEA, je m'adresse aux banquiers, aux propriétaires de ranchs et aux magnats du pétrole, aux capitalistes et aux barons de la drogue, et je vous dis :

Vous êtes tous pareils.

Vous êtes tous le cartel.

Et vous êtes coupables.

Vous êtes coupables de meurtres, vous êtes coupables de tortures, vous êtes coupables de viols, d'enlèvements, d'esclavagisme et d'oppression, mais surtout, j'affirme que vous êtes coupables d'indifférence. Vous ne voyez pas les gens que vous écrasez sous votre talon. Vous ne voyez pas leur souffrance, vous n'entendez pas leurs cris, ils sont sans voix et invisibles à vos yeux, ce sont les victimes de cette guerre que vous perpétuez pour demeurer au-dessus d'eux.

Ce n'est pas une guerre contre la drogue.

C'est une guerre contre les pauvres.

Une guerre contre les pauvres et les faibles, contre les sans voix et les invisibles que vous voudriez balayer de vos rues comme ces déchets qui viennent salir vos chaussures.

Félicitations.

Vous avez réussi.

Vous avez fait un grand nettoyage.

La *limpieza.*

Le pays peut enfin accueillir vos centres commerciaux et vos banlieues, en toute sécurité, les invisibles sont cachés et les sans voix sont muets, comme il se doit.

Je prononce ces dernières paroles et je vais me faire tuer pour cette raison.

Je vous demande juste de m'enterrer dans la *fosa común,* avec les sans visage et les anonymes, sans pierre tombale.

Je préfère être avec eux qu'avec vous.

Je suis sans voix désormais, invisible.

Je suis Pablo Mora.

3
Le nettoyage

Lave-moi complètement de mon iniquité,
et purifie-moi de mon péché.

Psaume 51

SAN DIEGO, CALIFORNIE
OCTOBRE 2012

Il y a mille ans, apprend Keller, le Petén était une des zones les plus peuplées sur terre.

Épicentre de la civilisation maya, ces plaines fortement boisées – forêt tropicale et jungle – accueillaient des dizaines de cités où l'on trouvait des temples de pierre avec des cours intérieures, d'immenses champs en terrasses irrigués par des canaux et des *chinampas,* des fermes flottantes sur des lacs.

Puis le déclin survint.

Personne ne sait exactement pour quelle raison. Sécheresse ? Maladie ? Invasions ? Toujours est-il que dans les années 1520, quand Cortés débarqua, la forêt tropicale avait envahi la majeure partie des cités et des fermes, et les quelques habitants qui avaient survécu à la variole importée par les étrangers vivaient dans des villages isolés en pratiquant la culture sur brûlis.

Malgré cela, il fallut aux Espagnols presque deux cents ans pour soumettre totalement les indigènes et instaurer un système colonial qui fit des Espagnols blancs et de leur descendance *mestiza* des propriétaires fonciers, et des anciens Mayas des paysans sans terre.

Ce système perdura pendant presque quatre cents ans, même lorsque les nouveaux impérialistes américains de la United Fruit Company prirent le pouvoir au Guatemala. Ce n'est qu'en 1944 que les « révolutionnaires d'octobre » lancèrent des réformes progressistes et adoptèrent en 1952 le décret 900 qui exigeait la redistribution des terres.

Les propriétaires réagirent.

Les 2 % de la population qui possédaient 98 % des terres ne voulaient pas voir leur position affaiblie et donc, avec l'aide de la CIA, ils fomentèrent un coup d'État qui renversa le gouvernement civil.

La gauche – une vague coalition d'étudiants, de travailleurs et de quelques paysans – forma le MR-13, un mouvement de guérilla qui commença à affronter l'armée et la police guatémaltèques. Après cinq années de combats sporadiques, les États-Unis envoyèrent leurs forces spéciales, les Bérets verts, pour aider à lutter contre « les guérillas communistes ».

S'ensuivit ce qu'on appela « La terreur blanche », lorsque les forces spéciales et l'organisation paramilitaire Mano Blanca – des policiers et des soldats, en réalité – provoquèrent les « disparitions » de milliers de gauchistes à Guatemala City et dans les campagnes. En décrétant l'état de siège, le président Carlos Arana Osorio déclara : « S'il faut transformer tout le pays en cimetière pour le pacifier, nous n'hésiterons pas. »

Sept mille personnes disparurent au cours des trois années suivantes.

La gauche réagit en formant le CUC (Comité pour l'unité des paysans) dans le Sud et l'Est, et l'EGP (Armée de guérilla des pauvres) dans le Nord maya, et la guerre civile se poursuivit.

S'il a existé un jour une expression plus mal appropriée que « le problème de la drogue au Mexique », c'est sans doute « la guerre civile guatémaltèque ». Assurément, il s'agissait d'une guerre civile, mais unilatérale : les disparitions et les massacres de gauchistes mal armés, perpétrés par une armée professionnelle et des forces de police bénéficiant du matériel et de l'entraînement des Américains.

En 1978, les forces spéciales, les Kaibiles, ouvrirent le feu sur un groupe de manifestants désarmés à Panzo, tuant cent cinquante personnes. En 1980, le nombre de morts s'élevait à cinq mille.

Keller prit soin d'étudier l'histoire d'un village particulier du Petén : Dos Erres.

Une histoire tragique.

En octobre 1982, les guérilleros de l'EGP tendirent une embuscade à un convoi militaire près de Dos Erres. Ils tuèrent vingt et un soldats et s'emparèrent de dix-neuf fusils.

Le 4 décembre, une unité de cinquante-huit Kaibiles déguisés en guérilleros débarqua dans le secteur. Deux jours plus tard, ils pénétrèrent dans le village. À 2 h 30 du matin. Ils réveillèrent les habitants chez eux et séparèrent les hommes des femmes, puis ils regroupèrent les hommes dans l'école, et les femmes ainsi que les enfants dans l'église. Ils fouillèrent le village à la recherche des armes volées. Ils ne les trouvèrent pas car les guérilleros qui avaient tendu l'embuscade aux soldats ne venaient pas de Dos Erres.

Peu importe.

Les Kaibiles annoncèrent qu'après avoir pris leur petit déjeuner, ils allaient « vacciner » les habitants de Dos Erres.

Les Kaibiles furent pris d'une folie meurtrière.

Ils attrapèrent les enfants par les chevilles pour leur cogner la tête contre les arbres et les murs. Ne voulant pas gâcher leurs munitions, ils fracassèrent les crânes des hommes à coups de marteau. Ils arrachèrent les bébés des ventres des femmes enceintes et au cours des deux jours suivants, ils violèrent les autres femmes avant de les tuer et de les jeter dans le puits du village.

Le dernier matin du massacre, quinze paysans mayas arrivèrent à Dos Erres. Comme le puits débordait de cadavres, les Kaibiles les conduisirent à un kilomètre de là pour les massacrer, à l'exception de deux adolescentes qu'ils violèrent avant de repartir, non sans les avoir étranglées.

La « guerre civile » au Guatemala dura encore quatorze ans après le massacre de Dos Erres. Plus de deux cent mille personnes furent tuées, dont quarante à cinquante mille qui « disparurent ». Un million cinq cent mille personnes furent chassées de chez elles, un autre million émigra, vers les États-Unis majoritairement.

Mais à ce jour, les souffrances du Petén continuent à cause des cartels de narcotrafiquants qui veulent s'emparer de la région en raison de sa proximité avec la frontière. Les Zetas et le cartel de Sinaloa étaient prêts à se faire la guerre pour le Petén, jusqu'à ce que Barrera convie Ochoa à la table des négociations.

Keller est en train d'étudier les tout derniers clichés satellite.

La clairière qui jouxte Dos Erres est récente : un rectangle taillé dans la forêt. Il compte le nombre de tentes, en plus des deux petits bâtiments, mais il n'a pas besoin d'effectuer un calcul pour savoir combien de Gente Nueva sont présents. Il le sait déjà : Barrera lui a annoncé qu'il amenait cent hommes avec lui.

Les services de renseignements ont évalué le nombre de Zetas en fonction de la quantité de maisons, de cabanes et de tentes rassemblées à Dos Erres, et de véhicules, grâce aux images satellite. Leur résultat : deux cents Zetas, parmi lesquels deux douzaines d'anciens Kaibiles.

On envoie vingt hommes, songe Keller.

Tous des soldats d'élite.

Keller a appris à connaître et apprécier les membres du commando durant leurs longues semaines d'entraînement. Il n'est pas facile de les approcher ; ce sont des hommes peu bavards, méfiants, pas le genre à raconter leur vie. Il existe entre eux une règle tacite : moins ils en savent les uns sur les autres, mieux c'est. Néanmoins, Keller a appris que John Downey, « D-1 », le chef du commando, était un colonel de l'armée, un Ranger qui avait combattu en Somalie, en Irak et en Afghanistan. La quarantaine bien sonnée, bâti comme une borne d'incendie, avec des cheveux roux très courts, un nez épaté et un air d'autorité décontractée.

C'est le seul nom qu'il est autorisé à connaître. Les autres membres du commando, il ne les connaît que par leurs prénoms, vrais ou pas, ou leurs surnoms. Ces hommes ont un point commun : ce sont tous des professionnels efficaces, athlétiques et instruits. Au fil des conversations, durant les repas ou autour d'une bière, il a appris que la plupart possédaient des diplômes d'histoire, de sociologie ou de sciences, et beaucoup sont au moins bilingues ; ils savent jurer couramment en anglais, en espagnol (Downey n'a recruté que des hispanophones pour cette mission), en arabe, en kurde, en pachtoune et en dari.

Keller a le sentiment de connaître Dos Erres aussi bien que l'on peut connaître un endroit sans y avoir jamais mis les pieds. Il a étudié les photos satellite, les cartes et les vidéos. Quand le commando a quitté la Virginie pour un camp d'entraînement privé à Sunshine Summit, dans des collines isolées, à une centaine de kilomètres au nord de San Diego, ils ont bâti une maquette du village avec des tuyaux en PVC et des fils électriques.

Ils ont répété l'opération des centaines de fois.

D'après leurs informations, Ochoa a installé ses appartements dans l'église vide, alors que Quarante habite dans l'école abandonnée juste à côté, à l'extrémité ouest du village.

Apparemment, chacun vit avec quatre gardes du corps, tandis que les autres Zetas sont cantonnés à l'est du village dans le bivouac qui a été repéré pour la première fois par le satellite de reconnaissance.

Une autre clairière a été dégagée à l'ouest. Un autre rectangle bien net qui accueille des tentes et ce qui ressemble à deux containers transformés en logements, agrémentés d'étroites galeries en bois protégées par des toits en tôle ondulée.

Keller et le commando supposent que ce nouveau campement est destiné aux invités du Sinaloa, les containers étant réservés à Adán et à Nacho.

Le plan d'attaque est simple, mais minuté à la seconde près.

Deux hélicoptères MH-60 Black Hawk, transportant chacun dix hommes et un pilote, conduiront le commando de l'autre côté de la frontière mexicaine, au Guatemala. Le premier hélicoptère survolera Dos Erres et le commando sautera sur le village en rappel avec des filins, puis les hommes formeront deux « équipes de liquidation », composées de quatre hommes chacune. L'équipe F attaquera l'école pour éliminer Quarante. L'équipe G attaquera l'église pour éliminer Ochoa. Downey restera en retrait avec un médecin qui assurera également les communications.

Le second hélicoptère se posera à l'extrémité orientale du village, le long de l'étroite bande de jungle qui sépare le village du camp des Zetas. Les hommes présents à bord se déploieront pour protéger les équipes d'élimination d'une éventuelle contre-attaque venant du camp.

Il ne devrait pas y en avoir : le raid devrait s'achever très rapidement. Le premier hélicoptère se posera alors, les deux équipes d'élimination remonteront à bord pour une exfiltration immédiate de l'autre côté de la frontière, à Campeche, où les FES les récupéreront et les emmèneront en avion dans une base militaire située à la périphérie de Juárez.

De là, les hommes se scinderont en petites unités pour retourner aux États-Unis et disparaître.

L'élément de surprise sera crucial.

Keller fera partie de l'équipe G avec Eddie Ruiz. Les anciens des opérations spéciales n'avaient pas très envie que Keller les suive ; ils voulaient qu'il reste dans l'hélicoptère. Ils le jugent trop vieux, trop lent ; et il manque d'entraînement.

Keller les a envoyés se faire foutre.

– C'est mon opération, leur a-t-il dit. J'y vais et je serai en première ligne, sinon, personne n'y va.

Ils l'ont donc accepté parmi eux, à contrecœur tout d'abord, puis de moins en moins à mesure qu'ils apprenaient des choses sur « Killer Keller », son passé, les pertes qu'il avait subies. Dans le camp, des rumeurs circulaient concernant ses relations avec la belle Médica Hermosa – ils s'empressèrent d'aller la regarder sur Google – et la façon dont les Zetas l'avaient esquintée. Les gars découvrirent également le sort réservé à Erika Valles et à Pablo Mora et ils décidèrent que si Keller voulait se venger, ils l'accompagneraient et ils le ramèneraient.

Ils lui ont attribué le nom de code « K-1 ».

Et il les a surpris à l'entraînement.

Lent, oui, mais précis.

Et motivé.

En outre, ses briefings consacrés aux Zetas étaient très complets : habitudes, tactiques, entraînement, armement, et même la psychologie des deux cibles. Il leur a fourni un trésor sous forme de photos et de vidéos.

Eddie Ruiz leur a apporté autre chose.

Il était en train de se détendre à Fort Bliss quand Keller avait fait irruption dans la pièce et renvoyé les baby-sitters.

– Faites votre valise.

– Je vais où ? a demandé Eddie.

– Vous venez avec moi. Tuer Quarante et Ochoa.

Eddie a émis un sifflement entre ses dents.

– Putain ! Ça n'a pas dû être facile.

En effet. Tout le monde sans exception s'était opposé à l'idée d'embarquer Eddie le Dingue pour cette mission au Guatemala, mais Keller a fait valoir qu'il était le seul capable d'identifier formellement les deux cibles. Par ailleurs, c'était un combattant aguerri. Et qu'après tout ça, Ruiz serait un citoyen libre qui pouvait quitter Fort Bliss quand bon lui semblait.

– Il nous suffirait de cinq secondes pour l'inculper et l'arrêter, a répondu Taylor.

– Je lui ai fait une promesse.

– Vous n'aviez pas ce pouvoir.

Keller a haussé les épaules.

– Et s'il s'enfuit ? a demandé Taylor.

– Il ne s'enfuira pas.

Keller savait qu'il allait l'emporter sur ce coup-là. Eddie était une marchandise avariée depuis que le PAN avait perdu les élections.

– Vous l'emmenez, et vous le ramenez, a dit Taylor.

– Évidemment.

Les briefings d'Eddie, si on peut les appeler ainsi, se sont révélés précieux. Il a fréquenté les Zetas, il a mangé, discuté, fait la fête avec eux. Il connaît leurs façons de parler, de raisonner, de réagir. Avec Keller, il est le seul qui les a affrontés, qui en a tué.

Les anciens des opérations spéciales présents dans le commando étaient réticents là aussi – au début –, considérant Eddie comme un salopard indiscipliné, un trafiquant de drogue et un assassin. Mais quand Eddie a reconnu spontanément que c'était une description parfaite, ils se sont un peu adoucis. Et puis, il avait un autre atout : Eddie le Dingue aurait pu viser les couilles d'un moustique avec un fusil, si les moustiques avaient des couilles.

C'est ce qu'il leur a dit, et il l'a prouvé sur le champ de tir.

Idem pour Keller.

Mais Keller doit bien l'avouer alors qu'il examine les dernières images satellite, l'entraînement physique l'a épuisé. Les gars ont raison : il est trop vieux, trop lent. Ses jambes et ses réflexes ne suivent plus, et ça le fait enrager. C'est sa dernière opération.

L'autre chose qui le tue, c'est l'attente.

Il a déjà attendu des semaines à se demander si Barrera réussirait à organiser cette rencontre avec Ochoa. Puis des semaines avant d'apprendre où elle aurait lieu. À partir de là, la planification et l'entraînement ont passé la vitesse supérieure, mais il a fallu attendre aussi pour connaître la date exacte. Une fois celle-ci établie, il y a encore eu cinq jours de tension insoutenable avant que la réunion soit confirmée.

Et voilà, on y est, se dit Keller devant les photos.

Barrera est à Dos Erres.

Les discussions doivent débuter demain.

Elles dureront jusqu'à la nuit, après quoi il y aura une grande fiesta, si tout se passe bien. Les discussions ne reprendront pas le lendemain car lorsque le soleil se lèvera les chefs des Zetas seront morts.

Adán Barrera sera le patron incontesté.

La *pax narcotica* pourra débuter.

Tel est le deal.

Un seul cartel assurera le trafic de drogue vers les États-Unis et on pourra tous rejouer au coyote et au chien de berger le long de la frontière. La routine. Les gigantesques machines du trafic et de l'anti-trafic pourront reprendre leur train-train. Mais sans moi, se dit Keller.

Dans deux jours, je tire ma révérence.

Peut-être moins si je meurs à Dos Erres, ce qui est une possibilité bien réelle.

Vois les choses en face, s'avoue-t-il : les gars ont raison, tu n'as rien à faire dans cette mission, tu es le maillon faible, sans doute le combattant le moins aguerri sur le terrain. Il est fort probable que tu n'en reviennes pas.

Mais si j'en reviens ?

Qu'est-ce que tu feras du temps qu'il te reste à vivre ? Marisol ne veut plus de toi. Oublie la retraite heureuse avec elle. Tu ne peux pas retourner t'occuper des abeilles, le monastère refusera de t'accueillir, et puis, tu n'es plus le même homme. Celui qui croyait que l'on pouvait connaître la sérénité et la foi. Ces sept dernières années t'ont fait perdre tout espoir.

Cela n'existe pas.

Pas dans ce monde, en tout cas.

Alors, que vais-je faire ?

Toucher ma retraite, trouver un appart à Tucson et devenir ce type d'un certain âge, pathétique, que l'on voit dans les bars de sport à 2 heures de l'après-midi ? Me mettre au golf ? Brasser ma propre bière ? Lire des bouquins formidables ? Traîner ici et là en attendant les mauvais résultats d'une biopsie, et essayer entre-temps de me convaincre que je n'ai pas fait tout ce que j'ai fait, que je n'ai pas vu tout ce que j'ai vu, que mes cauchemars sont le fruit de mon imagination et non pas une vision juste un peu plus irréelle de ma vie irréelle ?

Alors, peut-être que mourir à Dos Erres n'est pas la pire des choses.

Ils quittent le camp de Sunshine Summit pour se rendre sur la zone de transit à San Diego. De là, ils prendront des vols séparés pour Mexico, puis Campeche, avant de monter dans les hélicoptères et de franchir la frontière pour l'Opération XTZ.

« Cross Out the Zetas. »

« Éliminer les Zetas. »

Dans sa chambre d'hôtel près de l'aéroport, assis sur son lit, son téléphone à la main, Keller envisage d'appeler Marisol. Mais pour lui dire quoi ? Tu me manques ? Adieu ? Rien de ce qu'il dira ne changera quoi que ce soit. Et comme il ne dira pas qu'il a changé d'avis au sujet de cette opération, il n'appelle pas.

Incapable de tenir en place, il se rend dans ce vieux quartier surnommé Little Italy. Il y venait dans le temps, en sortant du bureau, pour manger une saucisse chez Pete's, qui n'existe plus, ou boire un bon expresso dans un bistrot qui est devenu un Starbucks.

Il remonte Columbia Street jusqu'à Notre-Dame du Rosaire, une église construite dans les années 1920 pour accueillir les pêcheurs de thon italiens qui peuplaient le quartier. Keller y allait souvent, à la première messe du matin, pour se confesser, communier ou simplement regarder les fresques au fond du sanctuaire.

La flotte des thoniers a disparu depuis longtemps, les pêcheurs italiens avec eux.

C'est devenu un quartier « branché » : cafés, boîtes de nuit, nouvelles résidences. Les restaurants italiens, hors de prix, accueillent surtout des touristes.

Keller s'arrête devant l'église et envisage d'y entrer. Il est trop tard pour la messe, mais il y aura peut-être un prêtre à l'intérieur pour écouter sa confession.

Mais combien de temps cela prendrait-il ? se demande-t-il tristement.

Pardonnez-moi, mon père, car j'ai péché et péché et péché et péché…

Et je suis sur le point de commettre (encore) un autre meurtre.

Au moins un.

Il passe son chemin.

Il n'a pas besoin de Dieu, décide-t-il, et Dieu n'a pas besoin de lui.

District de Petén, Guatemala
31 octobre 2012

Chuy s'amuse à taper dans un ballon, contre les vestiges d'un mur dont il ignore qu'il est d'origine maya.

La jungle regorge de ruines semblables et il s'en fout. Chuy traverse les anciennes terrasses de pierre sans savoir que c'étaient autrefois des autels, et sans avoir conscience du rapport qui le lie à ces lieux où des victimes étaient jadis décapitées et offertes en sacrifice aux dieux de la mort. Il aime ces cavernes qui parsèment la forêt, ces fissures dans le sol calcaire de la jungle, à l'intérieur desquelles il peut se faufiler pour se cacher, faire une sieste, ou simplement s'allonger pour réfléchir.

Quarante a emmené Chuy et son *estaca* au Guatemala. C'était la première fois que Chuy prenait l'avion. Il a détesté la chaleur et l'agitation de Guatemala City, mais dès qu'ils ont roulé vers le nord, à travers les vastes prairies, ça s'est arrangé. Il continue à se sentir oppressé au milieu de toute cette végétation, mais il commence à s'y habituer. Même s'il a un peu peur la nuit, car des hommes qui sont ici depuis plus longtemps lui ont dit qu'il y avait des jaguars et des pumas, et aussi des crocodiles dans les marécages, à l'extérieur du village.

Le village lui-même ne compte plus que quelques femmes et filles pour faire la cuisine et le ménage, et une poignée de paysans chargés d'accomplir les basses besognes. Les autres habitants ont été tués, ou chassés, si bien qu'il y a presque uniquement des Zetas dans ce camp fortifié.

Ils lui ont offert une fille pour son lit, mais il n'en voulait pas car il se souvenait de Flor lui parlant de son enfance au Petén et de la façon dont les Kaibiles avaient chassé sa famille de leurs terres. Il ne veut pas de fille, d'autant que parfois il se réveille en pleurant, et il lui arrive de pisser au lit, alors il préfère dormir seul.

Certaines nuits, il préfère même ramper à l'intérieur d'une des cavernes, il s'enroule dans un sweat-shirt et il dort là, même s'il a peur des jaguars et des pumas, mais il a un fusil, un pistolet et un couteau, alors il se rassure, et de toute façon il ne dort que par intermittence car dans son sommeil il voit des visages, les visages des garçons qui l'ont violé en maison de redressement, le visage du premier homme qu'il a tué, le visage de Quarante, celui d'Ochoa quand il l'a obligé à ramasser la tête de cet homme. Il voit les visages des gens qu'il a tués, semblables à des masques qui flottent devant ses yeux quand il ferme les paupières.

Chuy voit le visage de la femme flic quand il a commencé à lui découper la gorge, et il voit le visage de l'homme qu'ils ont enlevé il y a quelques semaines, le type ivre qui tremblait de peur, qui criait, pleurait, suppliait et hurlait, jusqu'à ce qu'ils lui fourrent sa chemise dans la bouche pour le faire taire. Et il voit le visage de Quarante, toujours hilare, qui lui ordonnait de le faire, de continuer, de continuer à lui faire mal, petite salope, tu es une petite fiotte, hein ?

Chuy repense alors à sa mission.

Il tape dans le ballon, de toutes ses forces ; le ballon frappe le mur et revient vers lui ; il le fait rebondir deux fois sur son cou-de-pied et shoote de nouveau. Peut-être qu'il aurait pu devenir joueur de *fútbol,* peut-être qu'il aurait pu faire ça. S'il n'avait pas ramassé ce pistolet et tiré en l'air, si on ne l'avait pas envoyé dans ce centre de détention pour mineurs.

Quarante l'a fait venir ici pour combattre les Sinaloans, mais Chuy a entendu dire que Barrera en personne allait venir discuter avec Ochoa. Alors il n'y aura peut-être pas d'affrontement. Il se demande si cela signifie qu'il va rester au Guatemala ou s'ils vont le renvoyer au Mexique, ou même le laisser rentrer chez lui.

Peut-être que je vais rester ici, se dit Chuy, dans une caverne. Je chasserai pour me nourrir, et je vivrai comme les candidats de *Survivor*. Ou bien je partirai en Alaska, comme dans ces émissions. À moins que j'entre dans un centre commercial ou un cinéma, pour ouvrir le feu avec mon *erre* et tuer tout le monde.

Pour voir ma tête à la télé.

Il tape dans le ballon encore une fois. C'est un geste simple et répétitif mais réconfortant, qui absorbe ses pensées, jusqu'à ce qu'il entende retentir l'ordre : « Rassemblement ! » Il regagne au trot le centre du village où les hommes se mettent en rang.

La nouvelle se répand à toute vitesse.

Adán Barrera est à Dos Erres.

Adán amène avec lui une armée composée des cent meilleurs Gente Nueva, ceux qui ont fait la guerre à Juárez, au Durango et au Sinaloa. Et ils sont armés jusqu'aux dents : fusils d'assaut, lance-roquettes et assez de munitions pour faire face si les choses tournent mal.

Nacho est présent, évidemment.

Il a dû traverser un labyrinthe complexe de relations dans le monde des narcos pour faire savoir à Ochoa qu'ils souhaitaient entamer des négociations de paix. Une idée qui semblait ridicule à l'époque, compte tenu du carnage que s'infligeaient mutuellement les deux camps d'un bout à l'autre du Mexique, mais Nacho a insisté, avec sa patience légendaire.

Heureusement, Ochoa était motivé : sa débâcle récente en Europe constituait un revers majeur. La guerre sur tous les fronts conduisait à une impasse et nul ne pouvait prédire ce qu'allait faire le gouvernement.

Le principal atout des Zetas est leur mainmise sur le Petén, et Ochoa a insisté pour que la rencontre ait lieu là-bas, et non au Mexique, où les *federales,* l'armée et les FES, tous à la botte de Barrera, risquaient d'intervenir.

Nacho a répondu que le choix du Petén était inacceptable, ils devraient trouver un endroit neutre, en Colombie voire en Europe, mais Ochoa est resté intraitable, et Nacho a fini par céder, à condition que les Sinaloans puissent venir avec autant d'hommes qu'ils le souhaitaient.

Dos Erres n'est pas vraiment rassurant, se dit Adán, alors que le convoi de jeeps et de camions s'en approche. Un trou paumé : la jungle, les marais et un village abandonné.

La chaleur est oppressante, l'humidité encore plus ; la jungle est dense, écrasante, l'atmosphère tendue comme une corde d'archet. Cinquante de ses combattants roulent devant lui et cinquante autres derrière, sur ce chemin de terre surveillé par des Zetas en tenue paramilitaire.

Chaque homme de ce convoi est l'ennemi juré de ceux d'en face ; ils sont « liés » par des rancœurs, des vendettas et de profondes haines. Un regard de travers, une parole déplacée, une rumeur… Tout peut provoquer une explosion avant que…

Adán ne veut même pas y penser.

Il ne faut pas que quoi que ce soit tourne mal.

Le convoi s'arrête.

Adán sait que c'est une stricte question de protocole. Il ne peut pas rencontrer Ochoa avant que Nacho ait vu Quarante. La conversation entre les deux hommes ne dure qu'une poignée de minutes, puis le convoi est dirigé vers une clairière située à environ cinq cents mètres à l'ouest du village. Les Zetas ont déboisé la forêt pour créer un terrain de camping destiné à leurs invités. Des tentes ont été dressées et deux énormes containers ont été aménagés pour accueillir Adán et Nacho.

Quelques sbires d'Adán pénètrent en premier dans le camp, au cas où il s'agirait d'une embuscade ; ils inspectent les lieux pour repérer d'éventuels objets piégés, puis les logements pour vérifier qu'il n'y a pas de micros. Dès qu'ils ont donné leur feu vert, la jeep d'Adán les rejoint et il prend possession de ses « quartiers » : le container est équipé d'un lit avec un vrai matelas, de latrines, d'un lavabo et, Dieu merci, d'un climatiseur branché sur un groupe électrogène.

On lui a attribué une servante, une Maya du cru, kidnappée évidemment. Comme elle paraît terrorisée, Adán lui sourit et s'efforce de la rassurer pendant qu'un de ses hommes apporte ses bagages. Son habituel costume noir fait tache dans cet environnement, alors il enfile une *guayabera* blanche, un jean et une paire de tennis.

Constatant qu'il n'a pas porté ce genre de chemise depuis son mariage, il pense à Eva et aux enfants. Sur son insistance, tous les trois sont partis en vacances aux États-Unis durant son absence, et à cette heure-ci, ils doivent être sur la plage à La Jolla. Ironie amère, presque douloureuse : ils sont sous la protection d'Art Keller.

Ironie également, sa propre vie est peut-être entre les mains de ce même Keller.

Le raid destiné à éliminer les chefs des Zetas est prévu pour le lendemain matin. Les négociations de paix qu'il a organisées ont permis de « fixer la cible », pour reprendre l'expression de Keller. Maintenant, il suffit d'immobiliser Ochoa et Quarante en leur donnant un faux sentiment d'autosatisfaction, grâce à des propositions qui leur soient favorables.

Si tout se passe bien, Ochoa sera mort avant que le soleil se lève.

Madga était enceinte, d'après l'autopsie.

De mon enfant, songe Adán.

Il se laisse tomber sur le lit pour se reposer avant le début de la réunion.

Dehors, il entend un étrange bruit sourd.

Régulier.

Il ne sait pas d'où ça vient, puis il comprend : quelqu'un joue au ballon contre un mur.

Aucun échange de plaisanteries, cette fois, quand Adán rejoint Ochoa.

Pas de fanfaronnades, pas de tentative pour détendre l'atmosphère. Il n'y a qu'une haine réciproque, mais aussi un intérêt commun, alors ils s'installent sagement.

Des hommes armés forment un cercle autour d'eux, et s'ils n'entendent pas ce qui se dit, ils voient tout ; leurs doigts sont crispés sur la détente de leur arme, leurs yeux fixés sur leur vis-à-vis. Un bain de sang pourrait être déclenché en une seconde, songe Adán.

Ochoa et Quarante sont assis d'un côté de la table, Adán et Nacho de l'autre.

Z-1 a vieilli depuis notre dernière rencontre, constate Adán.

Le poids de l'autorité, sans doute. Il est toujours aussi beau, mais pour la première fois, Adán perçoit la folie latente dans ses yeux. Il est écœuré de devoir s'asseoir si près de lui, de parler de paix avec ce tueur sadique, ce meurtrier de masse. Cet homme est Satan, et son sbire, Quarante, est encore pire que lui.

– Mettons-nous au travail, dit Nacho.

Ils se sont déjà accordés sur une répartition est-ouest des *plazas,* ce qui reflète la réalité du terrain. Adán accepte que les Zetas conservent le Nuevo León, Monterrey et Veracruz, ainsi que Matamoros, Reynosa et la Frontera Chica au Tamaulipas. De son côté, Ochoa accepte que Tijuana, Baja, Sonora et même Juárez, avec la vallée, reviennent aux hommes du Sinaloa.

Le point de discorde se nomme Nuevo Laredo.

Adán se montre pugnace, pour ne pas éveiller les soupçons. Tout d'abord, il réclame toute la ville, puis il propose d'autoriser les Zetas à l'utiliser en échange du *piso.* Après quoi, il propose de réduire le *piso* à 3 %.

C'est amusant de voir Ochoa se mettre en colère, et à plusieurs reprises Adán s'offre le plaisir de le pousser vers la rupture des négociations, avant de faire marche arrière au dernier moment.

Finalement, Nacho formule la proposition convenue au préalable. Ils reviendraient à l'époque où les Flores et les Soto s'étaient réparti la *plaza* d'est en ouest. Les Sinaloans conserveraient la partie Ouest de Nuevo Laredo et les Zetas la partie Est. Cela étant réglé, Ochoa évoque la question de l'Europe et des relations avec la 'Ndrangheta.

– Je ne pense pas pouvoir vous aider là-bas, dit sèchement Adán en prenant soin de sourire à Quarante. La 'Ndrangheta vous a tourné le dos quand vous avez tenté de traiter avec les terroristes islamistes.

– On a besoin d'une partie du marché européen, dit Ochoa.

C'est une question délicate car tous savent pertinemment qu'elle peut faire ressurgir le sujet du meurtre de Magda Beltrán.

Adán laisse filer.

– Quoi qu'il en soit…

– Vous avez besoin de nos ports dans le Golfe pour exporter en Europe, souligne Quarante.

– Pas vraiment, répond Adán.

Mais il sait bien que c'est la vérité. Expédier la marchandise directement de Veracruz ou de Matamoros serait beaucoup plus efficace. Il tergiverse, puis fait mine d'accepter à contrecœur la proposition de Nacho : il « affacture » la cocaïne des Zetas aux Européens, en échange de l'utilisation gratuite des ports du Golfe.

Ils font une pause pour le déjeuner, dans une ambiance lourde, autour de quelques mangues et d'un plat de poulet exécrable.

Il n'y a pas de bavardages. Ils mangent à des tables séparées et Adán s'entretient à voix basse avec Nacho, avant de s'absenter pour appeler Eva à La Jolla. Les garçons vont bien, dit-elle, ils jouent sur la plage ; oui, elle les a enduits de crème solaire ; non, ils ne sont pas trop près de l'eau ; oui, les Américains les surveillent de près.

Après le déjeuner, ils abordent la question du Guatemala.

C'est un motif de rupture, insiste Adán. Ochoa doit partager le pays. Les avions du Sinaloa doivent pouvoir se poser librement sur les pistes et transporter leur marchandise de l'autre côté de la frontière sans être agressés. Bien évidemment, ils paieront leur part pour s'assurer la protection de la police et des politiciens.

Ochoa rechigne. Le Guatemala lui appartient par « droit de conquête », affirme-t-il (ce qui amuse Adán), et si les Sinaloans veulent utiliser ce territoire, ils doivent payer pour ce privilège. Au kilo. Adán se lève de table.

– Merci pour le déjeuner. Nous ne dînerons pas.

– Assis.

– Ne me donne pas d'ordre.

Nacho intervient :

– Messieurs…

– Si je dois te payer pour chaque kilo de coke que je fais transiter par le Guatemala, dit Adán, autant travailler pour toi directement.

Ochoa sourit.

– C'est une idée.

Adán en assez de ce petit jeu. Mais il faut le jouer jusqu'au bout, si par hasard le raid est annulé ou s'il échoue, il a besoin de conclure un arrangement avec les Zetas. Alors, il dit :

– On s'est saignés à blanc avec des armes, ça n'a aucun sens de s'asseoir à la table des négociations si c'est pour se saigner à blanc financièrement. Je t'offre un marché en Europe en échange d'une route d'approvisionnement en Amérique centrale.

Ochoa discute avec Quarante, puis donne son accord.

S'ensuit une longue et ennuyeuse discussion sur les questions de sécurité jusqu'à la fin de l'administration actuelle. Adán confirme que l'AFI et l'armée n'entreprendront aucune action contre les Zetas si ceux-ci s'abstiennent de tirer sur des agents ou des soldats.

– Et les FES ? demande Ochoa.

– Je n'ai aucune influence à ce niveau-là, répond Adán.

– Comment se fait-il alors qu'ils s'en prennent uniquement à nous et pas à vous ?

– Peut-être parce que vous avez assassiné leurs familles, suggère Adán.

Peut-être parce que vous êtes des bêtes sans aucune retenue. Parce que vous êtes des sociopathes et des sadiques. Parce que vous avez mutilé la compagne de Keller et massacré une jeune femme qu'il considérait comme sa fille. Parce que vous avez tué mon enfant qui n'était pas encore né.

– Je ne peux rien faire pour vous.

Ochoa semble accepter cet état de fait car il poursuit :

– Qu'avez-vous l'intention de faire au sujet du nouveau gouvernement ?

– Ce qu'on a toujours fait avec tous les gouvernements. Essayer de l'influencer en utilisant l'argent et la raison. Si nous réunissons nos ressources et si nous présentons un front commun, nous pourrons peut-être gagner un peu de terrain. On a tout intérêt à cesser de nous battre. Je pense sincèrement que si nous offrons la paix à ce gouvernement, ce sera réciproque.

– Et les Américains ?

– Ce sont des Américains, répond Adán. Ils feront tout ce qui est en leur pouvoir pour obliger le gouvernement à s'en prendre à nous. Alors, le gouvernement interviendra en fanfare, mais ce sera inefficace. À moins que vous ne continuiez à commettre atrocité sur atrocité, et à faire des choses franchement stupides telles que les défier avec des communiqués de presse dans lesquels vous vous vantez de diriger le pays, car vous vous mettrez le gouvernement à dos.

– On dirige le pays, dit Quarante.

– Ça n'a absolument rien à voir avec ce que je suis en train d'expliquer, réplique Adán. (Il fait une nouvelle tentative.) On peut continuer à faire des affaires. On peut gérer le business le plus rentable de toute l'histoire de l'humanité. À l'exception du pétrole, dans lequel je crois que vous voulez fourrer votre nez. Mais pour mener tout ça à bien, il faut le faire de façon pacifique. Sinon, le chaos finira par nous ruiner.

Les discussions se poursuivent, mais en se focalisant sur les détails : Comment se désengager des différents fronts, comment annoncer le cessez-le-feu, comment le faire respecter et veiller à ce que de petites organisations ne brisent pas la trêve en agissant dans leur coin.

La plupart de ces questions sont déléguées à Quarante et à Nacho.

Quand le soleil commence à se coucher, ils ont atteint la *pax narcotica.*

Adán et Ochoa se serrent la main.

– On a prévu quelques distractions pour ce soir, annonce Ochoa. Une petite fête pour célébrer la paix et le jour des Morts. Quelques rafraîchissements et des femmes de Guatemala City.

– Sans vouloir te vexer, je suis un homme marié.

– Mais pas mort, dit Ochoa.

– Non, mais fidèle.

Adán regagne le camp, prend une douche chaude grâce à un Lister Bag suspendu au plafond puis s'allonge sous la moustiquaire que la domestique a déployée au-dessus de son lit.

Il savait qu'il y aurait une fiesta ensuite, mais cela le préoccupe. Plus d'un narco a été assassiné en fêtant la paix avec ses ennemis, c'est pourquoi il a autorisé à seulement la moitié de ses recrues de participer aux réjouissances. Il a rapatrié l'autre moitié dans le camp et rappelé à Nacho que les hommes devaient rester relativement sobres et totalement vigilants.

Adán consulte sa montre, un modèle coûteux et tape-à-l'œil offert par Eva et qu'il porte aujourd'hui uniquement pour impressionner ce bouseux vulgaire d'Ochoa.

Dans douze heures, se dit-il, si tout se déroule conformément au plan, mes ennemis seront morts.

Quarante.

Ochoa.

Et, avec un peu de chance, Art Keller.

S'il y a un dieu, Keller mourra en héros, abattu au cours d'un combat contre les Zetas dans la jungle du Guatemala. Une cérémonie intime – secrète à vrai dire – sera organisée dans les profondeurs de l'immeuble de la DEA, peut-être même à la Maison-Blanche, après quoi il sera oublié, et personne ne portera son deuil.

Mais tous les ans, le jour de la fête des Morts, je ferai déposer des pavots sur sa tombe.

Une petite plaisanterie entre nous.

Ochoa observe la fête.

C'est un sacré spectacle, éclairé par un grand feu au milieu du campement des Zetas : des hommes et des femmes portant des masques de tête de mort noir et blanc dansent au son d'une musique assourdissante, des femmes font des fellations à des hommes devant tout le monde, d'autres couples s'éclipsent dans la pénombre pour baiser. Seule ombre au tableau pour Ochoa : Adán a choisi de ne pas y participer.

Cela va compliquer les choses.

Barrera n'est qu'un sale petit merdeux obséquieux, loin d'être aussi intelligent qu'il le croit. Ochoa a compris que l'offre de paix d'El Patrón était bidon quand Barrera n'a même pas évoqué sa maîtresse assassinée, alors qu'on lui tendait la perche. S'il avait exigé une sorte de compensation, ou même des excuses, Ochoa l'aurait peut-être cru. Barrera va donc sans doute agir comme à son habitude : feindre de vouloir la paix et soudoyer le gouvernement pour qu'il fasse la guerre.

Sauf que cette fois il n'en aura pas l'occasion. Ochoa observe la fête : la bière, le whisky et le champagne coulent à flots, et la plupart des fêtards sniffent de la coke.

En fait, les invités du Sinaloa sniffent de la coke coupée avec de l'héroïne, et les femmes ne sont pas des putes, ce sont des Panteras.

Nacho Esparza a du mal à bander, et il ne comprend pas. Généralement, la coke le rend plus dur qu'un diamant, il a pris du Viagra et la fille est superbe : cheveux noirs brillants, gros seins et, sous le demi-masque, des lèvres ourlées faites pour tailler des pipes, ce qu'elle est d'ailleurs en train de faire, agenouillée devant lui.

Elle renverse la tête en arrière et, avec sa langue, elle lui titille le gland, comme un serpent, et ça marche. Il se sent durcir. Les images pornographiques de l'orgie qui les entoure l'aident. Puis elle l'avale entièrement et il est soulagé de sentir le sang irriguer sa queue. Il est dur et gros dans sa bouche, il ferme les yeux de plaisir.

Soudain, la douleur est atroce, inimaginable.

En baissant la tête, Nacho voit le sang couler autour du couteau planté dans son ventre. La fille aux cheveux brillants et aux lèvres ourlées sourit ; elle retire la lame et le sang asperge la terre.

Il recule en titubant et découvre autour de lui une scène de cauchemar. Dans la lumière rouge du feu, des femmes masquées, joliment vêtues, massacrent leurs amants avec des couteaux, des armes à feu, des garrots ou à mains nues. Des Zetas dégainent leurs pistolets et abattent les Sinaloans à bout portant. D'autres démons jaillissent de l'obscurité pour traîner des hommes morts ou blessés dans le brasier. Nacho entend leurs hurlements, tandis qu'il ressent une douleur sourde et profonde dans son ventre, et il comprend qu'il va mourir. La belle femme aux cheveux brillants derrière la tête de mort le prend par la main pour l'entraîner vers le feu.

Chuy observe le camp des Sinaloans, caché au milieu de la végétation à l'orée de la clairière.

Ils ont posté des sentinelles, deux devant chaque logement de leurs chefs. Sans doute y en a-t-il d'autres, à l'intérieur des tentes, ou allongées dans la jungle comme lui, mais il ne les voit pas.

Il ne boit pas, il ne se drogue pas et il ne couche pas avec des femmes, alors à l'exception de la musique – du mariachi *norteño* qu'il n'aime pas de toute façon –, la fête païenne du jour des Morts ne présente pour lui aucun intérêt. En outre, Quarante lui a ordonné, ainsi qu'à tous les autres, de se contrôler : ils allaient avoir du travail et ils devaient garder les idées claires.

Chuy n'est pas mécontent : le spectacle de cette orgie satanique l'écœurait. Tandis que lui parviennent les hurlements du camp, il vise la sentinelle postée devant le container de Barrera. Il attend le signal : un bref éclat de rayon laser.

Quelques secondes plus tard, Chuy presse la détente.

La tête de la sentinelle est projetée en arrière, son fusil tombe bruyamment sur la terrasse.

Chuy pointe son *erre* sur la seconde sentinelle qui cherche d'où est venu le tir. Erreur stupide. L'homme aurait dû se jeter à terre et regarder ensuite. La balle de Chuy l'atteint en pleine poitrine.

À cinq mètres de là, un éclair jaillit de la gueule d'un lance-roquettes et le missile conçu pour percer les blindages fonce vers le container de Barrera.

Des coups de feu claquent en sens inverse : le combat est engagé.

Soudain, Chuy entend les rotors d'un hélicoptère. Merde ! Les Sinaloans ont un hélico ? Où l'avaient-ils planqué ? Il change de position pour lever les yeux vers le ciel obscur. Un appareil de combat militaire peut les décimer en quelques secondes.

C'est alors qu'il aperçoit l'hélicoptère.

Pris de panique, l'homme au lance-roquettes le lâche et se met à courir. Chuy récupère l'arme, la hisse sur son épaule et la pointe vers le ciel en attendant que l'appareil pénètre dans le champ du télémètre.

Un trait rouge jaillit dans la nuit.

Une violente détonation, un flash de lumière jaune, et l'hélico bascule comme une maquette percutée par une chauve-souris.

Le choc projette Keller sur le plancher.

Des éclats d'obus se dispersent, des fils électriques arrachés lancent des étincelles, l'appareil est en feu.

Des flammes rouges et une épaisse fumée noire envahissent la cabine.

La puanteur du métal brûlé et de la chair calcinée.

Keller se relève péniblement et découvre le visage de Ruiz maculé de sang. Mais Ruiz s'essuie et Keller constate que le sang est celui d'un autre homme, dont la carotide crache au rythme de ses pulsations cardiaques affolées. Un autre tombe à genoux, un éclat d'obus dépasse de manière obscène de son entrejambe, sous son gilet pare-balles, et le médecin du commando rampe au sol pour venir à son secours.

Des voix retentissent : des hurlements de douleur, de peur et de fureur, tandis que les rafales de balles traçantes frappent le fuselage comme une pluie d'orage subite.

L'hélicoptère tournoie furieusement et fonce vers le sol.

Adán sort de son logement de fortune en titubant et s'écroule.

Ses cheveux sont roussis, son visage brûlé, et il n'entend qu'un horrible sifflement. Il est allongé à plat ventre sur le sol, et il ne sait pas quoi faire.

Levant la tête, il voit un de ses hommes courir vers lui, en hurlant. Mais Adán ne l'entend pas, il voit juste sa bouche s'ouvrir et se fermer, comme au ralenti. Il comprend alors qu'il est commotionné.

L'homme passe devant lui sans s'arrêter. C'est presque comique car il n'a pas de pantalon, uniquement une chemise, et son cul nu est à la fois maigre et flasque, puis Adán constate qu'il est nu lui aussi, et il crie, ou du moins il le pense car il n'entend même pas sa propre voix. Il crie à l'homme de l'attendre, de revenir le chercher et de l'aider, mais l'homme continue à cavaler, avec ses fesses qui ballottent, jusqu'à ce qu'une rafale venue de derrière le stoppe net dans son élan. Il griffe le vide et bascule.

Adán se souvient alors qu'il est le chef, El Patrón, il devrait prendre les choses en main, donner des ordres, organiser ses hommes qui détalent dans tous les coins en tirant n'importe où, mais il faudrait qu'il se lève, et la peur l'en empêche. Une balle frappe un autre homme près de lui. Il voudrait fuir, ordonner à ses jambes de le porter, mais elles refusent de lui obéir, comme liquéfiées.

Alors, Adán rampe vers les fourrés.

L'atterrissage est brutal.

Le pilote parvient à poser l'hélicoptère transformé en toupie à l'extrémité ouest du village, mais le choc est violent. Keller est projeté contre la cloison, complètement étourdi.

L'intérieur de l'appareil est en feu. Deux hommes tentent de combattre les flammes tandis que les autres débarquent les blessés. Keller constate que la moitié de son équipe est déjà décimée. Soudain, il entend Downey brailler :

– Dehors ! Dehors ! Déployez-vous !

Il saute par la soute.

Aussitôt, des canons crachent des éclairs et des balles sifflent à ses oreilles, alors il se couche à terre, ajuste ses lunettes à visée nocturne et tente de se repérer.

L'école et l'église sont sur sa droite ; devant lui et sur sa gauche, des Zetas prennent position dans des maisons, des cabanes et dans la jungle. Des échanges de tirs nourris ont lieu à cinq cents mètres de là, droit devant, et Keller comprend que les Zetas étaient en train d'attaquer le camp de Barrera quand l'hélicoptère est arrivé. Le camp des hommes d'Ochoa se trouve derrière lui, au-delà d'une étroite bande de végétation. Autrement dit, le commando est cerné.

Le second hélicoptère s'est posé sans encombre et les hommes qu'il transportait se déploient, créant une ligne de feu entre eux et le camp des Zetas derrière. En revanche, il n'y a aucun écran entre eux et le camp du Sinaloa, d'où commencent à revenir les Zetas.

Notre seul avantage, c'est le chaos, songe Keller. Les Zetas semblent s'interroger pour savoir à qui appartient l'hélicoptère qui s'est crashé et ils courent dans toutes les directions en canardant l'appareil, tout en combattant les hommes de Barrera et en regagnant leur propre camp.

Keller remarque quelques femmes parmi eux, habillées comme si elles partaient faire la fête, certaines portent même des masques, mais aussi des AR-15 et des pistolets, et elles lancent des grenades. Sans doute des Panteras. Il croyait qu'il s'agissait d'une légende urbaine, les « amazones des Zetas », mais il est bien obligé de constater qu'elles existent en les voyant sortir brièvement de l'obscurité, puis se mettre à couvert, en position de tir.

Selon un vieux dicton, « Aucun plan ne survit au premier contact avec l'ennemi », et de fait le commando s'est déjà regroupé pour improviser une nouvelle tactique. Keller entend les coups de feu précis et disciplinés. Grâce à leurs appareils de visée nocturne, les forces spéciales éliminent les cibles une par une et dégagent un périmètre de défense. De brefs échanges lui parviennent dans ses écouteurs : Downey répartit ses hommes et la puissance de feu.

Ils s'attendaient à débarquer dans un village endormi, en profitant de l'élément de surprise, pas dans une zone de combat. Le plan consistait à exécuter la sanction, puis à repartir sans affronter l'ensemble des Zetas. Mais leur hélicoptère est détruit et ils vont devoir se battre pour franchir la frontière.

Keller entend une voix dans ses écouteurs :

– K-1. Ici D-1.

– Je vous reçois.

– Mission avortée.

– Pas question.

– On ne pourra pas tenir longtemps ici, dit Downey. L'équipe G est à moitié détruite. L'équipe F est engagée de son côté. On va devoir transporter nos blessés à l'hélico 2 pour les évacuer.

Keller comprend le raisonnement de Downey.

Ruiz et lui sont les deux derniers membres de l'équipe G, et l'équipe F est tout juste en nombre suffisant pour ne pas se laisser déborder.

La mission est foutue.

Et où est Barrera ? Est-il déjà mort ou a-t-il survécu à l'attaque des Zetas ?

Commençons par le commencement, pense-t-il, alors que dans ses écouteurs, Downey dit :

– On va tenir ce périmètre jusqu'à ce qu'on ait évacué les deux « aigles ».

– Bien reçu.

C'est la meilleure chose à faire, pense Keller. Ils doivent résister jusqu'au retour de l'hélicoptère qui aura déposé les deux blessés et reviendra les chercher, car vingt hommes, c'est lourd pour un seul Black Hawk, déjà lesté par tout le matériel spécial destiné à réduire le bruit.

En jetant un coup d'œil par-dessus son épaule, il voit l'équipe F se replier dans la jungle, vers le camp des Zetas. Les balles sifflent au-dessus de sa tête. Il pointe son M-4 sur une maison située à gauche et il riposte. C'est bon d'agir, ça libère l'adrénaline, et il s'aperçoit que s'il est venu jusqu'ici, c'est pour tuer Quarante et Ochoa.

– J'avance, dit-il dans son micro.

– Négatif, répond Downey.

Keller s'accroupit et voit Eddie Ruiz sur sa gauche.

Eddie hoche la tête.

C'est parti.

Keller fonce vers l'école.

Les gardes du corps de Quarante déversent une pluie de tirs.

Eddie se jette à terre. Levant la tête, il aperçoit une femme armée d'un Uzi rose qui le vise, mais il tire le premier et il abat la « commandant Bonbon ». Elle se tient le ventre à deux mains, hébétée, lâche son joli pistolet rose et s'écroule en appelant sa mère.

Eddie voit alors Quarante se précipiter vers la jungle. Eddie vise et presse la détente. Quarante trébuche, tombe, puis se relève. Eddie s'apprête à l'achever quand une autre rafale, tirée par les Zetas, l'oblige à se plaquer au sol.

Il se produit alors un énorme souffle, puis une explosion, et Eddie voit les gardes du corps sauter en l'air sur le perron de l'école, tels des soldats de plomb. Il cherche à apercevoir Quarante, en vain.

En revanche, il voit Keller se lever et foncer vers l'église.

Ochoa.

Z-1.

El Verdugo.

Ça me va, se dit Eddie.

Il s'élance.

Chuy a terminé.

Il lâche le lance-roquettes et retourne dans la jungle. Il suit prudemment l'étroit chemin qu'il a si souvent parcouru, traverse la terrasse de pierre du temple maya, ramasse son ballon de *fútbol,* et se glisse à l'intérieur de sa caverne.

Il n'y a aucune raison de se battre ici.

Ni Flor.

Ni Nazario.

Ni Hugo ni Dieu.

Un camp va l'emporter, un autre va perdre, peu importe lequel. Il a sa propre mission à accomplir maintenant, mais il ne peut pas agir pendant ce combat.

Il se recroqueville en position fœtale et serre le ballon contre sa poitrine.

Adán trébuche sur une racine et tombe la tête la première.

Sa jambe droite est brûlée et couverte de cloques, tout son corps est écorché à cause des ronces et des feuilles tranchantes comme des lames de rasoir ; ses plantes de pied saignent. Il est épuisé et une partie de lui-même a envie de rester allongée là et de dormir, mais s'il s'endort, ils risquent de le rattraper, or il veut vivre pour revoir ses fils, pour les tenir dans ses bras. C'est la seule chose qu'il demande, la seule chose qu'il attend de la vie.

Nacho avait raison.

Pourquoi font-ils tout ça ?

Si Ochoa survit et veut devenir le *patrón,* grand bien lui fasse.

Moi, tout ce que je veux, c'est vivre.

Adán se relève avec difficulté et repart. La jungle est obscure avant l'aube et il ne voit pas où il va, il ne peut que s'éloigner le plus possible des coups de feu, en priant pour que les Américains le trouvent avant les Zetas.

Son seul espoir désormais, c'est que Keller ait le dessus et parte à sa recherche pour le sortir de là. Tel était leur arrangement, et malgré ses nombreux défauts, Keller est un homme d'honneur, un homme de parole. Mais Adán a vu l'hélicoptère s'écraser, et il se demande si Keller se trouvait à bord, s'il est mort, et si les Kaibiles sont en train de le découper en morceaux.

Comme ils le feront avec moi s'ils m'attrapent, songe-t-il. Il est perdu, il ne sait pas où aller, mais il continue à avancer dans la jungle, en titubant, loin des coups de feu, en quête d'un refuge.

Chuy se réveille.

Quelque chose approche, quelque chose se fraye un chemin dans sa caverne. Il allume sa lampe torche et voit…

Quarante.

Il saigne, il garde sa main plaquée sur une plaie au ventre. Quelqu'un lui a tiré dans le dos, la balle est ressortie au niveau de l'abdomen, faisant un trou béant que la grosse main de Quarante ne parvient pas à couvrir.

Quarante reconnaît Chuy.

– Ah, c'est toi, croasse-t-il. Dieu soit loué. Aide-moi.

Chuy l'observe.

Il ne voit pas le visage grimaçant de douleur, mais le visage qui se moque de lui, qui rit pendant qu'il lui fait mal, qui rit pendant que les gens hurlent.

– Aide-moi, supplie Quarante.

Chuy prend son couteau, le plante dans la plaie, puis fait remonter la lame jusqu'à la poitrine, exactement comme ils le lui ont appris.

Quarante hurle.

– Petite fiotte, dit Chuy.

Quarante halète.

Chuy ressort le couteau et pratique une incision horizontale sur le front de Quarante, juste sous la limite des cheveux. Puis il attrape un lambeau de peau et tire vers le bas, tandis que Quarante hurle.

Ce visage ne hantera plus Chuy.

Il récupère son ballon de *fútbol*.

Sa mission est achevée.

Ou presque.

Il sort de sa poche un petit nécessaire de couture.

Keller fonce vers l'église.

Il compte jusqu'à trois et se jette à terre. Il redresse la tête, tire droit devant lui, se relève et se remet à courir, en comptant jusqu'à deux. Il change de rythme pour que les quatre Kaibiles postés à la porte et aux fenêtres de l'église ne puissent pas anticiper ses déplacements.

En entendant l'hélicoptère passer au-dessus de lui, il comprend que les blessés ont été évacués. Encore une demi-heure à tenir, au moins, avant qu'il revienne. Downey a dû envoyer le médecin avec eux, plus sept autres types. Nous ne sommes plus que dix. Le chef du commando a repositionné ses hommes : quatre ont en ligne de mire le camp des Zetas, quatre autres couvrent le village et les Zetas qui reviennent après avoir attaqué le camp des Sinaloans. Plus Ruiz et moi qui traquons Ochoa.

Ruiz plonge sur le sol, à cinq mètres sur sa droite.

Ochoa se trouve dans l'église. Keller le sait, il le sent. Sinon, les Kaibiles ne défendraient pas cette position. Ils les ont repérés et ils les abattront à la seconde où Ruiz et lui se lèveront.

– K-1, ici D-1.

– Je vous reçois.

– Attendez mon signal.

– Bien reçu.

Keller écoute les échanges radio entre les membres du commando.

– Cible OK... Cible OK... Cible OK... Cible OK.

– Feu !

Quatre tirs, quatre cibles touchées.

– Go !

Keller se relève et fonce vers l'église. Des coups de feu claquent sur sa gauche, mais il continue, puis des rafales tirées par le commando le couvrent et il atteint l'entrée de l'église. Il enjambe les cadavres des deux Kaibiles, tués d'une balle en pleine tête. Il se plaque contre le mur et voit Ruiz surgir derrière lui.

Keller pivote, balaie l'entrée avec son M-4 et se rue à l'intérieur.

L'église ressemble plutôt à une chapelle. Deux autres Kaibiles morts gisent devant les fenêtres. Certains des bancs en bois brut ont été arrachés pour aménager une chambre exiguë et rudimentaire : un lit, une table de chevet. Des lampes à pétrole suspendues aux murs projettent une pâle lumière dorée.

Une femme accroupie près du lit serre un bébé dans ses bras.

Elle lève un regard apeuré vers Keller.

– Personne ne vous fera de mal, lui dit-il.

Mais elle ne le croit pas, elle serre son bébé encore plus fort, et attend qu'il fasse ce pour quoi il est venu.

Keller passe devant elle et s'engage dans l'allée centrale.

Il ne voit pas Ochoa.

Puis il l'aperçoit : une ombre mince derrière une statue en plâtre de la Vierge Marie, tenant l'enfant Jésus dans ses bras.

Eddie l'a vu lui aussi.

Sans aucun respect pour les saints, ni pour les vierges en l'occurrence, il ouvre le feu sur la statue. Des éclats de Madone et d'enfant explosent sur le mur.

Ochoa roule sur lui-même et riposte.

Keller sent une balle frapper son gilet pare-balles, comme un coup de batte de base-ball. Il tombe à genoux derrière un banc et, avec le canon de son M-4, cherche Ochoa qui rampe au pied de l'autel. Il tire.

Les balles s'enfoncent dans les pieds, puis les jambes et les genoux du chef des Zetas.

La rafale tirée par Eddie l'atteint au ventre.

Ochoa gît devant l'autel, son .45 dans une main ; de l'autre, il tente de maintenir ses tripes. Ses yeux sont mi-clos, ses jambes tressautent, son visage autrefois si beau est déformé par la douleur.

Keller comprend qu'une des balles lui a sectionné l'épine dorsale.

Il voit Eddie prendre une boîte de paraffine qui sert à allumer les lampes. Il devrait l'arrêter, mais il pense aux corps mutilés d'Erika et de Marisol, et il décide de laisser Eddie faire ce qu'il a l'intention de faire.

Il lui tourne le dos et tend la main vers la femme. Elle la prend timidement et il l'aide à se relever. Il passe son bras autour d'elle et la conduit vers la sortie, avec son bébé. Dehors, la fusillade a baissé d'intensité. En voyant qu'Ochoa était fichu, les Zetas ont commencé à se replier vers leur camp.

Eddie verse la paraffine sur Ochoa.

Celui-ci lève vers lui ses yeux écarquillés.

Incapable de bouger.

– Tu trouves que ça fait mal ? demande Eddie. Attends, tu n'as pas encore eu mal.

Il gratte une allumette et la lance.

Keller sort de l'église.

Ce qui ne l'empêche pas d'entendre les hurlements, semblables à un vent puissant qui racle la pierre.

Le soleil se lève, rouge comme le sang, le feu et la vérité brute.

Pour Adán, c'est un avantage et un inconvénient.

Il voit où il va, mais on peut aussi le voir. Réfugié dans la jungle tel un petit animal, il se demande si la proie se réjouit de la fin de la nuit. Il est épuisé, ses brûlures le lancent, sa tête cogne, ses bras et ses pieds ne sont plus qu'un champ de plaies.

Il a tourné en rond et fait des zigzags pour éviter les Zetas, essayant de deviner ce qui se déroulait dans le village, de savoir si ses hommes avaient gagné ou perdu, si Keller avait réussi ou échoué. La fusillade a cédé la place à quelques tirs sporadiques, mais des camions sont passés en rugissant sur l'étroite route de terre, des hommes ont parcouru les pistes au trot, et Adán a eu peur de lever la tête et d'appeler à l'aide.

Ironie du sort, il espère voir surgir Keller.

Son plus farouche ennemi est devenu son sauveur.

Il avance en titubant.

Désorienté.

Eddie sort de l'église.

– J'ai allumé un cierge.

– On dégage, dit Keller.

– Je veux d'abord trouver Quarante.

– On n'a pas le temps.

– Vous, peut-être.

Il bouscule Keller pour passer.

– Je vous ai prévenu : si vous tentez de fuir, je vous colle deux balles dans le dos !

– Allez-y !

Eddie continue à s'éloigner.

Keller ne tire pas.

Car Eddie le Dingue a raison.

Il faut finir ce qu'on a commencé.

Keller le suit dans la jungle.

Eddie aperçoit deux jambes qui sortent d'une crevasse dans la terre. Il s'en approche, se baisse et découvre le cadavre de Quarante.

Ou ce qu'il en reste : le tronc.

La tête a disparu.

Bizarre.

En tout cas, se dit-il, ma liste est complète.

Segura, Quarante, Ochoa.

Repose en paix, Chacho.

Soudain, il entend un bruit et il épaule son fusil. Ça vient de devant lui, au milieu de la végétation, à moins de vingt mètres, un bruit sourd et régulier. En gardant son arme pointée, Eddie s'enfonce dans la jungle, jusqu'à ce qu'il débouche sur une sorte de cour dallée, et là, il découvre l'origine de ce bruit.

Un gamin décharné joue avec un ballon de foot, contre un vieux mur en pierre.

– Hé !

Le gamin se retourne.

Eddie le reconnaît et sourit.

Chuy l'observe une seconde, puis lui tourne le dos et recommence à taper dans son ballon. Alors, Eddie s'approche, se penche et vomit.

Le visage de Quarante a été soigneusement cousu sur le ballon. Sa bouche grande ouverte semble sourire. Eddie se dit qu'il a vu des trucs glauques dans sa vie, mais là, c'est le pompon.

Chuy attrape le ballon au rebond, le fait rebondir sur la pointe de son pied, pivote et l'envoie à Eddie, qui le laisse rouler sur la dalle de pierre, jusque dans les fourrés.

– Tu te souviens de moi ? demande-t-il.

Le gamin se contente de le regarder fixement.

Comme si on n'avait pas tué quelques dizaines de personnes ensemble. Comme si ça n'était jamais arrivé, ou que ça n'avait pas d'importance.

– Si on rentrait à la maison, *pocho* ? Au 867 ?

Chuy réfléchit un court instant, puis hoche la tête.

Il passe devant Eddie pour aller récupérer son ballon.

– Si on le laissait là ? suggère Eddie.

Chuy hausse les épaules et lâche le ballon, au moment où Keller débouche dans la clairière.

Keller regarde le ballon recouvert du visage de Quarante. Puis il lève les yeux vers Eddie et l'adolescent qui se tient à côté de lui.

– C'est qui ?

– Chuy, répond Eddie. Jésus le Kid.

C'est lui qui a tué et charcuté Erika. C'est un gamin, un enfant rachitique sous son « uniforme ». Visage fin, épaules voûtées, un duvet au-dessus de la lèvre, aussi menaçant qu'un chiot à la fourrière. Pourtant, il a tué Erika, et il l'a découpée comme un poulet. Il a glissé en elle la carte de visite ironique et il est parti.

Keller pointe le M-4 sur la tête du gamin. Chuy ne cille pas, il reste planté là, à le regarder, indifférent.

Catatonique.

Fou.

Keller entend la voix d'Eddie Ruiz :

– Ne faites pas ça. Ça ne nous ressemble pas, hein ? Les femmes et les enfants.

Ce n'est pas un enfant, se dit Keller.

C'est un monstre.

Le garçon continue à le regarder avec ses yeux vides, morts. Et Keller sait ce qu'ils ont vu.

Il baisse son arme.

– Emmenez-le, dit-il à Eddie.

– Et vous ?

– Je dois trouver Barrera. Je dois le ramener chez lui.

– Et puis quoi encore ?

– Sans lui, tout cela aura été inutile, non ? Sans lui, le chaos continuera, les meurtres aussi. S'il est vivant, quelque part, je dois le retrouver.

– Libre à vous.

Eddie hausse les épaules et emmène le garçon.

Keller pénètre sur le camp du Sinaloa.

Déserté, à l'exception des morts.

Les survivants se sont enfuis, pense Keller. Ils ont sauté dans leurs véhicules et tenté de s'échapper.

Adán est-il avec eux ?

Barrera victorieux ?

L'ancien et futur roi ?

Ou bien est-il mort, victime de sa propre perfidie ? Il a sous-estimé Ochoa, il ne le croyait pas aussi futé et fourbe que lui. Mais c'est typique d'Adán : il s'est toujours cru plus intelligent que tout le monde.

Et il a peut-être raison.

Keller s'approche d'un des containers qui servaient d'appartements aux invités. Il enfonce d'un coup de pied la porte à moitié arrachée et entre. Dans une tombe calcinée. Il cherche le corps carbonisé d'Adán, en vain.

La voix de Downey retentit dans ses écouteurs.

– K-1, ici D-1. On remballe. Où êtes-vous ?

Keller ne répond pas. Il ressort du container, il entend les rotors de l'hélicoptère qui se mettent en marche.

Tant mieux.

– K-1, je répète, où êtes-vous ?

Le soleil se lève, il sent sa douce chaleur sur son visage.

– K-1, on ne vous attendra pas. Je répète : on ne vous attendra pas.

– Bien reçu. Allez-y.

Un silence.

– K-1, qu'est-ce que…

– Je ne viens pas.

Il s'enfonce dans la jungle.

Adán atteint une clairière.

Une dalle de pierre entourée de ruines. Des restes de piliers sculptés et un bloc qui devait être un autel sacrificiel. Les plantes grimpantes ont tout envahi et les statues, les ornements ont été pillés, mais c'est un abri où il peut se reposer et s'allonger.

S'écrouler, plutôt. Au-delà de l'épuisement, au-delà du désespoir, Adán se laisse tomber sur la dalle de pierre, encore fraîche au petit matin. Il pose sa tête sur ses bras et ferme les yeux.

Il les rouvre en entendant un bruit furtif et voit un lézard courir sur la pierre. Le reptile s'arrête et tous les deux se regardent pendant quelques secondes, avant que l'animal décampe.

Adán a soif, il n'aurait jamais cru qu'on pouvait avoir soif à ce point, et il songe qu'il risque de mourir de déshydratation dans cette forêt tropicale. Il ne sait pas où aller. De toute façon, il n'a pas la force de bouger, et pour la première fois de sa vie peut-être, il se sent impuissant et se met à pleurer.

La chaleur monte en même temps que le soleil.

Dans la forêt tropicale, la fraîcheur matinale est aussi brève qu'un amour de vacances, et Keller progresse avec peine et lassitude à travers la végétation dense ; jamais il n'a ressenti une telle fatigue, mais il s'accroche jusqu'à la fin de…

De quoi ?

De cette quête sainte, de cette vendetta impie ?

Tu as fait la paix avec le diable. Maintenant tu dois vivre en sachant cela. Si tant est que ça vaille la peine de vivre, quand on en connaît le prix.

Pour toi.

Pour les autres.

Luis Aguilar, Erika Valles, Pablo Mora, Jimena Abarca.

Marisol.

Et des milliers et des milliers d'autres : les sans visage et les sans nom de Mora, les coupables, les innocents et ceux qui sont quelque part au milieu, là où la plupart d'entre nous vivent et meurent, dans des variantes de gris.

Quatre-vingt mille vies et tout ce que nous avons réussi à faire, c'est à couronner un nouveau roi.

Et le nouveau roi est aussi l'ancien roi.

Un monde sans fin, amen.

Keller ne sait pas où il va. Il sait seulement que si Adán a pris la fuite, il s'est éloigné le plus possible des combats, il a cherché une cachette, et cette jungle est le lieu idéal. Vous pouviez disparaître sous la voûte de la végétation, invisible du ciel, dans cet endroit où autrefois un peuple ancien qui vénérait des dieux a disparu, laissant la place à la jungle.

La jungle revient toujours. Vous avez beau la détruire, elle revient toujours. Keller sent qu'Adán est ici : il est son membre amputé, la partie invisible de lui-même, toujours là, à rôder.

La chaleur lui indique que le soleil brille, mais il ne voit pas le ciel.

La jungle est trop dense, trop sombre.

Adán entend des pas.

Il ressent le pincement de peur de la proie.

Un puma ? Un jaguar ? Un ennemi humain venu pour le tuer ?

Il ouvre les yeux et voit Keller.

Keller regarde Adán étendu sur la dalle de pierre.

Son visage est noir de suie, son corps nu est lacéré et sanguinolent, sa peau couverte d'une croûte de crasse et de sueur, de cloques à vif, ses cheveux sont brûlés.

Misérable et pathétique, Adán regarde Keller en clignant des yeux. Puis il dit, d'une voix faible :

– Tu es venu me chercher.

Keller hoche la tête.

Adán se met à pleurer. Des bulles de morve sortent de ses narines. Au prix d'un terrible effort, il s'assoit et demande :

– Tu as de l'eau ?

Keller décroche la gourde fixée à sa ceinture et la tend à Adán, qui dévisse le bouchon et boit à longs traits. L'eau semble le revigorer et il murmure :

– Ochoa ?

– Mort. Quarante aussi.

Les lèvres fendues d'Adán dessinent un sourire timide.

– Killer Keller.

– Je dois te ramener chez toi.

Keller lui offre son bras. Adán s'y accroche et Keller l'aide à se relever.

– Merci, dit Adán en prenant appui sur ses deux jambes. Je veux que tu saches que je me retire. J'arrête. Je veux juste vivre tranquillement avec ma famille.

– *Amplius lava me ab iniquitate mea ; et a peccato meo munda me.*

– Hein ?

– C'est du latin. Un psaume : « Lave-moi complètement de mon iniquité et purifie-moi de mon péché. »

Il pointe son arme sur Adán.

Celui-ci cligne des yeux, incrédule.

– Tu as donné ta parole.

Keller lui tire deux balles en pleine tête.

Puis il lâche l'arme et regagne la jungle.

Épilogue
Ciudad Juárez

Et je crois en Dieu
Et Dieu est Dieu.

Steve Earle,
« Dieu est Dieu »

CIUDAD JUÁREZ, MEXIQUE
2014

Keller finit de remuer les œufs dans la poêle, puis les fait glisser dans une assiette qu'il pose sur la table de la cuisine devant Chuy.

Le garçon mange sans aucune retenue, comme un animal.

Keller attend qu'il ait terminé et lui dit :

– Va t'habiller, on va y aller. Et brosse-toi les dents.

Le garçon se lève et regagne sa chambre.

Il parle peu, il vit dans son monde, tel un autiste. Il continue à mouiller son lit et à pleurer la nuit, il se réveille en hurlant, alors Keller va le voir et tente de l'apaiser, et malgré presque deux ans de thérapie hebdomadaire et de traitement quotidien, son état ne s'améliore guère. Keller ne peut retenir un rictus ironique quand il est arraché à ses cauchemars par ceux de Chuy.

Après le raid sur le Petén, il a quitté la jungle pour retourner au Mexique. Il s'est rendu à El Paso et a annoncé à Taylor qu'il raccrochait pour de bon cette fois.

Taylor n'y voyait aucun inconvénient.

– Qu'est-il arrivé à Barrera ? a-t-il demandé d'un ton hargneux.

Keller a haussé les épaules.

– Je pense qu'il n'a pas survécu.

Sur ce, il est sorti du bureau, sans se retourner. Le jour même il est allé à Juárez et a fait une offre à Ana pour sa petite maison. De toute façon, elle vivait désormais à Valverde avec Marisol, elle avait démissionné du journal pour travailler au dispensaire. Elle parlait de pénitence, sans préciser quelle en était la cause, et Keller n'a pas posé de question.

Eddie Ruiz a débarqué deux jours plus tard, accompagné de Chuy qui le suivait comme un chiot perdu.

– Je ne sais pas quoi faire de lui.

– Livrez-le à la police.

– Ils le tueront.

Chuy est passé devant eux pour aller se coucher en boule sur le canapé. Depuis, il n'a pas bougé. Si la police était au courant, elle s'en fichait. Chuy n'avait pas encore dix-huit ans à l'époque, et en tant que mineur, il ne pouvait purger que trois ans de prison au maximum. Personne ne voulait se donner la peine d'entreprendre des poursuites pour si peu.

Personne ne voulait se remémorer cette période.

– Qu'est-ce que vous allez faire ? a demandé Keller à Eddie.

– Franchir la frontière et me rendre. Dans quatre ans, je suis sorti.

– C'est un bon plan.

– Et vous ?

– Moi, je n'ai pas de plan. À part vivre, je suppose.

Il a un peu d'argent de côté, plus sa retraite. Ce n'est pas énorme, mais suffisant. Il n'a pas de gros besoins. Il a envisagé de retourner aux États-Unis, mais curieusement il a eu envie de rester au Mexique, à Juárez, pour participer à la renaissance de cette ville détruite, ne serait-ce qu'en y faisant ses courses.

En y habitant.

L'histoire de Chuy a été dévoilée peu à peu. Horrible. D'après Marisol, il ne se remettra sans doute jamais de ce qu'il a subi et ils ne peuvent espérer qu'une sorte de fonctionnement minimal. Elle a eu recours aux meilleurs thérapeutes, mais personne ne peut rien sinon s'assurer qu'il ne représente pas un danger pour lui-même ni pour les autres. Il approche des vingt ans, mais il a la mentalité d'un enfant de onze parce que, comme l'a expliqué Marisol, les traumatismes ont bloqué son développement.

– Je m'occuperai de lui, a déclaré Keller.

Car il en a besoin. Appelez ça une pénitence là aussi, un désir d'expiation, ou tout ce que vous voulez, il sait seulement qu'il a besoin de le faire, et qu'il ne trouvera la rédemption qu'en aidant ce garçon à trouver la sienne, en offrant de l'amour à ceux qu'il hait, car il sait qu'au bout du compte, ou à la fin du monde, il n'existe pas d'âmes séparées. Nous irons au paradis ou nous irons en enfer, mais nous irons tous ensemble.

Marisol l'a prévenu : « Ce sera une occupation à temps plein. »

Elle-même est dans un état fragile, elle boite plus qu'avant et s'appuie davantage sur sa canne. Le dispensaire ne désemplit pas. Un grand nombre de ses patients sont des habitants du Sinaloa exilés, aussi pauvres que ceux d'avant, et qui, sans elle, n'auraient pas accès aux soins.

Keller et Marisol se voient de temps en temps, et ils bavardent agréablement, comme de vieux amis. Parfois, ils sont tentés de se remettre ensemble, pour essayer de retrouver ce qu'ils ont perdu, mais ils savent que certaines choses, une fois détruites, ne peuvent être reconstruites.

Ce qui est perdu est perdu.

Chuy ressort de sa chambre et ils quittent la maison. Ils marchent jusqu'au bout de la rue pour attraper un *rutera.*

La ville revit.

Pas entièrement, tant s'en faut.

Mais des boutiques ont rouvert, des maisons sont de nouveau habitées et les cadavres ne jonchent plus les trottoirs. Cette ville est celle de Keller désormais, et elle le restera : deux ruines qui habitent l'une dans l'autre.

La guerre contre la drogue se poursuit, par intermittence. Au Mexique, aux États-Unis, en Europe, en Afghanistan. La drogue continue à quitter le Mexique pour inonder le sud-ouest des États-Unis, c'est devenu une matière plus abondante que l'eau. Quelques-uns des rouages les plus monstrueux de la machine ont disparu, mais elle tourne encore. Finance, immobilier, énergie, politique, armes, murs, clôtures, flics, tribunaux et prisons… le cartel continue.

Keller n'y pense que rarement. Il a appris en lisant le journal, comme un citoyen lambda, que Martin et Yvette Tapia avaient été arrêtés, et il s'est demandé comment Yvette allait s'en sortir à Puente Grande. Pas très bien, sans doute. Eddie Ruiz doit être bientôt libéré, avec une nouvelle identité et une vie ordinaire qui lui semblera affreusement banale.

Eva Barrera s'est établie aux États-Unis, en Californie, avec ses jeunes garçons, et ils ont largement de quoi vivre. Adán savait-il que ces enfants n'étaient pas les siens ? Sa femme a fait changer officiellement leur nom pour leur éviter d'avoir honte de leur héritage.

Quelqu'un d'autre va reprendre le trône.

Keller se fiche de savoir qui.

Ce ne sont pas des individus qui dirigent le cartel, c'est le cartel qui dirige les individus.

Les freins du bus sifflent, Keller et Chuy descendent à El Centro et marchent vers le centre médical où Chuy est suivi régulièrement, afin qu'il puisse, au mieux, demeurer dans cet état.

Nous sommes tous des infirmes, nous boitons côte à côte dans ce monde estropié.

C'est ce que nous nous devons mutuellement.

Chuy entre dans le bâtiment.

Keller s'assoit dehors sur un banc et attend. Les paroles du psaume lui reviennent :

« Arrêtez, et sachez que je suis Dieu. »

Il n'y a rien d'autre à faire.

Remerciements

Ceci est une œuvre de fiction. Cependant, tout observateur de la « guerre de la drogue » au Mexique se rendra compte que les événements de ce livre sont inspirés par des faits réels. J'ai consulté les travaux de plusieurs journalistes auxquels je suis redevable : Ioan Grillo : *El Narco* ; George W. Grayson et Samuel Logan : *The Executioner's Men* ; Anabel Hernández : *Narcoland* ; Charles Bowden : *El Sicario : Confessions of a Cartel Hitman* et *Murder City* ; George W. Grayson : *Mexico : Narco-Violence and a Failed State ?* et *Blog del Narco – Dying for the Truth* ; Howard Campbell : *Drug War Zone* ; Ed Vulliamy : *Amexica – War Along the Borderline* ; Malcolm Beith : *The Last Narco* ; Jerry Langton : *Gangland : The Rise of the Mexican Drug Cartels from El Paso to Vancouver* ; Robert Andrew Powell : *This Love Is Not for Cowards* ; Ricardo C. Ainslie : *The Fight to Save Juárez : Life in the Heart of Mexico's Drug War* ; John Gibler : *To Die in Mexico : Dispatches from Inside the Drug War* ; Melissa Del Bosque : « The Most Dangerous Place in Mexico », *The Texas Observer.* J'ai également consulté des articles publiés dans *The Los Angeles Times, The New York Times, The Washington Post, The San Diego Union-Tribune, The Guardian,* et dans plusieurs journaux mexicains, tels que, mais pas seulement, *Milenio Diario, La Prensa, El Norte, La Mañana, Primera Hora* et *El Universal.*

La période récente de la guerre de la drogue est unique en ce sens qu'elle a été « couverte » en temps réel, souvent au moyen de posts mis sur Internet par les acteurs eux-mêmes, ou dans des blogs. Parmi ces derniers, ceux que j'ai le plus souvent consultés sont *Borderland Beat, Inside Crime* et, bien sûr, *Blog del Narco*.

Des remerciements spéciaux vont à mon excellent ami et co-conspirateur Shane Salerno, et The Story Factory, pour m'avoir poussé et entraîné à écrire ce livre, rendant la chose possible, et pour être le type qui gère les affaires différemment, qui a une vision d'ensemble et prend réellement soin des écrivains. Merci à Sonny Mehta pour son éditing avisé et patient, et à toute l'équipe chez Knopf : Edward Kastenmeier, Diana Miller, Leslie Levine, Paul Bogaards, Gabrielle Brooks, Maria Massey, Oliver Munday et tous les autres.

Et enfin, merci à ma femme et à mon fils pour leur amour, leur patience et leur soutien.

DU MÊME AUTEUR

Cirque à Piccadilly
Gallimard, « Série noire », 1995

Le Miroir de Bouddha
Gallimard, « Série noire », 1996

Mort et vie de Bobby Z
Belfond, 1998
et « Le Livre de poche », n° 31824

Au plus bas des hautes solitudes
Gallimard, « Série noire », 1998
et « Folio Policier », n° 373

À contre-courant du grand toboggan
Gallimard, « Série noire », 1999
et « Folio Policier », n° 363

Noyade au désert
Gallimard, « Série noire », 2000

Du feu sous la cendre
Belfond, 2002

La Griffe du chien
Fayard, 2007
et « Points Policier », n° P2043

L'Hiver de Frankie Machine
Éditions du Masque, 2009
et « Le Livre de poche », n° 31922

La Patrouille de l'aube
Éditions du Masque, 2010
et « Le Livre de poche », n° 32327

Savages
Éditions du Masque, 2011
et « Le Livre de poche », n° 32693

Satori

Lattès, 2011
et « Points Thriller », n° P2902

L'Heure des gentlemen

Éditions du Masque, 2012
et « Le Livre de poche », n° 33101

Cool

Seuil, 2012
et « Points Thriller », n° P3104

Dernier verre à Manhattan

Seuil, 2013
et « Points Policier », n° P3351

Missing : New York

Seuil, 2015

Vengeance

Seuil, 2018

RÉALISATION : NORD COMPO À VILLENEUVE-D'ASCQ
IMPRESSION : CPI FRANCE
DÉPÔT LÉGAL : JANVIER 2018. N° 137567 (3025446)
IMPRIMÉ EN FRANCE